西東社

Contents

Part 3 「生まれ月・季節」にちなんだ名前 113〜152

Part 4 「イメージ」から考える名前 153〜176

青空（そら） 美空（みそら）

巻末資料 436〜447

名づけのヒント

本書について

画数

文字の画数については、統一した見解があるわけではなく、辞書や、姓名判断の流派によって異なります。本書では、多くの辞書で採用されている主流の考え方と、監修の東伯聴賢先生の見解を参考にしています。

字体

本書の漢字の字体は、法務省が開示している「常用漢字表」「人名用漢字表」の字体にもとづき、なるべく近い書体で掲載しました。字形の微細な相違点は、あくまでもデザイン上の違いであり、字体の違いとまではいえない範囲のものを使用しています。

名前の読み方

名前の読み方については、特にルールがないため、漢和辞書にない読み方でも、常識を逸脱しない限り、受理されます。本書でも、現代の名づけの傾向を踏まえ、常識の範囲を逸脱しない範囲で、漢和辞書にない読み方をする名前例も掲載しました。

各種データ

名づけに使える常用漢字や人名用漢字、各種データは、2022年6月現在のものです。

Part 1

名づけの基本

いい名前って どんな名前だろう？

いい名前ってどんな名前でしょうか？　名前は愛するわが子への最初のプレゼント。
まずは名づけの際にもっとも大切なことは何かをおさえましょう。

名づけはむずかしい!?

子どもも両親もずっと愛着を持てる名前に

名前は、子どもが一生つき合っていくものであり、社会生活やコミュニケーションにおいて欠かせないものです。ですから、子どもが愛着を持てる名前であるとともに、普段の生活で不便のない名前であり、周囲の人からも好感を持たれる名前をつけてあげたいもの。

そしてもちろん、何万回と子どもの名を呼ぶことになるパパ・ママが、心から気に入った名前であることも重要です。

平凡すぎず、奇抜すぎず、バランスのいい名前を

何にこだわって名づけをするかは人それぞれですが、なかでも多くのパパ・ママが意識するのが「オリジナリティ」です。

いい名前にするための3か条

1 子どもが愛着を持てる名前にする

奇抜すぎる名前や古い印象の名前などは、子どもは嫌がるもの。悪口やからかいの原因になりそうな名前も避けたい。成長してもずっと子どもが愛着を持てる名前を考えよう。

2 社会で受け入れられやすい名前にする

むずかしい漢字を使った名前や、読みにくい名前、性別がわかりにくい名前などは、日常生活で不便があることも。「社会生活をスムーズに送る」という観点も必要。

3 両親が心から愛せる名前にする

周囲の意見を気にしすぎたり、姓名判断にこだわりすぎて、本来の思いとかけ離れた名前にならないようにしたい。ふたりの思いがこもった心から愛せる名前をプレゼントしよう。

しかしオリジナリティにこだわるあまり、難読ネームや奇抜な名前になってしまうことも…。こうした名前は日常生活で不便があるだけでなく、子ども自身がその名前を好きになれない、といったことにもなりがちです。

その一方で、名前は自分と他人とを区別する一種の記号でもあります。ですから、同姓同名があちこちにいるような名前もまた不便があります。

奇抜すぎず、平凡すぎず――。このバランスを考えるのがなかなかむずかしいのですが、まだ見ぬわが子の未来を想像しながら、おおいに悩み、名づけのプロセスを楽しみましょう。

悩んだ時間は大きな財産です。パパ・ママの愛情がたくさん詰まった、素敵な名前をプレゼントしましょう。

名づけ タイムスケジュール

赤ちゃんの名前を考え出すと、1か月2か月はあっという間に過ぎてしまうもの。

子どもの名前は生後14日目までに役所に届けなければなりません。早めに準備を。

妊娠初期【1～4か月】 イメージづくり

💛赤ちゃんの性別もわからない段階なので、まだ具体的に考えなくても大丈夫。つわりに苦しむママも多いので、名づけに力を入れすぎず、体調管理優先でリラックスして過ごして。こんな名前がいいな、あんな名前がいいなと、楽しい気分でイメージをふくらませておこう。

妊娠中期【5～7か月】 本格的に名づけをスタート

💛胎動を感じ、ママの体調も安定してくるころ。のんびり屋のパパとママもこの時期には名前を考え始めよう。

💛具体的な名前だけでなく、名前のこだわりやイメージを、夫婦で話し合おう。

💛赤ちゃんの性別もわかってくる時期だが、ときには間違いもあるので、男女両方の名前を考えておくと安心。

妊娠後期【8～10か月】 名前の絞り込み

💛名前の候補をリストアップ。膨大な場合は、まず直感で取捨選択し、そのうえで残った名前を声に出し、紙に書いてチェック。響き、意味、字形、画数など、気になる点を確認（→P22～28）。納得いくまで夫婦で検討を。

💛それぞれの名前のチェックポイントや姓名判断の結果は、巻末の「名前チェックシート」に記入し、それぞれの名前を比較できるようにしておくと名前選びに便利。

💛早産のケースもあるので、出産予定日の1か月くらい前には男女各3つ程度まで絞っておこう。

誕生！

誕生1日目～提出日

名前の最終チェック

♥候補の名前がしっくりくるか、赤ちゃんに呼びかけてみよう。実際に赤ちゃんの顔を見たり、反応を見たりしているうちに、「この名前だ！」とピンとくることも多い。

誕生3～5日目

出生届・出生証明書の受け取り

♥出生届は出生証明書と同じ紙になっており、このころになると病産院が用意してくれる（→P436）。

誕生6日目

名前決定

♥お七夜（→P442）のお祝いをする家庭では、6日目までに名前を決めておく。お七夜をしない場合でも、ギリギリになってあわてないよう先送りしすぎないこと。

誕生7日目

退院・お七夜

♥母子の体調などにもよるが、だいたい1週間くらいで退院する。母子ともに退院して、赤ちゃんが家族の一員になるころ。

♥お七夜では、赤ちゃんの名前を記した「命名書」を飾る（→P442）。

誕生～14日目まで

出生届の提出

♥出生届の期限は、出生日を含めて14日以内。できればギリギリではなく、余裕をもって提出したい。

♥提出期限が休日の場合には、休日明けが提出期限になる。

♥書きもれがないかチェックしてから、出生届と印鑑、母子健康手帳を持参して市区町村の役所に提出する（→P436）。

名づけ完了！

子どもの名前、どう考えればいい？

いざ名前を考えるとなると、何をどこから考えればよいのか、ピンとこない人もいるかもしれません。ここでは、さまざまな名づけのアプローチ法を紹介します。

名づけのさまざまなアプローチ法

1 「響き（呼び名）」から考える

響きから考えるのは、現在の主流の方法。「ユウカ」「カノン」などつけたい呼び名を考えてから、「優花」「花音」など、ふさわしい字を当てていく。

P14、Part2（P33〜）

2 「季節」から考える

子どもが生まれた季節や誕生月にちなむのも定番の名づけ法のひとつ。冬生まれなら「美雪」、5月生まれなら英語のMayから「芽衣」など、季節からイメージするさまざまな漢字や言葉から名前を考える。

Part3（P113〜）

3 「イメージ」から考える

「両親とも音楽が好き」「海や空などさわやかなイメージを名前に取り入れたい」「明るい雰囲気の名前がいい」など、さまざまなものや思いをモチーフに名前を考えていく方法。

P15、Part4（P153〜）

4 「漢字」から考える

女の子らしく「花」を使いたい、やさしい人になってほしいから「心」を使いたい、ママと同じ「美」を使いたいなど、漢字にこだわった名づけ法。左右対称の漢字を選びたいなど、漢字の見た目の印象から考える方法もある。

P16、Part5（P177〜）

5 「子どもへの思い・願い」から考える

「みんなに愛される子に」「聡明な女性に」「輝く未来を託して」など、こんなふうに成長してほしいという思いを込めるのも名づけの王道。最初は響きからアプローチしても、最終的には何かしら思いを込めた「由来づけ」をするパパ・ママも多い。

P17、Part6（P305〜）

6

「姓名判断（画数）」から考える

名前の画数で吉凶を占い、運勢のよい名前をつける考え方。あまり固執しすぎず、うまく取り入れて、総合的にバランスのよい名前を考えたい。

Part7（P329～）

7

「外国語や外国人名」をヒントにする

個性的な名前や新鮮な響きを求めるパパ・ママも多く、外国語や外国の人名をもとにした名前も増えている。国際化の時代でもあり、実際に海外へ行ったときに違和感のない名前を考えたいという人も多い。

P172～175

8

「家族とのつながり」を意識する

親や祖父母から1字もらう、ママと同じように植物が入った名前にするなど、家族とのつながりを意識した名前も多い。2人目、3人目の子どもを想定して、あらかじめ兄弟姉妹で共通性のある名前を考えるケースも。

P322～327

9

人名や地名、文学などの「あやかり名」にする

歴史上の人物や、神話、小説などの登場人物、文学、地名など、モチーフはさまざま。ただ名前をそのまま使うと、名前負けしたり、からかいの対象になることも。1文字だけ使う、読み方だけ使うなど、アレンジして使うほうがよいケースもある。

P170～171

10

「誕生のときの思い・出来事」を名前に込める

赤ちゃんが生まれた季節のほか、生まれた日の天気や出来事、またはじめて子どもと対面したときの感動、わが子を見ているうちにふと浮かんだ名前など、その瞬間の思いを名前に込めるケースも。

名づけの発想はさまざま

これらのアプローチ法は、ひとつのきっかけに過ぎません。実際には、響きを重視しながら漢字の意味や姓名判断にもこだわるなど、複数の要素から考えるのが一般的です。

まずは気になるアプローチ法から名づけをスタートしてみましょう。さまざまな角度から、よりよい名前を探せるようにアプローチしてみてください。

14～17ページでは、「響きから考える」「イメージから考える」「漢字から考える」など4つの代表的なアプローチ法を具体的に紹介しています。また、姓名判断についてはPart7で詳しく解説しているので、そちらを参照してください。

名づけの手順1 響きから考えるとき

詳しくは Part2

Step1 好きな響きを探す

まずは気になる響きを自由に書き出す。思い浮かばないときは、「かわいらしい響き」「和風の響き」など、響きのイメージ（語感）から考えてみる。また、「のんちゃん」など愛称から考えると最初の音を決めるきっかけになり、「○○か」など、うしろの音から考える方法もある。

●響きのイメージ別名づけポイントと名前例 P36〜41
●50音別響きから考えた名前 P42〜101
●うしろの音から考えた名前 P102〜107

Step2 響きに合う文字を使う

響きのイメージに合う漢字を考える。漢字を使わず、ひらがな・カタカナのほうが、響きの雰囲気をいかせることもある。

●響きに合う文字をどう表現するか P35
●50音別響きから考えた名前 P42〜101
●ひらがな・カタカナの名前 P110〜111
●読み方別漢字リスト P402〜425

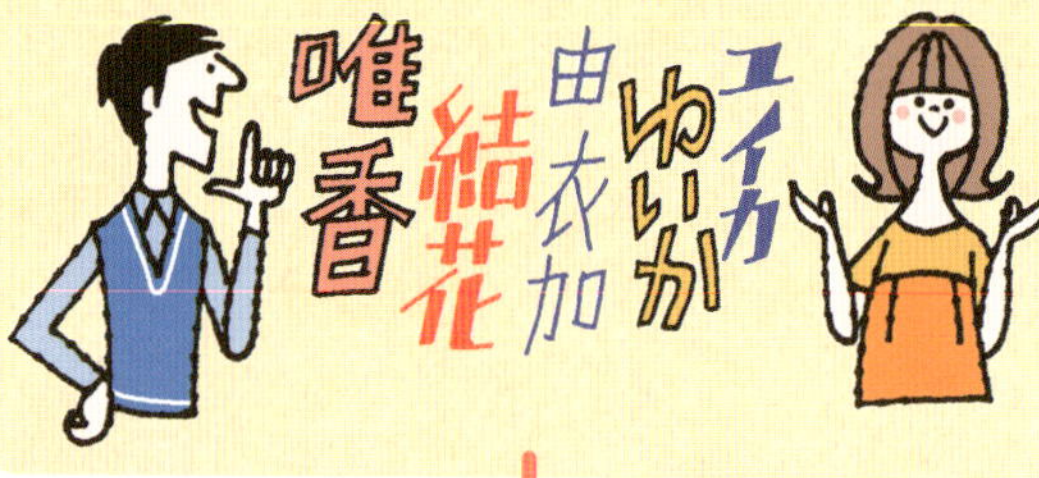

Step3 発音や文字のバランス、姓名判断などをチェック

フルネームで読み書きして、発音や文字のバランスなどをチェック。漢字の意味も確認する。運勢が気になる人は姓名判断もチェックを。

●名づけで気をつけたい10のポイント P22〜28
●「姓名判断」と名づけ Part7（P329〜）

ワンポイント！

50音表を活用して新鮮な響きを探す

具体的なイメージがかたまらない、より個性的な名前を探したい、というときには、大きめの50音表を用意して、指さしながら、音の組み合わせをいろいろ試してみるのもおすすめ。たとえば「ゆあ、ゆい、ゆう、ゆえ、ゆお」など、1字ずつ音を変えてチェックしてみよう。個性的で素敵な響きと出会えるかもしれない。

名づけの手順2 イメージから考えるとき

詳しくはPart4

Step1 好きなイメージを書き出す

好きな花や、空や海などの自然、かわいさや明るさといった名前に求める雰囲気など、自由にキーワードを書き出す。季節については、Part3にキーワードの例があるので参考に。

●生まれ月・季節にちなんだ名前 ▶ Part3（P113～）

Step2 イメージを掘り下げる

気になるキーワードを選び、さらに発想を広げて、思いつく言葉や漢字を書き出す。発想を広げていくことで、つけたい名前のイメージがより明確になる。

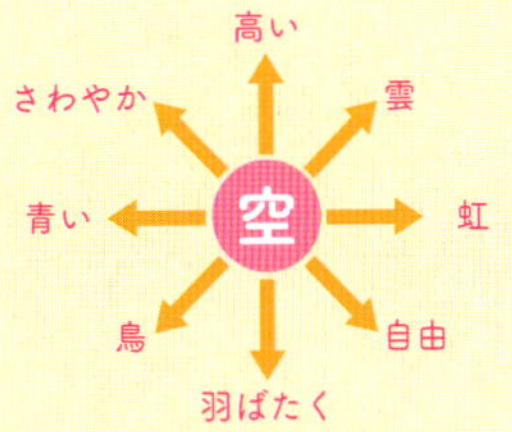

Step3 イメージに合う名前を考える

イメージに合う漢字や響きを選び、名前を考える。また、イメージに合う外国語の響きを名前に取り入れたり、イメージに合う文芸作品や有名人などにあやかる方法も。

●こだわりの1字をどういかすか ▶ P179
●自然をモチーフにした名前 ▶ P156～163
●芸術やファッションにちなんだ名前 ▶ P164～167
●凛とした大和撫子らしい名前 ▶ P168～171

Step4 発音や文字のバランス、姓名判断などをチェック

フルネームで読み書きして、発音や文字のバランスなどをチェック。漢字の意味も確認する。運勢が気になる人は姓名判断もチェックを。

●名づけで気をつけたい10のポイント ▶ P22～28
●「姓名判断」と名づけ ▶ Part7（P329～）

ワンポイント！

辞書や俳句歳時記は美しい言葉の宝庫

イメージが広がらないときは、辞書を活用しよう。国語辞典や漢和辞典のほか、とくに役立つのが、類語辞典と、俳句の季語が載っている俳句歳時記。同じ意味でもこんな表現があったのかとあらためて気づかされ、日本語の奥深さを感じることができる。そのほか、英語やフランス語、スペイン語など、主要な外国語の基本単語が掲載されているネーミング事典も名づけで重宝する。

名づけの手順3

漢字から考えるとき

詳しくはPart5

Step1 漢字を選ぶ

まずは使いたい漢字や好きな漢字を思いつくままに書き出す。意味のよさだけでなく、姓に合わせて名前も左右対称にしたいなど、見た目の印象から選んでもいい。

●名前例つき！おすすめ漢字770 ▶ P180～285
●左右対称の名前 ▶ P296～297
●画数別全文字リスト ▶ P426～435

Step2 漢字を組み合わせて名前を考える

基本となる1字が決まると名前は考えやすくなる。いろいろな止め字（最後の字）と組み合わせていくだけでも、名前のバリエーションが豊富になる。もちろんそのまま1字名にしたり、定番の止め字にこだわらない方法も。名前の文字数や読み方によっても印象が変わってくる。

●こだわりの1字をどういかすか ▶ P179

Step3 発音や文字のバランス、姓名判断などをチェック

フルネームで読み書きして、発音や文字のバランスなどをチェック。漢字の意味も確認する。運勢が気になる人は姓名判断もチェックを。

●名づけで気をつけたい10のポイント ▶ P22～28
●「姓名判断」と名づけ ▶ Part7（P329～）

ワンポイント！

止め字によって名前の印象は変わってくる

名づけに使える漢字はたくさんあるので、1字1字組み合わせていたら、すごく時間がかかってしまう。そこで便利なのが、名前の最後につける「止め字」。止め字にも定番のもの、最近人気が出始めたもの、個性的なものなどいろいろあり、止め字を1字加えたり、変えるだけで印象がグッと変わる。

名づけの手順4 子どもへの思いから考えるとき

詳しくはPart6

Step1 名前に込めたい思いを考える

「こんな子に育ってほしい」「こんな人生を歩んでほしい」という、子どもへの思いを考える。知性とやさしさなど、複数の要素を盛り込んでもOK。

Step2 イメージを掘り下げ、思いに合う漢字を探す

たとえば「やさしさ」の場合、ストレートに「優」という漢字を使ってもいいが、やさしさからイメージできるほかの漢字を使うこともできる。また、「海のように広く深いやさしさ」など、同じやさしさでも、イメージを具体化することで、より思いにあった漢字を見つけられる。

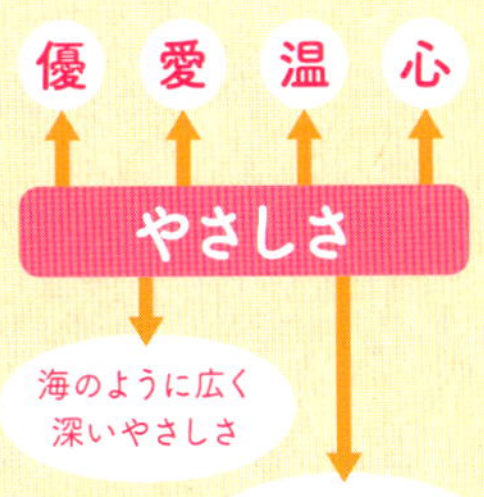

Step3 思いに合う名前を考える

思いに合う漢字を絞り込み、名前を考える。思いに合う四字熟語や慣用句、外国語の響きをヒントにしたり、文学作品や歴史上の人物にあやかる方法もある。

●こだわりの1字をどういかすか P179
●由来つき名前例 P308〜321

Step4 発音や文字のバランス、姓名判断などをチェック

フルネームで読み書きして、発音や文字のバランスなどをチェック。漢字の意味も確認する。運勢が気になる人は姓名判断もチェックを。

●名づけで気をつけたい10のポイント P22〜28
●「姓名判断」と名づけ Part7（P329〜）

ワンポイント！

あとから「思い」を考えるケースも

以前は「こういう人になってほしい」という思いが先にあって名づけをするケースが多かったが、個性的で印象的な名前を求める傾向が強い昨今では、響き先行で名前を考えるケースも多い。それでも名前に何か意味づけしたいと思うパパ・ママも多く、あとから名前に意味を持たせることもよくある。漢字にはそれぞれ意味があるので、少なくとも悪い意味の漢字を選ばなければ、何かしらポジティブな意味づけはできる。

女の子に人気があるのはどんな名前？

名前を考え始めると、ほかの子の名前も気になるもの。
明治安田生命が公表している名前ランキングから、最近の傾向を見てみましょう。

＊資料：明治安田生命「名前ランキング2021」

人気の名前（表記）Best50

1位	紬
2位	陽葵
3位	凛
4位	澪
5位	芽依
6位	結愛
7位	陽菜
8位	杏、紬希
10位	莉子、花
12位	結月、結菜、咲良
15位	葵、詩、心春
18位	さくら
19位	楓
20位	一花、柚葉
22位	愛、結衣、朱莉
25位	花音、紗菜、凪
28位	杏奈、一華
30位	依茉、美月、美桜
33位	琴葉、咲茉、心結、心陽
37位	紗奈、翠、柚希、鈴、莉央
42位	華、彩葉、蘭、莉愛
46位	芽生、結、光莉、心晴、凛

植物と和のイメージが人気 「紬」がはじめて1位に

女の子の名前は、「菜」「莉」「花」「咲」など植物にまつわる漢字を用いた、かわいらしくも生命力を感じさせる名前や、「紬」「凛」「澪」など和の雰囲気を持つ名前がとくに人気です。くわえて、「結」を用いた人との絆を連想させる名前も根強い人気です。

最新ランキングで初の1位になった「紬」は、日本の伝統的な織物で、和のイメージにくわえ、糸から連想される「つむぐ」「つながる」といったイメージが、人気の理由のようです。

読み方は、「ナ」で終わる名前が人気ですが、近年はとくに「ヒナ」「サナ」「セナ」など、「ナ」で終わる2音の名前の人気が高まっています。

人気の読み Best30

1位	メイ
2位	ミオ
3位	ツムギ
4位	エマ
5位	コハル
6位	ハナ
7位	イチカ
8位	ヒマリ、ホノカ
10位	ユイ
11位	ヒナ
12位	サナ
13位	アカリ、リオ、リン
16位	サクラ
17位	アオイ、ユア
19位	ユナ
20位	ヒナタ
21位	リコ
22位	サラ
23位	カノン
24位	イロハ、ヒヨリ
26位	セナ
27位	イト、ノア
29位	ユヅキ
30位	ウタ

人気の漢字 Best25

1位	花
2位	菜
3位	愛
4位	莉
5位	奈
6位	心
7位	結
8位	美
9位	乃
10位	陽
11位	音
12位	桜
13位	咲
14位	希
15位	彩
16位	茉
17位	華
18位	葵
19位	月
20位	葉
21位	子
22位	羽
23位	依
24位	紗
25位	夏

おさえておきたい 5つの基本ルール

名前に使える文字には、漢字には制限があります。
使える字や読み方、長さなど、名前の基本ルールをおさえておきましょう。

基本ルール 1

名づけに使える文字は決まっている

漢字（常用漢字、人名用漢字）2999字のほか、ひらがなとカタカナ、また「ミーナ」のように長音符号を使ったり、「菜々」「みすゞ」のように繰り返し符号も使える。句読点やアルファベットなどは使用不可。使える文字・符号についてはPart 8の「画数別名づけに使える全文字リスト」（→P426）にまとめてあるので参考に。

名前に使える字

- **常用漢字2136字**
- **人名用漢字863字**
  一部の旧字、異体字を含む
- **ひらがな、カタカナすべて**
  「ゐ」「ヰ」「ゑ」「ヱ」の特殊な字も含む
- **繰り返し符号**
  「々」「ゝ」「ゞ」
- **長音符号**
  「ー」

名前に使えない字

- **常用漢字、人名用漢字以外**の漢字
- **句読点**
  「。」「、」「.」などは不可
- **記号**
  ☆＆@♪！＊＃￥などは不可
- **外国の文字**
  アルファベットなどは不可
- **漢数字以外の数字**
  123…、ⅠⅡⅢ…などは不可

常用漢字、人名用漢字とは？

常用漢字は、一般の社会生活で用いられることが多い漢字で、国語の教育や新聞、書籍などに普通に使用されている字。2010年に29年ぶりに改定され、「憬」「璧」など、それまで人名に使えなかった字が使えるようになった。一方、人名用漢字は、常用漢字以外に名前として使用できる漢字のこと。常用漢字よりも頻繁に改定されており、2004年の大きな見直しで約700字追加されたほか、近年も、一般の要望を受ける形で2015年に「巫」、2017年に「渾」が追加されている。

基本ルール 2

文字数は自由

長い名前といえば、落語の「寿限無」の話が有名だが、長さについても法律上の制限はない。とはいえ、あまりに長い名前は何かとわずらわしい。子どもにとっても周囲の人にとっても不便なので、常識的な長さにしたい。

基本ルール 3

読み方は原則自由

当て字も含め、読み方については規定がない。たとえば「海」を漢和辞典で調べると、音読みの「カイ」、訓読みの「うみ」のほか、名のり（とくに人名に使う読み）として「あま」「うな」「み」などがあり、これらの読みはすべて使えるが、辞書にのっていない読み方をしても法律上問題はなく、「海」と書いて「マリン」と読ませる例も。ただし読みにくい名前は、日常生活で不便が多く、子ども自身も嫌がることもある。

基本ルール 4

法律的にはOKでも常識的な範囲で

法律的には許される名前でも、たとえば「悪」「死」「病」「貧」など到底名前にはふさわしくない漢字を使うことは当然避けるべき。「常識の範囲」の線引きはむずかしいが、漢字の選び方にしろ、読み方にしろ、長さにしろ、子どもが一生使い続けていく名前として適切かどうかをよく考えて名前を考えること。

基本ルール 5

名前は簡単に変えられない

家庭裁判所に申し立てをして、認められてはじめて改名ができるが、よほどの理由がないかぎり認められない。改名が認められるおもなケースは、①珍奇な名である、②むずかしくて正確に読まれない、③同姓同名者がいて不便、④異性とまぎらわしい、⑤外国人とまぎらわしい、⑥神官・僧侶となった、⑦通称として長年使用した、などだが、何をもって「珍奇」なのか、どの程度だと「まぎらわしい」といえるのか明確な基準があるわけではなく、改名のハードルはかなり高いのが実情。基本的には改名はむずかしいものと認識しておこう。ただし文字の変更はむずかしくても、読み方はもともと戸籍に記載されないので、居住する市町村の役所の手続きで変更できる。

名づけで気をつけたい10のポイント

よい名前を考えるには、読みやすさや書きやすさ、響きのよさ、字面のよさなど、さまざまな点を考慮する必要があります。フルネームで読んで書いて、チェックを。

よい名前にするためのチェックポイント

1. **読みやすく書きやすい**名前か
2. 身近に**同じ名前**の人がいないか
3. 名前を**間違えられやすく**ないか
4. **画数や文字数のバランス**が悪くないか
5. **字面**(じづら)**の印象**はどうか
6. **発音しやすく、聞き取りやすい**名前か
7. **性別**がまぎらわしくないか
8. **漢字の意味**は問題ないか
9. **あやかり名**は慎重に
10. **変なあだ名**につながらないか

響きや見た目の印象などをフルネームでチェック!

名前は子ども自身や家族だけでなく、社会生活でも使うものですから、だれでも読み書きしやすく、覚えやすい名前が理想的です。

また、文字にはそれぞれ個性があり、見た目の印象も大きいもの。画数が多すぎて重たい印象になったり、妙に四角張った印象の名前になったり…。かわいい響きの名前をつけても、字面(じづら)の印象が正反対だと、名前の魅力も半減してしまいます。逆に字面はよくても、声に出してみると発音しにくいということもあります。

いずれにしても大事なのは、姓と合わせてチェックすること。縦書き、横書きそれぞれでフルネームを書き、また声に出してチェックしましょう。

チェックポイント1 読みやすく書きやすい名前か

とくに姓がむずかしい場合は、シンプルな名前がベター

名前は日常生活でさまざまな人に使われるものなので、基本的にはだれでも読みやすく書きやすい名前が望ましい。とくに読みにくい姓やむずかしい漢字の姓で、名前も凝りすぎると、姓と名前の両方を訂正する機会も多くなり、かなりわずらわしく、相手にも余計な時間をとらせることに。姓に特徴がある場合はそれだけで十分個性的なので、名前はシンプルにしたほうが、全体的なバランスもとりやすい。

口頭での説明しやすさや、パソコン変換のしやすさもチェック

あまり一般的ではない漢字を使うと、口頭での説明がむずかしかったり、パソコン変換に時間がかかることも。旧字の一部など、なかにはパソコン変換できない漢字もあるので要注意。

チェックポイント2 身近に同じ名前の人がいないか

身近な人と同名だとまぎらわしい

親友の子どもやご近所、親戚など身近な人と名前がかぶるとまぎらわしい。相手もまねされた感じがして、あまりいい気がしないことも。漢字は違っても同じ響きだとやはりまぎらわしいので、ごく身近な人とは、なるべくかぶらないようにしたい。

よくある姓に人気の名前は避ける

名前は個人を識別するためのものでもあり、よくある姓に人気の名前をつけると、同姓同名の確率が高まり、学校などで不便な思いをすることも。「佐藤」「鈴木」など日本人に多い姓や、住んでいる地域に多い姓を持つ場合は、人気名は避けたほうが無難。

チェックポイント3 名前を間違えられやすくないか

入れ換えが起こりがちな名前は覚えにくい

「中山」と「山中」など上下を入れ替えても違和感がない姓の場合、名前も同様に入れ換えて違和感のないものだと、間違って記憶されがち。こういうケースでは、「菜々子」など入れ換えしにくい名前がベター。

姓も名も複数読みできる名前は混乱のもと

「中谷（なかや、なかたに）」や「角田（かくた、かどた、すみだ）」のように複数の読み方ができる姓の場合、名前も同じように複数読みできるものだと、読み方が何通りにもなり、まぎらわしい。

姓と名の境目はわかりやすく

たとえば「堀江実香」のような名前の場合、「堀江・実香」なのか、「堀・江実香」なのか、まぎらわしい。

チェックポイント4 画数や文字数のバランスが悪くないか

総画数は多すぎず少なすぎず

少画数の漢字ばかりだとあっさりしすぎてさみしい印象になり、総画数が多いと見た目に黒々として重たく見え、書くときに時間もかかる。また、姓と名で画数に差がありすぎるのも少々バランスが悪い。

例
- 齊藤麗華（14＋18＋19＋10＝61画）…画数の多い字が続き重たい印象
- 齊藤玲加（14＋18＋9＋5＝46画）…画数の少ない名前に変えて、すっきりとした印象に
- 三上由未（3＋3＋5＋5＝16画）…全体的に画数が少なく、あっさりした印象
- 三上結美（3＋3＋12＋9＝27画）…同じ読みでも、もう少し画数の多い漢字に変えると安定感が出る

文字数もバランスよく

1字姓＋1字名は短くて詰まった印象、3字姓＋3字名は長すぎて間延びした印象に。文字数のバランスも考慮したい。

例
- 島 玲…短すぎる
- 島 玲香…安定した印象
- 島 玲央奈…安定した印象
- 長谷川 柚…やや頭が重い印象
- 長谷川 柚葉…安定した印象
- 長谷川 柚実加…長すぎる

チェックポイント5 字面（じづら）の印象はどうか

へんやつくりのダブリは見た目にうるさい印象

同じへん（偏）やつくり（旁）の字を多用したり、「直と真」のように似ている漢字が多いと、うるさい印象になる。

例
- 荻原萌花 … 草かんむりの多用
- 浦沢美波 … さんずいの多用
- 田口園加 … 「口」の多用
- 望月朋子 … 「月」の多用
- 真山直実 … 「真」と「直」、似ている漢字を使用
- 大谷美来 … 左右に開いた「払い」が多い

姓と名のイメージが正反対だと違和感がある

冬と夏、赤と青など、まるっきり反対のイメージの字があると、どこか不自然な印象を受ける。同音のほかの字に置き換えられないか考えてみよう。

同じイメージの字が多いとややしつこい印象

逆に似たイメージの漢字が多いとしつこい印象になり、姓と名でイメージが合いすぎるのもペンネームや芸名のようで、やや違和感がある。

例
- 草野実樹 … すべて植物のイメージ
- 二宮一葉 … 漢数字が多い
- 花田風月 … 「花鳥風月」のイメージ

直線だけだとかたい印象

縦横の直線だけの名前より、曲線や斜線のある字を交ぜたほうがやわらかさが出て、女の子向き。また横線の多い漢字ばかりだと詰まった印象になる。

例
- 里中圭華 … 直線ばかりでかたい印象
- ↓
- 里中恵花 … 曲線や斜線のある字を加えるとかたさがやわらぐ
- 青田奏美 … 横線が多く詰まった印象
- ↓
- 青田叶美 … 横線の少ない字を加えると、バランスがよくなる

タテワレは安定感に欠く

姓名の字のすべてがへんとつくりに分かれている「タテワレ」は、縦書きにすると真ん中に空白ができ、左右がバラバラの印象に。

例
- 野村利那 … タテワレ
- ↓
- 野村里那 … 左右に分かれていない字を1字加えると安定感が出る

チェックポイント6

発音しやすく、聞き取りやすい名前か

カ・サ・タ・ハ行ばかりだと発音しにくく、かたい印象

一般にカ・サ・タ・ハ行の音は、かたい印象があり、発音もしづらい。好みはあるが、女の子の場合はとくに、やわらかい音も加えて、あまりかたい印象にならないようにしたい。

例
カタセ サツキ…カ・サ・タ行の音だけでかたい印象
↓
カタセ ユリナ…やわらかい音も入って、バランスがいい

同じ音が続くと発音しにくい

同じ音が3つ以上重なると、音感がしっくりせず発音しにくい。また、姓と名の境目が同じ音の場合も発音しにくい。とくにかたい音のカ・サ・タ・ハ行や、ラ行、なかでも「キ、ク、シ、シュ、ス、チ、ツ、ヒ、フ、ビ、ブ」は母音をはっきり発音しないのでこれらの音が続かないよう組み合わせに注意したい。さらに、姓と名が2音ずつ重なったり、韻を踏んでいると、やや単調な印象になる。

例
ササキ サヤカ…同じ音が3つ以上で発音しにくい
タカモリ リン…姓と名の境目の音が同じで発音しにくい
シミズ ミズキ…2音ずつ重なり、単調な印象
ナカノ ユメノ…姓と名が韻を踏んでいて、やや単調な印象

濁音の多い名前はにごった印象

ガギグゲゴなどの濁音のある名前は、力強さがあり男の子にはよいが、女の子で濁音を多用すると、ややきつい印象に。濁音は姓名合わせて2音程度までがベター。

例
ミゾグチ ジュリ…女の子の場合は濁音が多いとややきつい印象
↓
ミゾグチ マリ…濁音が少ないほうがすっきりし、さわやかな印象

発音の似た名前は聞き間違いが起こりやすい

「ゆわ」と「ゆあ」など、発音が似ていると、聞き間違いも多い。兄弟姉妹の場合も響きが似すぎていると、普段一緒に過ごす時間が多いだけに、より不便が多い。

聞き違いの多い名前の例
ゆわ↕ゆあ　ゆか↕ゆうか
みう↕みゆ　しほ↕しお
みほ↕みお　りお↕りよ↕りょう

チェックポイント7 性別がまぎらわしくないか

中性的な名前は不便もある

中性的な名前は個性的で印象的な反面、性別を間違われやすく、わずらわしい思いをすることも。とくに「祐真」と書いて、「ゆうま」ではなく「ゆま」と読むなど、字だけでは明らかに男の子をイメージするような名前は、手続きの際などにトラブルになりやすい。男の子にも使われることが多い漢字を使う場合は、「花」「美」「菜」「香」など、いかにも女の子らしい漢字と組み合わせると、性別のまぎらわしさはなくなる。

男女の区別がつきにくい名前の例

瑞希、悠希、遥海、友紀、千尋、空、翼、薫、光、圭　など

女の子ならではの漢字

美、花、菜、奈、莉、乃、子、香、衣、華、姫、妃、絵、緒、茉　など

チェックポイント8 漢字の意味は問題ないか

漢字の意味はきちんと調べて使う

よい意味だと思って使った漢字が、実は悪い意味だと知って後悔するケースもあるので、そうならないためにも、漢字の意味は必ず調べること。ただし、漢字の多くはよい意味悪い意味両方持っていたり、漢字の成り立ちまでさかのぼると現在の意味とはまったく違うこともある。あまり神経質になりすぎると、選択肢が狭まり、満足のいく名づけができなくなるので、常識に照らし合わせて判断したい。

チェックポイント9 あやかり名は慎重に

あやかり名はアレンジして使いたい

有名人にあやかった名前は、必要以上に目立ってしまったり、同名の子がクラスに何人もいたりする可能性も高い。また、のちにその有名人が不幸な目にあったり、事件を起こしたりすることも考えられるので慎重に検討したい。あやかり名はそのまま同じ名前をつけるのではなく、1字だけもらったり、読みは同じで漢字は変えるなどアレンジして使うのがベター。

チェックポイント10 変なあだ名につながらないか

思いとは違う意味を持つ単語になることも

「海月（みつき）」という名前は、雰囲気があってよさそうだが、実は「海月」はクラゲとも読む。このように漢字単体ではよい意味でも、組み合わせると思いがけない熟語になるものも多い。こうした名前は、子どもが変なあだ名をつけられたり、からかわれるきっかけにもなるので注意を。

響きから受ける印象にも注意

漢字の意味や印象は問題なくても、響きが別の単語を連想してしまうこともある。また、音読みを訓読みに変えると悪い意味になったり、逆さ読みするとおかしな言葉になったり、姓と名をつなげて読むとおかしな意味になることもある。

イニシャルにも注意

意外とあとになって気づくのがイニシャル。渡辺さんが「千春（ちはる）」や「知華（ちか）」と名づけると、イニシャルは「WC」でトイレの意味に。ほかにも「NG」「ED」「SM」「KY」などは、からかわれる原因になるかもしれない。ただイニシャルが「SM」や「KY」という人は実際にはかなり多い。

インターネットで検索してみよう

思いとは違う意味やマイナスのイメージを避けるために、候補の名前を一度インターネットで検索してみるのもおすすめ。思いがけず同姓同名の有名人がいたり、その名前が事件とかかわっていたり、変なお店の名前に使われていたりした場合に事前に発見できると、あとあと後悔しなくてすむ。

思いとは違う意味・ニュアンスのある名前の例

海月（みつき）…クラゲ
月水（つきみ）…がっすい。月経の別名
里子（りこ、さとこ）…さとご
早世（さよ）…そうせい。早死にすること
初花（いちか、ういか）…初潮のこと
夏花（なつか）…げばな。僧が夏籠もり修行を行う間、仏前に供える花のこと
沙弥（さや）…しゃみ。仏教において未熟な僧侶のこと
由々（ゆゆ）…由々しい。放っておくととんでもない結果を引き起こすこと
心亜（ここあ）…合体すると、「悪」の字になる

響きが別の単語を連想しやすい名前の例

詩杏（しあん）…シアン化水素（猛毒）
珠音（じゅおん）…ホラー映画「呪怨」を連想
瑞子（みずこ）…水子
文恵（ふみえ）…踏絵
優奈（ゆな）…湯女。江戸時代、市中の湯屋にいた遊女のこと

姓とつなげると変な意味になる名前の例

安藤 夏加（あんどう なつか）…あんドーナツか
浅香 絵里（あさか えり）…朝帰り
織田 真理（おだ まり）…お黙り
大場 花南子（おおば かなこ）…大バカな子
小俣 薫（おまた かおる）…お股香る

ヘボン式ローマ字一覧

名前はパスポートや各種カードの表記など、ローマ字を使うことも多いもの。ここではパスポートに使用されている外務省ヘボン式ローマ字を紹介します。ローマ字表記にしたときにおかしなイニシャルにならないか、また全体のバランスはどうかなどもチェックしておきましょう。

ん N(M)	わ WA	ら RA	や YA	ま MA	は HA	な NA	た TA	さ SA	か KA	あ A
	ゐ I	り RI		み MI	ひ HI	に NI	ち CHI	し SHI	き KI	い I
		る RU	ゆ YU	む MU	ふ FU	ぬ NU	つ TSU	す SU	く KU	う U
	ゑ E	れ RE		め ME	へ HE	ね NE	て TE	せ SE	け KE	え E
	を O	ろ RO	よ YO	も MO	ほ HO	の NO	と TO	そ SO	こ KO	お O

ヘボン式ローマ字表記の注意点

ヘボン式ローマ字表記には、下記のルールもあります。

★ 撥音「ん」は通常Nだが、
B・M・Pの前ではMで表記。
例 じゅんみ→JUMMI

★ 促音「っ」は子音を重ねる。
ただし「チCHI」「チャCHA」「チュCHU」「チョCHO」の前はTで表記。
例 りっか→RIKKA

★ 長音は前の母音で代用する。
例 ゆうか→YUKA

★ そのほか、「じぇ」はJIE、「ふぃ」はFUIなどとなる。

＊ヘボン式表記以外でのパスポートの申請も理由によっては可能。

ぱ PA	ば BA	だ DA	ざ ZA	が GA
ぴ PI	び BI	ぢ JI	じ JI	ぎ GI
ぷ PU	ぶ BU	づ ZU	ず ZU	ぐ GU
ぺ PE	べ BE	で DE	ぜ ZE	げ GE
ぽ PO	ぼ BO	ど DO	ぞ ZO	ご GO

ぴゃ PYA	びゃ BYA	じゃ JA	ぎゃ GYA	りゃ RYA	みゃ MYA	ひゃ HYA	にゃ NYA	ちゃ CHA	しゃ SHA	きゃ KYA
ぴゅ PYU	びゅ BYU	じゅ JU	ぎゅ GYU	りゅ RYU	みゅ MYU	ひゅ HYU	にゅ NYU	ちゅ CHU	しゅ SHU	きゅ KYU
ぴょ PYO	びょ BYO	じょ JO	ぎょ GYO	りょ RYO	みょ MYO	ひょ HYO	にょ NYO	ちょ CHO	しょ SHO	きょ KYO

名づけにまつわるQ&A

名づけにまつわる素朴な疑問や
気になるウワサについてお答えします。

Q 漢字は本当にどう読んでもいいの？

A 実は戸籍には読み方の記載がありません。使用できる漢字は戸籍法で定められているのに対し、読み方に関しては基本的に制限がなく、いわゆる「当て字」も認められます。

とはいえ、いくら自由といっても程度はあります。たとえば「天使」と書いて「あんじゅ」とフランス語風に読ませるなどは、フランス語の知識がないと「なんで？」と思う名前で、さすがにやりすぎです。たとえ役所では受理される名前でも、常識的に読める範囲、周囲の人にもある程度納得してもらえる読み方にとどめるべきでしょう。

なお、「花子」を「たろう」、「太陽」を「つき」と読むようなあまりにも極端なケースでは、役所の窓口で受理されないケースもあります。

Q イマドキのかわいい名前は年をとったらおかしい？

A 名前は時代とともに変わるので、とくにおかしくはないでしょう。今のママ世代の名前も、おばあちゃん世代にはなかった名前がたくさんあります。

ただ、「イマドキのかわいい名前」ならいいのですが、行き過ぎて奇抜な名前になると、のちのち苦労するのは子どもです。名づけには、将来の社会生活を見据えた客観的な視点も必要です。

Q 名前にはきちんとした由来がないとダメ？

A 名前の第一の目的は、個人個人を識別するためであり、社会生活をスムーズに送るためのものですから、必ずしも特別な由来はなくてもいいと思います。「覚えやすい名前だから」「かわいい響きだから」という理由で名づけをしてもかまわないでしょう。

ただ将来子どもに由来を聞かれたときに、「なんとなく」と答えては子どもも傷つきます。特別な由来はなくても、「パパとママが好きな名前だから」「たくさんの候補から、気に入った名前をつけたの」と、愛情をもってつけた名前であることは、ぜひ伝えたいもの。響き重視でも、「みんなに愛されるような、かわいい響きにしたかったから」など、ひと言で加えるだけで十分素敵な理由になると思います。

漢字の意味から、由来を後づけすることもできます。少なくともマイナスの意味を持つ漢字でなければ、その漢字の意味からポジティブな意味づけをすることは可能です（→Part6）。

Q 女の子は結婚で姓が変わることを考えたほうがいい?

A 女の子は姓が変わる可能性が高いので、姓が変わったときに違和感のない名前にしておくのもひとつの考え方です。

とはいえ、どんな姓の人と結婚するかわかりませんし、将来的には夫婦別姓の時代になるかもしれません。先を考えすぎて選択肢を狭めてしまうよりは、まずは今の姓でバランスのとれた名前を考えることを優先しましょう。そのうえで、最優先事項ではないにしても、姓によく使われる字（鈴、野、佐、藤、木など）は避けておく、といった考え方はあってもよいと思います。

Q 植物や季節、天候の漢字を使うのはよくない?

A 植物は散る、枯れるのでよくないと言う人もいますが、植物にちなんだ名前の人が短命だったり、病気がちだったりという統計はありません。昔は子どもの死亡率が高かったこともあり、丈夫に育ってほしいとの思いが、こうした迷信を生んだのかもしれません。

同様に、「季節は変化するから運勢も変化して浮き沈みがある」「雪はいずれ消えるからはかない」――、そんな連想から、季節や天候を意味する名前はよくないと考える人もいますが、いずれも一面だけを切り取った考え方で、まったくの迷信です。

植物の生命力や花の可憐さ、そして夏の明るさや雪の清らかさなど、それぞれのよい面をいかして、素敵な名前を考えてください。

Q ミドルネームはつけられる?

A 欧米などでは、姓（ファミリーネーム）と、名（ファーストネーム）の間に、ミドルネームを持つことも少なくありませんが、日本では、正式にミドルネームを持つことはできません。ただし、名前の長さに決まりはないので、ミドルネーム風の名前をつけることは可能です。

たとえば、「中村エミリー華子」で届ければ、氏が「中村」、名は「エミリー華子」となります。つまり、ミドルネームとファーストネームをひとつの名として登録するわけです。

しかし、一度戸籍に登録されると、その名前が正式な名前ですから、本人はもちろん、幼稚園や学校の先生などにとっても、名前を書く際の負担が大きくなります。ミドルネームについては戸籍にはこだわらず、通称として与えるのもひとつの方法です。

Q 祖父母や親戚が口出ししてくる…

A 名づけとなると、「そんな変わった名前はダメ」「画数がよくない」など、口を挟んでくる人がいるもの。周囲の意見も参考になりますが、すべてを受け止めていると、パパ・ママの本来の思いとはかけ離れた名前になってしまうことも…。

一番よくないのは、周囲の意見に惑わされているうちに、もうこのへんでいいやと投げやりになってしまうことです。周囲の意見は意見として、その場ではまじめに聞いておきましょう。

しかし、子どもの名前の決定権はパパとママです。わが子が幸せになれる名前を第一に考え、最終的には、自分たちの意見で名前を決めてください。

Q 悩みすぎて名前をひとつに絞れない！

A 基本的には何をもっとも重視するのか、優先順位をきちんと整理することで、ある程度は絞られてくるはずです。

しかし、それでも絞り込めないときには、姓名判断をうまく利用するのもおすすめです。姓名判断を重視していないパパ・ママでも、甲乙つけがたい名前のなかからひとつ選ぶなら、それぞれの画数の吉凶を調べて、もっとも運勢のいい名前を選ぶというのも悪くないのではないでしょうか。

あるいは最終判断はわが子に託すという方法もあります。おなかのなかの赤ちゃんや誕生した赤ちゃんに、候補の名前で呼びかけて、その反応を見るのです。これは先輩パパ・ママも意外とやっている方法で、最終的には直感で決めた！　というケースも多いようです。

Q 夫婦の意見が合わない…

A ふたりの意見が合わないときには、いったん頭をリセットして、もう一度、思いつくままに好きな名前や漢字、イメージなどを書き出してみましょう。ひとつの名前やイメージに固執しすぎず、もう少し発想を広げて多めに候補を出し、書き出した名前を突き合わせて検討してみます。そうすると、たとえば最初は「絶対に和風の名前！」と言っていても、自然をイメージした名前が入っていたり、ふたりで同じ漢字を使っていたり、共通点が見えてくることがあります。

それでも決まらない場合は、読みはパパが、漢字はママが、というように役割を分担するのもひとつの方法です。

いずれにしても、パパ・ママのどちらかが全然納得していない名前は避けたいもの。ふたりの思いをひとつにした愛情のこもった名前をつけましょう。

Part 2

「響き」から考える名前

響きにこだわって名前を考える

名前は、書く機会よりも、呼んだり呼ばれたりすることのほうが多いもの。
耳に心地よく、発音しやすく、よい印象の響きを考えましょう。

50音の響きのイメージ

やわらかい音
あ行、な行、ま行、や行、
ら行、わ行、ん

かたい音
か行、さ行、た行、は行、
が行・ざ行など濁音全般

［かたい音のみの名前］
きくか、きこ、きせ、
かづき、かほ、さき、
さほ、さつき、さとか、
しづき、たかこ、たつき、
ちか、ちさと、つきか、
ときこ、はづき、ひとか

［やわらかい音とかたい音をミックスした名前］
あやか、あかり、かのん、
ここみ、さくら、ななせ、
ひな、ひまり、ほのか、
みか、みさき、ももか、
ゆうか、りな、るか

［やわらかい音のみの名前］
あみ、あいな、あやね、
えみ、なな、のあ、ののみ、
まお、まみ、みう、みお、
みな、みゆ、めい、ゆあ、
ゆい、ゆな、ゆめ、りいな、
りお、るな

50音の組み合わせ方で名前の印象が変わる

50音は、上のように「かたい音」と「やわらかい音」に分類され、「みゆ」「ななみ」のように、やわらかい音のみの名前はやさしく穏やかな印象を与え、「ももか」「ひな」など両方をミックスした名前は、キュートな印象になります。一方、「さつき」「たかこ」のようにかたい音のみの名前は、快活な印象やシャープな印象を与えます。

それぞれの響きによさがありますが、女の子の名前では、やわらかい音を取り入れた、やさしく愛らしい響きが人気です。

なお、響きの雰囲気を効果的に表現するには、文字の印象も大事です。ひらがなやカタカナも含めて検討するとよいでしょう。

響きに合う文字をどう表現するか

1 響きと文字のイメージを合わせるのが基本

あえて響きと文字の雰囲気を変えて個性を出す方法もあるが、基本的には、やさしい雰囲気の響きなら、漢字もやさしいイメージのものを選んだほうがしっくりくる。また、響き重視の名前でも、漢字の意味をきちんと調べて使うようにしよう。

2 文字数で印象が変わる

1字名にするか、2字名、3字名にするかで印象が大きく変わる。3字名も候補に入れると、バリエーションは大きく広がる。

例「かおり」の場合
1字名…香、薫
2字名…香里、加織
3字名…香央莉、可緒里

3 音の区切りを変えると新鮮

新鮮な名前を考えたいときには、音の区切りを変えるのもひとつの方法。たとえば「えみり」なら、「絵美里」など3字にするのが一般的だが、「笑里（えみ・り）」とすると新鮮。「わかな」も、「若菜（わか・な）」と「和奏（わ・かな）」ではイメージが大きく変わる。

例「えみり」の場合
絵美里（え・み・り）、笑里（えみ・り）

例「わかな」の場合
若菜（わか・な）、和奏（わ・かな）

4 ひらがなやカタカナも検討を

無理に漢字を当てても、響きの雰囲気と合わなかったり、見た目が重かったりすると、響きのよさも半減。女の子の場合は、ひらがなのやわらかさをいかした名前も効果的。また、カタカナの名前は、個性的かつ現代的なイメージで、洋風の響きにも合う（P110）。最近は、かなと漢字を組み合わせるパターンも増えている（P304）。

例「はるか」の場合
はるか、ハルカ、はる花、春花

5 万葉仮名風に漢字を当てる方法も

漢字にこだわりたいけど、なかなかよい意味の漢字が見つからないとき、姓名判断の結果がよくないときなどには、「沙久楽（さくら）」「巴奈（はな）」のように、特別な意味を持たせずに1音に1字の漢字を当てていく万葉仮名風の名づけ法もある（P291）。

例「さくら」の場合
定番…桜　万葉仮名風…沙久楽

例「はな」の場合
定番…花　万葉仮名風…巴奈

響きのイメージ別

名づけポイントと名前例

50音を大きく分けると、やわらかい音とかたい音がありますが、
音の組み合わせによって、「かわいい」「やさしい」「明るい」、
あるいは「和風」「洋風」など、さまざまなイメージの響きが生まれます。
イメージ別に女の子の名前の響きをピックアップしたので、参考にしてください。

かわいらしい響き

ポイント1 やわらかい音を中心に、かたい音をうまくミックスすると、かわいらしい響きになりやすい。

ポイント2 2音の名前は愛らしくキュートな印象。「かこ」「ここ」など、かたい音同士の組み合わせでも2音で最後が「こ」で終わる名前はリズミカルでキュートな印象になる。

名前例

	かなみ	こむぎ	ののあ	みう	ゆい
あいか	かの	こもも	ののか	みお	ゆいか
あいり	かのは	さのん	のん	みおん	ゆいり
あこ	かのん	すう	はぐみ	みかん	ゆず
あのん	かりん	すず	はな	みく	ゆずか
あみ	くりん	すずな	はのん	みくる	ゆずな
あやか	くるみ	つぐみ	ひな	みこ	ゆみか
あゆか	ここ	つぼみ	ひなの	みゆ	ゆめか
ありん	ここあ	なずな	ひめ	めい	ゆゆ
あん	ここは	なな	ひめか	もえ	ゆゆは
いおん	ことは	ななこ	ひよ	もえか	ゆりん
いちこ	ことみ	なのは	まい	もか	りお
いちご	このか	にこ	まいか	もこ	りこ
うさ	このは	のあん	まこ	もも	りな
えこ	このみ	のこ	まりん	ももか	るか
かこ	このん	のの	みあ	ももな	るな

やさしい響き

ポイント1 やわらかい音をメインにすると女の子らしくやわらかい印象になる。

ポイント2 「さ行」と「は行」は全体としてはかたい音に分類されるが、さらさらの「さ」、そよそよの「そ」、ふわふわの「ふ」などはソフトなイメージもあり、音の組み合わせしだいでは、とてもやさしい雰囲気になる。

ポイント3 やわらかい響きでは字もやわらかい印象の漢字に。ひらがなもおすすめ。

名前例

あゆ
さな
さほ
さや
さやの
さゆ
さゆな
さゆみ
さよ
そな
そなみ
その
そのか
そのこ
そのみ
そよ
そよか
そわ
なゆみ
ねね
ののこ
ののみ
ふう
ふうか
ふうこ
ふさ
ふみな
ふゆ
ふら
ほの
ほのか
まゆ
まゆら
まゆり
ももの
ゆあ
ゆいあ
ゆいな
ゆうあ
ゆうな
ゆうゆ
ゆな
ゆね
ゆの
ゆのん
ゆみな
ゆわ

明るく元気な響き

ポイント1 かたい音とやわらかい音をほどよくミックスすると明るく元気な印象に。

ポイント2 先頭音や中間音はやわらかい音にして、止め字を「か」「は」「ほ」などの音にすると、女の子らしさもありながら、明るく元気な印象の名前になる。

ポイント3 「なつ(夏)」「ひ(日、陽)」「あす(明日)」「えみ(笑)」「わか(若)」などの響きを入れると、明るい印象になりやすい。

名前例

あすか
あすは
あみは
ありさ
いちか
うらら
えみ
えみか
えみな
かえ
かおる
かな
かなえ
かほ
かりな
くみ
くみか
こなつ
ちあ
ちか
ちなつ
ちの
てんか
なつみ
ななか
ななは
なほ
なみ
ののは
はづき
ひかり
ひまわり
まいは
まお
まは
まほ
みな
ももは
ゆいは
ゆうき
ゆずき
ゆずは
らら
りの
りほ
わかな
わかば

あたたかい響き

ポイント1 やわらかい音のなかでも、人を包み込むようなイメージのある「あ行」「な行」「ま行」を使うと、あたたかい印象の名前にしやすい。

ポイント2 「あい（愛）」「あつ（厚、篤）」「こころ（心）」「あかり（灯）」などの響きを入れると、あたたかい印象になりやすい。

ポイント3 2音より3音のほうが落ち着いた雰囲気で、あたたかく包容力のある印象。

名前例					
	あつみ	いくみ	ひなた	まみか	むつみ
あい	あまね	きずな	ひまり	まゆな	めぐみ
あいな	あみな	ここな	まあこ	まゆみ	もあ
あいみ	あむ	ここの	まおみ	まりな	もなみ
あいむ	あやな	ここみ	まな	まりや	ももえ
あかね	あやの	こころ	まなか	まるみ	ももこ
あかり	あゆな	ななみ	まなみ	みなみ	ゆま
あつの	あゆみ	にな	まみ	みのり	ゆめな

シャープで知的な響き

ポイント1 「か行」「さ行」「た行」「は行」のかたい音を中心にするとシャープな印象に。とくに止め字の音を「き」や「さ」にすると、シャープで知的な印象になりやすい。

ポイント2 「り」や「れ」の音を使った響きもシャープな印象。

ポイント3 姓もかたい音で、かつ名前もかたい音のみで構成すると、発音しにくく、女の子らしさに欠けた名前になることもある。

名前例					
	きせ	さきか	ともか	みずき	りつこ
あいさ	きほ	さとみ	ななせ	みち	りょう
いつき	きり	さり	ひかり	みつき	りん
えりさ	きりこ	しゅり	まき	みり	れい
かずき	けい	せら	みき	みれい	れいさ
かずさ	こう	たかこ	みさ	めいさ	れな
きいな	さえ	ちさと	みさき	りさ	れみ
きさ	さき	ちせ	みさと	りせ	れり

上品で清楚な響き

ポイント1 「礼」「麗」「玲」などの漢字の意味やイメージから、「れい」「れ」の音は上品な印象。「清楚」の「せ」や「そ」、「しとやか」の「し」など、「さ行」の音も清楚な雰囲気。

ポイント2 宝石の「るり（瑠璃）」や、花の「ゆり」「すみれ」などの響きも気品を感じさせる。

ポイント3 「まりこ」「さくらこ」など、3字音または4字音で止め字の音が「こ」の名前は、今の時代には落ち着きや品のよさを感じさせる。

名前例

あいこ
あやこ
あやね
あやめ
いずみ
えれな
おとめ
かおり
かおるこ
かすみ
かれん
きみか
きょうこ
きよか
きよら
さくらこ
さゆり
さよこ
しおり
しず
しずか
すみか
すみれ
せいこ
ときこ
まいこ
まり
まりえ
まりか
まりこ
みおり
みすず
みゆき
ゆきえ
ゆり
ゆりな
らん
りえ
りんか
るみ
るり
るりか
るりこ
るりな
れいか
れいこ
れいな

おおらかな響き

ポイント1 「ゆうか（ユーカ）」「みいな（ミーナ）」など、のばす音があると、おおらかな印象になる。

ポイント2 「悠久」「余裕」の「ゆう」、「遥」「春」などの「はる」、「広」「寛」の「ひろ」、「爽快」「壮大」の「そう」、「のびる」「のどか」の「の」などの響きを入うと、おおらかな印象に。

名前例

あおぞら
あおば
あすな
うみ
かんな
きい
こうみ
こはる
さあや
さな
さやか
すう
そうこ
そら
そらの
ちひろ
なおみ
なぎさ
のあ
のえか
のぞみ
のどか
ののこ
はるか
はるな
ひより
ひろな
ひろの
ひろみ
ふたば
まあさ
まどか
みい
みいな
みその
みひろ
みゆう
ゆう
ゆうか
ゆうは
ゆうみ
ゆうり
ゆめ
ようこ
ららみ
りい
りいな

和風の響き

ポイント1 最後を「の」「ね」「よ」にすると和の雰囲気を出しやすい。最初に「こ」がつく名前も和風の名前の定番。

ポイント2 和歌のフレーズや俳句の季語には、日本の古い言葉や情緒のある言い回しが多く、参考になる。

ポイント3 雰囲気をいかすために、ひらがなの名前も検討するといい。

名前例					
	おとは	こぎく	さつき	ちよ	もみじ
あずさ	おとわ	ことね	さよ	つむぎ	やよい
あまね	かえで	こはね	しの	てまり	ゆづき
いおり	かざね	こはる	しま	ときわ	ゆめの
いと	かつら	こまち	たまお	はなこ	よしの
いまり	かのこ	こゆき	たまき	ふみ	りんこ
いろは	かほる	こゆめ	ちづる	ふみよ	わか
うた	きくの	さくら	ちはや	みやび	わこ

外国人風の響き

ポイント1 「ら行」や「じゅ」を入れると、外国人風のイメージに。また、最後の音を「あ」「さ」「や」「ら」「り」にすると、外国人風の響きにしやすい。

ポイント2 日本では女の子の響きでも、海外では男の子名になるものもある。

ポイント3 日本にあまりなじみのない響きにすると、漢字を当てにくいことも多い。読みにくい漢字を無理に使うよりも、ひらがなやカタカナも検討を。

名前例					
	えみり	さりい	せれな	まりい	りあ
あめり	えりさ	しいな	せれね	まりりん	りいさ
ありさ	えれん	しえる	にいな	みら	りせ
ありす	かりな	じゅり	にこる	もな	りら
あんじゅ	くらら	じゅりあ	のえる	もにか	りり
あんな	くれあ	じゅりあん	はんな	もね	るな
えいみ	けいと	せいら	まりあ	もわ	るね
えま	さら	せりな	まりあん	ゆりあ	れいら

中性的な響き

ポイント1 あきらかに男の子にしか使われないような名前は避ける。

ポイント2 組み合わせる音にもよるが、「き」「み」「り」「ひ」「い」「お」「おん」で終わる名前には、比較的、男女共通で使用される響きが多い。

ポイント3 響きが中性的なぶん、「美」「花」「香」など、文字は女の子向きのものを選ぶのがおすすめ。

名前例	いつき	さとる	ちひろ	はる	ゆうき
あいる	いぶき	しおん	つかさ	ひかる	ゆうり
あおい	かず	しのぶ	つばさ	ひびき	ゆうわ
あきら	かずき	じゅん	とわ	ひろ	ゆずき
あさひ	かずみ	せな	なお	まこと	りあん
あゆむ	かなで	そら	なつお	まひろ	りおん
あり	かなめ	たくみ	ななお	みらい	るい
あんじ	けい	ちあき	にちか	ゆあん	るか

個性的な響き

ポイント1 「るり」を「りる」にするなど定番の名前を逆にしたり、「みみ」など同じ音を続けたり、「しゅ」「じゅ」などの拗音、小さい「っ(促音)」を使うと個性的な響きに。

ポイント2 新鮮な響きを探すために、50音表を利用して「あい、あう、あえ…」など、ひとつずつ組み合わせを試してみるのも手。

ポイント3 響きが個性的なぶん、漢字は読みやすいものに。

名前例	きらり	じゅな	まおり	らいさ	りりは
あいしゃ	くりん	しゅまり	まじゅ	らいむ	りる
あみる	こはく	せいらん	みあん	りいしゃ	りるは
いこ	さらん	そあら	みかり	りじゅ	るじゅ
うるる	されん	にれ	みじゅ	りのあ	るのん
えあ	しゅか	はのあ	みみか	りのん	るま
かじゅ	しゅしゅ	はるひ	みりや	りま	るる
きらら	じゅじゅ	びじゅ	ゆめり	りらん	るるは

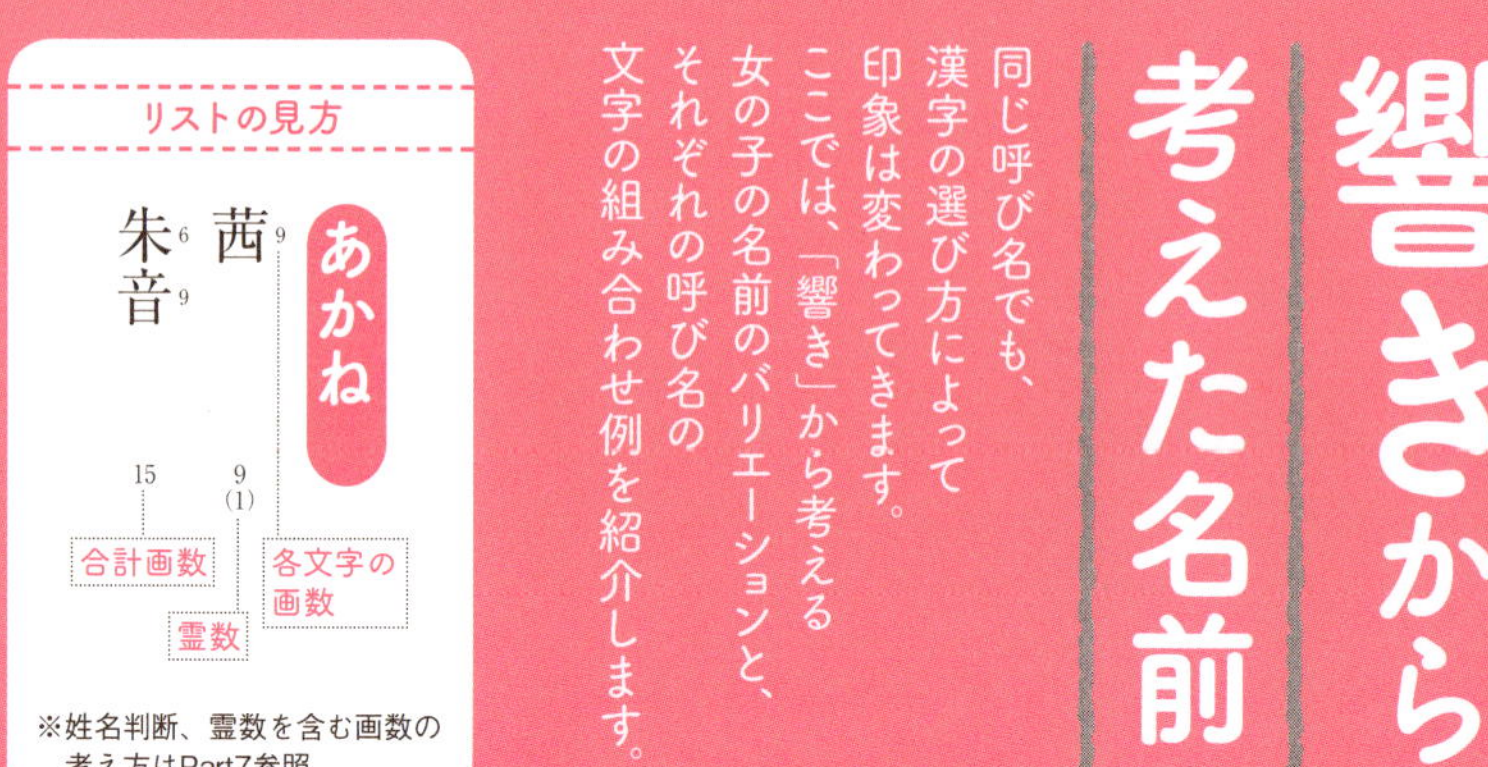

50音別

響きから考えた名前

同じ呼び名でも、漢字の選び方によって印象は変わってきます。ここでは、「響き」から考える女の子の名前のバリエーションと、それぞれの呼び名の文字の組み合わせ例を紹介します。

リストの見方

あかね：茜 9 …… 9（1）／朱 6 音 9 …… 15

（各文字の画数／霊数／合計画数）

※姓名判断、霊数を含む画数の考え方はPart7参照

あ

あい

娃	9	9（1）
逢	11	11（1）
愛	13	13（1）
藍	18	18（1）
亜以	7・5	12
亜伊	7・6	13
彩衣	11・6	17
愛依	13・8	21

あいか

娃花	9・7	16
愛伽	13・7	20
愛佳	13・8	21
藍可	18・5	23
藍夏	18・10	28
あいか	3・2・3	8
亜衣佳	7・6・8	21

あいき

愛希	13・7	20
愛祈	13・8	21

あいこ

逢子	11・3	14
愛子	13・3	16
藍瑚	18・13	31

あいさ

娃沙	9・7	16
相紗	9・10	19
愛咲	13・9	22
愛紗	13・10	23
藍砂	18・9	27
有以沙	6・5・7	18

あいしゃ

愛紗	13・10	23

あいじゅ

逢珠	11・10	21
愛珠	13・10	23
藍寿	18・7	25

あいせ

愛世	13・5	18
愛星	13・9	22
藍世	18・5	23

あいな

相菜	9・11	20
逢奈	11・8	19
逢菜	11・11	22
愛那	13・7	20
藍奈	18・8	26
亜衣那	7・6・7	20

あいね

会寧	6・14	20
愛音	13・9	22
亜衣音	7・6・9	22

あいの

愛乃	13・2	15
藍乃	18・2	20

あいは

愛羽	13・6	19
愛波	13・8	21
藍波	18・8	26

あいひ

相妃	9・6	15
逢妃	11・6	17
愛斐	13・12	25

あいみ

会美	6・9	15
愛実	13・8	21
愛海	13・9	22
藍見	18・7	25
杏衣美	7・6・9	22

あいむ

愛夢	13・13	26
有以夢	6・5・13	24

あいら

愛來	13・8	21
愛楽	13・13	26
藍羅	18・19	37
アイラ	2・2・2	6

あいり

会莉	6・10	16
娃里	9・7	16
相梨	9・11	20
逢莉	11・10	21
愛李	13・7	20
愛浬	13・10	23
愛理	13・11	24
愛璃	13・15	28
藍里	18・7	25
藍梨	18・11	29
亜依里	7・8・7	22

あいる

愛瑠	13・14	27
藍琉	18・11	29
あい琉	3・2・11	16

あえり

アエリ	2・3・2	7
亜依梨	7・8・11	26
杏絵里	7・12・7	26

あお
- 碧(14) 14 (1)
- 亜(7)緒(14) 21
- 葵(12)生(5) 17

あおい
- 葵(12) 12 (1)
- 蒼(13) 13 (1)
- 碧(14) 14 (1)
- 葵(12)生(5) 17
- 葵(12)衣(6) 18
- 葵(12)唯(11) 23
- 蒼(13)依(8) 21
- 碧(14)生(5) 19
- 碧(14)泉(9) 23
- あ(3)お(4)い(2) 9

あおか
- 蒼(13)夏(10) 23
- 碧(14)佳(8) 22

あおぎ
- 亜(7)荻(10) 17

あおさ
- 青(8)沙(7) 15
- 碧(14)紗(10) 24

あおせ
- 青(8)星(9) 17
- 青(8)瀬(19) 27
- 碧(14)世(5) 19

あおぞら
- 青(8)空(8) 16

あおな
- 蒼(13)奈(8) 21
- 亜(7)央(5)南(9) 21

あおね
- 葵(12)祢(9) 21
- 蒼(13)音(9) 22
- 碧(14)寧(14) 28
- 安(6)央(5)音(9) 20

あおの
- 蒼(13)乃(2) 15
- あ(3)お(4)の(1) 8

あおは
- 蒼(13)波(8) 21
- 碧(14)羽(6) 20

あおば
- 青(8)葉(12) 20
- 葵(12)羽(6) 18
- 蒼(13)波(8) 21
- 碧(14)波(8) 22
- あ(3)お(4)ば(6) 13

あおみ
- 青(8)海(9) 17
- 蒼(13)海(9) 22
- 碧(14)心(4) 18

あおり
- 亜(7)織(18) 25
- 杏(7)織(18) 25
- 蒼(13)里(7) 20
- 蒼(13)莉(10) 23

あがさ
- あ(3)が(5)さ(3) 11

- 亜(7)賀(12)沙(7) 26

あかね
- 茜(9) 9 (1)
- 朱(6)音(9) 15
- 明(8)祢(9) 17
- 紅(9)寧(14) 23
- 暁(12)音(9) 21
- あ(3)か(3)ね(4) 10
- 杏(7)花(7)音(9) 23
- 亜(7)香(9)音(9) 25

あかり
- 灯(6) 6 (1)
- 朱(6)里(7) 13
- 朱(6)璃(15) 21
- 明(8)莉(10) 18
- 明(8)梨(11) 19
- あ(3)か(3)り(2) 8
- 亜(7)香(9)里(7) 23
- 明(8)花(7)莉(10) 25
- 愛(13)禾(5)里(7) 25

あき
- 有(6)希(7) 13
- 亜(7)妃(6) 13
- 亜(7)季(8) 15
- 明(8)希(7) 15
- 愛(13)祈(8) 21

あきえ
- 明(8)絵(12) 20
- 瑛(12)恵(10) 22
- 暁(12)慧(15) 27
- 杏(7)樹(16)恵(10) 33

あきか
- 明(8)夏(10) 18
- 秋(9)香(9) 18
- 晶(12)花(7) 19
- 爽(11)加(5) 16
- 耀(20)花(7) 27

あきこ
- 明(8)子(3) 11
- 秋(9)子(3) 12
- 爽(11)子(3) 14
- 亜(7)貴(12)子(3) 22
- 明(8)姫(10)子(3) 21

あきさ
- 明(8)咲(9) 17
- 秋(9)沙(7) 16
- 晶(12)紗(10) 22

あきせ
- 秋(9)瀬(19) 28
- 暁(12)世(5) 17
- 晶(12)世(5) 17

あきな
- 明(8)菜(11) 19
- 秋(9)南(9) 18
- 晶(12)那(7) 19
- あ(3)き(4)菜(11) 18
- 亜(7)季(8)奈(8) 23

あきね
- 秋(9)音(9) 18
- 爽(11)音(9) 20
- 晶(12)音(9) 21
- 亜(7)祈(8)音(9) 24

あきの
- 映(9)乃(2) 11
- 秋(9)野(11) 20
- 暁(12)乃(2) 14
- 晶(12)乃(2) 14
- あ(3)き(4)の(1) 8
- 亜(7)希(7)乃(2) 16

あきは
- 明(8)葉(12) 20
- 秋(9)葉(12) 21
- 爽(11)羽(6) 17
- 晶(12)羽(6) 18

あきば
- 秋(9)芭(7) 16
- 亜(7)希(7)羽(6) 20

あきひ
- 朱(6)妃(6) 12
- 晶(12)陽(12) 24

あきほ
- 明(8)帆(6) 14
- 秋(9)穂(15) 24
- 暁(12)穂(15) 27
- あ(3)き(4)穂(15) 22
- 亜(7)希(7)帆(6) 20

あきみ
- 晶(12)海(9) 21
- 亜(7)姫(10)美(9) 26

あきよ
- 秋(9)代(5) 14
- 晶(12)世(5) 17
- 亜(7)希(7)与(3) 17

あきら
- 晶(12) 12 (1)
- あ(3)き(4)ら(3) 10

あきらこ
- 燦(17)子(3) 20

あくあ
- 亜(7)久(3)愛(13) 23

あけの
朱6乃2 8
明8乃2 10

あげは
あ3げ5は4 12
あ3げ5羽6 14
愛13夏10葉12 35

あけび
朱6枇8 14
明8緋14 22

あけみ
朱6実8 14
明8美9 17
あ3け3み3 9

あこ
安6瑚13 19
亜7子3 10
亜7胡9 16
亜7虹9 16
彩11子3 14
愛13子3 16

あさ
阿8紗10 18
愛13咲9 22

あさい
朝12衣6 18

あさえ
麻11恵10 21
有6沙7絵12 25
愛13佐7恵10 30

あさか
麻11夏10 21
朝12禾5 17
朝12香9 21
亜7沙7加5 19

あさき
亜7咲9 16
麻11姫10 21
あ3さ3祈8 14
亜7紗10希7 24

あさこ
朝12瑚13 25
亜7沙7子3 17

あさじ
朝12路13 25

あさな
麻11奈8 19
亜7紗10奈8 25

あさね
麻11祢9 20
朝12音9 21

あさの
朝12乃2 14
亜7紗10乃2 19

あさひ
朝12妃6 18
朝12陽12 24
あ3さ3ひ2 8
有6紗10日4 20
亜7沙7妃6 20

あさみ
麻11美9 20
あ3さ3み3 9
有6沙7海9 22
亜7紗10心4 21

あざみ
あ3ざ5み3 11
亜7沙7美9 23

あさよ
麻11代5 16
朝12代5 17
彩11紗10世5 26

あさり
朝12里7 19
朝12梨11 23

あしゃ
亜7沙7 14

あじゅ
亜7寿7 14
愛13珠10 23

あしゅり
亜7朱6莉10 23

あず
安6須12 18
亜7寿7 14

あすか
飛9鳥11 20
あ3す3か3 9
明8日4花7 19
明8日4香9 21

あずき
梓11希7 18

あすこ
明8日4子3 15

あずさ
梓11 11 (1)
あ3ず5さ3 11
亜7寿7咲9 23

あすな
あ3す3那7 13
亜7朱6那7 20
明8日4那7 19
明8日4南9 21

あずな
梓11奈8 19
亜7珠10奈8 25

あすは
亜7朱6羽6 19
明8日4葉12 24

あずは
梓11葉12 23
あ3ず5は4 12

あすみ
亜7純10 17
杏7澄15 22
あ3す3み3 9
明8日4海9 21
明8朱6美9 23

あずみ
阿8純10 18
梓11心4 15
梓11実8 19
愛13純10 23
あ3ず5み3 11

あつ
温12 12 (1)
亜7津9 16

あづ
亜7津9 16

あつえ
温12恵10 22
亜7津9絵12 28

あつき
亜7月4 11
温12希7 19
敦12祈8 20
愛13月4 17

あづき
藍18月4 22
温12子3 15

あつこ
敦12子3 15
篤16子3 19
亜7都11子3 21

あづさ
あ3づ3さ3 9
亜7都11咲9 27

あつな
敦12奈8 20
温12南9 21

あつね
篤16音9 25
亜7都11寧14 32

あつの
温12乃2 14
篤16乃2 18
安6津9野11 26
亜7都11乃2 20

あつほ
温12帆6 18

- 篤16 穂15　31
- あ3 つ1 帆6　10

あつみ
- 淳11 美9　20
- 温12 美9　21
- 篤16 実8　24
- あ3 つ1 み3　7

あづみ
- 亜7 津9 実8　24

あつよ
- 温12 世5　17
- 篤16 世5　21
- 安6 津9 代5　20

あど
- 亜7 土3　10

あな
- 亜7 那7　14

あなみ
- 安6 那7 実8　21
- 亜7 菜11 美9　27

あなん
- 亜7 南9　16

あね
- 安6 音9　15
- 亜7 寧14　21

あねか
- あ3 ね4 か3　10
- 愛13 音9 香9　31

あの
- 亜7 乃2　9
- 愛13 乃2　15

あのん
- 亜7 音9　16
- 彩11 音9　20
- 愛13 音9　22
- あ3 の1 ん2　6

あび
- 亜7 美9　16

あま
- 亜7 麻11　18

あまね
- 天4 音9　13
- 天4 寧14　18
- 雨8 音9　17
- 海9 音9　18
- あ3 ま4 寧14　21
- 安6 真10 祢9　25

あまの
- 天4 乃2　6
- 海9 乃2　11
- あ3 ま4 の1　8

あまみ
- 天4 海9　13
- 天4 美9　13
- あ3 ま4 み3　10
- 安6 麻11 実8　25

あまり
- 天4 梨11　15
- 亜7 鞠17　24
- 亜7 真10 莉10　27

あみ
- 編15　15(1)
- 亜7 弥8　15
- 杏7 実8　15
- 亜7 美9　16
- 彩11 美9　20
- 愛13 美9　22

あみえ
- あ3 み3 え3　9
- 亜7 見7 絵12　26

あみか
- 編15 花7　22
- 亜7 望11 香9　27
- 愛13 美9 加5　27

あみこ
- 編15 子3　18
- 亜7 実8 子3　18

あみさ
- 明8 美9 沙7　24
- 愛13 美9 咲9　31

あみな
- あ3 み3 那7　13
- 杏7 実8 菜11　26
- 明8 美9 南9　26

あみは
- 編15 羽6　21
- 亜7 美9 葉12　28
- 愛13 見7 羽6　26

あみる
- あ3 み3 る2　8
- 愛13 美9 瑠14　36

あむ
- 編15　15(1)
- 愛13 夢13　26

あめり
- 天4 里7　11
- 雨8 璃15　23
- ア2 メ2 リ2　6
- あ3 め2 り2　7
- 亜7 芽8 莉10　25

あや
- 文4　4(1)
- 彩11　11(1)
- 絢12　12(1)
- 斐12　12(1)
- 綾14　14(1)
- 亜7 弥8　15
- 亜7 椰13　20
- 杏7 耶9　16
- 彩11 矢5　16
- 愛13 弥8　21

あやえ
- 文4 絵12　16
- 彩11 映9　20
- 綾14 瑛12　26
- 亜7 耶9 恵10　26

あやか
- 紋10 歌14　24
- 彩11 花7　18
- 彩11 夏10　21
- 彩11 華10　21
- 斐12 佳8　20
- 絢12 香9　21
- 綾14 加5　19
- 綾14 可5　19
- 綾14 禾5　19
- 綾14 香9　23
- 有6 矢5 香9　20
- 亜7 耶9 果8　24

あやき
- 文4 綺14　18
- 綾14 希7　21

あやこ
- 彩11 虹9　20
- 絢12 子3　15
- 斐12 子3　15
- 亜7 弥8 子3　18

あやさ
- 絢12 沙7　19
- 綾14 紗10　24

あやせ
- 彩11 星9　20
- 綾14 世5　19
- 綾14 星9　23

あやな
- 文4 奈8　12
- 紋10 名6　16
- 彩11 那7　18
- 彩11 菜11　22
- 絢12 七2　14
- 絢12 南9　21

あやね
- 文4 音9　13
- 文4 寧14　18
- 朱6 音9　15
- 彩11 祢9　20
- 彩11 寧14　25
- 綾14 音9　23
- 綺14 祢9　23
- あ3 や3 ね4　10

あやの
文乃 (4, 2) 6
彩野 (11, 11) 22
絢乃 (12, 2) 14
斐乃 (12, 2) 14
綾野 (14, 11) 25
あやの (3, 3, 1) 7
あや乃 (3, 3, 2) 8

あやは
文芭 (4, 7) 11
采羽 (8, 6) 14
彩葉 (11, 12) 23
絢巴 (12, 4) 16

あやほ
彩穂 (11, 15) 26
彩耶歩 (11, 9, 8) 28

あやみ
彩心 (11, 4) 15
彩美 (11, 9) 20
絢実 (12, 8) 20
絢泉 (12, 9) 21
亜弥美 (7, 8, 9) 24

あやむ
文夢 (4, 13) 17
彩夢 (11, 13) 24

あやめ
菖 (11) 11 (1)
朱苺 (6, 8) 14
純芽 (10, 8) 18
彩女 (11, 3) 14
菖蒲 (11, 13) 24
絢芽 (12, 8) 20
あやめ (3, 3, 2) 8
亜弥芽 (7, 8, 8) 23

あやも
彩萌 (11, 11) 22
絢雲 (12, 12) 24

あやや
安耶々 (6, 9, 3) 18
亜弥々 (7, 8, 3) 18

あやよ
彩代 (11, 5) 16
彩呼 (11, 8) 19
斐世 (12, 5) 17

あやり
絢里 (12, 7) 19
綾莉 (14, 10) 24

あゆ
有優 (6, 17) 23
亜由 (7, 5) 12
亜優 (7, 17) 24
愛結 (13, 12) 25

あゆか
歩叶 (8, 5) 13
歩佳 (8, 8) 16
安優果 (6, 17, 8) 31
亜由夏 (7, 5, 10) 22
愛結佳 (13, 12, 8) 33

あゆき
歩姫 (8, 10) 18
彩幸 (11, 8) 19
愛由希 (13, 5, 7) 25

あゆこ
歩子 (8, 3) 11
鮎子 (16, 3) 19
あゆ子 (3, 3, 3) 9
彩悠子 (11, 11, 3) 25

あゆな
あゆ菜 (3, 3, 11) 17
安佑奈 (6, 7, 8) 21
亜由菜 (7, 5, 11) 23
亜優奈 (7, 17, 8) 32

あゆね
亜由寧 (7, 5, 14) 26
彩悠音 (11, 11, 9) 31
愛由音 (13, 5, 9) 27

あゆの
歩乃 (8, 2) 10
歩野 (8, 11) 19
鮎乃 (16, 2) 18
愛優乃 (13, 17, 2) 32

あゆは
歩葉 (8, 12) 20
亜悠羽 (7, 11, 6) 24
亜優波 (7, 17, 8) 32

あゆみ
歩 (8) 8 (1)
亜弓 (7, 3) 10
歩美 (8, 9) 17
愛弓 (13, 3) 16
あゆみ (3, 3, 3) 9
あゆ未 (3, 3, 5) 11
有悠美 (6, 11, 9) 26
愛結美 (13, 12, 9) 34

あゆむ
歩夢 (8, 13) 21
あゆむ (3, 3, 4) 10
亜由夢 (7, 5, 13) 25

あゆめ
歩芽 (8, 8) 16

あゆり
亜友里 (7, 4, 7) 18
愛有莉 (13, 6, 10) 29

あらか
新佳 (13, 8) 21

あらん
亜蘭 (7, 19) 26

あり
有 (6) 6 (1)
在梨 (6, 11) 17
亜莉 (7, 10) 17
愛璃 (13, 15) 28

ありあ
有彩 (6, 11) 17
有愛 (6, 13) 19
ありあ (3, 2, 3) 8
あり愛 (3, 2, 13) 18
有利亜 (6, 7, 7) 20

ありい
有依 (6, 8) 14
ありい (3, 2, 2) 7
安莉依 (6, 10, 8) 24
亜梨衣 (7, 11, 6) 24

ありか
有歌 (6, 14) 20
愛利加 (13, 7, 5) 25

ありこ
在子 (6, 3) 9
有瑚 (6, 13) 19

ありさ
在沙 (6, 7) 13
有冴 (6, 7) 13
有咲 (6, 9) 15
有紗 (6, 10) 16
ありさ (3, 2, 3) 8
亜利咲 (7, 7, 9) 23
阿里沙 (8, 7, 7) 22
愛里紗 (13, 7, 10) 30

ありす
有珠 (6, 10) 16
アリス (2, 2, 2) 6
ありす (3, 2, 3) 8
亜莉寿 (7, 10, 7) 24
愛梨須 (13, 11, 12) 36

ありな
有那 (6, 7) 13
在奈 (6, 8) 14
安里奈 (6, 7, 8) 21

ありね
有音 (6, 9) 15
亜璃音 (7, 15, 9) 31

ありむ
有夢 (6, 13) 19
ありむ (3, 2, 4) 9

ありん
杏鈴 (7, 13) 20
亜凛 (7, 15) 22

ある
亜留 (7, 10) 17
亜琉 (7, 11) 18

あれい
- 亜礼（7・5）12

あれな
- 有怜菜（6・8・11）25
- 亜礼奈（7・5・8）20

あろは
- あろは（3・2・4）9
- 安呂葉（6・7・12）25

あん
- 杏（7）7（1）
- 晏（10）10（1）
- 庵（11）11（1）

あんじ
- 杏慈（7・13）20

あんじゅ
- 安珠（6・10）16
- 杏樹（7・16）23
- 晏珠（10・10）20

あんず
- 杏（7）7（1）
- あんず（3・2・5）10

あんな
- 安奈（6・8）14
- 杏名（7・6）13
- 杏南（7・9）16
- 晏七（10・2）12
- 晏奈（10・8）18
- あんな（3・2・5）10

あんの
- 杏乃（7・2）9
- あん乃（3・2・2）7

あんび
- 杏妃（7・6）13

あんみ
- 杏美（7・9）16
- 安実（6・8）14
- 杏美（7・9）16

あんり
- 安里（6・7）13
- 杏里（7・7）14
- 杏莉（7・10）17
- 杏梨（7・11）18
- 杏理（7・11）18
- 晏梨（10・11）21

いあん
- 伊杏（6・7）13
- いあん（2・3・2）7

いお
- 伊緒（6・14）20
- 依央（8・5）13

いおな
- 衣央那（6・5・7）18
- 伊緒奈（6・14・8）28

いおり
- 一織（1・18）19
- 伊織（6・18）24
- 衣織（6・18）24

いおん
- 衣穏（6・16）22
- 依音（8・9）17

いく
- 郁（9）9（1）
- 衣玖（6・7）13

いくえ
- 育衣（8・6）14
- 郁恵（9・10）19

いくこ
- 育子（8・3）11
- 伊玖子（6・7・3）16

いくの
- 郁乃（9・2）11

いくほ
- 育穂（8・15）23
- 郁歩（9・8）17

いくみ
- 郁心（9・4）13
- 育実（8・8）16
- 育海（8・9）17
- 郁実（9・8）17
- 郁美（9・9）18

いくも
- 生萌（5・11）16
- いくも（2・1・3）6

いくよ
- 郁代（9・5）14
- いくよ（2・1・3）6

いこ
- 衣胡（6・9）15
- 依子（8・3）11

いさえ
- 衣冴（6・7）13
- 依紗英（8・10・8）26

いさこ
- 以沙子（5・7・3）15
- 伊咲子（6・9・3）18

いさみ
- 衣紗美（6・10・9）25

いすず
- いすず（2・3・5）10
- 五十鈴（4・2・13）19

いずほ
- 出帆（5・6）11
- いずほ（2・5・5）12

いずみ
- 泉（9）9（1）
- 衣純（6・10）16
- 衣澄（6・15）21
- 和泉（8・9）17
- 泉水（9・4）13
- いずみ（2・5・3）10

いずみこ
- 泉子（9・3）12

いずも
- 出萌（5・11）16
- 出雲（5・12）17

いずる
- 出琉（5・11）16

いせ
- 衣世（6・5）11
- 伊勢（6・13）19

いちか
- 一花（1・7）8
- 一華（1・10）11
- 苺花（8・7）15
- 依千加（8・3・5）16

いちき
- 一希（1・7）8
- 一祈（1・8）9

いちこ
- 一瑚（1・13）14
- 市子（5・3）8
- 苺子（8・3）11

いちご
- 苺（8）8（1）

いちの
- 一乃（1・2）3
- 衣知乃（6・8・2）16

いちは
- 一葉（1・12）13
- 衣千羽（6・3・6）15
- 依知葉（8・8・12）28

いつか
- 逸香（11・9）20

いつき
- 樹（16）16（1）
- いつき（2・1・4）7

いつこ
- 伊都子（6・11・3）20

いつほ
- 乙帆（1・6）7
- 逸歩（11・8）19

いつみ
- 乙実（1・8）9
- 逸美（11・9）20

いづみ
- いづみ（2・3・3）8
- 伊津美（6・9・9）24

いと
- 弦(8) 8 (1)
- 絃(11) 11 (1)
- 綸(14) 14 (1)
- 伊(6)都(11) 17

いとえ
- 弦(8)絵(12) 20

いとこ
- 絃(11)子(3) 14
- 綸(14)子(3) 17
- 衣(6)都(11)子(3) 20

いとせ
- 絃(11)瀬(19) 30
- 伊(6)都(11)世(5) 22

いとね
- 弦(8)寧(14) 22
- 絃(11)音(9) 20

いとの
- 糸(6)乃(2) 8
- 綸(14)乃(2) 16
- 依(8)斗(4)乃(2) 14

いとは
- 絃(11)羽(6) 17
- 綸(14)葉(12) 26

いとみ
- 絃(11)実(8) 19
- 綸(14)美(9) 23

いとよ
- 絃(11)世(5) 16
- 衣(6)都(11)代(5) 22

いな
- 衣(6)那(7) 13
- 伊(6)奈(8) 14

いなこ
- 惟(11)奈(8)子(3) 22

いなほ
- 稲(14)穂(15) 29

いなみ
- 伊(6)波(8) 14
- 衣(6)奈(8)美(9) 23

いの
- 依(8)乃(2) 10

いのか
- 祈(8)歌(14) 22

いのり
- 祈(8) 8 (1)
- 祷(11) 11 (1)
- 祈(8)里(7) 15
- 祈(8)莉(10) 18
- い(2)の(1)り(2) 5
- 衣(6)乃(2)莉(10) 18
- 伊(6)乃(2)梨(11) 19

いびさ
- 伊(6)美(9)紗(10) 25
- 衣(6)美(9)沙(7) 22

いぶ
- 衣(6)舞(15) 21
- 依(8)葡(12) 20

いぶき
- 伊(6)吹(7) 13
- 惟(11)吹(7) 18
- い(2)ぶ(6)き(4) 12
- 衣(6)舞(15)希(7) 28

いほ
- 伊(6)帆(6) 12

いまり
- 衣(6)鞠(17) 23
- 伊(6)万(3)里(7) 16

いまる
- 伊(6)万(3)琉(11) 20

いよ
- 伊(6)代(5) 11
- 依(8)世(5) 13

いりあ
- い(2)り(2)あ(3) 7
- 依(8)梨(11)愛(13) 32

いりさ
- 衣(6)梨(11)沙(7) 24

いりす
- 依(8)里(7)朱(6) 21

いりな
- 以(5)里(7)奈(8) 20
- 衣(6)梨(11)名(6) 23

いりの
- い(2)り(2)の(1) 5
- 衣(6)璃(15)乃(2) 23

いりま
- 依(8)莉(10)麻(11) 29

いるま
- 衣(6)琉(11)真(10) 27

いるみ
- い(2)る(2)み(3) 7
- 依(8)琉(11)未(5) 24

いろは
- 色(6)羽(6) 12
- 色(6)葉(12) 18
- 彩(11)羽(6) 17
- 彩(11)葉(12) 23
- い(2)ろ(2)は(4) 8
- 衣(6)呂(7)葉(12) 25

う

うい
- 初(7) 7 (1)
- う(2)い(2) 4
- 羽(6)衣(6) 12
- 有(6)依(8) 14
- 初(7)衣(6) 13

ういか
- 初(7)香(9) 16
- 宇(6)井(4)香(9) 19
- 羽(6)衣(6)歌(14) 26

ういこ
- 初(7)子(3) 10
- 羽(6)衣(6)子(3) 15

ういな
- 初(7)奈(8) 15
- 羽(6)衣(6)奈(8) 20
- 有(6)依(8)奈(8) 22

うき
- 羽(6)希(7) 13
- 宇(6)綺(14) 20

うきこ
- 羽(6)貴(12)子(3) 21

うさ
- う(2)さ(3) 5
- 宇(6)沙(7) 13
- 羽(6)紗(10) 16
- 有(6)紗(10) 16

うさこ
- 宇(6)沙(7)子(3) 16
- 羽(6)紗(10)子(3) 19

うしお
- 潮(15) 15 (1)
- 有(6)汐(6) 12

うた
- 詩(13) 13 (1)
- 謡(16) 16 (1)
- う(2)た(4) 6
- 宇(6)多(6) 12

うたえ
- 詠(12)恵(10) 22
- 詩(13)絵(12) 25

うたこ
- 詠(12)子(3) 15
- 詩(13)子(3) 16
- 歌(14)子(3) 17

うたな
- 歌(14)奈(8) 22

うたね
- 吟(7)寧(14) 21
- 歌(14)音(9) 23

うたの
- 唄(10)乃(2) 12
- 詩(13)野(11) 24
- う(2)た(4)乃(2) 8

うたは
- 詩(13)羽(6) 19
- 歌(14)葉(12) 26

うたほ
- 詩(13)帆(6) 19
- 歌(14)歩(8) 22

うたよ
- 詩(13)世(5) 18
- 歌(14)代(5) 19

うづき
- 卯(5)月(4) 9
- 有(6)津(9)祈(8) 23

うの
- う(2)の(1) 3
- 宇(6)乃(2) 8
- 羽(6)乃(2) 8
- 雨(8)乃(2) 10

うみ
- 海(9) 9 (1)
- 羽(6)心(4) 10
- 羽(6)未(5) 11
- 有(6)未(5) 11
- 宇(6)美(9) 15

うみか
- 海(9)花(7) 16
- 海(9)珂(9) 18
- 海(9)香(9) 18
- 海(9)夏(10) 19
- 羽(6)未(5)花(7) 18
- 有(6)美(9)夏(10) 25

うみこ
- 海(9)子(3) 12
- 宇(6)美(9)子(3) 18

うみの
- 海(9)乃(2) 11
- 羽(6)未(5)乃(2) 13

うみほ
- 海(9)帆(6) 15
- 羽(6)海(9)保(9) 24

うめ
- 梅(10) 10 (1)
- 羽(6)芽(8) 14
- 有(6)芽(8) 14

うめか
- 梅(10)花(7) 17
- 梅(10)香(9) 19

うめこ
- 梅(10)子(3) 13

うらら
- 麗(19) 19 (1)
- 麗(19)良(7) 26
- う(2)ら(3)ら(3) 8
- 羽(6)楽(13)々(3) 22

うり
- 宇(6)莉(10) 16
- 羽(6)梨(11) 17

うるみ
- 潤(15)美(9) 24
- 羽(6)留(10)美(9) 25
- 有(6)琉(11)未(5) 22

うるる
- 潤(15)琉(11) 26
- う(2)る(2)る(2) 6
- 羽(6)琉(11)々(3) 20

え

えあ
- 衣(6)愛(13) 19
- 英(8)愛(13) 21
- 恵(10)彩(11) 21
- 絵(12)亞(8) 20

えい
- 恵(10)伊(6) 16
- 絵(12)衣(6) 18

えいか
- 永(5)華(10) 15
- 英(8)佳(8) 16
- 栄(9)香(9) 18
- 瑛(12)花(7) 19
- 江(6)衣(6)伽(7) 19

えいこ
- 栄(9)子(3) 12
- 映(9)湖(12) 21
- 詠(12)子(3) 15
- 江(6)依(8)子(3) 17

えいな
- 映(9)奈(8) 17
- 瑛(12)那(7) 19
- 詠(12)奈(8) 20
- 恵(10)以(5)菜(11) 26

えいみ
- 永(5)美(9) 14
- 映(9)実(8) 17
- 詠(12)美(9) 21

えこ
- 永(5)瑚(13) 18
- 江(6)子(3) 9
- 笑(10)子(3) 13
- 絵(12)子(3) 15
- 慧(15)子(3) 18

えつ
- 悦(10) 10 (1)
- え(3)つ(1) 4

えつこ
- 悦(10)子(3) 13
- 江(6)津(9)子(3) 18

えつほ
- 悦(10)穂(15) 25
- 絵(12)津(9)帆(6) 27

えつみ
- 悦(10)美(9) 19

えつよ
- 悦(10)代(5) 15
- 越(12)世(5) 17

えと
- 絵(12)斗(4) 16
- 笑(10)都(11) 21

えな
- 永(5)南(9) 14
- 依(8)奈(8) 16
- 映(9)凪(6) 15
- 恵(10)那(7) 17
- 絵(12)七(2) 14
- 詠(12)奈(8) 20

えなみ
- 江(6)波(8) 14
- 依(8)波(8) 16

えの
- 笑(10)乃(2) 12
- 恵(10)野(11) 21
- 絵(12)埜(11) 23
- 慧(15)乃(2) 17

えば
- 絵(12)羽(6) 18
- 瑛(12)葉(12) 24
- 絵(12)葉(12) 24

えま
- 英(8)茉(8) 16
- 依(8)麻(11) 19
- 笑(10)磨(16) 26
- 絵(12)万(3) 15
- 映(9)真(10) 19

えまき
- 絵(12)蒔(13) 25

えみ
- 咲(9) 9 (1)
- 笑(10) 10 (1)
- エ(3)ミ(3) 6
- 恵(10)実(8) 18
- 恵(10)泉(9) 19
- 笑(10)美(9) 19
- 絵(12)実(8) 20
- 慧(15)美(9) 24

えみい
- 笑(10)依(8) 18
- え(3)み(3)い(2) 8

えみか
- 咲(9)加(5) 14
- 笑(10)花(7) 17
- 笑(10)香(9) 19
- 瑛(12)心(4)香(9) 25
- 絵(12)美(9)佳(8) 29

えみこ
笑子 13
映美子 21
詠美子 24

えみな
咲那 16
笑菜 21
江未奈 19
恵実奈 26

えみね
笑音 19
えみ祢 15
瑛美音 30

えみの
咲乃 11
笑埜 21
恵美乃 21

えみほ
笑帆 16
恵美穂 34

えみり
笑里 17
エミリ 8
えみり 8
恵美里 26
絵心里 23

えみる
笑瑠 24
エミル 8
えみる 8
絵美琉 32

えむ
笑 10 (1)
映夢 22
恵夢 23
笑夢 23
絵夢 25

えめ
江芽 14
恵芽 18

えり
映莉 19
笑里 17
恵梨 21
恵理 21
絵吏 18
絵里 19

えりい
江璃衣 27
恵利依 25
笑莉衣 26

えりか
衿加 14
エリカ 7
えりか 8
江梨香 26
英里香 24
英莉可 23
依璃花 30
恵里香 26

えりこ
えり子 8
恵利子 20
絵里子 22
詠梨子 26
絵理子 26

えりさ
襟沙 25
えりさ 8
永梨紗 26
映里沙 23
恵理沙 28

えりな
衿那 16
エリナ 7
えりな 10
永梨菜 27
江理奈 25
笑里那 24
絵梨奈 31

えりの
衿乃 11
絵里乃 21

える
依留 18
恵瑠 24
絵琉 23

えるか
江瑠香 29

えるさ
英琉沙 26

えるな
エルナ 7

えるま
えるま 9
絵瑠真 36

えるも
江留萌 27

えれな
エレナ 6
えれな 11
永怜那 20
映玲奈 26

えれん
依恋 18
恵連 20
瑛蓮 25

えん
円 4 (1)
縁 15 (1)

えんか
円香 13
園華 23

お

おうか
央果 13
央夏 15
桜花 17
桜香 19

おおか
央羽花 18
大華 13

おと
乙 1 (1)
音 9 (1)

おとあ
乙亜 8
乙愛 14
音亜 16
音愛 22

おとえ
乙依 9
音恵 19

おとか
乙佳 9
乙香 10
音架 18
音夏 19
央都禾 21

おとせ
乙瀬 20
音世 14
音聖 22
央登世 22

おとね
乙音 10
乙寧 15
音寧 23

おとの
乙乃 3
音乃 11

おとは
乙芭 8
乙葉 13
音羽 15
音波 17

おとほ
乙穂 16

音帆 (9・6) 15

おとみ
- 乙心 (1・4) 5
- 音美 (9・9) 18

おとめ
- 乙女 (1・3) 4
- 音芽 (9・8) 17

おとわ
- 乙和 (1・8) 9
- 音羽 (9・6) 15

おもい
- 思 (9) 9 (1)

おりえ
- 織絵 (18・12) 30
- おりえ (4・2・3) 9
- 緒里恵 (14・7・10) 31

おりか
- 織香 (18・9) 27
- 央里花 (5・7・7) 19
- 緒莉花 (14・10・7) 31

おりこ
- 織子 (18・3) 21

おりな
- 織那 (18・7) 25
- 央莉奈 (5・10・8) 23

おりね
- 折音 (7・9) 16
- 織音 (18・9) 27

おりは
- 織葉 (18・12) 30
- おりは (4・2・4) 10

おりほ
- 織帆 (18・6) 24
- 央里穂 (5・7・15) 27

おりみ
- 織美 (18・9) 27
- 央里実 (5・7・8) 20
- 緒莉実 (14・10・8) 32

おん
- 音 (9) 9 (1)
- 温 (12) 12 (1)

か

かあい
- 佳愛 (8・13) 21

かあこ
- 香亜子 (9・7・3) 19

かあさ
- 可麻 (5・11) 16
- 佳愛佐 (8・13・7) 28

かい
- 花衣 (7・6) 13
- 華依 (10・8) 18

かいな
- 海那 (9・7) 16
- 諧奈 (16・8) 24

かいね
- 快祢 (7・9) 16
- 海音 (9・9) 18

かいや
- 海椰 (9・13) 22
- 香依弥 (9・8・8) 25

かいら
- 絵羅 (12・19) 31
- 花衣良 (7・6・7) 20

かいり
- 海里 (9・7) 16
- 快莉 (7・10) 17
- 加衣莉 (5・6・10) 21

かいりん
- 快鈴 (7・13) 20
- 海凛 (9・15) 24

かえ
- かえ (3・3) 6
- 花笑 (7・10) 17
- 佳永 (8・5) 13
- 香依 (9・8) 17
- 珂絵 (9・12) 21
- 華映 (10・9) 19
- 華笑 (10・10) 20
- 夏瑛 (10・12) 22

かえで
- 楓 (13) 13 (1)
- かえで (3・3・4) 10

かえら
- カエラ (2・3・2) 7
- かえら (3・3・3) 9
- 華江良 (10・6・7) 23
- 花恵良 (7・10・7) 24

かお
- 花桜 (7・10) 17
- 佳央 (8・5) 13
- 夏緒 (10・14) 24

かおり
- 香 (9) 9 (1)
- 禾織 (5・18) 23
- 香里 (9・7) 16
- 歌織 (14・18) 32
- かおり (3・4・2) 9
- 加緒莉 (5・14・10) 29
- 夏央梨 (10・5・11) 26

かおる
- 郁 (9) 9 (1)
- 香 (9) 9 (1)
- 薫 (16) 16 (1)
- 馨 (20) 20 (1)
- 花織 (7・18) 25
- かおる (3・4・2) 9
- 香央瑠 (9・5・14) 28

かおるこ
- 香子 (9・3) 12
- 薫子 (16・3) 19

かおん
- 花音 (7・9) 16
- 果温 (8・12) 20
- 夏音 (10・9) 19
- 歌穏 (14・16) 30

かがみ
- 加々美 (5・3・9) 17

かがり
- かがり (3・5・2) 10
- 夏伽里 (10・7・7) 24

かぐや
- かぐや (3・3・3) 9

かぐら
- 神楽 (9・13) 22

かこ
- 伽子 (7・3) 10
- 佳子 (8・3) 11
- 珂子 (9・3) 12
- 架子 (9・3) 12
- 香瑚 (9・13) 22
- 華子 (10・3) 13

かさね
- かさね (3・3・4) 10
- 花沙音 (7・7・9) 23

かざね
- 風音 (9・9) 18
- 風寧 (9・14) 23

かざは
- 風羽 (9・6) 15
- 風葉 (9・12) 21

かざみ
- かざみ (3・5・3) 11
- 風美 (9・9) 18

かじゅ
- 花寿 (7・7) 14
- 佳珠 (8・10) 18
- 香珠 (9・10) 19
- 嘉珠 (14・10) 24

かず
- 和 (8) 8 (1)
- かず (3・5) 8
- 佳寿 (8・7) 15

かずえ
- 一笑 (1・10) 11
- 和永 (8・5) 13
- 和依 (8・8) 16
- 花寿衣 (7・7・6) 20

かすが
- 春日（9・4）13

かずき
- 一希（1・7）8
- 一姫（1・10）11
- 和祈（8・8）16
- 和綺（8・14）22
- 夏朱希（10・6・7）23
- 香珠妃（9・10・6）25

かずこ
- 和子（8・3）11
- 夏珠子（10・10・3）23

かずさ
- 一咲（1・9）10
- 一紗（1・10）11
- 和沙（8・7）15
- かず紗（3・5・10）18
- 伽寿沙（7・7・7）21

かずな
- 一那（1・7）8
- 和菜（8・11）19

かずね
- 一寧（1・14）15
- 和音（8・9）17
- 香珠音（9・10・9）28

かずの
- 和乃（8・2）10

かずは
- 一葉（1・12）13

かずほ
- 和芭（8・7）15
- 一帆（1・6）7
- 和穂（8・15）23

かすみ
- 霞（17）17(1)
- 可純（5・10）15
- 禾澄（5・15）20
- 花純（7・10）17
- 佳澄（8・15）23
- 香澄（9・15）24
- 歌澄（14・15）29

かずみ
- 一望（1・11）12
- 和心（8・4）12
- 和美（8・9）17

かずよ
- 一葉（1・12）13
- 和世（8・5）13
- 和代（8・5）13

かぜね
- 風音（9・9）18

かづ
- 花津（7・9）16

かつえ
- 克依（7・8）15
- 佳津恵（8・9・10）27

かつき
- 佳月（8・4）12
- 夏月（10・4）14
- かつき（3・1・4）8

かづき
- 花月（7・4）11
- 香月（9・4）13
- 華月（10・4）14

かつこ
- 活子（9・3）12
- 伽津子（7・9・3）19

かつの
- 克乃（7・2）9

かつみ
- 香摘（9・14）23
- 夏津未（10・9・5）24

かづみ
- 加津美（5・9・9）23

かつら
- 桂（10）10(1)

かつらこ
- 桂子（10・3）13

かづる
- 香鶴（9・21）30

かな
- 叶（5）5(1)
- 奏（9）9(1)
- かな（3・5）8
- 叶那（5・7）12
- 禾奈（5・8）13
- 可奈（5・8）13
- 可菜（5・11）16
- 伽奈（7・8）15
- 佳那（8・7）15
- 香菜（9・11）20
- 夏南（10・9）19

かなえ
- 叶（5）5(1)
- 奏依（9・8）17
- 夏苗（10・8）18
- かなえ（3・5・3）11
- 珂奈恵（9・8・10）27

かなか
- 叶香（5・9）14
- 奏花（9・7）16

かなこ
- 叶子（5・3）8
- 奏子（9・3）12
- 加奈子（5・8・3）16
- 佳菜子（8・11・3）22

かなで
- 奏（9）9(1)

かなは
- 叶葉（5・12）17
- 奏羽（9・6）15
- 禾南波（5・9・8）22

かなほ
- 叶歩（5・8）13
- 奏穂（9・15）24

かなみ
- 叶望（5・11）16
- 奏美（9・9）18
- 夏波（10・8）18
- かなみ（3・5・3）11
- 可那実（5・7・8）20

かなむ
- 叶夢（5・13）18
- かなむ（3・5・4）12

かなめ
- 要（9）9(1)
- 叶芽（5・8）13

かなよ
- 叶代（5・5）10
- 奏世（9・5）14

かなん
- 果南（8・9）17
- 風南（9・9）18
- 夏南（10・9）19

かの
- 花乃（7・2）9
- 花埜（7・11）18
- 花野（7・11）18
- 果乃（8・2）10
- 佳乃（8・2）10
- 佳埜（8・11）19
- 楓乃（13・2）15

かのあ
- 華乃亜（10・2・7）19

かのえ
- 佳乃恵（8・2・10）20
- 香乃絵（9・2・12）23

かのこ
- かのこ（3・1・2）6
- 佳乃子（8・2・3）13
- 香野子（9・11・3）23

かのは
- 叶葉（5・12）17
- 華の羽（10・1・6）17

かのん
- 花穏（7・16）23
- 果音（8・9）17
- 佳音（8・9）17
- 佳暖（8・13）21
- 香穏（9・16）25

夏音 10・9 19
歌音 14・9 23
カノン 2・1・2 5
かのん 3・1・2 6

かほ
伽穂 7・15 22
花穂 7・15 22
果歩 8・8 16
佳保 8・9 17
架帆 9・6 15
夏帆 10・6 16
歌帆 14・6 20

かほこ
佳帆子 8・6・3 17
華歩子 10・8・3 21

かほり
かほり 3・5・2 10
香穂李 9・15・7 31

かほる
かほる 3・5・2 10
香穂留 9・15・10 34

かみ
加美 5・9 14
香実 9・8 17

かや
禾耶 5・9 14
花弥 7・8 15
果椰 8・13 21
歌耶 14・9 23

かやえ
茅恵 8・10 18

かやこ
茅子 8・3 11
香耶子 9・9・3 21

かやせ
茅惺 8・12 20
茅聖 8・13 21

かやな
茅奈 8・8 16
香耶奈 9・9・8 26

かやの
茅乃 8・2 10
佳弥乃 8・8・2 18

かやみ
茅未 8・5 13
珂也美 9・3・9 21

かやり
花弥里 7・8・7 22

かゆ
果結 8・12 20
香優 9・17 26

かゆき
華雪 10・11 21
香佑姫 9・7・10 26

かゆこ
加友子 5・4・3 12
可優子 5・17・3 25
花悠子 7・11・3 21

かよ
佳代 8・5 13
夏世 10・5 15
華世 10・5 15

かよこ
佳代子 8・5・3 16
珂世子 9・5・3 17
香代子 9・5・3 17

から
花羅 7・19 26
夏楽 10・13 23
歌良 14・7 21

からん
伽蘭 7・19 26
華蘭 10・19 29

かり
花莉 7・10 17
香璃 9・15 24

かりな
佳梨奈 8・11・8 27
香里菜 9・7・11 27
歌莉那 14・10・7 31

かりの
花莉乃 7・10・2 19
香李乃 9・7・2 18

かりみ
花梨美 7・11・9 27
果梨実 8・11・8 27

かりん
可凛 5・15 20
花梨 7・11 18
花鈴 7・13 20
花凛 7・15 22
果琳 8・12 20
夏鈴 10・13 23
夏凛 10・15 25
歌鈴 14・13 27

かれん
叶恋 5・10 15
可蓮 5・13 18
可憐 5・16 21
花蓮 7・13 20
花憐 7・16 23
夏恋 10・10 20
かれん 3・3・2 8

かんこ
栞子 10・3 13
歓子 15・3 18

かんな
柑七 9・2 11
栞那 10・7 17
栞南 10・9 19
歓奈 15・8 23
かんな 3・2・5 10

かんの
柑乃 9・2 11
栞乃 10・2 12

き

きい
希衣 7・6 13
祈生 8・5 13
季依 8・8 16
嬉衣 15・6 21

きいこ
綺意子 14・13・3 30
輝衣子 15・6・3 24

きいさ
希衣沙 7・6・7 20
季以紗 8・5・10 23

きいな
希依菜 7・8・11 26
季伊菜 8・6・11 25

きいろ
希彩 7・11 18

きえ
祈恵 8・10 18
季絵 8・12 20
喜永 12・5 17

きえこ
姫衣子 10・6・3 19
貴英子 12・8・3 23

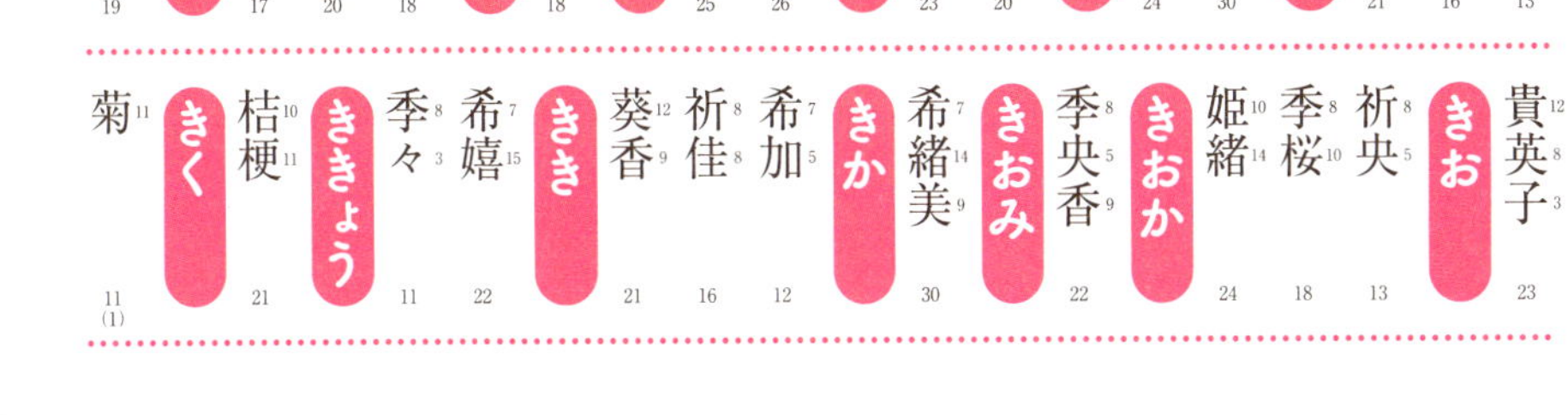

きお
祈央 8・5 13
季桜 8・10 18
姫緒 10・14 24

きおか
季央香 8・5・9 22

きおみ
希緒美 7・14・9 30

きか
希加 7・5 12
祈佳 8・8 16
葵香 12・9 21

きき
希嬉 7・15 22
季々 8・3 11

ききょう
桔梗 10・11 21

きく
菊 11 11 (1)

稀(12)久(3) 15

きくえ
菊(11)依(8) 19
鞠(17)絵(12) 29

きくか
菊(11)香(9) 20
掬(11)歌(14) 25
喜(12)久(3)花(7) 22

きくこ
掬(11)子(3) 14
菊(11)子(3) 14

きくな
稀(12)久(3)奈(8) 23

きくの
菊(11)乃(2) 13
希(7)玖(7)乃(2) 16

きくみ
希(7)玖(7)実(8) 22

きこ
希(7)湖(12) 19

祈(8)子(3) 11
季(8)子(3) 11
紀(9)子(3) 12
綺(14)子(3) 17

きさ
希(7)紗(10) 17
祈(8)咲(9) 17
季(8)彩(11) 19

きさき
希(7)咲(9) 16
紀(9)沙(7)希(7) 23

きさこ
季(8)咲(9)子(3) 20

きさら
綺(14)更(7) 21
希(7)沙(7)羅(19) 33

きしこ
季(8)詩(13)子(3) 24

きずな
絆(11) 11 (1)
絆(11)七(2) 13
絆(11)南(9) 20
絆(11)菜(11) 22
き(4)ず(5)な(5) 14

きせ
希(7)聖(13) 20
姫(10)星(9) 19
綺(14)星(9) 23
輝(15)世(5) 20

きっか
吉(6)花(7) 13
桔(10)香(9) 19

きっこ
吉(6)瑚(13) 19
橘(16)子(3) 19

きな
希(7)那(7) 14
姫(10)奈(8) 18

きなり
妃(6)成(6) 12

きぬ
絹(13) 13 (1)

きぬえ
絹(13)依(8) 21
絹(13)恵(10) 23

きぬほ
絹(13)帆(6) 19

きぬよ
絹(13)代(5) 18

きの
希(7)乃(2) 9
季(8)野(11) 19
紀(9)乃(2) 11

きはる
希(7)陽(12) 19
姫(10)春(9) 19

きほ
希(7)歩(8) 15
祈(8)穂(15) 23
季(8)穂(15) 23
紀(9)保(9) 18
嬉(15)保(9) 24

きほこ
希(7)帆(6)子(3) 16
季(8)穂(15)子(3) 26

きみ
祈(8)心(4) 12
季(8)実(8) 16
貴(12)美(9) 21

きみえ
公(4)恵(10) 14
紀(9)美(9)瑛(12) 30

きみか
公(4)香(9) 13
喜(12)心(4)花(7) 23

きみこ
希(7)海(9)子(3) 19
季(8)見(7)子(3) 18

きみよ
希(7)実(8)世(5) 20
紀(9)美(9)代(5) 23

きゃら
伽(7)楽(13) 20

きゅうこ
鞠(17)子(3) 20

きゆか
希(7)悠(11)香(9) 27

きよ
祈(8)世(5) 13
季(8)代(5) 13
喜(12)世(5) 17
綺(14)代(5) 19

きょう
杏(7) 7 (1)
京(8) 8 (1)
響(20) 20 (1)

きょうか
叶(5)香(9) 14
杏(7)佳(8) 15
京(8)香(9) 17
恭(10)禾(5) 15
響(20)花(7) 27

きょうこ
京(8)子(3) 11
恭(10)子(3) 13
鏡(19)子(3) 22
今(4)日(4)子(3) 11

きょうな
杏(7)菜(11) 18
京(8)奈(8) 16
今(4)日(4)奈(8) 16

きょうの
杏(7)埜(11) 18
響(20)乃(2) 22

きょうみ
京(8)美(9) 17
響(20)美(9) 29

きよえ
聖(13)瑛(12) 25
希(7)代(5)江(6) 18

きよか
清(11)夏(10) 21
聖(13)花(7) 20
聖(13)架(9) 22
き(4)よ(3)佳(8) 15
希(7)代(5)加(5) 17
希(7)世(5)華(10) 22

きよこ
清(11)子(3) 14
希(7)葉(12)子(3) 22
季(8)陽(12)子(3) 23

きよせ
清(11)世(5) 16
稀(12)代(5)世(5) 22

きよな
清(11)奈(8) 19
聖(13)七(2) 15
希(7)世(5)奈(8) 20

きよね
清(11)音(9) 20

- 聖(13)寧(14) 27
- き(4)よ(3)音(9) 16
- 希(7)世(5)祢(9) 21

きよの
- 聖(13)乃(2) 15
- 潔(15)乃(2) 17
- き(4)よ(3)の(1) 8

きよみ
- 清(11)心(4) 15
- 清(11)未(5) 16
- 聖(13)美(9) 22
- 澄(15)心(4) 19
- 輝(15)代(5)美(9) 29

きよら
- 清(11)楽(13) 24
- き(4)よ(3)ら(3) 10

きら
- 希(7)楽(13) 20
- 希(7)羅(19) 26
- 綺(14)良(7) 21
- 輝(15)楽(13) 28

きらひ
- 煌(13)日(4) 17
- 煌(13)妃(6) 19

きらほ
- 煌(13)帆(6) 19
- き(4)ら(3)穂(15) 22

きらら
- き(4)ら(3)ら(3) 10
- き(4)ら(3)楽(13) 20
- 希(7)楽(13)々(3) 23
- 季(8)羅(19)々(3) 30

きらり
- 煌(13)里(7) 20
- き(4)ら(3)り(2) 9
- き(4)ら(3)璃(15) 22
- 希(7)来(7)莉(10) 24

きり
- 希(7)璃(15) 22
- 祈(8)里(7) 15
- 季(8)莉(10) 18

きりあ
- 桐(10)亜(7) 17
- 季(8)梨(11)亜(7) 26

きりえ
- 桐(10)衣(6) 16
- 希(7)莉(10)絵(12) 29

きりか
- 桐(10)香(9) 19
- 紀(9)梨(11)禾(5) 25

きりこ
- 桐(10)子(3) 13
- 季(8)里(7)子(3) 18
- 季(8)凛(15)子(3) 26

きりの
- 桐(10)乃(2) 12
- 紀(9)梨(11)乃(2) 22

きりよ
- 桐(10)代(5) 15
- 希(7)莉(10)世(5) 22

きりん
- 祈(8)鈴(13) 21
- 季(8)凛(15) 23

きわ
- 希(7)羽(6) 13
- 紀(9)和(8) 17
- 綺(14)羽(6) 20

きわこ
- 祈(8)和(8)子(3) 19

きわみ
- 貴(12)和(8)美(9) 29

ぎんか
- 銀(14)花(7) 21

ぎんこ
- 吟(7)子(3) 10

くう
- 紅(9)羽(6) 15

くき
- 久(3)喜(12) 15
- 久(3)綺(14) 17
- 玖(7)希(7) 14

くくみ
- 玖(7)々(3)未(5) 15

くに
- 玖(7)仁(4) 11

くにえ
- 久(3)仁(4)恵(10) 17

くにか
- 国(8)禾(5) 13
- 久(3)仁(4)佳(8) 15
- 紅(9)仁(4)禾(5) 18

くにこ
- 邦(7)子(3) 10
- 九(2)仁(4)子(3) 9

くによ
- 邦(7)世(5) 12
- 久(3)仁(4)代(5) 12

くみ
- く(1)み(3) 4
- 久(3)美(9) 12
- 玖(7)心(4) 11
- 来(7)未(5) 12
- 玖(7)美(9) 16
- 空(8)美(9) 17
- 紅(9)実(8) 17

くみえ
- 久(3)美(9)絵(12) 24
- 玖(7)未(5)衣(6) 18

くみか
- 久(3)美(9)香(9) 21
- 紅(9)実(8)花(7) 24

くみこ
- 久(3)望(11)子(3) 17
- 紅(9)美(9)子(3) 21

くみな
- 久(3)美(9)南(9) 21
- 玖(7)実(8)奈(8) 23

くみよ
- 久(3)美(9)世(5) 17
- 久(3)望(11)代(5) 19

くら
- 玖(7)楽(13) 20

くらら
- ク(2)ラ(2)ラ(2) 6
- く(1)ら(3)ら(3) 7
- 玖(7)楽(13)々(3) 23

くらん
- 紅(9)蘭(19) 28
- く(1)ら(3)ん(2) 6

くり
- 久(3)璃(15) 18
- 玖(7)梨(11) 18

くりえ
- 九(2)李(7)江(6) 15
- 久(3)里(7)恵(10) 20

くりこ
- 久(3)莉(10)子(3) 16
- 空(8)璃(15)子(3) 26

くりみ
- 玖(7)莉(10)美(9) 26

くりん
- 久(3)琳(12) 15
- 久(3)綸(14) 17

くるみ
- 来(7)未(5) 12
- 来(7)実(8) 15
- 来(7)海(9) 16
- 来(7)望(11) 18
- 胡(9)桃(10) 19
- く(1)る(2)み(3) 6
- 久(3)瑠(14)美(9) 26

くるり
- 来(7)梨(11) 18
- く(1)る(2)り(2) 5
- 久(3)瑠(14)璃(15) 32

くれあ
- 紅(9)亜(7) 16

紅(9)玲(9)亜(7) 25

くれは
紅(9)羽(6) 15
紅(9)葉(12) 21

け

けい
圭(6) 6 (1)
恵(10) 10 (1)
景(12) 12 (1)

けいか
恵(10)果(8) 18
渓(11)花(7) 18
慧(15)花(7) 22
慶(15)佳(8) 23
憬(15)香(9) 24

けいこ
蛍(11)子(3) 14
慧(15)子(3) 18
憬(15)子(3) 18

けいと
圭(6)音(9) 15
恵(10)都(11) 21
敬(12)音(9) 21
慶(15)都(11) 26

けいな
桂(10)奈(8) 18
恵(10)菜(11) 21

けいね
恵(10)祢(9) 19
慶(15)音(9) 24

けいの
恵(10)野(11) 21
景(12)乃(2) 14
慶(15)乃(2) 17
憬(15)乃(2) 17

けいほ
圭(6)穂(15) 21
慧(15)歩(8) 23

けいみ
慶(15)実(8) 23

けいら
圭(6)羅(19) 25

こ

こあ
瑚(13)亜(7) 20

こい
恋(10) 10 (1)

こいか
恋(10)香(9) 19

こいこ
恋(10)瑚(13) 23

こいと
小(3)弦(8) 11
小(3)紘(11) 14

こう
光(6) 6 (1)
幸(8) 8 (1)
虹(9) 9 (1)
紅(9) 9 (1)
倖(10) 10 (1)
コ(2)ウ(3) 5

こうか
孝(7)香(9) 16
光(6)楓(13) 19

こうこ
虹(9)子(3) 12
香(9)湖(12) 21
倖(10)子(3) 13
縞(16)子(3) 19

こうみ
紅(9)美(9) 18
香(9)美(9) 18
虹(9)海(9) 18
倖(10)未(5) 15

こうめ
小(3)梅(10) 13

こぎく
小(3)掬(11) 14
小(3)菊(11) 14

ここ
湖(12)子(3) 15
鼓(13)々(3) 16
瑚(13)々(3) 16
瑚(13)子(3) 16

ここあ
心(4)杏(7) 11
心(4)愛(13) 17
こ(2)こ(2)あ(3) 7
こ(2)こ(2)愛(13) 17
瑚(13)々(3)亜(7) 23

ここせ
心(4)星(9) 13
湖(12)々(3)瀬(19) 34

ここな
心(4)那(7) 11
心(4)奈(8) 12
心(4)菜(11) 15
こ(2)こ(2)那(7) 11
湖(12)々(3)奈(8) 23

ここね
心(4)音(9) 13
心(4)祢(9) 13
心(4)寧(14) 18
こ(2)こ(2)音(9) 13
瑚(13)々(3)祢(9) 25

ここの
心(4)乃(2) 6
瑚(13)々(3)乃(2) 18

ここは
心(4)羽(6) 10
心(4)葉(12) 16
湖(12)々(3)羽(6) 21
瑚(13)々(3)葉(12) 28

ここみ
心(4)実(8) 12
心(4)海(9) 13
心(4)望(11) 15
こ(2)こ(2)み(3) 7
瑚(13)々(3)美(9) 25

ここむ
心(4)夢(13) 17

こころ
心(4) 4 (1)
こ(2)こ(2)ろ(2) 6

ここわ
心(4)羽(6) 10
心(4)和(8) 12
こ(2)こ(2)羽(6) 10

こさと
小(3)里(7) 10

こずえ
梢(11) 11 (1)
こ(2)ず(5)え(3) 10
己(3)珠(10)恵(10) 23

こそら
湖(12)空(8) 20
瑚(13)空(8) 21

こと
琴(12) 12 (1)
古(5)都(11) 16
瑚(13)音(9) 22

ことい
琴(12)衣(6) 18

ことえ
言(7)絵(12) 19
琴(12)江(6) 18
こ(2)と(2)え(3) 7

ことか
采(8)花(7) 15
琴(12)可(5) 17
琴(12)楓(13) 25

ことこ
琴(12)子(3) 15
詞(12)子(3) 15

ことじ
琴(12)路(13) 25

ことせ
采(8)世(5) 13
琴(12)星(9) 21
琴(12)惺(12) 24
古(5)都(11)世(5) 21

ことな
琴(12)那(7) 19
古(5)登(12)奈(8) 25

ことね
采(8)音(9) 17
琴(12)祢(9) 21
古(5)都(11)音(9) 25

ことの
言(7)乃(2) 9
琴(12)乃(2) 14
采(8)葉(12) 20

ことは
詞(12)羽(6) 18
琴(12)葉(12) 24
古(5)都(11)葉(12) 28

ことみ
采(8)美(9) 17
琴(12)実(8) 20

ことり
琴(12)里(7) 19
小(3)都(11)里(7) 21

ことわ
采(8)和(8) 16
琴(12)羽(6) 18

こな
湖(12)那(7) 19
鼓(13)奈(8) 21

こなつ
小(3)夏(10) 13
古(5)奈(8)津(9) 22

こなみ
小(3)波(8) 11
小(3)南(9)美(9) 21

この
鼓(13)乃(2) 15
瑚(13)乃(2) 15

このか
好(6)香(9) 15

このは
木(4)葉(12) 16
こ(2)の(1)葉(12) 15
小(3)乃(2)羽(6) 11

このみ
好(6)美(9) 15
こ(2)の(1)み(3) 6
木(4)の(1)実(8) 13

このん
湖(12)音(9) 21
鼓(13)音(9) 22

こはぎ
小(3)萩(12) 15

こはく
小(3)珀(9) 12
琥(12)珀(9) 21
瑚(13)白(5) 18

こはな
小(3)花(7) 10
小(3)波(8)南(9) 20

こはね
小(3)羽(6) 9
心(4)羽(6) 10
古(5)芭(7)音(9) 21

こはる
小(3)春(9) 12
小(3)陽(12) 15
心(4)春(9) 13
心(4)温(12) 16
湖(12)晴(12) 24
こ(2)は(4)る(2) 8

こはん
小(3)絆(11) 14

こひな
小(3)雛(18) 21

こふゆ
小(3)冬(5) 8

こべに
小(3)紅(9) 12

こま
瑚(13)真(10) 23

こまき
小(3)牧(8) 11
小(3)巻(9) 12

こまち
小(3)町(7) 10

こまり
小(3)毬(11) 14
小(3)鞠(17) 20
小(3)茉(8)里(7) 18

こむぎ
小(3)麦(7) 10

こもも
小(3)桃(10) 13
瑚(13)百(6)々(3) 22

こもん
小(3)紋(10) 13

こゆき
小(3)雪(11) 14
瑚(13)雪(11) 24

こゆみ
小(3)弓(3) 6
鼓(13)弓(3) 16

こゆめ
小(3)夢(13) 16

こよみ
暦(14) 14 (1)
こ(2)よ(3)み(3) 8

こより
小(3)依(8) 11
小(3)和(8) 11
こ(2)よ(3)り(2) 7

こりん
小(3)凛(15) 18

こわ
小(3)羽(6) 9
虹(9)羽(6) 15
鼓(13)和(8) 21
瑚(13)和(8) 21

さ

さあな
紗(10)亜(7)奈(8) 25

さあや
早(6)彩(11) 17
沙(7)斐(12) 19
沙(7)綾(14) 21
冴(7)綾(14) 21
咲(9)絢(12) 21
紗(10)文(4) 14
爽(11)彩(11) 22
紗(10)亜(7)耶(9) 26

さい
彩(11) 11 (1)
早(6)伊(6) 12
茶(9)衣(6) 15
紗(10)衣(6) 16

さいか
采(8)花(7) 15
采(8)香(9) 17
彩(11)加(5) 16
彩(11)禾(5) 16
彩(11)夏(10) 21
紗(10)衣(6)禾(5) 21

さいこ
彩(11)子(3) 14
咲(9)伊(6)子(3) 18

さいみ
采(8)実(8) 16
彩(11)心(4) 15

さいら
采(8)羅(19) 27

さえ
冴(7) 7 (1)
早(6)恵(10) 16
沙(7)永(5) 12

沙7 絵12 19
茶9 依8 17
咲9 笑10 19
紗10 英8 18
彩11 江6 17

さえか

冴7 香9 16
咲9 衣6 香9 24
紗10 英8 香9 27

さえき

冴7 希7 14
冴7 稀12 19

さえこ

冴7 子3 10
早6 江6 子3 15
沙7 栄9 子3 19
咲9 恵10 子3 22
紗10 永5 子3 18

さえな

冴7 奈8 15
さ3 え3 那7 13
沙7 衣6 南9 22

さえみ

佐7 映9 美9 25
紗10 永5 実8 23

さえら

冴7 羅19 26
さ3 え3 ら3 9
沙7 恵10 良7 24
紗10 江6 良7 23

さえり

冴7 理11 18
沙7 英8 莉10 25
佐7 恵10 莉10 27
紗10 依8 里7 25

さお

沙7 緒14 21
咲9 桜10 19
紗10 央5 15
彩11 緒14 25

さおり

早6 織18 24
沙7 織18 25
彩11 織18 29
さ3 お4 り2 9
沙7 桜10 莉10 27
紗10 緒14 梨11 35

さかえ

栄9 9 (1)
さ3 か3 え3 9

さき

咲9 9 (1)
サ3 キ3 6
早6 紀9 15
早6 稀12 18
沙7 輝15 22
咲9 希7 16
咲9 祈8 17
咲9 喜12 21
紗10 季8 18
彩11 姫10 21
彩11 葵12 23

さきえ

咲9 絵12 21
小3 妃6 江6 15
沙7 季8 依8 23

さきか

幸8 花7 15
咲9 加5 14
沙7 紀9 香9 25

さきこ

咲9 子3 12
咲9 瑚13 22
早6 輝15 子3 24
沙7 祈8 子3 18
沙7 樹16 子3 26
咲9 季8 子3 20
彩11 貴12 子3 26

さきな

咲9 那7 16
咲9 南9 18
咲9 菜11 20
早6 稀12 奈8 26
沙7 希7 奈8 22
咲9 希7 菜11 27

さきの

咲9 乃2 11
咲9 野11 20
さ3 き4 の1 8
佐7 希7 乃2 16
咲9 喜12 乃2 23

さきほ

先6 穂15 21
咲9 帆6 15
咲9 歩8 17
咲9 穂15 24
早6 輝15 歩8 29
沙7 希7 帆6 20

さきみ

咲9 実8 17
咲9 美9 18
早6 季8 美9 23

さきよ

咲9 世5 14
小3 綺14 世5 22
紗10 姫10 代5 25

さぎり

小3 霧19 22

さく

咲9 9 (1)
咲9 玖7 16
咲9 紅9 18
紗10 玖7 17

さくこ

咲9 子3 12
佐7 玖7 子3 17
紗10 久3 子3 16

さくみ

咲9 心4 13
咲9 美9 18
朔10 美9 19

さくら

桜10 10 (1)
櫻21 21 (1)
咲9 良7 16
咲9 來8 17
咲9 空8 17
朔10 良7 17
咲9 楽13 22
咲9 羅19 28
朔10 楽13 23
さ3 く1 ら3 7
沙7 久3 楽13 23

さくらこ

桜10 子3 13
櫻21 子3 24

さこ

冴7 子3 10
沙7 瑚13 20
咲9 子3 12
紗10 子3 13
紗10 胡9 19

ささ

さ3 さ3 6
茶9 々3 12
紗10 々3 13

ささか

早6 紗10 香9 25
咲9 々3 歌14 26

ささね

笹11 音9 20
さ3 さ3 寧14 20
茶9 々3 音9 21
紗10 々3 寧14 27

ささよ

沙7 々3 世5 15

ささら

咲9 々3 楽13 25

さしゃ

早6 紗10 16

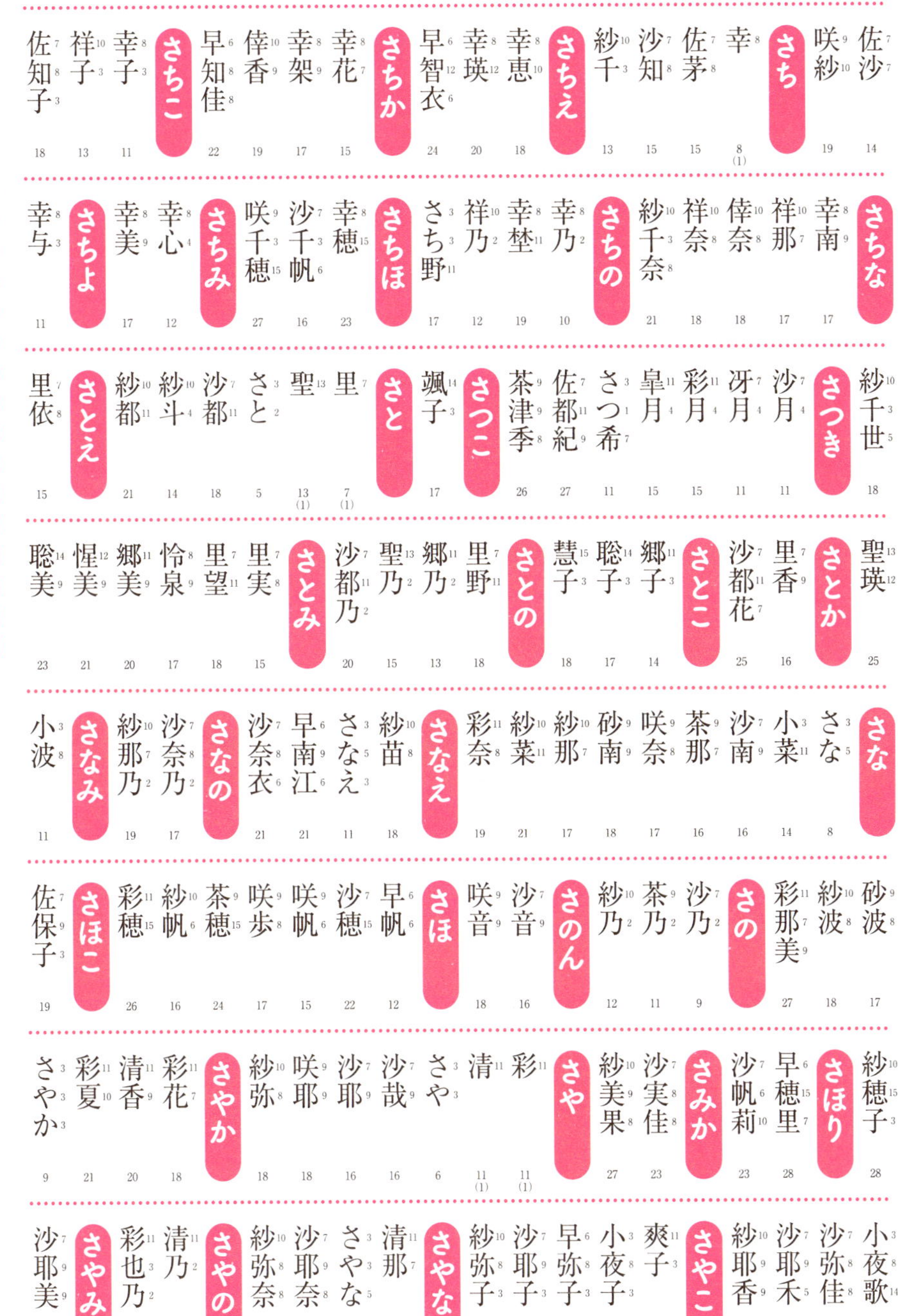

佐沙（7・7）14
咲紗（9・10）19

さち
幸（8）8（1）
佐茅（7・8）15
沙知（7・8）15
紗千（10・3）13

さちえ
幸恵（8・10）18
幸瑛（8・12）20
早智衣（6・12・6）24

さちか
幸花（8・7）15
幸架（8・9）17
倖香（10・9）19
早知佳（6・8・8）22

さちこ
幸子（8・3）11
祥子（10・3）13
佐知子（7・8・3）18

さちな
幸南（8・9）17
祥那（10・7）17
倖奈（10・8）18
祥奈（10・8）18
紗千奈（10・3・8）21

さちの
幸乃（8・2）10
幸埜（8・11）19
祥乃（10・2）12
さち野（3・3・11）17

さちほ
幸穂（8・15）23
沙千帆（7・3・6）16
咲千穂（9・3・15）27

さちみ
幸心（8・4）12
幸美（8・9）17

さちよ
幸与（8・3）11
紗千世（10・3・5）18

さつき
沙月（7・4）11
冴月（7・4）11
彩月（11・4）15
皐月（11・4）15
さつ希（3・1・7）11
佐都紀（7・11・9）27
茶津季（9・9・8）26

さつこ
颯子（14・3）17

さと
里（7）7（1）
聖（13）13（1）
さと（3・2）5
沙都（7・11）18
紗斗（10・4）14
紗都（10・11）21

さとえ
里依（7・8）15
聖瑛（13・12）25

さとか
里香（7・9）16
沙都花（7・11・7）25

さとこ
郷子（11・3）14
聡子（14・3）17
慧子（15・3）18

さとの
里野（7・11）18
郷乃（11・2）13
聖乃（13・2）15
沙都乃（7・11・2）20

さとみ
里実（7・8）15
里望（7・11）18
怜泉（8・9）17
郷美（11・9）20
惺美（12・9）21
聡美（14・9）23

さな
さな（3・5）8
小菜（3・11）14
沙南（7・9）16
茶那（9・7）16
咲奈（9・8）17
砂南（9・9）18
紗那（10・7）17
紗菜（10・11）21
彩奈（11・8）19

さなえ
紗苗（10・8）18
さなえ（3・5・3）11
早南江（6・9・6）21
沙奈衣（7・8・6）21

さなの
沙奈乃（7・8・2）17
紗那乃（10・7・2）19

さなみ
小波（3・8）11
砂波（9・8）17
紗波（10・8）18
彩那美（11・7・9）27

さの
沙乃（7・2）9
茶乃（9・2）11
紗乃（10・2）12

さのん
沙音（7・9）16
咲音（9・9）18

さほ
早帆（6・6）12
沙穂（7・15）22
咲帆（9・6）15
咲歩（9・8）17
茶穂（9・15）24
紗帆（10・6）16
彩穂（11・15）26

さほこ
佐保子（7・9・3）19
紗穂子（10・15・3）28

さほり
早穂里（6・15・7）28
沙帆莉（7・6・10）23

さみか
沙実佳（7・8・8）23
紗美果（10・9・8）27

さや
彩（11）11（1）
清（11）11（1）
さや（3・3）6
沙哉（7・9）16
沙耶（7・9）16
咲耶（9・9）18
紗弥（10・8）18

さやか
彩花（11・7）18
清香（11・9）20
彩夏（11・10）21
さやか（3・3・3）9
小夜歌（3・8・14）25
沙弥佳（7・8・8）23
沙耶禾（7・9・5）21
紗耶香（10・9・9）28

さやこ
爽子（11・3）14
小夜子（3・8・3）14
早弥子（6・8・3）17
沙耶子（7・9・3）19
紗弥子（10・8・3）21

さやな
清那（11・7）18
さやな（3・3・5）11
沙耶奈（7・9・8）24
紗弥奈（10・8・8）26

さやの
清乃（11・2）13
彩也乃（11・3・2）16

さやみ
沙耶美（7・9・9）25

さゆ
小柚 3 9 12
佐夕 7 3 10
沙宥 7 9 16
沙優 7 17 24
紗夕 10 3 13
彩柚 11 9 20

さゆう
沙優 7 17 24
砂夕 9 3 12
咲悠 9 11 20

さゆか
紗由歌 10 5 14 29
彩結花 11 12 7 30

さゆき
咲幸 9 8 17
沙雪 7 11 18
早優姫 6 17 10 33

さゆこ
さゆ子 3 3 3 9
小柚子 3 9 3 15
早悠子 6 11 3 20
沙悠子 7 11 3 21
冴結子 7 12 3 22

さゆな
さゆな 3 3 5 11
小柚奈 3 9 8 20
早悠南 6 11 9 26
沙優菜 7 17 11 35
紗由奈 10 5 8 23
彩結菜 11 12 11 34

さゆみ
沙弓 7 3 10
さゆみ 3 3 3 9
紗柚美 10 9 9 28
彩夕実 11 3 8 22

さゆり
さゆり 3 3 2 8
さゆ璃 3 3 15 21
小百合 3 6 6 15
沙有里 7 6 7 20
紗佑里 10 7 7 24

さよ
小夜 3 8 11
早夜 6 8 14
紗与 10 3 13
紗代 10 5 15
彩世 11 5 16

さよか
紗代禾 10 5 5 20
紗代香 10 5 9 24

さよこ
小夜子 3 8 3 14
佐世子 7 5 3 15
沙代子 7 5 3 15
紗世子 10 5 3 18

さより
沙依 7 8 15
早代梨 6 5 11 22
紗代莉 10 5 10 25

さら
さら 3 3 6
早羅 6 19 25
沙楽 7 13 20
沙羅 7 19 26
冴羅 7 19 26
咲良 9 7 16
紗良 10 7 17
紗来 10 7 17
紗楽 10 13 23

さらさ
更紗 7 10 17
さら紗 3 3 10 16
佐良紗 7 7 10 24
咲良沙 9 7 7 23

さらら
更羅 7 19 26
さらら 3 3 3 9
さら楽 3 3 13 19
沙良々 7 7 3 17
咲羅々 9 19 3 31

さらん
沙藍 7 18 25
彩蘭 11 19 30
さらん 3 2 2 7

さり
沙里 7 7 14
佐梨 7 11 18
咲璃 9 15 24
紗莉 10 10 20
彩里 11 7 18

さりあ
さり愛 3 2 13 18
沙梨亜 7 11 7 25
紗里愛 10 7 13 30

さりい
さり依 3 2 8 13
早莉伊 6 10 6 22
沙璃衣 7 15 6 28
咲里依 9 7 8 24

さりな
沙里南 7 7 9 23
沙莉那 7 10 7 24
咲里菜 9 7 11 27
紗梨奈 10 11 8 29

されん
沙蓮 7 13 20
紗恋 10 10 20
紗連 10 10 20
されん 3 3 2 8

さわ
爽 11 11 (1)
さわ 3 3 6
沙羽 7 6 13
佐和 7 8 15
沙和 7 8 15
咲羽 9 6 15
紗琶 10 12 22

さわえ
爽恵 11 10 21
佐和衣 7 8 6 21

さわこ
爽子 11 3 14
佐羽子 7 6 3 16
紗和子 10 8 3 21

さわの
爽乃 11 2 13
さわ乃 3 3 2 8
佐和乃 7 8 2 17

さわは
爽羽 11 6 17
爽波 11 8 19
沙和羽 7 8 6 21

さわみ
爽心 11 4 15
爽美 11 9 20

さんか
燦花 17 7 24

さんご
三瑚 3 13 16
珊瑚 9 13 22
さんご 3 2 4 9

し

しあ
しあ 1 3 4
史愛 5 13 18
偲亜 11 7 18
詞亞 12 8 20
詩愛 13 13 26

しあら
詩亜楽 13 7 13 33

しあん
梓安 11 6 17
紫杏 12 7 19

しい
椎 12 12 (1)
しい 1 2 3
志依 7 8 15

思依 (9・8) 17
梓衣 (11・6) 17

しいか
椎香 (12・9) 21
詩花 (13・7) 20
史衣佳 (5・6・8) 19

しいこ
椎子 (12・3) 15
詩依子 (13・8・3) 24

しいな
椎奈 (12・8) 20
詩那 (13・7) 20
しいな (1・2・5) 8

しいの
椎乃 (12・2) 14
史衣乃 (5・6・2) 13

しいは
椎葉 (12・12) 24

しいま
史依麻 (5・8・11) 24

しいら
椎羅 (12・19) 31
詩衣良 (13・6・7) 26

しえ
しえ (1・3) 4
偲江 (11・6) 17
梓依 (11・8) 19
偲恵 (11・10) 21
詩絵 (13・12) 25

しえな
しえな (1・3・5) 9
史依那 (5・8・7) 20
志衣南 (7・6・9) 22
詩絵奈 (13・12・8) 33

しえの
史恵乃 (5・10・2) 17
詩絵乃 (13・12・2) 27

しえみ
詩笑 (13・10) 23
史恵美 (5・10・9) 24

しえら
しえら (1・3・3) 7
志衣良 (7・6・7) 20
思絵楽 (9・12・13) 34
詩江羅 (13・6・19) 38

しえり
詩衿 (13・9) 22
思依莉 (9・8・10) 27
詩絵里 (13・12・7) 32

しえる
しえる (1・3・2) 6
史英瑠 (5・8・14) 27
思絵瑠 (9・12・14) 35
詩江留 (13・6・10) 29

しえん
紫苑 (12・8) 20
詩苑 (13・8) 21

しお
史桜 (5・10) 15
志緒 (7・14) 21
紫央 (12・5) 17
詩央 (13・5) 18
詩緒 (13・14) 27

しおか
汐香 (6・9) 15
史緒佳 (5・14・8) 27

しおこ
汐子 (6・3) 9
史緒子 (5・14・3) 22

しおね
汐音 (6・9) 15
汐寧 (6・14) 20
栞音 (10・9) 19
潮音 (15・9) 24
しおね (1・4・4) 9
志央音 (7・5・9) 21

しおの
汐乃 (6・2) 8
汐埜 (6・11) 17
栞乃 (10・2) 12
しおの (1・4・1) 6
史緒乃 (5・14・2) 21
梓央乃 (11・5・2) 18

しおひ
汐陽 (6・12) 18

しおみ
汐美 (6・9) 15
栞見 (10・7) 17
栞実 (10・8) 18
潮美 (15・9) 24

しおり
栞 (10) 10 (1)
汐莉 (6・10) 16
汐璃 (6・15) 21
志織 (7・18) 25
栞里 (10・7) 17
詩織 (13・18) 31
しおり (1・4・2) 7

しおん
史音 (5・9) 14
偲音 (11・9) 20
梓温 (11・12) 23
詩音 (13・9) 22
詩温 (13・12) 25

しき
四季 (5・8) 13
思綺 (9・14) 23
詩樹 (13・16) 29

しきこ
四季子 (5・8・3) 16
史記子 (5・10・3) 18

しげこ
成子 (6・3) 9

しげの
滋乃 (12・2) 14

しげみ
滋実 (12・8) 20

しず
静 (14) 14 (1)
寧 (14) 14 (1)
しず (1・5) 6
史珠 (5・10) 15
紫珠 (12・10) 22

しずえ
静依 (14・8) 22
穏恵 (16・10) 26
しず依 (1・5・8) 14
史珠依 (5・10・8) 23

しずか
惺 (12) 12 (1)
静 (14) 14 (1)
寧禾 (14・5) 19
静香 (14・9) 23
しずか (1・5・3) 9
しず花 (1・5・7) 13

しずく
雫 (11) 11 (1)
しずく (1・5・1) 7

しずこ
寧子 (14・3) 17
静瑚 (14・13) 27

しずな
雫那 (11・7) 18
静奈 (14・8) 22
志寿奈 (7・7・8) 22

しずね
静音 (14・9) 23
しず寧 (1・5・14) 20

しずは
静波 (14・8) 22
寧葉 (14・12) 26
しず葉 (1・5・12) 18

しずほ
静歩 (14・8) 22
志珠帆 (7・10・6) 23

しずよ
静代 (14・5) 19
史寿代 (5・7・5) 17

しずる
静琉 (14・11) 25

静瑠 14 14 28

しづ
しづ 1 3 4
志津 7 9 16
梓津 11 9 20
詩津 13 9 22

しづえ
しづ江 1 3 6 10
志都恵 7 11 10 28

しづか
史津禾 5 9 5 19
詩津香 13 9 9 31

しづき
思月 9 4 13
梓月 11 4 15
紫月 12 4 16
詩月 13 4 17
紫津希 12 9 7 28

しづこ
市津子 5 9 3 17
志津子 7 9 3 19

しづる
史鶴 5 21 26
偲鶴 11 21 32
詩弦 13 8 21

しと
志都 7 11 18
詩音 13 9 22

しな
史那 5 7 12

しなこ
志奈子 7 8 3 18

しなの
品乃 9 2 11
史奈乃 5 8 2 15

しの
しの 1 1 2
志乃 7 2 9
梓乃 11 2 13
紫野 12 11 23
詩乃 13 2 15

しのあ
しのあ 1 1 3 5
志乃杏 7 2 7 16
梓乃亜 11 2 7 20
詩乃亜 13 2 7 22

しのぶ
忍 7 7(1)
偲 11 11(1)
詩暢 13 14 27
しのぶ 1 1 6 8
しの舞 1 1 15 17
志のぶ 7 1 6 14

しのわ
偲羽 11 6 17
詞乃和 12 2 8 22
志野和 7 11 8 26

しのん
志暖 7 13 20
思音 9 9 18
詩音 13 9 22

しは
四葉 5 12 17
詩芭 13 7 20

しふみ
偲文 11 4 15
詩史 13 5 18

しほ
しほ 1 5 6
史穂 5 15 20
志歩 7 8 15
志保 7 9 16
詩帆 13 6 19

しほこ
志保子 7 9 3 19
梓帆子 11 6 3 20
詩穂子 13 15 3 31

しほみ
史保美 5 9 9 23
志穂実 7 15 8 30

しほり
しほり 1 5 2 8
史帆里 5 6 7 18
詩穂里 13 15 7 35

しま
司真 5 10 15
史麻 5 11 16
志茉 7 8 15
志磨 7 16 23

しまこ
縞子 16 3 19
志麻子 7 11 3 21

しゅ
偲夕 11 3 14
梓由 11 5 16
詩有 13 6 19
詩優 13 17 30

じゅあん
寿安 7 6 13
樹杏 16 7 23

しゅう
繍 19 19(1)
朱宇 6 6 12

しゅうか
秀香 7 9 16
柊花 9 7 16

しゅうこ
秀子 7 3 10
周子 8 3 11
柊瑚 9 13 22

じゅえり
珠英莉 10 8 10 28

じゅえる
寿絵瑠 7 12 14 33
珠恵留 10 10 10 30

しゅか
朱夏 6 10 16
珠香 10 9 19

じゅか
珠花 10 7 17

しゅこ
朱子 6 3 9
珠子 10 3 13

しゅしゅ
朱々 6 3 9
珠朱 10 6 16

じゅじゅ
珠々 10 3 13
樹々 16 3 19

しゅな
史優菜 5 17 11 33
志結奈 7 12 8 27

じゅな
寿菜 7 11 18
珠七 10 2 12
樹奈 16 8 24

じゅに
珠仁 10 4 14

じゅね
寿祢 7 9 16
珠寧 10 14 24
樹音 16 9 25

しゅの
朱乃 6 2 8
朱埜 6 11 17
珠乃 10 2 12

じゅの
寿乃 7 2 9
珠乃 10 2 12

じゅのん
寿音 7 9 16
珠音 10 9 19
珠穏 10 16 26

しゅまり
朱鞠 6 17 23

しゅら
朱良 6 7 13
珠楽 10 13 23

じゅらん
寿蘭 7 19 26

しゅり
- 珠藍（10・18）28
- 朱里（6・7）13
- 朱璃（6・15）21
- 珠梨（10・11）21

じゅり
- 朱璃（6・15）21
- 寿莉（7・10）17
- 珠里（10・7）17
- 樹李（16・7）23
- 樹里（16・7）23

じゅりあ
- 珠里亜（10・7・7）24
- 樹莉愛（16・10・13）39
- ジュリア（5・2・2・2）11

じゅりあん
- 樹里杏（16・7・7）30

じゅりな
- 寿莉奈（7・10・8）25
- 樹里菜（16・7・11）34

じゅりん
- 珠凜（10・15）25
- 樹凜（16・15）31

じゅれ
- 朱玲（6・9）15
- 寿玲（7・9）16
- 珠怜（10・8）18
- 樹礼（16・5）21

じゅん
- 洵（9）9（1）
- 純（10）10（1）
- 絢（12）12（1）
- 潤（15）15（1）

しゅんか
- 旬花（6・7）13
- 瞬可（18・5）23

じゅんか
- 純伽（10・7）17
- 純香（10・9）19
- 順禾（12・5）17

しゅんこ
- 駿子（17・3）20
- 瞬子（18・3）21

じゅんこ
- 淳瑚（11・13）24
- 順子（12・3）15
- 詢子（13・3）16
- 潤子（15・3）18

しゅんな
- 旬那（6・7）13
- 洵奈（9・8）17

じゅんな
- 純那（10・7）17
- 純南（10・9）19
- 淳奈（11・8）19

じゅんね
- 純音（10・9）19
- 順祢（12・9）21

じゅんみ
- 純美（10・9）19

じゅんり
- 純莉（10・10）20
- 潤里（15・7）22

しよ
- しよ（1・3）4
- 史代（5・5）10
- 志世（7・5）12

しょうか
- 笑伽（10・7）17
- 渉果（11・8）19
- 翔香（12・9）21

しょうこ
- 咲子（9・3）12
- 笑子（10・3）13
- 翔子（12・3）15

しょうの
- 笙乃（11・2）13
- 翔乃（12・2）14

しょうみ
- 渉美（11・9）20
- 翔心（12・4）16

しよか
- 紫陽花（12・12・7）31

しよみ
- 紫陽美（12・12・9）33

しらべ
- 調（15）15（1）

しるく
- 史留久（5・10・3）18
- 詩瑠紅（13・14・9）36

しろか
- 白花（5・7）12

しん
- 心（4）4（1）

しんか
- 心花（4・7）11
- 芯香（7・9）16

しんこ
- 心子（4・3）7
- 芯子（7・3）10

しんじゅ
- 心珠（4・10）14
- 心樹（4・16）20
- 真珠（10・10）20

しんの
- 芯乃（7・2）9
- 新乃（13・2）15

しんら
- 心良（4・7）11
- 森楽（12・13）25
- 新楽（13・13）26

しんり
- 心璃（4・15）19
- 真里（10・7）17
- 新璃（13・15）28

す

すい
- 粋（10）10（1）
- 翠（14）14（1）
- すい（3・2）5

すいか
- 水夏（4・10）14
- 粋花（10・7）17
- 翠加（14・5）19

すいこ
- 粋子（10・3）13
- 翠子（14・3）17

すいりん
- 水琳（4・12）16
- 吹凜（7・15）22
- 翠鈴（14・13）27

すう
- 雛（18）18（1）

すがこ
- 須賀子（12・12・3）27

すず
- 涼（11）11（1）
- 鈴（13）13（1）
- すず（3・5）8
- 寿珠（7・10）17
- 珠々（10・3）13

すずあ
- 鈴亜（13・7）20
- すず愛（3・5・13）21

すずえ
- 涼絵（11・12）23
- 鈴依（13・8）21

すずか
- 涼花（11・7）18
- 涼香（11・9）20
- 涼風（11・9）20
- 鈴花（13・7）20
- すず夏（3・5・10）18
- 朱々花（6・3・7）16

すずこ
- 涼子（11・3）14
- 紗子（10・3）13
- 鈴子（13・3）16

すずな
涼11那7 18
鈴13奈8 21
す3ず5菜11 19
朱6々3奈8 17

すずね
涼11音9 20
涼11寧14 25
鈴13音9 22
す3ず5寧14 22
朱6寿7音9 22

すずの
鈴13乃2 15
朱6寿7乃2 15

すずは
紗10葉12 22
涼11葉12 23
鈴13羽6 19

すずほ
涼11帆6 17
鈴13穂15 28
す3ず5穂15 23
朱6寿7帆6 19

すずみ
涼11心4 15
鈴13美9 22

すずよ
鈴13代5 18
す3ず5よ3 11
珠10々3世5 18

すずらん
涼11藍18 29
鈴13蘭19 32
朱6々3蘭19 28

すなお
直8 8 (1)

すの
須12乃2 14

すま
寿7麻11 18
珠10万3 13

すみ
純10 10 (1)
澄15 15 (1)
朱6実8 14
素10心4 14

すみえ
純10恵10 20
澄15絵12 17
朱6美9依8 23

すみか
純10花7 17
純10果8 18
澄15可5 20
澄15夏10 25
澄15歌14 29
素10美9香9 28

すみこ
純10瑚13 23
澄15子3 18
珠10美9子3 22

すみな
純10菜11 21
澄15那7 22
朱6実8菜11 25
寿7美9南9 25

すみほ
純10穂15 25
澄15帆6 21

すみよ
純10世5 15

すみれ
菫11 11 (1)
純10麗19 29
菫11令5 16
澄15玲9 24
ス2ミ3レ1 6
す3み3れ3 9
す3み3玲9 15
素10未5怜8 23

すみれこ
菫11子3 14

すもも
李7 7 (1)
す3も3も3 9

すや
寿7耶9 16
須12弥8 20

すわ
朱6羽6 12
寿7羽6 13

すわこ
寿7和8子3 18
須12和8子3 23

せ

せい
星9 9 (1)
清11 11 (1)
晴12 12 (1)
聖13 13 (1)

せいあ
星9亜7 16
清11愛13 24
惺12愛13 25
聖13亜7 20
聖13彩11 24

せいか
星9花7 16
星9夏10 19
清11香9 20
惺12花7 19
聖13佳8 21

せいこ
晟10子3 13
聖13子3 16
聖13瑚13 26
誓14子3 17
聖13衣6子3 22
瀬19衣6子3 28

せいじゅ
聖13珠10 23

せいな
星9七2 11
星9奈8 17
晴12奈8 20
晴12南9 21
惺12菜11 23
聖13那7 20

せいの
星9乃2 11
清11乃2 13
惺12乃2 14

せいほ
星9帆6 15
清11穂15 26

せいみ
青8未5 13
聖13心4 17

せいや
星9耶9 18
聖13耶9 22

せいら
世5楽13 18
星9羅19 28
惺12良7 19
晴12楽13 25
セ2イ2ラ2 6
せ3い2ら3 8
瀬19衣6良7 32

せいらん
世5蘭19 24
星9蘭19 28

せきこ
星9輝15子3 27

せさみ
星9砂9美9 27

せしる
せ3し1る2 6

星史瑠（9・5・14）28
聖史留（13・5・10）28

せせら
星世良（9・5・7）21
瀬々楽（19・3・13）35

せつ
世津（5・9）14
瀬都（19・11）30

せつこ
説子（14・3）17
世津子（5・9・3）17

せつな
雪那（11・7）18
雪奈（11・8）19
せつな（3・1・5）9

せな
せな（3・5）8
世那（5・7）12
世菜（5・11）16
星南（9・9）18
惺菜（12・11）23
瀬奈（19・8）27

せなみ
瀬波（19・8）27

せの
世乃（5・2）7
星乃（9・2）11
惺乃（12・2）14
瀬乃（19・2）21

せのか
世乃香（5・2・9）16

せのん
世音（5・9）14
聖音（13・9）22
瀬音（19・9）28

せら
セラ（2・2）4
せら（3・3）6
世羅（5・19）24
星来（9・7）16
晴楽（12・13）25
聖楽（13・13）26
瀬良（19・7）26

せらん
世蘭（5・19）24
聖蘭（13・19）32

せり
芹（7）7（1）
せり（3・2）5
世璃（5・15）20
瀬里（19・7）26

せりあ
芹亜（7・7）14
世莉亜（5・10・7）22

せりい
芹衣（7・6）13
世莉衣（5・10・6）21

せりか
芹香（7・9）16
世里香（5・7・9）21
青璃夏（8・15・10）33
瀬里禾（19・7・5）31

せりこ
芹子（7・3）10

せりな
芹奈（7・8）15
芹南（7・9）16
せり奈（3・2・8）13
世梨那（5・11・7）23
世璃那（5・15・7）27
瀬里奈（19・7・8）34

せれさ
星礼沙（9・5・7）21
瀬怜沙（19・8・7）34

せれな
世麗奈（5・19・8）32
星怜南（9・8・9）26
清玲那（11・9・7）27

せれね
世怜音（5・8・9）22
青玲音（8・9・9）26

せんか
千花（3・7）10
千嘉（3・14）17
泉歌（9・14）23

せんな
千那（3・7）10
千奈（3・8）11
宣奈（9・8）17

せんり
千里（3・7）10
泉璃（9・15）24

そ

そあ
そあ（3・3）6
爽亜（11・7）18
想亜（13・7）20
蒼愛（13・13）26

そあら
そあら（3・3・3）9
楚亜良（13・7・7）27
想亜楽（13・7・13）33

そうこ
爽子（11・3）14
創子（12・3）15
想子（13・3）16
颯子（14・3）17
颯湖（14・12）26

そうね
奏音（9・9）18

そうみ
奏美（9・9）18
爽心（11・4）15

そおこ
蒼生子（13・5・3）21
想桜子（13・10・3）26

そな
そな（3・5）8
奏那（9・7）16
爽那（11・7）18
想奈（13・8）21
蒼南（13・9）22

そなこ
想奈子（13・8・3）24
蒼菜子（13・11・3）27

そなみ
奏波（9・8）17
蒼波（13・8）21
そなみ（3・5・3）11
想奈美（13・8・9）30

そね
奏音（9・9）18

その
苑（8）8（1）
園（13）13（1）
その（3・1）4
楚乃（13・2）15
想乃（13・2）15

そのえ
園絵（13・12）25
そのえ（3・1・3）7
楚乃江（13・2・6）21

そのか
苑香（8・9）17
園香（13・9）22
そのか（3・1・3）7
楚乃果（13・2・8）23
蒼乃香（13・2・9）24

そのこ
苑子（8・3）11
園子（13・3）16
蒼乃瑚（13・2・13）28
素乃子（10・2・3）15

そのみ
苑実（8・8）16
苑美（8・9）17
園未（13・5）18
想乃実（13・2・8）23

そのよ
- 苑8代5 13
- 蒼13乃2世5 20

そよ
- そ3よ3 6
- 奏9代5 14
- 爽11代5 16
- 想13世5 18
- 想13代5 18
- 颯14世5 19

そよか
- そ3よ3か3 9
- そ3よ3花7 13
- そ3よ3香9 15
- そ3よ3華10 16
- 想13代5加5 23
- 颯14世5果8 27

そら
- 天4 4 (1)
- 空8 8 (1)
- 昊8 8 (1)
- そ3ら3 6
- 大3空8 11
- 青8空8 16
- 空8楽13 21
- 蒼13空8 21
- 想13楽13 26

そらね
- 空8音9 17
- 空8寧14 22

そらの
- 空8乃2 10
- 空8野11 19

そらみ
- 空8未5 13
- 空8美9 17
- 穹8美9 17

そらん
- 空8藍18 26
- 奏9蘭19 28
- 蒼13藍18 31

そわ
- そ3わ3 6
- 奏9和8 17
- 爽11羽6 17
- 想13羽6 19

た

たいこ
- 泰10子3 13

たえ
- 妙7 7 (1)
- 多6映9 15
- 多6笑10 16
- 多6絵12 18

たえこ
- 妙7子3 10
- 多6永5子3 14
- 多6映9子3 18
- 多6栄9子3 18
- 多6恵10子3 19
- 多6笑10子3 19

たえね
- 妙7音9 16

たえみ
- 多6笑10 16
- 妙7美9 16

たかえ
- 天4恵10 14
- 貴12絵12 24
- 多6伽7江6 19
- 多6佳8依8 22

たかこ
- 天4子3 7
- 崇11子3 14
- 貴12子3 15
- 多6香9子3 18

たかね
- 天4音9 13
- 天4寧14 18
- 高10嶺17 27
- 多6珂9音9 24

たかほ
- 天4帆6 10
- 高10穂15 25
- 貴12帆6 18

たかみ
- 空8美9 17
- 高10美9 19
- 多6香9美9 24

たかよ
- 天4世5 9
- 貴12代5 17
- 多6珂9世5 20

たからこ
- 宝8子3 11

たき
- 多6希7 13
- 多6祈8 14
- 多6絆11 17

たきえ
- 多6喜12依8 26
- 多6喜12恵10 28

たきこ
- 多6季8子3 17
- 多6輝15子3 24

たきの
- 太4希7乃2 13
- 多6季8乃2 16

たきよ
- 滝13代5 18
- 多6希7世5 18
- 多6貴12代5 23

たくみ
- 卓8美9 17
- た4く1み3 8

たけみ
- 岳8美9 17
- 健11美9 20

ただこ
- 忠8子3 11
- 唯11子3 14

ただみ
- 唯11心4 15

たづ
- 多6津9 15

たつき
- 達12希7 19
- 達12姫10 22
- 多6都11希7 24

たつこ
- 達12子3 15

たつの
- 立5乃2 7
- 達12乃2 14

たつみ
- 達12美9 21

たづる
- 田5鶴21 26

たな
- 多6奈8 14

たばさ
- 束7紗10 17
- 太4羽6沙7 17
- 多6葉12紗10 28

たま
- 珠10 10 (1)
- 多6麻11 17

たまえ
- 珠10衣6 16
- 珠10愛13 23
- 瑞13英8 21
- 多6真10江6 22

たまお
- 玉5緒14 19
- 珠10緒14 24
- 瑞13桜10 23
- た4ま4緒14 22
- 多6麻11緒14 31

たまか
- 珠(10)歌(14) 24
- 瑞(13)花(7) 20
- 多(6)真(10)歌(14) 30

たまき
- 環(17) 17(1)
- 玉(5)季(8) 13
- 玲(9)妃(6) 15
- 珠(10)希(7) 17
- 珠(10)祈(8) 18
- 瑞(13)紀(9) 22
- 瑞(13)姫(10) 23
- た(4)ま(4)き(4) 12

たまこ
- 玲(9)子(3) 12
- 珠(10)子(3) 13
- 瑞(13)子(3) 16
- 多(6)麻(11)子(3) 20

たまな
- 珠(10)奈(8) 18
- 多(6)真(10)那(7) 23

たまの
- 珠(10)乃(2) 12
- 瑞(13)乃(2) 15
- 碧(14)乃(2) 16
- 多(6)麻(11)乃(2) 19

たまほ
- 珠(10)帆(6) 16
- 瑶(13)保(9) 22

たまみ
- 玉(5)美(9) 14
- 珠(10)実(8) 18
- 珠(10)海(9) 19
- 瑶(13)心(4) 17
- 瑞(13)美(9) 22
- 瑶(13)美(9) 22
- 多(6)麻(11)実(8) 25

たまよ
- 珠(10)世(5) 15
- 瑞(13)代(5) 18
- た(4)ま(4)よ(3) 11
- 多(6)麻(11)世(5) 22

たまり
- 玉(5)璃(15) 20
- 珠(10)莉(10) 20
- 瑞(13)李(7) 20

たみ
- 民(5) 5(1)
- 多(6)望(11) 17

たみえ
- 民(5)衣(6) 11
- 多(6)美(9)絵(12) 27

たみこ
- 民(5)子(3) 8
- 多(6)実(8)子(3) 17

たみよ
- 民(5)世(5) 10
- 多(6)望(11)世(5) 22

だりあ
- だ(6)り(2)あ(3) 11
- 雫(11)璃(15)亜(7) 33

ち

ちあ
- ち(3)あ(3) 6
- 千(3)愛(13) 16
- 茅(8)杏(7) 15
- 知(8)愛(13) 21

ちあき
- 千(3)秋(9) 12
- 千(3)晶(12) 15
- 千(3)安(6)姫(10) 19
- 千(3)亜(7)希(7) 17
- 知(8)愛(13)希(7) 28
- 智(12)亜(7)紀(9) 28

ちあみ
- 千(3)編(15) 18
- ち(3)あ(3)み(3) 9
- 千(3)愛(13)実(8) 24

ちい
- 千(3)唯(11) 14
- 知(8)依(8) 16

ちいこ
- 千(3)伊(6)子(3) 12
- 知(8)以(5)子(3) 16
- 智(12)衣(6)子(3) 21

ちえ
- 千(3)永(5) 8
- 千(3)瑛(12) 15
- 千(3)絵(12) 15
- 知(8)映(9) 17
- 知(8)恵(10) 18
- 智(12)江(6) 18

ちえか
- 千(3)映(9)香(9) 21
- 智(12)絵(12)花(7) 31

ちえこ
- 知(8)永(5)子(3) 16
- 知(8)映(9)子(3) 20
- 智(12)恵(10)子(3) 25

ちえな
- 知(8)永(5)奈(8) 21

ちえの
- 千(3)絵(12)乃(2) 17
- 智(12)恵(10)乃(2) 24

ちえみ
- 千(3)笑(10) 13
- 知(8)笑(10) 18
- 千(3)絵(12)見(7) 22
- 智(12)恵(10)美(9) 31

ちえり
- ち(3)え(3)り(2) 8
- 千(3)恵(10)璃(15) 28
- 智(12)衣(6)梨(11) 29

ちお
- 千(3)緒(14) 17
- 知(8)央(5) 13
- 茅(8)緒(14) 22
- 智(12)桜(10) 22

ちおり
- 千(3)織(18) 21
- 千(3)桜(10)里(7) 20

ちか
- 愛(13) 13(1)
- 千(3)珂(9) 12
- 千(3)歌(14) 17
- 地(6)花(7) 13
- 知(8)佳(8) 16
- 智(12)香(9) 21

ちかい
- 誓(14) 14(1)

ちかえ
- 誓(14)恵(10) 24
- 千(3)香(9)衣(6) 18
- 知(8)可(5)絵(12) 25

ちかげ
- 千(3)景(12) 15

ちかこ
- 誓(14)子(3) 17
- 千(3)架(9)子(3) 15
- 千(3)嘉(14)子(3) 20
- 知(8)香(9)子(3) 20

ちかぜ
- 千(3)風(9) 12

ちかな
- 千(3)叶(5) 8
- 千(3)奏(9) 12

ちかね
- 千(3)珂(9)音(9) 21
- 知(8)歌(14)祢(9) 31

ちかの
- 愛(13)乃(2) 15
- 誓(14)乃(2) 16

ちかみ
- 愛(13)美(9) 22
- 千(3)可(5)実(8) 16
- 知(8)佳(8)美(9) 25

ちかよ
- 誓(14)世(5) 19

知花代 8 7 5 20
智伽世 12 7 5 24

ちぐさ
千草 3 9 12
千種 3 14 17
ちぐさ 3 3 3 9

ちくも
千雲 3 12 15

ちこ
千瑚 3 13 16
知子 8 3 11
知胡 8 9 17

ちこと
千琴 3 12 15
知琴 8 12 20
千古都 3 5 11 19

ちさ
千咲 3 9 12
千彩 3 11 14
茅沙 8 7 15

知佐 8 7 15
知紗 8 10 18
智早 12 6 18

ちさき
千咲 3 9 12
智咲 12 9 21
千咲季 3 9 8 20
千彩希 3 11 7 21

ちさこ
千沙子 3 7 3 13
知紗子 8 10 3 21
智早子 12 6 3 21

ちさと
千里 3 7 10
千怜 3 8 11
千聖 3 13 16
千慧 3 15 18
知里 8 7 15
ちさと 3 3 2 8
千紗都 3 10 11 24

ちさの
ちさ乃 3 3 2 8
千沙乃 3 7 2 12
知茶乃 8 9 2 19

ちさよ
千紗世 3 10 5 18
茅佐代 8 7 5 20
智沙代 12 7 5 24

ちしお
千潮 3 15 18

ちず
ちず 3 5 8
千寿 3 7 10
千珠 3 10 13
知寿 8 7 15
智珠 12 10 22

ちずこ
知朱子 8 6 3 17

ちすず
千鈴 3 13 16

知朱々 8 6 3 17
知寿々 8 7 3 18

ちすみ
千澄 3 15 18
知澄 8 15 23

ちずみ
千純 3 10 13
ちずみ 3 5 3 11

ちせ
ちせ 3 3 6
千星 3 9 12
千瀬 3 19 22
知世 8 5 13
知聖 8 13 21
智世 12 5 17

ちづ
千津 3 9 12
知都 8 11 19

ちづえ
知津絵 8 9 12 29

ちづみ
千摘 3 14 17

ちづる
千弦 3 8 11
千鶴 3 21 24
ちづる 3 3 2 8
千都琉 3 11 11 25

ちと
千都 3 11 14

ちとせ
千歳 3 13 16
ちとせ 3 2 3 8
知都世 8 11 5 24

ちな
千那 3 7 10
知菜 8 11 19
智奈 12 8 20

ちなつ
千夏 3 10 13
ちなつ 3 5 1 9

千奈津 3 8 9 20

ちなみ
千波 3 8 11
千南美 3 9 9 21
知奈実 8 8 8 24
智那未 12 7 5 24

ちね
千寧 3 14 17
知音 8 9 17

ちの
茅乃 8 2 10
智乃 12 2 14

ちはな
千花 3 7 10
知花 8 7 15
千羽南 3 6 9 18

ちはや
知早 8 6 14
ちはや 3 4 3 10
千羽耶 3 6 9 18

ちはる
千春 3 9 12
千遥 3 12 15
千暖 3 13 16
知春 8 9 17
茅陽 8 12 20
知遥 8 12 20
ちはる 3 4 2 9
千羽琉 3 6 11 20

ちひろ
千央 3 5 8
千宙 3 8 11
千紘 3 10 13
千尋 3 12 15
知尋 8 12 20
ちひろ 3 2 2 7

ちふみ
千郁 3 9 12
ちふみ 3 4 3 10
千芙美 3 7 9 19

千風見 3 9 7 19

ちふゆ
千冬 3 5 8
千風悠 3 9 11 23
知芙由 8 7 5 20

ちほ
千帆 3 6 9
千穂 3 15 18
知歩 8 8 16
茅穂 8 15 23
智帆 12 6 18

ちほこ
千穂子 3 15 3 21
知帆子 8 6 3 17

ちほみ
千帆未 3 6 5 14
知歩実 8 8 8 24

ちほり
千帆李 3 6 7 16
知保里 8 9 7 24

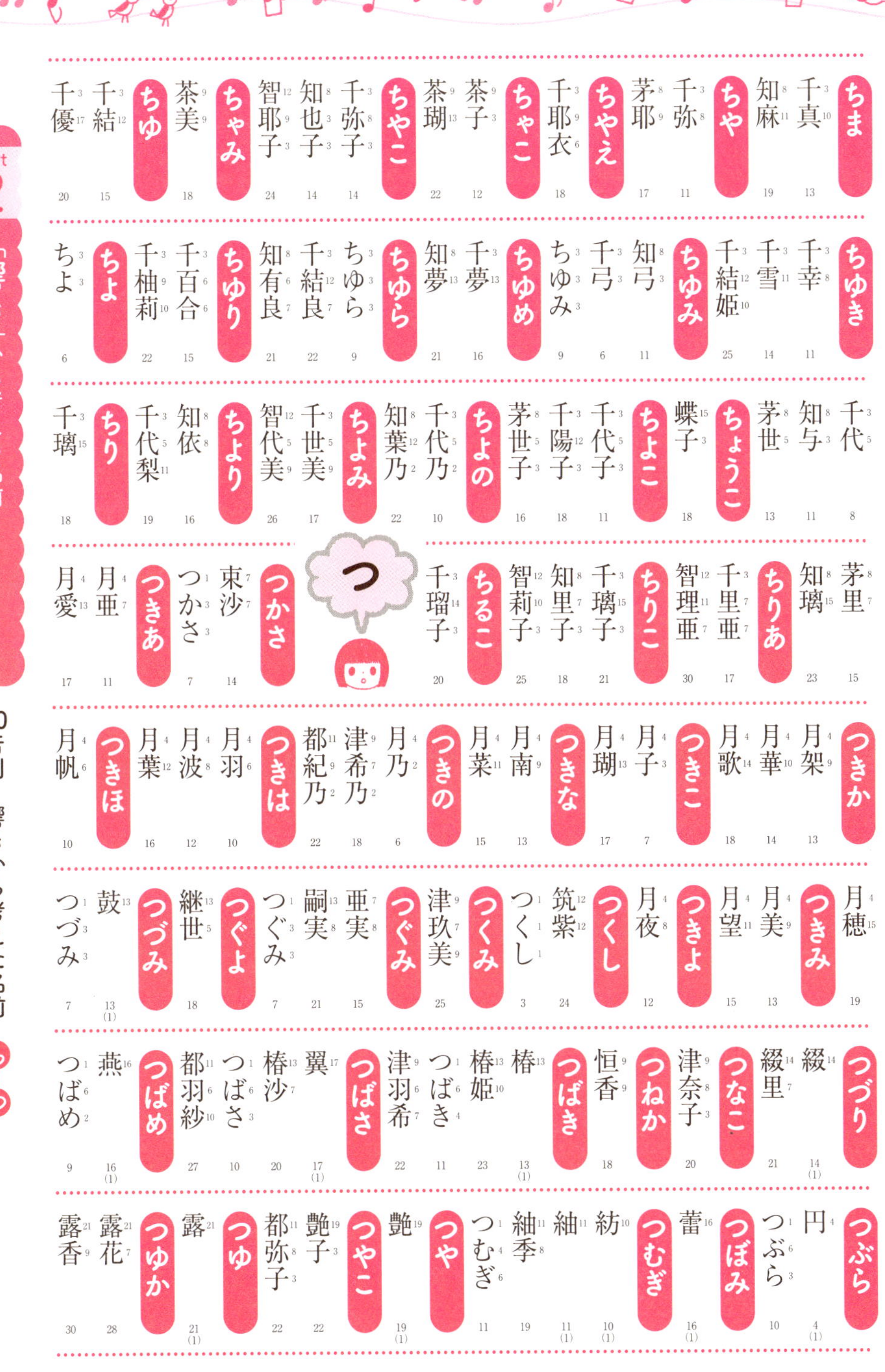

ちま
- 千真（3・10）13
- 知麻（8・11）19

ちや
- 千弥（3・8）11
- 茅耶（8・9）17

ちやえ
- 千耶衣（3・9・6）18

ちゃこ
- 茶子（9・3）12
- 茶瑚（9・13）22

ちやこ
- 千弥子（3・8・3）14
- 知也子（8・3・3）14
- 智耶子（12・9・3）24

ちゃみ
- 茶美（9・9）18

ちゆ
- 千結（3・12）15
- 千優（3・17）20

ちゆき
- 千幸（3・8）11
- 千雪（3・11）14
- 千結姫（3・12・10）25

ちゆみ
- 知弓（8・3）11
- 千弓（3・3）6
- ちゆみ（3・3・3）9

ちゆめ
- 千夢（3・13）16
- 知夢（8・13）21

ちゆら
- ちゆら（3・3・3）9
- 千結良（3・12・7）22
- 知有良（8・6・7）21

ちゆり
- 千百合（3・6・6）15
- 千柚莉（3・9・10）22

ちよ
- ちよ（3・3）6
- 千代（3・5）8
- 知与（8・3）11
- 茅世（8・5）13

ちょうこ
- 蝶子（15・3）18

ちよこ
- 千代子（3・5・3）11
- 千陽子（3・12・3）18
- 茅世子（8・5・3）16

ちよの
- 千代乃（3・5・2）10
- 知葉乃（8・12・2）22

ちよみ
- 千世美（3・5・9）17
- 智代美（12・5・9）26

ちより
- 知依（8・8）16
- 千代梨（3・5・11）19

ちり
- 千璃（3・15）18
- 茅里（8・7）15
- 知璃（8・15）23

ちりあ
- 千里亜（3・7・7）17
- 智理亜（12・11・7）30

ちりこ
- 千璃子（3・15・3）21
- 知里子（8・7・3）18
- 智莉子（12・10・3）25

ちるこ
- 千瑠子（3・14・3）20

つ

つかさ
- 束沙（7・7）14
- つかさ（1・3・3）7

つきあ
- 月亜（4・7）11
- 月愛（4・13）17

つきか
- 月架（4・9）13
- 月華（4・10）14
- 月歌（4・14）18

つきこ
- 月子（4・3）7
- 月瑚（4・13）17

つきな
- 月南（4・9）13
- 月菜（4・11）15

つきの
- 月乃（4・2）6
- 津希乃（9・7・2）18
- 都紀乃（11・9・2）22

つきは
- 月羽（4・6）10
- 月波（4・8）12
- 月葉（4・12）16

つきほ
- 月帆（4・6）10
- 月穂（4・15）19

つきみ
- 月美（4・9）13
- 月望（4・11）15

つきよ
- 月夜（4・8）12

つくし
- 筑紫（12・12）24
- つくし（1・1・1）3

つくみ
- 津玖美（9・7・9）25

つぐみ
- 亜実（7・8）15
- 嗣実（13・8）21
- つぐみ（1・3・3）7

つぐよ
- 継世（13・5）18

つづみ
- 鼓（13）13 (1)
- つづみ（1・3・3）7

つづり
- 綴（14）14 (1)
- 綴里（14・7）21

つなこ
- 津奈子（9・8・3）20

つねか
- 恒香（9・9）18

つばき
- 椿（13）13 (1)
- 椿姫（13・10）23
- つばき（1・6・4）11
- 津羽希（9・6・7）22

つばさ
- 翼（17）17 (1)
- 椿沙（13・7）20
- つばさ（1・6・3）10
- 都羽紗（11・6・10）27

つばめ
- 燕（16）16 (1)
- つばめ（1・6・2）9

つぶら
- 円（4）4 (1)
- つぶら（1・6・3）10

つぼみ
- 蕾（16）16 (1)

つむぎ
- 紡（10）10 (1)
- 紬（11）11 (1)
- 紬季（11・8）19
- つむぎ（1・4・6）11

つや
- 艶（19）19 (1)

つやこ
- 艶子（19・3）22
- 都弥子（11・8・3）22

つゆ
- 露（21）21 (1)

つゆか
- 露花（21・7）28
- 露香（21・9）30

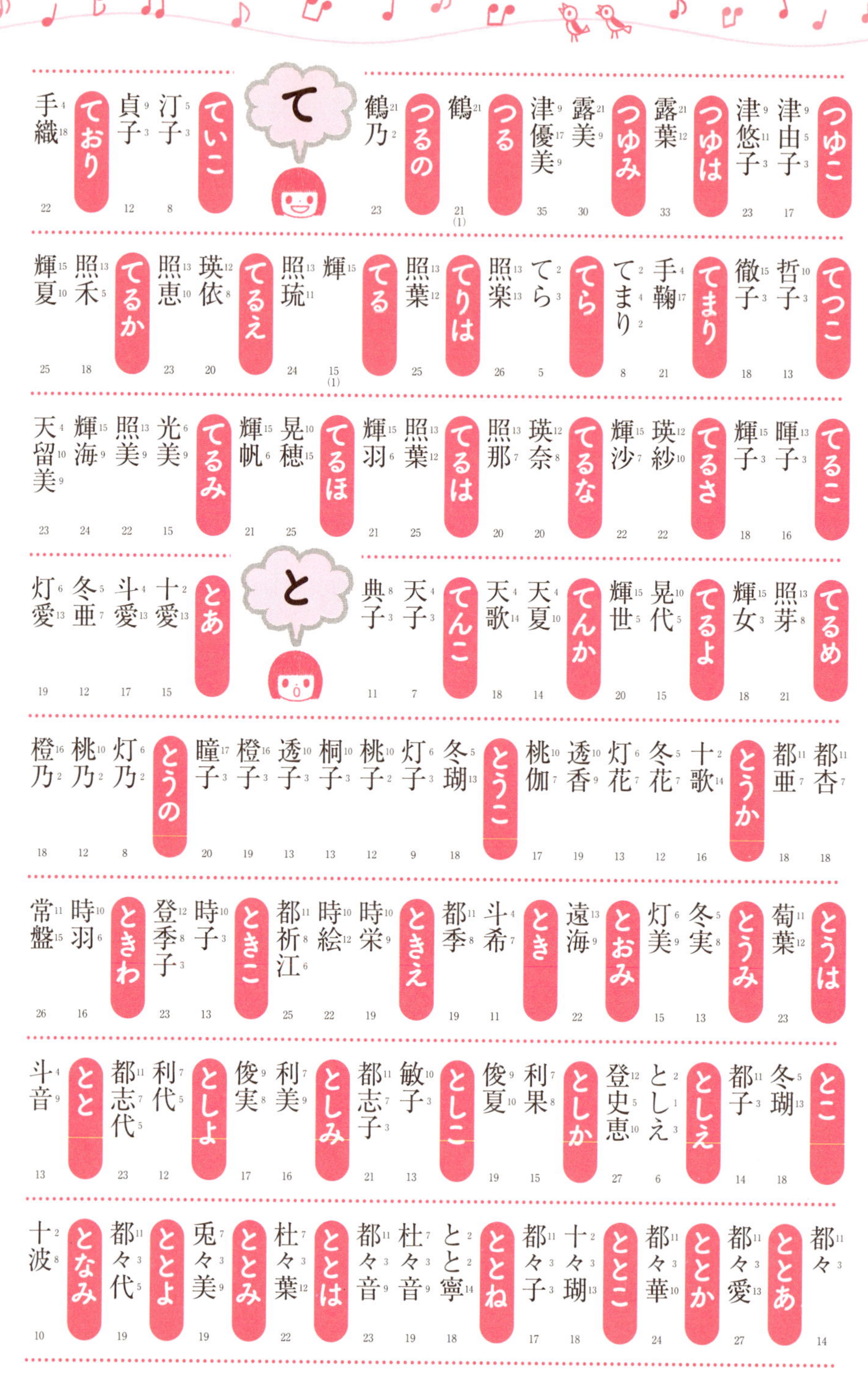

読み	名前	画数	総画
つゆこ	津由子	9・5・3	17
	津悠子	9・11・3	23
つゆは	露葉	21・12	33
つゆみ	露美	21・9	30
	津優美	9・17・9	35
つる	鶴	21	21(1)
つるの	鶴乃	21・2	23

て

読み	名前	画数	総画
ていこ	汀子	5・3	8
	貞子	9・3	12
ており	手織	4・18	22
てつこ	哲子	10・3	13
	徹子	15・3	18
てまり	手鞠	4・17	21
	てまり	2・4・2	8
てら	てら	2・3	5
	照楽	13・13	26
てりは	照葉	13・12	25
てる	輝	15	15(1)
	照琉	13・11	24
てるえ	瑛依	12・8	20
	照恵	13・10	23
てるか	照禾	13・5	18
	輝夏	15・10	25
てるこ	暉子	13・3	16
	輝子	15・3	18
てるさ	瑛紗	12・10	22
	輝沙	15・7	22
てるな	瑛奈	12・8	20
	照那	13・7	20
てるは	照葉	13・12	25
	輝羽	15・6	21
てるほ	晃穂	10・15	25
	輝帆	15・6	21
てるみ	光美	6・9	15
	照美	13・9	22
	輝海	15・9	24
	天留美	4・10・9	23
てるめ	照芽	13・8	21
	輝女	15・3	18
てるよ	晃代	10・5	15
	輝世	15・5	20
てんか	天夏	4・10	14
	天歌	4・14	18
てんこ	天子	4・3	7
	典子	8・3	11

と

読み	名前	画数	総画
とあ	十愛	2・13	15
	斗愛	4・13	17
	冬亜	5・7	12
	灯愛	6・13	19
	都杏	11・7	18
	都亜	11・7	18
とうか	十歌	2・14	16
	冬花	5・7	12
	灯花	6・7	13
	透香	10・9	19
	桃伽	10・7	17
とうこ	冬瑚	5・13	18
	灯子	6・3	9
	桃子	10・2	12
	桐子	10・3	13
	透子	10・3	13
	橙子	16・3	19
	瞳子	17・3	20
とうの	灯乃	6・2	8
	桃乃	10・2	12
	橙乃	16・2	18
とうは	萄葉	11・12	23
とうみ	冬実	5・8	13
	灯美	6・9	15
とおみ	遠海	13・9	22
とき	斗希	4・7	11
	都季	11・8	19
ときえ	時栄	10・9	19
	時絵	10・12	22
	都祈江	11・8・6	25
ときこ	時子	10・3	13
	登季子	12・8・3	23
ときわ	時羽	10・6	16
	常盤	11・15	26
とこ	冬瑚	5・13	18
	都子	11・3	14
としえ	としえ	2・1・3	6
	登史恵	12・5・10	27
としか	利果	7・8	15
	俊夏	9・10	19
としこ	敏子	10・3	13
	都志子	11・7・3	21
としみ	利美	7・9	16
	俊実	9・8	17
としよ	利代	7・5	12
	都志代	11・7・5	23
とと	斗音	4・9	13
	都々	11・3	14
ととあ	都々愛	11・3・13	27
ととか	都々華	11・3・10	24
ととこ	十々瑚	2・3・13	18
	都々子	11・3・3	17
ととね	とと寧	2・2・14	18
	杜々音	7・3・9	19
	都々音	11・3・9	23
ととは	杜々葉	7・3・12	22
ととみ	兎々美	7・3・9	19
ととよ	都々代	11・3・5	19
となみ	十波	2・8	10

- 十2那7美9　18

とみ
- 都11美9　20
- 登12美9　21

とみえ
- 富12恵10　22
- 斗4美9絵12　25
- 登12実8江6　26

とみこ
- 富12子3　15
- 都11美9子3　23

とも
- 友4　4 (1)
- 朋8　8 (1)
- 斗4萌11　15

ともい
- 友4衣6　10
- 朋8依8　16

ともえ
- 巴4　4 (1)
- 斗4萌11　15
- 友4絵12　16
- 知8恵10　18
- と2も3え3　8

ともか
- 友4香9　13
- 知8花7　15
- 朋8果8　16
- 朋8架9　17
- 十2萌11香9　22

ともこ
- 知8子3　11
- 朋8子3　11
- 智12子3　15

ともな
- 友4那7　11
- 朋8南9　17

ともね
- 友4音9　13
- 朋8祢9　17
- 知8寧14　22

ともの
- 友4乃2　6
- 朋8乃2　10

ともは
- 知8羽6　14
- 朋8芭7　15
- 知8葉12　20

ともみ
- 友4実8　12
- 巴4美9　13
- 智12実8　20

ともよ
- 灯6与3　9
- 知8世5　13
- 朋8代5　13
- 倫10世5　15
- 智12代5　17

とよえ
- 豊13絵12　25

とよか
- 渡12世5香9　26

とよこ
- 都11世5子3　19

とよみ
- 豊13美9　22

とり
- 斗4璃15　19
- 都11莉10　21

とりこ
- 鳥11子3　14
- 都11里7子3　21

とりみ
- 鳥11海9　20

どれみ
- 土3麗19美9　31

とわ
- と2わ3　5
- 十2和8　10
- 十2環17　19
- 永5遠13　18
- 都11和8　19

とわこ
- 十2和8子3　13
- 永5遠13子3　21
- 都11羽6子3　20

な

ないろ
- 七2彩11　13

なえ
- 苗8　8 (1)
- 那7映9　16
- 奈8依8　16
- 南9衣6　15
- 菜11恵10　21

なえみ
- 苗8未5　13
- 苗8実8　16
- 奈8江6美9　23

なお
- 直8　8 (1)
- 七2桜10　12
- 那7央5　12
- 奈8央5　13
- 奈8桜10　18
- 奈8緒14　22
- 南9緒14　23
- 菜11生5　16
- 菜11緒14　25

なおえ
- 直8衣6　14

なおか
- 直8華10　18
- 七2緒14加5　21
- 奈8央5香9　22

なおこ
- 尚8子3　11
- 直8子3　11
- 奈8緒14子3　25
- 奈8穂15子3　26
- 南9旺8子3　20
- 菜11央5子3　19

なおは
- 直8羽6　14
- 尚8葉12　20
- 七2央5葉12　19

なおみ
- 尚8美9　17
- 直8美9　17
- ナ2オ3ミ3　8
- 那7桜10美9　26
- 菜11央5実8　24

なおん
- 南9温12　21
- 菜11音9　20

なか
- 奈8珂9　17
- 菜11花7　18

なかこ
- 菜11夏10子3　24

なぎ
- 凪6　6 (1)

なぎこ
- 凪6子3　9
- 梛11子3　14

なぎさ
- 汀5　5 (1)
- 渚11　11 (1)
- 凪6沙7　13
- 凪6彩11　17
- 渚11沙7　18
- 渚11砂9　20
- な5ぎ6さ3　14
- な5ぎ6紗10　21

なぎさこ
- 渚11子3　14

なこ
- 七2瑚13　15

南瑚（9・13）22
菜子（11・3）14
椰子（11・3）14

なごみ

和（8）8(1)
和心（8・4）12
和実（8・8）16
なごみ（5・4・3）12

なさ

七紗（2・10）12
那沙（7・7）14
奈砂（8・9）17

なさみ

七彩心（2・11・4）17

なずな

七沙（2・7）9
なずな（5・5・5）15
なず菜（5・5・11）21

なずみ

菜澄（11・15）26

なつ

夏（10）10(1)
那津（7・9）16
奈都（8・11）19
南津（9・9）18

なつい

夏衣（10・6）16
奈津衣（8・9・6）23
南津伊（9・9・6）24

なつえ

夏笑（10・10）20
夏絵（10・12）22
なつ依（5・1・8）14
奈津恵（8・9・10）27

なつお

夏生（10・5）15
夏緒（10・14）24

なつか

夏香（10・9）19
夏華（10・10）20
奈津花（8・9・7）24
菜津果（11・9・8）28

なつき

奈月（8・4）12
夏生（10・5）15
夏妃（10・6）16
夏葵（10・12）22
菜月（11・4）15
なつき（5・1・4）10
那津姫（7・9・10）26
奈津季（8・9・8）25

なづき

那月（7・4）11
奈月（8・4）12
南月（9・4）13

なつこ

夏子（10・3）13
夏湖（10・12）22
奈都子（8・11・3）22
菜津子（11・9・3）23

なつな

夏奈（10・8）18
夏菜（10・11）21

なつね

夏音（10・9）19
夏寧（10・14）24

なつの

夏乃（10・2）12
捺乃（11・2）13
なつの（5・1・1）7
奈津乃（8・9・2）19

なつは

夏波（10・8）18
夏葉（10・12）22

なつひ

夏妃（10・6）16
夏斐（10・12）22

なつほ

夏歩（10・8）18
夏穂（10・15）25
那津帆（7・9・6）22

なつみ

夏海（10・9）19
夏美（10・9）19
菜摘（11・14）25
七都美（2・11・9）22
なつみ（5・1・3）9
奈津美（8・9・9）26

なつめ

夏芽（10・8）18
なつめ（5・1・2）8

なつよ

夏世（10・5）15
夏葉（10・12）22
奈都世（8・11・5）24
菜津代（11・9・5）25

なでしこ

撫子（15・3）18

なとせ

南十星（9・2・9）20

なな

七（2）2(1)
ナナ（2・2）4
七菜（2・11）13
那々（7・3）10
奈々（8・3）11
奈那（8・7）15
南那（9・7）16
菜七（11・2）13
菜々（11・3）14
菜南（11・9）20

ななえ

七絵（2・12）14
奈苗（8・8）16
七南江（2・9・6）17
奈々恵（8・3・10）21

ななお

七緒（2・14）16
奈々緒（8・3・14）25
菜々央（11・3・5）19

ななか

七花（2・7）9
七奈香（2・8・9）19
奈々果（8・3・8）19
菜々花（11・3・7）21

ななこ

七虹（2・9）11
七奈子（2・8・3）13
奈々子（8・3・3）14
南菜子（9・11・3）23
菜々子（11・3・3）17
菜那子（11・7・3）21

ななさ

七彩（2・11）13
奈々彩（8・3・11）22

ななせ

七星（2・9）11
七瀬（2・19）21
ななせ（5・5・3）13
奈々瀬（8・3・19）30

ななね

七音（2・9）11
菜々音（11・3・9）23

ななの

七乃（2・2）4
南々乃（9・3・2）14

ななは

七芭（2・7）9
七葉（2・12）14
那々波（7・3・8）18
南々羽（9・3・6）18
菜々葉（11・3・12）26

ななひ

七陽（2・12）14
那七妃（7・2・6）15

ななほ

七帆（2・9）11
なな穂（5・5・15）25
那南歩（7・9・8）24
南々帆（9・3・6）18

菜[11]々[3]穂[15] 29

ななみ

七[2]実[8] 10
七[2]波[8] 10
七[2]海[9] 11
奈[8]波[8] 16
夏[10]波[8] 18
な[5]な[5]み[3] 13
七[2]々[3]実[8] 13
七[2]奈[8]美[9] 19
奈[8]那[7]実[8] 23
菜[11]々[3]美[9] 23

ななよ

七[2]依[8] 10
七[2]誉[13] 15
那[7]々[3]世[5] 15

なの

那[7]乃[2] 9
奈[8]乃[2] 10
菜[11]野[11] 22

なのか

七[2]華[10] 12
菜[11]の[1]香[9] 21

なのは

七[2]葉[12] 14
奈[8]乃[2]羽[6] 16
菜[11]の[1]葉[12] 24
菜[11]乃[2]波[8] 21

なは

那[7]羽[6] 13
奈[8]葉[12] 20
南[9]波[8] 17

なふみ

奈[8]史[5] 13
南[9]風[9]美[9] 27

なほ

七[2]帆[6] 8
七[2]穂[15] 17
那[7]帆[6] 13
奈[8]歩[8] 16
南[9]帆[6] 15
菜[11]歩[8] 19
菜[11]穂[15] 26

なほこ

七[2]圃[10]子[3] 15
那[7]帆[6]子[3] 16
奈[8]保[9]子[3] 20

なほみ

な[5]ほ[5]実[8] 18
那[7]保[9]海[9] 25
奈[8]穂[15]実[8] 31
南[9]帆[6]美[9] 24
菜[11]穂[15]美[9] 35

なみ

波[8] 8 (1)
七[2]海[9] 11
那[7]海[9] 16
奈[8]未[5] 13
菜[11]美[9] 20
梛[11]美[9] 20

なみえ

波[8]恵[10] 18
波[8]絵[12] 20
那[7]実[8]江[6] 21
奈[8]美[9]恵[10] 27

なみか

波[8]花[7] 15
波[8]風[9] 17
波[8]夏[10] 18
那[7]望[11]佳[8] 26

なみこ

波[8]子[3] 11
南[9]海[9]子[3] 21

なみの

波[8]乃[2] 10

なみよ

波[8]世[5] 13
那[7]美[9]代[5] 21

なや

南[9]椰[13] 22

なゆ

七[2]夕[3] 5
な[5]ゆ[3] 8
那[7]結[12] 19
奈[8]夕[3] 11
奈[8]有[6] 14
菜[11]結[12] 23

なゆか

那[7]由[5]花[7] 19
奈[8]悠[11]夏[10] 29
菜[11]由[5]歌[14] 30

なゆき

名[6]雪[11] 17
な[5]ゆ[3]き[4] 12

なゆこ

七[2]夕[3]子[3] 8
那[7]優[17]子[3] 27

なゆみ

奈[8]弓[3] 11
七[2]夕[3]美[9] 14

なよ

奈[8]世[5] 13
菜[11]代[5] 16

なよこ

奈[8]世[5]子[3] 16

なりは

成[6]葉[12] 18

なりみ

也[3]実[8] 11
成[6]美[9] 15
七[2]璃[15]美[9] 26
成[6]莉[10]未[5] 21

なるえ

成[6]恵[10] 16

なるせ

成[6]世[5] 11
奈[8]琉[11]世[5] 24

なるは

成[6]葉[12] 18
奈[8]留[10]波[8] 26

なるみ

成[6]海[9] 15
成[6]美[9] 15
愛[13]心[4] 17
七[2]瑠[14]未[5] 21
南[9]琉[11]美[9] 29

に

にあ

二[2]愛[13] 15
仁[4]亜[7] 11

にいか

新[13]花[7] 20
二[2]依[8]伽[7] 17

にいな

新[13]奈[8] 21
に[3]い[2]な[5] 10
仁[4]依[8]那[7] 19
仁[4]唯[11]奈[8] 23

にいの

新[13]乃[2] 15
仁[4]衣[6]乃[2] 12

にいほ

新[13]穂[15] 28

にいみ

新[13]美[9] 22
仁[4]惟[11]美[9] 24

にいめ

新[13]芽[8] 21

にいも

新[13]萌[11] 24
二[2]衣[6]萌[11] 19

にえ

仁[4]依[8] 12
仁[4]絵[12] 16
弐[6]絵[12] 18

にか

仁[4]花[7] 11
弐[6]香[9] 15

にき
仁季 4 8 — 12
弐希 6 7 — 13

にこ
にこ 3 2 — 5
仁子 4 3 — 7
仁湖 4 12 — 16
丹瑚 4 13 — 17

にじ
虹 9 — 9 (1)

にじか
虹叶 9 5 — 14
虹香 9 9 — 18

にしき
錦 16 — 16 (1)

にじこ
虹子 9 3 — 12
虹湖 9 12 — 21

にじほ
虹帆 9 6 — 15
虹歩 9 8 — 17
虹穂 9 15 — 24

にちか
日香 4 9 — 13
日夏 4 10 — 14
二千佳 2 3 8 — 13
二知果 2 8 8 — 18

にちこ
日子 4 3 — 7
日瑚 4 13 — 17
仁知子 4 8 3 — 15

にっき
日葵 4 12 — 16

にと
仁都 4 11 — 15

にな
仁奈 4 8 — 12
弐菜 6 11 — 17

になよ
仁奈世 4 8 5 — 17

にの
弐乃 6 2 — 8

にも
仁萌 4 11 — 15

にゅ
二結 2 12 — 14
仁優 4 17 — 21

にゅう
仁結 4 12 — 16

にれ
にれ 3 3 — 6
仁礼 4 5 — 9
仁麗 4 19 — 23

ぬ

ぬい
縫 16 — 16 (1)

ぬいこ
縫子 16 3 — 19

ぬのえ
布絵 5 12 — 17

ね

ねい
寧 14 — 14 (1)
祢衣 9 6 — 15
音唯 9 11 — 20

ねいね
寧音 14 9 — 23

ねいる
音入 9 2 — 11
寧琉 14 11 — 25
音衣琉 9 6 11 — 26

ねいろ
音色 9 6 — 15
音彩 9 11 — 20
寧色 14 6 — 20
音衣呂 9 6 7 — 22

ねお
ねお 4 4 — 8
音桜 9 10 — 19
音緒 9 14 — 23
寧央 14 5 — 19

ねな
祢那 9 7 — 16
音奈 9 8 — 17

ねね
ねね 4 4 — 8
音々 9 3 — 12
峰音 10 9 — 19
寧々 14 3 — 17

ねねか
音々香 9 3 9 — 21
寧々歌 14 3 14 — 31

ねねこ
音々子 9 3 3 — 15

ねねは
寧々羽 14 3 6 — 23
音々波 8 3 8 — 19

ねねよ
祢々世 9 3 5 — 17

ねむ
音夢 9 13 — 22

ねり
音璃 9 15 — 24
寧里 14 7 — 21
寧莉 14 10 — 24

ねる
音琉 9 11 — 20
寧瑠 14 14 — 28

の

のあ
のあ 1 3 — 4
乃亜 2 7 — 9
乃彩 2 11 — 13
乃愛 2 13 — 15
野亜 11 7 — 18
野杏 11 7 — 18
埜愛 11 13 — 24

のあん
乃杏 2 7 — 9
乃晏 2 10 — 12

のい
乃依 2 8 — 10
乃唯 2 11 — 13

のえ
乃映 2 9 — 11
乃絵 2 12 — 14
乃栄 2 14 — 16
埜衣 11 6 — 17
野恵 11 10 — 21

のえか
乃恵香 2 10 9 — 21
乃絵佳 2 12 8 — 22

のえこ
乃永子 2 5 3 — 10

のえみ
乃瑛美 2 12 9 — 23

のえり
乃永莉 2 5 10 — 17
乃英里 2 8 7 — 17
乃英莉 2 8 10 — 20

のえる
乃依瑠 2 8 14 — 24
乃絵留 2 12 10 — 24
野絵琉 11 12 11 — 34

のか
埜花 11 7 — 18
野香 11 9 — 20

のぎく
野菊 11 11 — 22

のこ
乃子 2 3 — 5
乃鼓 2 13 — 15
乃瑚 2 13 — 15
埜子 11 3 — 14

- 野(11)子(3) 14

のぞみ
- 希(7) 7 (1)
- 望(11) 11 (1)
- 希(7)実(8) 15
- 希(7)海(9) 16
- 希(7)美(9) 16
- 希(7)望(11) 18
- 望(11)美(9) 20
- の(1)ぞ(5)み(3) 9

のどか
- 和(8) 8 (1)
- 温(12) 12 (1)
- 和(8)花(7) 15
- 和(8)香(9) 17
- 和(8)夏(10) 18
- 温(12)伽(7) 19
- の(1)ど(4)か(3) 8

のな
- 乃(2)那(7) 9
- 野(11)奈(8) 19

のなみ
- 乃(2)波(8) 10
- 乃(2)南(9) 11

のの
- の(1)の(1) 2
- 乃(2)々(3) 5
- 望(11)乃(2) 13
- 野(11)々(3) 14

ののあ
- の(1)の(1)愛(13) 15
- 野(11)々(3)杏(7) 21

ののか
- の(1)の(1)か(3) 5
- 乃(2)々(3)香(9) 14
- 野(11)乃(2)花(7) 20
- 野(11)々(3)佳(8) 22
- 埜(11)々(3)香(9) 23

ののこ
- の(1)の(1)子(3) 5
- 野(11)々(3)子(3) 17

ののね
- 乃(2)々(3)音(9) 14

ののは
- の(1)の(1)は(4) 6
- の(1)の(1)芭(7) 9
- 乃(2)々(3)葉(12) 17
- 野(11)乃(2)羽(6) 19
- 野(11)乃(2)葉(12) 25

ののほ
- 埜(11)乃(2)穂(15) 28
- 野(11)々(3)歩(8) 22

ののみ
- の(1)の(1)美(9) 11
- 乃(2)々(3)実(8) 13
- 望(11)乃(2)未(5) 18
- 野(11)々(3)実(8) 22

のはん
- 乃(2)帆(6) 8
- 乃(2)絆(11) 13

のぶえ
- 乃(2)笛(11) 13
- 信(9)依(8) 17
- 暢(14)恵(10) 24

のぶか
- 伸(7)花(7) 14
- 信(9)香(9) 18

のぶこ
- 伸(7)瑚(13) 20
- 暢(14)子(3) 17

のぶよ
- 伸(7)代(5) 12
- 暢(14)世(5) 19

のほ
- の(1)ほ(5) 6
- 乃(2)帆(6) 8
- 乃(2)穂(15) 17

のも
- 乃(2)萌(11) 13
- 野(11)萌(11) 22

のもこ
- 乃(2)茂(8)子(3) 13

のもみ
- 野(11)萌(11)美(9) 31

のゆき
- 乃(2)幸(8) 10
- 野(11)雪(11) 22

のゆみ
- 乃(2)弓(3) 5
- 乃(2)悠(11)美(9) 22

のり
- の(1)り(2) 3
- 乃(2)里(7) 9
- 乃(2)莉(10) 12

のりえ
- 紀(9)依(8) 17
- 則(9)絵(12) 21
- 野(11)莉(10)恵(10) 31

のりか
- 紀(9)香(9) 18
- 徳(14)花(7) 21
- 乃(2)梨(11)伽(7) 20
- 埜(11)里(7)花(7) 25

のりこ
- 倫(10)子(3) 13
- 乃(2)梨(11)子(3) 16
- 野(11)莉(10)子(3) 24

のりほ
- 紀(9)歩(8) 17
- の(1)り(2)穂(15) 18

のりみ
- 紀(9)美(9) 18
- 倫(10)美(9) 19
- 乃(2)里(7)実(8) 17

のりよ
- 紀(9)代(5) 14
- 乃(2)里(7)代(5) 14
- 乃(2)理(11)世(5) 18

のわ
- の(1)わ(3) 4
- 乃(2)羽(6) 8
- 乃(2)和(8) 10

のん
- 音(9) 9 (1)
- 暖(13) 13 (1)
- の(1)ん(2) 3

は

はぎ
- 萩(12) 12 (1)

はぎえ
- 萩(12)絵(12) 24

はぎの
- 萩(12)乃(2) 14

はぐみ
- 育(8)美(9) 17
- は(4)ぐ(3)み(3) 10

はこ
- 葉(12)子(3) 15

はすね
- 蓮(13)音(9) 22

はすの
- 蓮(13)乃(2) 15

はすみ
- 羽(6)純(10) 16
- 葉(12)澄(15) 27
- 蓮(13)美(9) 22
- 芭(7)州(6)美(9) 22
- は(4)す(3)み(3) 10

はずみ
- 羽(6)澄(15) 21
- 波(8)純(10) 18
- 葉(12)珠(10)実(8) 30

はすよ
- 蓮(13)世(5) 18
- 蓮(13)代(5) 18
- 羽(6)朱(6)世(5) 17

はつ
- 初(7) 7 (1)

名前	画数	総画
羽津	6・9	15
葉都	12・11	23

はつえ

名前	画数	総画
初絵	7・12	19
初瑛	7・12	19
葉津江	12・9・6	27

はつか

名前	画数	総画
初架	7・9	16
初香	7・9	16
羽津果	6・9・8	23

はづき

名前	画数	総画
巴月	4・4	8
羽月	6・4	10
波月	8・4	12
葉月	12・4	16
はづき	4・3・4	11

はつこ

名前	画数	総画
初子	7・3	10
羽津子	6・9・3	18
波都子	8・11・3	22

はつせ

名前	画数	総画
初聖	7・13	20
初瀬	7・19	26
葉都世	12・11・5	28

はつな

名前	画数	総画
初那	7・7	14
初奈	7・8	15
はつな	4・1・5	10

はつね

名前	画数	総画
初音	7・9	16
初寧	7・14	21
はつ寧	4・1・14	19

はつの

名前	画数	総画
初乃	7・2	9
はつ乃	4・1・2	7
波津乃	8・9・2	19

はつひ

名前	画数	総画
初妃	7・6	13
初陽	7・12	19
羽津妃	6・9・6	21

はつほ

名前	画数	総画
初帆	7・6	13
初穂	7・15	22
はつ帆	4・1・6	11

はつみ

名前	画数	総画
初美	7・9	16
はつみ	4・1・3	8
羽都実	6・11・8	25

はづみ

名前	画数	総画
葉摘	12・14	26
葉津実	12・6・8	26

はつよ

名前	画数	総画
初代	7・5	12
葉都世	12・11・5	28

はな

名前	画数	総画
花	7	7(1)
華	10	10(1)
はな	4・5	9
巴菜	4・11	15
羽七	6・2	8
羽那	6・7	13
芭奈	7・8	15
花菜	7・11	18
波奈	8・8	16
葉那	12・7	19

はなえ

名前	画数	総画
花笑	7・10	17
英絵	8・12	20
華依	10・8	18
華恵	10・10	20
羽南江	6・9・6	21

はなか

名前	画数	総画
花香	7・9	16
芭那歌	7・7・14	28

はなこ

名前	画数	総画
花子	7・3	10
花瑚	7・13	20
華子	10・3	13
華胡	10・9	19
八奈子	2・8・3	13
芭南子	7・9・3	19
波那子	8・7・3	18

はなね

名前	画数	総画
花音	7・9	16
華祢	10・9	19

はなの

名前	画数	総画
花乃	7・2	9
花埜	7・11	18
華乃	10・2	12
華野	10・11	21

はなび

名前	画数	総画
花枇	7・8	15
花美	7・9	16

はなみ

名前	画数	総画
羽波	6・8	14
花実	7・8	15

はなよ

名前	画数	総画
花与	7・3	10
華代	10・5	15
羽那世	6・7・5	18

はの

名前	画数	総画
羽乃	6・2	8
芭埜	7・11	18
葉乃	12・2	14

はのあ

名前	画数	総画
波乃亜	8・2・7	17
葉乃亜	12・2・7	21

はのん

名前	画数	総画
羽暖	6・13	19
芭温	7・12	19
波音	8・9	17
葉音	12・9	21
はのん	4・1・2	7

はま

名前	画数	総画
芭麻	7・11	18
葉真	12・10	22

はみ

名前	画数	総画
羽実	6・8	14
波美	8・9	17
葉美	12・9	21

はやか

名前	画数	総画
速香	10・9	19
颯花	14・7	21
羽弥香	6・8・9	23

はやみ

名前	画数	総画
早美	6・9	15
羽矢美	6・5・9	20
波耶美	8・9・9	26

はり

名前	画数	総画
晴梨	12・11	23

はる

名前	画数	総画
春	9	9(1)
温	12	12(1)
遥	12	12(1)
陽	12	12(1)
ハル	2・2	4
はる	4・2	6
巴留	4・10	14
羽瑠	6・14	20
葉琉	12・11	23

はるあ

名前	画数	総画
春愛	9・13	22
晴杏	12・7	19
陽亜	12・7	19
遥愛	12・13	25
はるあ	4・2・3	9
羽琉亜	6・14・7	27
芭瑠亜	7・14・7	28

はるえ

名前	画数	総画
春依	9・8	17
遥恵	12・10	22
陽笑	12・10	22
温絵	12・12	24

はるか

名前	画数	総画
悠	11	11(1)
遥	12	12(1)
春果	9・8	17
悠禾	11・5	16
晴佳	12・8	20
陽夏	12・10	22

遥12歌14 26
遼15香9 24
ハ2ル2カ2 6
は4る2か3 9
芭7流10香9 26

はるき
春9希7 16
春9姫10 19
陽12妃6 18
遥12希7 19
晴12祈8 20

はるこ
遥12子3 15
陽12子3 15
晴12湖12 24
は4る2子3 9

はるさ
春9咲9 18
遥12沙7 19
陽12紗10 22

はるせ
悠11瀬19 30
晴12世5 17
は4る2せ3 9

はるな
春9奈8 17
悠11南9 20
晴12奈8 20
遥12那7 19
遥12七2 14
陽12菜11 23
は4る2な5 11
は4る2菜11 17

はるね
春9音9 18
温12祢9 21
遥12音9 21
陽12寧14 26
は4る2寧14 20
波8瑠14音9 31

はるの
春9乃2 11
温12乃2 14
遥12乃2 14
陽12乃2 14
暖13乃2 15
は4る2の1 7

はるひ
春9陽12 21
悠11妃6 17
陽12妃6 18
遥12陽12 24
陽12斐12 24
は4る2ひ2 8

はるほ
春9穂15 24
遥12帆6 18
は4る2穂15 21

はるみ
治8美9 17
春9美9 18
悠11海9 20
晴12美9 21
遥12海9 21
遥12泉9 21
陽12海9 21
は4る2み3 9

はるめ
春9芽8 17
悠11女3 14
陽12芽8 20

はるも
春9萌11 20
晴12萌11 23
は4る2も3 9
葉12留10萌11 33

はるよ
治8代5 13
春9世5 14
悠11代5 16
晴12与3 15
陽12世5 17

はれい
羽6麗19 25
葉12怜8 20

はんな
帆6奈8 14
帆6南9 15
絆11那7 18
絆11奈8 19
絆11南9 20
ハ2ン2ナ2 6
は4ん2な5 11

はんの
絆11乃2 13

はんみ
絆11美9 20

はんり
絆11里7 18
絆11莉10 21

ひ

ひあ
日4愛13 17
斐12亜7 19
陽12杏7 19

ひあな
日4安6奈8 18
妃6杏7南9 22

びあん
美9杏7 16
美9晏10 19
琵12安6 18

ひい
陽12依8 20
緋14衣6 20

ひいな
妃6伊6南9 21
陽12以5那7 24

ひいろ
日4彩11 15
妃6彩11 17
陽12色6 18
妃6伊6呂7 19

ひお
妃6央5 11
桧10緒14 24
陽12緒14 26
緋14桜10 24

ひおの
妃6緒14乃2 22
陽12桜10乃2 24

ひおり
日4織18 22
陽12織18 30
ひ2お4り2 8
日4緒14莉10 28
妃6央5梨11 22
斐12桜10里7 29

ひかり
光6 6(1)
光6里7 13
光6莉10 16
光6梨11 17
光6璃15 21
ひ2か3り2 7
日4花7莉10 21
日4花7璃15 26
妃6禾5梨11 22
陽12佳8利7 27
緋14香9里7 30

ひかる
光6 6(1)
晄10 10(1)
輝15 15(1)
光6瑠14 20
ヒ2カ2ル2 6
ひ2か3る2 7
陽12花7留10 29

ひこ
日子 7
日湖 16
緋子 17

ひさ
久 3 (1)
日紗 14
斐沙 19

ひさえ
久絵 15
妃冴 13
悠恵 21
日沙衣 17

ひさき
陽咲 21
日紗姫 24
斐沙希 26

ひさこ
久瑚 16
斐沙子 22
陽佐子 22

ひさの
尚乃 10
悠乃 13
日咲乃 15

ひさみ
久実 11
悠美 20
緋沙美 30

ひさよ
久代 8
日紗代 19
妃彩世 22

ひしの
菱乃 13

びじゅ
美寿 16
美珠 19

ひじり
聖 13 (1)

ひすい
日翠 18
妃粋 16
妃翠 20
斐粋 22
陽翠 26
緋翠 28

ひづき
陽月 16
緋月 18

ひづる
飛鶴 30

ひでか
秀香 16
英伽 15

ひでこ
秀瑚 20
日出子 12

ひでみ
英美 17

ひでよ
秀代 12

ひとえ
仁絵 16
ひとえ 7
陽斗絵 28

ひとか
一華 11
仁花 11

ひとね
一寧 15
仁音 13

ひとは
一葉 13
仁葉 16
ひとは 8

ひとみ
瞳 17 (1)
仁美 13
瞳美 26
ひとみ 7
緋斗美 27

ひとみこ
瞳子 20

ひな
雛 18 (1)
ひな 7
比奈 12
日南 13
日菜 15
妃七 8
妃那 13
桧奈 18
斐奈 20
陽名 18
陽菜 23
緋奈 22

ひなか
雛花 25
日南果 21

ひなぎく
雛菊 29

ひなこ
雛子 21
ひな子 10
日向子 13
日那子 14
日奈子 15
陽菜子 26
緋奈子 25

ひなた
日向 10
陽向 18
ひなた 11
日向多 16
妃那多 19
陽奈多 26

ひなつ
日夏 14
妃夏 16

ひなね
雛音 27
日奈音 21

ひなの
雛乃 20
ひなの 8
ひな乃 9
日奈乃 14
妃那乃 15
斐南乃 23
陽菜乃 25

ひなみ
陽波 20
雛美 27
ひなみ 10
日向海 19
妃那美 22

ひなり
雛里 25
陽菜里 30

ひの
日埜 15
妃乃 8
斐乃 14
陽野 23
緋乃 16

ひばり
雲雀 23
ひばり 10

ひびき
響 20 (1)
ひびき 10
陽々姫 25

ひふみ
妃文 10
ひふみ 9
陽芙未 24

ひまり
妃鞠 23
斐鞠 29

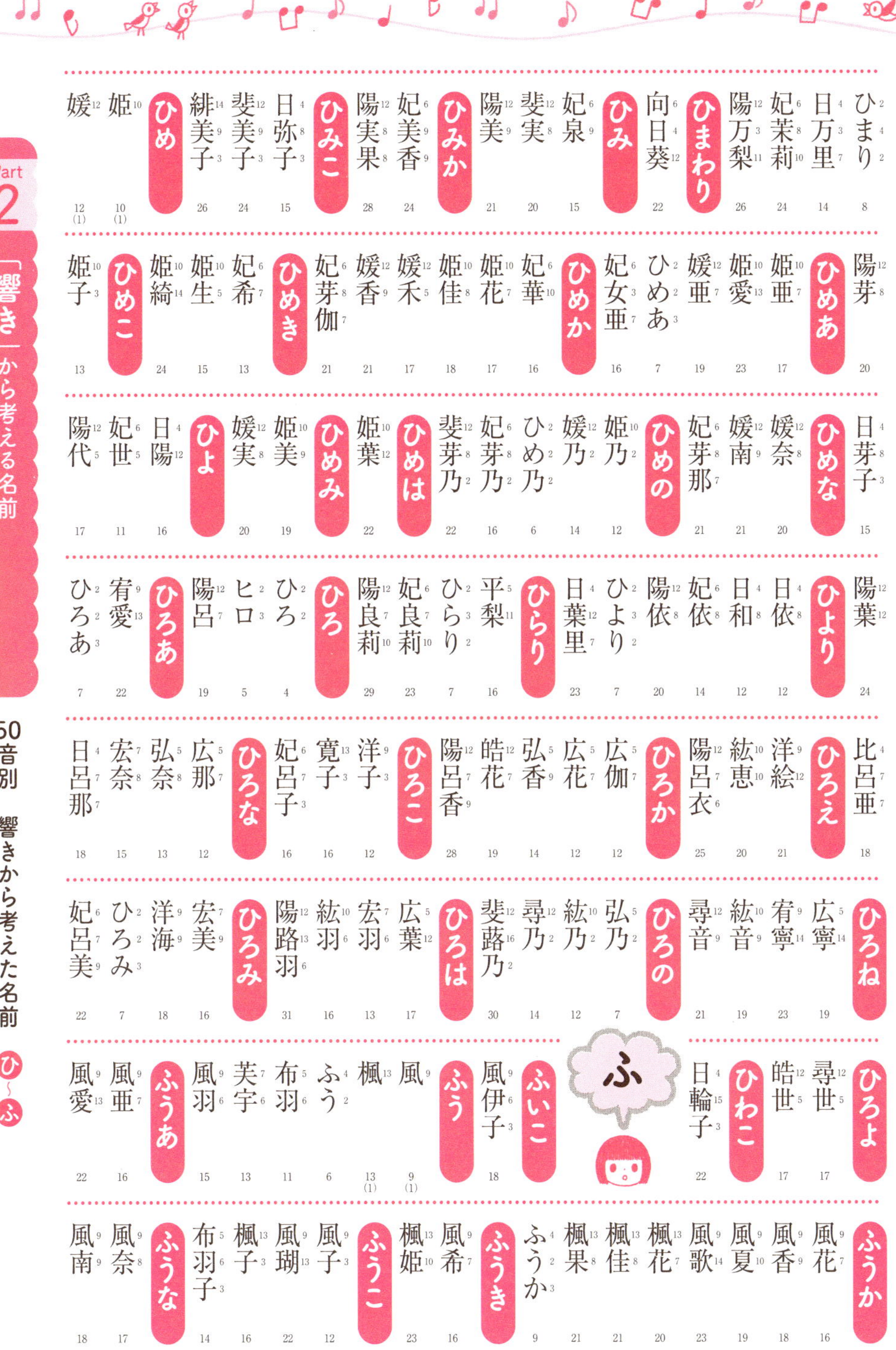

ひまり(2・4・2) 8
日万里(4・3・7) 14
妃茉莉(6・8・10) 24
陽万梨(12・3・11) 26

ひまわり
向日葵(6・4・12) 22

ひみ
妃泉(6・9) 15
斐実(12・8) 20
陽美(12・9) 21

ひみか
妃美香(6・9・9) 24
陽実果(12・8・8) 28

ひみこ
日弥子(4・8・3) 15
斐美子(12・9・3) 24
緋美子(14・9・3) 26

ひめ
姫(10) 10(1)
媛(12) 12(1)
陽芽(12・8) 20

ひめあ
姫亜(10・7) 17
姫愛(10・13) 23
媛亜(12・7) 19
ひめあ(2・2・3) 7
妃女亜(6・3・7) 16

ひめか
妃華(6・10) 16
姫花(10・7) 17
姫佳(10・8) 18
媛禾(12・5) 17
媛香(12・9) 21
妃芽伽(6・8・7) 21

ひめき
妃希(6・7) 13
姫生(10・5) 15
姫綺(10・14) 24

ひめこ
姫子(10・3) 13
日芽子(4・8・3) 15

ひめな
媛奈(12・8) 20
媛南(12・9) 21
妃芽那(6・8・7) 21

ひめの
姫乃(10・2) 12
媛乃(12・2) 14
ひめ乃(2・2・2) 6
妃芽乃(6・8・2) 16
斐芽乃(12・8・2) 22

ひめは
姫葉(10・12) 22

ひめみ
姫美(10・9) 19
媛実(12・8) 20

ひよ
日陽(4・12) 16
妃世(6・5) 11
陽代(12・5) 17
陽葉(12・12) 24

ひより
日依(4・8) 12
日和(4・8) 12
妃依(6・8) 14
陽依(12・8) 20
ひより(2・3・2) 7
日葉里(4・12・7) 23

ひらり
平梨(5・11) 16
ひらり(2・3・2) 7
妃良莉(6・7・10) 23
陽良莉(12・7・10) 29

ひろ
ひろ(2・2) 4
ヒロ(2・3) 5
陽呂(12・7) 19

ひろあ
宥愛(9・13) 22
ひろあ(2・2・3) 7
比呂亜(4・7・7) 18

ひろえ
洋絵(9・12) 21
紘恵(10・10) 20
陽呂衣(12・7・6) 25

ひろか
広伽(5・7) 12
広花(5・7) 12
弘香(5・9) 14
皓花(12・7) 19
陽呂香(12・7・9) 28

ひろこ
洋子(9・3) 12
寛子(13・3) 16
妃呂子(6・7・3) 16

ひろな
広那(5・7) 12
弘奈(5・8) 13
宏奈(7・8) 15
日呂那(4・7・7) 18

ひろね
広寧(5・14) 19
宥寧(9・14) 23
紘音(10・9) 19
尋音(12・9) 21

ひろの
弘乃(5・2) 7
紘乃(10・2) 12
尋乃(12・2) 14
斐蕗乃(12・16・2) 30

ひろは
広葉(5・12) 17
宏羽(7・6) 13
紘羽(10・6) 16
陽路羽(12・13・6) 31

ひろみ
宏美(7・9) 16
洋海(9・9) 18
ひろみ(2・2・3) 7
妃呂美(6・7・9) 22

ひろよ
尋世(12・5) 17
皓世(12・5) 17

ひわこ
日輪子(4・15・3) 22

ふ

ふいこ
風伊子(9・6・3) 18

ふう
風(9) 9(1)
楓(13) 13(1)
ふう(4・2) 6
布羽(5・6) 11
芙宇(7・6) 13
風羽(9・6) 15

ふうあ
風亜(9・7) 16
風愛(9・13) 22

ふうか
風花(9・7) 16
風香(9・9) 18
風夏(9・10) 19
風歌(9・14) 23
楓花(13・7) 20
楓佳(13・8) 21
楓果(13・8) 21
ふうか(4・2・3) 9

ふうき
風希(9・7) 16
楓姫(13・10) 23

ふうこ
風子(9・3) 12
風瑚(9・13) 22
楓子(13・3) 16
布羽子(5・6・3) 14

ふうな
風奈(9・8) 17
風南(9・9) 18

楓那（13・7）20
芙宇南（7・6・9）22

ふうね
風音（9・9）18
楓祢（13・9）22

ふうは
風羽（9・6）15
風葉（9・12）21

ふうみ
風見（9・7）16
風美（9・9）18

ふうら
風良（9・7）16
風楽（9・13）22
風羅（9・19）28
富羽良（12・6・7）25

ふえ
芙依（7・8）15

ふえか
芙恵禾（7・10・5）22

ふえこ
笛子（11・3）14

ふえね
笛音（11・9）20

ふえの
笛乃（11・2）13

ふえみ
笛美（11・9）20

ふき
芙希（7・7）14
風輝（9・15）24

ふきこ
吹子（7・3）10
風輝子（9・15・3）27

ふきの
吹乃（7・2）9
ふきの（4・4・1）9

ふくえ
吹瑛（7・12）19
福恵（13・10）23

ふくか
福果（13・8）21
芙久花（7・3・7）17

ふくこ
吹子（7・3）10
芙玖子（7・7・3）17

ふくの
吹埜（7・11）18
福乃（13・2）15

ふくみ
吹美（7・9）16
福実（13・8）21

ふくよ
福誉（13・13）26
風玖代（9・7・5）21

ふこ
芙子（7・3）10
風子（9・3）12

ふさ
芙沙（7・7）14
風紗（9・10）19

ふさえ
房依（8・8）16
布沙依（5・7・8）20

ふさこ
総子（14・3）17
風紗子（9・10・3）22

ふさの
房乃（8・2）10

ふさよ
風沙世（9・7・5）21

ふじ
藤（18）18(1)

ふじえ
藤衣（18・6）24

ふじか
藤香（18・9）27
富士花（12・3・7）22

ふじこ
藤子（18・3）21
富士子（12・3・3）18

ふたば
双葉（4・12）16
ふたば（4・4・6）14

ふづき
文月（4・4）8
風月（9・4）13

ふぶき
吹雪（7・11）18
ふぶき（4・6・4）14

ふみ
文（4）4(1)
史（5）5(1)
ふみ（4・3）7
芙美（7・9）16
風美（9・9）18
楓実（13・8）21

ふみえ
史恵（5・10）15
布美江（5・9・6）20

ふみお
文緒（4・14）18
史緒（5・14）19

ふみか
文禾（4・5）9
史佳（5・8）13
二実花（2・8・7）17

ふみこ
史子（5・3）8
芙望子（7・11・3）21
風見子（9・7・3）19

ふみな
文那（4・7）11
文菜（4・11）15
史奈（5・8）13

ふみの
文乃（4・2）6
史乃（5・2）7
芙実乃（7・8・2）17
風美乃（9・9・2）20

ふみよ
文代（4・5）9
史世（5・5）10
風望代（9・11・5）25

ふゆ
冬（5）5(1)
ふゆ（4・3）7
芙由（7・5）12
芙結（7・12）19
風優（9・17）26

ふゆえ
冬恵（5・10）15
布由絵（5・5・12）22

ふゆか
冬佳（5・8）13
冬華（5・10）15
冬歌（5・14）19
風優香（9・17・9）35

ふゆき
冬姫（5・10）15
風結希（9・12・7）28

ふゆこ
冬子（5・3）8
布結子（5・12・3）20

ふゆな
冬奈（5・8）13
風悠奈（9・11・8）28

ふゆね
冬音（5・9）14
冬寧（5・14）19
芙由音（7・5・9）21
風結音（9・12・9）30

ふゆの
冬乃（5・2）7
ふゆの（4・3・1）8
芙佑乃（7・7・2）16

ふゆひ
冬妃（5・6）11
冬斐（5・12）17
冬陽（5・12）17

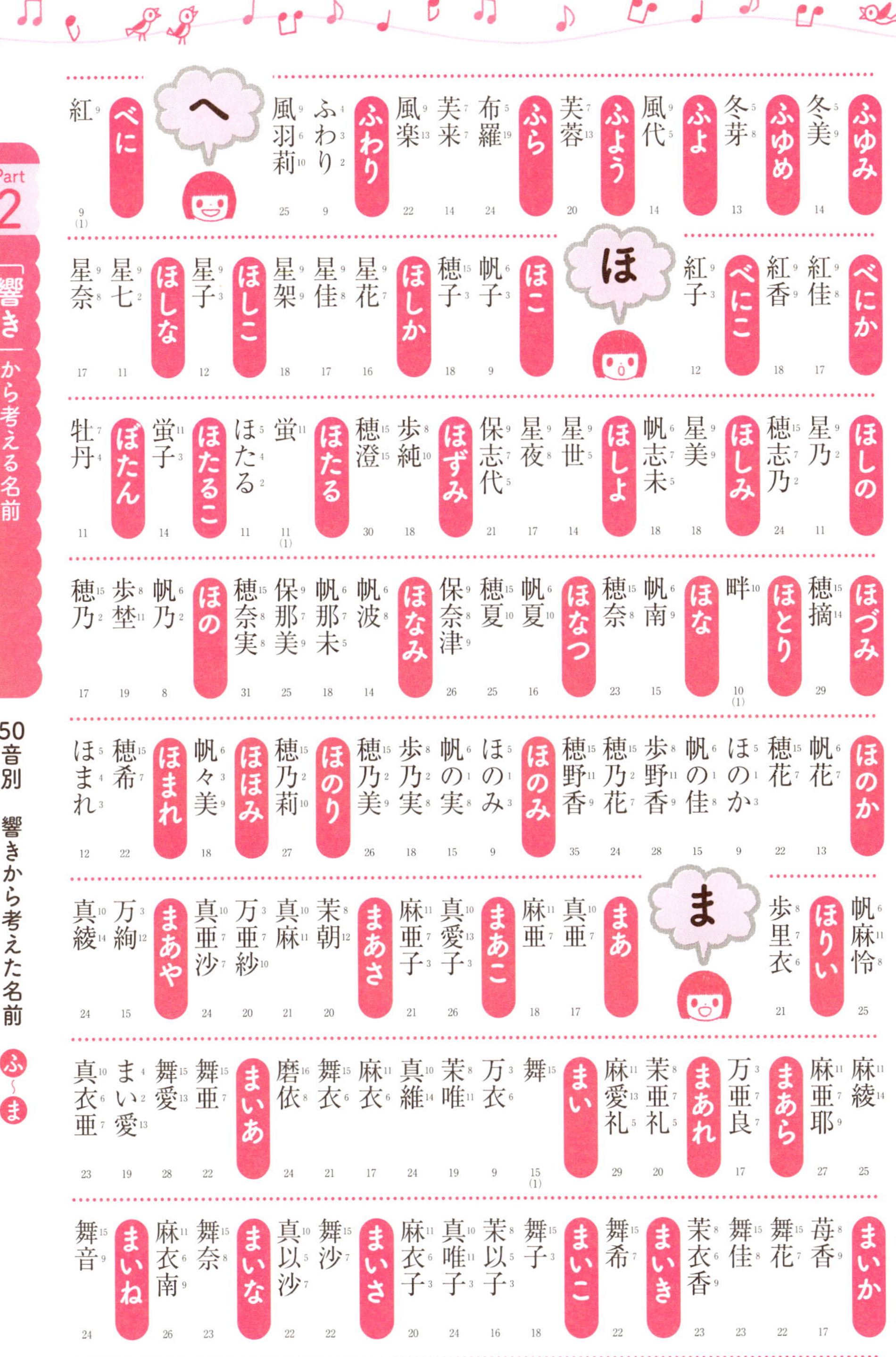

- ふゆみ：冬美（5・9）14
- ふゆめ：冬芽（5・8）13
- ふよ：風代（9・5）14
- ふよう：芙蓉（7・13）20
- ふら：布羅（5・19）24／芙来（7・7）14／風楽（9・13）22
- ふわり：ふわり（4・3・2）9／風羽莉（9・6・10）25

へ

- べに：紅（9）9（1）
- べにか：紅佳（9・8）17／紅香（9・9）18
- べにこ：紅子（9・3）12

ほ

- ほこ：帆子（6・3）9／穂子（15・3）18
- ほしか：星花（9・7）16／星佳（9・8）17／星架（9・9）18
- ほしこ：星子（9・3）12
- ほしな：星七（9・2）11／星奈（9・8）17
- ほしの：星乃（9・2）11／穂志乃（15・7・2）24
- ほしみ：星美（9・9）18／帆志未（6・7・5）18
- ほしよ：星世（9・5）14／星夜（9・8）17／保志代（9・7・5）21
- ほずみ：歩純（8・10）18／穂澄（15・15）30
- ほたる：蛍（11）11（1）／ほたる（5・4・2）11
- ほたるこ：蛍子（11・3）14
- ぼたん：牡丹（7・4）11
- ほづみ：穂摘（15・14）29
- ほとり：畔（10）10（1）
- ほな：帆南（6・9）15／穂奈（15・8）23
- ほなつ：帆夏（6・10）16／穂夏（15・10）25／保奈津（9・8・9）26
- ほなみ：帆波（6・8）14／帆那未（6・7・5）18／保那美（9・7・9）25／穂奈実（15・8・8）31
- ほの：帆乃（6・2）8／歩埜（8・11）19／穂乃（15・2）17
- ほのか：帆花（6・7）13／穂花（15・7）22／ほのか（5・1・3）9／帆の佳（6・1・8）15／歩野香（8・11・9）28／穂乃花（15・2・7）24／穂野香（15・11・9）35
- ほのみ：ほのみ（5・1・3）9／帆の実（6・1・8）15／歩乃実（8・2・8）18／穂乃美（15・2・9）26
- ほのり：穂乃莉（15・2・10）27
- ほほみ：帆々美（6・3・9）18
- ほまれ：穂希（15・7）22／ほまれ（5・4・3）12／帆麻怜（6・11・8）25
- ほりい：歩里衣（8・7・6）21

ま

- まあ：真亜（10・7）17／麻亜（11・7）18
- まあこ：真愛子（10・13・3）26／麻亜子（11・7・3）21
- まあさ：茉朝（8・12）20／真麻（10・11）21／万亜紗（3・7・10）20／真亜沙（10・7・7）24
- まあや：万絢（3・12）15／真綾（10・14）24／麻綾（11・14）25／麻亜耶（11・7・9）27
- まあら：万亜良（3・7・7）17
- まあれ：茉亜礼（8・7・5）20／麻愛礼（11・13・5）29
- まい：舞（15）15（1）／万衣（3・6）9／茉唯（8・11）19／真維（10・14）24／麻衣（11・6）17／舞衣（15・6）21／磨依（16・8）24
- まいあ：舞亜（15・7）22／舞愛（15・13）28／まい愛（4・2・13）19／真衣亜（10・6・7）23
- まいか：苺香（8・9）17／舞花（15・7）22／舞佳（15・8）23／茉衣香（8・6・9）23
- まいき：舞希（15・7）22
- まいこ：舞子（15・3）18／茉以子（8・5・3）16／真唯子（10・11・3）24／麻衣子（11・6・3）20
- まいさ：舞沙（15・7）22／真以沙（10・5・7）22
- まいな：舞奈（15・8）23／麻衣南（11・6・9）26
- まいね：舞音（15・9）24

舞(15)祢(9) 24

まいの

苺(8)乃(2) 10
真(10)衣(6)乃(2) 18

まいは

舞(15)羽(6) 21
舞(15)葉(12) 27
真(10)衣(6)羽(6) 22

まいほ

舞(15)帆(6) 21
真(10)衣(6)帆(6) 22
麻(11)衣(6)歩(8) 25

まいみ

舞(15)未(5) 20
ま(4)い(2)美(9) 15
茉(8)依(8)実(8) 24

まいむ

舞(15)夢(13) 28

まいや

舞(15)耶(9) 24
眞(10)依(8)耶(9) 27

まいら

舞(15)楽(13) 28
麻(11)衣(6)羅(19) 36

まいり

舞(15)莉(10) 25
万(3)衣(6)里(7) 16
ま(4)い(2)璃(15) 21

まいる

麻(11)衣(6)瑠(14) 31

まいん

真(10)允(4) 14
麻(11)音(9) 20

まう

舞(15)羽(6) 21

まうな

舞(15)奈(8) 23
舞(15)羽(6)菜(11) 32

まお

万(3)桜(10) 13
茉(8)音(9) 17
茉(8)緒(14) 22
真(10)央(5) 15
真(10)生(5) 15
麻(11)央(5) 16
麻(11)緒(14) 25
舞(15)桜(10) 25
磨(16)緒(14) 30

まおみ

ま(4)お(4)み(3) 11
真(10)央(5)美(9) 24
麻(11)緒(14)美(9) 34

まおり

真(10)織(18) 28
舞(15)織(18) 33

まおん

茉(8)音(9) 17
眞(10)音(9) 19

まかな

真(10)叶(5) 15
麻(11)奏(9) 20

まき

万(3)姫(10) 13
万(3)稀(12) 15
茉(8)妃(6) 14
真(10)伎(6) 16
真(10)祈(8) 18
麻(11)希(7) 18
麻(11)輝(15) 26
磨(16)紀(9) 25

まきあ

万(3)妃(6)亞(8) 17
真(10)希(7)愛(13) 30

まきえ

槙(14)恵(10) 24
万(3)希(7)絵(12) 22

まきこ

槙(14)子(3) 17
万(3)基(11)子(3) 17
真(10)紀(9)子(3) 22

まきせ

麻(11)希(7)世(5) 23

まきな

真(10)祈(8)那(7) 25
麻(11)綺(14)奈(8) 33

まきの

蒔(13)乃(2) 15
真(10)稀(12)乃(2) 24

まきば

槙(14)葉(12) 26

まきほ

牧(8)穂(15) 23
槙(14)帆(6) 20

まきよ

茉(8)希(7)代(5) 20

まこ

茉(8)子(3) 11
真(10)呼(8) 18
真(10)瑚(13) 23
麻(11)子(3) 14
磨(16)子(3) 19

まこと

真(10)采(8) 18
麻(11)琴(12) 23
真(10)古(5)都(11) 26

まさ

真(10)咲(9) 19
麻(11)沙(7) 18

まさえ

雅(13)依(8) 21
麻(11)紗(10)絵(12) 33

まさき

真(10)咲(9) 19
麻(11)咲(9) 20

まさこ

正(5)子(3) 8
雅(13)子(3) 16
麻(11)沙(7)子(3) 21

まさな

真(10)那(7) 17
雅(13)菜(11) 24

まさの

雅(13)乃(2) 15

まさみ

雅(13)美(9) 22
真(10)沙(7)美(9) 26
麻(11)沙(7)見(7) 25

まさよ

匡(6)世(5) 11
真(10)佐(7)代(5) 22

まさら

真(10)楽(13) 23
万(3)沙(7)良(7) 17

まじゅ

真(10)珠(10) 20
真(10)樹(16) 26
麻(11)樹(16) 27
磨(16)珠(10) 26

ましろ

麻(11)白(5) 16
ま(4)し(1)ろ(2) 7

ますみ

真(10)澄(15) 25
麻(11)純(10) 21
万(3)珠(10)美(9) 22

まち

万(3)智(12) 15
真(10)茅(8) 18
麻(11)知(8) 19

まちか

真(10)誓(14) 24
真(10)千(3)花(7) 20

まちこ

待(9)子(3) 12
真(10)茅(8)子(3) 21
麻(11)智(12)子(3) 26

まつか

茉(8)花(7) 15

まつば

茉(8)羽(6) 14

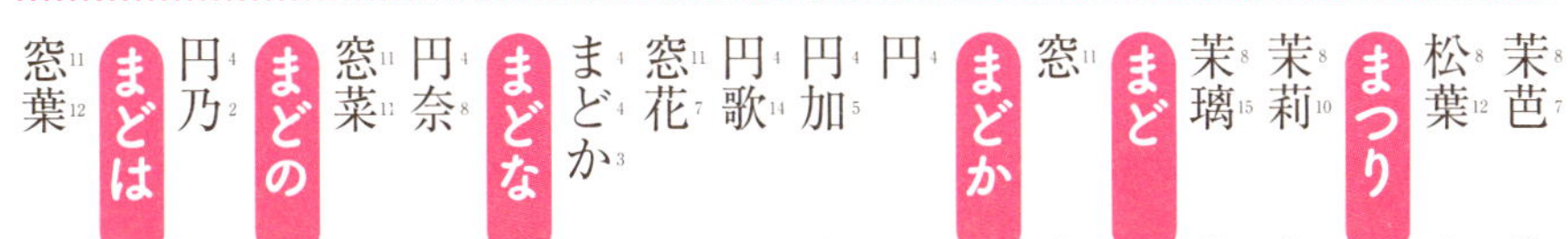

- 茉8 芭7 — 15
- 松8 葉12 — 20

まつり
- 茉8 莉10 — 18
- 茉8 璃15 — 23

まど
- 窓11 — 11 (1)

まどか
- 円4 — 4 (1)
- 円4 加5 — 9
- 円4 歌14 — 18
- 窓11 花7 — 18
- ま4 ど4 か3 — 11

まどな
- 円4 奈8 — 12
- 窓11 菜11 — 22

まどの
- 円4 乃2 — 6

まどは
- 窓11 葉12 — 23

まどみ
- 円4 美9 — 13
- 窓11 美9 — 20

まどり
- 円4 莉10 — 14

まな
- 愛13 — 13 (1)
- ま4 な5 — 9
- 万3 奈8 — 11
- 茉8 南9 — 17
- 真10 奈8 — 18
- 真10 菜11 — 21
- 麻11 那7 — 18
- 愛13 菜11 — 24
- 磨16 那7 — 23

まなえ
- 愛13 永5 — 18
- 愛13 依8 — 21
- 茉8 奈8 衣6 — 22
- 麻11 南9 絵12 — 32

まなか
- 愛13 花7 — 20
- 愛13 佳8 — 21
- 愛13 夏10 — 23
- 茉8 奈8 香9 — 25
- 真10 那7 夏10 — 27

まなこ
- 愛13 子3 — 16
- 真10 奈8 子3 — 21

まなつ
- 真10 夏10 — 20
- 麻11 夏10 — 21
- 愛13 津11 — 24
- 真10 那7 津9 — 26

まなは
- 愛13 羽6 — 19
- 愛13 波8 — 21
- 麻11 奈8 羽6 — 25

まなほ
- 愛13 穂15 — 28
- 万3 奈8 帆6 — 17
- 真10 那7 帆6 — 23
- 麻11 奈8 保9 — 28

まなみ
- 愛13 — 13 (1)
- 真10 波8 — 18
- 愛13 海9 — 22
- 愛13 美9 — 22
- 舞15 波8 — 23
- 真10 成6 美9 — 25
- 麻11 菜11 実8 — 30

まね
- 真10 音9 — 19
- 麻11 音9 — 20

まの
- 茉8 乃2 — 10
- 真10 乃2 — 12

まのん
- 真10 音9 — 19
- 舞15 音9 — 24

まは
- 万3 葉12 — 15
- 真10 羽6 — 16
- 真10 葉12 — 22

まひる
- ま4 ひ2 る2 — 8
- 真10 妃6 瑠14 — 30

まひろ
- 芙8 央5 — 13
- 茉8 寛13 — 21
- 真10 宙8 — 18
- 麻11 尋12 — 23
- ま4 ひ2 ろ2 — 8
- 麻11 妃6 呂7 — 24

まふみ
- 真10 史5 — 15
- 舞15 風9 美9 — 33

まふゆ
- 舞15 冬5 — 20
- ま4 ふ4 ゆ3 — 11

まほ
- 万3 穂15 — 18
- 茉8 穂15 — 23
- 真10 帆6 — 16
- 真10 歩8 — 18
- 眞10 穂15 — 25
- 麻11 帆6 — 17
- 麻11 保9 — 20
- 磨16 帆6 — 22

まほこ
- 真10 帆6 子3 — 19

まほみ
- 万3 帆6 実8 — 17
- 麻11 保9 美9 — 29

まみ
- 茉8 実8 — 16
- 真10 実8 — 18
- 真10 海9 — 19
- 麻11 未5 — 16
- 磨16 美9 — 25

まみえ
- 真10 心4 絵12 — 26
- 真10 美9 衣6 — 25
- 麻11 美9 江6 — 26

まみか
- 万3 美9 佳8 — 20
- 茉8 美9 夏10 — 27
- 麻11 美9 花7 — 27

まみこ
- 万3 実8 子3 — 14
- 麻11 美9 子3 — 23

まみや
- 真10 美9 哉9 — 28

まや
- ま4 や3 — 7
- 茉8 弥8 — 16
- 真10 弥8 — 18
- 麻11 耶9 — 20
- 麻11 椰13 — 24
- 磨16 耶9 — 25

まやか
- 茉8 弥8 花7 — 23
- 麻11 也3 禾5 — 19

まやこ
- 真10 哉9 子3 — 22
- 磨16 耶9 子3 — 28

まやみ
- 麻11 耶9 美9 — 29

まゆ
- 繭18 — 18 (1)
- ま4 ゆ3 — 7
- 万3 結12 — 15
- 茉8 佑7 — 15
- 茉8 柚9 — 17
- 真10 佑7 — 17
- 真10 優17 — 27
- 麻11 結12 — 23
- 舞15 優17 — 32

まゆう
- 真10 結12 — 22

麻優（11・17）28
真由宇（10・5・6）21
麻結羽（11・12・6）29

まゆか

繭禾（18・5）23
繭香（18・9）27
万優花（3・17・7）27
茉祐花（8・9・7）24
真由香（10・5・9）24
真優叶（10・17・5）32
麻柚歌（11・9・14）34
舞侑香（15・8・9）32

まゆき

舞雪（15・11）26
万優季（3・17・8）28
真結希（10・12・7）29

まゆこ

繭子（18・3）21
真悠子（10・11・3）24
麻優子（11・17・3）31

まゆな

繭奈（18・8）26
まゆ菜（4・3・11）18
茉由南（8・5・9）22
真結那（10・12・7）29
麻優奈（11・17・8）36

まゆの

繭乃（18・2）20
真夕乃（10・3・2）15

まゆは

繭羽（18・6）24
真優羽（10・17・6）33

まゆほ

万悠帆（3・11・6）20
真友穂（10・4・15）29

まゆみ

真弓（10・3）13
茉由未（8・5・5）18
真由美（10・5・9）24
麻友実（11・4・9）24

まゆも

麻友萌（11・4・11）26

まゆら

まゆら（4・3・3）10
麻由楽（11・5・13）29

まゆり

万由梨（3・5・11）19
真百合（10・6・6）22

まよ

万葉（3・12）15
茉世（8・5）13
真夜（10・8）18

まよか

真夜香（10・8・9）27
麻代加（11・5・5）21

まよこ

万葉子（3・12・3）18
麻世子（11・5・3）19

まり

鞠（17）17（1）
マリ（2・2）4
万里（3・7）10
茉莉（8・10）18
真梨（10・11）21

まりあ

鞠亜（17・7）24
マリア（2・2・2）6
万里杏（3・7・7）17
まりあ（4・2・3）9
まり愛（4・2・13）19
真理愛（10・11・13）34
麻里亜（11・7・7）25
麻璃亜（11・15・7）33

まりあん

茉莉杏（8・10・7）25

まりい

鞠依（17・8）25
麻理衣（11・11・6）28

まりえ

鞠絵（17・12）29
万理衣（3・11・6）20
まりえ（4・2・3）9
茉莉依（8・10・8）26
真理絵（10・11・12）33
麻里栄（11・7・9）27

まりお

毬央（11・5）16
万里緒（3・7・14）24
麻梨央（11・11・5）27

まりか

毬佳（11・8）19
鞠花（17・7）24
鞠香（17・9）26
マリカ（2・2・2）6
まりか（4・2・3）9
茉莉花（8・10・7）25
真理佳（10・11・8）29

まりこ

毬子（11・3）14
鞠子（17・3）20
茉莉子（8・10・3）21
真理子（10・11・3）24
麻里子（11・7・3）21

まりさ

毬沙（11・7）18
鞠沙（17・7）24
万里沙（3・7・7）17
万里紗（3・7・10）20
茉莉沙（8・10・7）25

まりな

毬奈（11・8）19
まりな（4・2・5）11
茉莉南（8・10・9）27
満理奈（12・11・8）31

まりの

毬乃（11・2）13
鞠乃（17・2）19
茉莉乃（8・10・2）20
真璃乃（10・15・2）27
麻莉乃（11・10・2）23

まりも

鞠萌（17・11）28
まりも（4・2・3）9

まりや

毬弥（11・8）19
マリヤ（2・2・2）6
まりや（4・2・3）9
真里耶（10・7・9）26
麻莉弥（11・10・8）29

まりょ

真旅（10・10）20

まりよ

真里世（10・7・5）22
麻梨代（11・11・5）27
満莉代（12・10・5）27

まりりん

毬琳（11・12）23
万莉鈴（3・10・13）26

まりん

茉倫（8・10）18
真鈴（10・13）23
麻凛（11・15）26

まるか

丸香（3・9）12
円花（4・7）11
円架（4・9）13

まるこ

円子（4・3）7
まるこ（4・2・2）8

まるみ

円美（4・9）13
まるみ（4・2・3）9
真留未（10・10・5）25

まるも

丸萌（3・11）14
麻留萌（11・10・11）32

まれあ

稀愛（12・13）25
まれあ（4・3・3）10
真礼亜（10・5・7）22

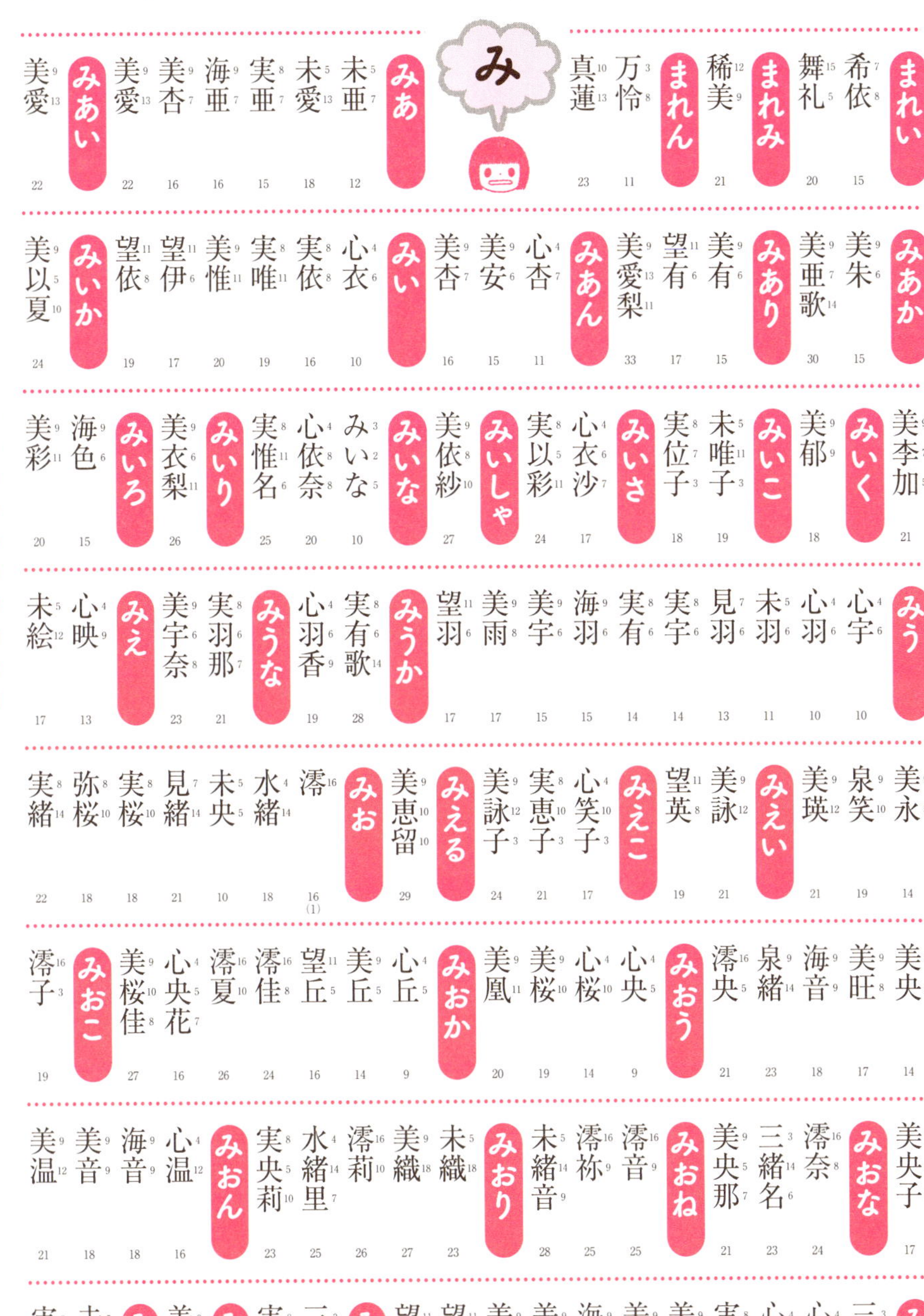

み

まれい
希 7 依 8 — 15
舞 15 礼 5 — 20

まれみ
稀 12 美 9 — 21

まれん
万 3 怜 8 — 11
真 10 蓮 13 — 23

みあ
未 5 亜 7 — 12
未 5 愛 13 — 18
実 8 亜 7 — 15
海 9 亜 7 — 16
美 9 杏 7 — 16
美 9 愛 13 — 22

みあい
美 9 愛 13 — 22

みあか
美 9 朱 6 — 15
美 9 亜 7 歌 14 — 30

みあり
美 9 有 6 — 15
望 11 有 6 — 17
美 9 愛 13 梨 11 — 33

みあん
心 4 杏 7 — 11
美 9 安 6 — 15
美 9 杏 7 — 16

みい
心 4 衣 6 — 10
実 8 依 8 — 16
実 8 唯 11 — 19
美 9 惟 11 — 20
望 11 伊 6 — 17
望 11 依 8 — 19

みいか
美 9 以 5 夏 10 — 24
美 9 李 7 加 5 — 21

みいく
美 9 郁 9 — 18

みいこ
未 5 唯 11 子 3 — 19
実 8 位 7 子 3 — 18

みいさ
心 4 衣 6 沙 7 — 17
実 8 以 5 彩 11 — 24

みいしゃ
美 9 依 8 紗 10 — 27

みいな
み 3 い 2 な 5 — 10
心 4 依 8 奈 8 — 20
実 8 惟 11 名 6 — 25

みいり
美 9 衣 6 梨 11 — 26

みいろ
海 9 色 6 — 15
美 9 彩 11 — 20

みう
心 4 宇 6 — 10
心 4 羽 6 — 10
未 5 羽 6 — 11
見 7 羽 6 — 13
実 8 宇 6 — 14
実 8 有 6 — 14
海 9 羽 6 — 15
美 9 宇 6 — 15
美 9 雨 8 — 17
望 11 羽 6 — 17

みうか
実 8 有 6 歌 14 — 28
心 4 羽 6 香 9 — 19

みうな
実 8 羽 6 那 7 — 21
美 9 宇 6 奈 8 — 23

みえ
心 4 映 9 — 13
未 5 絵 12 — 17
美 9 永 5 — 14
泉 9 笑 10 — 19
美 9 瑛 12 — 21

みえい
美 9 詠 12 — 21
望 11 英 8 — 19

みえこ
心 4 笑 10 子 3 — 17
実 8 恵 10 子 3 — 21
美 9 詠 12 子 3 — 24

みえる
美 9 恵 10 留 10 — 29

みお
澪 16 — 16 (1)
水 4 緒 14 — 18
未 5 央 5 — 10
見 7 緒 14 — 21
実 8 桜 10 — 18
弥 8 桜 10 — 18
実 8 緒 14 — 22
美 9 央 5 — 14
美 9 旺 8 — 17
海 9 音 9 — 18
泉 9 緒 14 — 23
澪 16 央 5 — 21

みおう
心 4 央 5 — 9
心 4 桜 10 — 14
美 9 桜 10 — 19
美 9 凰 11 — 20

みおか
心 4 丘 5 — 9
美 9 丘 5 — 14
望 11 丘 5 — 16
澪 16 佳 8 — 24
澪 16 夏 10 — 26
心 4 央 5 花 7 — 16
美 9 桜 10 佳 8 — 27

みおこ
澪 16 子 3 — 19
美 9 央 5 子 3 — 17

みおな
澪 16 奈 8 — 24
三 3 緒 14 名 6 — 23
美 9 央 5 那 7 — 21

みおね
澪 16 音 9 — 25
澪 16 祢 9 — 25
未 5 緒 14 音 9 — 28

みおり
未 5 織 18 — 23
美 9 織 18 — 27
澪 16 莉 10 — 26
水 4 緒 14 里 7 — 25
実 8 央 5 莉 10 — 23

みおん
心 4 温 12 — 16
海 9 音 9 — 18
美 9 音 9 — 18
美 9 温 12 — 21

みか
三 3 夏 10 — 13
心 4 叶 5 — 9
心 4 翔 12 — 16
実 8 花 7 — 15
美 9 伽 7 — 16
美 9 香 9 — 18
海 9 夏 10 — 19
美 9 華 10 — 19
美 9 嘉 14 — 23
望 11 叶 5 — 16
望 11 夏 10 — 21

みかえ
三 3 夏 10 江 6 — 19
実 8 花 7 絵 12 — 27

みかげ
美 9 景 12 — 21

みかこ
未 5 架 9 子 3 — 17
実 8 日 4 子 3 — 15

みかさ
美9 叶5 子3　17
美9 笠11　20
見7 加5 沙7　19

みかぜ
心4 風9　13
美9 風9　18

みかな
実8 叶5　13
心4 夏10 南9　23

みかの
心4 花7 埜11　22
美9 歌14 乃2　25

みかり
弥8 香9 莉10　27
美9 華10 里7　26

みかん
実8 栞10　18
美9 柑9　18
美9 栞10　19

みき
心4 希7　11
心4 姫10　14
未5 来7　12
実8 季8　16
弥8 紀9　17
美9 祈8　17
美9 記10　19
美9 暉13　22
美9 樹16　25
海9 輝15　24
望11 姫10　21

みきえ
幹13 恵10　23
見7 希7 絵12　26

みきこ
幹13 子3　16
未5 来7 子3　15
実8 希7 子3　18
美9 稀12 子3　24

みきな
幹13 菜11　24
心4 希7 奈8　19

みきほ
幹13 帆6　19
美9 喜12 帆6　27
美9 祈8 穂15　32

みきよ
幹13 代5　18
実8 希7 世5　20

みく
み3 く1　4
心4 玖7　11
未5 玖7　12
未5 来7　12
実8 空8　16
美9 空8　17
美9 來8　17
美9 紅9　18
望11 久3　14

みくも
美9 雲12　21

みくる
美9 来7　16

みこ
心4 子3　7
心4 瑚13　17
弥8 子3　11
実8 胡9　17
美9 虹9　18
美9 湖12　21
美9 鼓13　22

みこと
弥8 琴12　20
美9 琴12　21
美9 詞12　21

みさ
心4 咲9　13
未5 紗10　15
実8 咲9　17
海9 沙7　16
泉9 沙7　16
美9 佐7　16

みさえ
美9 冴7　16
美9 紗10 江6　25

みさお
美9 砂9 央5　23

みさき
岬8　8 (1)
心4 咲9　13
光6 咲9　15
実8 咲9　17
美9 咲9　18
深11 咲9　20
み3 さ3 き4　10
美9 沙7 祈8　24
美9 咲9 姫10　28

みさぎ
美9 鷺24　33

みさこ
心4 彩11 子3　18
未5 咲9 子3　17
美9 彩11 子3　23

みさち
美9 倖10　19
望11 幸8　19

みさと
実8 怜8　16
美9 郷11　20
美9 慧15　24
望11 里7　18

みさの
み3 さ3 乃2　8

みさほ
実8 沙7 穂15　30

みさよ
望11 沙7 代5　23

みさわ
美9 爽11　20

みじゅ
心4 珠10　14
美9 寿7　16
美9 樹16　25

みずえ
水4 絵12　16
瑞13 絵12　25

みずか
水4 夏10　14
瑞13 香9　22

みずき
水4 希7　11
水4 輝15　19
泉9 季8　17
瑞13 希7　20
瑞13 姫10　23
み3 ず5 き4　12
美9 珠10 希7　26

みすず
美9 涼11　20
美9 鈴13　22
み3 す3 ず5　11
珠10 寿7 々3　20

みずな
瑞13 奈8　21

みずは
泉9 葉12　21

みずほ
瑞13 羽6　19
瑞13 帆6　19
瑞13 穂15　28
美9 珠10 歩8　27

みずも
水4 萌11　15
瑞13 萌11　24

みずよ
瑞13 与3　16
瑞13 世5　18

みずり
瑞13 里7　20

瑠13梨11 24

みその
美9苑8 17
美9園13 22
み3そ3の1 7

みそら
未5空8 13
未5宙8 13
実8昊8 16
美9天4 13
美9空8 17
美9穹8 17
み3そ3ら3 9

みち
ミ3チ3 6
み3ち3 6
美9智12 21

みちえ
道12絵12 24
美9智12江6 27

みちか
心4愛13 17
径8香9 17
美9知8歌14 31

みちこ
路13子3 16
実8智12子3 23

みちな
道12那7 19
美9知8南9 26

みちの
倫10乃2 12
道12乃2 14

みちほ
道12帆6 18
路13歩8 21

みちよ
倫10世5 15
三3千3代5 11
美9千3代5 17

みちる
ミ3チ3ル2 8
み3ち3る2 8
美9茅8留10 27

みつ
光6都11 17
美9津9 18

みつえ
光6絵12 18
美9津9恵10 28

みつか
充6香9 15
光6夏10 16

みつき
光6月4 10
光6妃6 12
光6祈8 14
光6季8 14
充6祈8 14
美9月4 13

珠10月4 14
心4月4 8

みづき
水4月4 8
美9月4 13
深11月4 15
み3づ3き4 10

みつこ
充6子3 9
美9都11子3 23

みつせ
充6世5 11
光6惺12 18
充6晴12 18
未5都11世5 21

みつな
充6奈8 14

みつの
光6乃2 8
充6埜11 17

みつは
光6羽6 12
光6葉12 18

みつほ
充6保9 15
光6穂15 21
満12帆6 18

みつみ
光6海9 15
美9摘14 23

みつよ
充6世5 11
実8都11代5 24

みつる
美9弦8 17

みづる
美9鶴21 30

みと
実8斗4 12
泉9音9 18

美9杜7 16
美9都11 20
美9翔12 21

みどり
翠14 14 (1)
碧14 14 (1)
み3ど4り2 9
美9登12里7 28

みどりこ
翠14子3 17

みな
三3那7 10
未5奈8 13
見7菜11 18
実8那7 15
美9名6 15
美9菜11 20
海9奈8 17

みなえ
美9苗8 17

未5那7江6 18

みなか
南9夏10 19
美9那7香9 25

みなこ
三3奈8子3 14
巳3南9子3 15
実8奈8子3 19

みなつ
美9夏10 19

みなと
湊12 12 (1)

みなほ
南9帆6 15
美9奈8穂15 32

みなみ
南9 9 (1)
水4波8 12
南9未5 14
美9波8 17

み3な5み3 11

みなみこ
南9子3 12

みなも
水4萌11 15
み3な5も3 11
美9七2萌11 22

みなよ
三3奈8代5 16
美9南9代5 23

みに
美9仁4 13

みにい
美9新13 22
実8仁4衣6 18

みね
峰10 10 (1)
嶺17 17 (1)
海9音9 18
美9音9 18

みねか
峰(10)香(9) 19
美(9)祢(9)花(7) 25

みねこ
嶺(17)子(3) 20
美(9)音(9)子(3) 21

みねよ
峰(10)世(5) 15

みねり
見(7)音(9)里(7) 23

みの
美(9)乃(2) 11

みのあ
み(3)の(1)あ(3) 7
美(9)乃(2)亜(7) 18

みのか
美(9)乃(2)香(9) 20

みのり
実(8)里(7) 15
み(3)の(1)り(2) 6
実(8)の(1)り(2) 11
美(9)乃(2)璃(15) 26
美(9)野(11)里(7) 27

みのん
心(4)暖(13) 17
美(9)音(9) 18

みはな
心(4)華(10) 14
実(8)花(7) 15

みはね
美(9)羽(6) 15
美(9)芭(7)音(9) 25

みはや
美(9)早(6) 15
美(9)颯(14) 23
み(3)は(4)や(3) 10
美(9)羽(6)弥(8) 23

みはる
心(4)晴(12) 16
美(9)春(9) 18
美(9)遥(12) 21

みひろ
心(4)優(17) 21
美(9)弦(8) 17
海(9)尋(12) 21
美(9)尋(12) 21
み(3)ひ(2)ろ(2) 7

みふ
未(5)風(9) 14
実(8)芙(7) 15

みふえ
美(9)笛(11) 20

みふね
美(9)舟(6) 15

みふゆ
美(9)冬(5) 14
深(11)冬(5) 16
美(9)風(9)優(17) 35

みふよ
美(9)風(9)世(5) 23

みほ
未(5)帆(6) 11
実(8)穂(15) 23
弥(8)穂(15) 23
美(9)保(9) 18
美(9)歩(8) 17

みほい
み(3)ほ(5)い(2) 10

みほこ
美(9)帆(6)子(3) 18
美(9)圃(10)子(3) 22

みほし
美(9)星(9) 18

みみ
心(4)美(9) 13
海(9)々(3) 12
美(9)々(3) 12
美(9)海(9) 18

みみか
み(3)み(3)歌(14) 20
実(8)々(3)子(3) 14
美(9)々(3)架(9) 21
美(9)海(9)子(3) 21

みみね
未(5)々(3)音(9) 17

みみよ
美(9)々(3)代(5) 17

みむ
美(9)夢(13) 22
望(11)夢(13) 24

みむら
美(9)夢(13)楽(13) 35

みめい
美(9)明(8) 17
未(5)芽(8)依(8) 21

みも
実(8)萌(11) 19
美(9)望(11) 20

みもさ
実(8)百(6)紗(10) 24
美(9)萌(11)咲(9) 29

みもざ
未(5)萌(11)沙(7) 23

みもり
美(9)森(12) 21
美(9)茂(8)里(7) 24

みや
心(4)弥(8) 12
実(8)耶(9) 17
美(9)也(3) 12
美(9)哉(9) 18

みやか
美(9)耶(9)香(9) 27

みやこ
京(8) 8 (1)
都(11) 11 (1)
美(9)也(3)子(3) 15

みやび
雅(13) 13 (1)
み(3)や(3)び(4) 10

みゆ
心(4)結(12) 16
未(5)柚(9) 14
実(8)優(17) 25
美(9)夕(3) 12
美(9)佑(7) 16
美(9)宥(9) 18
美(9)結(12) 21
望(11)結(12) 23
深(11)結(12) 23
深(11)優(17) 28

みゆう
実(8)侑(8) 16
美(9)優(17) 26
望(11)悠(11) 22

みゆか
実(8)悠(11)花(7) 26
美(9)結(12)花(7) 28

みゆき
幸(8) 8 (1)
美(9)幸(8) 17
美(9)雪(11) 20
み(3)ゆ(3)き(4) 10

みゆず
美(9)柚(9) 18

みゆな
実(8)祐(9)奈(8) 25
美(9)由(5)奈(8) 22
美(9)優(17)那(7) 33

みゆり
実(8)由(5)梨(11) 24
美(9)百(6)合(6) 21

みよ
未(5)世(5) 10
美(9)代(5) 14

みよう
実(8)蓉(13) 21
美(9)陽(12) 21

みよか
実(8)世(5)伽(7) 20

美(9)代(5)花(7) 21

みよこ
美(9)陽(12)子(3) 24

みよし
美(9)佳(8) 17

みら
心(4)羅(19) 23
未(5)來(8) 13
美(9)楽(13) 22

みらい
未(5)来(7) 12
未(5)來(8) 13
美(9)来(7) 16
美(9)來(8) 17
み(3)ら(3)い(2) 8

みらく
未(5)楽(13) 18
美(9)羅(19)玖(7) 35

みらの
実(8)良(7)乃(2) 17
美(9)良(7)野(11) 27

みらん
心(4)藍(18) 22
海(9)藍(18) 27
美(9)蘭(19) 28
望(11)蘭(19) 30

みり
未(5)璃(15) 20
実(8)莉(10) 18
実(8)梨(11) 19
美(9)里(7) 16
海(9)璃(15) 24

みりあ
み(3)り(2)あ(3) 8
み(3)り(2)愛(13) 18
実(8)里(7)愛(13) 28
海(9)莉(10)亜(7) 26
美(9)璃(15)亜(7) 31

みりか
実(8)莉(10)香(9) 27
美(9)璃(15)花(7) 31

みりな
未(5)莉(10)南(9) 24
美(9)里(7)奈(8) 24

みりや
実(8)梨(11)耶(9) 28

みりゅう
美(9)琉(11) 20

みりょう
心(4)涼(11) 15

みる
見(7)瑠(14) 21
実(8)琉(11) 19
美(9)留(10) 19

みるい
未(5)瑠(14)伊(6) 25
美(9)留(10)衣(6) 25

みるく
み(3)る(2)く(1) 6
美(9)瑠(14)玖(7) 30

みるむ
心(4)留(10)夢(13) 27
美(9)留(10)夢(13) 32

みれ
未(5)怜(8) 13
美(9)礼(5) 14
望(11)玲(9) 20

みれい
心(4)玲(9) 13
未(5)澪(16) 21
実(8)礼(5) 13
実(8)麗(19) 27
美(9)嶺(17) 26

みれか
三(3)麗(19)加(5) 27
美(9)玲(9)花(7) 25

みろ
美(9)路(13) 22

みろく
美(9)麓(19) 28

みわ
心(4)和(8) 12
未(5)和(8) 13
実(8)羽(6) 14
美(9)和(8) 17
美(9)環(17) 26

みわこ
実(8)環(17)子(3) 28
望(11)和(8)子(3) 22

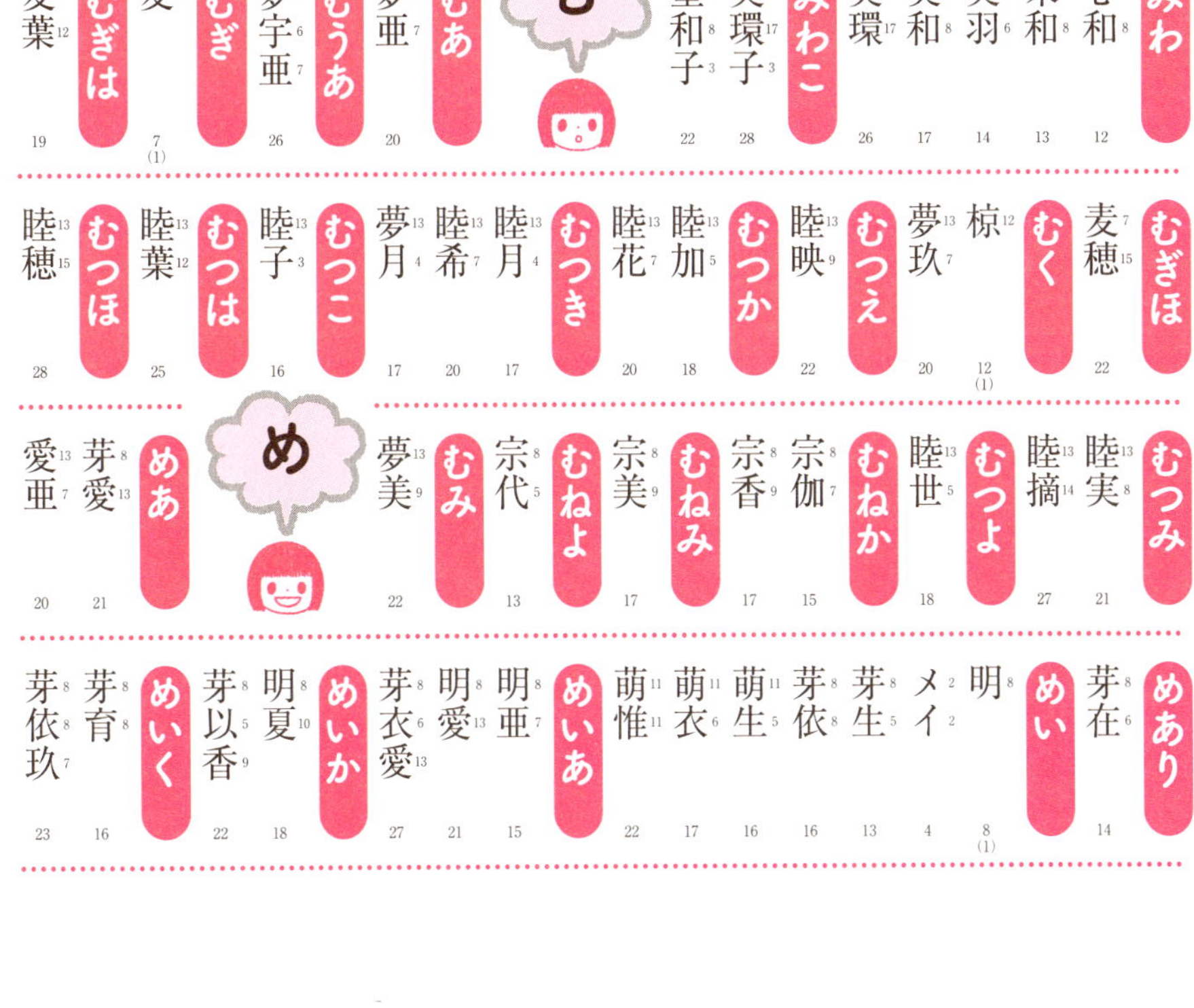

む

むあ
夢(13)亜(7) 20

むうあ
夢(13)宇(6)亜(7) 26

むぎ
麦(7) 7 (1)

むぎは
麦(7)葉(12) 19

むぎほ
麦(7)穂(15) 22

むく
椋(12) 12 (1)
夢(13)玖(7) 20

むつえ
睦(13)映(9) 22

むつか
睦(13)加(5) 18
睦(13)花(7) 20

むつき
睦(13)月(4) 17
睦(13)希(7) 20
夢(13)月(4) 17

むつこ
睦(13)子(3) 16

むつは
睦(13)葉(12) 25

むつほ
睦(13)穂(15) 28

むつみ
睦(13)実(8) 21
睦(13)摘(14) 27

むつよ
睦(13)世(5) 18

むねか
宗(8)伽(7) 15
宗(8)香(9) 17

むねみ
宗(8)美(9) 17

むねよ
宗(8)代(5) 13

むみ
夢(13)美(9) 22

め

めあ
芽(8)愛(13) 21
愛(13)亜(7) 20

めあり
芽(8)在(6) 14

めい
明(8) 8 (1)
メ(2)イ(2) 4
芽(8)生(5) 13
芽(8)依(8) 16
萌(11)生(5) 16
萌(11)衣(6) 17
萌(11)惟(11) 22

めいあ
明(8)亜(7) 15
明(8)愛(13) 21
芽(8)衣(6)愛(13) 27

めいか
明(8)夏(10) 18
芽(8)以(5)香(9) 22

めいく
芽(8)育(8) 16
芽(8)依(8)玖(7) 23

めいこ
- 明(8)子(3) 11

めいさ
- 芽(8)以(5)子(3) 16
- 名(6)紗(10) 16
- 芽(8)咲(9) 17
- 明(8)咲(9) 17
- 明(8)彩(11) 19
- 盟(13)紗(10) 23
- 芽(8)衣(6)沙(7) 21

めいしゃ
- 明(8)紗(10) 18

めいな
- 明(8)奈(8) 16
- 芽(8)以(5)菜(11) 24
- 芽(8)依(8)那(7) 23

めいび
- 芽(8)妃(6) 14

めいら
- 明(8)楽(13) 21

めき
- 芽(8)輝(15) 23

めぐ
- 恵(10) 10 (1)
- 愛(13) 13 (1)
- めぐ(2・3) 5
- 芽(8)久(3) 11

めぐみ
- 恩(10) 10 (1)
- 恵(10) 10 (1)
- 萌(11) 11 (1)
- 愛(13) 13 (1)
- 愛(13)心(4) 17
- 愛(13)美(9) 22
- めぐみ(2・3・3) 8

めぐむ
- 恵(10) 10 (1)
- 恵(10)夢(13) 23

めの
- 芽(8)乃(2) 10

めばえ
- 萌(11) 11 (1)

めぶき
- 芽(8)吹(7) 15

めみ
- 芽(8)美(9) 17
- 萌(11)実(8) 19

めめ
- 芽(8)々(3) 11

めめか
- 芽(8)々(3)花(7) 18

めもり
- 芽(8)森(12) 20

めり
- メ(2)リ(2) 4
- 芽(8)梨(11) 19
- 芽(8)璃(15) 23
- 萌(11)里(7) 18

めりい
- 芽(8)莉(10)衣(6) 24
- 萌(11)梨(11)依(8) 30

めりな
- 芽(8)里(7)奈(8) 23
- 萌(11)莉(10)名(6) 27

める
- 芽(8)琉(11) 19
- 愛(13)瑠(14) 27

めるも
- 芽(8)琉(11)萌(11) 30

も

もあ
- もあ(3・3) 6
- 百(6)愛(13) 19
- 望(11)亜(7) 18
- 萌(11)彩(11) 22
- 萌(11)愛(13) 24

もあな
- 百(6)愛(13)奈(8) 27
- 萌(11)亜(7)南(9) 27

もい
- 萌(11)衣(6) 17

もえ
- 萌(11) 11 (1)
- もえ(3・3) 6
- 百(6)依(8) 14
- 百(6)笑(10) 16
- 萌(11)江(6) 17
- 萌(11)英(8) 19
- 望(11)恵(10) 21
- 望(11)絵(12) 23

もえか
- 萌(11)加(5) 16
- 萌(11)禾(5) 16
- 萌(11)香(9) 20
- 萌(11)夏(10) 21
- 百(6)絵(12)花(7) 25

もえぎ
- 萌(11)黄(11) 22

もえこ
- 萌(11)瑚(13) 24
- 百(6)瑛(12)子(3) 21

もえな
- 萌(11)名(6) 17
- 萌(11)菜(11) 22
- 萌(11)夏(10) 21
- 百(6)英(8)奈(8) 22

もえの
- 萌(11)乃(2) 13
- 百(6)恵(10)乃(2) 18

もえは
- 萌(11)羽(6) 17
- 萌(11)葉(12) 23

もえみ
- 萌(11)実(8) 19
- 萌(11)笑(10) 21
- 百(6)依(8)美(9) 23

もえむ
- 萌(11)夢(13) 24

もえり
- 萌(11)里(7) 18
- 萌(11)梨(11) 22
- 百(6)依(8)莉(10) 24

もか
- 百(6)香(9) 15
- 百(6)華(10) 16
- 望(11)加(5) 16
- 望(11)叶(5) 16
- 萌(11)花(7) 18
- 萌(11)佳(8) 19
- 萌(11)果(8) 19
- 萌(11)夏(10) 21
- 萌(11)歌(14) 25

もこ
- もこ(3・2) 5
- 萌(11)子(3) 14
- 萌(11)湖(12) 23

もと
- 百(6)音(9) 15
- 萌(11)斗(4) 15
- 望(11)都(11) 22

もとえ
- 元(4)恵(10) 14
- 心(4)絵(12) 16

もとか
- 元(4)香(9) 13
- 素(10)佳(8) 18
- 萌(11)音(9)花(7) 27

もとこ
- 心(4)子(3) 7
- 素(10)子(3) 13
- 百(6)登(12)子(3) 21

もとね
- 元(4)音(9) 13
- 素(10)音(9) 19

もとは
- 素(10)羽(6) 16

もとみ
- 元(4)美(9) 13

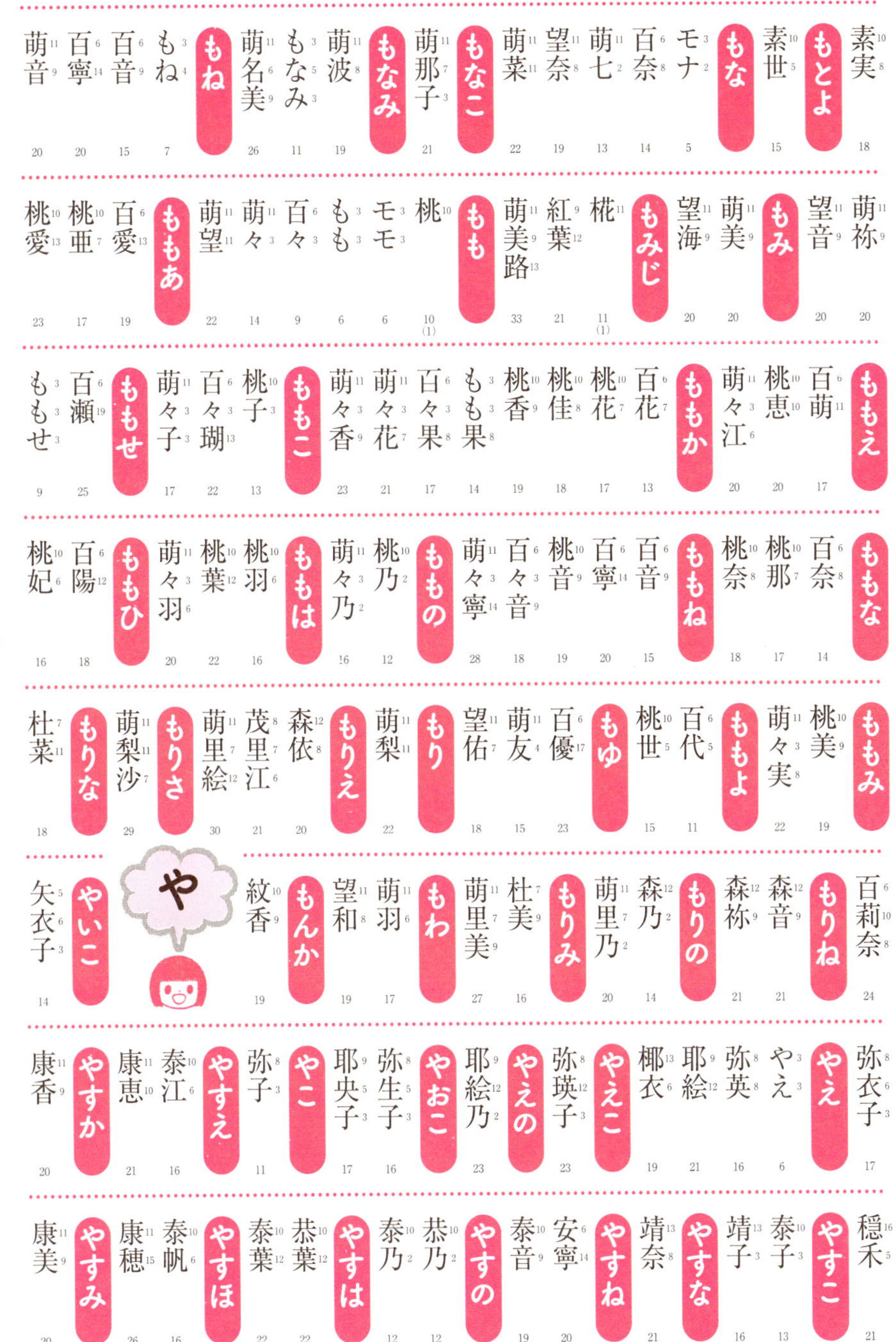

- 素実（10・8）18

もとよ
- 素世（10・5）15

もな
- モナ（3・2）5
- 百奈（6・8）14
- 萌七（11・2）13
- 望奈（11・8）19
- 萌菜（11・11）22

もなこ
- 萌那子（11・7・3）21

もなみ
- 萌波（11・8）19
- もなみ（3・5・3）11
- 萌名美（11・6・9）26

もね
- もね（3・4）7
- 百音（6・9）15
- 百寧（6・14）20
- 萌音（11・9）20

- 萌祢（11・9）20
- 望音（11・9）20

もみ
- 萌美（11・9）20
- 望海（11・9）20

もみじ
- 椛（11）11（1）
- 紅葉（9・12）21
- 萌美路（11・9・13）33

もも
- 桃（10）10（1）
- モモ（3・3）6
- もも（3・3）6
- 百々（6・3）9
- 萌々（11・3）14
- 萌望（11・11）22

ももあ
- 百愛（6・13）19
- 桃亜（10・7）17
- 桃愛（10・13）23

ももえ
- 百萌（6・11）17
- 桃恵（10・10）20
- 萌々江（11・3・6）20

ももか
- 百花（6・7）13
- 桃花（10・7）17
- 桃佳（10・8）18
- 桃香（10・9）19
- もも果（3・3・8）14
- 百々果（6・3・8）17
- 萌々花（11・3・7）21
- 萌々香（11・3・9）23

ももこ
- 桃子（10・3）13
- 百々瑚（6・3・13）22
- 萌々子（11・3・3）17

ももせ
- 百瀬（6・19）25
- ももせ（3・3・3）9

ももな
- 百奈（6・8）14
- 桃那（10・7）17
- 桃奈（10・8）18

ももね
- 百音（6・9）15
- 百寧（6・14）20
- 桃音（10・9）19
- 百々音（6・3・9）18
- 萌々寧（11・3・14）28

ももの
- 桃乃（10・2）12
- 萌々乃（11・3・2）16

ももは
- 桃羽（10・6）16
- 桃葉（10・12）22
- 萌々羽（11・3・6）20

ももひ
- 百陽（6・12）18
- 桃妃（10・6）16

ももみ
- 桃美（10・9）19
- 萌々実（11・3・8）22

ももよ
- 百代（6・5）11
- 桃世（10・5）15

もゆ
- 百優（6・17）23
- 萌友（11・4）15
- 望佑（11・7）18

もり
- 萌梨（11・11）22

もりえ
- 森依（12・8）20
- 茂里江（8・7・6）21
- 萌里絵（11・7・12）30

もりさ
- 萌梨沙（11・11・7）29

もりな
- 杜菜（7・11）18
- 百莉奈（6・10・8）24

もりね
- 森音（12・9）21
- 森祢（12・9）21

もりの
- 森乃（12・2）14
- 萌里乃（11・7・2）20

もりみ
- 杜美（7・9）16
- 萌里美（11・7・9）27

もわ
- 萌羽（11・6）17
- 望和（11・8）19

もんか
- 紋香（10・9）19

や

やいこ
- 矢衣子（5・6・3）14
- 弥衣子（8・6・3）17

やえ
- やえ（3・3）6
- 弥英（8・8）16
- 耶絵（9・12）21
- 椰衣（13・6）19

やえこ
- 弥瑛子（8・12・3）23

やえの
- 耶絵乃（9・12・2）23

やおこ
- 弥生子（8・5・3）16
- 耶央子（9・5・3）17

やこ
- 弥子（8・3）11

やすえ
- 泰江（10・6）16
- 康恵（11・10）21

やすか
- 康香（11・9）20
- 穏禾（16・5）21

やすこ
- 泰子（10・3）13
- 靖子（13・3）16

やすな
- 靖奈（13・8）21

やすね
- 安寧（6・14）20
- 泰音（10・9）19

やすの
- 恭乃（10・2）12
- 泰乃（10・2）12

やすは
- 恭葉（10・12）22
- 泰葉（10・12）22

やすほ
- 泰帆（10・6）16
- 康穂（11・15）26

やすみ
- 康美（11・9）20

やすよ
- 泰10 世5 15

やちほ
- 八2 千3 穂15 20

やちよ
- 八2 千3 代5 10

やまの
- 山3 乃2 5

やまぶき
- 山3 吹7 10

やや
- 弥8 々3 11
- 耶9 々3 12

ややか
- 弥8 々3 花7 18

ややこ
- 也3 耶9 子3 15
- 弥8 々3 子3 14

やよ
- 弥8 世5 13

やよい
- 弥8 生5 13
- や3 よ3 い2 8

ゆ

ゆあ
- 友4 彩11 15
- 由5 亜7 12
- 有6 愛13 19
- 柚9 杏7 16
- 唯11 杏7 18
- 唯11 愛13 24
- 結12 亜7 19
- 結12 愛13 25
- 夢13 亜7 20
- 優17 亜7 24

ゆあん
- 夕3 晏10 13
- 由5 杏7 12
- 悠11 安6 17
- 結12 杏7 19
- 優17 杏7 24

ゆい
- 唯11 11 (1)
- 結12 12 (1)
- 夕3 依8 11
- 由5 惟11 16
- 侑8 衣6 14
- 祐9 衣6 15
- 唯11 以5 16
- 悠11 衣6 17
- 結12 以5 17
- 優17 生5 22
- 優17 依8 25

ゆいあ
- 唯11 亜7 18
- 結12 彩11 23
- 結12 愛13 25
- ゆ3 い2 愛13 18

ゆいか
- 惟11 伽7 18
- 唯11 夏10 21
- 結12 伽7 19
- 結12 香9 21
- 有6 衣6 花7 19

ゆいこ
- 唯11 子3 14
- 結12 子3 15
- 有6 為9 子3 18
- 結12 衣6 子3 21
- 優17 伊6 子3 26

ゆいな
- 唯11 名6 17
- 唯11 奈8 19
- 結12 七2 14
- 結12 菜11 23
- ユ2 イ2 ナ2 6
- ゆ3 い2 な5 10
- 由5 比4 南9 18
- 優17 以5 奈8 30

ゆいね
- 唯11 音9 20
- 結12 音9 21
- 結12 寧14 26
- 結12 衣6 祢9 27

ゆいの
- 唯11 乃2 13
- 結12 乃2 14

ゆいは
- 唯11 葉12 23
- 結12 羽6 18
- 結12 波8 20
- ゆ3 い2 羽6 11
- 優17 衣6 羽6 29

ゆいほ
- 唯11 歩8 19
- 結12 帆6 18

ゆいみ
- 唯11 心4 15
- 唯11 美9 20
- 悠11 依8 実8 27

ゆいり
- 唯11 莉10 21
- 結12 梨11 23
- 結12 衣6 里7 25

ゆう
- 友4 4 (1)
- 柚9 9 (1)
- 結12 12 (1)
- 優17 17 (1)
- ゆ3 う2 5
- 由5 宇6 11
- 由5 羽6 11
- 悠11 宇6 17
- 結12 有6 18
- 優17 羽6 23

ゆうあ
- 友4 愛13 17
- 有6 愛13 19
- 悠11 愛13 24
- 結12 亜7 19
- 結12 愛13 25
- 優17 亜7 24
- 優17 羽6 亜7 30

ゆうい
- 優17 衣6 23
- 由5 宇6 衣6 17

ゆうか
- 夕3 歌14 17
- 友4 香9 13
- 有6 香9 15
- 佑7 佳8 15
- 悠11 夏10 21
- 悠11 楓13 24
- 結12 叶5 17
- 結12 花7 19
- 裕12 香9 21
- 優17 花7 24
- 優17 奏9 26
- 優17 風9 26

ゆうき
- 友4 希7 11
- 有6 綺14 20
- 侑8 希7 15
- 宥9 季8 17
- 柚9 姫11 20
- 悠11 紀9 20
- 優17 祈8 25
- 優17 喜12 29

ゆうこ
- 佑7 子3 10
- 結12 子3 15
- 裕12 子3 15
- 優17 子3 20
- 祐9 布5 子3 17
- 宥9 羽6 子3 18

ゆうさ
- 有6 咲9 15
- 裕12 紗10 22

優(17)紗(10) 27

ゆうしゃ

悠(11)紗(10) 21

ゆうな

夕(3)那(7) 10
友(4)菜(11) 15
由(5)奈(8) 13
有(6)奈(8) 14
柚(9)那(7) 16
祐(9)南(9) 18
悠(11)梛(11) 22
結(12)那(7) 19
裕(12)奈(8) 20
優(17)菜(11) 28

ゆうね

夕(3)寧(14) 17
悠(11)祢(9) 20
結(12)音(9) 21
優(17)音(9) 26
結(12)羽(6)音(9) 27

ゆうの

夕(3)埜(11) 14
侑(8)乃(2) 10
悠(11)乃(2) 13
優(17)乃(2) 19

ゆうは

夕(3)波(8) 11
悠(11)羽(6) 17
優(17)羽(6) 23
優(17)葉(12) 29

ゆうひ

夕(3)日(4) 7
佑(7)斐(12) 19
悠(11)陽(12) 23
結(12)妃(6) 18
優(17)妃(6) 23
優(17)羽(6)妃(6) 29

ゆうほ

祐(9)歩(8) 17
優(17)帆(6) 23

ゆうみ

夕(3)海(9) 12
夕(3)望(11) 14
祐(9)実(8) 17
悠(11)海(9) 20
結(12)心(4) 16
優(17)海(9) 26
優(17)美(9) 26
ゆ(3)う(2)み(3) 8

ゆうむ

優(17)夢(13) 30

ゆうめ

結(12)芽(8) 20
優(17)芽(8) 25

ゆうゆ

悠(11)由(5) 16
優(17)唯(11) 28
ゆ(3)う(2)ゆ(3) 8

ゆうら

由(5)楽(13) 18
結(12)楽(13) 25
結(12)羅(19) 31
優(17)良(7) 24

ゆうり

夕(3)璃(15) 18
友(4)里(7) 11
友(4)梨(11) 15
侑(8)里(7) 15
裕(12)里(7) 19
結(12)莉(10) 22
優(17)李(7) 24
優(17)梨(11) 28

ゆうわ

宥(9)羽(6) 15
悠(11)羽(6) 17
優(17)羽(6) 23
優(17)和(8) 25

ゆえ

ゆ(3)え(3) 6
有(6)依(8) 14
柚(9)絵(12) 21
結(12)瑛(12) 24

ゆおん

夕(3)音(9) 12
優(17)音(9) 26

ゆか

由(5)佳(8) 13
由(5)華(10) 15
有(6)香(9) 15
佑(7)華(10) 17
侑(8)可(5) 13
宥(9)加(5) 14
祐(9)夏(10) 19
愉(12)禾(5) 17
結(12)花(7) 19
愉(12)香(9) 21

ゆかこ

友(4)香(9)子(3) 16
柚(9)香(9)子(3) 21
優(17)加(5)子(3) 25
優(17)花(7)子(3) 27

ゆかな

結(12)叶(5) 17
優(17)叶(5) 22
優(17)奏(9) 26
由(5)叶(5)奈(8) 18

ゆかり

ゆ(3)か(3)り(2) 8
友(4)夏(10)莉(10) 24
由(5)香(9)梨(11) 25
佑(7)香(9)璃(15) 31
悠(11)叶(5)理(11) 27
優(17)花(7)里(7) 31

ゆき

幸(8) 8 (1)
雪(11) 11 (1)
友(4)貴(12) 16
由(5)紀(9) 14
有(6)紀(9) 15
佑(7)姫(10) 17
結(12)希(7) 19
優(17)季(8) 25

ゆきあ

幸(8)愛(13) 21
雪(11)愛(13) 24
優(17)紀(9)亜(7) 33

ゆきえ

雪(11)絵(12) 23
由(5)紀(9)恵(10) 24
有(6)希(7)恵(10) 23

ゆきか

幸(8)架(9) 17
雪(11)花(7) 18
結(12)希(7)加(5) 24

ゆきこ

幸(8)子(3) 11
雪(11)子(3) 14
由(5)季(8)子(3) 16
有(6)紀(9)子(3) 18
優(17)祈(8)子(3) 28

ゆきじ

雪(11)路(13) 24

ゆきな

幸(8)奈(8) 16
雪(11)那(7) 18
雪(11)菜(11) 22
有(6)希(7)南(9) 22
結(12)絆(11)奈(8) 31
優(17)希(7)奈(8) 32

ゆきね

幸(8)音(9) 17
雪(11)音(9) 20
ゆ(3)き(4)寧(14) 21
優(17)祈(8)音(9) 34

ゆきの

幸(8)乃(2) 10
雪(11)乃(2) 13
雪(11)埜(11) 22
ゆ(3)き(4)乃(2) 9
有(6)姫(10)乃(2) 18

悠希乃（11・7・2）20
結希乃（12・7・2）21

ゆきは
幸羽（8・6）14
幸葉（8・12）20
雪羽（11・6）17
由希葉（5・7・12）24

ゆきほ
往歩（8・8）16
幸穂（8・15）23
悠希帆（11・7・6）24

ゆきみ
幸美（8・9）17
雪美（11・9）20
夕紀美（6・9・9）24

ゆきよ
雪世（11・5）16
優希代（17・7・5）29

ゆきら
優煌（17・13）30

ゆくみ
往美（8・9）17

ゆこ
有湖（6・12）18
柚子（9・3）12

ゆさ
由紗（5・10）15
優沙（17・7）24

ゆさこ
由紗子（5・10・3）18

ゆず
柚（9）9（1）
ゆず（3・5）8
由珠（5・10）15
柚子（9・3）12
優珠（17・10）27

ゆずか
柚禾（9・5）14
柚香（9・9）18
柚花（9・7）16
ゆずか（3・5・3）11

ゆずき
柚希（9・7）16
柚姫（9・10）19
由珠姫（5・10・10）25

ゆずこ
柚子（9・3）12

ゆずな
柚名（9・6）15
柚奈（9・8）17
ゆずな（3・5・5）13

ゆずは
柚羽（9・6）15
柚芭（9・7）16
柚葉（9・12）21

ゆずほ
柚帆（9・6）15
柚歩（9・8）17
柚穂（9・15）24
ゆず穂（3・5・15）23

ゆずみ
柚美（9・9）18
優純（17・10）27

ゆつき
弓月（3・4）7
優月（17・4）21
優津希（17・9・7）33

ゆづき
弓月（3・4）7
夕月（3・4）7
柚月（9・4）13
祐月（9・4）13
悠月（11・4）15
結月（12・4）16
夕津祈（3・9・8）20

ゆとり
ゆと里（3・2・7）12
悠登里（11・12・7）30

ゆな
夕菜（3・11）14
友菜（4・11）15
由那（5・7）12
由菜（5・11）16
有奈（6・8）14
柚奈（9・8）17
祐菜（9・11）20
悠那（11・7）18
結七（12・2）14
夢那（13・7）20
優南（17・9）26

ゆに
柚仁（9・4）13

ゆね
由音（5・9）14
有寧（6・14）20
優音（17・9）26

ゆの
佑乃（7・2）9
結乃（12・2）14
優乃（17・2）19

ゆのん
由音（5・9）14
優音（17・9）26

ゆは
悠葉（11・12）23
優羽（17・6）23

ゆほ
佑穂（7・15）22
悠帆（11・6）17
優歩（17・8）25

ゆま
夕麻（3・11）14
由真（5・10）15
祐麻（9・11）20
優麻（17・11）28

ゆまこ
柚茉子（9・8・3）20
祐満子（9・12・3）24

ゆみ
夕海（3・9）12
由美（5・9）14
侑美（8・9）17
柚実（9・8）17
祐美（9・9）18
悠泉（11・9）20
結心（12・4）16
結実（12・8）20
結海（12・9）21
優心（17・4）21
優海（17・9）26

ゆみえ
弓絵（3・12）15
佑美恵（7・9・10）26

ゆみか
弓香（3・9）12
悠美香（11・9・9）29

ゆみこ
弓子（3・3）6
悠海子（11・9・3）23
結心子（12・4・3）19

ゆみさ
夕海沙（3・9・7）19

ゆみな
弓奈（3・8）11
ゆみな（3・3・5）11
夕実那（3・8・7）18

ゆみは
弓葉（3・12）15
裕実羽（12・8・6）26

ゆみほ
弓帆（3・6）9
弓穂（3・15）18
有実穂（6・8・15）29

ゆみよ
弓世（3・5）8

ゆみり
ゆみり（3・3・2）8
友美里（4・9・7）20

ゆめ
夢（13）13（1）

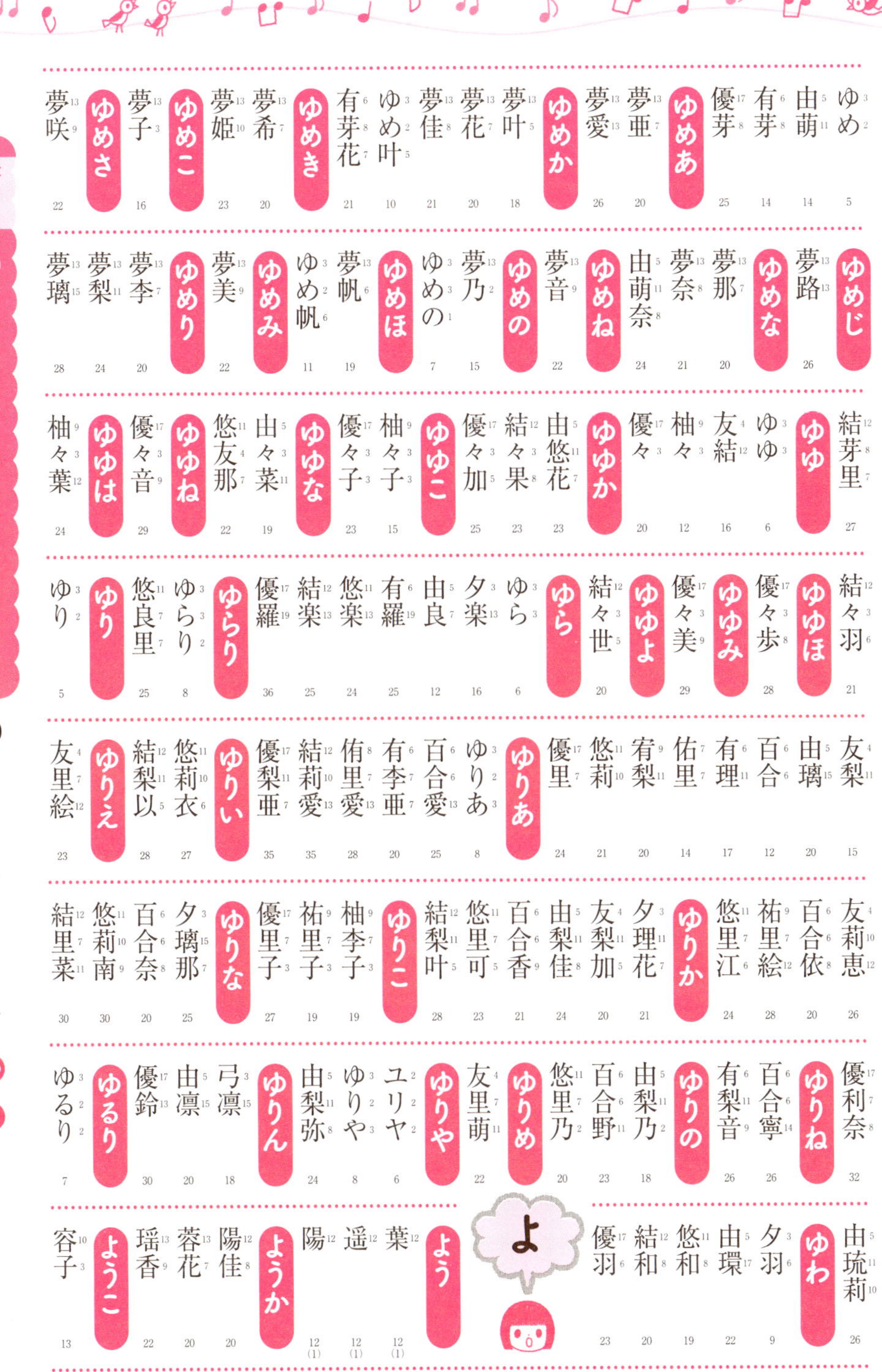

ゆめ 5
由萌 14
有芽 14
優芽 25

ゆめあ
夢亜 20
夢愛 26

ゆめか
夢叶 18
夢花 20
夢佳 21
ゆめ叶 10
有芽花 21

ゆめき
夢希 20
夢姫 23

ゆめこ
夢子 16

ゆめさ
夢咲 22

ゆめじ
夢路 26

ゆめな
夢那 20
夢奈 21
由萌奈 24

ゆめね
夢音 22

ゆめの
夢乃 15
ゆめの 7

ゆめほ
夢帆 19
ゆめ帆 11

ゆめみ
夢美 22

ゆめり
夢李 20
夢梨 24
夢璃 28
結芽里 27

ゆゆ
ゆゆ 6
友結 16
柚々 12
優々 20

ゆゆか
由悠花 23
結々果 23
優々加 25

ゆゆこ
柚々子 15
優々子 23

ゆゆな
由々菜 19
悠友那 22

ゆゆね
優々音 29

ゆゆは
柚々葉 24
結々羽 21

ゆゆほ
優々歩 28

ゆゆみ
優々美 29

ゆゆよ
結々世 20

ゆら
ゆら 6
夕楽 16
由良 12
有羅 25
悠楽 24
結楽 25
優羅 36

ゆらり
ゆらり 8
悠良里 25

ゆり
ゆり 5
友梨 15
由璃 20
百合 12
有理 17
佑里 14
宥梨 20
悠莉 21
優里 24

ゆりあ
ゆりあ 8
百合愛 25
有李亜 20
侑里愛 28
結莉愛 35
優梨亜 35

ゆりい
悠莉衣 27
結梨以 28

ゆりえ
友里絵 23
友莉恵 26
百合依 20
祐里絵 28
悠里江 24

ゆりか
夕理花 21
友梨加 20
由梨佳 24
百合香 21
悠里可 23
結梨叶 28

ゆりこ
柚李子 19
祐里子 19
優里子 27

ゆりな
夕璃那 25
百合奈 20
悠莉南 30
結里菜 30
優利奈 32

ゆりね
百合寧 26
有梨音 26

ゆりの
由梨乃 18
百合野 23
悠里乃 20

ゆりめ
友里萌 22

ゆりや
ユリヤ 6
ゆりや 8
由梨弥 24

ゆりん
弓凛 18
由凛 20
優鈴 30

ゆるり
ゆるり 7
由琉莉 26

ゆわ
夕羽 9
由環 22
悠和 19
結和 20
優羽 23

よ

よう
葉 12 (1)
遥 12 (1)
陽 12 (1)

ようか
陽佳 20
蓉花 20
瑶香 22

ようこ
容子 13

葉12子3 15
陽12子3 15
蓉13子3 16
瑶13子3 16
曜18子3 21
耀20子3 23

ようは
陽12羽6 18

よしえ
快7絵12 19
佳8恵10 18

よしか
佳8夏10 18
嘉14香9 23
慶15佳8 23

よしこ
佳8子3 11
美9子3 12

よしな
佳8那7 15
喜12奈8 20

よしの
吉6乃2 8
快7乃2 9
佳8乃2 10
美9乃2 11
よ3し1乃2 6
世5志7乃2 14

よしは
佳8羽6 14
淑11葉12 23

よしほ
吉6穂15 21
佳8帆6 14

よしみ
好6実8 14
快7美9 16
佳8実8 16

よつば
四5葉12 17
よ3つ1ば6 10

よな
世5奈8 13
葉12南9 21

よの
与3野11 14
陽12乃2 14

よよか
依8々3香9 20

よよこ
依8々3湖12 23

よよね
良7々3音9 19

よりえ
依8映9 17
世5梨11衣6 22

よりか
依8花7 15
依8里7禾5 20
世5利7香9 21

よりこ
依8子3 11
余7梨11子3 21

よりみ
依8美9 17

ら

らいあ
來8愛13 21

らいか
来7歌14 21
蕾16花7 23
ラ2イ2カ2 6

らいさ
來8咲9 17
蕾16咲9 25

らいな
礼5椰11 16
來8那7 15

らいむ
来7夢13 20
蕾16夢13 29

らいら
来7羅19 26
來8麗19 27
頼16良7 23
ら3い2ら3 8

らく
楽13衣6良7 26
楽13 13(1)

らさ
良7紗10 17
羅19咲9 28

らさら
羅19沙7良7 33

らな
良7奈8 15
楽13那7 20
楽13南9 22
羅19奈8 27

らなみ
羅19七2美9 30

らぶ
良7舞15 22
楽13歩8 21
楽13舞15 28
羅19舞15 34

らみ
楽13美9 22
蘭19美9 28

らむ
来7夢13 20
良7夢13 20
楽13夢13 26
羅19夢13 32

らら
ラ2ラ2 4
ら3ら3 6
良7羅19 26
楽13々3 16
羅19々3 22

ららか
ら3ら3花7 13
良7々3歌14 24

ららこ
ら3ら3子3 9
良7々3子3 13
楽13々3子3 19

ららせ
ら3ら3せ3 9

ららみ
ら3ら3美9 15
楽13々3未5 21

らん
藍18 18(1)
蘭19 19(1)

らんか
藍18禾5 23
蘭19花7 26

らんこ
藍18子3 21
蘭19子3 22

り

りあ
李7杏7 14
里7愛13 20
莉10亜7 17
莉10亞8 18
梨11彩11 22
梨11愛13 24
璃15亜7 22

りあな
里7愛13奈8 28
莉10亜7菜11 28

りあん
里7安6 13
梨11杏7 18

璃杏（15・7）22
りあん（2・3・2）7

りい
りい（2・2）4
里衣（7・6）13
莉依（10・8）18
梨唯（11・11）22
璃衣（15・6）21

りいか
りい花（2・2・7）11
里伊香（7・6・9）22
莉衣加（10・6・5）21

りいこ
里依子（7・8・3）18
梨唯子（11・11・3）25
璃位子（15・7・3）25

りいさ
りいさ（2・2・3）7
りい紗（2・2・10）14
里以紗（7・5・10）22

莉衣咲（10・6・9）25

りいしゃ
里依沙（7・8・7）22

りいな
りい那（2・2・7）11
里衣名（7・6・6）19
莉依奈（10・8・8）26
璃衣那（15・6・7）28

りいら
莉衣楽（10・6・13）29
梨伊來（11・6・8）25

りえ
里瑛（7・12）19
莉永（10・5）15
梨江（11・6）17
理恵（11・10）21
梨絵（11・12）23
璃依（15・8）23

りえか
里江歌（7・6・14）27

梨絵佳（11・12・8）31

りえこ
莉依子（10・8・3）21
理永子（11・5・3）19

りえな
里恵菜（7・10・11）28
梨江奈（11・6・8）25

りえる
李江留（7・6・10）23
里恵瑠（7・10・14）31

りお
りお（2・4）6
里桜（7・10）17
莉央（10・5）15
莉緒（10・14）24
理央（11・5）16
理麻（11・11）22
梨緒（11・14）25
梨桜（11・10）21
璃央（15・5）20

りおあ
梨緒亜（11・14・7）32

りおか
璃丘（15・5）20
里桜佳（7・10・8）25
莉央果（10・5・8）23

りおこ
李桜子（7・10・3）20
里緒子（7・14・3）24

りおな
りおな（2・4・5）11
里緒菜（7・14・11）32
梨央奈（11・5・8）24

りおね
莉旺音（10・8・9）27
梨央音（11・5・9）25

りおん
里音（7・9）16
里宛（7・8）15
莉音（10・9）19
梨恩（11・10）21
璃音（15・9）24
璃温（15・12）27
りおん（2・4・2）8

りか
李花（7・7）14
里香（7・9）16
李華（7・10）17
莉叶（10・5）15
莉夏（10・10）20
梨果（11・8）19
璃佳（15・8）23

りかこ
里歌子（7・14・3）24
梨架子（11・9・3）23

りく
りく（2・1）3
里玖（7・7）14
莉空（10・8）18
理来（11・7）18

璃玖（15・7）22

りこ
吏子（6・3）9
里虹（7・9）16
浬子（10・3）13
莉瑚（10・13）23
梨子（11・3）14
理子（11・3）14
梨瑚（11・13）24
璃子（15・3）18

りさ
りさ（2・3）5
李彩（7・11）18
里咲（7・9）16
里瑳（7・14）21
莉沙（10・7）17
莉咲（10・9）19
理砂（11・9）20
理紗（11・10）21
梨紗（11・10）21

璃沙（15・7）22

りさこ
里咲子（7・9・3）19
理紗子（11・10・3）24

りじゅ
莉寿（10・7）17
梨珠（11・10）21

りず
璃珠（15・10）25

りずむ
梨珠夢（11・10・13）34

りせ
里瀬（7・19）26
莉星（10・9）19
梨世（11・5）16
璃世（15・5）20

りせい
莉聖（10・13）23

りせこ
里世子（7・5・3）15

りせら
梨世羅（11・5・19）35

りち
里知（7・8）15

りつ
律（9）9（1）
璃津（15・9）24

りづ
莉津（10・9）19

りっか
六花（4・7）11
律花（9・7）16

りつか
立果（5・8）13
律歌（9・14）23

りつこ
律子（9・3）12
梨津子（11・9・3）23

りと
里都（7・11）18

りど

莉10 土3　13

りな

利7 奈8　15
里7 菜11　18
莉10 奈8　18
莉10 那7　17
梨11 七2　13
理11 名6　17
璃15 名6　21
璃15 那7　22
璃15 南9　24

りね

里7 寧14　21
璃15 音9　24

りの

莉10 乃2　12
梨11 乃2　13
理11 乃2　13
梨11 野11　22
璃15 乃2　17
凜15 埜11　26

りのあ

り2 の1 あ3　6
理11 乃2 亜7　20

りのか

里7 野11 禾5　23
莉10 乃2 香9　21

りのん

里7 音9　16
里7 暖13　20
梨11 音9　20
璃15 音9　24

りは

里7 葉12　19
理11 羽6　17

りぶ

梨11 舞15　26

りほ

里7 穂15　22
浬10 保9　19
莉10 穂15　25
梨11 歩8　19
梨11 穂15　26
璃15 帆6　21

りほか

梨11 歩8 加5　24

りほこ

莉10 帆6 子3　19
理11 穂15 子3　29

りま

梨11 麻11　22
璃15 茉8　23
璃15 真11　26
璃15 麻11　26

りみ

利7 美9　16
浬10 美9　19
莉10 泉9　19
璃15 海9　24
璃15 美9　24

りむ

里7 夢13　20
莉10 夢13　23

りもね

李7 萌11 音9　27

りや

里7 耶9　16
莉10 弥8　18

りやこ

里7 椰13 子3　23
璃15 弥8 子3　26

りゆ

莉10 有6　16
梨11 柚9　20
璃15 優17　32

りゅうか

留10 果8　18
琉11 香9　20
瑠14 夏10　24

りゅうこ

琉11 子3　14

りよ

莉10 与3　13
浬10 代5　15
梨11 代5　16
璃15 世5　20
璃15 陽12　27

りょう

涼11　11 (1)
綾14　14 (1)
諒15　15 (1)
り2 ょ3 う2　7

りょうか

亮9 香9　18
涼11 禾5　16
諒15 花7　22

りょうこ

涼11 子3　14
遼15 子3　18
瞭17 子3　20

りょうな

涼11 菜11　22
遼15 奈8　23

りよこ

里7 予4　11
梨11 代5 子3　19
理11 世5 子3　19

りら

リ2 ラ2　4
り2 ら3　5
里7 羅19　26
莉10 良7　17
凜15 良7　22

りらん

李7 藍18　25
里7 蘭19　26
り2 ら3 ん2　7

りり

リ2 リ2　4
李7 理11　18
莉10 々3　13
梨11 々3　14
梨11 里7　18
璃15 々3　18
璃15 里7　22

りりあ

り2 り2 愛13　17
莉10 々3 亜7　20
梨11 利7 愛13　31
璃15 々3 愛13　31

りりい

り2 り2 い2　6
莉10 里7 衣6　23
梨11 々3 依8　22

りりえ

里7 々3 恵10　20
璃15 々3 絵12　30

りりか

り2 り2 香9　13
莉10 々3 果8　21
莉10 李7 花7　24
梨11 里7 花7　25
璃15 々3 果8　26

りりこ

り2 り2 子3　7
莉10 々3 瑚13　26
凜15 々3 子3　21
璃15 里7 子3　25

りりさ

莉10 理11 沙7　28
梨11 々3 紗10　24
璃15 々3 砂9　27

りりせ

梨11 里7 世5　23
璃15 々3 瀬19　37

りりな

り2 り2 な5　9
莉10 里7 奈8　25
梨11 々3 菜11　25

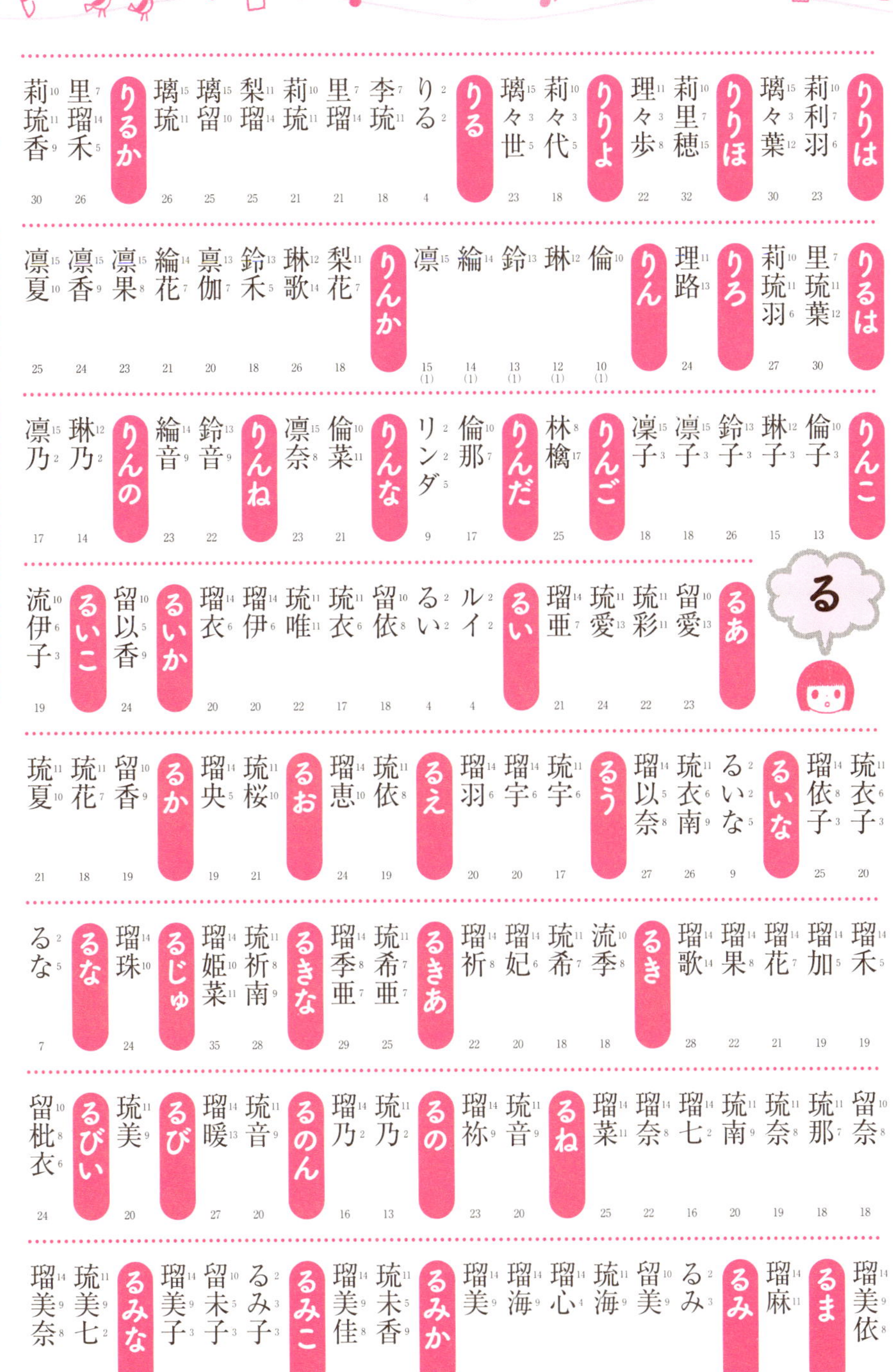

りりは
- 莉10利7羽6 23
- 璃15々3葉12 30

りりほ
- 莉10里7穂15 32
- 理11々3歩8 22

りりよ
- 莉10々3代5 18
- 璃15々3世5 23

りる
- り2る2 4
- 李7琉11 18
- 里7瑠14 21
- 莉10琉11 21
- 梨11瑠14 25
- 璃15留10 25
- 璃15琉11 26

りるか
- 里7瑠14禾5 26
- 莉10琉11香9 30

りるは
- 里7琉11葉12 30
- 莉10琉11羽6 27

りろ
- 理11路13 24

りん
- 倫10 10(1)
- 琳12 12(1)
- 鈴13 13(1)
- 綸14 14(1)
- 凛15 15(1)

りんか
- 梨11花7 18
- 琳12歌14 26
- 鈴13禾5 18
- 稟13伽7 20
- 綸14花7 21
- 凛15果8 23
- 凛15香9 24
- 凛15夏10 25

りんこ
- 倫10子3 13
- 琳12子3 15
- 鈴13子3 26
- 凛15子3 18
- 凜15子3 18

りんご
- 林8檎17 25

りんだ
- 倫10那7 17
- リ2ン2ダ5 9

りんな
- 倫10菜11 21
- 凛15奈8 23

りんね
- 鈴13音9 22
- 綸14音9 23

りんの
- 琳12乃2 14
- 凛15乃2 17

るあ
- 留10愛13 23
- 琉11彩11 22
- 琉11愛13 24
- 瑠14亜7 21

るい
- ル2イ2 4
- る2い2 4
- 留10依8 18
- 琉11衣6 17
- 琉11唯11 22
- 瑠14伊6 20
- 瑠14衣6 20

るいか
- 留10以5香9 24

るいこ
- 流10伊6子3 19
- 琉11衣6子3 20
- 瑠14依8子3 25

るいな
- る2い2な5 9
- 琉11衣6南9 26
- 瑠14以5奈8 27

るう
- 琉11宇6 17
- 瑠14宇6 20
- 瑠14羽6 20

るえ
- 琉11依8 19
- 瑠14恵10 24

るお
- 琉11桜10 21
- 瑠14央5 19

るか
- 留10香9 19
- 琉11花7 18
- 琉11夏10 21
- 瑠14禾5 19
- 瑠14加5 19
- 瑠14花7 21
- 瑠14果8 22
- 瑠14歌14 28

るき
- 流10季8 18
- 琉11希7 18
- 瑠14妃6 20
- 瑠14祈8 22

るきあ
- 琉11希7亜7 25
- 瑠14季8亜7 29

るきな
- 琉11祈8南9 28
- 瑠14姫10菜11 35

るじゅ
- 瑠14珠10 24

るな
- る2な5 7
- 留10奈8 18
- 琉11那7 18
- 琉11奈8 19
- 琉11南9 20
- 瑠14七2 16
- 瑠14奈8 22
- 瑠14菜11 25

るね
- 琉11音9 20
- 瑠14祢9 23

るの
- 琉11乃2 13
- 瑠14乃2 16

るのん
- 琉11音9 20
- 瑠14暖13 27

るび
- 琉11美9 20

るびい
- 留10枇8衣6 24
- 瑠14美9依8 31

るま
- 瑠14麻11 25

るみ
- る2み3 5
- 留10美9 19
- 琉11海9 20
- 瑠14心4 18
- 瑠14海9 23
- 瑠14美9 23

るみか
- 琉11未5香9 25
- 瑠14美9佳8 31

るみこ
- る2み3子3 8
- 留10未5子3 18
- 瑠14美9子3 26

るみな
- 琉11美9七2 22
- 瑠14美9奈8 31

るみね
瑠(14)心(4)音(9) 27

るみの
留(10)美(9)乃(2) 21
琉(11)望(11)乃(2) 24

るり
る(2)り(2) 4
琉(11)莉(10) 21
琉(11)璃(15) 26
瑠(14)李(7) 21
瑠(14)里(7) 21
瑠(14)璃(15) 29

るりあ
る(2)り(2)亜(7) 11
流(10)莉(10)亜(7) 27

るりか
瑠(14)利(7)香(9) 30
瑠(14)璃(15)花(7) 36

るりこ
留(10)梨(11)子(3) 24
瑠(14)莉(10)子(3) 27

るりな
琉(11)里(7)那(7) 25

るる
ル(2)ル(2) 4
琉(11)々(3) 14
瑠(14)々(3) 17

るるか
琉(11)々(3)伽(7) 21
瑠(14)々(3)香(9) 26

るるこ
瑠(14)々(3)子(3) 20

るるな
る(2)る(2)な(5) 9
琉(11)々(3)菜(11) 25

るるね
流(10)々(3)音(9) 22
琉(11)々(3)音(9) 23

るるは
る(2)る(2)は(4) 8
琉(11)々(3)芭(7) 21

るるみ
瑠(14)々(3)美(9) 26

るるよ
琉(11)々(3)世(5) 19

れ

れあ
礼(5)愛(13) 18
怜(8)亜(7) 15
玲(9)愛(13) 22
麗(19)杏(7) 26
麗(19)亞(8) 27

れあら
礼(5)亜(7)楽(13) 25
怜(8)亜(7)羅(19) 34
玲(9)愛(13)良(7) 29

れあん
玲(9)安(6) 15
麗(19)杏(7) 26
れ(3)あ(3)ん(2) 8

れい
礼(5) 5 (1)
伶(7) 7 (1)
怜(8) 8 (1)
玲(9) 9 (1)
澪(16) 16 (1)
嶺(17) 17 (1)
麗(19) 19 (1)
レ(1)イ(2) 3
れ(3)い(2) 5
礼(5)衣(6) 11
玲(9)生(5) 14

れいあ
礼(5)愛(13) 18
怜(8)杏(7) 15
玲(9)愛(13) 22
麗(19)亜(7) 26
怜(8)衣(6)亜(13) 27

れいか
礼(5)華(10) 15
怜(8)香(9) 17
玲(9)佳(8) 17
鈴(13)夏(10) 23
鈴(13)歌(14) 27
嶺(17)花(7) 24
麗(19)加(5) 24
麗(19)禾(5) 24

れいく
麗(19)玖(7) 26

れいこ
怜(8)瑚(13) 21
玲(9)子(3) 12
麗(19)子(3) 22
玲(9)衣(6)子(3) 18

れいさ
令(5)紗(10) 15
礼(5)彩(11) 16
玲(9)紗(10) 19
麗(19)沙(7) 26
怜(8)衣(6)沙(7) 21

れいな
礼(5)奈(8) 13
伶(7)菜(11) 18
玲(9)那(7) 16
玲(9)南(9) 18
麗(19)奈(8) 27
れ(3)い(2)な(5) 10
玲(9)衣(6)南(9) 24

れいね
礼(5)寧(14) 19
玲(9)音(9) 18
麗(19)音(9) 28

れいの
礼(5)乃(2) 7
玲(9)埜(11) 20
麗(19)乃(2) 21

れいは
礼(5)葉(12) 17

れいほ
玲(9)帆(6) 15

れいみ
礼(5)心(4) 9
怜(8)実(8) 16
澪(16)海(9) 25
嶺(17)美(9) 26
麗(19)美(9) 28

れいら
礼(5)楽(13) 18
怜(8)良(7) 15
玲(9)羅(19) 28
レ(1)イ(2)ラ(2) 5
れ(3)い(2)ら(3) 8
怜(8)以(5)羅(19) 32
玲(9)衣(6)良(7) 22

れおな
礼(5)央(5)那(7) 17
怜(8)桜(10)奈(8) 26
玲(9)央(5)菜(11) 25
玲(9)緒(14)名(6) 29

れおん
礼(5)温(12) 17
玲(9)音(9) 18
麗(19)音(9) 28
れ(3)お(4)ん(2) 9

れな
レ(1)ナ(2) 3
礼(5)那(7) 12
怜(8)南(9) 17
玲(9)奈(8) 17
玲(9)菜(11) 20
澪(16)名(6) 22
麗(19)南(9) 28

れね
礼(5)音(9) 14
怜(8)寧(14) 22
麗(19)祢(9) 28

れの
礼(5)乃(2) 7

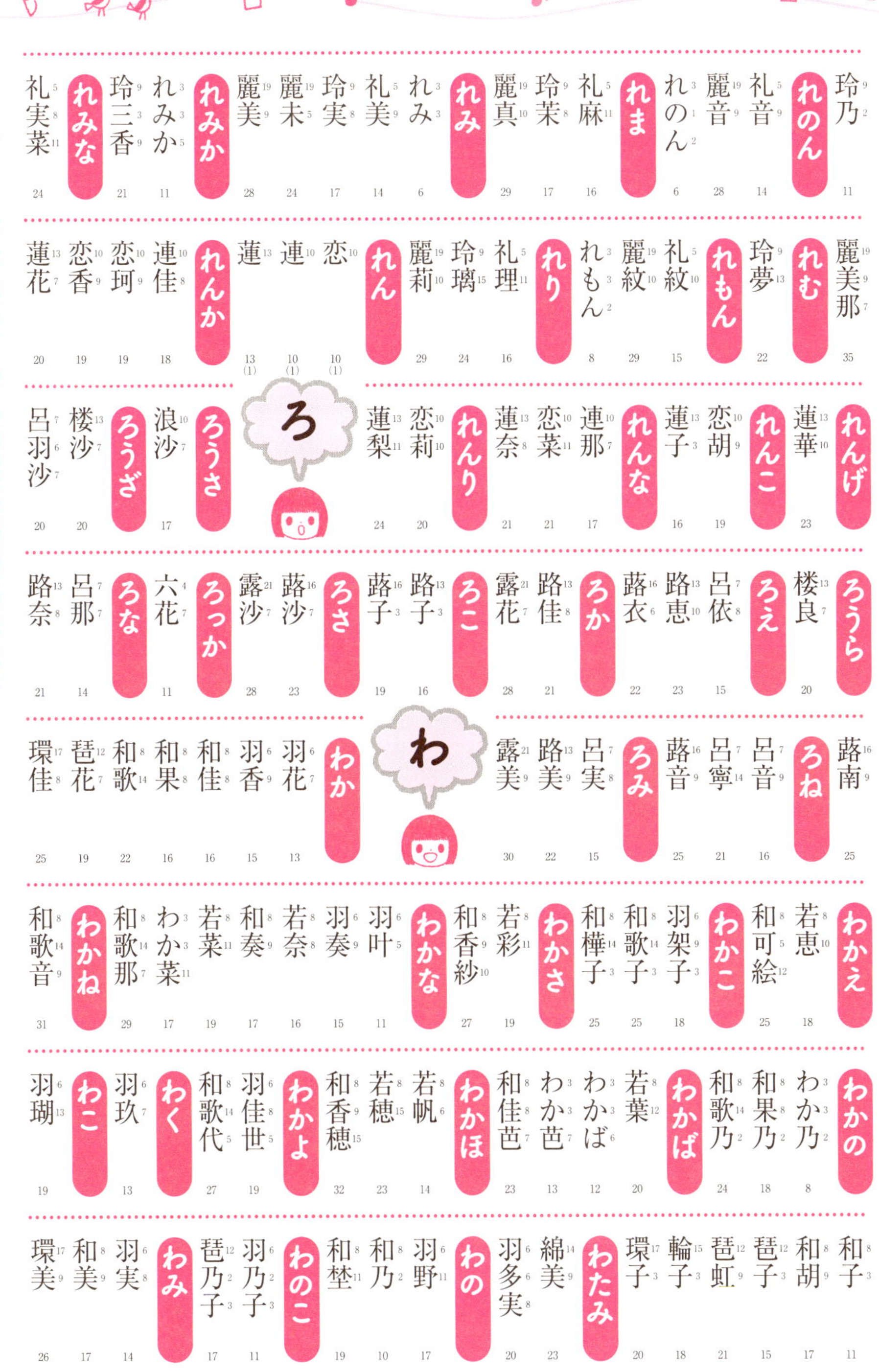

れのん
玲9乃2 11
礼5音9 14
麗19音9 28
れ3の1ん2 6

れま
礼5麻11 16
玲9茉8 17
麗19真10 29

れみ
れ3み3 6
礼5美9 14
玲9実8 17
麗19未5 24
麗19美9 28

れみか
れ3み3か5 11
玲9三3香9 21

れみな
礼5実8菜11 24

れむ
麗19美9那7 35
玲9夢13 22

れもん
礼5紋10 15
麗19紋10 29
れ3も3ん2 8

れり
礼5理11 16
玲9璃15 24
麗19莉10 29

れん
恋10 10(1)
連10 10(1)
蓮13 13(1)

れんか
連10佳8 18
恋10珂9 19
恋10香9 19
蓮13花7 20

れんげ
蓮13華10 23

れんこ
恋10胡9 19
蓮13子3 16

れんな
連10那7 17
恋10菜11 21
蓮13奈8 21

れんり
恋10莉10 20
蓮13梨11 24

ろ

ろうさ
浪10沙7 17

ろうざ
楼13沙7 20
呂7羽6沙7 20

ろうら
楼13良7 20

ろえ
呂7依8 15
路13恵10 23
蕗16衣6 22

ろか
路13佳8 21
露21花7 28

ろこ
路13子3 16
蕗16子3 19

ろさ
蕗16沙7 23
露21沙7 28

ろっか
六4花7 11

ろな
呂7那7 14
路13奈8 21
蕗16南9 25

ろね
呂7音9 16
呂7寧14 21
蕗16音9 25

ろみ
呂7実8 15
路13美9 22
露21美9 30

わ

わか
羽6花7 13
羽6香9 15
和8佳8 16
和8果8 16
和8歌14 22
琶12花7 19
環17佳8 25

わかえ
若8恵10 18
和8可5絵12 25

わかこ
羽6架9子3 18
和8歌14子3 25
和8樺14子3 25

わかさ
若8彩11 19
和8香9紗10 27

わかな
羽6叶5 11
羽6奏9 15
若8奈8 16
和8奏9 17
若8菜11 19
わ3か3菜11 17
和8歌14那7 29

わかね
和8歌14音9 31

わかの
わ3か3乃2 8
和8果8乃2 18
和8歌14乃2 24

わかば
若8葉12 20
わ3か3ば6 12
わ3か3芭7 13
和8佳8芭7 23

わかほ
若8帆6 14
若8穂15 23
和8香9穂15 32

わかよ
羽6佳8世5 19
和8歌14代5 27

わく
羽6玖7 13

わこ
羽6瑚13 19
和8子3 11
和8胡9 17
琶12子3 15
琶12虹9 21
輪15子3 18
環17子3 20

わたみ
綿14美9 23
羽6多6実8 20

わの
羽6野11 17
和8乃2 10
和8埜11 19

わのこ
羽6乃2子3 11
琶12乃2子3 17

わみ
羽6実8 14
和8美9 17
環17美9 26

うしろの音から探す名前リスト

「"か"で終わる名前がいいな」など、最後の音から名前を考えるのもひとつの方法。うしろの音別に名前の響きを並べてみたので、参考にしてください。

あ

あくあ
ありあ
いりあ
えあ
おとあ
かのあ
きりあ
くれあ
こあ
ここあ
さりあ
しあ
しのあ
じゅりあ
すずあ
せいあ
せりあ
そあ
だりあ
ちあ
ちりあ
つきあ
とあ
ととあ
にあ
のあ
ののあ
はのあ
はるあ
ひあ
ひめあ
ひろあ
ふうあ
まあ
まいあ
まきあ
まりあ
まれあ
みあ
みのあ
みりあ
むあ
むうあ
めあ
めいあ
もあ
ももあ
ゆあ
ゆいあ
ゆうあ
ゆきあ
ゆめあ
ゆりあ
らいあ
りあ
りおあ
りのあ
りりあ
るあ
るきあ
るりあ
れあ
れいあ

い

あい
あおい
あさい
ありい
あれい
うい
えい
えみい
えりい
おもい
かあい
かい
きい
けい
こい
ことい
さい
さりい
しい
すい
せい
せりい
ちい
ちかい
ともい
なつい
ぬい
ねい
のい
はれい
ひい
ひすい
ほりい
まい
まりい
まれい
みあい
みい
みえい
みにい
みほい
みめい
みらい
みるい
みれい
めい
めりい
もい
やよい
ゆい
ゆうい
ゆりい
りい
りせい
りりい
るい
るびい
れい

う

ききょう
きょう
くう
こう
さゆう
しゅう
すう
にゅう
ふう
ふよう
まう
まゆう
みう
みおう
みゆう
みよう
みりゅう
みりょう
ゆう
よう
りょう
るう

え

あきえ
あさえ
あつえ
あみえ
あやえ
いくえ
いさえ
いとえ
うたえ
おとえ
おりえ
かえ
かずえ
かつえ
かなえ
かのえ
かやえ
きえ
きくえ
きぬえ
きみえ
きよえ
きりえ
くにえ
くみえ
くりえ
こずえ
ことえ
さえ
さかえ
さきえ
さちえ
さとえ
さなえ
さわえ
しえ
しずえ
しづえ
すずえ
すみえ
そのえ
たえ
たかえ
たきえ
たまえ
たみえ
ちえ
ちかえ
ちづえ
ちやえ
てるえ
ときえ
としえ
とみえ
ともえ
とよえ
なえ
なおえ
なつえ
ななえ
なみえ
なるえ
にえ
ぬのえ
のえ
のぶえ
のりえ
はぎえ
はつえ
はなえ
はるえ
ひさえ
ひとえ
ひろえ
ふえ
ふくえ
ふさえ
ふじえ
ふみえ
ふゆえ
まきえ
まさえ
まなえ
まみえ
まりえ
みえ
みかえ
みきえ
みさえ
みずえ
みちえ
みつえ
みなえ
みふえ
むつえ
めばえ
もえ
もとえ
ももえ
もりえ
やえ
やすえ
ゆえ
ゆきえ
ゆみえ
ゆりえ
よしえ
よりえ
りえ
りりえ
るえ
ろえ
わかえ

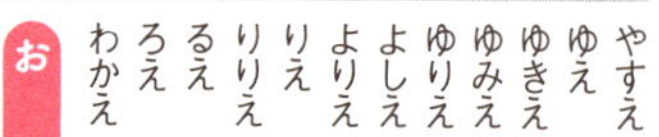

お

あお
いお
うしお
かお
きお
さお
しお
すなお
たまお
ちお
ちしお
なお
なつお
ななお
ねお
ひお
ふみお
まお
まりお
みお
みさお
りお
るお

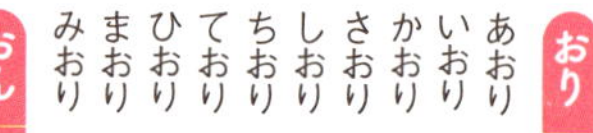

おり

あおり
いおり
かおり
さおり
しおり
ちおり
ており
ひおり
まおり
みおり

おん

いおん
かおん
しおん
なおん
まおん
みおん
ゆおん
りおん
れおん

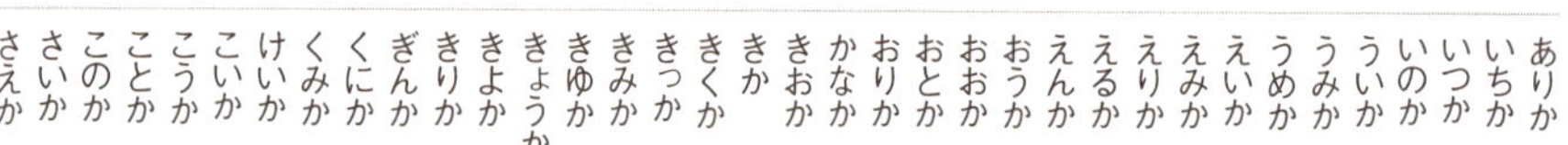

か

あいか
あおか
あきか
あさか
あすか
あねか
あみか
あやか
あゆか
あらか
ありか
いちか
いつか
いのか
ういか
うみか
うめか
えいか
えみか
えりか
えるか
えんか
おうか
おおか
おとか
おりか
かなか
きおか
きか
きくか
きっか
きみか
きゆか
きょうか
きよか
きりか
ぎんか
くにか
くみか
けいか
こいか
こうか
ことか
このか
さいか
さえか
さきか
ささか
さちか
さとか
さみか
さやか
さゆか
さよか
さんか
しいか
しおか
しずか
しづか
しゅうか
しゅか
じゅか
しゅんか
じゅんか
しょうか
しよか
しろか
しんか
すいか
すずか
すみか
せいか
せのか
せりか
せんか
そのか
そよか
たまか
ちえか
ちか
つきか
つねか

つゆか てるか てんか とうか としか ととか ともか とよか なおか なか なつか ななか なのか なみか なゆか にいか にか にじか にちか ねねか のえか のか のどか ののか のぶか のりか はつか はなか はやか はるか ひでか ひとか ひなか ひみか ひめか ひろか

ふうか ふえか ふくか ふじか ふみか ふゆか べにか ほしか ほのか まいか まちか まつか まどか まなか まみか まやか まゆか まよか まりか まるか みあか みいか みうか みおか みか みずか みちか みつか みなか みねか みのか みみか みやか みゆか みよか みりか

みれか むつか むねか めいか めめか もえか もか もとか ももか もんか やすか ややか ゆいか ゆうか ゆか ゆきか ゆずか ゆみか ゆめか ゆゆか ゆりか ようか よしか よよか よりか らいか ららか らんか りいか りえか りおか りか りっか りつか りのか りほか

りゅうか りょうか りりか りるか りんか るいか るか るみか るりか るるか れいか れみか れんか ろか ろっか わか

が

かすが

かげ

みかげ ちかげ

き

あいき あき あさき あずき あつき あづき あやき あゆき いちき いつき いぶき

うき うづき えまき かずき かつき かづき かゆき きき きさき くき こまき こゆき さえき さき さつき さゆき しき しづき たき たつき たまき ちあき ちさき ちゆき つばき とき なつき なづき なゆき にき にしき にっき のゆき はづき はるき ひさき

ひづき ひびき ひめき ふうき ふき ふづき ふぶき ふゆき まいき まき まさき まゆき みき みさき みずき みつき みづき みゆき むつき めき めぶき やまぶき ゆうき ゆき ゆずき ゆつき ゆづき ゆめき るき

ぎ

あおぎ こはぎ こむぎ つむぎ なぎ

はぎ みさぎ むぎ もえぎ

く

いく きく こぎく こはく さく しずく しるく のぎく ひなぎく みいく みく みらく みるく みろく むく めいく らく りく れいく わく

ぐ

めぐ

げ

れんげ

こ

あいこ あきこ

あきらこ あこ あさこ あすこ あつこ あみこ あやこ あゆこ ありこ いくこ いこ いさこ いずみこ いちこ いつこ いとこ いなこ ういこ うきこ うさこ うたこ うみこ うめこ えいこ えこ えつこ えみこ えりこ おりこ かあこ かおるこ かこ かずこ かつこ かつらこ かなこ

かのこ かほこ かやこ かゆこ かよこ かんこ きいこ きえこ きくこ きこ きさこ きしこ きっこ きほこ きみこ きゅうこ きょうこ きよこ きりこ きわこ ぎんこ くにこ くみこ くりこ けいこ こいこ こうこ ここ ことこ さいこ さえこ さきこ さくこ さくらこ さこ さちこ

さつこ さとこ さほこ さやこ さゆこ さよこ さわこ しいこ しおこ しきこ しげこ しずこ しづこ しなこ しほこ しまこ しゅうこ しゅこ しゅんこ じゅんこ しょうこ しんこ すいこ すがこ すずこ すみこ すみれこ すわこ せいこ せきこ せつこ せりこ そうこ そおこ そなこ そのこ

たいこ たえこ たかこ たからこ たきこ ただこ たつこ たまこ たみこ ちいこ ちえこ ちかこ ちこ ちさこ ちずこ ちほこ ちゃこ ちやこ ちょうこ ちよこ ちりこ ちるこ つきこ つなこ つやこ つゆこ ていこ てつこ てるこ てんこ とうこ ときこ とこ としこ ととこ とみこ

ともこ とよこ とりこ とわこ なおこ なかこ なぎこ なぎさこ なこ なつこ なでしこ ななこ なほこ なみこ なゆこ なよこ にこ にじこ にちこ ぬいこ ねねこ のえこ のこ ののこ のぶこ のもこ のりこ はこ はつこ はなこ はるこ ひこ ひさこ ひでこ ひとみこ ひなこ

ひみこ ひめこ ひろこ ひわこ ふいこ ふうこ ふえこ ふきこ ふくこ ふこ ふさこ ふじこ ふみこ ふゆこ べにこ ほこ ほしこ ほたるこ まあこ まいこ まきこ まこ まさこ まちこ まなこ まほこ まみこ まやこ まゆこ まよこ まりこ まるこ みいこ みえこ みおこ みかこ

みきこ
みこ
みさこ
みちこ
みつこ
みどりこ
みなこ
みなみこ
みねこ
みほこ
みやこ
みよこ
みわこ
むつこ
めいこ
もえこ
もこ
もとこ
もなこ
ももこ
やいこ
やえこ
やおこ
やこ
やすこ
ややこ
ゆいこ
ゆうこ
ゆかこ
ゆきこ
ゆこ
ゆさこ
ゆずこ
ゆまこ
ゆみこ
ゆめこ
ゆゆこ
ゆりこ
ようこ
よしこ
よよこ
よりこ
ららこ
らんこ
りいこ
りえこ
りおこ
りかこ
りこ
りさこ
りせこ
りつこ
りほこ
りやこ
りゅうこ
りょうこ
りよこ
りりこ
りんこ
るいこ
るみこ
るりこ
るるこ
れいこ
れんこ
ろこ
わかこ
わこ
わのこ

ご

いちご
さんご
りんご

さ

あいさ
あおさ
あがさ
あきさ
あさ
あずさ
あづさ
あみさ
あやさ
ありさ
いびさ
いりさ
うさ
えりさ
えるさ
かあさ
かずさ
きいさ
きさ
ささ
さらさ
せれさ
たばさ
ちぐさ
ちさ
つかさ
つばさ
てるさ
なぎさ
なさ
ななさ
はるさ
ひさ
ふさ
まあさ
まいさ
まさ
まりさ
みいさ
みかさ
みさ
みもさ
めいさ
もりさ
ゆうさ
ゆさ
ゆみさ
ゆめさ
らいさ
らさ
りいさ
りさ
りりさ
れいさ
ろうさ
ろさ
わかさ

ざ

みもざ
ろうざ

さき

あさき
きさき
ちさき
ひさき
まさき
みさき

さと

こさと
ちさと
みさと

し

つくし
みほし
みよし

じ

あさじ
あんじ
ことじ
にじ
ふじ
もみじ
ゆきじ
ゆめじ

しゃ

あいしゃ
あしゃ
さしゃ
みいしゃ
めいしゃ
ゆうしゃ
りいしゃ

しゅ

しゅしゅ

じゅ

あいじゅ
あじゅ
あんじゅ
かじゅ
じゅじゅ
しんじゅ
せいじゅ
びじゅ
まじゅ
みじゅ
りじゅ
るじゅ

す

ありす
いりす

ず

あず
あんず
みゆず
ゆず
りず

すず

いすず
かず
しず
ちず
ちすず
みすず

すみ

あすみ
かすみ
ちすみ
はすみ
ますみ
やすみ

ずみ

あずみ
いずみ
かずみ
すずみ
ちずみ
なずみ
はずみ
ほずみ
ゆずみ

せ

あいせ
あおせ
あきせ
あやせ
いせ
いとせ
おとせ
かやせ
きせ
きよせ
ここせ
ことせ
ちせ
ちとせ
なとせ
ななせ
なるせ
はつせ
はるせ
まきせ
みつせ
ももせ
ららせ
りせ
りりせ

ぜ

ちかぜ
みかぜ
うた
ひなた

だ

りんだ

ち

こまち
さち
まち
みさち
みち
りち

つ

あつ
えつ
こなつ
せつ
ちなつ
なつ
はつ
ひなつ
ほなつ
まなつ
みつ
みなつ
りつ

づ

あづ
かづ
しづ
たづ
ちづ
りづ

つき

あつき
いつき
かつき
さつき
たつき
なつき
みつき
むつき
ゆつき

づき

あづき
うづき
かづき
しづき
なづき
はづき
ひづき
ふづき
みづき
ゆづき

で

かえで
かなで

と

いと
えと
おと
けいと
こいと
こさと
こと
さと
しと
ちこと
ちさと
ちと
とと
にと
まこと
みこと
みさと
みと
みなと
もと
りと

ど

あど
まど
りど

な

あいな
あおな
あきな
あさな
あすな
あずな
あつな
あな
あみな
あやな
あゆな
ありな
あれな
あんな
いおな
いな
いりな
ういな
うたな
えいな
えな
えみな
えりな
えるな
えれな
おりな
かいな
かずな
かな
かやな
かりな
かんな
きいな
きくな
きずな
きな
きょうな
きよな
くみな
けいな
ここな
ことな
こな
こはな
こひな
さあな
さえな
さきな
さちな
さな
さやな
さゆな
さりな
しいな
しえな
しずな
しな
しゅな
じゅな
じゅりな
しゅんな
じゅんな
すずな
すみな
せいな
せつな
せな
せりな
せれな
せんな
そな
たな
たまな
ちえな
ちかな
ちな
ちはな
つきな
てるな
ともな
なずな
なつな
なな
にいな
にな
ねな
のな
はつな
はな
はるな
はんな
ひあな
ひいな
ひな
ひめな
ひろな
ふうな
ふみな
ふゆな
ほしな
ほな
まいな
まうな
まかな
まきな
まさな
まどな
まな
まゆな
まりな
みいな
みうな
みおな
みかな

みきな　みずな　みちな　みつな　みな　みはな　みゆな　みりな　めいな　めりな　もあな　もえな　もな　ももな　もりな　やすな　ゆいな　ゆうな　ゆかな　ゆきな　ゆずな　ゆな　ゆみな　ゆめな　ゆゆな　ゆりな　よしな　よな　らいな　らな　りあな　りいな　りえな　りおな　りな　りょうな

りりな　りんな　るいな　るきな　るな　るみな　るりな　るるな　れいな　れおな　れな　れみな　れんな　ろな　わかな

なみ

あなみ　いなみ　えなみ　かなみ　こなみ　さなみ　せなみ　そなみ　ちなみ　となみ　ななみ　のなみ　はなみ　ひなみ　ほなみ　まなみ　みなみ　もなみ　らなみ

に

くに　こべに　じゅに　べに　みに　ゆに

ぬ

きぬ

ね

あいね　あおね　あかね　あきね　あさね　あつね　あね　あまね　あやね　あゆね　ありね　いとね　うたね　えみね　おとね　おりね　かいね　かさね　かざね　かずね　かぜね　きよね　けいね

ここね　ことね　こはね　ささね　しおね　しずね　じゅね　じゅんね　すずね　せれね　そうね　そね　そらね　たえね　たかね　ちかね　ちね　ととね　ともね　なつね　ななね　ねいね　ねね　ののね　はすね　はつね　はなね　はるね　ひとね　ひなね　ひろね　ふうね　ふえね　ふゆね　まいね　まね

みおね　みね　みはね　みふね　みみね　もとね　もね　ももね　もりね　やすね　ゆいね　ゆうね　ゆきね　ゆね　ゆめね　ゆゆね　ゆりね　よよね　りおね　りね　りもね　りんね　るね　るみね　るるね　れいね　れね　ろね　わかね

の

あいの　あおの　あきの　あけの　あさの

あつの　あの　あまの　あやの　あゆの　あんの　いくの　いちの　いとの　いの　いりの　うたの　うの　うみの　えの　えみの　えりの　おとの　かずの　かつの　かの　かやの　かりの　かんの　きくの　きの　きょうの　きよの　きりの　けいの　ここの　ことの　この　さきの　さちの　さとの

さなの　さの　さやの　さわの　しいの　しえの　しおの　しげの　しなの　しの　しゅの　じゅの　しょうの　しんの　すずの　すの　せいの　せの　その　そらの　たきの　たつの　たまの　ちえの　ちかの　ちさの　ちの　ちよの　つきの　つるの　とうの　ともの　なつの　ななの　なの　なみの

にいの　にの　のの　はぎの　はすの　はつの　はなの　はの　はるの　はんの　ひおの　ひさの　ひしの　ひなの　ひの　ひめの　ひろの　ふえの　ふきの　ふくの　ふさの　ふみの　ふゆの　ほしの　ほの　まいの　まきの　まさの　まどの　まの　まゆの　まりの　みかの　みさの　みその　みちの

みつの　みの　みらの　めの　もえの　ももの　もりの　やえの　やすの　やまの　ゆいの　ゆうの　ゆきの　ゆの　ゆめの　ゆりの　よしの　よの　りの　りんの　るの　るみの　れいの　れの　わかの　わの

のん

あのん　かのん　このん　さのん　しのん　じゅのん　せのん　はのん

まのん　みのん　ゆのん　りのん　るのん　れのん

は

あいは　あおは　あきは　あげは　あすは　あずは　あみは　あやは　あゆは　あろは　いちは　いとは　いろは　うたは　おとは　おりは　かざは　かずは　かなは　かのは　くれは　ここは　ことは　このは　さわは　しいは　しずは　しは

すずは　つきは　つゆは　てりは　てるは　とうは　ととは　ともは　なおは　なつは　ななは　なのは　なは　なりは　なるは　ねねは　ののは　ひとは　ひめは　ひろは　ふうは　まいは　まどは　まなは　まは　まゆは　みずは　みつは　むぎは　むつは　もえは　もとは　ももは　やすは　ゆいは　ゆうは

ゆきは　ゆずは　ゆは　ゆみは　ゆゆは　ようは　よしは　りは　りりは　りるは　るるは　れいは

ば

あおば　あきば　えば　ふたば　まきば　まつば　よつば　わかば

はる

きはる　こはる　ちはる　みはる

ひ

あいひ　あきひ　あさひ　きらひ　しおひ　なつひ

ななひ　はつひ　はるひ　ふゆひ　ももひ　ゆうひ

び

あけび　あび　あんび　はなび　みやび　めいび　るび

ふ

みふ

ぶ

いぶ　しのぶ　らぶ　りぶ

べ

しらべ

ほ

あきほ　あつほ　あやほ　いくほ　いずほ　いつほ　いなほ

いほ
うたほ
うみほ
えつほ
えみほ
おとほ
おりほ
かずほ
かなほ
かほ
きぬほ
きほ
きらほ
けいほ
さきほ
さちほ
さほ
しずほ
しほ
すずほ
すみほ
せいほ
たかほ
たまほ
ちほ
つきほ
てるほ
なつほ
ななほ
なほ
にいほ
にじほ
ののほ
のほ
のりほ
はつほ
はるほ
まいほ
まきほ
まなほ
まほ
まゆほ
みきほ
みさほ
みずほ
みちほ
みつほ
みなほ
みほ
むぎほ
むつほ
やすほ
やちほ
ゆいほ
ゆうほ
ゆきほ
ゆずほ
ゆほ
ゆみほ
ゆめほ
ゆゆほ
よしほ
りほ
りりほ
れいほ
わかほ

ま

あま
いりま
いるま
えま
えるま
こま
しいま
しま
すま
たま
ちま
はま
ゆま
りま
るま
れま

み

あいみ
あおみ
あきみ
あけみ
あさみ
あざみ
あすみ
あずみ
あつみ
あづみ
あなみ
あまみ
あみ
あやみ
あゆみ
あんみ
いくみ
いさみ
いずみ
いつみ
いづみ
いとみ
いなみ
いるみ
うみ
うるみ
えいみ
えつみ
えなみ
えみ
おとみ
おりみ
かがみ
かざみ
かすみ
かずみ
かつみ
かづみ
かなみ
かみ
かやみ
かりみ
きおみ
きくみ
きみ
きょうみ
きよみ
きわみ
くくみ
くみ
くりみ
くるみ
けいみ
こうみ
ここみ
ことみ
こなみ
このみ
こゆみ
こよみ
さいみ
さえみ
さきみ
さくみ
さちみ
さとみ
さなみ
さやみ
さゆみ
さわみ
しえみ
しおみ
しげみ
しふみ
しほみ
じゅんみ
しょうみ
しよみ
すずみ
すみ
せいみ
せさみ
せなみ
そうみ
そなみ
そのみ
そらみ
たえみ
たかみ
たくみ
たけみ
ただみ
たつみ
たまみ
たみ
ちあみ
ちえみ
ちかみ
ちすみ
ちずみ
ちづみ
ちなみ
ちふみ
ちほみ
ちゃみ
ちゆみ
ちよみ
つきみ
つくみ
つぐみ
つづみ
つぼみ
つゆみ
てるみ
とうみ
とおみ
としみ
ととみ
となみ
とみ
ともみ
とよみ
とりみ
どれみ
なえみ
なおみ
なごみ
なさみ
なずみ
なつみ
ななみ
なふみ
なほみ
なみ
なゆみ
なりみ
なるみ
にいみ
のえみ
のぞみ
のなみ
ののみ
のもみ
のゆみ
のりみ
はぐみ
はすみ
はずみ
はつみ
はづみ
はなみ
はみ
はやみ
はるみ
はんみ
ひさみ
ひでみ
ひとみ
ひなみ
ひふみ
ひみ
ひめみ
ひろみ
ふうみ
ふえみ
ふくみ
ふみ
ふゆみ
ほしみ
ほずみ
ほづみ
ほなみ
ほのみ
ほほみ
まいみ
まおみ
まさみ
ますみ
まどみ
まなみ
まふみ
まほみ
まみ
まやみ
まゆみ
まるみ
まれみ
みつみ
みなみ
みみ
むつみ
むねみ
むみ
めぐみ
めみ
もえみ
もとみ
もなみ
ももみ
もみ
もりみ
やすみ
ゆいみ
ゆうみ
ゆきみ
ゆくみ
ゆずみ
ゆみ
ゆめみ
ゆゆみ
よしみ
よりみ
らなみ
らみ
ららみ
りみ
るみ
るるみ
れいみ
れみ
ろみ
わたみ
わみ

む

あいむ
あむ
あやむ
あゆむ
ありむ
えむ
かなむ
ここむ
ねむ
まいむ
みむ
みるむ
めぐむ
もえむ
ゆうむ
らいむ
らむ
りずむ
りむ
れむ

め

あやめ
あゆめ
うめ
えめ
おとめ
かなめ
こうめ
こゆめ
ちゆめ
つばめ
てるめ
なつめ
にいめ
はるめ
ひめ
ふゆめ
めめ
ゆうめ
ゆめ
ゆりめ

も

あやも
いくも
いずも
えるも
こもも
すもも
ちくも
とも
にいも
にも
のも
はるも
まゆも
まりも
まるも
みくも
みずも
みなも
みも
めるも
もも

や

あや
あやや
かいや
かぐや
かや
さあや
さや
すや
せいや
ちはや
ちや
つや
なや
まあや
まいや
まみや
まや
まりや
みはや
みや
みりや
やや
ゆりや
りや

ゆ

あゆ
かゆ
こふゆ
さゆ
しゆ
ちふゆ
ちゆ
つゆ
なゆ
にゆ
ふゆ
まふゆ
まゆ
みふゆ
みゆ
もゆ
ゆうゆ
ゆゆ
りゆ

ゆう

さゆう
にゆう
まゆう
みゆう

よ

あきよ
あさよ
あつよ
あやよ
いくよ
いとよ
いよ
うたよ
えつよ
かずよ
かなよ
かよ
きぬよ
きみよ
きよ
きりよ
くによ
くみよ
さきよ
ささよ
さちよ
さよ
しずよ
しよ
すずよ
すみよ
そのよ
そよ
たかよ
たきよ
たまよ
たみよ
ちかよ
ちさよ
ちよ
つきよ
つぐよ

修理費用は
こんなに
かかる
iPhone14 の場合
※アップル公式サイトより

画面のひび割れ	42,800円
背面ガラスの損傷	25,900円
その他修理	83,800円

最大10万円補償

とくとくプラス⁺は
月額880円（税込）で
携帯端末修理保険特典付き！

年間2回まで保障！
家族の分もOK！

さらに

おトクなクーポンが
880円以上つくので

実質無料!?

ご入会
詳細はコチラ

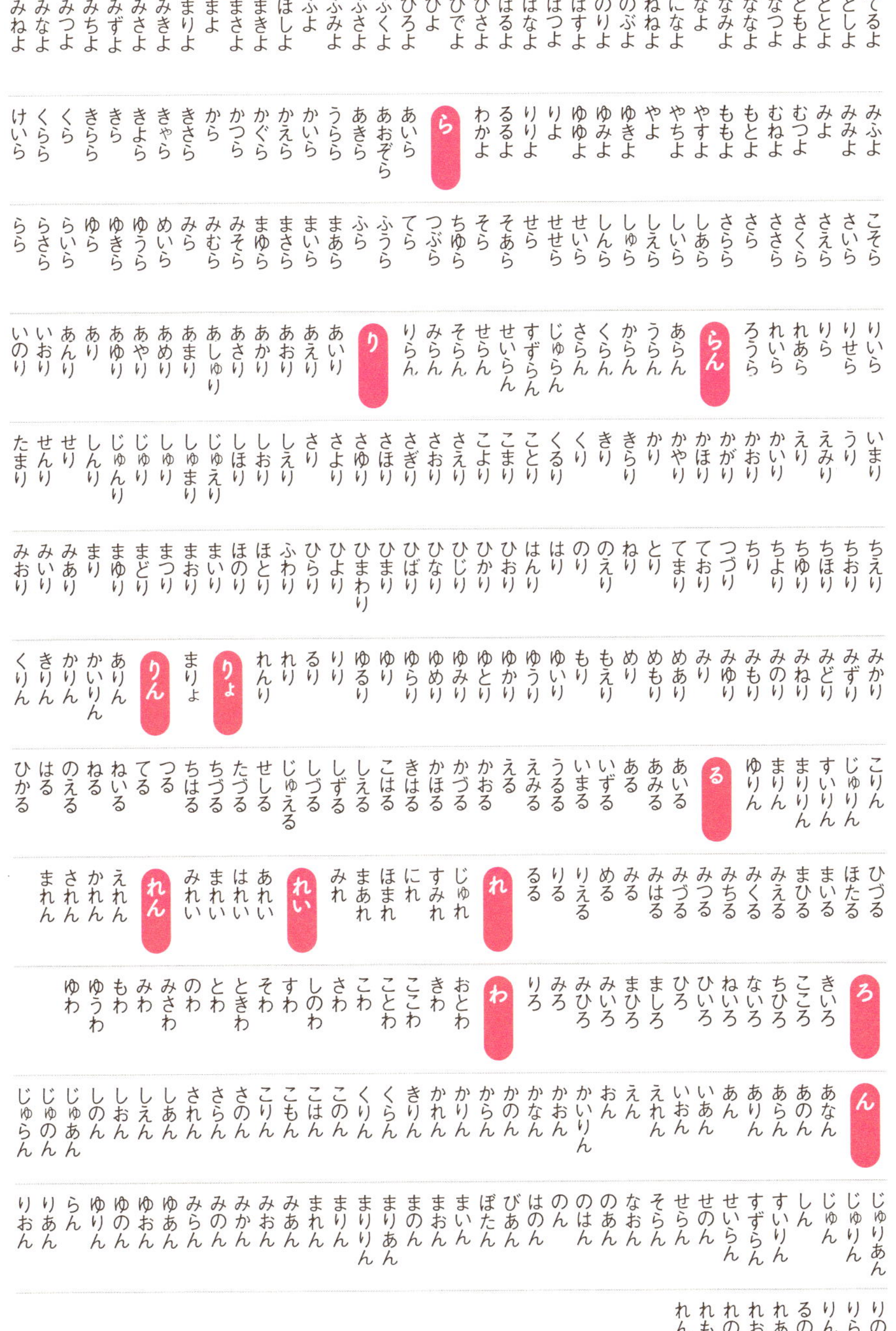

てるよ としよ ととよ ともよ なつよ ななよ なみよ なよ になよ ねねよ のぶよ のりよ はすよ はつよ はなよ はるよ ひさよ ひでよ ひよ ひろよ ふくよ ふさよ ふみよ ふよ ほしよ まきよ まさよ まよ まりよ みきよ みさよ みずよ みちよ みつよ みなよ みねよ
みふよ みみよ みよ むつよ むねよ もとよ ももよ やすよ やちよ やよ ゆきよ ゆみよ ゆゆよ りよ りりよ るるよ わかよ

ら

あいら あおぞら あきら うらら かいら かえら かぐら かつら から きさら きゃら きよら きら きらら くら くらら けいら
こそら さいら さえら さくら ささら さら さらら しあら しいら しえら しゅら しんら せいら せせら せら そあら そら ちゆら つぶら てら ふうら ふら まあら まいら まさら まゆら みそら みむら みら めいら ゆうら ゆきら ゆら らいら らさら らら
りいら りせら りら れあら れいら ろうら

らん

あらん うらん からん くらん さらん じゅらん すずらん せいらん せらん そらん みらん りらん

り

あいり あえり あおり あかり あさり あしゅり あまり あめり あやり あゆり あり あんり いおり いのり
いまり うり えみり えり かいり かおり かがり かほり かやり かり きらり きり くり くるり ことり こまり こより さえり さおり さぎり さほり さゆり さより さり しえり しおり しほり じゅえり しゅまり しゅり じゅり じゅんり しんり せり せんり たまり
ちえり ちおり ちほり ちゆり ちより ちり つづり ており てまり とり ねり のえり のり はり はんり ひおり ひかり ひじり ひなり ひばり ひまり ひまわり ひより ひらり ふわり ほとり ほのり まいり まおり まつり まどり まゆり まり みあり みいり みおり
みかり みずり みどり みねり みのり みもり みゆり みり めあり めもり めり もえり もり ゆいり ゆうり ゆかり ゆとり ゆみり ゆめり ゆらり ゆり ゆるり りり るり れり れんり

りょ

まりょ

りん

ありん かいりん かりん きりん くりん
こりん じゅりん すいりん まりりん まりん ゆりん

る

あいる あみる ある いずる いまる うるる えみる える かおる かづる かほる きはる こはる しえる しずる しづる じゅえる せしる たづる ちづる ちはる つる てる ねいる ねる のえる はる ひかる
ひづる ほたる まいる まひる みえる みくる みちる みつる みづる みはる みる める りえる りる るる

れ

じゅれ すみれ にれ ほまれ まあれ みれ

れい

あれい はれい まれい みれい

れん

えれん かれん されん まれん

ろ

きいろ こころ ちひろ ないろ ねいろ ひいろ ひろ ましろ まひろ みいろ みひろ みろ りろ

わ

おとわ きわ ここわ ことわ こわ さわ しのわ すわ そわ ときわ とわ のわ みさわ みわ もわ ゆうわ ゆわ

ん

あなん あのん あらん ありん あん いあん いおん えれん えん おん かいりん かおん かなん かのん からん かりん かれん きりん くらん くりん このん こはん こもん こりん さのん さらん されん しあん しえん しおん しのん じゅあん じゅのん じゅらん
じゅりあん じゅりん じゅん しん すいりん すずらん せいらん せのん せらん そらん なおん のあん のはん のん はのん びあん ぼたん まいん まおん まのん まりあん まりりん まりん まれん みあん みおん みかん みのん みらん ゆあん ゆおん ゆのん ゆりん らん りあん りおん
りのん りらん りん るのん れあん れおん れのん れもん れん

かわいい2音の名前

近年の名前ランキングでは、「ゆい」「りお」「さき」「みゆ」「ひな」など2音の名前が上位にたくさん入っています。かわいらしさと、明るく軽やかな雰囲気が人気の秘密です。

あい　愛、亜衣
あこ　亞胡、愛瑚
あみ　編、杏実
あや　絢、愛耶
あゆ　愛結、亜優
いお　依桜、唯央
いと　弦、伊都
うさ　羽紗、宇佐
うた　詠、羽詩
うの　雨乃、卯乃
えこ　笑子、依湖
えな　恵那、絵奈

えば　絵羽、永葉
えむ　映夢、笑夢
えり　瑛莉、江梨
かこ　佳子、香湖
かな　禾奈、可南
かほ　夏帆、果歩
かよ　夏世、佳代
きい　季依、綺以
きこ　祈子、希湖
きせ　綺星、紀世
きほ　紀帆、季穂
きら　煌、綺良

きり　嬉莉、季璃
くみ　玖未、空美
こと　琴、瑚都
さき　咲、沙希
さち　紗知、咲千
さほ　早帆、茶穂
さや　紗弥、咲夜
さら　沙羅、咲來
さわ　爽、咲羽
しお　詩緒、志央
しほ　志帆、史穂
しま　詩真、志麻

すず　鈴、珠々
せら　星来、世良
せり　世璃、瀬梨
そあ　想愛、奏亜
その　苑、楚乃
そよ　想世、楚与
そら　空、蒼来
そわ　楚羽、想和
ちあ　千愛、知亜
ちお　千緒、茅央
ちか　知花、千歌
ちさ　智紗、千咲

ちせ　茅世、千瀬
ちな　地奈、知菜
ちほ　千穂、智帆
ちり　知莉、千里
なお　南緒、奈央
なな　七南、奈々
なほ　那帆、菜歩
なみ　那実、七海
なゆ　菜優、奈夕
にか　仁花、仁華
にこ　二瑚、仁子
にな　仁菜、二那

にゆ　二由、仁優
にれ　仁礼、仁麗
のあ　乃愛、埜亜
のこ　野子、乃胡
のの　野々、埜乃
のわ　乃羽、野和
はな　花、芭奈
はる　陽、羽瑠
ひな　雛、比奈
ひめ　姫、陽芽
ふさ　風紗、芙早
ふみ　風美、布実
ふゆ　冬、歩由
ふら　風楽、芙羅
まお　真央、万緒
まこ　真湖、茉子
まち　万智、真千

まな　麻奈、真菜
まは　真羽、茉葉
まほ　磨帆、万歩
まみ　真未、麻美
まや　麻耶、磨耶
まゆ　真結、茉由
まり　麻莉、万里
みあ　美愛、実亜
みう　美雨、実羽
みお　美緒、深央
みく　美玖、実空
みこ　美虹、実湖
みさ　海沙、心咲
みち　美知、実智
みな　実那、見奈
みほ　美歩、未帆
みみ　心美、美海

みゆ　深優、美夕
みら　美楽、未羅
みれ　美礼、未玲
めい　芽以、萌依
めり　萌里、芽璃
める　女瑠、芽琉
もあ　望亜、萌杏
もえ　百依、萌笑
もか　百香、望花
もな　萌七、望奈
もね　百音、萌寧
もも　桃、萌々
もゆ　望結、萌友
もわ　萌和、望羽
ゆあ　優亜、友彩
ゆい　唯、佑衣
ゆき　優妃、宥希

ゆず　柚、由珠
ゆな　結那、優奈
ゆね　夕音、優寧
ゆの　悠乃、柚乃
ゆは　優羽、悠葉
ゆま　由茉、夕麻
ゆみ　裕実、優心
ゆめ　夢、結女
ゆゆ　結々、柚々
ゆら　結楽、悠来
ゆわ　結羽、優和
らら　楽々、羅々
りお　莉緒、里央
りこ　璃子、里瑚
りさ　莉紗、璃咲
りせ　梨世、凛星
りな　莉名、里菜

りの　莉乃、璃埜
りほ　璃穂、里帆
りま　梨麻、莉茉
りみ　璃実、浬美
りゆ　璃由、梨優
りよ　理世、璃与
りら　梨羅、璃楽
りり　李璃、理々
るい　瑠以、留衣
るか　琉夏、瑠果
るな　琉奈、留那
るね　瑠音、琉寧
るり　琉莉、瑠璃
れな　玲奈、麗菜
れま　礼真、怜茉
れみ　麗未、礼美
わか　和花、羽歌

ひらがな・カタカナの名前

やわらかな印象を与えるひらがなの名前は、女の子におすすめです。カタカナの名前は洋風の響きに合うのはもちろん、定番の名前もカタカナにすることで個性的な印象になります。

ひらがな

あい
あおい
あおば
あかね
あかり
あすか
あずみ
あづさ
あやか

あやの
あやめ
あゆ
あゆみ
ありさ
いずみ
いちご
いつき
いろは

うた
うらら
えみり
えりか
えれな
かえで
かおり
かおる
かすみ
かのん
かほり
かりん

かれん
かんな
きずな
きらら
きらり
くらら
くるみ
ここあ
こころ
このみ
さおり
さくら

さつき
さとえ
さとみ
さやか
さゆみ
さゆり
しおり
しずく
しずな
しほり
すず
すずな

すみれ
そなみ
その
そよ
そよか
そら
たまき
ちさと
ちず
ちづる
ちなつ
ちはや

ちはる
ちひろ
つぐみ
つばき
つばさ
つぼみ
つむぎ
てるは
なぎさ
なずな
なつき
なつみ

なつめ
なな
ななみ
なるみ
のぞみ
のどか
のの
ののか
のん
はぐみ
はづき
はな

はる
はるか
はるな
はるひ
ひかり
ひかる
ひな

ひなた
ひなの
ひまり
ひより
ひらり
ふうか
ふゆ

ほたる
ぼたん
ほのか
まおみ
まどか
まな
まひろ

まゆ
まり
まりあ
みさき
みさと
みすず
みその

みそら
みどり
みづき
みなみ
みのり
みやび
みゆき

みらい
みりあ
めい
めぐみ
もえ
もも
ももか

やよい
ゆい
ゆいか
ゆかり
ゆず
ゆめ
ゆり

らん
りみ
りる
るい
るり
れもん
わかな

カタカナ

アイ
アキナ
アヤ
アリサ
アリス
アンナ

エミリ
エリカ
エリサ
エレナ
カエラ
カリナ

カリン
カンナ
サキ
サクラ
サラ
スミレ
セイラ
セナ
セラ

セリ
チカ
チハル
ナオ
ナツ
ナナ
ハル
ヒロ
マヤ

マリ
ミサ
ミチ
ミチル
ミユ
メイサ
メグ
モナ
ユイ

ユイカ
ユウ
ユカリ
ユキ
ユナ
ユミ
ユメ
ユリ
ララ

ラン
リエ
リオ
リカ
リサ
リセ
リナ
リラ
リン

ルイ
ルカ
ルナ
ルリ
ルル
レイ
レイカ
レイナ
レナ

数字の語呂合わせができる名前

携帯電話やパソコンのアドレス、車のナンバーなどを、自分の名前の語呂合わせで考える人もけっこういます。右表のように数字にはさまざまな読み方があるので、これらを活用して、語呂合わせができる名前にするのもおもしろいでしょう。また、右表の読み方のほか、「0」は見た目の形から「O（英語のオー）」、「2」は英語の発音の「ツー」の音で語呂合わせを考えることもできます。

数字	現代の読み方	大和言葉
0	ぜろ、れい	-
1	いち	ひ、ひとつ
2	に	ふ、ふたつ
3	さん	み、みつ
4	し、よん	よ、よつ
5	ご	い、いつつ
6	ろく	む、むつ
7	しち、なな	な、ななつ
8	はち	や、やつ
9	く、きゅう	こ、ここのつ
10	じゅう	と、とを
100	ひゃく	も、もも
1000	せん	ち

名前例

- **いくこ** 195
- **いくみ** 193
- **いちこ** 15
- **いちご** 15
- **いつみ** 53、123
- **いと** 110
- **くみ** 93
- **ここな** 97、557
- **ここみ** 93、553
- **こころ** 96､556
- **こと** 510
- **こはく** 589
- **さとみ** 3103
- **さな** 37
- **さや** 38
- **さよ** 34
- **しいな** 417
- **せんな** 1007
- **つぐみ** 293
- **とうこ** 105
- **なお** 70
- **なおみ** 703
- **なつこ** 725
- **なつみ** 723
- **ななこ** 75、775
- **ななみ** 73、773
- **ななよ** 74、774
- **なみ** 73
- **にいな** 217
- **にこ** 25
- **にな** 27
- **にれ** 20
- **はな** 87
- **はなこ** 875
- **はなよ** 874
- **ひとみ** 13、1103
- **ひな** 17
- **ひなこ** 175
- **ひふみ** 123
- **ひろみ** 162
- **ふみ** 23
- **ふみな** 237
- **みいこ** 315
- **みお** 30
- **みく** 39
- **みさ** 33
- **みさと** 3310
- **みつよ** 34
- **みと** 310
- **みな** 37
- **みなみ** 373
- **みなよ** 374
- **みや** 38
- **みやこ** 385
- **みよこ** 345
- **むつこ** 65
- **むつみ** 63
- **もも** 100
- **ももこ** 1005
- **ももな** 1007
- **ももよ** 1004
- **やいこ** 815
- **やや** 88
- **やよい** 841
- **よしこ** 445
- **れいこ** 015
- **れいな** 07
- **れいみ** 03
- **れな** 07
- **れに** 02
- **れみな** 037

Part 3

「生まれ月・季節」にちなんだ名前

生まれ月や季節にちなんだ名前を考える

生まれた季節や誕生月にちなんだ名前をつけるのは定番の名づけ法のひとつ。季節の花や行事など、名前のヒントになるものがたくさんあります。

季節はヒントの宝庫

季節にちなんだ名前は、日本ならでは

「春生まれだから桜のイメージで」「7月7日生まれだから七の字を入れて」など、子どもが生まれた季節や誕生月にちなむのも、人気の名づけ法のひとつです。

また、名前をどこから考えていいかわからないというパパ・ママにも、季節や誕生月からのアプローチはおすすめ。日本には四季折々の情緒ある言葉がたくさんあります。日本の美しい自然や文化を名前に取り入れるのはとても素敵ですし、多くの人に好感を持たれる名づけ法といえるでしょう。

116ページからは月ごとに代表的なキーワードを紹介しています。眺めるだけでもいろいろなイメージがわいてくると思います。参考にしてください。

名づけのヒントになるもの

1 月の異名

3月の「弥生」ように、よく知られているもののほか、同じ3月でも、ほかに「花月（かげつ）」「夢見月（ゆめみづき）」などの異名がある。ただし、月の異名は旧暦のときに考えられたものなので、現在の季節感覚とは合わないものもある。

2 誕生石

6月は「パール（真珠）」、12月は「ラピスラズリ（瑠璃）」など、月ごとに誕生石がある。和名をいかすと名前にしやすい。

3 12星座と夜空の星座

星占いの12星座のほか、夜空に見える星も季節ごとに変わる。なお、12星座と夜空の星座は時期的にはずれており、たとえば乙女座は、星占いでは8/23〜9/22生まれだが、夜空の星としては春の星座として知られる。

4 その月を意味する外国語

6月を意味する英語の「June（ジューン）」から「潤（じゅん）」にするなど、外国語の響きをヒントに名前を考えるのもひとつの方法。英語以外の外国語だと、さらに新鮮な響きが見つけられそう。

5 動物、植物

女の子の場合は、とくに四季折々の花をいかした名前の人気が高い。

6 天候、地理

特定の時期や各季節に吹く風に名前がついていたり、季節ごとに山の様子を表現したり、天候や地理にちなんだ言葉は、風情のあるものが多い。

7 行事、暮らし

「正月」「クリスマス」「七夕」「お月見」など、各月の行事や風習を出発点に、関連するキーワードやイメージを広げていくと、いろいろな名前を考えることができる。

8 記念日、その日の出来事

ポピュラーな行事だけでなく、たとえば3月19日は「ミュージックの日」など、366日何かしら記念日があったり、有名な出来事があり、名づけのヒントになる。

9 二十四節気（にじゅうしせっき）

2月4日ごろの「立春」、6月21日ごろの「夏至」など、1年を24等分して季節の特徴をあらわしたもの。中国発祥のため日本の気候と合わないものもあるが、「暦の上では春（立春）」など、よく利用されている。なお、二十四節気の日付は、年によって多少変動する。

10 七十二候（しちじゅうにこう）

二十四節気をさらに3つに分けて、72の短文でその時期の天候や動植物の変化を表現したもの。七十二候の日付も年によって多少変動する。

※116ページから、上記の項目のキーワードを月ごとに紹介しています。
※漢字の使い方については179ページも参照してください。

March

3月のキーワード

春

雲雀（ひばり）

春になると野に出て空高く舞い上がり、羽ばたきながらさえずる。ピーチュルとほがらかに鳴くさまは、昔から日本人に親しまれてきた。

動物、植物

銀葉アカシア
（ぎんようあかしあ）

房状の黄色の花をつける常緑性小高木。別名ミモザ。南欧ではとくに春を告げる花として親しまれている。イタリアでは3月8日は「ミモザの日」とされ、日ごろの感謝を込めて、男性が女性にミモザを贈る日とされている。

アネモネ

地中海原産の花で、名前はギリシャ語の「風（アネモス）」に由来。和名は「牡丹一華（ぼたんいちげ）」「花一華（はないちげ）」など。

啓蟄（けいちつ）

二十四節気のひとつで3月6日ごろをさす。春になり、土の中で冬籠りしていた虫や蛙が外に出てくるころ。

菫（すみれ）

山野から都会の道端まで至るところに自生する春の花。紫色の可憐な花をつける。古代ギリシャ語では、スミレを「イオン」という。

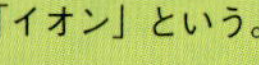

そのほかの動物、植物キーワード

◎紋白蝶（もんしろちょう）◎七星天道（ななほしてんとう）◎土筆（つくし）◎苺（いちご）◎木の芽（このめ）◎桃の花（もものはな）◎杉菜（すぎな）◎エリカ◎沈丁花（じんちょうげ）◎花木蓮（はなもくれん）◎蒲公英（たんぽぽ）◎桜（さくら）

3月の異名

弥生（やよい）
嘉月（かげつ）
花月（かげつ）
桃月（とうげつ）
桜月（さくらづき）
夢見月（ゆめみづき）
花津月（はなつづき）
建辰月（けんしんげつ）
五陽（ごよう）
青章（せいしょう）

3月の誕生石

アクアマリン（藍玉）
コーラル（珊瑚）

3月の12星座

魚座（2/19～3/20生まれ）
牡羊座（3/21～4/19生まれ）

3月を意味する外国語

英語：March（マーチ）
フランス語：mars（マルス）
スペイン語：marzo（マルソ）
イタリア語：marzo（マルツォ）
ドイツ語：März（メルツ）
ロシア語：март（マールト）
ラテン語：Martius（マルティウス）
ハワイ語：Malaki（マラキ）
中国語：三月（サンユエ）
韓国語：삼월（サムォル）

★今日は何の日？

日	今日は何の日？	二十四節気	七十二候
1日	マーチ日、行進曲の日		草木萌動 草木が芽吹き始める
2日	ミニチュアの日		
3日	桃の節句・雛祭り		
4日	ミシンの日		
5日	珊瑚（サンゴ）の日		
6日	世界一周記念日	3/6頃 啓蟄	蟄虫啓戸 冬籠りの虫が出てくる
7日	消防記念日		
8日	国際女性デー／雅の日		
9日	ありがとうの日		
10日	ミントの日		
11日	パンダ発見の日		桃始笑 桃の花が咲き始める
12日	スイーツの日		
13日	新選組の日		
14日	ホワイトデー		
15日	涅槃会（釈迦入滅の日）		
16日	国際公園指定記念日		菜虫化蝶 青虫が紋白蝶になる
17日	セントパトリックデー		
18日	精霊の日		
19日	ミュージックの日		
20日	サブレの日		
21日	国際人種差別撤廃デー	3/21頃 春分	雀始巣 雀が巣を構え始める
22日	放送記念日		
23日	世界気象デー		
24日	ホスピタリティデー		
25日	電気記念日		
26日	普通選挙法成立		桜始開 桜の花が咲き始める
27日	さくらの日		
28日	シルクロードの日		
29日	マリモ記念日		
30日	国立競技場落成記念日		
31日	エッフェル塔の日		

3月20日頃　春分の日
3月下旬～4月中旬　イースター（キリスト教）

天候、地理

麗らか（うららか）

春のあたたかくやわらかな陽射しがのどかに照っているさま。また、心が晴れ晴れとして明るいこともいう。

山笑う（やまわらう）

草木が芽吹き、花が咲き始め、明るく色づく春の山のこと。ちなみに夏の山は「山滴る（やましたたる）」、秋の山は「山装ふ（やまよそおふ）」、冬の山は「山眠る（やまねむる）」。

そのほかの天候、地理キーワード

◎東風（こち）◎春風（はるかぜ）◎雪の果（ゆきのはて）◎春疾風（はるはやて）◎春光（しゅんこう）◎芽吹き（めぶき）◎花曇（はなぐもり）◎陽炎（かげろう）◎春一番（はるいちばん）

佐保姫（さほひめ）

奈良の都の東方、佐保山に宿る、春をつかさどる女神。白くやわらかな春霞の衣をまとった若々しい姿をしており、染色や機織をつかさどる女神でもある。

行事、暮らし

雛祭り（ひなまつり）桃の節句（もものせっく）

3月3日の雛祭りは女の子のすこやかな成長を祈る行事。「桃の節句」ともいわれるが、これは旧暦3月3日ごろが桃の花の季節であることから。また桃は災厄を払うとされた。

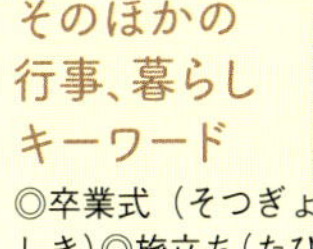

そのほかの行事、暮らしキーワード

◎卒業式（そつぎょうしき）◎旅立ち（たびだち）◎踏青（とうせい）◎春分の日（しゅんぶんのひ）◎草餅（くさもち）◎摘み草（つみくさ）◎ホワイトデー

春

April

4月のキーワード

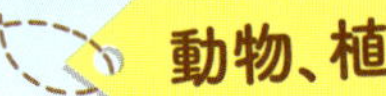

燕(つばめ)

春先、日本に飛来し、民家の軒先などに巣をつくる渡り鳥。害虫を食べてくれる益鳥(えきちょう)として日本では古くから大切にされてきた。「玄鳥(げんちょう)」ともいう。

桜(さくら)

春を代表する花であり、日本を象徴する花でもある。その美しく情緒あるさまは古くから日本人に親しまれてきた。「染井吉野(そめいよしの)」「八重桜(やえざくら)」などさまざまな種類がある。

ヒアシンス

ギリシャ神話の美少年「ヒュアキントス」にちなんだ名を持つユリ科の花。和名は「風信子(ふうしんし)」「飛信子(ひしんし)」。

菜の花(なのはな)

一面に広がる黄色の菜の花畑は、春の明るさを象徴する景色。

そのほかの動物、植物キーワード

◎紋白蝶(もんしろちょう)◎七星天道(ななほしてんとう)◎山吹(やまぶき)◎春紫苑(はるじおん)◎花水木(はなみずき)◎蒲公英(たんぽぽ)◎一人静(ひとりしずか)◎石楠花(しゃくなげ)◎牡丹(ぼたん)◎蓮華草(れんげそう)◎若草(わかくさ)

4月の異名

卯月(うづき)
卯花月(うのはなづき)
花残月(はなのこりづき)
清和月(せいわづき)
木葉採月(このはとりづき)
得鳥羽月(えとりはづき)
初夏(しょか)
純陽(じゅんよう)
修景(しゅうけい)
青和(せいわ)

4月の誕生石

ダイヤモンド(金剛石)
クォーツ(水晶)

4月の12星座

牡羊座(3/21~4/19生まれ)
牡牛座(4/20~5/20生まれ)

4月を意味する外国語

英語:April(エイプリル)
フランス語:avril(アヴリル)
スペイン語:abril(アブリィル)
イタリア語:aprile(アプリーレ)
ドイツ語:April(アプリル)
ロシア語:апрель(アプリエーリ)
ラテン語:Aprilis(アプリーリス)
ハワイ語:Àpelila(アペリラ)
中国語:四月(スーユエ)
韓国語:사월(サウォル)

★今日は何の日?		二十四節気	七十二候
1日	エイプリール・フール		雷乃発声 遠くで雷の音がする
2日	国際子どもの本の日		
3日	みずの日/アーバーデー(愛林日)		
4日	ピアノ調律の日		
5日	チーズケーキの日	4/5頃 清明	玄鳥至 燕が南からやってくる
6日	城の日		
7日	世界保健デー		
8日	ヴィーナスの日		
9日	世界海の日		
10日	女性の日/ヨットの日		鴻雁北 雁が北へ渡っていく
11日	メートル法公布記念日		
12日	世界宇宙飛行の日		
13日	喫茶店の日		
14日	オレンジデー/フレンドリーデー		
15日	よいこの日		虹始見 雨の後に虹が出始める
16日	ボーイズ・ビー・アンビシャス・デー		
17日	恐竜の日		
18日	発明の日		
19日	最初の一歩の日(地図の日)		
20日	郵政記念日	4/20頃 穀雨	葭始生 葦が芽を吹き始める
21日	民放の日		
22日	アースデー(地球の日)		
23日	子ども読書の日		
24日	植物学の日		
25日	国連記念日		霜止出苗 霜が終わり稲の苗が生長
26日	よい風呂の日		
27日	絆の日/哲学の日		
28日	サンフランシスコ平和条約発効記念日		
29日	昭和の日		
30日	図書館記念日		

天候、地理

長閑(のどか)

穏やかな気候で、時間もゆったりと感じられる春の日和。心がゆったりしているさまをさす言葉でもある。

そのほかの天候、地理キーワード

◎清風(せいふう)◎和風(わふう)◎光風(こうふう)◎穀風(こくふう)◎春暁(しゅんぎょう)◎春時雨(はるしぐれ)◎暖か(あたたか)◎日永(ひなが)◎春永(はるなが)

花信風(かしんふう)

早春から初夏にかけて、花の季節の訪れを告げるやさしい風。

養花雨(ようかう)

植物の生命力を養うように降る春の雨。

花見(はなみ)

桜を鑑賞しながら、宴会を楽しむ日本独特の行事。日本の春に欠かせない風物詩。

行事、暮らし

新生活(しんせいかつ)

4月は入園・入学・入社、新学期、新生活と、さまざまなスタートの時期。気候も穏やかになり、何かを始めたり、新しいことに挑戦する意欲にわく時期でもある。

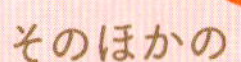

そのほかの行事、暮らしキーワード

◎入園・入学(にゅうえん・にゅうがく)◎種蒔き(たねまき)◎花祭り(はなまつり)◎水口祭(みなくちまつり)◎潮干狩り(しおひがり)◎風船(ふうせん)◎風車(ふうしゃ)

May

5月のキーワード

春

時鳥（ほととぎす）

5月ごろに日本に飛来する夏鳥。古くは初春のウグイスとともに初鳴きを待ちわびた鳥でもある。

5月の異名

皐月（さつき）
橘月（たちばなづき）
鶉月（うずらづき）
多草月（たぐさづき）
吹喜月（ふききづき）
早稲月（さいねづき）
月不見月（つきみずづき）
仲夏（ちゅうか）
開明（かいめい）
茂林（もりん）
星花（せいか）

文目（あやめ）

花びらに網目模様を持つ紫や白の花をつける花。「綾目」とも書く。英名は「アイリス」でギリシャ神話の虹の女神イリスにちなむ。

皐月（さつき）

5月の和名を冠した花。もともとは旧暦の皐月（現在の6月）に咲くことからこの名がある。栽培の歴史は江戸時代にさかのぼり、品種も多彩。

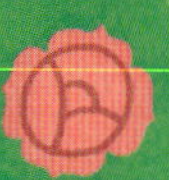

5月の誕生石

エメラルド（翠玉）
ジェイダイド（翡翠）

5月の12星座

牡牛座（4/20～5/20生まれ）
双子座（5/21～6/21生まれ）

動物、植物

薔薇（ばら）

世界中で愛されている花で、品種も非常に多い。「香澄（かすみ）」「花音（かのん）」「優香（ゆうか）」「琴音（ことね）」「薫乃（かおるの）」など、そのまま名前に使えそうな品種も多い。

5月を意味する外国語

英語：May（メイ）
フランス語：mai（メ）
スペイン語：mayo（マジョ）
イタリア語：maggio（マッジョ）
ドイツ語：Mai（マイ）
ロシア語：май（マーイ）
ラテン語：Maius（マーイウス）
ハワイ語：Mei（メイ）
中国語：五月（ウーユエ）
韓国語：오월（オウォル）

鈴蘭（すずらん）

幅の広い緑の葉の陰から、釣鐘型の白い小花をのぞかせる可憐な花。名前の響きも見た目もかわいらしい花。

そのほかの動物、植物キーワード

◎菖蒲（しょうぶ）◎藤（ふじ）◎躑躅（つつじ）◎牡丹（ぼたん）◎花水月（はなみずき）◎ライラック　◎紫蘭（しらん）◎一人静（ひとりしずか）◎二人静（ふたりしずか）◎双葉葵（ふたばあおい）◎桐（きり）◎茅（ちがや）◎春楡（はるにれ）◎若葉（わかば）◎新緑（しんりょく）

★今日は何の日？

日	記念日	二十四節気	七十二候
1日	日本赤十字社創立記念日		牡丹華 牡丹の花が咲く
2日	緑茶の日		
3日	憲法記念日		
4日	みどりの日		
5日	こどもの日／端午の節句		
6日	ゴムの日	5/6頃 立夏	蛙始鳴 蛙が鳴き始める
7日	博士の日		
8日	世界赤十字デー		
9日	メイクの日		
10日	地質の日／コットンの日		
11日	大阪神戸間鉄道開通日		蚯蚓出 みみずが這い出る
12日	ナイチンゲールデー		
13日	愛犬の日		
14日	温度計の日		
15日	国際家族デー		
16日	旅の日		竹笋生 竹の子が生えてくる
17日	生命・きずなの日		
18日	国際親善デー／ことばの日		
19日	チャンピオンの日（ボクシング記念日）		
20日	森林の日		
21日	リンドバーグ翼の日	5/21頃 小満	蚕起食桑 蚕が桑を盛んに食べる
22日	ガールスカウトの日		
23日	キスの日／ラブレターの日		
24日	ゴルフ場記念日		
25日	広辞苑記念日		
26日	東名高速道路開通記念日		紅花栄 紅花が盛んに咲く
27日	百人一首の日		
28日	国際アムネスティ記念日		
29日	エベレスト登頂記念日		
30日	お掃除の日		
31日	サッカーW杯が日韓で開催		

第2日曜日　母の日

天候、地理

薫風（くんぷう）

若葉の間を吹き抜ける、さわやかな南風。「風薫る（かぜかおる）」とも。「風の香（かぜのか）」も同じ意味。

五月晴れ（さつきばれ）

「梅雨の晴れ間」と、「5月の晴れ渡ったさわやかな空」というふたつの意味がある。もともとは旧暦5月（今の6月）の梅雨の合間の晴天をさす言葉だったが、時代が進むにつれ、新暦の5月の晴天の意味でも使われるようになった。

翠雨（すいう）

新緑のころ、草木の青葉に降る雨。「緑雨（りょくう）」ともいう。

そのほかの天候、地理キーワード

◎五月晴れ（さつきばれ）◎清風（せいふう）◎青風（せいふう）◎凱風（がいふう）◎景風（けいふう）◎風の香（かぜのか）

端午の節句（たんごのせっく）菖蒲の節句（しょうぶのせっく）

5月5日の「端午の節句」は、「菖蒲の節句」ともいわれ、邪気を払い厄病を除くとされる菖蒲湯に入る習慣がある。

行事、暮らし

八十八夜（はちじゅうはちや）

「夏も近づく八十八夜～」と、唱歌『茶摘み』の歌詞でもおなじみ。立春から数えて88日目のことで、5月2日頃をさす。5月に摘んだお茶を、一般に新茶という。

そのほかの行事、暮らしキーワード

◎鯉幟（こいのぼり）◎粽（ちまき）◎柏餅（かしわもち）◎ゴールデンウイーク ◎みどりの日（みどりのひ）◎母の日（ははのひ）◎茶摘み（ちゃつみ）

Spring

春 3・4・5月 生まれの名前例

紫央香 しおか

ライラックの和名、紫丁香花（むらさきはしどい）から。

静花 しずか

春に白い花をつける一人静（ひとりしずか）から。

信風美 しふみ

花の季節の訪れを告げる花信風（かしんふう）から。

翠鈴 すいりん

「翠」は、5月の誕生石エメラルドの和名「翠玉（すいぎょく）」と、新緑のころに降る雨「翠雨（すいう）」から。「鈴」は鈴蘭（すずらん）から。

すみれ

春に咲く菫（すみれ）から。

千咲 ちさき

花が咲き誇るイメージから。

菜々 なな

春に咲く菜の花から。

新奈 にいな

新生活の季節にちなんで。

風音 かざね

アネモネの名の由来（ギリシャ語で風）にちなんで。

香澄 かすみ

薔薇の品種名から。

啓子 けいこ

3月20日ごろをさす啓蟄（けいちつ）から。

小鈴 こすず

晩春に咲く鈴蘭（すずらん）の小さく可憐な花をイメージして。

咲希 さき

花が咲き誇るイメージと、春の明るさをイメージして。

桜子 さくらこ

日本の春を代表する桜から。

颯希 さつき

5月の異名である皐月（さつき）に、初夏のさわやかな風のイメージを重ねて。

佐保 さほ

春を運ぶ女神、佐保姫（さほひめ）にちなんで。

綾芽 あやめ

5月ごろに紫の花をつける文目（あやめ）から。

衣音 いおん

菫（すみれ）を意味するギリシャ語の「イオン」から。

一華 いちか

春先に咲くアネモネの和名、花一華（はないちげ）から。

卯沙子 うさこ

4月の異名、卯月（うづき）から。

咲 えみ

春の花が咲き誇るイメージと、「えみ」という響きで春の明るさを表現。

笑里 えみり

草木が芽吹き、明るくなった春の山の様子をあらわす言葉、山笑う（やまわらう）から。

薫 かおる

若葉のころに吹く薫風（くんぷう）から。

薫乃 ゆきの

薔薇の品種名「薫乃（かおるの）」から。初夏のさわやかな薫風にもちなんで。

夢見里 ゆみり

3月の異名、夢見月（ゆめみづき）から。

養花 ようか

植物の生命力を養うように降る雨、養花雨（ようかう）から。

里咲 りさ

山里に花が咲くイメージから。

律花 りっか

5月6日ごろをさす立夏（りっか）の響きから。

莉羅 りら

ライラックを意味するフランス語「リラ」から。

里瑠 りる

4月を意味するフランス語「アヴリル」から。

麗加 れいか

春の麗らかなイメージから。

若葉 わかば

若葉の季節から。

美潮 みしお

春の潮の風情から。

水季 みずき

春に咲く花水木（はなみずき）の響きから。

美萌沙 みもざ

春先に黄色の花をつける銀葉アカシアの別名ミモザから。

芽生 めい

5月を意味する英語「メイ」から。

芽久美 めぐみ

草木芽吹く春のイメージから。

萌恵 もえ

草木の芽が出るという意味の「萌え」から。

桃花 ももか

3月3日の雛祭り（桃の節句）にちなんで。

百花 ももか

牡丹の異名、百花の王（ひゃっかのおう）から。

弥生 やよい

3月の異名、弥生（やよい）から。

雪果 ゆきか

降り納めのように降る雪をいう、雪の果（ゆきのはて）から。

新玲 にれ

新緑と、春楡（はるにれ）の響きから。

のどか

春ののんびりとした雰囲気から。

八瑠乃 はるの

5月2日ごろをさす八十八夜と、「はる」の響きから。

遥陽 はるひ

春の穏やかな陽射しをイメージして。

陽日里 ひかり

春のあたたかい光を「陽」と「日」で、ほっこりとした雰囲気を「里」で表現。

陽菜 ひな

春の陽射しと菜の花、また3月3日の雛祭りにちなんで。

雛乃 ひなの

3月3日の雛祭りから。

陽羽里 ひばり

春の野鳥の代表、雲雀（ひばり）から。

風香 ふうか

薫風と同じさわやかな風を意味する言葉「風の香（かぜのか）」から。

美桜 みお、みおう

日本の春を代表する桜から。

June

夏

6月のキーワード

6月の異名

水無月（みなづき）
水月（すいげつ）
季月（きげつ）
涼暮月（すずくれづき）
松風月（まつかぜづき）
風待月（かぜまちづき）
炎陽（ようえん）
積夏（せきか）
小暑（しょうしょ）
林鐘（りんしょう）

6月の誕生石

パール（真珠）
ムーンストーン（月長石）

6月の12星座

双子座（5/21～6/21生まれ）
蟹座（6/22～7/22生まれ）

6月を意味する外国語

英語：June（ジューン）
フランス語：juin（ジュワン）
スペイン語：junio（フニオ）
イタリア語：giugno（ジューニョ）
ドイツ語：Juni（ユーニ）
ロシア語：июнь（イユーニ）
ラテン語：Iunius（ユーニウス）
ハワイ語：Lune（ルネ）
中国語：六月（リョウ ユエ）
韓国語：육월（ユウォル）

動物、植物

未央柳（びょうやなぎ）

梅雨の時期にもひときわはえる鮮やかな黄色の花は、中国唐代の皇妃・楊貴妃が住んでいた未央宮（びおうきゅう）がその名の由来。「美女柳（びじょやなぎ）」ともいう。

紫陽花（あじさい）

紫、青、白、ピンクなどの花をつけ、梅雨の時期を彩る日本情緒あふれる花。

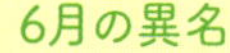

紅花（べにばな）

古くから染料や薬用植物として利用されてきた花。6～7月に黄色の花を咲かせる。

白詰草（しろつめくさ）

春から夏にかけて咲くおなじみの花。梅雨時期にはより一層生い茂り、緑濃く生命力あふれるイメージに。四つ葉のクローバーは幸運のしるし。

蛍（ほたる）

6～7月にかけては蛍狩りのシーズン。きれいな水辺などに出かけると、幻想的な蛍の光の競演が見られる。

そのほかの動物、植物キーワード

◎蝸牛（かたつむり）◎雨蛙（あまがえる）◎紫露草（むらさきつゆくさ）◎花菖蒲（はなしょうぶ）◎泰山木（たいさんぼく）◎花橘（はなたちばな）◎梅の実（うめのみ）◎杏の実（あんずのみ）◎枇杷の実（びわのみ）◎若竹（わかたけ）◎麦（むぎ）◎青葉（あおば）

★今日は何の日？	二十四節気	七十二候
1日 写真の日／真珠の日		麦秋至 麦が熟し麦秋となる
2日 横浜開港記念日		
3日 測量の日		
4日 蒸しパンの日／虫の日		
5日 世界環境デー		
6日 梅の日／楽器の日	6/6頃 芒種	蟷螂生 カマキリが生まれる
7日 母親大会記念日		
8日 安全管理の日		
9日 ロックの日		
10日 時の記念日		
11日 傘の日		腐草為蛍 腐草の下から蛍が生ずる
12日 恋人の日		
13日 小さな親切運動スタートの日		
14日 世界献血者デー		
15日 米百俵デー		
16日 和菓子の日		梅子黄 梅の実が黄ばんで熟す
17日 考古学出発の日		
18日 海外移住の日		
19日 ベースボール記念日		
20日 ペパーミントの日		
21日 世界音楽の日	6/21頃 夏至	乃東枯 夏枯草が枯れる
22日 ボウリングの日		
23日 オリンピックデー		
24日 UFO記念日／ドレミの日		
25日 菅原道真誕生の日		
26日 国連憲章調印記念日		
27日 ヘレン・ケラー・バースデー(奇跡の人の日)		菖蒲華 あやめの花が咲く
28日 貿易記念日		
29日 ビートルズの日／星の王子さまの日		
30日 夏越の祓／アインシュタイン記念日		

第3日曜日 父の日

杏の実（あんずのみ）

春にピンク色の花をつけ、実は6月ごろ熟す。英名はアプリコット。

天候、地理

梅雨（つゆ）

梅の実が熟す6月ごろに降る雨だから、「梅雨」という名がついたといわれる。梅雨の雨は、稲などの作物にとっては恵みの雨。夏の水不足に備える命の水でもある。

夏至（げし）

1年でもっとも昼の時間が長くなる日で、例年6月21日ごろ。伊勢の二見興玉神社（ふたみおきたまじんじゃ）では、太陽神・天照大神（あまてらすおおみかみ）を迎えるための儀式が行われている。

そのほかの天候、地理キーワード

◎山背風（やませかぜ）◎黒南風（くろはえ）◎黄雀風（こうじゃくふう）

ジューン・ブライド

6月を意味する英語ジューン(June)は、ギリシャ神話の結婚を司る女神ヘラ（ローマ名ユノJuno）に由来することから、6月に結婚する花嫁は幸せになるといわれる。

行事、暮らし

衣替え（ころもがえ）

衣替えは四季のはっきりしている日本ならではの習慣。起源は平安時代の宮中行事にあり、当時は「更衣（こうい、ころもがえ）」と書いた。

そのほかの行事、暮らしキーワード

◎父の日（ちちのひ）◎時の記念日（ときのきねんび）◎嘉祥菓子（かしょうがし）◎夏至祭（げしさい）◎夏越の祓え（なつごしのはらえ）◎田植え（たうえ）

July

7月のキーワード

夏

行事、暮らし

七夕（たなばた）

7月7日の夜、天の川にへだてられた織姫と彦星が、年に一度だけ会うという伝説にちなむ行事。笹竹に願いを書いた短冊を吊るしたりする。

海の日（うみのひ）

7月第3月曜日は「海の日」で国民の祝日。夏休みの始まりとともに、本格的な海水浴シーズンもスタートする。

そのほかの
行事、暮らしキーワード

◎海開き（うみびらき）◎山開き（やまびらき）◎川開き（かわびらき）◎星写し（ほしうつし）◎土用の丑の日（どようのうしのひ）◎祇園祭（ぎおんまつり）◎天神祭（てんじんまつり）

動物、植物

茉莉（まつり）

インド・アラビア原産で、モクセイ科の常緑低木。ジャスミンティの香りづけにも使われる香り豊かな白い花を咲かせる。別名アラビアジャスミン。

向日葵（ひまわり）

花が太陽を追って回るところからこの名がある。夏の明るさを象徴する花。

百合（ゆり）

すっと伸びた茎に大輪の花をつける優美な花。日本原産のヤマユリのほか、日本各地にさまざまな百合が自生。英語は「Lily（リリイ）」。

7月の異名

文月（ふみづき）
親月（しんげつ）
蘭月（らんげつ）
涼月（りょうげつ）
相月（そうげつ）
七夕月（たなばたづき）
七夜月（ななよづき）
愛逢月（めであいづき）
瓜時（かじ）
大晋（たいしん）

7月の誕生石

ルビー（紅玉）

7月の12星座

蟹座（6/22〜7/22生まれ）
獅子座（7/23〜8/22生まれ）

7月を意味する外国語

英語：July（ジュライ）
フランス語：juillet（ジュイエ）
スペイン語：julio（フリオ）
イタリア語：luglio（ルーリョ）
ドイツ語：Juli（ユーリ）
ロシア語：июль（イユーリ）
ラテン語：Iulius（ユーリウス）
ハワイ語：Lunai（ルナイ）
中国語：七月（チー ユエ）
韓国語：칠월（チロル）

★今日は何の日？		二十四節気	七十二候
1日	山開き		
2日	ユネスコ加盟記念日		半夏生 からすびしゃくが生える
3日	波の日／渚の日		
4日	アメリカ独立記念日		
5日	江戸切子の日		
6日	ピアノの日／サラダ記念日		
7日	七夕	7/7頃 小暑	温風至 暖かい風が吹いてくる
8日	那覇の日		
9日	ジェットコースターの日		
10日	ウルトラマンの日		
11日	真珠記念日		
12日	ラジオ本放送の日		蓮始開 蓮の花が開き始める
13日	盆迎え火／ナイスの日		
14日	ひまわりの日		
15日	盆（盂蘭盆会）／中元		
16日	盆送り火／虹の日		
17日	国際司法の日／漫画の日		鷹乃学習 鷹の幼鳥が飛ぶ
18日	ネルソン・マンデラ・デー		
19日	サイボーグ009の日		
20日	月面着陸の日		
21日	自然公園の日		
22日	ナッツの日		
23日	文月ふみの日	7/23頃 大暑	桐始結花 桐の実がなり始める
24日	劇画の日		
25日	かき氷の日		
26日	ポツダム宣言記念日		
27日	スイカの日		
28日	菜っ葉の日		
29日	凱旋門の日		土潤溽暑 土が湿り蒸し暑い
30日	梅干しの日／プロレス記念日		
31日	こだまの日		

第3月曜日　海の日　　第4日曜日　親子の日

天の川（あまのがわ）

約2000億個ともいわれる膨大な星の集まりが天の川。夏から秋にかけて澄んだ夜空に見える。

あいの風

日本海沿岸に吹く穏やかな夏の海風。「あゆの風」ともいう。

天候、地理

そのほかの天候、地理キーワード

◎白南風（しろはえ）◎天の川（あまのがわ）◎夕立（ゆうだち）◎雷（かみなり）◎青嶺（あおね）◎青田波（あおたなみ）◎風青し（かぜあおし）◎夏木立（なつこだち）

入道雲（にゅうどうぐも）雲の峰（くものみね）

もくもくと高く盛り上がった夏特有の雲で、別名「雲の峰」。夕立や雷の前兆のことも多いが、それだけに夏を感じさせてくれる雲でもある。

虹（にじ）

雨上がり、とくに夏の夕立のあとに見られる7色のアーチ状の帯。外側から赤、橙、黄、緑、青、藍、紫の順番で並ぶ。なかでも彩の美しい虹を「彩虹（さいこう）」という。

立葵（たちあおい）

人の背丈ほどに成長し、赤やピンク、紫などの大きな花をつける。徳川家の家紋としておなじみの「葵の紋」は、フタバアオイという別種。

そのほかの動物、植物キーワード

◎揚羽蝶（あげはちょう）◎甲虫（かぶとむし）◎大瑠璃（おおるり）◎翡翠（かわせみ）◎駒鳥（こまどり）◎鮎（あゆ）◎月見草（つきみそう）◎芭蕉（ばしょう）◎沙羅の花（さらのはな）◎蓮（はす）◎杏の実（あんずのみ）◎李の実（すもものみ）◎茂（しげる）◎万緑（ばんりょく）

夏

August
8月のキーワード

動物、植物

大瑠璃（おおるり）
渓流近くの森などにすむ夏鳥。瑠璃色の羽根と、日本三鳴鳥にも数えられる美しい声が特長。

芙蓉（ふよう）
ピンクや白などの大輪の花をつけるアオイ科の落葉低木。また古くは蓮の花のことを芙蓉ともいい、美女の形容としても使われる言葉。

翡翠（かわせみ）
渓流などの水辺に生息する小鳥。鮮やかな青の体色を持ち、空飛ぶ宝石とも形容される。

カンナ
夏から秋にかて、赤、黄、白などの華麗な花を咲かせる。とくに際立つ赤い花は、仏陀の血から生まれたという伝説も。

鮎（あゆ）
香りのよさから「香魚（こうぎょ）」とも。古来より人々に愛されてきた夏の川魚。

そのほかの動物、植物キーワード
◎揚羽蝶（あげはちょう）◎甲虫（かぶとむし）◎駒鳥（こまどり）◎向日葵（ひまわり）◎睡蓮（すいれん）◎蓮（はす）◎芭蕉（ばしょう）◎茉莉（まつり）◎鳳仙花（ほうせんか）◎茂（しげる）◎万緑（ばんりょく）

8月の異名
葉月（はづき）
桂月（けいげつ）
観月（かんげつ）
木染月（こぞめづき）
月見月（つきみづき）
紅染月（べにそめづき）
雁来月（かりきづき）
竹春（ちくしゅん）
大章（たいしょう）

8月の誕生石
ペリドット（かんらん石）
サードオニキス（紅縞めのう）

8月の12星座
獅子座（7/23～8/22生まれ）
乙女座（8/23～9/22生まれ）

8月を意味する外国語
英語：August（オーガスト）
フランス語：août（ウットゥ）
スペイン語：agosto（アゴスト）
イタリア語：agosto（アゴスト）
ドイツ語：August（アウグスト）
ロシア語：август（アーブグスト）
ラテン語：Augustus（アウグストゥス）
ハワイ語：Àukake（アウカケ）
中国語：八月（バー ユエ）
韓国語：팔월（パロル）

Part 3 「生まれ月・季節」にちなんだ名前

8月のキーワード

★今日は何の日？

日	今日は何の日？	二十四節気	七十二候
1日	水の日／自然環境グリーンデー		
2日	ハーブの日		大雨時行　時として大雨が降る
3日	はちみつの日		
4日	橋の日／箸の日		
5日	ハンコの日		
6日	広島平和記念日		
7日	花の日	8/7頃 立秋	涼風至　涼しい風が立ち始める
8日	親孝行の日		
9日	野球の日／ハグの日		
10日	道の日		
11日	山の日／ガンバレの日		
12日	太平洋横断記念日		
13日	月遅れ盆迎え火／函館夜景の日		寒蟬鳴　ひぐらしが鳴き始める
14日	特許の日		
15日	月遅れ盆／終戦記念日		
16日	月遅れ盆送り火		
17日	パイナップルの日		
18日	米の日		蒙霧升降　深い霧が立ち込める
19日	俳句の日		
20日	交通信号の日		
21日	噴水の日		
22日	チンチン電車の日		
23日	白虎隊の日	8/23頃 処暑	綿柎開　綿を包む咢が開く
24日	月遅れ地蔵盆／ラグビーの日		
25日	サマークリスマス		
26日	人権宣言記念日／レインボーブリッジの日		
27日	寅さんの日／孔子誕生の日		
28日	バイオリンの日		天地始粛　暑さが鎮まる
29日	文化財保護法施行記念日		
30日	冒険家の日／ハッピーサンシャインデー		
31日	野菜の日		

天候、地理

流星（りゅうせい）
流星は1年を通して見られるが、7月下旬～8月下旬に見られる「ペルセウス座流星群」はもっとも見えやすい流星群とされる。

慈雨（じう）
ほどよく物を潤し、育てる恵みの雨。とくに夏の日照り続きのあとの雨のことをいう。

青嶺（あおね）
青々と生い茂った夏の山。「夏嶺（なつね）」や「翠嶺（すいれい）」とも。

そのほかの天候、地理キーワード
◎夕立（ゆうだち）◎虹（にじ）◎夏木立（なつこだち）◎季夏（きか）◎夏の果（なつのはて）◎夕凪（ゆうなぎ）

行事、暮らし

納涼（のうりょう）
夕涼み（ゆうすずみ）
暑さから逃れるために、工夫を凝らして涼しさを味わうこと。川べりや軒先に出て涼風に当たったり、舟遊びや花火見物などに出かけて清涼感を得る。

風鈴（ふうりん）
風通しのよいところに吊るして涼しげな音色を楽しむ、情緒あふれる夏の風物詩。

そのほかの行事、暮らしキーワード
◎精霊流し（しょうろうながし）◎大文字（だいもんじ）◎打水（うちみず）◎団扇（うちわ）◎浴衣（ゆかた）◎麻刈り（あさかり）

Summer 夏 6・7・8月 生まれの名前例

珠杏 じゅあん
6月を意味するフランス語「ジュアン」に、初夏に実が熟す杏のイメージを重ねて。

潤 じゅん
6月を意味する英語「ジューン」に、雨で潤うイメージを重ねて。

紫陽里 しより
梅雨の時期に咲く花、紫陽花（あじさい）から。

渚 なぎさ
海に関連する言葉から。

凪沙 なぎさ
夏の夕凪のイメージと、渚（なぎさ）の響きから。

夏希 なつき
夏の明るいイメージで。

夏海 なつみ
海の季節にちなんで。

七那子 ななこ
7月7日の七夕にちなんで。

碧音 あおね
夏の山を意味する青嶺（あおね）の響きから。

風南子 かなこ
夏に吹く南風から。

夏波 かなみ
海の季節にちなんで。

可蓮 かれん
夏に咲く蓮から。

歓奈 かんな
夏に咲くカンナから。

幸葉 さちは、ゆきは
白詰草（しろつめぐさ）の四葉のイメージから。

沙羅 さら
夏に花を咲かせる沙羅から。

更沙 さらさ
6月の衣替えにちなんで。

慈雨 じう
日照り続きのあとの恵みの雨を意味する言葉、慈雨から。

愛風 あいか
日本海沿岸で吹く北よりのそよ風をさす言葉「あいの風」から。

青葉 あおば
青々と茂った夏の青葉から。

碧羽 あおば
鮮やかな青色の夏鳥、翡翠（かわせみ）のイメージから。

雨音 あまね
しとしと降る梅雨のやさしい音のイメージから。

天寧 あまね
夏の夜空にきれいに見える天の川から。

杏実 あみ
6月ごろに実が熟す杏から。

彩七 あやな
夏の雨上がりのあとによく見られる虹の七色のイメージから。

亜由香 あゆか
夏を代表する川魚の鮎と、鮎の別名の香魚（こうぎょ）から。

優莉 ゆうり

7月を意味するドイツ語「ユーリ」から。

結乃 ゆの

英語で6月を意味する「ジューン（June）」の由来となった、ローマ神話の女神「ユノ（Juno）」から。

百合 ゆり

夏に咲く百合から。

莉帆 りほ

夏に咲く茉莉（まつり）と、海の季節にちなんで。

璃々衣 りりい

百合を意味する英語「リリイ」から。

鈴風 りんか

夏の風物詩、風鈴から。

瑠音 るね

瑠璃色の羽根ときれいな鳴き声を持つ夏鳥、大瑠璃のイメージ。また、6月を意味するハワイ語の「ルネ」から。

琉美 るみ

7月の誕生石ルビーから。

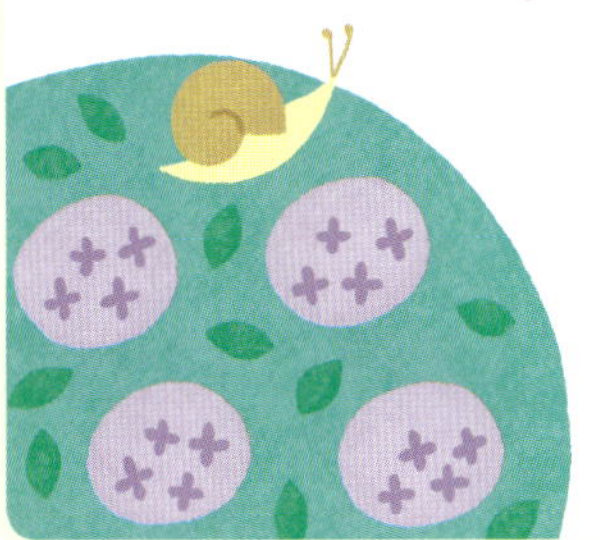

美織 みおり

七夕の織姫にちなんで。

美葵 みき

夏に咲く立葵（たちあおい）から。

海咲 みさき

海の季節にちなんで。

美涼 みすず

納涼や夕涼みのイメージから。

美昊 みそら

明るい夏空を意味する「昊（そら）」の字をいかして。

水那 みな

6月の異名、水無月（みなづき）の響きから。

美峰 みほ

夏の青々とした美しい山と、入道雲の別名「雲の峰（くものみね）」から。

美嶺 みれい

夏の青々と茂った美しい山のイメージから。

麦穂 むぎほ

美しい黄金色になる初夏の麦穂から。

雲音 もね

夏の入道雲のイメージから。

七星 ななせ

七夕の夜空のイメージから。

南々帆 ななほ

7月の「なな」の響きと、海の季節にちなんで。

葉月 はづき

8月の異名、葉月から。

陽向 ひなた

夏に咲く向日葵（ひまわり）から。

芙美花 ふみか

夏に咲く芙蓉（ふよう）から。

紅花 べにか

6～7月ごろに花を咲かせる、紅花（べにばな）から。

蛍 ほたる

夏の夜に幻想的な光の競演を見せる蛍にちなんで。

真珠 まじゅ

6月の誕生石、真珠から。

茉莉 まり

夏に咲く茉莉（まつり）から。

美雨 みう

しとしと降る梅雨のイメージから。

未央 みお

梅雨時期に黄色の花を咲かせる未央柳（びょうなぎ）から。

September

9月のキーワード

秋

萩（はぎ）

秋の七草のひとつ。紫の蝶型の花をつけ、秋風にしなやかにゆれるさまは、古来より日本人に愛され、万葉集でも数多く詠まれている。

秋茜（あきあかね）

赤とんぼの一種。初夏に平地で羽化し、いったん高原に移動して、秋に平地に戻ってくる。オスは成熟すると赤色になる。

動物、植物

鈴虫（すずむし）

秋の夜にはさまざまな虫の音が聞こえる。なかでも「リーン、リーン」と鳴く鈴虫は、月から降ってきた鈴という意味の「月鈴子（げつれいし）」の異称を持つ。

秋桜（こすもす）

秋を代表するピンクの可憐な花。コスモスの名は、ギリシャ語で秩序や宇宙を意味する「コスモス（kosmos）」に由来。「秋桜」は、花弁の形が桜に似ているところからの和名。

河原撫子（かわらなでしこ）

秋の七草のひとつ。名前の由来は、わが子をなでるようにかわいい花だから。別名の「大和撫子（やまとなでしこ）」は、かわいらしく繊細でありながら、芯のある日本女性の美称でもある。

9月の異名

長月（ながつき）
菊月（きくづき）
祝月（いわいづき）
紅葉月（もみじづき）
青女月（せいじょづき）
色取月（いろどりづき）
季秋（きしゅう）
高秋（こうしゅう）
季白（きはく）
授衣（じゅえ）

9月の誕生石

サファイア（青玉）

9月の12星座

乙女座（8/23～9/22生まれ）
天秤座（9/23～10/23生まれ）

9月を意味する外国語

英語：September（セプテンバー）
フランス語：septembre（セプタンブル）
スペイン語：septiembre（セプティエンブレ）
イタリア語：settembre（セッテンブレ）
ドイツ語：September（ゼプテムバー）
ロシア語：сентябрь（シンチャーブリ）
ラテン語：September（セプテンベル）
ハワイ語：Kepakemapa（ケパケマパ）
中国語：九月（ジョウユエ）
韓国語：구월（クウォル）

そのほかの動物、植物キーワード

◎葡萄（ぶどう）◎梨（なし）◎露草（つゆくさ）◎藤袴（ふじばかま）◎竜胆（りんどう）◎桔梗（ききょう）◎曼珠沙華（まんじゅしゃげ）◎紫苑（しおん）◎藍の花（あいのはな）◎稲穂（いなほ）◎桐一葉（きりひとは）

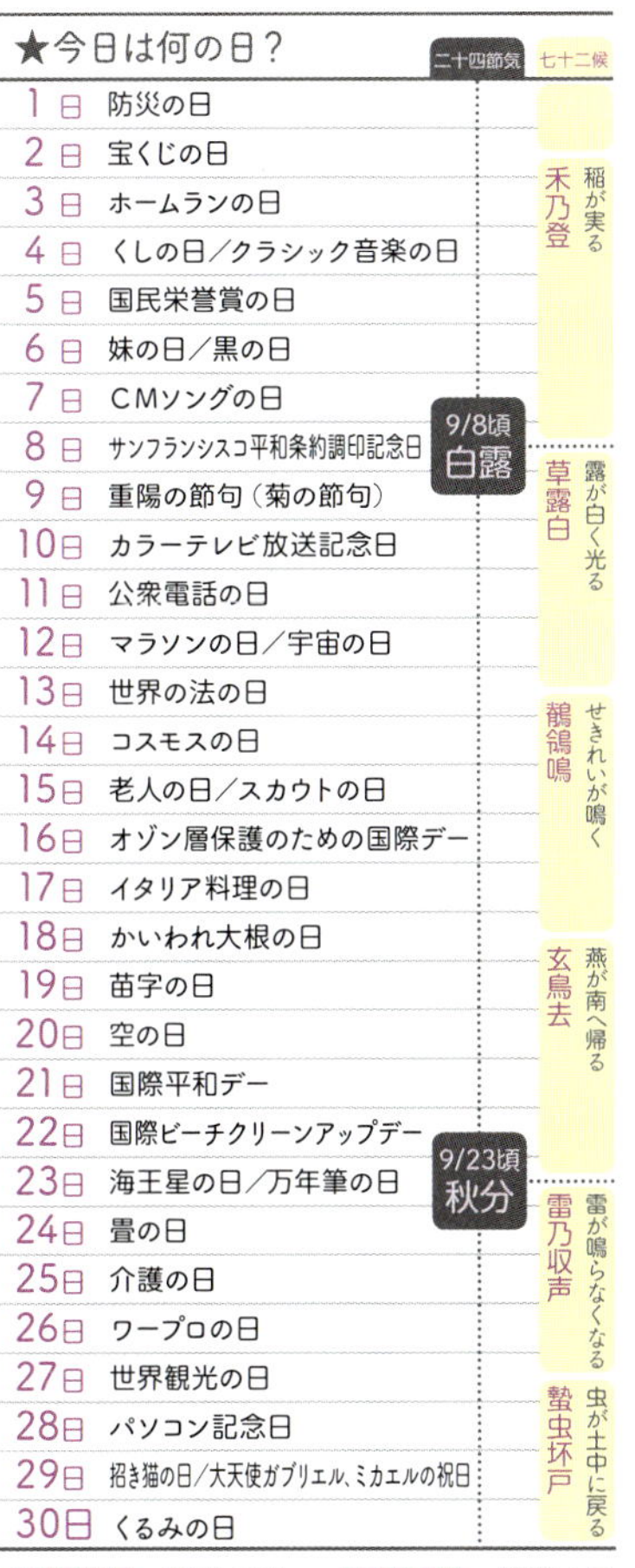

★今日は何の日？		二十四節気	七十二候
1日	防災の日		
2日	宝くじの日		禾乃登 稲が実る
3日	ホームランの日		
4日	くしの日／クラシック音楽の日		
5日	国民栄誉賞の日		
6日	妹の日／黒の日		
7日	CMソングの日		
8日	サンフランシスコ平和条約調印記念日	9/8頃 白露	草露白 露が白く光る
9日	重陽の節句（菊の節句）		
10日	カラーテレビ放送記念日		
11日	公衆電話の日		
12日	マラソンの日／宇宙の日		
13日	世界の法の日		鶺鴒鳴 せきれいが鳴く
14日	コスモスの日		
15日	老人の日／スカウトの日		
16日	オゾン層保護のための国際デー		
17日	イタリア料理の日		
18日	かいわれ大根の日		玄鳥去 燕が南へ帰る
19日	苗字の日		
20日	空の日		
21日	国際平和デー		
22日	国際ビーチクリーンアップデー		
23日	海王星の日／万年筆の日	9/23頃 秋分	雷乃収声 雷が鳴らなくなる
24日	畳の日		
25日	介護の日		
26日	ワープロの日		
27日	世界観光の日		
28日	パソコン記念日		蟄虫坏戸 虫が土中に戻る
29日	招き猫の日／大天使ガブリエル、ミカエルの祝日		
30日	くるみの日		

第3月曜日　敬老の日　　9月22日頃　秋分の日

白露（はくろ）

二十四節気のひとつで、9月7日ごろをさす。まだ残暑が厳しい時期だが、地域によっては秋が本格的に到来し、草花に朝露がつくようになること。

秋の夕暮れ（あきのゆうぐれ）

「春はあけぼの」で、「秋は夕暮れ」とは、清少納言の『枕草子』の一説。澄んだ秋の空は夕焼けも美しい。夏にくらべ日没が早くなることもあり、夕焼けを意識しやすい季節といえる。

そのほかの天候、地理キーワード

◎葉風（はかぜ）◎野分（のわき）◎望月（もちづき）◎満月（まんげつ）◎照る月（てるつき）◎月の桂（つきのかつら）◎月の都（つきのみやこ）◎月の滴（つきのしずく）◎稲の波（いねのなみ）◎秋の夜長（あきのよなが）

行事、暮らし

十五夜（じゅうごや）

旧暦8月15日の月のこと。1年でもっとも月が美しいとされ「中秋の名月」ともいう。現在の暦では9月から10月上旬にあたる。

実りの秋（みのりのあき）

秋は新米の収穫をはじめ、野山の木の実やきのこ、さらに、ぶどう、梨、柿、りんごなどさまざまな果物がおいしい季節。収穫に感謝する秋祭りも各地で行われる。

そのほかの行事、暮らしキーワード

◎重陽の節句（ちょうようのせっく）◎秋社（しゅうしゃ）◎稲刈り（いねかり）◎観月の夕べ（かんげつのゆうべ）◎二百十日（にひゃくとおか）

October 秋 10月のキーワード

天候、地理

爽やか（さわやか）

「さやか」ともいう。人柄をあらわしたり、新緑の季節に使ったりとさまざまな場面で使われるが、俳句では秋の季語。澄んだ空気のなか、さらっとした心地よい秋風が吹くさまをいう。

秋晴れ（あきばれ）

すがすがしく、晴れ渡った秋の空のこと。春の空が白く霞がかっているのにくらべ、秋の空は青く澄んでいる。

動物、植物

胡桃（くるみ）

栄養価の高い果実で、紀元前7000年前から人類が食用に利用してきたともいわれる。初夏に花が咲き、秋に実をつける。フランス語では「noix（ノア）」。

林檎（りんご）

秋の味覚を代表する食べ物のひとつ。栄養価も高く、イギリスには「1日1個のりんごは医者を遠ざける」ということわざもある。

真弓（まゆみ）

初夏に花が咲き、秋に実がなり、淡紅色に熟す。「真弓」の名は、昔、よくしなるこの木の枝で弓をつくっていたことに由来する。

10月の異名

神無月（かんなづき）
建亥月（けんがいげつ）
陽月（ようげつ）
良月（りょうげつ）
時雨月（しぐれづき）
小春（こはる）
小陽春（しょうようしゅん）
大素（たいそ）
大章（たいしょう）
大月（だいげつ）

10月の誕生石

オパール（たんぱく石）
トルマリン（電気石）

10月の12星座

天秤座（9/23〜10/23生まれ）
蠍座（10/24〜11/22生まれ）

10月を意味する外国語

英語：October（オクトーバー）
フランス語：octobre（オクトーブル）
スペイン語：octubre（オクトゥブレ）
イタリア語：ottobre（オットーブレ）
ドイツ語：Oktober（オクトーバー）
ロシア語：октябрь（アクチャーブリ）
ラテン語：October（オクトーベル）
ハワイ語：Òkakopa（オカコパ）
中国語：十月（シーユエ）
韓国語：시월（シウォル）

そのほかの動物、植物キーワード

◎秋茜（あきあかね）◎椋鳥（むくどり）◎葡萄（ぶどう）
◎梨（なし）◎栗（くり）◎柿（かき）◎松茸（まつたけ）
◎舞茸（まいたけ）◎新米（しんまい）◎秋桜（こすもす）
◎紫苑（しおん）◎竜胆（りんどう）◎菊（きく）

★今日は何の日？		二十四節気	七十二候
1日	法の日／国際音楽の日		
2日	トレビの泉の日		
3日	登山の日		水始涸　田畑の水を干し始める
4日	宇宙開発記念日		
5日	時刻表記念日		
6日	国際協力の日		
7日	ミステリー記念日		
8日	木の日	10/8頃 寒露	鴻雁来　雁が飛来し始める
9日	世界郵便デー		
10日	目の愛護デー		
11日	鉄道安全確認の日		
12日	コロンブス・デー		
13日	サツマイモの日		菊花開　菊の花が咲く
14日	鉄道の日／世界標準の日		
15日	たすけあいの日		
16日	世界食糧デー		
17日	貯蓄の日／神嘗祭		
18日	統計の日		蟋蟀在戸　キリギリスが鳴く
19日	日ソ国交回復の日		
20日	リサイクルの日		
21日	国際反戦デー／あかりの日		
22日	平安京遷都の日		
23日	電信電話記念日	10/23頃 霜降	霜始降　霜が降り始める
24日	国連デー		
25日	民間航空記念日		
26日	サーカスの日		
27日	世界新記録の日		
28日	もめんの日		霎時施　小雨がしとしと降る
29日	てぶくろの日		
30日	初恋の日／マナーの日		
31日	ハロウィン／日本茶の日		

第2月曜日　スポーツの日

そのほかの天候、地理キーワード

◎清秋（せいしゅう）◎天高し（てんたかし）◎秋澄む（あきすむ）◎空澄む（そらすむ）◎鱗雲（うろこぐも）◎羊雲（ひつじぐも）◎釣瓶落とし（つるべおとし）◎秋夕（しゅうせき）◎風爽か（かぜさやか）

金木犀（きんもくせい）

庭木に広く用いられる木で、9月下旬から10月上旬にかけてオレンジがかった黄色の花を咲かせ、独特の強くやさしい香りをただよわせる。

花梨（かりん）

春に淡い紅色の花をつけ、秋には黄色の実をつける。香りがよく、果実酒や菓子、のど飴などに利用される。

味覚狩り（みかくがり）

きのこ、果物などたくさんのおいしい食べ物が実りを迎える秋は、気候の心地よさも手伝って、絶好の味覚狩りシーズン。

体育の日（たいいくのひ）

1964年に開催された東京オリンピックの開会式を記念した祝日。晴れる確率が高い日ともいわれ、全国各地で体育祭やスポーツイベントが行われる。

行事、暮らし

竜田姫（たつたひめ）

春の女神である佐保姫（さほひめ）に対して、秋を司るのが「竜田姫」。平城京の西の竜田山に鎮座。その美しい山の紅葉は竜田姫が織りなすものとされる。

そのほかの行事、暮らしキーワード

◎十三夜（じゅうさんや）◎秋の行楽（あきのこうらく）◎稲刈り（いねかり）◎ハロウィン

November

11月のキーワード

秋

小春日和（こはるびより）

立冬を過ぎても春のようにあたたかい日和のことをいう。「小春」は旧暦10月（現在の11月ごろ）の異称のひとつでもある。

楓（かえで）

秋に紅葉する樹木の代表格。なかでもよく見かけるのが、葉が5〜7つに裂けた手ひら状の楓で、これを「伊呂波楓（いろはかえで）」または「伊呂波紅葉（いろはもみじ）」という。

鶫（つぐみ）

晩秋に大群で日本に飛来する冬鳥。山林や田園などで冬を過ごし、燕（つばめ）と入れ替わるようにシベリアの繁殖地へ帰る。

山茶花（さざんか）

日本固有種で、香りのよいツバキ科の花木。秋の終わりから2月ごろまで、ピンクや白色の花を咲かせる。

動物、植物

菊（きく）

秋を代表する花であり、10〜11月には全国各地で菊祭りが開催される。桜とともに日本を象徴する花でもある。

棗（なつめ）

万葉の時代に中国から日本に渡来し、果実は食用や薬用に利用されてきた。6月ごろに黄色の小さな花をつけ、秋に赤い実をつける。初夏になって芽を出すため「夏芽」とも書く。

11月の異名

霜月（しもつき）
建子月（けんしげつ）
暢月（ちょうげつ）
達月（たつげつ）
雪待月（ゆきまちづき）
神帰月（かみきづき）
盛冬（せいとう）
天泉（てんせん）
周正（しゅうしょう）
黄鐘（おうしょう）

11月の誕生石

トパーズ（黄玉）
シトリン（黄水晶）

11月の12星座

蠍座（10/24〜11/22生まれ）
射手座（11/23〜12/21生まれ）

11月を意味する外国語

英語：November（ノヴェンバー）
フランス語：novembre（ノヴァンブル）
スペイン語：noviembre（ノビエンブレ）
イタリア語：novembre（ノヴェンブレ）
ドイツ語：November（ノヴェムバー）
ロシア語：ноябрь（ナヤーブリ）
ラテン語：November（ノウェンベル）
ハワイ語：Nowemapa（ノウェマパ）
中国語：十一月（シーイーユエ）
韓国語：십일월（シビロル）

そのほかの動物、植物キーワード

◎銀杏（いちょう、ぎんなん）◎丸葉木（まるばのき）◎桂（かつら）◎木の実（このみ）◎茶の花（ちゃのはな）

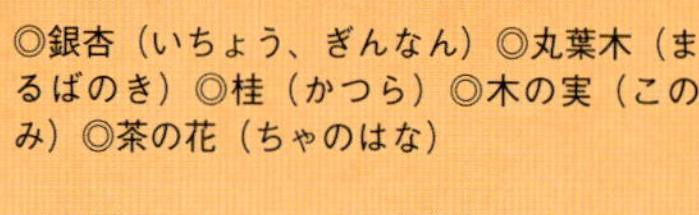

★今日は何の日？		二十四節気	七十二候
1日	灯台記念日		
2日	阪神タイガース記念日		楓蔦黄 もみじや蔦が黄葉する
3日	文化の日／ゴジラの日		
4日	ユネスコ憲章記念日		
5日	電報の日／縁結びの日		
6日	アパート記念日		
7日	知恵の日	11/7頃 立冬	山茶始開 椿の花が咲き始める
8日	いい歯の日		
9日	太陽暦採用記念日		
10日	いい音・オルゴールの日		
11日	世界平和記念日		
12日	洋服記念日		地始凍 大地が凍り始める
13日	うるしの日		
14日	いい石の日		
15日	七五三		
16日	国際寛容デー		
17日	将棋の日		金盞香 水仙の花が咲く
18日	もりとふるさとの日／ミッキーマウス誕生日		
19日	鉄道電化の日		
20日	世界こどもの日		
21日	世界ハローデー／インターネット記念日		
22日	いい夫婦の日	11/22頃 小雪	虹蔵不見 虹を見かけなくなる
23日	勤労感謝の日／いいふみの日		
24日	東京天文台設置記念日／進化の日		
25日	OLの日		
26日	ペンの日		
27日	ノーベル賞制定記念日		朔風払葉 北風が木の葉を払う
28日	太平洋記念日		
29日	いい服の日		
30日	カメラの日／鏡の日		

天候、地理

紅葉（こうよう、もみじ）

赤黄に染まった風景は、春の桜とともに、日本の四季の豊かさを感じさせる。紅葉を見物する習慣は平安期からと古く、歌や和歌に詠まれることも多い。もみじは「椛」とも書く。

照葉（てりは）

草木の葉が、秋の陽射しを受けて照り輝いていること。青空とのコントラストが美しい。

そのほかの天候、地理キーワード

◎野の錦（ののにしき）◎山の錦（やまのにしき）◎初霜（はつしも）◎木枯らし（こがらし）◎神立風（かみたつかぜ）◎山茶花梅雨（さざんかづゆ）◎秋の果（あきのはて）◎水澄む（みずすむ）◎星の入東風（ほしのいりごち）

行事、暮らし

七五三（しちごさん）

女の子は3歳と7歳、男の子は3歳と5歳に、子どもの成長を感謝し、幸せを願う。七五三で食べる千歳飴（ちとせあめ）には、長寿の願いが込められている。

芸術の秋（げいじゅつのあき）文化の日（ぶんかのひ）

11月3日は文化の日。爽やかで涼しい秋は「芸術の秋」ともいわれ、創作意欲わく季節。大きな美術展なども多い。

そのほかの行事、暮らしキーワード

◎紅葉狩り（もみじがり）◎木の実拾い（このみひろい）◎読書の秋（どくしょのあき）◎新嘗祭（にいなめさい）◎高千穂の夜神楽（たかちほのよかぐら）◎酉の市（とりのいち）◎勤労感謝の日（きんろうかんしゃのひ）◎十日夜（とおかんや）

秋 9・10・11月 生まれの名前例

Autumn

小菊 こぎく
秋を代表する花の菊から。

好美 このみ
木の実の響きから。

小萩 こはぎ
秋の七草の萩にちなんで。

小晴 こはる
立冬を過ぎても春のようにあたたかい日和をさす言葉、小春日和（こはるびより）から。

清佳 さやか
秋のさわやかな空と気候のイメージから。

詩織 しおり
芸術の秋にちなんで。

栞 しおり
読書の秋にちなんで。

珠華 しゅか
秋に赤い花を咲かせる、曼珠沙華（まんじゅしゃげ）から。

楓 かえで
秋を彩る紅葉から。

可澄 かすみ
秋の澄んだ空をイメージして。

禾野 かの
実りの秋のイメージから、穀物を意味する「禾」の字を使って。

奏音 かのん
芸術の秋のイメージから。

香凛 かりん
秋に実をつける香りのよい花梨（かりん）のイメージから。

栞奈 かんな
10月の異名、神無月（かんなづき）と、読書の秋から「栞（しおり）」の1字を使って。

紅実 くみ
林檎の赤いイメージから。

來実 くるみ
秋に実をつける胡桃（くるみ）から。

青依 あおい
9月の誕生石サファイアのブルーのイメージから。

茜 あかね
秋の夕焼けや、赤とんぼの秋茜（あきあかね）から。

秋桜 あきお
秋に咲く秋桜（こすもす）から。

秋穂 あきほ
実りの秋のイメージから。

文音 あやね、ふみね
11月3日の文化の日にちなんで。

育実 いくみ、はぐみ
10月の体育の日にちなんで。

彩葉 いろは
秋を彩る紅葉のイメージから。

絵麻 えま
芸術の秋のイメージから。

乙女 おとめ
12星座の乙女座から。

椛 もみじ
秋を彩る紅葉にちなんで。

紅葉 もみじ、くれは
秋を彩る紅葉から。

優香 ゆうか
9〜10月に独特のやさしい香りの花を咲かせる金木犀（きんもくせい）のイメージから。

夕妃 ゆうひ、ゆき
秋の美しい夕暮れから。

優月 ゆづき
十五夜の月と、秋の夜長のやさしい空気感をイメージして。

夕実里 ゆみり
実りの秋と、夕暮れのイメージから。

梨花 りか、りんか
秋に香りのよい実をつける花梨（かりん）から。

鈴子 りんこ
秋の夜長に、リーンリーンと鳴く鈴虫のイメージから。

乃亜 のあ
フランス語で胡桃を意味する「ノア」から。

陽月 ひづき
10月の異名、陽月（ようげつ）から。

穂波 ほなみ
実りの秋のイメージから。

真弓 まゆみ
秋に実がなる真弓から。

望央 みお
満月の別名、望（ぼう）から。

実禾 みか
実りの秋のイメージから。

実空 みそら、みく
実りの秋と、秋晴れのイメージから。

美月 みづき
美しい秋の月にちなんで。

実乃梨 みのり
実りの秋と、秋の味覚の梨から。

実里 みのり
実りの秋の、美しく豊かな里の風景をイメージして。

都子 みやこ
月の美称「月の都」から。

澄風 すみか
秋の澄んだ空と、心地よいさわやかな風をイメージして。

爽子 そうこ
秋のさわやかな空気や天候をイメージして。

多都季 たつき
秋の女神、竜田姫（たつたひめ）の響きから。

千橙世 ちとせ
七五三と、秋をイメージさせる橙色（だいだいいろ）から。

千晴 ちはる
秋晴れのイメージから。

千穂 ちほ
実りの秋や稲穂のイメージから。

つぐみ
晩秋に日本に飛来する鶫（つぐみ）から。

照葉 てりは、てるは
紅葉した草木が陽射しで輝くことを意味する言葉、照葉（てりは）から。

なつめ
秋に赤い実をつける棗（なつめ）から。

撫子 なでしこ
秋の七草のひとつ、河原撫子（かわらなでしこ）から。

冬

December

12月のキーワード

動物、植物

柊（ひいらぎ）
ヒイラギには11〜12月に香りのよい白い花をつけるモクセイ科の常緑小高木と、モチノキ科で赤い実をつける西洋柊の2種類がある。いずれもギザギザの葉が特徴。西洋柊は、ヨーロッパでは古くから聖木とされ、クリスマスの装飾の定番として使用されている。

蜜柑（みかん）
もっとも身近な果物のひとつ。なかでも冬の定番の温州蜜柑（うんしゅうみかん）は、日本人一人当たりの果物消費量日本一。温州蜜柑は日本原産で、現在は世界でも広く親しまれている。

橘（たちばな）
日本に古来より自生する柑橘類で、『古事記』などにも登場。初夏に白い花をつけ、冬に黄色の果実をつける。古くから文様や家紋のデザインに用いられ、近代でも勲章のデザインに採用されている。

柚子（ゆず）
初夏に白い花をつけ、12月に鮮やかな黄色に熟す香りのよい柑橘類。冬至の日に柚子湯に入ると風邪をひかないといわれる。

白鳥（はくちょう）
冬になるとシベリアから飛来して越冬し、3月ごろ帰っていく。その真っ白で優美なさまは、古来より神聖な鳥とされ、神話にも登場する。

そのほかの動物、植物キーワード

◎千鳥（ちどり）◎都鳥（みやこどり）◎百合鷗（ゆりかもめ）◎羚羊（かもしか）◎寒椿（かんつばき）

12月の異名

師走（しわす）
暮来月（くれこづき）
年満月（としみつづき）
乙子月（おとごづき）
氷月（ひょうげつ）
茶月（さげつ）
清祀（せいし）
嘉平（かへい）
大呂（たいりょ）
玄律（げんりつ）

12月の誕生石

ターコイズ（トルコ石）
ラピスラズリ（瑠璃）

12月の12星座

射手座（11/23〜12/21生まれ）
山羊座（12/22〜1/19生まれ）

12月を意味する外国語

英語：December（ディセンバー）
フランス語：décembre（デサンブル）
スペイン語：diciembre（ディシンブレ）
イタリア語：dicembre（ディチェンブレ）
ドイツ語：Dezember（デツェンバー）
ロシア語：декабрь（ジェカーブリ）
ラテン語：December（デケンベル）
ハワイ語：Kekemapa（ケケマパ）
中国語：十二月（シーアールユエ）
韓国語：십이월（シビウォル）

★今日は何の日？

日		二十四節気	七十二候
1日	鉄の記念日／映画の日		
2日	日本人宇宙飛行記念日		橘始黄 橘が黄葉し始める
3日	カレンダーの日		
4日	E・Tの日		
5日	国際ボランティア・デー		
6日	音の日／聖ニコラウスの日		
7日	神戸開港記念日	12/7頃 大雪	閉塞成冬 天地の気が塞がり冬に
8日	事納め／成道会		
9日	地球感謝の日		
10日	世界人権デー		
11日	ユニセフ創立記念日		
12日	漢字の日		熊蟄穴 熊が冬眠する
13日	ビタミンの日／正月事始め		
14日	南極の日		
15日	観光バス記念日		
16日	電話創業の日		
17日	飛行機の日		鱖魚群 鮭が群がり川を上る
18日	国連加盟記念日		
19日	日本初飛行の日		
20日	ブリの日		
21日	回文の日		
22日	改正民法公布記念日	12/22頃 冬至	乃東生 夏枯草が芽を出す
23日	東京タワー完工の日		
24日	クリスマス・イブ		
25日	クリスマス		
26日	プロ野球誕生の日		
27日	ピーターパンの日		麋角解 大鹿が角を落とす
28日	身体検査の日		
29日	シャンソンの日		
30日	地下鉄記念日		
31日	大晦日		

12月のキーワード

天候、地理

朔風（さくふう）
「朔」は北の方角をあらわす漢字で、朔風は北風のこと。

小雪（こゆき）
少しだけ降る雪のこと。また11月下旬から12月上旬にかけての二十四節気のひとつでもあり、この場合は「しょうせつ」と読む。

冴ゆる（さゆる）
冬の寒さを表現した季語。寒さがきわまって、あらゆるものに透きとおったような、凜とした冷たさを感じること。

そのほかの天候、地理キーワード
◎北風（きたかぜ）◎霜柱（しもばしら）◎初雪（はつゆき）◎樹氷（じゅひょう）◎星冴ゆ（ほしさゆ）◎風冴ゆ（かぜさゆ）◎月冴ゆ（つきさゆ）◎昴（すばる）

行事、暮らし

クリスマス
イエス・キリストの降誕を祝う日。街中がクリスマスイルミネーションに彩られ、子どもたちはサンタクロースからの贈り物を心待ちにするハッピーな日。24日のクリスマスイブは「聖夜」ともいう。

除夜の鐘（じょやのかね）
12月31日の夜、深夜0時を挟む時間帯にお寺の鐘をつくこと。人間にあるとされる108の煩悩（ぼんのう）をはらうために、108回の鐘をつく。

そのほかの行事、暮らしキーワード
◎大晦日（おおみそか）◎年越し（としこし）◎囲炉裏（いろり）◎暖炉（だんろ）◎編み物（あみもの）◎毛糸（けいと）

January 1月のキーワード 冬

鶴（つる）

古来より長寿やめでたいものの象徴とされてきた鳥。鹿児島県出水平野に飛来する「真鶴（まなづる）」や、北海道の釧路湿原に生息する「丹頂（たんちょう）」がよく知られる。

動物、植物

水仙（すいせん）

冬から春にかけて白や黄色の花を咲かせるが、雪のなかでも咲くことから「雪中花（せっちゅうか）」の名もある。

福寿草（ふくじゅそう）

本来の開花時期は2〜3月で、旧暦の正月ごろ（現在の2月）に咲き出すことから「元日草（がんじつそう）」の名がる。現在でもお正月の床飾りにする習慣がある。

冬牡丹（ふゆぼたん）

「富貴草（ふうきそう）」「百花の王（ひゃっかのおう）」とも呼ばれる牡丹。冬牡丹は、春と秋の二季咲きの牡丹を人工的に管理して冬に咲かせたもの。雪除けの藁囲いのなかでけなげに花を咲かせるさまは、春咲きとは違った風情。

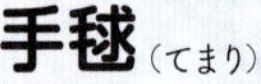

手毬（てまり）

日本の伝統的な女の子の正月遊びのひとつ。色糸で美しく仕上げられた手毬を手に弾ませて遊ぶ。

1月の異名

睦月（むつき）
元月（げんげつ）
初月（しょげつ）
泰月（たいげつ）
太郎月（たろうづき）
早緑月（さみどりづき）
新春（しんしゅん）
初歳（しょさい）
華歳（かさい）
初陽（しょよう）

1月の誕生石

ガーネット（ざくろ石）

1月の12星座

山羊座（12/22〜1/19生まれ）
水瓶座（1/20〜2/18生まれ）

1月を意味する外国語

英語：January（ジャニュエリー）
フランス語：janvier（ジャンヴィエ）
スペイン語：enero（エネロ）
イタリア語：gennaio（ジェナーイオ）
ドイツ語：Januar（ヤヌアー）
ロシア語：январь（インヴァーリ）
ラテン語：Ianuarius（ヤヌアーリウス）
ハワイ語：Ianuali（ラヌアリ）
中国語：一月（イーユエ）
韓国語：일월（イロル）

そのほかの動物、植物キーワード

◎白鳥（はくちょう）◎羚羊（かもしか）◎兎（うさぎ）◎寒椿（かんつばき）◎橘（たちばな）◎南天の実（なんてんのみ）

★今日は何の日？		二十四節気	七十二候
1日	元旦／鉄腕アトムの日		雪下出麦　雪の下で麦が芽を出す
2日	初夢の日／月ロケットの日		
3日	瞳の日		
4日	ストーンズデー（石の日）		
5日	シンデレラの日	1/5頃 小寒	
6日	ジャンヌ・ダルク誕生の日		芹乃栄　芹がよく生育する
7日	人日の節句（七草粥）		
8日	勝負事の日		
9日	とんちの日		
10日	110番の日		
11日	鏡開き		水泉動　凍った泉がとけ始める
12日	スキー記念日		
13日	咸臨丸出航記念日		
14日	飾納（かざりおさめ）・松納（まつおさめ）		
15日	小正月		
16日	初閻魔（はつえんま）／囲炉裏の日		雉始雊　雄の雉が鳴き始める
17日	今月今夜の月の日（尾崎紅葉祭）		
18日	都バス記念日		
19日	のど自慢の日		
20日	二十日正月	1/20頃 大寒	款冬華　フキノトウが蕾を出す
21日	料理番組の日		
22日	ジャズの日		
23日	電子メールの日		
24日	郵便制度施行記念日		
25日	お詫びの日		水沢腹堅　沢に氷が厚く張る
26日	文化財防火デー		
27日	国旗制定記念日		
28日	逸話の日		
29日	人口調査記念日		
30日	3分間電話の日		
31日	晦日正月		

第2月曜日　成人の日

天候、地理

雪（ゆき）
六花（りっか）

雪にもさまざまな呼び方があり、雪の美称としては、「雪花（せっか）」「深雪（みゆき）」などがある。また、雪の結晶が六角形であることから、「六花（りっか）」ともいう。

そのほかの天候、地理キーワード

◎新春（しんしゅん）◎初春（しょしゅん）◎初日の出（はつひので）◎初茜（はつあかね）◎冴ゆる（さゆる）◎氷柱（つらら）◎牡丹雪（ぼたんゆき）◎吹雪（ふぶき）◎雪明かり（ゆきあかり）◎銀世界（ぎんせかい）

風花（かざはな）

晴れた日に雪が花びらのように美しく散るさま。

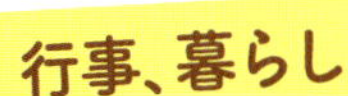

行事、暮らし

羽根つき（はねつき）

正月の伝統的な遊びのひとつ。災いをはね（羽）のけるという意味から、正月の厄払いとして、羽根つきを行い、女の子の健康と成長を祈願する。

そのほかの行事、暮らしキーワード

◎正月（しょうがつ）◎元旦（がんたん）◎御慶（ぎょけい）◎門松（かどまつ）◎年賀（ねんが）◎お節料理（おせちりょうり）◎鏡開き（かがみびらき）◎初夢（はつゆめ）◎初詣（はつもうで）◎七福神詣（しちふくじんもうで）◎独楽回し（こままわし）◎伊呂波歌留多（いろはかるた）◎福笑い（ふくわらい）◎成人式（せいじんしき）

七草粥（ななくさがゆ）

1月7日は「人日（じんじつ）の節句」で、七草粥を食べて1年の無病息災を祈る習慣がある。春の七草は、芹（せり）、薺（なずな）、御形（ごぎょう）、繁縷（はこべら）、仏の座（ほとけのざ）、菘（すずな）、蘿蔔（すずしろ）の7種。

February

2月のキーワード

冬

天候、地理

雪間（ゆきま）
雪が消えて、ところどころ地表が顔をのぞかせること。また、雪間に萌え出でた草を「雪間草（ゆきまそう）」という。

春一番（はるいちばん）
立春を過ぎ、その年初めて吹く南寄りの風。春の訪れを感じさせる。

蕗の薹（ふきのとう）
雪解けを待たずに卵形で淡緑色の花茎を出す、春の訪れを告げる代表的な山菜。

猫柳（ねこやなぎ）
冬枯れの早春の水辺で、銀白色のフワフワとした花穂をつける。その見た目を猫の尾に見立てたのが、名前の由来。

そのほかの天候、地理キーワード
◎玉風（たまかぜ）◎風巻（しまき）◎春霙（はるみぞれ）◎春隣（はるどなり）◎春めく（はるめく）◎春信（しゅんしん）◎早春（そうしゅん）

クロッカス
道端や公園などで、冬の終わりを待ちきれないように咲き始める花。黄、青、紫、白などの色とりどりの愛らしい花を咲かせる。クロッカスの名はギリシャ語で糸という意味の「kroke（クロケ）」に由来。

2月の異名
如月（きさらぎ）
令月（れいげつ）
麗月（れいげつ）
梅見月（うめみづき）
初花月（はつはなづき）
仲陽（ちゅうよう）
美景（びけい）
華朝（かちょう）
恵風（けいふう）
星鳥（せいちょう）

2月の誕生石
アメシスト（紫水晶）

2月の12星座
水瓶座（1/20～2/18生まれ）
魚座（2/19～3/20生まれ）

2月を意味する外国語
英語：February（フェビリエリー）
フランス語：février（フェヴリエ）
スペイン語：febrero（フェブレロ）
イタリア語：febbraio（フェッブラーイオ）
ドイツ語：Februar（フェブルアー）
ロシア語：февраль（フィヴラーリ）
ラテン語：Februarius（フェブルアーリウス）
ハワイ語：Pepeluali（ペペルアリ）
中国語：二月（アールユエ）
韓国語：이월（イウォル）

Part 3 「生まれ月・季節」にちなんだ名前

2月のキーワード

★今日は何の日？

日	記念日	二十四節気	七十二候
1日	テレビ放送記念日		鶏始乳 鶏が卵を産み始める
2日	おんぶの日		
3日	節分		
4日	銀閣寺の日	2/4頃 立春	東風解凍 東風が厚い氷をとかす
5日	笑顔の日		
6日	ブログの日		
7日	オリンピックメモリアルデー		
8日	ロカビリーの日		
9日	漫画の日		黄鶯睍睆 鶯が山里で鳴き始める
10日	キタノ記念日		
11日	建国記念の日		
12日	ダーウィンの日		
13日	苗字制定記念日		
14日	聖バレンタインデー		魚上氷 割れた氷から魚が飛び出る
15日	春一番名づけの日		
16日	天気図記念日		
17日	天使のささやきの日		
18日	エアメールの日		
19日	天地の日	2/19頃 雨水	土脉潤起 雨で土が湿り気を含む
20日	普通選挙の日／歌舞伎の日		
21日	漱石の日／日刊新聞創刊の日		
22日	世界友情の日／猫の日		
23日	天皇誕生日／富士山の日		
24日	月光仮面登場の日		霞始靆 霞がたなびき始める
25日	夕刊紙の日		
26日	包むの日		
27日	絆の日		
28日	エッセイ記念日		
29日	閏日		

動物、植物

梅（うめ）

冬の終わりから春先にかけて花が咲き、「春告草（はるつげぐさ）」の名も。香りがよく可憐な花は古来より愛され、奈良時代までは花見といえば桜ではなく梅だった。

鶯（うぐいす）

「ホーホケキョ」の鳴き声はあまりにも有名。平地では2月上旬ごろから鳴き声が聞こえ始めるため、春告鳥（はるつげどり）の別名も。また、その年にはじめて聞いた鶯の鳴き声のことを「初音（はつね）」という。

スノードロップ

雪の雫（しずく）という意味を持ち、別名「雪の花（ゆきのはな）」とも。楽園を追われたアダムとイブの前にあらわれた天使が、降ってきた雪をこの花に変え、必ず春は来るという希望を与えたとか。

そのほかの動物、植物キーワード

◎目白（めじろ）◎鰆（さわら）◎公魚（わかさぎ）◎寒紅梅（かんこうばい）◎雪割一華（ゆきわりいちげ）◎黄梅（おうばい）◎節分草（せつぶんそう）

行事、暮らし

節分（せつぶん）

季節の変わり目に生じる邪気をはらうための行事で、豆まきをしたり、恵方巻（えほうまき）を食べたりする。「恵方」は、その年のもっともよい方位のこと。

そのほかの行事、暮らしキーワード

◎柊挿す（ひいらぎさす）◎福豆（ふくまめ）◎初午（はつうま）◎閏年（うるうどし）◎雪祭り（ゆきまつり）◎建国記念日（けんこくきねんび）

バレンタインデー

愛の誓いの日とされ、世界各地でさまざまな祝い方がある。日本では女性から男性にチョコレートを贈り、愛を告白できる日となっているが、最近では友達同士、家族同士で感謝の意をこめて贈り合うケースも増えている。

Winter

冬 12・1・2月 生まれの名前例

雫花 しずか
早春に白く可憐な花を咲かせるスノードロップ（雪の雫）から。

柊子 しゅうこ
秋から冬にかけて咲く柊（ひいらぎ）から。

閏奈 じゅんな
2月29日の閏日にちなんで。

鈴音 すずね
クリスマスのジングルベルのイメージから。

星来 せいら
冬の澄んだ空に輝く星を表現した言葉、星冴ゆ（ほしさゆ）から。

雪花 せつか
水仙の別名、雪中花（せっちゅうか）から。

聖奈 せな、せいな
クリスマスのイメージから。

芹奈 せりな
春の七草のひとつである芹（せり）から。

小梅 こうめ
早春に咲く梅から。

湖白 こはく
雪や白鳥のイメージから。

小羽 こはね
正月の羽根つきのイメージから。

心暖 こはる
冬の部屋のなかのあたたかいイメージから。

小雪 こゆき
雪のイメージから。

冴絵 さえ
冬の寒さを表現する言葉、冴ゆる（さゆる）から。

朔美 さくみ
冬の北風をさす朔風から。

冴月 さつき
冬の空に映える月を表現する言葉、月冴ゆ（つきさゆ）から。

編美 あみ
編み物のイメージから。

絃花 いとか
早春に咲く花クロッカスの名の由来（ギリシャ語で糸）にちなんで。

生蕗 いぶき
雪解けを待たずに芽を出す蕗（ふき）の薹から。

彩羽 いろは
お正月の羽根つきや伊呂波歌留多のイメージから。

乙華 おとか
12月の異名、乙子月（おとごづき）から。

絆奈 きずな
2月14日のバレンタインデーにちなんで。

橘香 きっか
冬に黄色の果実をつける、橘（たちばな）から。

銀華 ぎんか
冬の銀世界のイメージから。

結愛 ゆあ
2月14日のバレンタインデーにちなんで。

由珠 ゆず
冬に実が熟す柚（ゆず）の響きから。

柚香 ゆずか、ゆうか
冬に実が熟す柚（ゆず）から。

柚羽 ゆずは
柚と、お正月の羽根つきのイメージから。

夢 ゆめ
初夢のイメージから。

羅奈 らな
イタリア語で毛糸を意味する「ラナ」から。

瑠璃 るり
12月の誕生石ラピスラズリの和名、瑠璃（るり）から。

律花 りっか
雪の美称、六花（りっか）から。

麗子 れいこ
2月の異名、麗月（れいげつ）から。

愛美 まなみ
2月14日のバレンタインデーにちなんで。

舞雪 まゆき
雪のイメージから。

美羽 みう
白鳥の美しい羽をイメージして。

美景 みかげ
2月の異名、美景（びけい）から。

美歓 みかん
冬の果物、蜜柑（みかん）の響きから。

美冴 みさえ
冬の寒さを表現する言葉、冴ゆる（さゆる）から。

美聖 みさと
クリスマスのイメージから。

美兎 みと
兎（うさぎ）のイメージから。

美冬 みふゆ
冬の美しい景色をイメージして。

深雪 みゆき
雪の美称、深雪（みゆき）から。

睦希 むつき
1月の異名、睦月（むつき）にちなんで。

多恵 たえ
節分の行事、恵方巻きにちなんで。

千笑 ちえみ
お正月の福笑いのイメージから。

千鶴 ちづる
鶴のイメージから。

冬萌可 ともか
冬のイメージに、春を待ちわびるイメージを加えて。

なずな
春の七草のひとつ、薺（なずな）から。

新菜 にいな
新年や、春の七草のイメージから。

初音 はつね
鶯の美しい鳴き声をさす言葉、初音（はつね）から。

瞳 ひとみ
1月3日の瞳の日にちなんで。

陽毬 ひまり
伝統的な正月遊びの手毬から。

風花 ふうか
晴れた日に雪がひらひら降るさまをあらわす言葉、風花（かざはな）から。

どんな思いを込めた？

先輩パパ・ママの

赤ちゃんの名づけエピソード

名前はパパ・ママから赤ちゃんへのファーストプレゼント。「こんな子に育ってほしい」「こんな人生を歩んでほしい」など、パパとママの思いがたくさん詰まっているはず。
先輩パパ・ママが、愛するわが子のために一生懸命考えた名前と、決定までのエピソードを紹介します。

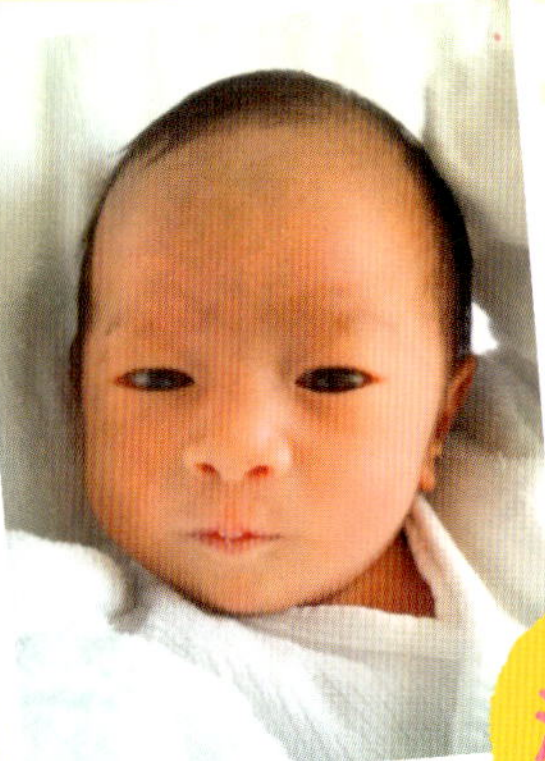

瀬那（せな）ちゃん

←中性的な響きで、お姉ちゃんの名前に使った「那」の字を入れたい、というのがママの希望でした。年の瀬の12月7日に私たち家族のもとに生まれてきてくれたので、「瀬那」。F1が大好きなパパも大満足な名前です。健康でのびのびと、視野の広い国際的な子に育ってほしいです。<知子ママ>

眞名（まな）ちゃん

↑妊娠中、大きなおなかをしているとき、めいっこが「まなちゃん、まなちゃん」とお話してくれていたのがきっかけで名づけました。写真家のパパのようにいつも本当のこと（真実）を愛の心で見て、正直に、そして強く、やさしく、あふれるエネルギーを思いっきり表現してほしいと願っています。<暢欣パパ・彰子ママ>

風楽（ふら）ちゃん

↓青い海と空、心地よい風、色鮮やかな植物――大好きな地、ハワイから名づけました。パパがずっと前から決めていた響きに、漢字をあてたのはママ。人生を楽しみ、さわやかな風をおこしてくれるような子に育ってほしいと願っています。<咲子ママ>

華凛（かりん）ちゃん

→女の子なので、華やな雰囲気を持ち、自分をしっかり持った凛とした女性に育ってほしいという思いを込めました。また彼女が生まれた11月は果物のカリンが旬だったので、季節感も感じてもらいたいなあと思います。<敏春パパ・千春ママ>

深結（みゆ）ちゃん

↑私たち夫婦が大切にしてきたものは家族や友人とのつながりです。妊娠、出産を通じて新たな出会いを結んでくれた感謝と、これから生きていくうえで人との結びつきを深く大切にし、広げていってほしいという願いを込めて深結と名づけました。<もえママ>

心祢（ここね）ちゃん

→生まれてきたわが子を見て響きを「ここね」に決め、ママの名前に含まれている「心」に、祖先を大事にしてほしいという気持ちから、「祢」を組み合わせました。2009年の9月に義母が、2010年の9月に実父が他界し、翌年の9月に誕生した心祢。ババ・ジジと会うことは叶わなかったけれど、心で通じてほしいと思っています。<恵ママ>

稀央（まお）ちゃん

↑耳にやさしく聞こえる「ま行」で始まる名前をもとに、「稀＝希望」「央＝集まる」の意で、希望を持ったポジティブな人が、いつも稀央のまわりに集まって来ますようにという思いを込めました。彼女がいつも笑顔でいられることを願っています。<紀子ママ>

真菜（まな）ちゃん

→夫婦で「まな」という音の響きが気に入って、名づけました。素直に真っすぐ、菜の花のようにかわいらしく明るく、やさしい女の子に育ってほしいと願っています。
<浩貴パパ>

愛結（あゆ）ちゃん

←「結」という字をつけたくて、「愛」と組み合わせました。愛を結ぶ＝人と人との絆を大切にし、愛情豊かな人生になるように、との思いを込めています。<路子ママ>

←「森」の字を含む姓とセットで、「森に浮かぶ優しい月」という情景をイメージ。穏やかでやさしい女性に育ってもらいたいという願いを込めてつけました。「ゆ」から始まる名前は、呼んだときの響きがやさしい点も気に入っています。
<秀治パパ・響子ママ>

優月（ゆづき）ちゃん

凛星（りほ）ちゃん

→「うみ」という響きは「海」を連想させ、海のようなやさしい存在感をまとった清く美しい心を持つ女性になってほしい、宇宙のように無限大の可能性や広がり、多くの選択肢に恵まれた人生でありますようにと名づけました。
<輝パパ・美里ママ>

宇美（うみ）ちゃん

↑星が好きなパパの希望で、「星」という字を入れた名前を考えていました。凛とした強くて思いやりのあるやさしい女性になってほしい、星のように明るくだれにでも愛されるような元気な子になってほしいという思いを込めて、「凛とした星」と書いて、「凛星」にしました。実際娘は、よく笑い明るく元気な子です。<剛パパ・朱里ママ>

↓主人と結婚する前から、主人がもう決めていた名前。ジブリの「耳をすませば」の主人公、月島雫のような純粋無垢な女性に育ってほしいとの願いからです。そして、主人と私の大事な大事な一滴（ひとしずく）の宝物という意味も込めています。 <和平パパ・佳奈ママ>

彩鈴（あいり）ちゃん

←予定日より12日も遅れ、鈴の音が響き渡るクリスマス間近に生まれたので「鈴」の文字を使いました。「あいり」という響きはパパ、漢字はママ。美しいものに囲まれて、彩り豊かな人生になりますように…。そして、鈴の音色のようにかわいらしく女性らしい、みんなから愛される女の子になりますように。
<真隆パパ・絵美子ママ>

雫（しずく）ちゃん

→運転中に「ニコニコレンタカー」の看板を見て一目で響きが気に入りました(笑)。きっかけは不純ですが、今では「ニコニコにこちゃん」と言われます♪ 「仁」は人を愛するという意味があるみたいです。いつもニコニコ幸せでいてほしいとの思いを込めました。
＜華子ママ＞

真愛(まな)ちゃん

仁子(にこ)ちゃん

↑どんなときにも愛を忘れないでほしい、名前のとおり、愛をもって行動できる子になってほしいという願いを込めて名づけました。＜光ママ＞

玲奈(れな)ちゃん

珠菜(みな)ちゃん

→男女の双子で生まれた子。男の子を「珀」と名づけ、同じ部首の漢字を使いたくて考えたところ、「玲」の字に「玉のようにきれいなさま」という意味があったので、そんな心のきれいな子に育ってほしいとの願いを込めました。女の子は母親の名前から1字もらうと幸せになると聞いたので、「奈」を止め字にして玲奈と名づけました。
＜基幹パパ・奈津美ママ＞

↑穏やかな春の日に生まれました。春の木漏れ日のようなあたたかさを持ち、そして、いつまでも宝石のようにキラキラ輝ける女性に育ってほしいという願いから、真珠や宝石などの意味を持つ「珠」という字に、春の花である菜の花のやさしいイメージからとった「菜」を組み合わせ、「珠菜」と名づけました。

＜洋平パパ・ひとみママ＞

莉里佳(りりか)ちゃん

←夫婦でいくつか名前の案を出し、そのなかで「"りりか"が一番響きがいいね」ということで呼び名はすぐに決まりました。漢字は、花のように愛らしく、賢い子になりますようにと願いを込めて「莉里佳」としました。保育園の先生などからは、「りりちゃん」と呼ばれたりして、あだ名もかわいく気に入っています！
＜孝一郎パパ＞

あおい
葵
ちゃん

↑1文字であること、きょうだいの名前が希望へつながること、このふたつを条件に考えました。きょうだい4人合わせて、「優」れた「未来」に「葵（天）」から「光」さす（カギカッコが名前）。葵は字の中に天があり、少し強引ですが天下の意を込めました。＜圭子ママ＞

あやね
文寧
ちゃん

↑響きは3音で、いちばん最初の音「あ」で始まる名前がいいね、と夫婦で名前を考え始めました。名づけ本をめくりながら気に入ったのが「寧」の字。「あ」で始まる読みがあって、画数的にもよい「文」の字を組み合わせて「文寧」と名づけました。古風な感じも夫の希望にぴったりで、しとやかで知的な女性に育ってくれたらと願っています。＜未佳ママ＞

さくら
ちゃん

↑おなかの赤ちゃんが女の子だとわかり、「しっかりした女の子に育ってほしいね」とパパと話すなかで、「上にお兄ちゃんがいてしっかり者の妹といったら、寅さんの妹のサクラ！」と候補のひとつに挙がっていた名前。出産後の私と娘の退院の日、病院の駐車場の桜が目の前の1本だけとてもきれいに花を咲かせていて、「これはもう"さくら"に決定だ！」と、パパが感じたそうです。＜智子ママ＞

なほ
夏帆
ちゃん

→夏の暑い陽射しのなか、帆を張って日陰をつくってみんなを涼ませるような、人のためになるやさしい子に育ってほしいと願い名づけました。「かほ」と読まれることが多いですが、少しひねって「なほ」に。呼びやすく、夏生まれの娘にぴったりで気に入っています。＜有史パパ、明子ママ＞

さよ
彩瑶
ちゃん

←春に生まれたので、春のいろどりを表す「彩」、中国の古い言葉で、宝石のようにみんなから大事にされる意味の「瑶」を使いました。すくすくと育っています。＜文隆パパ、有香子ママ＞

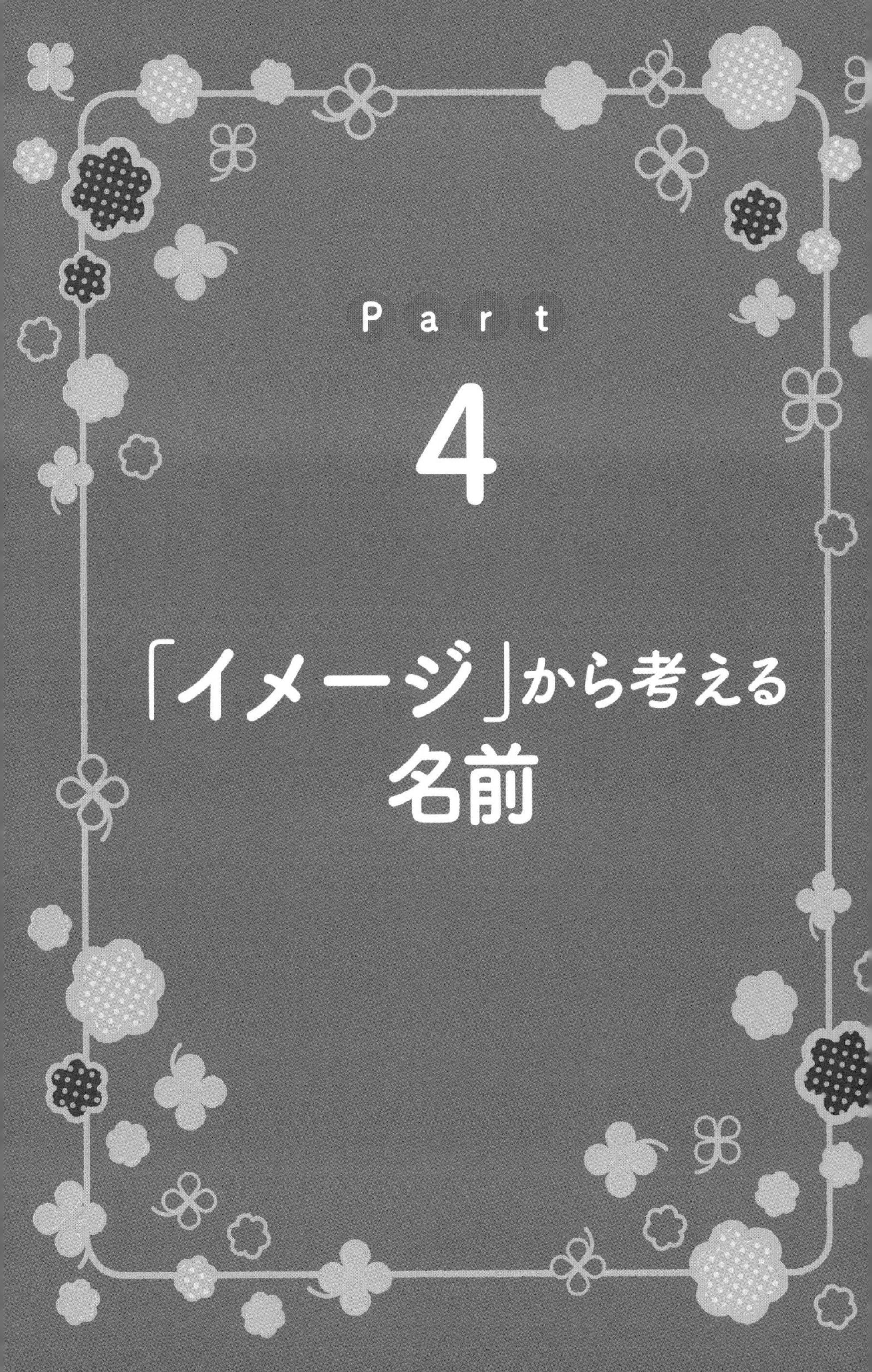

Part

4

「イメージ」から考える名前

イメージから名前を考える

好きなイメージから名前を考えていくのも楽しいものです。
自由に連想して、イメージにぴったりの名前を見つけましょう。

名づけで人気のイメージ

音楽

人生に大きな幸せと影響を与えてくれる音楽。音楽的な才能のある子に育ってほしい、音楽を楽しみ心豊かに暮らせる人生を願って。

海

自然をイメージした名前のなかでも、とくに人気があるのが「海」。海のさわやかさ、おおらかさを名前に重ねて。

宝石

神秘的な美しさを持ち、キラキラと輝く宝石。宝石の美しさや気品を名前に重ねたり、輝かしい未来を願って。

草花、果実

桜、菫、柚、杏など、美しく可憐な草花や果実は、女の子ならではのモチーフ。花のように美しく育ち、多くの人に愛されるよう願って。

まずは自由に連想していこう

海や空などの自然をモチーフにした名前や、音楽や織物にちなんだ名前、あるいは和風情緒を感じさせる名前など、さまざまなイメージから名前を考える方法も人気です。最初は漠然としたイメージでも、そこから連想していき、キーワードを書き出していくことで、イメージや思いがはっきりしてくるはずです。

イメージがかたまったら、漢字や響きを考えます。「空」「花」「桜」などイメージそのものをストレートに名前にするほか、イメージからさらに発想を広げて漢字や響きを探したり、そのイメージが意味する外国語の響きを名前にしたり、芸術作品などにあやかった名前にする方法もあります。

「イメージ」をどう表現するか

ストレートに
海(うみ)がいいね
女の子らしく
羽美(うみ)もいいよね

1 イメージをストレートに表現する

「空」「海」「花」など、イメージをそのまま名前にする。1字名ではバリエーションが少ないが、「空美（そらみ、くみ）」「海加（うみか）」「花穂（かほ）」など、定番の止め字と組み合わせれば、名前のバリエーションも増える。

2 イメージから連想する漢字をいかす

イメージに合う漢字や言葉を連想していき、そのなかの漢字を使って名前にする。

例「海」の場合
イメージ　海
↓
連想　青い(碧い)、波、広い、渚、帆、自由、世界につながる
↓
名前例　帆波(ほなみ)、渚(なぎさ)、碧衣(あおい)

3 イメージに合う響きで表現する

たとえば「海」のイメージでも、漢字は海とは直接関係ない表記にする方法。「海（うみ）」「波（なみ）」の響きだけいかして「羽美（うみ）」「菜美（なみ）」にするなど。女の子らしさや、やわらかさを出すために、ひらがなにする方法も。

例 海(うみ)→羽美、宇実
波(なみ)→菜美、那実
岬(みさき)→美咲、みさき

4 外国語の響きで表現する

たとえば、英語で「海の」を意味する「marineマリン」の響きに漢字を当てて名前にする方法。真凜（まりん）にすれば、響きからは海のさわやかなイメージ、漢字からは真っすぐさや凜としたイメージなど、複数のイメージを持ち合わせた名前にすることもできる。

例「海」の場合
英語で「海の」を意味する「marineマリン」から→真凜(まりん)

例「月」の場合
イタリア語で「月」を意味する「lunaルーナ」から→瑠奈(るな)

例「光」の場合
ハワイ語で「光る、輝く」を意味する「linoリノ」から→璃乃(りの)

5 人物や文学作品などにあやかる

好きな音楽家や好きな曲のタイトルからヒントをもらったり、作家や文学作品にあやかるのもひとつの方法。和風の名前が好きなら、和歌からヒントを得たり、歴史上の人物にあやかる方法もある。

※漢字の使い方については179ページも参照してください。

自然をモチーフにした名前

海、空、風、宇宙など、自然をモチーフにした名前は男女問わず人気があります。美しく雄大、そして自由で、おおらかなイメージ。また、女の子には花や果実など、植物をイメージした名前もとても人気があります。イメージを広げて、情景が目に浮かぶような素敵な名前を考えてみましょう。

海

イメージに合う漢字

汐	P196
凪	P197
帆	P197
沙	P202
岬	P211
波	P215
海	P219
砂	P221
浬	P237
渚	P243
瑚	P261
碧	P271
潮	P274
漣	P272
澪	P279
瀬	P283

藍海	あいみ
愛浬	あいり
碧	あおい、みどり
碧海	あおみ
晶帆	あきほ
朱海	あけみ
朝海	あさみ
明日海	あすみ
海祢	あまね
有沙	ありさ
宇珠	うみ
海花	うみか、みか
笑帆	えみほ
笑浬	えり
乙波	おとは
夏波	かなみ
香波	かなみ
夏帆	かほ
瑚々	ここ
沙彩	さあや
沙季	さき
砂南	さな
沙凪	さな
紗帆	さほ
沙耶	さや
砂羅	さら
沙藍	さらん
沙莉	さり
珊瑚	さんご
汐璃	しおり
汐帆	しほ
渉子	しょうこ

外国語の響きから

詩衣	しい	英語で「海」を意味するseaシーから
真凜	まりん	英語で「海の」を意味するmarineマリンから
史依留	しえる	英語で「貝殻」を意味するshellシェルから
麻里南	まりな	英語で「停泊港」を意味するmarinaマリーナから
真亜礼	まあれ	イタリア語で「海」を意味するmareマーレから
麻礼亜	まれあ	イタリア語で「潮」を意味するmareaマレアから
芽亜	めあ	ドイツ語で「海」を意味するMeeresメアから
帆乃	ほの	ハワイ語で「入り江」を意味するhonoホノから

川、湖、水辺

イメージに合う漢字

水 P185　永 P187　江 P194　河 P209　青 P213　洸 P220　泉 P224　透 P235
流 P238　清 P244　雫 P245　涼 P249　湖 P253　滴 P270　潤 P273　澄 P274

- 瀬那　せな
- 千潮　ちしお
- 千瀬　ちせ
- 千波　ちなみ
- 凪子　なぎこ
- 渚　なぎさ
- 渚紗　なぎさ
- 凪彩　なぎさ

- 七瀬　ななせ
- 南々帆　ななほ
- 七海　ななみ
- 七波　ななみ
- 名帆　なほ
- 鳴海　なるみ
- 遥海　はるみ
- 帆那　はんな

- 帆波　ほなみ
- 帆乃華　ほのか
- 帆希　ほまれ
- 真亜沙　まあさ
- 麻潮　ましお
- 麻波　まなみ
- 真帆　まほ
- 海亜　みあ

- 海依　みい
- 澪央　みお
- 澪　みお、れい
- 澪花　みおか
- 海音　みおん、あまね
- 海妃　みき
- 美砂　みさ
- 美岬　みさき

- 海南　みな
- 美波　みなみ、みは
- 美舟　みふね
- 美海　みみ
- 海夕　みゆ、みゆう
- 実澪　みれい
- 美漣　みれん
- 萌波　もなみ

- 悠海　ゆみ、ゆうみ
- 優海子　ゆみこ
- 浬子　りこ
- 浬実　りみ
- 璃海　りみ
- 浬々　りり
- 琉海　るみ
- 澪名　れいな

- 蒼泉　あおい
- 亜湖　あこ
- 亜澄　あずみ
- 綾水　あやみ
- 泉水　いずみ
- 和泉　いずみ
- 江伶奈　えれな
- 加澄　かすみ

- 清那　きよな
- 湖々　ここ
- 紗永　さえ
- 雫　しずく
- 潤奈　じゅんな
- 透子　とうこ
- 七泉　ななみ
- 陽水子　ひみこ

- 水緒　みお
- 美河　みか
- 水希　みずき

- 涼子　りょうこ
- 琉泉　るい
- 瑠河　るか

外国語の響きから

- 里葉　りば…英語で「川」を意味するriverリバーから
- 莉央　りお…フランス語で「川」を意味するrioリオから
- 璃河　りか…ロシア語で「川」を意味するpekaリカから
- 亜玖亜　あくあ…ラテン語で「水」を意味するaquaアクアから

空、風、天気

イメージに合う漢字

天 P186　羽 P193　雨 P207　穹 P210　空 P211　昊 P211　青 P213　虹 P221　風 P226　爽 P244　雪 P244　雲 P249　晴 P255　颯 P268　霞 P280　翼 P280

青依　あおい
蒼音　あおね
飛鳥　あすか
雨寧　あまね
天祢　あまね
彩虹　あやこ
綺羽　あやは
彩雲　あやも

晏奈　あんな
依吹　いぶき
笑翔　えみか
風実　かざみ
霞　かすみ
清風　きよか、さやか
紅羽　くれは
虹　こう

心晴　こはる、みはる
爽織　さおり
颯希　さつき
颯千　さち
紗羽　さわ
爽子　さわこ、そうこ
翔子　しょうこ
澄花　すみか
純霞　すみか、じゅんか
晴楽　せいら
そら　そら
昊音　そらね
空乃　そらの
穹美　そらみ
天衣　たかえ
千雲　ちくも
千爽　ちさ

千晴　ちはる
千風優　ちふゆ
翼　つばさ
七虹　ななこ
春霞　はるか
晴奈　はるな
晴陽　はるひ
日和　ひより
皓葉　ひろは
風花　ふうか
風羽　ふうわ
吹雪　ふぶき
風美佳　ふみか
風楽　ふら
風和里　ふわり
真澄　ますみ
美雨　みう

美雲　みくも
実昊　みそら
美空　みそら、みく
美颯　みはや
美夕　みゆう

深雪　みゆき
優雨　ゆう
夕霞　ゆか、ゆうか
雪映　ゆきえ
雪野　ゆきの

外国語の響きから

麗音　れいん…英語で「雨」を意味するrainレインから
澄海　すかい…英語で「空」を意味するskyスカイから
依亜　えあ…英語で「空気」を意味するairエアから
詩江留　しえる…フランス語で「空、天」を意味するcielシエルから
恵瑠　える…フランス語で「空気」を意味するairエールから
寧珠　ねいじゅ…フランス語で「雪」を意味するneigeネージュから
絵瑠　える…フランス語で「翼」を意味するaileエルから
在亜　ありあ…イタリア語で「空気」を意味するariaアリアから
世玲乃　せれの…イタリア語で「晴れ」を意味するserenoセレノから
珠寧　しゅね…ドイツ語で「雪」を意味するSchneeシュネーから
羽亜　うあ…ハワイ語で「雨」を意味するuaウアから
衣里朱　いりす…ギリシャ神話の虹の女神イリスから

光、太陽

イメージに合う漢字

日 P186 / 旭 P194 / 光 P195 / 灯 P197 / 旺 P208 / 明 P216 / 映 P218 / 晃 P232 / 晟 P234 / 景 P252 / 皓 P253 / 陽 P259 / 煌 P262 / 照 P263 / 輝 P272 / 曜 P282

暁音 あかね
灯 あかり
明香里 あかり
晃絵 あきえ
耀花 あきか、ようか
旭奈 あきな
映乃 あきの
陽葉 あきは

明帆 あきほ
昌 あきら
明日花 あすか
彩光 あやみ
映奈 えな
映見 えみ
映伶奈 えれな
今日子 きょうこ

煌楽 きらら
煌里 きらり
景菜 けいな
煌子 こうこ
咲映 さえ
咲輝 さき
晟子 せいこ、てるこ
千明 ちあき
千映 ちえ
千陽 ちはる
照咲 てりさ
照葉 てるは
灯子 とうこ
夏陽 なつひ、かよ
日夏 にちか
陽南 はるな
遥陽 はるひ

陽妃 はるひ
日彩 ひいろ
光 ひかり
日花莉 ひかり
光瑠 ひかる
陽紗 ひさ、はるさ
日沙美 ひさみ
陽菜 ひな、はるな
日那子 ひなこ
陽向 ひなた
陽奈乃 ひなの
日乃 ひの、かの
日鞠 ひまり
陽万莉 ひまり
陽和 ひより
陽依 ひより
皓笑 ひろえ

日輪子 ひわこ
茉旺 まお
麻輝 まき
美旺 みお
美景 みかげ
実日子 みかこ
美暉 みき
光彩 みさ
光咲 みさ、みさき
光夏 みつか、みか
光妃 みつき、みき

美陽 みはる、みよ
美皓 みひろ
美陽 みよ、みよう
明紗 めいさ
百陽 ももよ
悠光子 ゆみこ
陽花 ようか
曜子 ようこ
耀瑚 ようこ
燿子 ようこ
莉映 りえ

外国語の響きから

玲 れい …英語で「光線」を意味するrayレイから
紗新 さにい …英語で「太陽の光」を意味するsunnyサニーから
琉美依 るみえ …フランス語で「光、明かり」を意味するlumièreルミエールから
瑠千絵 るちえ …イタリア語で「光、明かり」を意味するluceルーチェから
理乃 りの …ハワイ語で「光る、輝く」を意味するlinoリノから

明星　あかり、あきせ
晶綺　あき
天寧　あまね、そらね
弦　いと
維斗乃　いとの
宇依　うい
宇乃　うの
綺星　きせ

冴月　さつき
惺美　さとみ
朱宇　しゅう
晶子　しょうこ
惺奈　せいな、せな
星良　せいら、せら
星里奈　せりな
千惺　ちさと

宇宙

イメージに合う漢字

月 P184　天 P186　斗 P186　宇 P193　弦 P211　宙 P213　奎 P220　星 P224　昴 P227　晶 P254　惺 P255　銀 P268

千宙　ちひろ
月乃　つきの
月夜　つきよ
天留美　てるみ
天子　てんこ、たかこ
斗和子　とわこ
奈月　なつき
七星　ななせ
妃月　ひづき
宙南　ひろみ

星乃　ほしの、せいの
美宇　みう
美宙　みそら、みひろ
珠月　みつき、みづき
心月　みつき、みづき
美弦　みつる
美斗　みと
由宇　ゆう
弓月　ゆづき
瑠宇　るう

外国語の響きから

里楽　りら　…　フランス語で「こと座」を意味するLiraリラから
莉音　りおん　…　フランス語で「しし座」を意味するLionリオンから
絵斗和　えとわ　…　フランス語で「星」を意味するétoileエトワールから
玲央音　れおね　…　イタリア語で「しし座」を意味するLeoneレオネから
瑠名　るな　…　イタリア語で「月」を意味するlunaルナから
世玲寧　せれね　…　ギリシャ神話の月の女神セレネから

名づけのヒント

月の満ち欠けの和名

月の満ち欠けの状態には、情緒のある和名があります。赤ちゃんが生まれた日の月の状態から名づけを行うのもひとつの方法。たとえば、三日月の日に生まれた子なら「美加（みか）」や「麻友（まゆ）」、「弓張月」の日に生まれた子なら「弓月（ゆづき）」などの名前が考えられます。

新月　しんげつ
朔　さく

三日月　みかづき
眉月　まゆづき

上弦の月　じょうげんのつき
弓張月　ゆみはりづき

十三夜　じゅうさんや

小望月　こもちづき

十五夜　じゅうごや
満月　まんげつ　**望**　ぼう

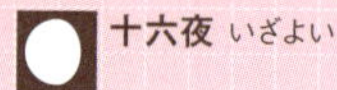
十六夜　いざよい

立待月　たちまちづき

二十日月　はつかづき
更待月　ふけまちづき

下弦の月　かげんのつき
弓張月　ゆみはりづき

有明の月　ありあけのつき

三十日月　みそかづき

野、大地

イメージに合う漢字

禾 P188 / 地 P197 / 里 P206 / 苑 P208 / 実 P212 / 牧 P216 / 峰 P236 / 渓 P240 / 郷 P240 / 萌 P247 / 野 P247 / 森 P254 / 園 P260 / 蒔 P262 / 穂 P274 / 嶺 P281

- 愛里 あいり、えり
- 蒼嶺 あおね
- 絢禾 あやか
- 綾埜 あやの
- 彩萌 あやめ
- 杏里 あんり
- 依緒里 いおり
- 育実 いくみ

- 詩野 うたの
- 禾織 かおり
- 香桜里 かおり
- 奏実 かなみ
- 禾野 かの
- 花萌 かほ
- 花穂里 かほり
- 禾鈴 かりん

- 胡実 くるみ
- 渓歌 けいか
- 心嶺 ここね
- 小蒔 こまき
- 郷子 さとこ、きょうこ
- 里美 さとみ
- 詩苑 しおん
- 樹里 じゅり
- 苑花 そのか
- 崇子 たかこ
- 地花 ちか
- 地咲希 ちさき
- 千奈実 ちなみ
- 千穂 ちほ
- 音嶺 ねね
- 野依 のえ
- 野子 のこ

- 希実 のぞみ
- 野々花 ののか
- 野乃美 ののみ
- 春野 はるの
- 穂波 ほなみ
- 穂乃 ほの
- 蒔奈 まきな
- 牧乃 まきの
- 麻土花 まどか
- 万里紗 まりさ
- 実緒 みお
- 美丘 みおか
- 美郷 みさと
- 美園 みその
- 実土里 みどり
- 峰花 みねか、れいか
- 実乃里 みのり

- 実穂 みほ
- 美峰 みほ
- 美森 みもり
- 美嶺 みれい
- 実羽 みわ
- 萌唯 めい
- 芽森 めもり
- 萌音 もね
- 萌々果 ももか

- 森乃 もりの
- 雪埜 ゆきの
- 悠里可 ゆりか
- 里花 りか
- 里瑚 りこ
- 里々子 りりこ
- 瑠禾 るか
- 嶺花 れいか
- 嶺奈 れいな

外国語の響きから

- **絵子** えこ … 英語で「こだま」を意味するechoエコーから
- **照** てる … フランス語で「大地、地球」を意味するTerreテールから
- **照楽** てら … イタリア語で「大地、地球」を意味するterraテッラから
- **千麻** ちま … イタリア語で「頂上、山頂」を意味するcimaチマから
- **果音** かのん … ドイツ語で「峡谷」を意味するCanonカノンから
- **里恵朱** りえす … ロシア語で「森」を意味するлесリエスから
- **玲愛** れあ … ギリシャ神話の大地の女神レアから

花、木、果実

イメージに合う漢字

花 P199
杏 P200
果 P208
芽 P209
咲 P223
柚 P227
桜 P229
桃 P235
莉 P237
菜 P242
梨 P248
葵 P251
葉 P258
穂 P274
蕾 P279
樹 P278

愛莉　あいり
葵　あおい
碧葉　あおば
杏花音　あかね
梓　あずさ
梓実　あずみ
亜椰　あや
彩花　あやか

絢葉　あやは
彩芽　あやめ
菖　あやめ
歩楓　あゆか
有咲　ありさ
杏珠　あんじゅ
杏　あんず、あん
杏菜　あんな

衣央莉　いおり
苺花　いちか、まいか
彩葉　いろは、あやは
英茉　えま
恵莉　えり
恵梨奈　えりな
江蓮　えれん
乙葉　おとは
花絵　かえ
楓　かえで
禾織　かおり
果桜里　かおり
花撫　かなで
叶葉　かなは
楓乃　かの
果乃子　かのこ
花穏　かのん

楓音　かのん
夏萌　かほ
茅乃　かやの、ちの
花梨奈　かりな
果凛　かりん
可蓮　かれん
柑菜　かんな
桔梗　ききょう
菊乃　きくの
樹乃　きの、じゅの
叶花　きょうか
桐子　きりこ
胡桃　くるみ
桂　けい、かつら
桂花　けいか
小梅　こうめ
小菊　こぎく

心菜　ここな
采葉　ことは、あやは
小萩　こはぎ
小桃　こもも
冴花　さえか
紗央莉　さおり
彩葵　さき
咲　さき、えみ
咲子　さきこ、しょうこ
咲歩　さきほ
咲楽　さくら
桜　さくら
咲茅　さち
幸果　さちか、ゆきか
紗菜　さな
咲椰　さや
咲藍　さらん

寧花　しずか
梓穂　しほ
寿杏　じゅあん
柊子　しゅうこ
珠梨　しゅり
樹莉　じゅり
涼楓　すずか
菫　すみれ
菫玲　すみれ
芹奈　せりな
千花　せんか、ちか
知果　ちか
千草　ちぐさ
千由莉　ちゆり
椿　つばき
蕾　つぼみ
菜緒　なお

奈桜子	なおこ
なず菜	なずな
夏芽	なつめ
撫子	なでしこ
菜々	なな
七楓	ななか
菜乃葉	なのは
乃菊	のぎく
乃々花	ののか
芭菜	はな
花笑	はなえ、かえ
一葉	ひとは、かずは
妃菜	ひな
陽茉莉	ひまり
向日葵	ひまわり
楓子	ふうこ
藤乃	ふじの
双葉	ふたば
芙美香	ふみか
文華	ふみか、あやか
芙蓉	ふよう
牡丹	ぼたん
穂乃香	ほのか
真奈花	まなか
麻椰	まや
真柚	まゆ
茉莉	まり、まつり
美杏	みあん、みあ
望桜	みお
美蘭	みか、みらん
蜜柑	みかん
幹子	みきこ、もとこ
心咲	みさき
瑞葵	みずき
美萌沙	みもざ
実椰	みや
美柚	みゆ
未蕾	みらい
美蘭	みらん、みか
芽唯	めい
萌生	めい
明咲	めいさ
萌杏	もあ
萌果	もえか、もか
紅葉	もみじ
萌々	もも
桃子	ももこ、とうこ
百葉	ももは
桃実	ももみ
椰々	やや
唯菜	ゆいな
結葵	ゆうき、ゆき
優花	ゆか、ゆうか
悠楓	ゆか、ゆうか
柚	ゆず
柚葉	ゆずは
優芽	ゆめ
友梨	ゆり
百合花	ゆりか
葉	よう
蕾花	らいか
蘭	らん
理桜	りお
梨花	りか、りんか
莉奈	りな
梨帆	りほ
莉李花	りりか
梨々子	りりこ
瑠花	るか
麗花	れいか
和花菜	わかな
若葉	わかば

外国語の響きから

- **愛里** あいり…英語で「アヤメ」を意味するirisアイリスから
- **莉里** りり…英語で「ユリ」を意味するlilyリリーから
- **千絵莉** ちえり…英語で「桜、サクランボ」を意味するcherryチェリーから
- **帆里衣** ほりい…英語で「柊」を意味するhollyホリーから
- **依里朱** いりす…フランス語で「アヤメ」を意味するirisイリスから
- **乃和** のわ…フランス語で「クルミ、木の実」を意味するnoixノワから
- **瑚々** ここ…フランス語で「ココナッツ」を意味するcocoココから
- **莉良** りら…フランス語で「ライラック」を意味するlilasリラから
- **風玲紗** ふれさ…スペイン語で「イチゴ」を意味するfresaフレサから
- **星礼沙** せれさ…スペイン語で「さくらんぼ」を意味するcerezaセレサから
- **呂紗** ろさ…スペイン語で「バラ」を意味するrosaロサから
- **芽衣楽** めいら…イタリア語で「リンゴ」を意味するmelaメーラから
- **璃々依** りりえ…ドイツ語で「ユリ」を意味するLilieリリエから
- **央希香** おきか…ハワイ語で「蘭」を意味するokikaオキカから
- **依音** いおん…ギリシャ語で「スミレ」を意味するίονイオンから

芸術やファッションにちなんだ名前

心を豊かにし、人生に潤いを与えるのが、音楽や文学、美術などの芸術。そして衣服や宝石、香水など、日々の暮らしに彩りを与えるファッションやおしゃれ。芸術やファッションにちなむ言葉や漢字は、美しくロマンチックで個性的な名前のヒントになります。

文学、アート

イメージに合う漢字

文 P187　史 P189　吟 P201　奎 P220　栞 P230　記 P230　庵 P238　章 P243
陶 P246　詠 P250　絵 P250　詞 P253　創 P255　詩 P262　綴 P270　編 P275

亜記　あき
晶絵　あきえ
章穂　あきほ
編美　あみ
編花　あみか
庵寿　あんじゅ
庵奈　あんな
庵里　あんり

詩　うた
詠美　えいみ、えみ
絵名　えな
絵麻　えま
絵実留　えみる
詠里花　えりか
栞那　かんな
記子　きこ

吟花　ぎんか
奎奈　けいな
詞葉　ことは
詞美　ことみ
沙詠子　さえこ
詩花　しいか
詩絵里　しえり
栞乃　しおの
栞里　しおり
詩織　しおり
史緒里　しおり
詞月　しづき
詩乃　しの

詩帆　しほ
創子　そうこ
千絵　ちえ
綴　つづり
綴里　つづり
陶子　とうこ
乃絵　のえ
文緒　ふみお
文香　ふみか、あやか
史佳　ふみか
文乃　ふみの、あやの
美記　みき、みのり
幸絵　ゆきえ、さちえ

外国語の響きから

久莉絵　くりえ…英語で「創造する」を意味するcreateクリエイトから
莉々佳　りりか…スペイン語で「叙情詩」を意味するliricaリリカから

音楽、ダンス

イメージに合う漢字

音	P218
奏	P224
律	P228
玲	P228
絃	P240
笙	P243
琴	P251
琵	P257
琶	P257
楽	P260
鼓	P262
鈴	P266
歌	P267
舞	P275
謡	P279
響	P284

愛音 あいね
明音 あかね
天音 あまね、たかね
絢歌 あやか
彩音 あやね
絃乃 いとの
絃葉 いとは
彩琶 いろは、あやは

雅楽 うた
謡子 うたこ
歌音 うたね、かのん
英舞 えま
音寧 おとね
音羽 おとは
歌音里 かおり
奏 かな、かなで

奏羽 かなは
奏帆 かなほ
歌波 かなみ
奏美 かなみ
歌乃子 かのこ
華音 かのん、はのん
歌鈴 かりん
響花 きょうか
小絃 こいと
鼓々 ここ
琴子 ことこ
琴音 ことね
琴葉 ことは
小夜歌 さやか
詩音 しおん
笙子 しょうこ
鈴 すず、りん

鈴音 すずね
聖楽 せいら、せら
奏音 そね
奏乃子 そのこ
千絃 ちづる
鼓美 つづみ
七音 ななね
音緒 ねお
音々 ねね
初音 はつね
琶奈 はな
葉音 はのん、はおん
遥歌 はるか
響 ひびき
響季 ひびき
風歌 ふうか
舞衣 まい

舞花 まいか
真琴 まこと
麻鈴 まりん
実音 みおん
美揮 みき
美鈴 みすず
美音里 みねり、みどり
美楽 みら
美玲 みれい
美琶 みわ
優歌 ゆうか、ゆか

由楽 ゆら
楽々 らら
莉音 りおん、りね
律歌 りつか、りっか
律子 りつこ
瑠歌 るか
玲奈 れいな
麗音 れいね
和歌子 わかこ
羽奏 わかな
和鼓 わこ

外国語の響きから

美結 みゆう … 英語で「音楽」を意味するmusicミュージックから
奏奈 そな … イタリア語で「奏でる」を意味するsuonareソナーレから
風楽 ふら … ハワイ語で「ダンス」を意味するfulaフラから
芽玲 めれ … ハワイ語で「詩、歌」を意味するmeleメレから
羽音 はのん … ピアノ教本の名前から

色彩、織物

イメージに合う漢字

朱	P195
彩	P241
翠	P269
緋	P270
橙	P278
藍	P283
衣	P192
綺	P268
絢	P253
紗	P232
紬	P245
麻	P247
緒	P268
綾	P271
織	P282
羅	P284

藍	あい、らん
茜	あかね
碧衣	あおい
蒼乃	あおの
茜里	あかり
彩華	あやか、さいか
紅羽	くれは
采瑚	ことこ、あやこ

瑚白	こはく
紫月	しづき
朱歌	しゅか
朱々	しゅしゅ
橙子	とうこ
七虹	ななこ
緋奈	ひな
緋依	ひより

麻白	ましろ
紅	べに
美紅	みく
翠	みどり、すい
美藍	みらん
亜衣	あい
麻子	あさこ、まこ
綾禾	あやか
絢乃	あやの
唯織	いおり
糸子	いとこ

永麻	えま
衿奈	えりな
華衣	かえ
絹恵	きぬえ
縞乃	しまの
珠緒	たまお
智紗	ちさ
紬	つむぎ
七緒	なお、ななお
麻弥	まや
由布子	ゆうこ

外国語の響きから

- **花楽** から…英語で「色」を意味するcolorカラーから
- **詩留玖** しるく…英語で「絹」を意味するsilkシルクから
- **登里子** とりこ…フランス語で「編み物」を意味するtricotトリコから
- **古都音** ことね…イタリア語で「木綿」を意味するcotoneコトネから
- **万梨亜** まりあ…イタリア語で「編み物」を意味するmagliaマーリアから

名づけのヒント

日本の伝統色

四季がはっきりしている日本には、美しい色の表現がたくさんあります。日本の伝統色をヒントに名前を考えるのもおすすめです。好きな色の1字をもらったり、響きだけいかしてひらがなの名前にしても素敵です。

赤・ピンク系		黄、茶、オレンジ系		緑系		青・紫系	
桃色	ももいろ	山吹色	やまぶきいろ	萌黄色	もえぎいろ	千草色	ちぐさいろ
桜色	さくらいろ	花葉色	はなばいろ	若草色	わかくさいろ	浅葱色	あさぎいろ
茜色	あかねいろ	亜麻色	あまいろ	若葉色	わかばいろ	瑠璃色	るりいろ
朱色	しゅいろ	伽羅色	きゃらいろ	常盤色	ときわいろ	藍色	あいいろ
緋色	ひいろ	璃寛茶	りかんちゃ	千歳緑	ちとせみどり	藤色	ふじいろ

宝石、香り

イメージに合う漢字

圭 P194　玖 P201　珂 P218　珠 P233　琉 P249　瑛 P249　琳 P259　瑞 P263
瑚 P261　瑶 P266　瑠 P271　璃 P275　香 P221　郁 P218　薫 P277　馨 P284

愛珂	あいか
杏珠	あんじゅ
瑛麻	えま
瑛美	えみ、えいみ
珂歩	かほ
珂名子	かなこ
果琳	かりん
珂蓮	かれん

久瑠実	くるみ
玖礼亜	くれあ
圭花	けいか
瑚々	ここ
琥珀	こはく
沙瑛	さえ
彩璃	さり、あやり
珠里	じゅり

真珠	しんじゅ、まじゅ
世璃	せり
玉瑛	たまえ
瑶希	たまき
珠実	たまみ
珠世	たまよ
七瑠美	なるみ
真瑚	まこ
真琳	まりん
美珂	みか
実玖	みく
美珠	みじゅ、びじゅ
瑞希	みずき
美璃花	みりか
百瑛	もえ、ももえ
悠珂	ゆか
瑶子	ようこ

璃子	りこ
璃乃	りの
璃々奈	りりな
琉珂	るか
瑠加	るか
瑠名	るな
瑠璃	るり
瑠々	るる
彩香	あやか
郁音	あやね、ふみね
杏莉	あんり
郁乃	いくの、ふみの
一香	いちか
江莉花	えりか
香織	かおり
香里	かおり
馨	かおり、かおる

薫	かおり、かおる
芳	かおり、かおる
薫子	かおるこ
桂	かつら
伽羅	から、きゃら
香蘭	からん
馨子	けいこ、かおるこ
桂子	けいこ、かつらこ
香子	こうこ、かこ
菜々香	ななか
香梅	こうめ
郁花	ふみか、あやか

穂乃香	ほのか
茉依	まい
愛香	まなか
茉莉花	まりか
実香	みか
美芳	みほ、みよし
桃花	ももか
悠香	ゆうか、ゆか
薫乃	ゆきの
蘭	らん
莉夏	りか
莉理子	りりこ

外国語の響きから

亜呂麻 あろま…英語で「芳香剤」を意味するaromaアロマから

珠江留 じゅえる…英語で「宝石」を意味するjewelジュエルから

舞珂 まいか…英語で「雲母（うんも）」を意味するmicaマイカから

美珠 びじゅ…フランス語で「宝石」を意味するbijouビジュから

凛とした 大和撫子らしい名前

洋風のかわいくて個性的な名前が人気を集める一方で、〝大和撫子〟をイメージさせる和風の名前も根強い人気。和の雰囲気を持つ漢字や響きはやわらかい印象のものが多く、凛とした印象に加えて、かわいらしさのある名前にすることもできます。日本神話や歴史上の人物、日本の地名、古典文学なども和風の名前を考える際のヒントになります。

イメージに合う漢字

乃 P181　弓 P182　子 P183　小 P183　千 P183　月 P184　日 P186　京 P210
和 P217　桜 P229　紗 P232　琴 P251　紫 P253　雅 P260　凜 P276　鞠 P280

- 葵　あおい
- 茜　あかね
- 秋乃　あきの
- 飛鳥　あすか
- 明日香　あすか
- 梓　あずさ
- 篤乃　あつの
- 天音　あまね

- 綾乃　あやの
- 庵　いおり
- 伊織　いおり
- 衣織　いおり
- 和泉　いずみ
- 絃子　いとこ
- 伊吹　いぶき
- 卯月　うづき

- 乙葉　おとは
- 音羽　おとは、おとわ
- 織音　おりね
- 楓　かえで
- 神楽　かぐら
- 佳子　かこ、よしこ
- 和　かず、のどか
- 春日　かすが、はるひ
- 和紗　かずさ
- 霞　かすみ
- 花澄　かすみ
- 花野　かの
- 伽耶　かや
- 香凛　かりん
- 絹　きぬ
- 京香　きょうか
- 京子　きょうこ

- 蛍　けい、ほたる
- 幸　こう、さち
- 小梅　こうめ
- 小菊　こぎく
- 琴子　ことこ
- 琴音　ことね
- 小羽　こはね
- 小春　こはる
- 小町　こまち
- 小毬　こまり
- 小雪　こゆき
- 沙織　さおり
- 小霧　さぎり
- さくら　さくら
- 桜子　さくらこ
- 皐月　さつき
- 紗月　さつき

凛とした大和撫子らしい名前

里	さと
佐保	さほ
紗野	さや
沙弓	さゆみ
小百合	さゆり
紗和子	さわこ
紫桜里	しおり
詩織	しおり
紫苑	しおん
静	しずか
雫	しずく
静流	しずる
志津	しづ
紫月	しづき
志乃	しの
忍	しのぶ
すみれ	すみれ
菫子	すみれこ
妙	たえ
玉緒	たまお
千秋	ちあき
千世	ちせ
千勢	ちせ
千鶴	ちづる
千登世	ちとせ
知代	ちよ
月乃	つきの
紬	つむぎ
常盤	ときわ
巴	ともえ
凪	なぎ
撫子	なでしこ
寧々	ねね
萩乃	はぎの
花	はな
日鞠	ひまり
日和	ひより
藤	ふじ
紅	べに
牡丹	ぼたん
真古都	まこと
鞠花	まりか
美鶴	みか、みつる
美琴	みこと
美寿々	みすず
京	みやこ
都	みやこ
雅	みやび
紅葉	もみじ、くれは
桃子	ももこ、とうこ
百音	ももね
弥生	やよい
縁	ゆかり
雪乃	ゆきの
柚	ゆず
柚芭	ゆずは
結月	ゆづき
百合子	ゆりこ
吉乃	よしの
里桜	りお
凜	りん
凜子	りんこ
瑠璃子	るりこ
和歌	わか
和花	わか、のどか
若菜	わかな
若葉	わかば
琶子	わこ

名づけのヒント 「子」「乃」で終わるかわいい名前

オーソドックスな印象の強い「子」のつく名前も、人気の2音の響きに当てたり、「ななこ」「みいこ」など、繰り返し音や長音の響きにするとキュートな印象になります。定番の止め字のなかでも、とくに和のイメージが強い「子」と「乃」を使った今風の名前を紹介します。

名前例

亜子	あこ	咲子	さこ	実子	みこ	綺乃	あやの	帆乃	ほの
絵子	えこ	菜々子	ななこ	莉子	りこ	夏乃	かの	姫乃	ひめの
華子	かこ	仁子	にこ	梨々子	りりこ	心乃	ここの	麻乃	まの
祈子	きこ	乃子	のこ	茉子	まこ	楚乃	その	夢乃	ゆめの
瑚子	ここ	真亜子	まあこ	結子	ゆこ	空乃	そらの	莉乃	りの
		美衣子	みいこ	羽子	わこ	雛乃	ひなの	瑠乃	るの

日本の地名

地名には、昔ながらの大和言葉が残っているケースも多く、情緒のある響きがたくさんあります。うまく名前に取り入れてみましょう。

- 青葉　あおば
- 朝霞　あさか
- 明日香　あすか
- 安曇　あずみ
- 奄美　あまみ
- 綾瀬　あやせ
- 和泉　いずみ
- 伊勢　いせ

- 伊万里　いまり
- 伊予　いよ
- 恵那　えな
- 青梅　おうめ
- 音羽　おとわ
- 紀伊　きい
- 久々利　くくり
- 小海　こうみ

- 小牧　こまき
- 志摩　しま
- 千歳　ちとせ
- 筑紫　つくし
- 鳴海　なるみ
- 新穂　にほ（※）
- 榛名　はるな
- 美瑛　みえ（※）

- 穂波　ほなみ
- 三郷　みさと
- 瑞穂　みずほ
- 美都　みと
- 美波　みなみ
- 美和　みわ
- 由比　ゆい
- 吉野　よしの

※「新穂」は地名としては「にいぼ」、「美瑛」は地名としては「びえい」と読みます。

神話や歴史

和風の名前を考えるなら、日本神話の女神や歴史上の女性にあやかるのも、ひとつの方法。響きだけ、あるいは1字だけもらうのもよいでしょう。

- 紅々李　くくり…菊理媛神（くくりひめのかみ。北陸白山の女神）
- 佐保　さほ…佐保姫（春の女神）
- 咲耶　さくや…木花咲耶姫（このはなのさくやひめ。出産の女神）
- 那美　なみ…伊邪那美命（いざなみのみこと。国生みをした女神）
- 美夜　みや…美夜受比売（みやずひめ。日本武尊の妃）
- 愛加那　あいかな…愛加那（西郷隆盛の妻）
- 阿久利　あくり…浅野阿久利（浅野内匠頭の妻）
- 一葉　いちよう…樋口一葉（明治時代の作家）

- 乙女　おとめ…坂本乙女（坂本龍馬の姉）
- 春日　かすが…春日局（徳川家光の乳母）
- 小町　こまち…小野小町（平安時代の歌人。絶世の美女）
- 静　しずか…静御前（源義経の妾）
- 千代　ちよ…戦国時代の武将・山内一豊の正室
- 巴　ともえ…巴御前（知勇にすぐれた平安時代の女武将）
- 美賀子　みかこ…一条美賀子（徳川15代将軍・慶喜の妻）
- 蓮月　れんげつ…大田垣蓮月（幕末の才色兼備の歌人）

和歌にちなんだ名前

和風テイストの名前を考えるなら、『万葉集』などの和歌からヒントを得るのもひとつの方法です。情緒ある大和言葉の響きをいかして、素敵な名前を考えてみましょう。

明日香川　七瀬の淀に　住む鳥も
心あれこそ　波立てざらめ

柿本人麻呂『万葉集』

名前例　**明日香** あすか　**七瀬** ななせ　**心波** ここは

いにしへに　恋ふる鳥かも　弓絃葉の
御井の上より　鳴き渡り行く

弓削皇子『万葉集』

名前例　**絃葉** いとは　**弓葉** ゆみは

住の江の　岸による波　よるさへや
夢の通ひ路　人目よくらむ

藤原敏行『古今和歌集』

名前例　**澄江** すみえ　**夢路** ゆめじ　**夢波** ゆめは

天の原　ふりさけ見れば　春日なる
三笠の山に　出でし月かも

安倍仲麻呂『古今和歌集』

名前例　**春日** かすが　**春月** はづき　**美加沙** みかさ

明日よりは　春菜摘まむと　標めし野に
昨日も今日も　雪は降りつつ

山部赤人『万葉集』

名前例　**春菜** はるな　**菜摘** なつみ　**明日菜** あすな

春は萌え　夏は緑に　紅の
まだらに見ゆる　秋の山かも

作者不詳『万葉集』

名前例　**春萌** はるも　**夏緑** なつみ　**美紅** みく

久方の　光のどけき　春の日に
しづ心なく　花の散るらむ

紀友則『古今和歌集』

名前例　**春花** はるか　**光花** みつか　**光** ひかり

田子の浦に　うち出でてみれば　白妙の
富士の高嶺に　雪は降りつつ

山部赤人『新古今和歌集』

名前例　**雪嶺** ゆきね　**富士乃** ふじの

外国語や外国人名をヒントにした名前

国際化社会の現代では、海外で通用する名前を考えるパパ・ママも多いようです。外国語由来の名前、外国人風のおしゃれな響きの名前も人気があります。

名づけのアプローチのひとつとして、外国語の単語をモチーフにしたり、新鮮な響きを求めて外国人の名前をヒントにする方法もあります。たとえば、花のユリは英語でリリーなので「璃里（りり）」、英語圏でポピュラーな女性名エイミーから「詠美（えいみ）」とするなど…。外国語の場合、日本ではあまり発音しない音もあるため、よい漢字が見つからないこともありますが、その場合は、ひらがなやカタカナも含めて検討するとよいでしょう。

なお、日本では普通の名前でも外国では特定の意味に受け取られることもあります。あまり気にしすぎることもないですが、外国に転勤などの可能性がある場合は、その国の事情に詳しい人にアドバイスをもらうとより安心です。

名前	外国での意味や連想しやすい言葉
あい	フランス語で「ニンニク」
あい	ドイツ語で「卵」
えり	英語圏で「不気味」
かな	スペイン語で「白髪」
さいこ	英語圏で「精神病質者」
しい	フランス語で「のこぎり」
せな	スペイン語で「夜食」
にれ	ドイツ語で「腎臓」
まお	中国語で「猫」
まみ	英語圏で「母親」
まり	フランス語で「夫」
まりこ	スペイン語で「ゲイ」
みな	スペイン語で「鉱山」
らな	イタリア語で「カエル」
りさ	ロシア語で「キツネ」
りん	ロシア語で「怠惰」

英語圏

名前	読み	語	発音	意味
愛	あい	I	(アイ)	アルファベット
笑	えむ	M	(エム)	アルファベット
絵瑠	える	L	(エル)	アルファベット
景	けい	K	(ケイ)	アルファベット
柚宇	ゆう	U	(ユー)	アルファベット
亜依	あい	eye	(アイ)	目
藍梨	あいり	iris	(アイリス)	アヤメ、虹色
亜呂麻	あろま	aroma	(アロマ)	芳香、アロマ
絵亜	えあ	air	(エア)	空気
絵子	えこ	echo	(エコー)	こだま
恵瑚	えこ	ecology	(エコロジー)	環境
祈衣	きい	key	(キー)	鍵
沙新	さにい	sunny	(サニー)	太陽の光
詩唯	しい	sea	(シー)	海
志絵留	しえる	shell	(シェル)	貝殻
寿英瑠	じゅえる	jewel	ジュエル	宝石
純	じゅん	June	(ジューン)	6月
詩留玖	しるく	silk	(シルク)	絹
千恵里	ちえり	cherry	(チェリー)	桜、さくらんぼ
羽仁衣	はにい	honey	(ハニー)	はちみつ
穂里衣	ほりい	holly	(ホリー)	ひいらぎ
茉亜知	まあち	march	(マーチ)	3月
舞佳	まいか	mica	(マイカ)	雲母、キララ
真梨奈	まりな	marina	(マリーナ)	停泊港
麻鈴	まりん	marine	(マリン)	海の
美萌沙	みもざ	mimosa	(ミモザ)	ミモザ
美羅	みら	mirror	(ミラー)	鏡
芽依	めい	May	(メイ)	5月
芽百梨	めもり	memory	(メモリー)	記憶
萌莉	めり	merry	(メリー)	愉快な
璃里	りり	lily	(リリー)	ユリ
璃々夏	りりか	lyrical	(リリカル)	抒情的な
琉南	るな	Luna	(ルナ)	月の女神
留美	るび	ruby	(ルビー)	ルビー
礼	れい	ray	(レイ)	光線
有彩	ありさ	Alisa	(アリサ)	人名
亜利朱	ありす	Alice	(アリス)	人名
杏	あん	Ann	(アン)	人名
詠美	えいみ	Amy	(エイミー)	人名
絵麻	えま	Emma	(エマ)	人名
英実梨	えみり	Emily	(エミリー)	人名
絵羅	えら	Ella	(エラ)	人名
花怜	かれん	Karen	(カレン)	人名
紅亜	くれあ	Claire	(クレア)	人名
恵音	けいと	Kate	(ケイト)	人名
虹凛	こりん	Colleen	(コリーン)	人名
紗梨衣	さりい	Sally	(サリー)	人名
珠莉亜	じゅりあ	Julia	(ジュリア)	人名
星利奈	せりな	Selina	(セリーナ)	人名
万里杏	まりあん	Marian	(マリアン)	人名
芽安里	めあり	Mary	(メアリー)	人名
理沙	りさ	Lisa	(リサ)	人名
玲良	れいら	Laila	(レイラ)	人名
楼楽	ろうら	Laura	(ローラ)	人名

フランス

名前	読み	語	発音	意味
亜珠	あじゅ	âge	(アージュ)	時代
亜実	あみ	ami	(アミ)	友達
晏	あん	un	(アン)	1
杏樹	あんじゅ	ange	(アンジュ)	天使
絵都	えと	étoile	(エトワール)	星
笑芽	えめ	aimer	(エメ)	愛する
恵留	える	aile	(エル)	翼
詩江瑠	しえる	ciel	(シエル)	空、天
樹杏	じゅあん	juin	(ジュアン)	6月
世良美	せらび	cest la vie	(セラビ)	それが人生さ
埜和	のわ	noix	(ノワ)	くるみ
美珠	びじゅ	bijou	(ビジュ)	宝石
萌奈美	もなみ	mon amie	(モナミ)	私の友達
結	ゆい	huit	(ユイ)	8
莉杏	りあん	lien	(リアン)	絆
理央	りお	río	(リオ)	川
璃楽	りら	lilas	(リラ)	ライラック
梨瑠	りる	rire	(リル)	笑う
琉里絵	るりえ	relier	(ルリエ)	つなぐ
亜芽里	あめり	Amélie	(アメリー)	人名
樹里	じゅり	Julie	(ジュリー)	人名
乃絵瑠	のえる	Noëlle	(ノエル)	人名

ドイツ

名前	読み	由来	意味
花音	かのん	Canon（カノン）	峡谷
趣音	しゅね	Schnee（シュネー）	雪
乃依	のい	Neu（ノイ）	新しい
麻唯	まい	Mai（マイ）	5月
芽愛	めあ	Meeres（メア）	海
優莉	ゆうり	Juli（ユーリ）	7月
結仁	ゆに	Juni（ユニ）	6月
里々絵	りりえ	Lilie（リリエ）	ユリ
安奈	あんな	Anna（アンナ）	人名
杏寧	あんね	Anne（アンネ）	人名
絵里依	えりい	Elly（エリー）	人名
依璃沙	えりさ	Elisa（エリーザ）	人名
絵留菜	えるな	Erna（エルナ）	人名
帆奈	はんな	Hanna（ハンナ）	人名
真璃	まり	Marie（マリー）	人名
万理亜	まりあ	Maria（マリア）	人名
悠里亜	ゆりあ	Julia（ユリア）	人名
梨亜	りあ	Ria（リア）	人名

スペイン

名前	読み	由来	意味
絵良	えら	era（エーラ）	時代
香麻	かあさ	casa（カーサ）	家庭
佳美乃	かみの	camino（カミノ）	道
珠実亜	じゅびあ	lluvia（ジュビア）	雨
世礼咲	せれさ	cereza（セレサ）	さくらんぼ
世麗乃	せれの	sereno（セレノ）	穏やかな
千歌	ちか	chica（チカ）	少女
風玲紗	ふれさ	fresa（フレサ）	イチゴ
真乃	まの	mano（マノ）	手
麻礼亜	まれあ	marea（マレア）	潮
実瑠	みる	mil（ミル）	千
璃子	りこ	rico（リコ）	豊か
莉沙	りさ	risa（リサ）	笑い
怜奈	れいな	reyna（レイナ）	女王
恵葉	えば	Eva（エバ）	人名
可里菜	かりな	Karina（カリナ）	人名
紗良	さら	Sara（サラ）	人名
瀬礼奈	せれな	Selena（セレナ）	人名

ロシア

名前	読み	由来	意味
衣江璃	いえり	Ель（イエーリ）	モミの木
依友里	いゆり	июль（イユーリ）	7月
希乃	きの	кино（キノー）	映画
乃知	のち	ночь（ノーチ）	夜
乃里	のり	ноль（ノーリ）	ゼロ
麻衣	まい	май（マーイ）	5月
美瑠	みる	мир（ミール）	平和、世界
莉絵	りえ	лес（リエス）	森
梨可	りか	река（リカ）	川
璃々弥	りりや	Лили（リーリャ）	ユリ
瑠可	るか	рука（ルーカ）	手
有奈	ありな	Алина（アリーナ）	人名
惟里奈	いりな	Ирина（イリーナ）	人名
江麗奈	えれな	Елена（エレーナ）	人名
仁以花	にいか	Ника（ニーカ）	人名
新奈	にいな	Нина（ニーナ）	人名
暖奈	のんな	Нонна（ノンナ）	人名
舞耶	まいや	Майя（マイヤ）	人名

イタリア

名前	読み	由来	意味
亜美子	あみこ	amico（アミーコ）	友達
宇乃	うの	uno（ウーノ）	1
花楽	から	cara（カーラ）	愛しい人（女）
加里乃	かりの	carino（カリノ）	かわいい
古都音	ことね	cotone（コトネ）	木綿
清楽	せいら	sera（セーラ）	夕方
世礼乃	せれの	sereno（セレノ）	晴れ
千麻	ちま	cima（チマ）	頂上、山頂
麻亜玲	まあれ	mare（マーレ）	海
万梨亜	まりあ	maglia（マーリア）	ニット、編み物
美礼	みれ	mille（ミッレ）	千
羅奈	らな	lana（ラーナ）	毛糸、毛織物
璃里歌	りりか	lirica（リリカ）	叙情詩
瑠那	るな	luna（ルーナ）	月
絵礼奈	えれな	Elena（エレナ）	人名
樹里亜	じゅりあ	Giulia（ジュリア）	人名
想仁亜	そにあ	Sonia（ソニア）	人名
百仁花	もにか	Monica（モニカ）	人名

ハワイ

名前	よみ	原語	読み	意味
亜音良	あねら	anela	(アネラ)	天使
雨亜	うあ	ua	(ウア)	雨
羽美	うみ	umi	(ウミ)	10
央来花	おきか	okika	(オキカ)	蘭
乃愛	のあ	noah	(ノア)	自由
華	はな	ohana	(オハナ)	家族、仲間
風来	ふら	fula	(フラ)	踊る、ダンス
歩乃	ほの	hono	(ホノ)	入り江
真宇	まう	mau	(マウ)	永遠に
茉歌	まか	maka	(マカ)	目、愛しい人
真叶	まかな	makana	(マカナ)	贈り物
磨奈	まな	mana	(マナ)	エネルギー、パワー
麻梨乃	まりの	malino	(マリノ)	穏やかな
海璃	みり	mili	(ミリ)	(子どもを)抱きしめる
莉乃	りの	lino	(リノ)	輝く、光る
瑠々	るる	lulu	(ルル)	静かな
玲亜	れあ	lea	(レア)	喜び、幸福
玲	れい	lei	(レイ)	花輪

中国

名前	よみ	原語	読み	意味
愛	あい	爱	(アイ)	愛
衣絵	いえ	叶	(イエ)	葉
史亜留	しある	十二	(シーアル)	12
詩杏	しあん	想	(シアン)	思う
志依	しい	系	(シー)	結ぶ
慈雨	じう	九	(ジュウ)	9
朱羽	しゅう	树	(シュー)	木
珠江	しゅえ	雪	(シュエ)	雪
心	しん	杏	(シン)	杏
茅亜	ちあ	桥	(チアオ)	橋
千衣	ちい	七	(チー)	7
風	ふう	湖	(フー)	湖
穂和	ほわ	花	(ホワ)	花
真衣	まい	满意	(マーイー)	満足
明莉	めいり	美丽	(メイリー)	美しい
由絵里	ゆえり	月亮	(ユエリアン)	月
璃宇	りう	六	(リウ)	6
凛	りん	零	(リン)	0

名づけのヒント

中国・韓国の人気漢字から考える

中国は同じ漢字圏ですし、韓国は現在はハングルですが、もともとは漢字圏だったので、名前に関しては漢字名を持っている人がほとんどです。中国や韓国の名づけでポピュラーな漢字を使うと、現地でも説明しやすく受け入れられやすいでしょう。

日本と共通する漢字で、中国でも人気があるのは「美」「玲」「麗」「晶」「楓」「夏」「華」「恵」などで、韓国では「愛」「実」「真」「智」「姫」「英」などが人気があります。

また、韓国では、日本と響きが共通する名前もけっこうあります。たとえば「ユリ」「ユナ」「ユミ」「アミ」「ハナ」「ミナ」「ナミ」「ルミ」などです。

韓国

名前	よみ	原語	読み	意味
衣瑠	いる	일	(イル)	1
宇珠	うじゅ	우주	(ウジュ)	宇宙
歌	うた	웃는다	(ウッタ)	笑う
羽菜	うな	은하	(ウナ)	銀河
香羽留	かうる	가을	(カウル)	秋
久留夢	くるむ	구름	(クルム)	雲
沙蘭	さらん	사랑	(サラン)	愛
千瑠	ちる	칠	(チル)	7
音衣留	ねいる	내일	(ネイル)	明日
乃蘭	のらん	노란	(ノラン)	黄色
乃莉	のり	놀이	(ノリ)	遊び
乃玲	のれ	노래	(ノレ)	歌
花	はな	하나	(ハナ)	ひとつ
陽	はる	하루	(ハル)	1日
真羽夢	まうむ	마음	(マウム)	心
麻瑠	まる	말	(マル)	言葉
美允	みいん	미인	(ミイン)	美人
実怜	みれ	미래	(ミレー)	未来

名づけのヒント

干支にちなんだ名前

生まれ年の干支（えと）にちなんだ名前にするのも、名づけ法のひとつ。干支の漢字を直接使うのがむずかしいケースもありますが、その場合は「美（羊）」「伸（申）」のように部分的に干支が入った漢字を使ったり、干支の読みやイメージ、外国語からヒントを得てもよいでしょう。また、たとえば酉（とり）年なら、雲雀（ひばり）や大瑠璃（おおるり）、白鷺（しらさぎ）など、鳥の種類から考えることもできます。

子（ね）（鼠）

名前例

- 真子　まこ
- 理子　りこ
- 壱子　いちこ
- 音々　ねね
- 寧々　ねね

丑（うし）（牛）

名前例

- 小牧　こまき
- 牡丹　ぼたん
- 衣緒　いお

＊イオはギリシャ神話に登場する牝牛でイオニア海の語源。

寅（とら）（虎）

名前例

- 琥珀　こはく
- 美琥　みこ
- 里琥　りこ

卯（う）（兎）

名前例

- 卯紗子　うさこ
- 優卯　ゆう
- 卯依　うい
- 美兎　みと
- 紗兎　さと

辰（たつ）（竜、龍）

名前例

- 竜姫　たつき
- 辰珠　しんじゅ
- 多都乃　たつの
- 達美　たつみ

＊竜田姫は秋の女神。

巳（み）（蛇）

名前例

- 巳緒　みお
- 優巳　ゆみ
- 麻巳花　まみか
- 奈巳絵　なみえ
- 美巳子　みみこ

午（うま）（馬）

名前例

- 駒乃　こまの
- 駒希　こまき
- 美馬　みま
- 未駈　みく
- 美騎　みき

未（ひつじ）（羊）

名前例

- 未来　みらい
- 琴未　ことみ
- 美子　みこ
- 洋世　ひろよ
- 祥香　さちか

申（さる）（猿）

名前例

- 詩申　しのぶ
- 申絵　のぶえ
- 伸花　のぶか

酉（とり）（鳥、鶏）

名前例

- 美鳥　みどり
- 飛鳥　あすか
- 優羽　ゆうわ
- 翼　つばさ
- 瑠璃　るり

戌（いぬ）（犬）

名前例

- 献奈　けんな
- 史緒　しお

＊シオはフランス語で子犬。

亥（い）（豬）

名前例

- 瑠亥　るい
- 麻亥子　まいこ
- 依乃　いの
- 結衣　ゆい
- 芽以　めい

※「鼠」「戌」は名前に使えません。

5

「漢字」から考える名前

漢字にこだわって名前を考える

漢字にはそれぞれ意味があり、また視覚的な印象もそれぞれ異なります。
漢字の意味、見た目の印象、姓とのバランスなどを考慮して名前を考えましょう。

陽加里
朝陽
陽奈乃
陽子
陽
千陽
3字で ひかり 陽加里 っていうのも いいよね
陽は 入れたいな ひな 陽菜は どう？ はるなって 読んでも いいね

漢字1字でいろいろ広がる

意味だけでなく視覚的な印象も大事

漢字から考えるのもスタンダードな名づけ法です。これという1字を決め、定番の止め字（最後の字）と組み合わせるだけでも、たくさんの名前をつくれます。

ただし、やみくもに組み合わせていると、性別のまぎらわしい名前になったり、見た目に重たい印象の名前になることがあります。

たとえば「悠」「希」「真」「生」「海」など男女に人気の漢字を使う場合は、女の子イメージの強い漢字と組み合わせたほうが、周囲に性別を誤解される心配は少ないでしょう。また、画数の多い漢字ばかり使うと、見た目が重くなりがちです。姓の画数もふまえて、視覚的にもバランスのよい名前を考えましょう。

こだわりの1字をどういかすか

1 1字でストレートに

1字名は、意味がストレートに伝わりやすく、印象的な名前になりやすい。あまりなじみのない漢字も、名前自体がシンプルなぶん、2字名や3字名よりも取り入れやすい（P286）。

例 人気の1字名
凜(りん)、希(のぞみ)、咲(さき)、遥(はるか)、楓(かえで)、桜(さくら)

2 こだわりの1字＋止め字

これという１字を決め、さまざまな止め字（最後の字）と組み合わせるだけでも、たくさんの名前をつくれる（P298）。

例 「愛」＋定番の止め字
愛子(あいこ)、愛美(あいみ)、愛奈(あいな)、愛香(あいか)

例 「愛」＋個性的な止め字
愛紗(あいさ)、愛羽(あいは)、愛夢(あいむ)、愛琉(あいる)

3 こだわりの1字を止め字に使う

先頭字にこだわりの漢字を使うことが多いが、止め字に使うパターンも考えると、さらに名前のバリエーションが広がる。（P298）。

例 止め字に「愛」を使った名前
美愛(みあ)、結愛(ゆあ)、乃愛(のあ)

例 止め字に「奈」を使った名前
瑠奈(るな)、桃奈(ももな)、玲奈(れいな)、加奈(かな)

4 3字名にする

漢字３字にすると、文字の組み合わせが広がり、より個性的な名前を考えやすくなる。ただし、画数が多くなり、字面的にうるさくなることもあるので、姓名全体のバランスを見ながら考えたい（P288）。

例 人気の3字名
菜々子(ななこ)、陽菜乃(ひなの)、穂乃花(ほのか)、美沙希(みさき)

5 万葉仮名風に漢字を当てる

「日楽里（ひらり）」「可緒琉（かおる）」など、ひとつの音にひとつの漢字を当てる名づけを「万葉仮名風名づけ」という。万葉仮名風名づけは、漢字の意味よりも響きや字面の印象を重視するときにおすすめ（P291）。

6 読み方によって印象が変わる

ひとつの漢字にも、さまざまな読み方があり、どの読み方を使うかでも印象は変わる。ただし、オリジナリティに走りすぎて、だれも想像がつかないような難解な響きの名前にすることは避けたい。

例 「愛」を使った名前
愛(あい、めぐみ)、愛奈(あいな)、愛美(あいみ、まなみ、めぐみ)、結愛(ゆあ)、愛子(あいこ、ちかこ)

例 「心」を使った名前
心(こころ、しん)、心奈(ここな、みな)

名前例つき！ おすすめ漢字770

名前に使える漢字のなかから、
人気のある漢字や名づけにふさわしい漢字を770ピックアップ。
その読み方や意味、名づけに使用する際のポイント、名前例などを解説します。

リストの見方

ポイント
その漢字の成り立ちや名づけでの人気度、漢字の意味から名前に込められる思いなど、名づけに使用する際のポイントや注意点を掲載。

意味
漢字のおもな意味を掲載。

画数
リストは画数順に並んでいます。

漢字
同じ画数のなかでは、原則として音読みの50音順に掲載していますが、一部レイアウトの都合により順番が前後しています。

音訓
音読み（中国語の発音に起源を持つ読み方）はカタカナで、訓読み（漢字の意味する内容を日本語〈大和言葉〉に置き換えたところから発生した読み方）はひらがなで掲載。いずれも代表的な読みを掲載しています。（　）内は一般的な送りがなです。

7

沙

音訓 サ、シャ、すな
名のり いさ、ざ、す

【意味】まさご。小さな砂。砂原。砂ぎわ。
【ポイント】「紗」「咲」とともに、「サ」に当てる字としてよく使われている人気の字。なかでも「沙」は、海に関連した字でもあり、さわやかな印象。また、画数が少なくすっきりした字形なので、重くなりがちな3字名でも重宝する。
【参考】●沙門（しゃもん）…婆羅門以外の出家修行者。●吉田沙保里（よしだ・さおり）…レスリング選手。五輪メダリスト。●清水美沙（しみず・みさ）…女優。●福田沙紀（ふくだ・さき）…女優。●安田美沙子（やすだ・みさこ）…タレント。

亜沙 あさ
沙彩 さあや
沙絵 さえ
沙瑚 さこ
沙耶 さや
沙羅 さら
沙蘭 さらん
美沙 みさ
明沙 めいさ
梨沙 りさ
亜沙佳 あさか
沙々楽 ささら
沙里奈 さりな
沙和子 さわこ
美依沙 みいさ、みいしゃ
未沙貴 みさき
海沙子 みさこ

参考
その漢字を使った熟語や、著名人、歴史上の偉人など、実際の使用例。

名前例
その漢字を使った名前例。

名のり
音読み訓読み以外に、とくに名前で使われる読みで、代表的なものを掲載しています。また、一般の漢和辞書等にのっていないものでも、最近名づけに使用されることの多い読みについては掲載しています。

一

1

音訓　イチ、イツ、ひと

名のり　い、か、かず、はじめ、ひ、まこと、もと

【意味】ひとつ。はじめ。一番目。すべて。等しい。

【ポイント】「イチ」「かず」「ひと」とおもに3通りの読みで使われるが、最近はキュートな印象の「イチ」が人気。

一花	いちか
一菜	いちな
一乃	いちの
一羽	いちは
一祈	かずき
一紗	かずさ
一音	ひとね
一望	ひとみ

乙

1

音訓　オツ、イツ、きのと、おと

名のり　お、き、つぎ、つぐ

【意味】十干（じっかん）の2番目。きのと。

【ポイント】本来はとくに女性らしい意味はないが、「乙女（おとめ）」や「乙姫（おとひめ）」などのイメージから、女の子らしく、かつ和風の雰囲気のある字。「乙（おつ）な味」などと使われるように、ちょっと変わった、気のきいたという意味もある。同じ「おと」の読みでは、「音」も非常に人気の高い字。

【参考】乙姫（おとひめ）…『浦島太郎』に登場する竜宮城の姫 ●坂本乙女（さかもと・おとめ）…坂本龍馬の姉。●乙葉（おとは）…タレント。

乙姫	いつき
乙希	いつき
乙美	いつみ
乙亜	おとあ
乙佳	おとか
乙香	おとか
乙祢	おとね
乙寧	おとね
乙羽	おとは
乙葉	おとは
乙女	おとめ
乙和	おとわ
乙実	つぐみ
美乙	みお
莉乙	りお
璃乙	りお
紗乙里	さおり
実乙花	みおか

七

2

音訓　シチ、なな、なな(つ)、なの

名のり　かず、な

【意味】数字の7。

【ポイント】「ラッキーセブン」の言葉もあるように、縁起がよく、多くの人に好まれる数字。女の子の名づけでは、「な」「なな」のやさしくてかわいい響きが好まれ、近年、使用例が増えている。

【参考】●塩野七生（しおの・ななみ）…作家。●若竹七海（わかたけ・ななみ）…作家。●相川七瀬（あいかわ・ななせ）…歌手。●七つの海（ななつのうみ）…南太平洋、北太平洋、南大西洋などの7大洋。また、世界中のすべての海。●七彩（しちさい）…7色。また美しいいろどり。●七歩の才（しちほのさい）…優れた詩をすばやくつくる才能のこと。

七緒	なお
七奈	なな
七夏	ななか
七虹	ななこ
七瀬	ななせ
七星	ななせ
七葉	ななは
七海	ななみ
七帆	なほ
妃七	ひな
舞七	まいな
玲七	れいな
果七子	かなこ
七菜可	ななか
七夕美	なゆみ
七瑠実	なるみ
望七実	もなみ

十

2

音訓　ジュウ、ジッ、とお、と

名のり　かず、じつ、そ

【意味】数字の10。

【ポイント】「すべて」「不足がない」などの意味もあり、実は名前向き。名前での使用例は少なく、「と」「とお」の響きをいかして、新鮮な名前をつくれる。

胡十	こと
紗十	さと
十瑚	とおこ
十乃	とおの
十萌	ともえ
美十	みと
十実子	とみこ
妃十美	ひとみ

乃

2

音訓　ダイ、ナイ、の、すなわ(ち)、なんじ

名のり　おさむ

【意味】すなわち。これ。わたし。

【ポイント】「彩乃（あやの）」「雪乃（ゆきの）」など、女の子の止め字の定番。すっきりとしたやわらかい字形は、どんな字とも相性がよく、男の子向きのかための漢字と合わせても、この字があるだけでグッと女の子らしくなる。最近は「乃里香（のりか）」「木乃美（このみ）」のように先頭字、中間字に使うことも増えている。

【参考】●木村佳乃（きむら・よしの）…女優。●工藤綾乃（くどう・あやの）…女優。●指原莉乃（さしはら・りの）…タレント。

蒼乃	あおの
彩乃	あやの
志乃	しの
乃亜	のあ
乃依	のえ
乃羽	のわ
真乃	まの
雪乃	ゆきの
夢乃	ゆめの
里乃	りの
木乃美	このみ
乃恵留	のえる
乃里香	のりか
陽菜乃	ひなの
帆乃佳	ほのか
麻乃亜	まのあ
実乃里	みのり

二

2

音訓　ニ、ジ、ふた、ふた(つ)

名のり　つぎ、つぐ、ふ

【意味】数字の2。

【ポイント】以前は男の子の定番止め字で、女の子での使用例は少なかったが、最近は「二菜（にな）」など、「二」の音が洋風の名前で人気。

二花	にか
二菜	にな
二帆	にほ
二葉	ふたば
二実	ふみ
亜二香	あにか
二依奈	にいな
二千花	にちか

八

2

音訓　ハチ、や、や(つ)、やっ(つ)、よう
名のり　は、やつ、わ

【意味】数字の8。

【ポイント】「八」は末広がりで縁起のよい数字。「や」「は」の読みをいかした名前が多く、響きも字面も和風の雰囲気になる。

八瑠	はる
八耶	やや
知八琉	ちはる
八菜子	はなこ
美八乃	みやの
八千花	やちか
八千穂	やちほ
八知世	やちよ

了

2

音訓　リョウ
名のり　あき、あきら、さと、さとる、のり

【意味】物事に結末をつける。さとる。

【ポイント】響きも意味合いもシャープな印象。画数が少なく、独特の字形なので、姓名全体の字面のバランスに気をつけたい。

了	りょう
了絵	あきえ
了香	さとか
了美	さとみ
了伽	りょうか
了佳	りょうか
了瑚	りょうこ
了那	りょうな

丸

3

音訓　ガン、まる
名のり　たま、まろ

【意味】まる。円。全体。まるごと。

【ポイント】まあるいことを示すため、やわらかく穏やかなイメージ。あまり女の子名では使われないが、字のやさしい雰囲気は女の子向きともいえる。

彩丸	いまる
丸季	たまき
丸代	たまよ
丸亜	まるあ
丸絵	まるえ
丸香	まるか
丸湖	まるこ
丸美	まるみ

久

3

音訓　キュウ、ク、ひさ(しい)
名のり　ぐ、つね、なが、ひこ、ひさ、ひさし

【意味】ひさしい。長い間。

【ポイント】いつまでも変わらず、長く続くイメージ。以前は「ひさ」の読みが多かったが、最近は「ク」が優勢。同じ「ク」の音では「玖」も人気。

久美	くみ
久里	くり
久希	ひさき
望久	みく
芽久	めぐ
久羅々	くらら
久留実	くるみ
久玲亜	くれあ

弓

3

音訓　キュウ、ゆみ
名のり　み、ゆ

【意味】ゆみ。

【ポイント】凛々しさと柔軟さがあり、和の雰囲気も持っている字。「強さとやさしさを持ち合わせたしなやかな女性に」と願って。

愛弓	あゆみ
紗弓	さゆみ
弓咲	ゆみさ
弓世	ゆみせ
弓帆	ゆみほ
弓琉	ゆみる
麻弓子	まゆこ
美弓祈	みゆき

己

3

音訓　コ、キ、おのれ
名のり　お、おとこ、な、み

【意味】自分。私心。

【ポイント】「しっかり自分を持った子に」などの思いを込めて。「コ」「キ」「み」とポピュラーな読みが多いうえに、男女ともに使われるので少々まぎらわしい。

己世	きせ
己羅	きら
己依	みい
己緒	みお
己玖	みく
美己	みこ
真己亜	まきあ
由梨己	ゆりこ

才

3

音訓　サイ
名のり　かた、たえ、とし、もち

【意味】知能。素質。

【ポイント】才能や知能を意味する字だが、多用されておらず、名前としては新鮮。字面の印象がかためなので、やわらかな印象の字と組み合わせたい。

才華	さいか
才那	さいな
才楽	さいら
才絵	さえ、としえ
才羅	さら
才弥果	さやか
美才子	みさこ

三

3

音訓　サン、み、みっ(つ)
名のり　かず、さ、さぶ、そ、ぞう、ただ、みつ

【意味】数字の3。

【ポイント】かつての男の子の定番止め字だが、近年は「み」の音をいかして、女の子の使用例も多い。直線3本の字なので、曲線のある字と組み合わせたい。

三胡	みこ
三咲	みさき
三月	みつき
三波	みなみ
三來	みらい
菜三香	なみか
三可子	みかこ
結三莉	ゆみり

巳

3

音訓　シ、ジ、み
名のり　ー

【意味】へび。十二支の6番目。

【ポイント】かつては巳年生まれの子どもによく使われたが、今は意味に関係なく、新鮮さを求めて、「美」「実」にはない「み」の音をいかして使われている。

巳亜	みあ
巳依	みい
巳華	みか
巳優	みゆう
梨巳	りみ
玲巳	れみ
麻巳香	まみか
巳都里	みどり

子 3

音訓 シ、ス、こ
名のり たか、とし、ね、み、やす

【意味】子ども。種。ねずみ。十二支の1番目。

【ポイント】ママ世代の女の子の止め字の定番。平成以降、使用例はグンと減ったが、最近は「莉子（りこ）」が女の子の名前の上位なるなど、復活のきざしも。画数は少ないが安定感のある字形なので、どんな字とも相性がいい。

【参考】●篠原涼子（しのはら・りょうこ）…女優。●松嶋菜々子（まつしま・ななこ）…女優。●東尾理子（ひがしお・りこ）…ゴルファー。●前田敦子（まえだ・あつこ）…タレント。●中川翔子（なかがわ・しょうこ）…タレント。

- 亜子　あこ
- 絵子　えこ
- 希子　きこ
- 虹子　こうこ
- 咲子　さきこ
- 桜子　さくらこ
- 瞬子　しゅんこ
- 瞳子　とうこ
- 華子　はなこ
- 雛子　ひなこ
- 媛子　ひめこ
- 真子　まこ
- 莉子　りこ
- 千意子　ちいこ
- 菜々子　ななこ
- 海那子　みなこ
- 優実子　ゆみこ

女 3

音訓 ジョ、ニョ、ニョウ、おんな、め
名のり こ、たか、よし

【意味】女の子。女の人。

【ポイント】女性らしさを感じさせる字。「綾女（あやめ）」のように「め」の音を使うことが多い。のびやかな字形で、多画数の字とも相性がいい。

- 絢女　あやめ
- 陽女　ひめ
- 女梨　めり
- 女瑠　める
- 結女　ゆめ
- 妃女奈　ひめな
- 女衣子　めいこ
- 女玖美　めぐみ

小 3

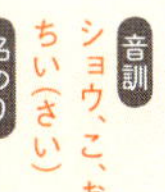

音訓 ショウ、こ、お、ちい（さい）
名のり さ、ち

【意味】ちいさい。少し。

【ポイント】「小さい」という意味から、かわいらしいイメージで、女の子向き。「小雪（こゆき）」「小春（こはる）」「小百合（さゆり）」など、和風の名前もつくりやすい。「小桃（こもも）」「小鈴（こすず）」など、人気漢字と組み合わせてもいい。

【参考】●小野小町（おのの・こまち）…平安時代の歌人。●吉永小百合（よしなが・さゆり）…女優。●小雪（こゆき）…女優。●久住小春（くすみ・こはる）…タレント。●村元小月（むらもと・さつき）…フィギュアスケート選手。

- 小菊　こぎく
- 小鈴　こすず
- 小夏　こなつ
- 小羽　こはね
- 小春　こはる
- 小町　こまち
- 小鞠　こまり
- 小桃　こもも
- 小雪　こゆき
- 小夢　こゆめ
- 小那　さな
- 小乃花　このか
- 小万里　こまり
- 小百合　さゆり
- 小夜子　さよこ
- 紫小莉　しおり
- 美小花　みおか

夕 3

音訓 セキ、ゆう
名のり ゆ

【意味】夕方。ゆうべ。

【ポイント】曲線で構成された字のため、手書きのときに少々バランスがとりにくいのが難。字のイメージはやさしく、女性的。夕焼けの印象もあり、風情がある。

- 沙夕　さゆ
- 麻夕　まゆう
- 美夕　みゆ
- 夕依　ゆい
- 夕羽　ゆう
- 夕夏　ゆうか
- 真夕菜　まゆな
- 夕未夏　ゆみか

千 3

音訓 セン、ち
名のり かず、ゆき

【意味】数字の千。たくさん。

【ポイント】和のイメージのある字だが、「ち」の音をいかすと、キュートな印象の名前や、洋風の響きの名前にも使える。少画数だが、縦と横にすっとのびたバランスよい字形のため、どのような字ともなじみやすい。「セン」の音をいかすと、また違った印象に。

【参考】●宇野千代（うの・ちよ）…作家。●池脇千鶴（いけわき・ちづる）…女優。●栗山千明（くりやま・ちあき）…女優。●森高千里（もりたか・ちさと）…歌手。●坂下千里子（さかした・ちりこ）…タレント。

- 千華　せんか
- 千菜　せんな
- 千慧　ちえ
- 千珂　ちか
- 千里　ちさと
- 千瀬　ちせ
- 千鶴　ちづる
- 千那　ちな
- 千野　ちの
- 千尋　ちひろ
- 一千花　いちか
- 沙千代　さちよ
- 千亜希　ちあき
- 千羽瑠　ちはる
- 千結希　ちゆき
- 真千佳　まちか
- 美千瑠　みちる

土 3

音訓 ド、ト、つち
名のり ただ、のり

【意味】つち。大地。故郷。

【ポイント】大地の力強さ、素朴さを感じさせる字。「母なる大地」のような懐の深いイメージも。「実土里（みどり）」など、「ド」に当てることができる貴重な字。

- 亜土　あど
- 絵土　えど
- 土亜　とあ
- 土羽　とわ
- 美土　みと
- 莉土　りど
- 土麗美　どれみ
- 実土里　みどり

万 3

音訓 マン、バン
名のり かず、かつ、すすむ、たか、つむ、ま、よろず

【意味】数字の万。すべて。

【ポイント】非常に大きな数字を示すことから、おおらかさや長い距離・時間をイメージ。少画数でものびやかな字形で、3字名でもバランスをとりやすい字。

万緒	まお
万波	まなみ
万帆	まほ
万理	まり
依万莉	いまり
陽万里	ひまり
万衣子	まいこ
万由香	まゆか

也 3

音訓 ヤ、なり
名のり あり、これ、ただ、また

【意味】呼びかけ。感嘆などの助字。

【ポイント】男の子の止め字の定番なので、姓別を間違われないよう、女の子らしい字と組み合わせたい。

亜也	あや
也美	なりみ
美也	みや
也依	やえ
華也乃	かやの
夏也美	かやみ
智也子	ちやこ
真也香	まやか

与 3

音訓 ヨ、あた(える)
名のり くみ、ため、とも、のぶ、よし

【意味】あたえる。仲間。

【ポイント】「ヨ」の音で、「代」「世」の代わりに用いると、古風かつ新鮮な印象に。「周囲の人によい影響を与えられる人に」などの意味づけもできる。

伊与	いよ
歌与	かよ
与禾	くみか
咲与	さよ
真与	まよ
萌与	もよ
紫与李	しより
璃与子	りよこ

允 4

音訓 イン、ゆる(す)
名のり じょう、すけ、ちか、まこと、まさ、みつ

【意味】調和が取れている様子。穏やか。誠実。本当に。

【ポイント】あまりなじみのない字で、やや読みにくさはあるが、「調和」や「誠実」と、意味は非常に名前向き。

允	まこと
允子	ちかこ、みつこ
允美	まさみ
允世	まさよ
美允	みちか
允果	みつか
允姫	みつき

円 4

音訓 エン、まる(い)
名のり つぶら、まど、まどか、みつ

【意味】まるい。おだやか。めぐる。

【ポイント】意味や響きはやわらかいが、直線で構成された字は、見た目はややかたい印象。やわらかい雰囲気の字と合わせたい。

円	まどか
円耶	えんや
円里	えんり
香円	かえん
円歌	まどか
円那	まどな
円香	まるか
円美	まるみ

月 4

音訓 ゲツ、ガツ、つき
名のり づき

【意味】つき。

【ポイント】月光や月夜を連想させることから、落ち着いたイメージのある字。「優月（ゆづき）」「葉月（はづき）」など、1字＋止め字の「月」で、さまざまな名前がつくれる。基本的には和のイメージがあるが、組み合わせる字によっては、キュートな印象にも。「月乃（つきの）」のように先頭字に使うと、よりしっとりとした雰囲気。やわらかさを感じさせるバランスのよい字形なので、比較的どんな字とも相性がいい。

【参考】●月桂樹（げっけいじゅ）…クスノキ科の常緑高木。芳香がある。●海月（くらげ）…海の生物。●佳月（かげつ）…よい月。名月。●月花（げっか）…月光。月と花。月華とも書く。●室井佑月（むろい・ゆづき）…作家。●谷村美月（たにむら・みつき）…女優。●大石参月（おおいし・みつき）…モデル。

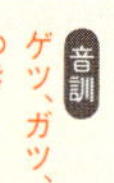

衣月	いつき
唯月	いつき
宇月	うづき
羽月	うづき
歌月	かづき
香月	かづき
和月	かづき
希月	きづき
祈月	きづき
爽月	さつき
早月	さつき
沙月	さつき
紫月	しづき
詩月	しづき
月絵	つきえ
月緒	つきお
月珂	つきか
月禾	つきか
月子	つきこ
月紗	つきさ
月那	つきな
月音	つきね
月乃	つきの
月野	つきの
月羽	つきは
月波	つきは
月葉	つきは
月妃	つきひ
月帆	つきほ
月穂	つきほ
月美	つきみ
月未	つきみ
月世	つきよ
月夜	つきよ
那月	なつき
菜月	なつき
初月	はつき
葉月	はづき
緋月	ひづき
芙月	ふづき
風月	ふづき
帆月	ほづき
歩月	ほづき
美月	みつき
深月	みづき
夢月	むつき
優月	ゆづき
悠月	ゆづき
夕月	ゆづき
李月	りづき
里月	りづき

元 4

音訓 ゲン、ガン、もと
名のり あさ、はじむ、はじめ、はる、もと、ゆき、よし

【意味】もと。はじめ。大きい。

【ポイント】元気で健康的な、明るいイメージの字。女の子では「もと」の読みが多い。名のりには人気の「はる」の読みもあるが、初見ではやや読みにくい。

元香	はるか
元美	はるみ
元江	もとえ
元佳	もとか
元子	もとこ、ゆきこ
元祢	もとね
元乃	もとの

五 4

音訓 ゴ、いつ、いつ(つ)
名のり い、いず、かず、ゆき

【意味】数字の5。5番目。

【ポイント】女の子の名づけでは、新緑の5月をイメージした「五月（さつき）」が多い。「五穂（いつほ）」など「いつ」の読みをいかした名前も。

五香	いつか
五希	いつき
五音	いつね
五穂	いつほ
五夢	いつむ
五月	さつき
五玖子	いくこ
五十鈴	いすず

公 4

音訓 コウ、おおやけ
名のり あきら、きみ、く、ただ、まさ

【意味】おおやけ。

【ポイント】誠実かつ開かれたオープンなイメージ。男の子名に使用されることも多いので、性別を間違われないよう、女の子らしい字と組み合わせたい。

公恵	きみえ
公果	きみか
公子	きみこ
公乃	きみの
公美	くみ
希公花	きくか
公里子	くりこ
公瑠実	くるみ

心 4

音訓 シン、こころ
名のり きよ、ご、ここ、さね、なか、み、むね、もと

【意味】精神。思い。中央。

【ポイント】木村拓哉・工藤静香夫妻が長女に「心美（ここみ）」と名づけて以降、急激に人気がアップ。「人の心（気持ち）がわかる子に」「心やさしい子に」など、子どもへの思いをストレートに託せる字。「ここ」の響きもかわいらしく、今では人気漢字ベスト10の常連になるほど、女の子名の定番字として定着している。「心愛（ここあ）」「心菜（ここな）」などに加え、最近は、「心結（みゆ）」など、名のりの「み」の使用例も増えている。

【参考】●心月（しんげつ）…悟りを開いて心が澄み切っていること、心が明白なことを、月にたとえた語。●心志（しんし）…こころざし。意思。●心星（しんぼし）…北極星のこと。●清心（せいしん）…清い心。●天心（てんしん）…空の真ん中。●矢沢心（やざわ・しん）…女優。●田村睦心（たむら・むつみ）…声優。

心	こころ、しん
愛心	あいみ
笑心	えみ
佳心	かこ
心依	きよえ
心瑚	きよこ
心愛	ここあ
心世	ここせ
心菜	ここな
心那	ここな
心寧	ここね
心乃	ここの
心羽	ここは
心深	ここみ
心美	ここみ
心夢	ここむ
心芽	ここめ
心留	こころ
心和	ここわ
心暖	こはる
心子	しんこ、みこ
心杏	みあん
心音	みおん
心架	みか
心祈	みき
心玖	みく
心紅	みく
実心	みこ
美心	みこ
心紗	みさ
心静	みせい
心華	みはな
心遥	みはる
心耶	みや
心優	みゆう
心与	みよ
心来	みらい
心璃	みり
心礼	みれい
心葉	もとは
優心	ゆうみ
莉心	りこ
玲心	れいこ
依心留	えみる
真心花	まみか
心結奈	みゆな
心李亜	みりあ
結心羽	ゆみは
留心絵	るみえ

仁 4

音訓 ジン、ニン、ニ
名のり きみ、と、ひと、ひとし、み、めぐみ、めぐむ、よし

【意味】いつくしむ。情け。

【ポイント】字の持つ意味と高貴な雰囲気から昔からよく使われてきた字で、落ち着いた印象がある。女の子では「ニ」の音をいかしたキュートな印象の名前が人気。

仁花	にか
仁瑚	にこ
仁菜	にな
仁玲	にれ
仁絵	ひとえ
仁美	ひとみ
仁衣奈	にいな
萌仁香	もにか

水 4

音訓 スイ、みず
名のり み、みな

【意味】みず。

【ポイント】涼しげで透明感のある字。「みず」の響きも文字通り、みずみずしい印象で、字面も安定感がある。「美」「実」に代わって「み」に当てるのも新鮮。

蒼水	あおみ
泉水	いずみ
水緒	みお
水絵	みずえ
水季	みずき
水葉	みずは
水萌	みずも
優水花	ゆみか

双 4

音訓 ソウ、ふた
名のり とも、ならぶ、ふ、もろ

【意味】ふたつならんださま。

【ポイント】「又」がふたつ形よく並んだ字形が、芽生えた双葉をイメージ。このイメージから、「すこやかな成長」や「人と仲よくすること」などを願って。

双亜	そあ
双奈	そな
双楽	そら
双蘭	そらん
双美	ともみ
双世	ともよ
双葉	ふたば
双実	ふみ

丹 4

音訓 タン
名のり あか、あきら、に、まこと

【意味】赤色。まごころ。純粋。

【ポイント】顔料や絵の具の赤色に用いられる「丹砂（たんしゃ）」の意味で、鮮やかな色から「情熱」「美しい」といったイメージに。「に」の読みは洋風の名前で重宝。

丹胡	にこ
丹菜	にな
丹奈	にな
丹美	にみ
丹玲	にれ
牡丹	ぼたん
亜丹香	あにか
丹衣那	にいな

天 4

音訓 テン、あめ、あま
名のり かみ、そら、たか、たかし

【意味】大空。あめ。神。真理。

【ポイント】字の意味からスケールの大きさを感じさせる字。加えて女の子の名前に使う場合には、天真爛漫な印象も。人気の読みは「あま」「そら」「たか」。

天寧	あまね
天璃	あめり
天乃	そらの
天衣	たかえ
天歌	てんか
天麻	てんま
美天	みそら
天瑠美	てるみ

斗 4

音訓 ト
名のり け、はかる、はるか、ほし、ます

【意味】ます。容量の単位。斗星。

【ポイント】男の子の止め字として人気だが、星座を連想させる神秘的雰囲気があり、女の子にも使える。女の子らしい字と組み合わせたい。

緒斗	おと
紗斗	さと
斗瑚	とこ
美斗	みと
萌斗	もと
斗季恵	ときえ
斗和子	とわこ
緋斗美	ひとみ

巴 4

音訓 ハ、へ、ともえ
名のり とも

【意味】へび。はらばいになる。

【ポイント】うずまき状の伝統的な文様「巴（ともえ）」から、とても和風っぽいイメージ。すっきりとした字形で3字名でも使いやすい。

巴絵	ともえ
巴華	ともか
巴澄	はすみ
巴月	はづき
柚巴	ゆずは
知巴留	ちはる
巴瑠菜	はるな
美巴奈	みはな

日 4

音訓 ニチ、じつ、ひ、か
名のり あき、はる、ひる

【意味】ひ。太陽。日光。日々。

【ポイント】太陽を意味するとともに、1日1日しっかりと生きるといった、地に足のついたイメージもある。「ひ」「か」の読みで、おもに先頭字、中間字で使用されている。画数が少ないので3字名でもバランスを取りやすい。「日佳（にちか）」など、「にち」の読みをいかすと、個性的でキュートな印象に。

【参考】●小泉今日子（こいずみ・きょうこ）…女優。●市川実日子（いちかわ・みかこ）…女優。●倉持明日香（くらもち・あすか）…タレント。

愛日	あいか
朝日	あさひ
天日	あまひ
春日	かすが、はるひ
日乃	かの
日音	かのん
日楽	から
日凜	かりん
日佳	にちか
日風	にちか
日子	にちこ、かこ
日琉	にちる
日葵	にっき
遥日	はるひ
陽日	はるひ
日紗	ひさ

日奈	ひな
日南	ひな
日菜	ひな
日向	ひなた
日鞠	ひまり
日芽	ひめ
姫日	ひめか
日和	ひより
美日	みか
結日	ゆうひ
夕日	ゆうひ
柚日	ゆずか
璃日	りか
凛日	りんか
瑠日	るか
亜依日	あいか
亜日莉	あかり
明日花	あすか

明日香	あすか
明日菜	あすな
日依羅	かえら
日梨奈	かりな
今日子	きょうこ
日香里	ひかり
日夏梨	ひかり
日香琉	ひかる
日那子	ひなこ
日々希	ひびき
日万莉	ひまり
日麻里	ひまり
向日葵	ひまわり
日実花	ひみか
日陽子	ひよこ
美日子	みかこ
優日子	ゆかこ
莉日子	りかこ

比 4

音訓 ヒ、くら(べる)
名のり たすく、とも、び、ひさ

【意味】くらべる。親しむ。【ポイント】左右に分かれた字形なので、そうではない字と合わせたほうがバランスがよい。あまり意味を感じさせない字で、響き重視の名づけで重宝。

- 比織 ひおり
- 比美 ひみ
- 由比 ゆい
- 千比乃 ちひの
- 比香里 ひかり
- 比奈乃 ひなの
- 比美花 ひみか
- 麻比瑠 まひる

文 4

音訓 ブン、モン、ふみ
名のり あや、いと、のり、ふ、み、やす、ゆき

【意味】ふみ。文字。あや。【ポイント】「ふみ」の読みで男女ともに使われているが、女の子には「あや」の読みも人気がある。「あや」とはきれいな模様という意味。

- 文花 あやか
- 文音 あやね
- 文乃 あやの
- 沙文 さあや
- 文緒 ふみお
- 文香 ふみか
- 玲文 れもん
- 文実乃 ふみの

木 4

音訓 モク、ボク、き、こ
名のり き、こ、しげ

【意味】樹木。材木。【ポイント】しっかりと大地に根を下ろすたくましさと、木が持つぬくもりを感じさせる字。名前の1字目に使うと、姓と名の区切りがわかりにくいことも。

- 木莉 きり
- 木実 このみ
- 木菜子 きなこ
- 木乃葉 このは
- 木乃実 このみ
- 真木花 まきか
- 木綿子 ゆうこ
- 優木子 ゆきこ

友 4

音訓 ユウ、とも
名のり すけ、ゆ

【意味】とも。味方。仲よし。【ポイント】「ユウ」または「ユ」と読む字には、「優」「悠」「結」など人気漢字が多いが、この字も根強い人気。少画数ですっきりとしていながら、のびやかさのある字形で、どんな字とも相性がいい。「友人に恵まれるように」と願って。【参考】●朋友（ほうゆう）…友達。友人。●友愛（ゆうあい）…兄弟間の情愛。友人に対する親しみの情。●黒谷友香（くろたに・ともか）…女優。●蛯原友里（えびはら・ゆり）…モデル。●板野友美（いたの・ともみ）…タレント。●渡辺麻友（わたなべ・まゆ）…タレント。

- 友紀 ゆき
- 愛友 あゆ
- 友寧 ともね、ゆね
- 友美 ともみ
- 友代 ともよ
- 麻友 まゆ
- 友衣 ゆい
- 友香 ゆうか、ともか
- 友子 ゆうこ
- 優友 ゆゆ
- 友里 ゆり
- 沙友美 さゆみ
- 真友子 まゆこ
- 友夏莉 ゆかり
- 友梨恵 ゆりえ

予 4

音訓 ヨ、かね(て)
名のり たのし、まさ、やす、やすし

【意味】与える。【ポイント】「ヨ」に当てる使い方が一般的で、「代」「世」に代わる止め字として使用できる。字形が「子」と似ているので、間違えられることも。

- 依予 いよ
- 香予 かよ
- 紗予 さよ
- 志予 しよ
- 麻予 まよ
- 里予 りよ
- 詩予梨 しより
- 陽予里 ひより

以 5

音訓 イ
名のり これ、さね、とも、もち、ゆき、より

【意味】もちいる。【ポイント】ひらがなの「い」の原型。とくに強い意味を持たないので、「イ」の響きを重視するときに重宝。字面的には、「衣」「依」よりも個性的な名前になる。

- 亜以 あい
- 真以 まい
- 結以 ゆい
- 莉以 りい
- 怜以 れい
- 史以奈 しいな
- 実以菜 みいな
- 有以子 ゆいこ

右 5

音訓 ウ、ユウ、みぎ
名のり あき、すけ、たか、たすく

【意味】みぎ。【ポイント】右左の「右」という意味以外に、「助ける」という意味もある。女の子の名前では「ウ」の音をいかした名前が多い。

- 右乃 うの
- 右美 うみ
- 音右 ねう
- 芽右 めう
- 右子 ゆうこ
- 莉右 りう
- 麻右那 まうな
- 優右里 ゆうり

永 5

音訓 エイ、なが(い)
名のり え、はるか、ひさ、ひさし

【意味】（川が）長い。とこしえ。【ポイント】女の子名では「永梨（えり）」「彩永（さえ）」のように、1音で「え」と読ませることが多い。字のバランスもよく、先頭字、中間字、止め字と幅広く使える。

- 永花 えいか
- 永美 えいみ
- 永梨 えり
- 彩永 さえ
- 萌永 もえ
- 璃永 りえ
- 永里那 えりな
- 彩永子 さえこ

5

央

音訓　オウ
名のり　あきら、お、なか、ひさ、ひろ、ひろし

【意味】まんなか。なかば。つきる。

【ポイント】かつては男の子の止め字だったが、現在は女の子の止め字としても定着。それだけに性別のまぎらわしさがないよう、女の子らしい字と組み合わせたい。「まんなか」の意味から、「いつも人の輪の中心にいるような明るい子に」などの意味づけもできる。

【参考】●浅田真央（あさだ・まお）…フィギュアスケート選手。●小林麻央（こばやし・まお）…タレント。●平井理央（ひらい・りお）…アナウンサー。

央花	おうか、ひろか
詩央	しお
珠央	たまお
奈央	なお
央乃	ひろの
真央	まお、まなか
未央	みお
美央	みお、みひろ
莉央	りお
紗央里	さおり
菜央子	なおこ
麻央実	まおみ
麻央里	まおり
礼央那	れおな

5

禾

音訓　カ、ワ、いね、のぎ
名のり　とし、のぶ、ひで

【意味】あわ。いね。

【ポイント】イネ科の穀物の総称を意味する字で、「豊作」のイメージから「多くの人や物に恵まれるように」。名づけでは、「カ」の音が使いやすい。

禾恵	かえ
禾菜	かな
禾乃	かの
禾耶	かや
実禾	みか
璃禾	りか
麗禾	れいか
有禾莉	ゆかり

5

可

音訓　カ
名のり　あり、とき、よく、よし、より

【意味】よい。認める。許す。

【ポイント】「自分の可能性を信じてがんばれる子に」「懐の大きな子に」などの思いを込められる。「カ」の音は、先頭字、中間字、止め字とさまざまな形で使用できる。やや角ばった字形で、また中性的なイメージなので、組み合わせる字はやわらかく女の子らしい字がベター。

【参考】●小谷美可子…元シンクロナイズドスイミング選手。五輪メダリスト。●樋口可南子（ひぐち・かなこ）…女優。●柳原可奈子（やなぎはら・かなこ）…タレント。●滝裕可里（たき・ゆかり）…タレント。●小松未可子（こまつ・みかこ）…声優、女優。

可絵	かえ
可純	かすみ
可南	かな
可音	かのん
可耶	かや
可琳	かりん
可憐	かれん
可蓮	かれん
遥可	はるか
舞可	まいか
莉可	りか
瑠可	るか
亜可莉	あかり
明日可	あすか
可世子	かよこ
真里可	まりか
悠里可	ゆりか

5

丘

音訓　キュウ、ク、おか
名のり　お、おか、たか、たかし

【意味】小高い山。

【ポイント】石田衣良の小説に、主人公の名前を冠した『美丘（みおか）』がある。よく知っているわかりやすい字だが、実際の名前にはあまり使われていないので新鮮。

希丘	きおか
丘美	くみ
丘莉	くり
紗丘	さおか
美丘	みおか
実丘	みく
里丘	りおか
丘梨花	くりか

5

加

音訓　カ、くわ(える)
名のり　ます、また

【意味】くわえる。増す。

【ポイント】意味を意識せずに「カ」の音に当てて使われることが多いが、「増す」という意味は、十分名前向き。「幸せが増す人生を」「まわりに自然と人が増えるような人気者に」などの意味づけもできる。「香」や「花」など、ほかの「カ」の音の人気字に比べ、中性的なイメージ。すっきりとした字形で3字名でも使いやすい。

【参考】●岸本加世子（きしもと・かよこ）…女優。●秋元才加（あきもと・さやか）…タレント。●中野由加里（なかの・ゆかり）…元フィギュアスケート選手。

美加	みか
愛加	あいか
加南	かな
加穂	かほ
加世	かよ
加凜	かりん
遥加	はるか
望加	もか
優加	ゆか
夢加	ゆめか
依里加	えりか
加緒里	かおり
加奈子	かなこ
加梨奈	かりな
陽加里	ひかり
穂乃加	ほのか
真美加	まみか

5

玉

音訓　ギョク、たま
名のり　きよ

【意味】美しい宝石。

【ポイント】「美しいもの」「優れているもの」を形容する字。昔からよく使われてきたが、最近は王へんの「珠（シュ、たま）」のほうが人気が高い。

玉絵	たまえ
玉緒	たまお
玉祈	たまき
玉瑚	たまこ、きよこ
玉乃	たまの
玉穂	たまほ
玉美	たまみ

叶

5

音訓 キョウ、かな(う)
名のり か、かない、かのう、かなえ、やす

【意味】かなう。思いどおりになる。

【ポイント】希望が感じられる字で、近年人気が出てきた字。読みのバリエーションはあまり多くないが、最近は「かなう」を縮めて「か」と読ませる傾向も。代表的なのは「夢叶（ゆめか）」で、文字通り、「夢が叶うように」との意味を込めて名づけるケースが増えている。左右に分かれる字形のため、組み合わせる字は、「華」「美」など左右に分かれないものを選ぶとバランスがいい。

叶	かなえ
愛叶	あいか
叶笑	かなえ
叶絵	かなえ
叶羽	かなは
叶美	かなみ
叶望	かなみ
叶芽	かなめ
叶香	きょうか
叶子	きょうこ、かなこ
遥叶	はるか
実叶	みかな
夢叶	ゆめか
梨叶	りか
羽叶	わかな
和叶	わかな

乎

5

音訓 コ、か、や
名のり —

【意味】「はぁ」という感嘆の声。形容詞や副詞につけて、強調する語。

【ポイント】感嘆や疑問をあらわす字で、とくに意味はない。「子」の代わりに使用すると新鮮。

亜乎	あこ
紗乎	さこ
仁乎	にこ
真乎	まこ
実乎	みこ
理乎	りこ
乎那美	こなみ
美乎斗	みこと

古

5

音訓 コ、ふる(い)
名のり たか、ひさ

【意味】ふるい。いにしえ。

【ポイント】「子」以外に素直に「コ」と読める字が少ないなかで、字形のバランスもよい貴重な字。レトロな印象が強いが、「古きよき」と、ポジティブな意味も。

古都	こと
古麻	こま
美古	みこ
都古	みやこ
古都音	ことね
古都美	ことみ
真古都	まこと
麻美古	まみこ

弘

5

音訓 コウ、グ、ひろ(い)
名のり ひろし、ひろむ

【意味】ひろい。大きい。ゆとりがある。

【ポイント】左右に分かれた字形なので、組み合わせる字は「末」「美」など左右に分かれていない字形がベター。

弘絵	ひろえ
弘歌	ひろか
弘子	ひろこ
弘乃	ひろの
弘美	ひろみ
弘夢	ひろむ
茉弘	まひろ
美弘	みひろ

広

5

音訓 コウ、ひろ(い)、ひろ(がる)
名のり ひろし

【意味】ひろい。大きい。

【ポイント】意味も読みもわかりやすく、字形もすっきりしていて、安定した人気。さまざまな字となじみやすいので、名前のバリエーションがつくりやすい。

広美	こうみ、ひろみ
広虹	ひろこ
広世	ひろせ
広那	ひろな
広乃	ひろの
麻広	まひろ
美広	みひろ

左

5

音訓 サ、ひだり
名のり すけ

【意味】ひだり。

【ポイント】右左の「左」という意味以外に、「助ける」「そばから支える」という意味もある。女の子の名前では「サ」の音をいかした名前が多い。

有左	ありさ
左彩	さあや
左妃	さき
左奈	さな
左羅	さら
理左	りさ
左和子	さわこ
美左希	みさき

司

5

音訓 シ
名のり おさむ、かず、じ、つかさ、つとむ

【意味】つかさどる。つとめ。

【ポイント】責任感のあるしっかりした印象の字。最近は意味を持たせず、「シ」に当てる字として使用することも多い。やわらかい印象の字と組み合わせたい。

司依	しえ
司緒	しお
司乃	しの
司結	しゆ
司紗	つかさ
司乃亜	しのあ
都司恵	としえ
世司美	よしみ

史

5

音訓 シ
名のり じ、ちか、ひと、ふの、ふみ、み

【意味】暦をつくる。歴史。記録。

【ポイント】女の子の名づけでは「フミ」「シ」の読みが一般的。数ある「シ」の音を持つ字のなかでも、やわらかな曲線の字形は、女の子向き。

史織	しおり
史音	しおん
史乃	しの
史麻	しま
史枝	ふみえ
史寧	ふみね
史帆美	しほみ
美史緒	みしお

市

5

音訓 シ、いち

名のり ち、なが、まち

【意味】市場。まち。

【ポイント】「いち」の読みといえば「一」が定番なので、あえてこの字を使って個性を出す方法も。左右対称のバランスよい字形。

市華	いちか
市子	いちこ
市依	しえ
市緒	しお
市乃	しの、いちの
市穂	しほ
市津奈	しづな

矢

5

音訓 シ、や

名のり ただ、ただし、なお

【意味】や。まっすぐ。正しい。誓う。

【ポイント】弓矢のイメージから、真っすぐさや意思の強さを込められる字。そのため、凛とした印象の名前になる。

亜矢	あや
紗矢	さや
麻矢	まや
美矢	みや
愛矢乃	あやの
華矢子	かやこ
沙矢花	さやか
里矢子	りやこ

出

5

音訓 シュツ、スイ、で(る)、だ(す)

名のり いず、いずる

【意味】でる。起こす。行く。

【ポイント】行動力や開拓心をイメージ。「出水（いずみ）」などのほか、昇る太陽をモチーフにして、「日出佳（ひでか）」など「日」と組み合わせた名前も。

出伽	いずか
出沙	いずさ
出音	いずね
出穂	いずほ
出実	いずみ
出水	いずみ
出泉	いずみ
出雲	いずも
日出佳	ひでか

生

5

音訓 セイ、ショウ、き、い(きる)、う(む)、お(う)

名のり いき、いく、なり、ふ、ぶ、み

【意味】うまれる。生きる。命。

【ポイント】生命力が感じられる字で、「人生を精いっぱい生きてほしい」「いきいきとした生活を送ってほしい」など、ポジティブな意味づけができる字。ただし、「セイ」「き」「い」「お」など読みが多く誤読されやすいのが難。また男の子の止め字としても人気なので、「真生（まお、まい、まさき）」など、名前によっては性別がわかりにくくなることも。「真生子（まいこ）」「真生花（まいか）」など、女の子らしい止め字を使った3字名にするのもひとつの方法。

【参考】●桐野夏生（きりの・なつお）…作家。

碧生	あおい
生絵	いくえ
生吹	いぶき
咲生	さき
珠生	たまき
菜生	なお
夏生	なつき
生美	なりみ
真生	まお、まい
実生	みお
芽生	めい
弥生	やよい
結生	ゆい
沙生莉	さおり
菜生美	なおみ
真生花	まいか

正

5

音訓 セイ、ショウ、ただ(しい)

名のり あきら、かみ、ただし、まさ、まさし、よし

【意味】ただしい。

【ポイント】以前は「まさ」「ショウ」の読みでよく使われていた字。最近は使用例が減っているが、「正奈（せいな）」のように、「セイ」の読みを使うと目新しさが出る。

正子	しょうこ
正愛	せいあ
正華	せいか
正奈	せいな
正姫	まさき
正乃	まさの
正美	まさみ
正代	まさよ

世

5

音訓 セイ、せ、よ

名のり つぎ、つぐ、とき、とし

【意味】一代。時代。世の中。

【ポイント】止め字でよく使われるが、たとえば「莉世」のような名前の場合、「りせ」と「りよ」の両方の読み方ができ、少々まぎらわしい面も。縦横の直線で構成された字なので、曲線や斜線のある字と組み合わせたほうが、女の子らしさが出る。なお「早世」は早死にするという意味なので注意。

【参考】●原田知世（はらだ・ともよ）…女優。●涼風真世（すずかぜ・まよ）…女優。●森理世（もり・りよ）…タレント。ミス・ユニバース世界大会優勝。●吉田明世（よしだ・あきよ）…アナウンサー。

明世	あきよ
夏世	かよ
沙世	さよ
世羅	せいら、せら
世乃	せの
友世	ともよ
陽世	ひよ
雪世	ゆきよ
莉世	りせ
麻希世	あきせ
香世子	かよこ
紀世乃	きよの
世莉花	せりか
世梨奈	せりな
千都世	ちとせ
陽世里	ひより

代

5

音訓 ダイ、タイ、か(わる)、よ、しろ

名のり とし、のり、より

【意味】世。時代。一生。かわる。

【ポイント】「よ」の止め字の定番だが、最近は「世」のほうが人気。「紗代（さよ）」「莉代（りよ）」など人気漢字と合わせれば、古風かつかわいい名前に。

伊代	いよ
佳代	かよ
紗代	さよ
真代	まよ
莉代	りよ
千代乃	ちよの
美沙代	みさよ
代里香	よりか

旦

音訓 タン、ダン
名のり あき、あきら、あさ、ただし

【意味】日の出。あした。

【ポイント】元旦の「旦」で、日の出を意味する縁起のよい字。意外と名前では使われていないので目新しさはある。「あき」「あさ」の読みが使いやすい。

旦華	あきか
旦菜	あきな
旦音	あきね
旦香	あさか
旦瑚	あさこ
旦陽	あさひ
旦美	あさみ
麻旦	まあさ

汀

5

音訓 テイ、なぎさ、みぎわ
名のり ―

【意味】波が打ち寄せる砂地。

【ポイント】人気の海に関連する字で、独特の落ち着いた雰囲気もある。1字名の「なぎさ」が定番。1字添えて「汀紗（なぎさ）」などとしても。

汀	なぎさ
汀華	ていか
汀子	ていこ
汀菜	ていな
汀子	なぎこ
汀砂	なぎさ
汀紗	なぎさ
汀乃	なぎの

冬

5

音訓 トウ、ふゆ
名のり かず、と、とし

【意味】ふゆ。

【ポイント】冬生まれの子の名づけでは、今も根強い人気を誇っている。「ふゆ」のやわらかい響きは女の子向き。最近は「ト」と読ませる傾向も。

千冬	ちふゆ
冬音	ふゆね
冬陽	ふゆひ
冬実	ふゆみ
舞冬	まふゆ
美冬	みふゆ
冬萌美	ともみ
陽冬美	ひとみ

白

5

音訓 ハク、ビャク、しろ、しら
名のり あきら、きよし

【意味】しろい色。けがれないさま。あきらか。

【ポイント】混じり気のない純粋なイメージで、女の子の名前向き。ただ読みは使いやすいものがなく、バリエーションは限られる。

白音	きよね
白美	きよみ
瑚白	こはく
白花	しろか、きよか
白乃	しろの
白亜	はくあ
真白	ましろ

布

5

音訓 フ、ぬの
名のり しき、しく、たえ、のぶ、よし

【意味】ぬの。

【ポイント】布から、「やさしく包み込む」「あたたかく包む」といった、女の子らしいイメージ。「フ」の響きも、ふわふわとしたやさしいイメージがある。

布依	ぬのえ
布実	ふみ
布羽香	ふうか
布紀子	ふきこ
布彩乃	ふさの
布由花	ふゆか
結布子	ゆうこ
由布帆	ゆうほ

卯

5

音訓 ボウ、ミョウ、う
名のり あきら、しげ、しげる

【意味】十二支の4番目。うさぎ。東。

【ポイント】ウサギの愛らしさをイメージして使われるほか、4月の異名の「卯月（うづき）」にちなんで用いることも。

卯奈	うな
卯乃	うの
卯美	うみ
結卯	ゆう
卯依奈	ういな
卯沙子	うさこ
風卯佳	ふうか
優卯美	ゆうみ

未

5

音訓 ミ
名のり いま、ひで

【意味】いまだ。十二支の8番目。ヒツジ。

【ポイント】「未来」を連想する字で、「ミ」の音に当てる字としては「美」「実」に続く人気。一方で、否定の助詞でもあり、好みは分かれる。ただ、「不」が一切を否定するのに対し、「未」はある事実がまだあらわれていないという意味のため、可能性を秘めた字ともいえる。

【参考】●さかもと未明（さかもと・みめい）…漫画家。●川上未映子（かわかみ・みえこ）…作家。●志田未来（しだ・みらい）…女優。●倖田來未（こうだ・くみ）…歌手。●大竹七未（おおたけ・なみ）…元サッカー選手。

亜未	あみ
来未	くるみ
那未	なみ
未亜	みあ
未央	みお
未果	みか
未希	みき
未久	みく
未彩	みさ
未帆	みほ
未萌	みも
未柚	みゆず
未来	みらい、みく
未蘭	みらん
未玲	みれい
未来子	みきこ

民

5

音訓 ミン、たみ
名のり ひと、み、もと

【意味】たみ。

【ポイント】「民衆」「庶民」など、権力を持たない「一般の人」の意味があり、そのイメージは素朴で和風。「たみ」の響きも、素朴かつおおらかな印象。

民恵	たみえ
民香	たみか
民子	たみこ
民乃	たみの
民代	たみよ
民華	みんか
民玖	みんく
優民	ゆみん

由　5

音訓　ユ、ユウ、ユイ、よし
名のり　ただ、ゆき、より

【意味】わけ。よる。従う。

【ポイント】左右対称の安定感のある字で、どんな字ともなじみやすいが、字形のよく似た「田」の入った姓だと単調な印象になるので注意。画数が少なくてすっきりした字形なので、重くなりがちな3字名にも使いやすい。

【参考】●松任谷由実（まつとうや・ゆみ）…歌手。●原由子（はら・ゆうこ）…歌手。●仲間由紀恵（なかま・ゆきえ）…女優。●伊藤由奈（いとう・ゆな）…歌手。●吉高由里子（よしたか・ゆりこ）…女優。●香椎由宇（かしい・ゆう）…女優。

愛由	あゆ
美由	みゆ
由依	ゆい
由夏	ゆか
由希	ゆき
由奈	ゆな
由乃	ゆの
由真	ゆま
由実	ゆみ、ゆうみ
由芽	ゆめ
由里	ゆり
由凜	ゆりん
愛由子	あゆこ
麻由奈	まゆな
美由紀	みゆき
由莉加	ゆりか

立　5

音訓　リツ、リュウ、た(つ)
名のり　たち、たつ、たて

【意味】たてる。出発する。起きる。

【ポイント】しっかりと地盤をかためる安定したイメージ。少画数でシンプルな字形ながら、バランスがよく凛とした印象を与える。

立香	たちか
立希	たつき
立音	たつね
立乃	たつの
立代	たつよ
立華	りっか
立花	りつか
立祈	りつき

令　5

音訓　レイ、リョウ
名のり　おさ、なり、のり、はる、よし、ぐれ

【意味】言いつける。立派な。すばらしい。きまり。

【ポイント】元号「令和」の「令」。元号の元になった『万葉集』の「令月」とは、気候がよく縁起のいい月のこと。2月の異名でもある。

令	れい
美令	みれい、みのり
令香	れいか
令子	れいこ
令菜	れいな
令美	れみ
恵令奈	えれな

礼　5

音訓　レイ、ライ
名のり　あき、あきら、あや、のり、ひろ、ゆき、よし、れ

【意味】人の道。礼儀作法。

【ポイント】礼儀を重んじるまじめさと、気品ある落ち着いた印象を感じさせる字。読みは、音読みの「レイ」のほか、「レイ」を縮めた「レ」が一般的だが、名のりの「あや」も比較的わかりやすく、女の子向き。同じ「レイ」の読みの字に「麗」「玲」「令」「伶」「怜」などがあるが、「礼」は字形的に落ち着いた印象。旧字の「禮」も名前に使用できる。

【参考】●高島礼子（たかしま・れいこ）…女優。●片岡礼子（かたおか・れいこ）…女優。

礼	れい、あや
礼音	あやね
礼寧	あやね
礼乃	あやの
実礼	みらい
美礼	みれい
礼那	れいな、れな
礼子	れいこ、あやこ
礼実	れいみ
礼羅	れいら
礼紋	れもん
英礼奈	えれな
久礼亜	くれあ
礼央那	れおな

安　6

音訓　アン、やす(い)
名のり　あ、さだ、やすし

【意味】やすらか。安全。

【ポイント】値段が安いという意味もあるが、「安らか」「安心」「安全」が本来の意味なので、実は名前にふさわしい字といえる。

安純	あすみ
安珠	あんじゅ
安奈	あんな
安莉	あんり
安果	やすか
安佳莉	あかり
安悠実	あゆみ
美安乃	みあの

衣　6

音訓　イ、ころも
名のり　え、きぬ、そ

【意味】ころも。着物。

【ポイント】「イ」の止め字の定番。衣類のイメージ同様に、字も曲線が多くやわらかで、非常に女の子らしい字。角張った字や左右に分かれた字ともなじみやすく、応用性が高い。止め字だけでなく、3字名の先頭字や中間字にも使いやすい。

【参考】●衣香（いこう）…衣服にたきしめる香。●倉木麻衣（くらき・まい）…歌手。●新垣結衣（あらがき・ゆい）…女優。●市川由衣（いちかわ・ゆい）…女優。●谷中麻里衣（やなか・まりえ）…タレント。ミス日本グランプリ。

亜衣	あい
衣舞	いぶ
衣蓮	えれん
綺衣	きい
衣華	きぬか
沙衣	さえ
舞衣	まい
芽衣	めい
萌衣	もえ
琉衣	るい
亜緒衣	あおい
衣央奈	いおな
衣乃里	いのり
多衣子	たえこ
舞衣沙	まいさ
結衣香	ゆいか
怜衣羅	れいら

伊 6

音訓 イ、これ
名のり おさむ、ただ、よし

【意味】かれ。これ。

【ポイント】「イ」の音のなかでは中性的なイメージ字。ただし、「伊藤」など姓にも多く使われている字なので、まぎらわしくならないように注意。

伊織	いおり
伊都	いと
伊吹	いぶき
瑠伊	るい
亜伊菜	あいな
伊知禾	いちか
伊万里	いまり
芽伊沙	めいさ

宇 6

音訓 ウ
名のり うま、そら、たか、ね、のき

【意味】家。軒。天。大きさ。

【ポイント】「雨」「右」など、「ウ」の漢字はいくつかあるが、その数は多くない。なかでも「宇」は、宇宙を連想させるスケール感で、男女ともに人気。

宇多	うた
宇乃	うの
宇実	うみ
美宇	みう、みそら
由宇	ゆう
宇楽々	うらら
真宇美	まうみ

羽 6

音訓 う、は、はね
名のり ば、わ、わね

【意味】はね。やばね。

【ポイント】大空を飛ぶ自由さに加え、羽毛ぶとんのようなやわらかいイメージもあり、男の子よりも女の子の名でよく使われている字。「う」または「は」の音をいかしたキュートな響きの名前でよく使われるが、「小羽（こはね）」「美羽（みはね）」と、「はね」の読みをいかすと、キュートかつ和風の印象になる。左右に分かれる字形なので、組み合わせる字は分かれていないもののほうが視覚的には安定感がある。

【参考】●羽衣（うい、はごろも）…鳥の羽毛。天女がまとう、空を飛ぶ衣。●鈴木砂羽（すずき・さわ）…女優。●松岡美羽（まつおか・みう）…タレント。

愛羽	あいは
葵羽	あおば
爽羽	あきは
絃羽	いとは
彩羽	いろは
羽紗	うさ
羽汐	うしお
羽乃	うの
羽海	うみ
絵羽	えば
音羽	おとわ、おとは
風羽	かざは
小羽	こはね
静羽	しずは
時羽	ときわ
那羽	なは
羽奈	はな
羽菜	はな
羽瑠	はる
紘羽	ひろは
望羽	みう
実羽	みう、みわ、みはね
美羽	みう、みわ、みはね
瑞羽	みずは
光羽	みつは
萌羽	もえは
結羽	ゆいは
優羽	ゆうは、ゆうわ
羽香	わか
羽奏	わかな
羽美	わみ
衣知羽	いちは
羽衣奈	ういな
羽季子	うきこ
羽琉々	うるる
華乃羽	かのは
小羽子	さわこ
咲羽奈	さわな
奈乃羽	なのは
羽乃愛	はのあ
心羽佳	みうか
美羽弥	みはや
萌々羽	ももは
羽花子	わかこ
羽香那	わかな

会 6

音訓 カイ、エ、あ(う)
名のり あい、あう、かず、さだ、はる、もち

【意味】あう。集まり。

【ポイント】字の意味から、「人とのよい出会い」を込めて。また、とくに意味を持たせずに、「エ」の音を万葉仮名風に使うこともできる。

会那	あいな
会祢	あいね
会莉	あいり
会美	えみ
会里	えり
萌会	もえ
会梨加	えりか
紗会子	さえこ

伎 6

音訓 キ、ギ
名のり たくみ

【意味】わざ。たくみ。芸人。役者。

【ポイント】もともとは男の子向けの字。女の子には「妓」があるが名前には使えない。使用例は少ないので、新鮮さはある。

伎乃	きの
伎羅	きら
美伎	みき
結伎	ゆうき
亜伎奈	あきな
小舞伎	こまき
真伎子	まきこ
夕伎衣	ゆきえ

気 6

音訓 キ、ケ
名のり おき

【意味】いき。活力。気持ち。

【ポイント】「元気」「勇気」などの明るく活力あるイメージ。「人の気持ちがわかる子に」などの思いを込めても。

気衣	きい
気恵	きえ
気世	きせ
気里花	きりか
麻気亜	まきあ
美気子	みきこ
悠気花	ゆきか
結気乃	ゆきの

吉 6

音訓 キチ、キツ
名のり さち、とみ、はじめ、よ、よし

【意味】よい。めでたい。

【ポイント】幸運を象徴する縁起のよい字。左右対称で見た目のバランスもいい。古風な印象が強いが、今使うと逆に新鮮さも与えそう。

吉花	きっか
吉子	きっこ
美吉	みよし
吉絵	よしえ
吉香	よしか
吉乃	よしの
吉羽	よしは
吉歩	よしほ

匡 6

音訓 キョウ、ただ(す)、すく(う)
名のり まさ、まさし

【意味】形を修正する。

【ポイント】誠実な印象の字。縦横の直線で構成された字なので、曲線や斜線のある、やわらかくのびやかな字形と組み合わせるとバランスがいい。

匡佳	きょうか
匡禾	きょうか
匡子	きょうこ
匡絵	まさえ
匡希	まさき
匡音	まさね
匡美	まさみ
匡代	まさよ

共 6

音訓 キョウ、とも
名のり ―

【意味】ともに。

【ポイント】名前にはあまり使われていないが、名前向きのよい意味を持ち、「キョウ」「とも」の読みも使いやすい。

共果	きょうか
共子	きょうこ
共依	ともえ
共笑	ともえ
共夏	ともか
共音	ともね
共実	ともみ
共世	ともよ

旭 6

音訓 キョク、コク、あさひ
名のり あき、あきら、あさ、てる

【意味】あさひ。

【ポイント】「日」「陽」など太陽を連想させる字は人気があるが、なかでも「旭」は朝日という意味。また「九」のハネが、ハツラツさを感じさせる。

旭奈	あきな
旭乃	あきの
旭穂	あきほ
旭代	あきよ
旭香	あさか
旭妃	あさひ
旭未	てるみ
真旭	まあさ

圭 6

音訓 ケイ、ケ、たま
名のり きよ、きよし、ます、よし

【意味】中国で天子が諸侯を封じた玉器。いさぎよい。

【ポイント】男女ともに安定した人気のある字。直線で構成された字なので、女の子らしいやわらかい字形と組み合わせたい。

圭花	けいか
圭子	けいこ、たまこ
圭音	けいと
圭与	たまよ
圭風	よしか
圭乃	よしの
圭衣子	けいこ

江 6

音訓 コウ、え
名のり きみ、ただ、のぶ

【意味】大河。入江。

【ポイント】少画数でありながら広がりのある字形は、「紗江梨（さえり）」「江璃奈（えりな）」など、重くなりがちな3字名でもすっきりまとまりやすい。

江	こう
江奈	えな
江麻	えま
江瑠	える
江美	こうみ
夏江	なつえ
江璃奈	えりな
紗江梨	さえり

合 6

音訓 ゴウ、ガッ、カッ、あ(う)
名のり あい、かい、よし

【意味】ひとつになる。あわせる。

【ポイント】「百」と組み合わせた「百合（ゆり）」の入った名前が定番。字形や意味は名前向きだが、読みが使いにくいため、「百合」以外の使用例は少ない。

合香	あいか
合沙	あいさ
合楽	あいら
合歓	ねむ
百合	ゆり
小百合	さゆり
百合亜	ゆりあ
百合花	ゆりか

考 6

音訓 コウ、かんが(える)
名のり たか、のり、やす

【意味】考える。

【ポイント】一般的な字だが、よく似た字形で同じ「コウ」の音を持つ「孝」と比べると、名前例は少なめ。読みやすく意味もよいので、もっと使われても。

考美	こうみ
考芽	こうめ
考絵	たかえ
考子	たかこ、こうこ
考音	たかね
考乃	たかの
考世	たかよ

行 6

音訓 コウ、ギョウ、アン、い(く)、ゆ(く)、おこな(う)
名のり たか、のり、みち、ゆき

【意味】いく。おこなう。行動。道。旅。

【ポイント】明るい未来を切りひらいていくプラスイメージで、男の子の止め字の定番。女の子名では使用例が少なく、新鮮。

行子	いくこ、こうこ
行歩	いくほ
美行	みゆき
行希	ゆき
行奈	ゆきな
行野	ゆきの
行久美	いくみ

好

音訓 コウ、この(む)、す(く)、よ(い)
名のり このみ、み、よし

【意味】愛する。このましい。

【ポイント】「良」と同様に、よいことを示す字。かつては「よし」の読みが好まれていたが、最近は「好香（このか）」のように、「この」の響きを使うことが多い。

好実	こうみ
好香	このか
好葉	このは
好美	このみ、よしみ
好華	よしか
好乃	よしの
好帆	よしほ

光

6

音訓 コウ、ひかり、ひか(る)
名のり あき、あきら、てる、ひかる、ひろ、み、みつ

【意味】ひかる。輝く。希望。

【ポイント】昔から男女ともに好んで使われてきた字。1字名の「光（ひかり、ひかる）」は人気の名だが、男女どちらにも使用され、字面だけでは性別がわかりにくい点も。そのため、「ひかり」の場合は、1字足して「光里」などとするケースもある。そのほか、女の子名では「みつ」または「み」の読みをいかした名前が多い。

【参考】●宇多田光（うただ・ひかる）…歌手、宇多田ヒカルの本名。●角田光代（かくた・みつよ）…作家。●高良光莉（たから・ひかり）…タレント。

光	ひかり
光慧	てるえ
光美	てるみ
光代	てるよ
光莉	ひかり
光里	ひかり
光祈	みき
光咲	みさき
光夏	みつか
光月	みつき
光子	みつこ
光帆	みほ
光來	みらい
光麗	みれい
麻光子	まみこ
光紗希	みさき
優光依	ゆみえ

向

6

音訓 コウ、む(く)
名のり ひさ、むか、むき、むけ、むこう

【意味】ある方向にむかう。

【ポイント】「夢に向かって」「前を向いて」などポジティブなイメージで使用できる字。「日向（ひなた）」「向日葵（ひまわり）」など熟語をそのまま使うケースも。

向美	こうみ
向芽	こうめ
日向	ひなた
向玖	むく
向乃	ひさの
日向子	ひなこ
日向乃	ひなの
向日葵	ひまわり

在

6

音訓 ザイ、あ(る)
名のり あき、あきら、あり

【意味】そこにある。

【ポイント】「あ（る）」「あり」の個性的な響きと、「存在する」という深みのある意味を持つ。「在亜（ありあ）」のような印象的な名前もつくれる。

在	あり
在亜	ありあ
在依	ありい
在子	ありこ
在紗	ありさ
在佳梨	あかり
在咲子	あさこ
在美香	あみか

糸

6

音訓 シ、いと
名のり たえ、ため、つら、より

【意味】いと。

【ポイント】裁縫に関連する字で、女の子向きの字。「糸乃（いとの）」「真糸（まいと）」など、独特の字形と「いと」の響きで、印象的な名前にしやすい。

糸伽	いとか
糸子	いとこ
糸音	いとね
糸乃	いとの
恵糸	けいと
真糸	まいと
結糸	ゆいと
糸乃香	しのか

此

6

音訓 シ、これ、ここ、この
名のり ―

【意味】これ。

【ポイント】「心」以外に「ここ」のかわいい響きを持つ貴重な字。「心美（ここみ）」を「此美」にするだけでも新鮮さが生まれる。「比」と似ているので注意。

此亜	ここあ
此奈	ここな
此祢	ここね
此乃	ここの
此美	ここみ
此花	このか
此葉	このは
此実	このみ

朱

6

音訓 シュ、ス
名のり あか、あけ、あや、じゅ、す

【意味】あか。

【ポイント】茶がかった深い赤色のことで、夏の色、高貴な色とされている。ポピュラーな読みは「あか」「シュ」「ス」で、それぞれ「朱音（あかね）」「朱里（しゅり、じゅり）」「亜朱美（あすみ）」と、読み方の違いでさまざまな名前がつくれ、応用はききやすい。王へんのついた「珠（シュ、ス）」も人気。

【参考】●朱夏（しゅか）…夏の異称。●朱明（しゅめい）…夏の異称。太陽。●朱鷺（とき）…コウノトリ目トキ科の鳥。●高橋朱里（たかはし・じゅり）…タレント。●竹内朱莉（たけうち・あかり）…タレント。

朱	あや
朱音	あかね
朱理	あかり
朱実	あけみ
朱美	あやみ
朱子	しゅこ、あやこ
朱々	しゅしゅ
朱璃	しゅり
朱里	しゅり、じゅり
梨朱	りじゅ
亜朱美	あすみ
亜梨朱	ありす
朱里奈	しゅりな、じゅりな
朱美礼	すみれ

守 6

音訓 シュ、ス、まも(る)、も(り)
名のり え、まもる、もり

【意味】まもる。

【ポイント】あたたかさとともに、芯の強さや正義感を感じさせる字。「シュ」の響きをいかすと、個性的で新鮮な印象の名前になる。

- 守奈 しゅな
- 守璃 しゅり
- 守美 すみ
- 美守 みもり
- 芽守 めもり
- 守乃 もりの、しゅの
- 亜守佳 あすか

充 6

音訓 ジュウ、あ(てる)
名のり あつ、まこと、み、みち、みつ、みつる

【意味】みたす。あてる。

【ポイント】「充足」「充実」など、豊かで満ち足りているイメージ。女の子名では「みち」「みつ」の読みをいかした名前が一般的。「充実した人生」を願って。

- 充咲 みさき
- 充佳 みちか
- 充歌 みちか
- 充瑠 みちる
- 充希 みつき
- 充月 みつき
- 充穂 みつほ
- 紅充香 くみか

州 6

音訓 シュウ、す
名のり くに

【意味】大陸、むら、国土。

【ポイント】あまり意味を意識せずに、「す」や「シュウ」の読みで使われることが多い。縦線が目立つ字形なので、その点を考慮して組み合わせる字を選びたい。

- 有州 ありす
- 州佳 しゅうか
- 州奈 しゅうな
- 亜州未 あすみ
- 衣州美 いすみ
- 夏州未 かすみ
- 州未玲 すみれ
- 真州美 ますみ

舟 6

音訓 シュウ、ふね、ふな
名のり のり

【意味】ふね。

【ポイント】「舟」は小型のふね、「船」はやや大型のふねの意味。和風のイメージがあるが、「シュウ」の響きを使うとイマドキ感をプラスできる。

- 舟佳 しゅうか
- 舟禾 しゅうか
- 舟子 しゅうこ
- 舟南 しゅうな
- 千舟 ちふね
- 美舟 みふね

旬 6

音訓 ジュン、シュン
名のり ただ、とき、ひとし、ひら、まさ

【意味】10日間。ひとめぐり。物事を行う最適な季節や時期。

【ポイント】「ジュン」の読みをいかせば女の子にも使いやすい。なお、字形が似ている「洵」はうずまく、「詢」は問うの意。

- 旬華 しゅんか
- 旬子 じゅんこ
- 旬奈 じゅんな
- 旬里 じゅんり
- 旬玲 しゅんれい
- 旬花 ときか
- 旬子 ときこ
- 旬歩 ときほ

匠 6

音訓 ショウ、たくみ
名のり なる

【意味】たくみ。職人。芸術家。大工。

【ポイント】男の子名での使用例が多いので、女の子名に使うと新鮮な印象。組み合わせる字は女の子らしいものを。

- 匠子 しょうこ
- 匠依 なるえ
- 匠佳 なるか
- 匠祢 なるね
- 匠葉 なるは
- 匠美 なるみ
- 匠世 なるよ

色 6

音訓 ショク、シキ、いろ
名のり いろ、くさ、しこ、しな

【意味】いろ。

【ポイント】もともとは男女間の情欲から生まれた字だが、現在では色彩の意味に。よく知っている字だが名前での使用例は少なく、印象的。

- 色華 いろか
- 色菜 いろな
- 色乃 いろの
- 色羽 いろは
- 色葉 いろは
- 音色 ねいろ
- 美色 みいろ
- 唯色 ゆいろ

成 6

音訓 セイ、ジョウ、な(る)
名のり あき、しげ、なり、なる、はる、よし

【意味】なる。つくる。育つ。

【ポイント】意味もよく、昔も今も、男女問わずに人気。バランスのよい字形で、どんな字とも合う。「何かを成し遂げられる人に」などの願いを込めて。

- 成亜 せいあ
- 成花 せいか
- 成良 せいら
- 成奈 せな
- 成美 なりみ
- 成実 なるみ
- 成莉子 なりこ
- 真成美 まなみ

汐 6

音訓 セキ、ジャク、しお、うしお、
名のり きよ

【意味】夕方の海のしおの満ち引きのこと。

【ポイント】人気の海に関連する字で、夕方の美しくロマンチックな海の情景をイメージ。朝に起こるしおの満ち引きは「潮」。

- 汐 うしお
- 汐乃 しおの、きよの
- 汐里 しおり
- 汐音 しおん
- 汐香 せきか
- 真汐 ましお
- 美汐 みしお

6 壮

音訓 ソウ
名のり あき、お、たけ、まさ、もり

【意味】強い。盛ん。若者。

【ポイント】堂々としたスケール感のある字。基本的に男の子向きだが、そのぶん女の子に使えば目新しい。名のりのなかでは、「あき」が比較的読みやすい。

壮絵	あきえ
壮奈	あきな
壮乃	あきの
壮子	そうこ、あきこ
壮希	まさき
壮美	まさみ
壮代	まさよ

6 早

音訓 ソウ、サッ、はや(い)
名のり さ、さき

【意味】(時刻・時期が)はやい。すみやか。若い。

【ポイント】「さ」に当てることが多いが、最近は「沙」「紗」「咲」に押され気味。画数が少ないぶん、3字名でも使いやすい。

早彩	さあや
早希	さき
早稀	さつき
早南	さな
早帆	さほ
早羅	さら
早衣花	さいか
千早季	ちさき

6 多

音訓 タ、おお(い)
名のり おおし、かず、とみ、な、なお、まさ

【意味】数が多い。まさる。

【ポイント】意味を意識せずに「タ」の音の漢字として使用されることも多いが、「多くの幸せを願って」「多くの人に支えられるように」など、意味づけもしやすい。

多祈	たき
里多	りた
宇多依	うたえ
多歌子	たかこ
多香美	たかみ
多真希	たまき
多実子	たみこ
妃那多	ひなた

6 地

音訓 チ、ジ
名のり くに、つち

【意味】つち。大地。国土。

【ポイント】「地に足のついた人に」との思いが込められる字。男の子のイメージが強いが、「母なる大地」など女性的な強さとやさしさも感じられる字。

沙地	さち
地江	ちえ
地華	ちか
地乃	ちの
地璃	ちり
衣地佳	いちか
真地香	まちか
美地瑠	みちる

6 竹

音訓 チク、たけ
名のり たか、たけ

【意味】たけ。

【ポイント】「松竹梅」で縁起がよく、高潔さのシンボル。オーソドックスな字で、最近は使用例が減っているが、まっすぐな成長を託すなど名前向きの字。

竹乃	たけの
竹穂	たけほ
竹美	たけみ
竹代	たけよ

6 灯

音訓 トウ、ひ、とも(す)
名のり あかり

【意味】ともしび。あかり。

【ポイント】思わずほっとするような、あたたかな明かりをイメージさせてくれる字。「灯莉(あかり)」「灯音(あかね)」など、イメージそのままの名前が多い。

灯	あかり
灯音	あかね
灯莉	あかり
灯子	とうこ
灯萌	ともえ
灯葉	ともは
灯美映	とみえ
灯加里	ひかり

6 凪

音訓 なぎ、な(ぐ)
名のり なぐ

【意味】風がやみ、海が静まること。

【ポイント】「凪沙(なぎさ)」など、「なぎ」の読みをかした名前が定番だが、「美凪(みな)」など、「な」と読ませるケースも。

凪	なぎ
凪子	なぎこ
凪沙	なぎさ
凪咲	なぎさ
奈凪	なな
美凪	みな
実凪子	みなこ
茂凪美	もなみ

6 帆

音訓 ハン、ほ
名のり ―

【意味】ほ。風をはらんで船を前進させる大きな布のこと。

【ポイント】風を受けて船を進める、大事な役割を果たすのが「帆」。海に関連した字で、近年とくに人気のある字のひとつ。すっきりとバランスいい字形は比較的どんな字とも相性がよく、先頭字、中間字、止め字と幅広く使える。「ほ」の音では、ほかにも「穂」「歩」「保」などが定番。

【参考】●順風満帆(じゅんぷうまんぱん)…すべてうまくいくこと。●とよた真帆(とよた・まほ)…女優。●夏帆(かほ)…女優。●高木美帆(たかぎ・みほ)…スケート選手。

絢帆	あやほ
郁帆	いくほ
出帆	いずほ
歌帆	かほ
静帆	しずほ
帆南	はんな
帆波	ほなみ
帆乃	ほの
真帆	まほ
美帆	みほ
立帆	りつほ
絵美帆	えみほ
夏帆浬	かほり
千帆里	ちほり
奈帆美	なほみ
帆志美	ほしみ
帆乃加	ほのか

汎 6

音訓 ハン
名のり ひろ、ひろし、ひろむ、みな

【意味】うかぶ。広い。

【ポイント】「凡」は当たり前、一般的の意味で、さんずいがついて「汎」になると、広く行き渡るという意味に。名づけの使用例は少ないので、目新しさはありそう。

- 知汎　ちひろ
- 汎奈　はんな
- 汎南　はんな
- 汎璃　はんり
- 汎依　ひろえ
- 汎加　ひろか
- 眞汎　まひろ
- 汎美　みなみ

妃 6

音訓 ヒ
名のり き、ひめ

【意味】きさき。とくに天子の正妻・皇后のことをさす。

【ポイント】皇族の妻「妃殿下」の「妃」で、高貴さや気品を感じさせる字。「ヒ」「き」の音に当てて使われることが多い。すっきりした字形なので、どんな字とも相性がよく、3字名にも使いやすい。

【参考】●小野妃香里（おの・ひかり）…女優。●瀬戸早妃（せと・さき）…タレント。●鈴木美妃（すずき・みき）…タレント。

- 妃子　きこ
- 咲妃　さき
- 珠妃　たまき
- 夏妃　なつき
- 妃那　ひな
- 妃香　ひめか
- 妃菜　ひめな
- 妃依　ひより
- 真妃　まき
- 瑞妃　みずき
- 柚妃　ゆずき
- 亜妃野　あきの
- 妃世香　きよか
- 妃香里　ひかり
- 妃奈子　ひなこ
- 妃茉里　ひまり
- 由妃音　ゆきね

百 6

音訓 ヒャク
名のり お、と、はげむ、も、もも

【意味】十の10倍。数が多い。

【ポイント】「もも」や「も」の響きがかわいく、響き重視のキュートな名前に使用されている。同じ「もも」の響きでは「桃」も非常に人気が高い。

【参考】●百合（ゆり）…ユリ科の植物の総称。花美しく、芳香がある。●百花（ひゃっか）…いろいろな種類の花。●山口百恵（やまぐち・ももえ）…元歌手。●高畑百合子（たかはた・ゆりこ）…アナウンサー。●白石小百合（しらいし・さゆり）…アナウンサー。●木下百花（きのした・ももか）…タレント。

- 百花　もか
- 百波　もなみ
- 百音　もね
- 百寧　もね
- 萌百　もも
- 百絵　ももえ
- 百歌　ももか
- 百奈　ももな
- 百葉　ももは
- 百美　ももみ
- 都百莉　ともり
- 百慧禾　もえか
- 百々果　ももか
- 百萌葉　ももは
- 百合江　ゆりえ
- 百合花　ゆりか
- 百合子　ゆりこ

名 6

音訓 メイ、ミョウ、な
名のり あきら、かた、なづく、もり

【意味】名前。

【ポイント】「な」の音の止め字では「奈」と「菜」が人気だが、「名」に変えると目新しく、「名紗（めいさ）」など、「メイ」の読みをいかすと、より今風に。

- 純名　じゅんな
- 名紗　めいさ
- 璃名　りな
- 江莉名　えりな
- 佳名美　かなみ
- 菜名子　ななこ
- 名美絵　なみえ
- 紗名恵　さなえ

有 6

音訓 ユウ、ウ、あ（る）
名のり あり、たもつ、とも、みち、もち、ゆ、ゆたか

【意味】ある。もつ。

【ポイント】「ユウ」「あ」「あり」など音のバリエーションが多く、「有沙（ありさ）」など、洋風の名前にも便利。「ある」「存在する」というプラスイメージの意味を持ちながら、それでいて字面的にはそれほど意味を強く主張しないので、響き重視の名前でも重宝。

【参考】●中田有紀（なかだ・あき）…アナウンサー。●中江有里（なかえ・ゆり）…女優、脚本家。●内田有紀（うちだ・ゆき）…女優。●小柳有沙（こやなぎ・ありさ）…タレント。

- 有紀　あき、ゆき
- 有亜　ありあ
- 有香　ありか、ゆうか
- 有咲　ありさ
- 有沙　ありさ
- 有須　ありす
- 有美　ありみ
- 麻有　まゆ
- 有希　ゆうき
- 有季　ゆき
- 有実　ゆみ
- 有芽　ゆめ
- 有里沙　ありさ
- 麻有珂　まゆか
- 有希奈　ゆきな

吏 6

音訓 リ
名のり さと、つかさ、とおる、のぶ、ひろし

【意味】役人のこと。

【ポイント】「里」「莉」「璃」「梨」など、「リ」の音を持つ字はいかにも女の子らしい字が多いが、この字はシャープな印象で、ほかの字とは違う趣がある。

- 藍吏　あいり
- 吏子　さとこ
- 美吏　みさと
- 吏伽　りか
- 絵吏子　えりこ
- 真吏花　まりか
- 由吏子　ゆりこ
- 吏以奈　りいな

7

亜

音訓 ア
名のり つぎ、つぐ

【意味】つぐ。準じる。

【ポイント】もともとは建物などの基礎を描いた字で、表面に出ずに下になることから、2番目を地位を意味する。ただこの字の場合、意味を意識せず、「ア」の音を示す字としての使用が定着。ちなみに女の子に人気の「亜子（あこ）」という名前は、本来は「次男」のこと。旧字の「亞」も名前に使える。

【参考】●川原亜矢子（かわはら・あやこ）…女優。●鈴木亜美（すずき・あみ）…歌手。●佐藤亜美菜（さとう・あみな）…タレント。●八木亜希子（やぎ・あきこ）…アナウンサー。

亜衣	あい
亜葵	あき
亜美	あみ、つぐみ
亜弥	あや
亜莉	つぐり
都亜	とあ
伶亜	れいあ
亜佐実	あさみ
亜実加	あみか
亜弥乃	あやの
亜莉沙	ありさ
紗亜良	さあら
千亜紀	ちあき
万梨亜	まりあ
芽亜李	めあり
梨亜乃	りあの

7

位

音訓 イ、くらい
名のり くら、たか、ただ、なり、のり、み

【意味】くらい。位置。階級。

【ポイント】「イ」の読みを持つ字は「衣」「依」「唯」などあるが、この字はあまり使われていない。少画数ですっきりした字形なので、多画数の字とも相性がいい。

位織	いおり
位音	いおん
優位	ゆい
瑠位	るい
位梨花	いりか
麻位奈	まいな
実位子	みいこ
梨位奈	りいな

7

壱

音訓 イチ、イツ、ひとつ
名のり い、かず、はじめ

【意味】一の代わり。誠に。

【ポイント】漢数字の「一」と同じ意味なので、画数を変えたいときや、個性を出したいときなどに「一」の代わりに使える。

壱香	いちか
壱花	いちか
壱子	いちこ
壱乃	いちの
壱希	いつき
壱美	いつみ、かずみ
亜壱沙	あいさ

7

伽

音訓 カ、ガ、キャ、とぎ
名のり —

【意味】梵語のガの字。

【ポイント】梵語（インドの古語）のガ音を音写するためにつくられた字。「カ」と読める漢字は多いが、この字はあまり使われていないので新鮮な印象がある。

伽子	かこ
伽奈	かな
伽羅	から、きゃら
澄伽	すみか
亜伽音	あかね
伽乃子	かのこ
有伽里	ゆかり

7

花

音訓 カ、はな
名のり はる、みち、もと

【意味】はな。あや。美しい。名誉。

【ポイント】女の子の名前でとくに人気の字で、「カ」の音の止め字としては、従来は「香」が人気だったが、今では「花」が一番人気。同音同意の「華」よりも、画数が少なくてすっきりしているぶん、いろいろ漢字と合わせやすいのも、この字の魅力。ほぼ女の子限定で使用され、字形もやわらかいので、男の子っぽい字や、少々かための字と組み合わせても、女の子らしさを表現できる。「花のように可憐に」「花のような笑顔のある子に」「花のように華麗に咲き誇る未来を」など、さまざまな意味づけができる。

【参考】●植村花菜（うえむら・かな）…歌手。●蜷川実花（にながわ・みか）…カメラマン、映画監督。●黒川智花（くろかわ・ともか）…女優。●山田花子（やまだ・はなこ）…タレント。●瀬間詠里花（せま・えりか）…テニスプレーヤー。

花	はな
娃花	あいか
藍花	あいか
晶花	あきか
彩花	あやか
梅花	うめか
瑛花	えいか
桜花	おうか
音花	おとか
花織	かおり
花純	かすみ
花月	かづき
花菜	かな
花埜	かの
花音	かのん
花羅	から
花連	かれん
賢花	さとか
雫花	しずか
純花	すみか
星花	せいか
瑞花	たまか
千花	ちか、せんか
月花	つきか
七花	ななか
新花	にいか
和花	のどか
花子	はなこ
花美	はなび
美花	みか
萌花	もか
素花	もとか
凛花	りんか
玲花	れいか
亜花里	あかり
明日花	あすか
恵梨花	えりか
花絵楽	かえら
花寿実	かすみ
花那実	かなみ
花莉乃	かりの
喜美花	きみか
奈津花	なつか
仁智花	にちか
日花李	ひかり
二実花	ふみか
穂乃花	ほのか
茉莉花	まりか
由花莉	ゆかり
瑠璃花	るりか

快

7

音訓　カイ、こころよ（い）
名のり　はや、やす、よし

【意味】こころよい。喜ばしい。病気がなおる。

【ポイント】さわやかな気持ちを意味し、イメージのよい字。しかし、名づけで使いやすい読みが少なく、応用がききにくいのが難。

快愛	かいあ
快良	かいら
快里	かいり
快鈴	かいりん
快恵	よしえ
快香	よしか
快瑚	よしこ
快美	よしみ

希

7

音訓　キ
名のり　のぞみ、のぞむ、まれ

【意味】ねがう。望む。まれ。

【ポイント】希望の「希」。意味もよく、曲線・直線をあわせ持つバランスのよい字形で、どんな字と合わせても違和感がない。そのため「キ」の音で、先頭字、中間字、止め字とさまざまな形で使用。「まれ」の読みをいかすと、サッカー選手の澤穂希（ほまれ）さんのように、個性的な響きの名もつくれる。また、男の子にも非常に人気の高い字で、「瑞希（みずき）」「優希（ゆうき）」など、男女共通する名前も多い。性別を間違われたくないなら、女の子がイメージできる字と組み合わせよう。

【参考】●澤穂希（さわ・ほまれ）…サッカー選手。●石井希和（いしい・きわ）…アナウンサー。●樹木希林（きき・きりん）…女優。●天海祐希（あまみ・ゆうき）…女優。●辻希美（つじ・のぞみ）…タレント。●佐々木希（ささき・のぞみ）…タレント。●水原希子…（みずはら・きこ）…モデル。

希	のぞみ
愛希	あき
綾希	あやき
一希	かずき
和希	かずき
希以	きい
希瑛	きえ
希桜	きお
希虹	きこ
希咲	きさ
希世	きせ
希乃	きの
希陽	きはる
希羅	きら
希和	きわ
玖希	くき
冴希	さえき
咲希	さき
珠希	たまき
夏希	なつき
希海	のぞみ
希美	のぞみ
希夢	のぞむ
陽希	はるき
芙希	ふき
穂希	ほまれ
帆希	ほまれ
真希	まき
希衣	まれい
希奈	まれな
実希	みき
瑞希	みずき
優希	ゆうき
祐希	ゆき
柚希	ゆずき
琉希	るき
明希子	あきこ
愛由希	あゆき
希依奈	きいな
希玖実	きくみ
希海子	きみこ
希優香	きゆか
希世華	きよか
希楽々	きらら
沙希奈	さきな
千早希	ちさき
万希子	まきこ
有希恵	ゆきえ
悠希帆	ゆきほ
裕希世	ゆきよ
琉希亜	るきあ

岐

7

音訓　キ
名のり　みち

【意味】道の分かれるところ。えだみち。けわしい。高い。

【ポイント】「分かれ道」ととらえるとマイナスな印象もあるが、枝分かれした道ととらえると、いくつもの可能性を感じさせる字。

岐依	きえ
岐砂	きさ
真岐	まき
実岐	みき
亜岐歩	あきほ
岐羅々	きらら
紗岐子	さきこ
結岐菜	ゆきな

究

7

音訓　キュウ、ク、きわ（める）
名のり　きわみ、きわむ

【意味】きわめる。調べる。

【ポイント】学問を究めるという意味で、視覚的にも知的なイメージの字だが、使用例は少ない。読みが特異なので、うまく活用すれば個性的な名前に。

究果	きわか
究子	きわこ
究世	きわせ
究乃	きわの
究美	くみ
美究仁	みく
究里子	くりこ
究久美	くくみ

杏

7

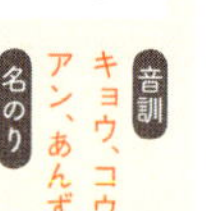

音訓　キョウ、コウ、アン、あんず
名のり　ー

【意味】アンズ。イチョウの実。

【ポイント】丸くて小さな果実のイメージと、かわいい「あん」「あんず」の響きで、近年、女の子の名づけで大人気。左右対称の安定感のある字形なので、どんな字とも合わせやすい。最近は、音読みの「アン」を縮めて、「ア」と読ませる傾向も。

【参考】●杏里（あんり）…歌手。●杏子（きょうこ）…歌手。●鈴木杏樹（すずき・あんじゅ）…女優。●鈴木杏（すずき・あん）…女優。●杏（あん）…女優。●有安杏果（ありやす・ももか）…タレント。

杏	あん、あんず
杏美	あみ
杏慈	あんじ
杏珠	あんじゅ
杏南	あんな
杏里	あんり
伊杏	いあん
杏佳	きょうか
杏実	こうみ
樹杏	じゅあん
乃杏	のあん
美杏	びあん
優杏	ゆあん
莉杏	りあん
杏実香	あみか
樹里杏	じゅりあん

亨 7

音訓 キョウ、コウ、とお(る)、う(ける)
名のり とおる、とし、ゆき

【意味】上下に通ずる。とおる。すすめる。

【ポイント】「享」と読みも共通するものが多いので、間違いやすいのが、やや難。亨は「とおる」で、享は「うける」の意。

希享	ききょう
亨香	きょうか
享瑚	きょうこ
享子	きょうこ、ゆきこ
亨美	こうみ
美享	みゆき
享菜	ゆきな
享代	ゆきよ

吟 7

音訓 ギン、うた(う)
名のり あきら、おと、こえ

【意味】詩歌を口ずさむ。

【ポイント】詩吟の「吟」で、和の雰囲気があり、粋なイメージも。「うた」や「おと」の読みをいかすと、かわいらしく、「ギン」の読みをいかすと個性的に。

吟	うた、おと
吟子	うたこ
吟美	うたみ
吟花	おとか
吟芽	おとめ
吟佳	ぎんか
実吟	みおと

芹 7

音訓 キン、ゴン、せり
名のり —

【意味】セリ。

【ポイント】せりは、水辺近くの湿地に自生する食用草。春の七草のひとつで、新春や春生まれの子に使われることが多いが、花が咲く夏生まれの子に使っても。

芹	せり
芹亜	せりあ
芹夏	せりか
芹菜	せりな
芹野	せりの
芹巴	せりは
麻芹	ませり
美芹	みせり

玖 7

音訓 ク、キュウ
名のり き、たま、ひさ

【意味】きれいな黒い石。

【ポイント】「ク」の音に当てる字として、よく使われている字。同音では、長らく「久」が主流だったが、最近は、気品や格調高さを感じさせる「玖」のほうが人気がある。左右に分かれた字形なので、組み合わせる字は、分かれていない字のほうが、バランスはいい。

【参考】●玖珠町（くすまち）…大分県西部に位置する町。●玖珂郡（くがぐん）…山口県にある郡。●鳥越未玖（とりごえ・みく）…バレーボール選手。

依玖	いく
希玖	きく
玖凜	くりん
玖実	くみ
玖未	くみ
雫玖	しずく
玖恵	たまえ
芙玖	ふく
美玖	みく
希玖奈	きくな
玖実花	くみか
玖莉子	くりこ
玖瑠実	くるみ
玖玲葉	くれは
早玖美	さくみ
沙玖楽	さくら
未玖音	みくね

君 7

音訓 クン、きみ
名のり きん、こ、すえ、なお、よし

【意味】王様。

【ポイント】止め字に使うと、「○○君」となって男の子の敬称と間違えられることもあるので、先頭字に使ったほうがまぎらわしさはない。

君恵	きみえ
君香	きみか
君奈	きみな
君乃	きみの
君帆	きみほ
君世	きみよ
咲君	さきみ
君花	よしか

芸 7

音訓 ゲイ
名のり き、ぎ、すけ、のり、まさ、よし

【意味】才能。わざ。学問。

【ポイント】もともとの意味は悪くないが、「芸人」「芸能人」などのイメージが強く、やや軽い印象を持つ人も。旧字の「藝」も名前に使用できる。

伊芸	いのり
美芸	みき
結芸	ゆうき
亜芸絵	あきえ
芸衣子	きいこ
沙芸奈	さきな
真芸子	まきこ
瑠芸亜	るきあ

言 7

音訓 ゲン、ゴン、い(う)、こと
名のり あき、あや、とき、とも、ゆき

【意味】いう。言葉。我。

【ポイント】意味もよく、「こと」「あや」などの読みも応用がきく。短い横線の多い字形なので、組み合わせる字は、名前全体のバランスを考慮して選びたい。

言絵	ことえ
言乃	ことの、あやの
言実	ことみ
眞言	まこと
美言	みこと、みゆき
言花	ことか

見 7

音訓 ケン、み(る)
名のり あき、あきら、ちか

【意味】目でみる。会う。知る。

【ポイント】「物事をしっかり見る」というプラスのイメージ。「み」の読みは、「美」「未」「実」などの字が多用されているので、目新しさがある。

清見	きよみ
見織	みおり
見風	みかぜ
見鈴	みすず
芙見乃	ふみの
見渡里	みどり
見和子	みわこ
悠見子	ゆみこ

7

冴

音訓 コ、ゴ、さ(える)
名のり さ、さえ、さや

【意味】さえる。寒い。澄みきっている。

【ポイント】意味も字形も、聡明なイメージ。「さえ」の読みが一般的だが、「さえ」を縮めた「さ」の読みもよく使われている。

冴	さえ
冴香	さえか
冴織	さおり
冴月	さつき
真冴	まさえ
美冴	みさえ
冴也花	さやか
千冴斗	ちさと

7

孝

音訓 コウ
名のり たか、たかし、のり、ゆき、よし

【意味】親や祖先を大切にすること。

【ポイント】ママ世代では、男女問わずによく使われていた字。「たか」の読みが一般的。「親孝行なやさしい子に」と願って。

孝子	たかこ、こうこ
孝乃	たかの
孝実	たかみ
孝華	のりか
美孝	みのり
孝絵	ゆきえ

7

更

音訓 コウ、さら、ふ(ける)、あらた(める)
名のり とお、とく、のぶ

【意味】あらためる。

【ポイント】1字で「さら」と読めるため、女の子の洋風テイストの名前で重宝。「あらためる」という意味から、「よりよい方向へ進んでいくように」との意味づけも。

更	さら、あらた
希更	きさら
更子	こうこ
沙更	ささら
更良	さら
更紗	さらさ
麻更	まさら

7

宏

音訓 コウ、ひろ(い)
名のり あつ、ひろ、ひろし

【意味】ひろい。優れる。大きい。

【ポイント】数ある「広い」「大きい」を意味する字のなかでも、すっきりした字形で、安定した人気。男の子にも使われるので、組み合わせる字は女の子らしく。

宏依	ひろえ
宏華	ひろか
宏奈	ひろな
宏寧	ひろね
宏乃	ひろの
宏羽	ひろは
宏実	ひろみ
美宏	みひろ

7

克

音訓 コク
名のり かつ、かつみ、すぐる、よし

【意味】やりぬくこと。

【ポイント】精神的な強さを示し、「かつ」の響きもかためなので、組み合わせる字は、やわらかい雰囲気のものでバランスをとりたい。

克恵	かつえ
克希	かつき
克子	かつこ
克乃	かつの
克帆	かつほ
克美	かつみ
克世	かつよ

7

谷

音訓 コク、たに
名のり ひろ、や

【意味】たに。

【ポイント】名前での使用はめずらしいので、印象的な名前になる。しかし合わせる字を考えないと、姓がふたつ並んでいるように見えてしまうことも。

麻谷	まや
美谷	みや
谷絵	やえ
麗谷	れいや
彩谷華	あやか
愛谷子	あやこ
亜谷芽	あやめ
紗谷花	さやか

7

佐

音訓 サ
名のり すけ、たすく、よし

【意味】助ける。補佐する。

【ポイント】支えるという意味がある「左」に「人」を加えることで、脇から人が支えて助けるという、名前向きの字に。

佐知	さち
佐羅	さら
美佐	みさ
里佐	りさ
亜伊佐	あいさ
佐奈江	さなえ
佐千絵	さちえ
知佐子	ちさこ

7

沙

音訓 サ、シャ、すな
名のり いさ、ざ、す

【意味】まさご。小さな砂。砂原。砂ぎわ。

【ポイント】「紗」「咲」とともに、「サ」に当てる字としてよく使われている人気の字。なかでも「沙」は、海に関連した字でもあり、さわやかな印象。また、画数が少なくすっきりした字形なので、重くなりがちな3字名でも重宝する。

【参考】●沙門（しゃもん）…婆羅門以外の出家修行者。●吉田沙保里（よしだ・さおり）…レスリング選手。五輪メダリスト。●清水美沙（しみず・みさ）…女優。●福田沙紀（ふくだ・さき）…女優。●安田美沙子（やすだ・みさこ）…タレント。

亜沙	あさ
沙彩	さあや
沙絵	さえ
沙瑚	さこ
沙耶	さや
沙羅	さら
沙蘭	さらん
美沙	みさ
明沙	めいさ
梨沙	りさ
亜沙佳	あさか
沙々楽	ささら
沙里奈	さりな
沙和子	さわこ
美依沙	みいさ、みいしゃ
未沙貴	みさき
海沙子	みさこ

作

音訓 サク、サ、つく(る)
名のり あり、つくる、とも、なお、なり

【意味】つくる。おこす。なる。

【ポイント】かつての男の子の止め字の定番で、女の子名での使用例は少ないが、「作美（さくみ）」「作奈（さな）」「美作希（みさき）」など、意外と違和感はない。

作恵	さえ
作乃	さくの、さの
作美	さくみ
作羅	さくら
作奈	さな
作耶	さや
美作希	みさき

志

7

音訓 シ、こころざ(す)、こころざし
名のり さね、じ、しるす、むね、もと、ゆき

【意味】こころざす。めざす。

【ポイント】目標を達成しようとする意志の強さが感じられる字。人気のある「心」を含むバランスのよい字形は、どんな字とも相性がいい。「しっかりとした志を持って生きてほしい」「目標に向かってがんばれる子に」などの思いを込めて。

【参考】●岩下志麻（いわした・しま）…女優。●大河内志保（おおこうち・しほ）…タレント。●松本志のぶ（まつもと・しのぶ）…アナウンサー。

志恵	しえ
志緒	しお
志織	しおり
志乃	しの
志津	しづ
志乃	しの
志保	しほ
志穂	しほ
志帆	しほ
志麻	しま
志絵留	しえる
志緒花	しおか
志央里	しおり
志津花	しづか
志乃歩	しのぶ
志帆吏	しほり
世志美	よしみ

寿

7

音訓 ジュ、ス、ことぶき
名のり かず、ず、とし、なが、のぶ、ひさ、ひで、よし

【意味】祝い。喜ぶ。

【ポイント】長命やめでたいことを示す縁起のよい字。従来は「とし」「ひさ」の読みが多かったが、最近は音読みの「ジュ」「ス」を使うケースが多い。

有寿	ありす
寿音	ことね
寿莉	じゅり
寿恵	ひさえ
志寿花	しずか
寿々祢	すずね
寿末礼	すみれ
実寿希	みずき

秀

7

音訓 シュウ、ひい(でる)
名のり すぐる、ひで

【意味】ひいでる。すぐれる。

【ポイント】知性や落ち着きを感じさせる、定番の字。字としてはオーソドックスだが、「シュウ」の読みをいかすと、また違った印象になる。

秀香	しゅうか
秀子	しゅうこ
秀那	しゅうな
秀伽	ひでか、しゅうか
秀乃	ひでの
秀穂	ひでほ
秀美	ひでみ

初

7

音訓 ショ、はじ(め)、はつ、うい、そ(める)
名のり は、もと

【意味】はじめ。語源。もと。

【ポイント】初々しいイメージで、どことなく和の雰囲気も。「はつ」の読みが定番だが、「うい」の読みをいかすと新鮮。「初心を忘れないように」との願いを込めて。

初	うい
初夏	ういか
初絵	はつえ
初音	はつね
初美	はつみ
初芽	はつめ
初子	もとこ
初羽	もとは

芯

7

音訓 シン
名のり —

【意味】灯火のしんになる草。物の中央にある部分
【ポイント】「心」を使った字が人気だが、この字もジワジワと人気上昇中。「しっかり芯のある子に育ってほしい」と願って。

芯杏	しあん
芯乃	しの
芯麻	しま
芯花	しんか
芯子	しんこ
芯珠	しんじゅ
都芯子	としこ
世芯禾	よしか

伸

7

音訓 シン、の(びる)、の(ばす)
名のり ただ、のぶ

【意味】のびる。成長する。

【ポイント】オーソドックスな字だが、「のびのび」「成長」といった前向きなイメージがあり、名前向き。「志伸（しのぶ）」など止め字で使うのも新鮮。

志伸	しのぶ
伸絵	のぶえ
伸華	のぶか
伸子	のぶこ、しんこ
伸穂	のぶほ
伸予	のぶよ
美伸	みのぶ

吹

7

音訓 スイ、ふ(く)
名のり かぜ、ふき

【意味】ふく。風がおこる。

【ポイント】風が吹くさわやかさに加え、「芽吹く」などの言葉から、生命力も感じさせる字。「衣吹（いぶき）」のような、和風テイストの名前向き。

衣吹	いぶき
吹花	すいか
陽吹	ひすい
吹乃	ふきの
吹美	ふくみ、ふみ
山吹	やまぶき
伊吹希	いぶき
吹玖子	ふくこ

兎 7

音訓 ト、うさぎ
名のり う、うさ

【意味】ウサギ。

【ポイント】動物のウサギを意味する漢字。ウサギのようにかわいらしく、みんなから愛される子にと願って。干支でウサギ年の子に使っても。

兎	うさぎ
兎美	うさみ
圭兎	けいと
兎亜	とあ
美兎	みと
里兎	りと
兎沙子	うさこ
小兎音	ことね

杜 7

音訓 ト、ズ、もり
名のり ―

【意味】やまなし。神社のもり
【ポイント】本来は植物のやまなしの意味だが、日本独自に「神社の森」を意味するため、静かで神秘的な雰囲気のある名前になる。

早杜	さと
杜亜	とあ
美杜	みもり
杜絵	もりえ
杜乃	もりの
志杜季	しずき
杜希子	ときこ
杜萌香	ともか

忍 7

音訓 ニン、ジン、しの(ぶ)
名のり おし、しのぶ

【意味】粘り強く耐える。

【ポイント】強い意志と和の雰囲気を感じさせる字。1字名の「忍（しのぶ）」が定番だが、この名前は男女両方で使用されているので、その点は留意しておきたい。

忍	しのぶ
忍花	しのか
忍葉	しのは
忍和	しのわ
忍奈	にんな
美忍	みしの

那 7

音訓 ナ、ダ
名のり とも、ふゆ、やす

【意味】多い。美しい。なんぞ。

【ポイント】「那美（なみ）」「杏那（あんな）」など、「ナ」の響きで使われている字。これまで「ナ」の音といえば「奈」「菜」が定番だったが、人気が集中しすぎていることもあり、この字もよく使われるようになった。あまり意味を主張しない字なので、響きを重視した名前に使いたい。

【参考】●伊邪那美命（いざなみのみこと）…日本神話で、伊邪那岐命（いざなぎのみこと）と結婚し、国生みと神生みを行った女神。●木花咲耶姫（このはなさくやひめ）…美しい出産の女神。●伊那（いな）…長野県南東部の市。●恵那（えな）…岐阜県南東部の市。●那智山（なちさん）…和歌山県南東部にある山。●片瀬那奈（かたせ・なな）…タレント。●那美（なみ）…夏目漱石『草枕』の登場人物。

愛那	あいな
晶那	あきな
杏那	あんな
恵那	えな
笑那	えみな
加那	かな
華那	かな
栞那	かんな
絆那	きずな、はんな
心那	ここな
紗那	さな
洵那	じゅんな
涼那	すずな
澄那	すみな
星那	せいな、せな
那緒	なお
那津	なつ
那月	なつき
那奈	なな
那々	なな
那帆	なほ
那美	なみ
二那	にな
乃那	のな
羽那	はな
遥那	はるな
文那	ふみな
実那	みな
雪那	ゆきな
夢那	ゆめな
里那	りな
鈴那	りんな
瑠那	るな
明日那	あすな
枝里那	えりな
香那美	かなみ
沙那絵	さなえ
那津菜	なづな
菜那子	ななこ
那々世	ななせ
那由花	なゆか
陽那乃	ひなの
保那美	ほなみ
真結那	まゆな
美央那	みおな
芽以那	めいな
萌那子	もなこ
ゆい那	ゆいな
和香那	わかな

芭 7

音訓 バ、ハ
名のり はな

【意味】芭蕉（バショウ）は、中国原産のバショウ科の植物。

【ポイント】「ハ」「バ」の音では「葉」と「羽」に人気が集中しているので、「芭」を使うと差別化でき、個性的な印象に。

芭	はな
珠芭	たまは
芭菜	はな
芭波	はなみ
真芭	まはな
瑞芭	みずは
芭瑠香	はるか
由以芭	ゆいは

麦 7

音訓 バク、むぎ
名のり ―

【意味】ムギ。

【ポイント】「ムギ」のかわいい響きは女の子向き。実りや豊かさの象徴としての意味合いもあり、「豊かな人生」「実り多き人生」などの思いを込めても。

麦	むぎ
小麦	こむぎ
千麦	ちむぎ
摘麦	つむぎ
麦香	むぎか
麦子	むぎこ
麦乃	むぎの
麦穂	むぎほ

扶 (7)

音訓 フ
名のり すけ、たもつ、もと

【意味】たすけること。

【ポイント】名前では多用されていないが、名前向きのよい意味を持ち、「人を助けて、人に助けられるように」などの願いを込められる。

扶羽	ふう
扶来	ふく
扶月	ふづき
扶乃	ふの
扶実	ふみ
扶早依	ふさえ
扶美音	ふみね
扶結香	ふゆか

芙 (7)

音訓 フ、ブ、はす
名のり —

【意味】ハス。芙蓉。

【ポイント】同じ「フ」の読みの字に「風」「布」「富」「扶」などがあるが、「芙」はしっとりと上品なイメージで、女の子向き。「芙蓉（ふよう）」はアオイ科の植物。

芙宇	ふう
芙美	ふみ、はすみ
芙沙	ふさ
芙由	ふゆ
芙蓉	ふよう
志乃芙	しのぶ
芙悠実	ふゆみ

甫 (7)

音訓 ホ、フ、はじ(め)
名のり すけ、とし、なみ、はじめ、み、もと

【意味】苗を育てる平らな畑。はじめ。大きい。父。男性の美称。

【ポイント】男性をさす意味もあるが、もともとは苗代をあらわした字。「物事のはじまり」の意味も。

梓甫	しほ
甫実	ふみ
甫波	ほなみ
麻甫	まほ
莉甫	りほ
甫乃香	ほのか
真甫美	まほみ
美甫子	みほこ

邦 (7)

音訓 ホウ
名のり くに

【意味】くに。

【ポイント】オーソドックスな字で、読みも少なく今風の名前はややつくりにくいが、「美邦（みくに）」など、止め字として使用すると、新鮮な印象。

邦恵	くにえ
邦香	くにか
邦子	くにこ
紗邦	さほ
邦乃	ほの
美邦	みくに
志邦里	しほり
南邦美	なほみ

芳 (7)

音訓 ホウ、かんば(しい)
名のり か、かおり、かおる、みち、よし

【意味】香り。かんばしい。

【ポイント】花の香りが四方に広がるさまを描いた字で、よい評判などの意味も。比較的どんな字とも合わせやすい。

芳梨	かおり
芳子	かおるこ、よしこ
清芳	さやか
美芳	みほ
三芳	みよし
芳香	よしか
芳乃	よしの

妙 (7)

音訓 ミョウ
名のり たう、たえ、ただ、たゆ

【意味】きめ細かい。美しい。

【ポイント】「精密な」という意味もあるが、字から受ける印象は、しっとりと落ち着いていて、美しい女性を思わせる。

妙	たえ
詩妙	うたえ
妙絵	たえ
妙華	たえか
妙子	たえこ、たゆこ
妙里	たえり
妙花	たゆか
妙実	たゆみ

佑 (7)

音訓 ユウ、ウ、じょう、たす(ける)、
名のり すけ、たすく、ゆ

【意味】たすける。支える。

【ポイント】男の子に多用されているので、女の子らしい字と組み合わせたい。なお、画数で困ったときは、同音同意で字形も似ている「祐」も候補に。

麻佑	まゆ
美佑	みゆう
佑香	ゆうか
佑里	ゆうり
佑季	ゆき
愛佑子	あゆこ
志佑里	しゆり
佑貴子	ゆきこ

邑 (7)

音訓 ユウ、むら
名のり くに、さと、さとし

【意味】くに。

【ポイント】あまりなじみのない字なので新鮮だが、誤読されることも多そう。組み合わせる字は、「口」を含まない、やわらかな字形だとバランスがいい。

亜邑	あゆ
邑乃	さとの
心邑	みゆ、みゆう
邑菜	ゆうな
邑乃	ゆの
邑楽	ゆら
璃邑	りゆ

余 (7)

音訓 ヨ、あま(る)
名のり われ

【意味】あまり。余裕。われ。

【ポイント】「あまり」という意味には、「ゆとりがあるからあまりが出る」という意味合いがあり、本来はポジティブにとらえられる字。

余音	あまね
伊余	いよ
華余	かよ
咲余	さよ
爽余	そよ
実余	みよ
余那	よな
伽余子	かよこ

来 7

音訓 ライ、く(る)、きた(る)
名のり き、くる、こ

【意味】くる。きたる。未来。

【ポイント】「ライ」「き」「く」「くる」といろいろな読み方があり、どの読みも応用しやすく、イマドキの名前もつくりやすい。ただ複数読みできるぶん、名前によっては一度では正しく読んでもらえない可能性もある。旧字の「來」、異体字の「徠」も使える。

【参考】●志田未来（しだ・みらい）…女優。●有坂来瞳（ありさか・くるめ）…タレント。●長洲未来（ながす・みらい）…フィギュアスケート選手。

愛来	あいら
来未	くみ
来海	くるみ
未来	みく、みらい
美来	みらい
来羅	らいら
優来	ゆうら
結来	ゆら
来夢	らいむ
亜来代	あきよ
希来里	きらり
来楽々	くらら
来伶亜	くれあ
千悠来	ちゆら
未由来	みゆき
来々夏	ららか

利 7

音訓 リ、き(く)
名のり かず、さと、と、とおる、とし、のり

【意味】賢い。利益。

【ポイント】「リ」の音をいかすケースが多い。「里」「莉」「梨」などに比べると、女の子での使用例は少ないが、すっきりした字形で、わりとどんな字とも相性がいい。

利花	りか、のりか
利奈	りな
利楽	りら
利々	りり
亜伊利	あいり
美乃利	みのり
結利香	ゆりか

李 7

音訓 リ、すもも
名のり もも

【意味】スモモ。プラム。

【ポイント】果実のスモモを意味する字で、「もも」をいかせばかわいい響きの名前に。中国や韓国の姓のイメージも強く、字面的にはオリエンタルな印象も。

李	もも
李子	ももこ
李音	ももね
李花	りか
あい李	あいり
瑛李花	えりか
由李亜	ゆりあ
李以紗	りいさ

里 7

音訓 リ、さと
名のり さとし、のり

【意味】さと。田舎。

【ポイント】女の子によく使われ、「リ」の音に当てる字としては、定番中の定番。最近は「梨」「莉」「璃」などの人気も高いが、画数もちょうどよく、左右対称のバランスのいい字形は、いろいろな字となじみやすく、重くなりがちな3字名でもすっきりとまとまりやすい。「さと」の響きも、やわらかく和風の雰囲気があり、魅力的。

【参考】●渡辺美里（わたなべ・みさと）…歌手。●村上里佳子（むらかみ・りかこ）…タレント。●篠田麻里子（しのだ・まりこ）…タレント。●関根麻里（せきね・まり）…タレント。●生駒里奈（いこま・りな）…タレント。●仲里依紗（なか・りいさ）…女優。●吉高由里子（よしたか・ゆりこ）…女優。●香里奈（かりな）…タレント。●小泉里子（こいずみ・りこ）…タレント。

藍里	あいり
絢里	あやり
祈里	いのり
笑里	えみり
愛里	あいり、えり
瑛里	えり
香里	かおり
煌里	きらり
琴里	ことり
里依	さとえ
里華	さとか、りか
里美	さとみ、りみ
里実	さとみ
沙里	さり
栞里	しおり
樹里	じゅり
知里	ちさと
寧里	ねり
乃里	のり
万里	まり
美里	みさと、みり
瑞里	みずり
萌里	もえり、めり
侑里	ゆうり
優里	ゆり
里衣	りい
里緒	りお
里沙	りさ
里菜	りな
里良	りら
瑠里	るり
愛禾里	あかり
英里沙	えりさ
花央里	かおり
希里子	きりこ
咲里依	さりい
志衣里	しえり
樹里奈	じゅりな
寿里弥	じゅりや
瀬里奈	せりな
麻里亜	まりあ
麻里子	まりこ
未里愛	みりあ
由花里	ゆかり
里衣沙	りいさ
里莉子	りりこ

良 7

音訓 リョウ、ロウ、よ(い)
名のり あきら、お、かず、まこと、よし、ら、ろ

【意味】よい。すぐれる。賢い。

【ポイント】文字通り「良い意味」で、昔からよく使われている字。以前は「よし」「リョウ」が多かったが、近年は「ら」の音をいかした洋風の名前でも人気。

愛良	あいら
咲良	さくら
良華	りょうか
良子	りょうこ、よしこ
麗良	れいら
綺良々	きらら
実良乃	みらの

励 7

音訓 レイ、はげ(む)、はげ(ます)
名のり つとむ

【意味】はげむ。

【ポイント】気持ちを引き締めてがんばるイメージ。「レイ」の音は「玲」「礼」「麗」など人気漢字が多いが、この字はあまり使われていないので目新しさがある。

仁励	にれ
美励	みれい
励亜	れいあ
励香	れいか
励子	れいこ
励沙	れいさ
励奈	れいな

伶 7

音訓 レイ、リョウ、わざおぎ
名のり れ

【意味】賢い。楽人。

【ポイント】澄んだ音楽を奏でる人や清らかな姿の俳優を意味する一方で、召使いの意味も。「怜」「玲」など同音で似た字が多いが、それぞれ意味は異なる。

伶	れい
実伶	みれい
伶沙	れいさ
伶名	れいな
伶美	れみ
江伶菜	えれな
瀬伶奈	せれな
伶緒奈	れおな

呂 7

音訓 ロ、リョ
名のり おと、とも、なが、ふえ

【意味】背中の骨。

【ポイント】「口」と読む字が少ないため、貴重な字。ただし、口がふたつある個性的な字形なので、合わせる字は、全体のバランスや字面などを考慮して。

心呂	こころ
陽呂	ひろ
芽呂	めろ
里呂	りろ
呂美	ろみ
千比呂	ちひろ
緋呂美	ひろみ
呂麻音	ろまね

亞 8

音訓 ア
名のり つぎ、つぐ

【意味】つぐ。準じる。

【ポイント】「ア」の音の定番字「亜」の旧字。非常に個性的な字形なので、インパクトが強い。「亜」は7画、「亞」が8画なので、画数調整に使える。

亞樹	あき
亞瑚	あこ
亞美	あみ
舞亞	まいあ
悠亞	ゆうあ
希亞楽	きあら
瀬衣亞	せいあ
三亞莉	みあり

阿 8

音訓 ア、くま、おもね(る)
名のり お

【意味】おか。おもねる。

【ポイント】「阿部」など姓のイメージの強い字なので、名前らしくなるように、姓ではあまり使われていない字と組み合わせたい。

阿音	あのん
阿藍	あらん
阿里	あり
美阿	みあ
阿香里	あかり
阿久里	あぐり
真阿子	まあこ
由阿菜	ゆあな

育 8

音訓 イク、そだ(つ)、はぐく(む)
名のり なり、なる、やす

【意味】そだつ。

【ポイント】「健康でのびのびと大きく育ってほしい」という思いを込められる。「イク」の読みが定番だが、最近は同音の「郁」のほうが人気がある。

育愛	いくあ
育恵	いくえ
育子	いくこ
育乃	いくの
育穂	いくほ
育実	いくみ
育美	はぐみ
美育	みいく

依 8

音訓 イ、エ
名のり より

【意味】寄る。もたれる。頼りにする。愛す。従う。

【ポイント】「イ」の音をいかした使い方が一般的で、同音の「衣」とともに、女の子名では定番の字。最近は「エ」の音に当てた名前も人気。「依香（よりか）」など、名のりの「より」を使った名前も雰囲気がある。左右に分かれた字なので、組み合わせる字は、分かれていない字のほうがバランスがいい。

【参考】●仲里依紗（なか・りいさ）…女優。●森迫永依（もりさこ・えい）。女優。●岡本依子（おかもと・よりこ）…元テコンドー選手。五輪メダリスト。

亜依	あい
依於	いお
依与	いよ
香依	かえ
紗依	さえ、さより
陽依	ひより
麻依	まい
芽依	めい
望依	もえ
唯依	ゆい
依香	よりか
依子	よりこ
依千花	いちか
依美花	えみか
恵利依	えりい
由依加	ゆいか

雨 8

音訓 ウ、あま、あめ
名のり さめ、ふる、め

【意味】あめ。あめふり。

【ポイント】しっとりと風情のある、文学的な雰囲気の名前にしやすい。「大地を潤す雨のように、多くの恵みがあるように」といった意味づけもできる。

雨寧	あまね
雨莉	あめり
雨乃	うの
美雨	みう
優雨	ゆう
瑠雨	るう
雨美可	うみか
夕雨夏	ゆうか

英 8

音訓 エイ
名のり あきら、え、はな、ひで、よし

【意味】花。ひいでる。美しい。

【ポイント】「英雄」などから男の子のイメージが強いが、女の子向けの意味も持つ。性別を間違われないよう女の子らしい字と組み合わせたい。

- 英莉 えり
- 小英 こはな
- 英子 えいこ
- 紗英 さえ
- 英恵 はなえ
- 美英 みえ
- 萌英 もえ
- 英里香 えりか

苑 8

音訓 エン、オン、その
名のり —

【意味】囲いを設けて植物を植えたり、動物を飼ったりする場。庭園。

【ポイント】同音同意の「園」よりも、視覚的にややわらかく、より女の子向き。

- 苑 その
- 苑佳 そのか
- 苑子 そのこ
- 苑美 そのみ
- 苑代 そのよ
- 真苑 まおん
- 美苑 みその、みおん

於 8

音訓 オ、ヨ、ああ、お(いて)
名のり —

【意味】～にあたって。ああ。

【ポイント】ひらがなの「お」、カタカナの「オ」の原字。とくに意味を主張しない字で、字形もすっきりしているので、響き重視の名や3文字名で重宝。

- 伊於 いお
- 於登 おと
- 華於 かお
- 莉於 りお
- 於斗香 おとか
- 花於留 かおる
- 沙於里 さおり
- 美於可 みおか

旺 8

音訓 オウ
名のり あきら、お

【意味】光が四方にひろがる。さかん。

【ポイント】好奇心旺盛の「旺」で、明るく活動的なイメージがある字。最近は「オウ」を縮めて「オ」と読ませる傾向も。

- 旺恵 あきえ
- 旺菜 あきな
- 旺夏 おうか
- 茉旺 まお
- 美旺 みお
- 梨旺 りお
- 七旺美 なおみ
- 礼旺奈 れおな

佳 8

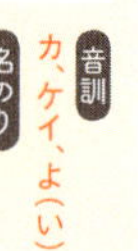

音訓 カ、ケイ、よ(い)
名のり よし

【意味】美しい。よい。すぐれる。めでたい。

【ポイント】人をあらわすにんべんと、天子から賜った玉器(ぎょっき)をあらわす「圭」で、美しい人や優れた人の意味に。従来からよく使われている字だが、あまり古さを感じさせない字。性別を問わず使える字で、「カ」「ケイ」「よし」など、使いやすい読みも多く、応用もききやすい。

【参考】●木村佳乃(きむら・よしの)…女優。●三船美佳(みふね・みか)…タレント。●西尾由佳理(にしお・ゆかり)…アナウンサー。

- 佳子 かこ、よしこ
- 佳帆 かほ
- 美佳 みか
- 佳連 かれん
- 佳花 けいか、よしか
- 彩佳 さやか
- 成佳 せいか
- 千佳 ちか
- 舞佳 まいか
- 三佳 みか
- 由佳 ゆか
- 佳乃 よしの、かの
- 佳菜子 かなこ
- 陽佳里 ひかり

欧 8

音訓 オウ
名のり お

【意味】はく。ヨーロッパの漢字表記。

【ポイント】本来の意味は「吐く」「戻す」と名前向きではないが、「欧羅巴」「欧州」と、ヨーロッパを意味するモダンな印象も。

- 果欧 かお
- 史欧 しお
- 万欧 まお
- 美欧 みお
- 莉欧 りお
- 伊欧里 いおり
- 奈欧子 なおこ
- 梨欧奈 りおな

果 8

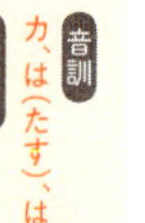

音訓 カ、は(たす)、はて
名のり あきら、はた、はたす、まさる

【意味】くだもの。はたす。

【ポイント】甘くみずみずしい果実を連想させ、やさしさや新鮮さをイメージ。その一方で、「果たす」「成果」「結果」などから、最後までやり遂げる力強さも感じさせる。名づけでは「カ」の音で、先頭字にも中間字にも止め字にも幅広く応用されている。左右対称の安定した字形だが、字に「田」を含むので、「田中」「田口」などの姓とはややなじみにくい。

【参考】●南果歩(みなみ・かほ)…女優。●大野果歩(おおの・かほ)…バレーボール選手。●大野果奈(おおの・かな)…バレーボール選手。

- 愛果 あいか
- 蒼果 あおか
- 果桜 かお
- 果織 かおり
- 果南 かな
- 果歩 かほ
- 果穂 かほ
- 果林 かりん
- 果鈴 かりん
- 果蓮 かれん
- 琴果 ことか
- 美果 みか
- 萌果 もえか
- 友果 ゆうか
- 柚果 ゆずか
- 絵梨果 えりか
- 利果子 りかこ

8 河

音訓 カ、ガ、かわ
名のり ー

【意味】かわ。中国の黄河。

【ポイント】一般に大きな川を意味し、悠々としたイメージ。男女ともに使われる字なので、性別がまぎらわしくならないような字と組み合わせたい。

河音	かのん
河凛	かりん
河凜	かりん
遥河	はるか
美河	みか
怜河	れいか
河南子	かなこ
実河子	みかこ

8 芽

音訓 ガ、め
名のり めい

【意味】植物の芽。物事の起こり。はじめ。きざし。めぐむ。

【ポイント】若葉の生命力や物事のはじまりなど、プラスのイメージがある字。「め」と読める字が少ないなか、印象のよい「芽」の存在は、とても貴重。先頭字にも中間字にも止め字にも使いやすく、近年、女の子の名前での人気が上昇している。「才能の芽をしっかり育てていける子に」「向上心のある子に」「初心を忘れないように」など、さまざまな意味づけができる字。

【参考】●梶芽衣子（かじ・めいこ）…女優。●黒川芽以（くろかわ・めい）…女優。

芽	めい
文芽	あやめ
絢芽	あやめ
彩芽	あやめ
歩芽	あゆめ
絵芽	えめ
音芽	おとめ
乙芽	おとめ
煌芽	きらめ
紅芽	こうめ
夏芽	なつめ
新芽	にいめ
春芽	はるめ
日芽	ひめ
陽芽	ひめ
冬芽	ふゆめ
芽亜	めあ
芽生	めい
芽以	めい
芽衣	めい
芽沙	めいさ
芽咲	めいさ
芽紀	めき
芽久	めぐ
芽乃	めの
芽吹	めぶき
芽美	めみ
芽里	めり
芽留	める
優芽	ゆうめ、ゆめ
柚芽	ゆめ
結芽	ゆめ
有芽	ゆめ
亜芽莉	あめり
伊芽奈	いめな
妃芽加	ひめか
日芽子	ひめこ
陽芽乃	ひめの
芽阿里	めあり
芽衣香	めいか
芽依子	めいこ
芽衣沙	めいさ
芽依奈	めいな
芽萌里	めもり
芽利衣	めりい
芽里奈	めりな
芽莉名	めりな
芽琉萌	めるも
由芽加	ゆめか
結芽里	ゆめり

8 拡

音訓 カク、ひろ（がる）
名のり ひろし、ひろむ

【意味】広げる。

【ポイント】広いことを示す「広」に対し、手へんのある「拡」は、「自分で広げる」という、より行動的な意味。「自分自身で可能性をひろげられる人に」と願って。

拡絵	ひろえ
拡香	ひろか
拡子	ひろこ
拡奈	ひろな
拡乃	ひろの
拡美	ひろみ

8 学

音訓 ガク、まな（ぶ）
名のり あきら、さと、まなぶ、みち

【意味】まなぶ。ならう。

【ポイント】知識や勤勉さをイメージさせる名前向きの字。女の子名での使用例は少ないが、「学美（まなみ）」など、「まな」の読みをいかせば女の子向きに。

学歌	まなか
学香	まなか
学帆	まなほ
学実	まなみ
学美	まなみ、まなび

8 季

音訓 キ
名のり すえ、とき、とし、ひで、みのる

【意味】春夏秋冬などの区分。末。とき。若い。

【ポイント】音読みの「キ」を使った名前が一般的。女の子のほうが使用例は多いが、男の子の止め字としてもそれなりに使われている。「悠季（ゆうき、ゆき、はるき）」など、合わせる字によっては性別がわかりにくくなることも。なお、「季世」は「きせい」と読み、末世を意味するので注意。

【参考】●大黒摩季（おおぐろ・まき）…歌手。●相武紗季（あいぶ・さき）…女優。●前田亜季（まえだ・あき）…女優。●大儀見優季（おおぎみ・ゆうき）…サッカー選手。

亜季	あき
有季	あき
季桜	きお
季々	きき
季乃	きの
季子	きこ
季羅	きら
季里	きり
紗季	さき
季絵	ときえ
季野	ときの
麻季	まき
優季	ゆうき
瑞季	みずき
柚季	ゆずき
阿季乃	あきの
美季子	みきこ

宜

8

音訓 ギ
名のり き、たか、のぶ、のり、やす、よし

【意味】よろしい。形や程度がちょうどよい。

【ポイント】「儀」や「義」と同系で、よいことを示す名前向きの字。よく似た字の「宣」は、「述べる」「広める」という意味。

衣宜	いのり
詩宜	しのぶ
宜伽	のりか
宜花	のりか
宜子	のりこ、のぶこ
実宜	みのり
宜香	よしか

祈

8

音訓 キ、いの(る)
名のり いのり

【意味】いのる。祈念。告げる。

【ポイント】おごそかで気品があり、神聖な印象を与える字。一般的な字で意味もよく、字形もすっきりしているが、意外に使われていない字。「キ」の音の漢字は「希」「紀」「季」などたくさんあるが、代わりにこの字を使うと目新しい印象に。1字名の「祈(いのり)」も印象的。

【参考】●坂本祐祈(さかもと・ゆき)…アナウンサー。

祈	いのり
和祈	かずき
祈衣	きい
祈希	きき
祈子	きこ
祈里	きり
咲祈	さき
紗祈	さき
珠祈	たまき
真祈	まき
美祈	みき
優祈	ゆき、ゆうき
柚祈	ゆずき
愛祈子	あきこ
深祈子	みきこ
美沙祈	みさき
由祈香	ゆきか

其

8

音訓 キ、ギ、そ(の)
名のり その、とき、もと

【意味】その。それ。

【ポイント】とくに意味を主張しないので、「キ」や「そ」の音をいかした響き重視の名前で使える。ややかための字面なので、女の子らしい字と組み合わせたい。

其寧	そね
其乃	その
美其	みその
其絵	もとえ
其音	もとね
愛其代	あきよ
美其乃	みその
優其子	ゆきこ

穹

8

音訓 キュウ、ク、そら
名のり ―

【意味】弓なりに盛り上がったドーム上の形。そら。奥が深い様子。

【ポイント】2009年から名前に使えるようになった字なので、鮮度は抜群。広く大地を覆う青空を意味する字。

穹奈	そな
穹代	そよ
穹音	そらね
穹乃	そらの
美穹	みそら、みく
穹美	くみ
穹乃香	そのか

享

8

音訓 キョウ
名のり あきら、すすむ、たか、みち、ゆき

【意味】受ける。享受。たてまつる。すすめる。

【ポイント】「多くの幸を受けられるように」などの願いを込めて。共通の読みも多い「亨」と間違えられやすいのが難点。

享絵	あきえ、ゆきえ
享花	きょうか
享子	きょうこ、みちこ
享乃	ゆきの

協

8

音訓 キョウ、かな(う)
名のり かのう、やす

【意味】力を合わせる。

【ポイント】名前向きの意味を持つ字。「力」が3つ重なった字形は、見た目は男の子向きだが、「かな」の読みをいかすと女の子らしい響きの名前になる。

協絵	かなえ
協香	きょうか
協子	きょうこ、かなこ
協美	きょうみ、かなみ

京

8

音訓 キョウ、ケイ、みやこ
名のり あつ、ちか

【意味】みやこ。兆の1000倍。

【ポイント】上品かつ和のイメージ。すっきりした左右対称の字形は、どんな字ともなじみやすい。「ケイ」の読みをいかすと、響き的には洋風の雰囲気に。

京	みやこ
希京	ききょう
京香	きょうか
京子	きょうこ
京乃	きょうの
京佳	けいか
京音	けいと
京奈	けいな

尭

8

音訓 ギョウ、たか(い)
名のり あき、たかし、のり

【意味】たかい。崇高。気高い。

【ポイント】字の意味と特徴的な字形で、おごそかな雰囲気の字。ただし、なじみが薄い字のため、やや読みにくく、口頭で字を説明しにくい面もある。

尭絵	あきえ
尭花	あきか
尭奈	あきな
尭子	たかこ
尭音	たかね
尭美	たかみ
尭世	たかよ
千尭	ちあき

空（8画）

音訓：クウ、ク、そら、あ(く)、から
名のり：たか

【意味】そら。天気。むなしい。

【ポイント】さわやかさとスケール感を感じさせる字で、近年「海」とともに人気がある字。「何もない状態の空（から）」という意味から転じて「何もない空間＝空（そら）」となったため、名前に不向きと考える人も少なくない。読みは「そら」が定番だが、「ク」の音をいかした名前も多い。

【参考】●井村空美（いむら・くみ）…女優。●沢井美空（さわい・みく）…歌手。●徳井青空（とくい・そら）…声優。

空	そら
青空	そら
希空	きく
綺空	きく
空美	くみ、そらみ
空南	そらな、そな
空音	そらね
空乃	そらの
空子	たかこ
空代	たかよ
美空	みく、みそら
莉空	りく
空里子	くりこ
空留美	くるみ

径（8画）

音訓：ケイ
名のり：みち、わたる

【意味】こみち。近道。

【ポイント】ヨーロッパの小径をイメージさせる、ロマンチックな雰囲気のある字。似た意味で同じ「みち」の読みを持つ「道」「路」よりも使われておらず、新鮮。

径子	けいこ、みちこ
径香	けいか
径奈	けいな
径絵	みちえ
径花	みちか
径世	みちよ
径留	みちる

弦（8画）

音訓：ゲン、つる
名のり：いと、お、ふさ、ゆづる

【意味】弓づる。弓張月。弦楽器の糸。

【ポイント】月と楽器の連想から、情緒的かつ和の雰囲気。「弦月（げんげつ）」とは、弓を張ったような半月状態の月のこと。

弦	いと
弦子	いとこ
弦音	いとね
弦葉	いとは
詩弦	しづる
美弦	みつる、みお
芽弦	めいと

呼（8画）

音訓：コ、よ(ぶ)
名のり：うん、おと、こえ、よぶ

【意味】よぶ。声をかける。

【ポイント】「さけぶ」「息を吐く」など、生命力を感じさせる字。「子」などの代わりに「コ」に当てて使ったり、「世」「代」の代わりに「よ」に当てて使うと目新しい。

愛呼	あいこ
亜呼	あこ
歌呼	かこ
呼春	こはる
真呼	まこ、まよ
実呼	みこ
美呼都	みこと

昊（8画）

音訓：コウ、ゴウ、そら
名のり：あき、ひろ

【意味】そら。太陽の明るい空。

【ポイント】からっぽの意味もある「空」と違い、純粋に自然の「空」を意味する。なじみはないので誤読されやすいが、「日十天」と字の説明はしやすい。

昊	そら
昊音	そらね
昊乃	そらの、あきの
昊花	ひろか
昊子	ひろこ、こうこ
昊美	ひろみ

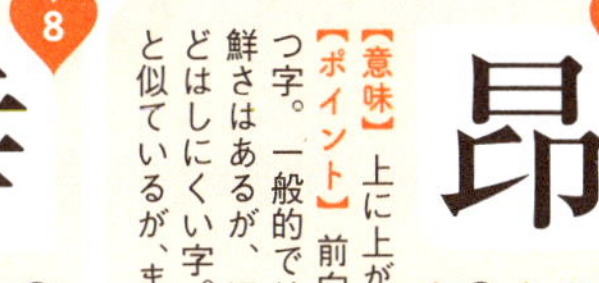

昂（8画）

音訓：コウ、ゴウ、あ(がる)、たか(い)
名のり：あき、あきら

【意味】上に上がる。上を向く。

【ポイント】前向きな意味を持つ字。一般的ではないため、新鮮さはあるが、口頭での説明などはしにくい字。「昴（すばる）」と似ているが、まったくの別字。

昂	あき
昂奈	あきな
昂子	こうこ
昂芽	こうめ
昂音	たかね
昂穂	たかほ
昂予	たかよ
千昂	ちあき

幸（8画）

音訓：コウ、さいわ(い)、さち、しあわ(せ)
名のり：さい、さき、みゆき、ゆき

【意味】しあわせ。

【ポイント】「コウ」「ゆき」「さち」など、ポピュラーな読みが多いため、読み間違いされやすいが、ストレートに「わが子の幸せ」を願える字は名前向き。

幸	さち、みゆき
幸芽	こうめ
幸世	さちよ
沙幸	さゆき
美幸	みゆき
幸亜	ゆきあ
幸乃	ゆきの

岬（8画）

音訓：コウ、みさき
名のり：—

【意味】海から突き出た陸地。

【ポイント】大地の力強さと、海辺のさわやかさの両方を感じられる字。1字の「岬（みさき）」が定番だが、1字添えて「岬希」「岬妃」などとしても。

岬	みさき
岬子	こうこ、みさこ
岬美	こうみ
岬江	みさえ
岬希	みさき
岬妃	みさき
岬季	みさき

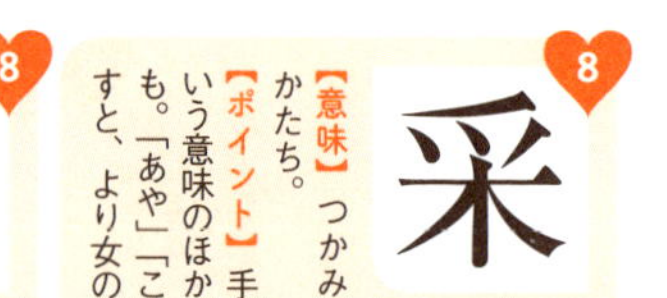

采 8

音訓 サイ、と(る)
名のり あや、うね、こと

【意味】つかみとる。いろどり。かたち。

【ポイント】手でつかんで取るという意味のほか、彩りなどの意味も。「あや」「こと」の読みをいかすと、より女の子らしい名前に。

采葉	あやは
采芽	あやめ
采子	ことこ
采実	ことみ
紗采	さあや
采花	さいか
采和	さわ
美采	みこと

枝 8

音訓 シ、えだ
名のり え、き、しげ、しな

【意味】えだ。わかれたもの。

【ポイント】「え」の音の定番の止め字のひとつだが、最近は「恵」「絵」「依」などに押され気味。先頭字や中間字に使うとまた違った印象に。

枝実	えみ
織枝	おりえ
夏枝	なつえ
幸枝	ゆきえ
咲枝里	さえり
枝南乃	しなの
多枝子	たえこ
実枝子	みえこ

治 8

音訓 ジ、チ、おさ(める)、なお(る)
名のり おさむ、はる

【意味】おさめる。安んずる。なおす。

【ポイント】パパ・ママより前の世代でよく使われていた字だが、「はる」や「チ」の音をいかした、今風の名前もつくれる。

千治	ちはる
治恵	ちえ
治佳	ちか、はるか
治子	はるこ、なおこ
治美	はるみ
真治子	まちこ

始 8

音訓 シ、はじ(まる)
名のり とも、はじめ、はる、もと

【意味】はじまる。

【ポイント】日常での使用頻度が高いからか、名前ではあまり見かけず、目新しさはある。「スタート」という意味は十分名前向き。

始音	しおん
始芽	はじめ
始香	はるか
始子	もとこ
始美	もとみ
世始乃	よしの

実 8

音訓 ジツ、み、みの(る)
名のり さね、ちか、のり、ま、まこと、みつ、みのる

【意味】みのる。果実。まこと。むすぶ。

【ポイント】誠実で、実りある人生を送れるようにという願いを込められる字。「み」の音では「美」と並ぶ人気があるが、「実」は男の子名にも使用されるので、女の子らしい字と組み合わせたい。横線が多く、やや詰まった印象のある字形なので、組み合わせる字は横線の少ないすっきりとした子がベター。

【参考】●松任谷由実（まつとうや・ゆみ）…歌手。●安達祐実（あだち・ゆみ）…女優。●市川実日子（いちかわ・みかこ）…女優。●田中みな実（たなか・みなみ）…アナウンサー。

来実	くるみ
実亜	みあ
実音	みおん
実咲	みさき
夏実	なつみ
実子	みこ
実歩	みほ
実夢	みむ
愛実	めぐみ
由実	ゆみ
結実	ゆみ
明日実	あすみ
亜実莉	あみり
季実花	きみか
木乃実	このみ
実日子	みかこ
実々花	みみか

若 8

音訓 ジャク、ニャク、わか(い)、も(しくは)
名のり なお、まさ、よし、より

【意味】わかい。元気がよい。

【ポイント】しなやかな髪をとく、身体のやわらかい女性の姿をモチーフにした字。やさしい印象で男女ともに使うので、女の子らしい字と組み合わせたい。

若乃	よしの
若恵	わかえ
若子	わかこ、よりこ
若奈	わかな
若菜	わかな
若葉	わかば
若代	わかよ

宗 8

音訓 シュウ、ソウ
名のり かず、たかし、とき、むね

【意味】大もと。祖先。一門。

【ポイント】家屋内の祭壇をあらわした字で、厳格なイメージ。左右対称の安定した字形は、どんな字ともなじみやすい。「宋」と似ている点はややまぎらわしい。

宗花	しゅうか
宗那	しゅうな
宗子	そうこ、しゅうこ
宗良	そら
宗恵	たかえ
宗美	むねみ、たかみ

周 8

音訓 シュウ、まわり
名のり あまね、かね、ちか、なり、のり、まこと、めぐる

【意味】全体に行き渡る。まわり。めぐる。

【ポイント】「細部に行き渡る」という意味から、周囲への気配りを感じさせる字であり、スケールの大きさも感じさせる字。

周	あまね、めぐる
周音	あまね
周佳	しゅうか
周子	しゅうこ、ちかこ
周代	ちかよ
美周	みちか

尚 8

音訓 ショウ
名のり たか、たかし、なお、ひさ、ひさし

【意味】尊ぶ。高貴な。久しい。

【ポイント】マラソンの高橋尚子（なおこ）さんが有名。「なお」のほかには「ひさ」、音読みの「ショウ」が使いやすい。

尚	なお
尚子	なおこ、しょうこ
尚美	なおみ
尚依	ひさえ
尚未	ひさみ
尚世	ひさよ
麻尚	まなお

昌 8

音訓 ショウ、さか(ん)
名のり あき、あきら、まさ

【意味】あきらか。あかるい。

【ポイント】「日（太陽）」をふたつ重ねた字形で、明るいという意味に。ちなみに同音で意味も字形も似ている「晶」は、星を3つ重ねた字。

昌奈	あきな
千昌	ちあき
昌依	まさえ
昌絵	まさえ
昌子	まさこ、しょうこ
昌美	まさみ
昌世	まさよ

昇 8

音訓 ショウ、のぼる
名のり かみ、すすむ、のり

【意味】太陽がのぼる。穏やか。高い地位。

【ポイント】向上心や運気向上、飛躍などをイメージさせる字。「上昇する気持ちを忘れないように」との思いを込めて。

昇子	しょうこ、のりこ
昇乃	しょうの
昇衣	のりえ
昇華	のりか
美昇	みのり

松 8

音訓 ショウ、まつ
名のり —

【意味】まつ。

【ポイント】慶事の象徴の「松竹梅」から、縁起のよい字。純和風の印象で、どことなく存在感のある字。今の時代にはかなり個性的な印象の名前になる。

松香	しょうか
松子	しょうこ、まつこ
松風	まつか
松乃	まつの
松美	まつみ

青 8

音訓 セイ、ショウ、あお
名のり じょう、はる

【意味】あお。春。青年。しげる。

【ポイント】青い空や海を連想させ、さわやかさとクールさのある字。直線で構成された字なので、組み合わせる字は斜線や曲線のある字形がベター。

青依	あおい
青沙	あおさ
青乃	あおの
青葉	あおば
青実	あおみ
青南	せいな
青空	そら
美青	みはる

卓 8

音訓 タク
名のり すぐる、たか、たかし、まさる

【意味】ひいでる。すぐれる。

【ポイント】男の子名のイメージが強いので、組み合わせる字は、女の子らしいものを選びたい。

卓子	たかこ
卓祢	たかね
卓帆	たかほ
卓代	たかよ
卓美	たくみ

拓 8

音訓 タク
名のり ひら、ひらく、ひろ、ひろし

【意味】ひらく。ひろげる。

【ポイント】前向きでたくましいイメージがあり、男の子名で人気だが、もちろん女の子名に使ってもおかしくない。女の子名では、「ひろ」の読みが使いやすい。

拓恵	ひろえ
拓子	ひろこ
拓乃	ひろの
拓未	ひろみ
拓美	ひろみ
拓世	ひろよ
真拓	まひろ
美拓	みひろ

知 8

音訓 チ、し(る)
名のり あき、かず、さと、ちか、とし、とも、のり、はる

【意味】しる。悟る。知恵。

【ポイント】知性を象徴する字。「チ」のかわいい音が人気だが、男女ともに使われるので、性別を間違われないような字と組み合わせたい。

知笑	ちえ
知果	ちか
知遥	ちはる
知可	ともか
知寧	ともね
深知	みち
知沙紀	ちさき
真知子	まちこ

宙 8

音訓 チュウ
名のり そら、ひろ、ひろし、みち

【意味】そら。時間。

【ポイント】「宇宙」と熟語で見ることが多いので、1字だと独特の印象。存在感のある角張った字形なので、組み合わせる字は全体のバランスを考えて選びたい。

宙	みち
空宙	そら
千宙	ちひろ
宙花	ひろか
宙瑚	ひろこ
宙乃	そらの、ひろの
美宙	みそら、みひろ

直 8

音訓 チョク、ジキ、ただ(ちに)、なお(す)
名のり すなお、ただ、ただし、ちか、な、なが、まさ

【意味】まっすぐ。正しい。すぐに。

【ポイント】素直でまっすぐ、クリーンなイメージ。角張った男性的な印象がある字形なので、女の子らしいやわらかい字形と組み合わせたい。

直	すなお
直緒	なお
直絵	なおえ
直子	なおこ
直弓	なおみ
直美	なおみ
直心	なおみ
沙直美	さなみ

迪 8

音訓 テキ、トク、みち
名のり すすむ、ただす、ひら

【意味】すすむ。みち。導く。

【ポイント】人名用漢字であまりなじみはないが、意味もよく、口頭での文字の説明もしやすい。「みち」の読みはキュートで女の子らしい印象。

迪	みち
小迪	こみち
迪知	みち
迪恵	みちえ
迪花	みちか
迪子	みちこ
迪歩	みちほ
迪留	みちる

典 8

音訓 テン
名のり おき、すけ、つね、のり、みち

【意味】基準となる教え。

【ポイント】その意味から転じて、「道徳心がある」「聡明」などのイメージに。一般的に「のり」の読みが多いが、音読みの「テン」を使うと、快活な印象に。

衣典	いのり
典華	のりか
典子	のりこ、てんこ
典依	みちえ
典乃	みちの
典世	みちよ
美典	みのり

東 8

音訓 トウ、ひがし
名のり あきら、あずま、はじめ、はる

【意味】ひがし。日の出る方角。

【ポイント】あまり名前には使われないが、「春」も意味する縁起のよい字で、名のりにも「はる」の読みがある。「トウ」を縮めて「ト」と読ませる傾向も。

東瑚	とうこ
東花	はるか、とうか
東乃	はるの
早東子	さとこ
東美子	とみこ
東萌加	ともか
妃東美	ひとみ

杷 8

音訓 ハ、ベ、つか
名のり え

【意味】さらい（土をかきならす農具）。

【ポイント】果物の「枇杷（びわ）」の「杷」。枇杷の旬である初夏に生まれた子や、「八」や「わ」の音を活かす名前に使える。

彩杷	あやは
一杷	いちは、かずは
杷奈	はな
美杷	みわ
優杷	ゆうは
杷南子	はなこ
杷瑠美	はるみ

奈 8

音訓 ナ、ダ、ダイ
名のり なに

【意味】いかん。何ぞ。からなし。

【ポイント】「ナ」の音の響きのかわいらしさと、左右対称のバランスのいい字形で、女の子の名前では、つねにトップクラスの人気。同じ「ナ」の音を持つ「菜」と人気を二分するが、「菜」より3画少なく、すっきりとした字形で、かつあまり意味を主張しないため、どんな漢字とも合わせやすく、視覚的なバランスのとりやすさでは「奈」のほうが上。先頭字、中間字、止め字とさまざま形で使用でき、応用力は抜群。なお、意味の「からなし（唐梨）」とは、紅リンゴの古名、あるいはカリンの異名のこと。

【参考】●安室奈美恵（あむろ・なみえ）…歌手。●小西真奈美（こにし・まなみ）…女優。●三倉茉奈（みくら・まな）…タレント。●三倉佳奈（みくら・かな）…タレント。●渡辺満里奈（わたなべ・まりな）…タレント。●鈴木奈々（すずき・なな）…タレント。

愛奈	あいな
蒼奈	あおな
明奈	あきな
有奈	ありな
杏奈	あんな
初奈	ういな
絵奈	えな
加奈	かな
心奈	ここな
冴奈	さえな
紗奈	さな
静奈	しずな
千奈	せんな
想奈	そな
珠奈	たまな
友奈	ともな
奈緒	なお
奈々	なな
奈未	なみ
新奈	にいな
仁奈	にな
音奈	ねな
乃奈	のな
緋奈	ひな
姫奈	ひめな
磨奈	まな
美奈	みな
望奈	もな
優奈	ゆうな
麗奈	れな
蓮奈	れんな
若奈	わかな
亜紗奈	あさな
恵実奈	えみな
香里奈	かりな
玖実奈	くみな
紗理奈	さりな
詩絵奈	しえな
世麗奈	せれな
知恵奈	ちえな
千奈美	ちなみ
津奈子	つなこ
奈央香	なおか
奈々子	ななこ
七奈美	ななみ
日奈果	ひなか
麻理奈	まりな
実衣奈	みいな
美優奈	みゆな
優里奈	ゆりな
玲央奈	れおな

波　8

音訓　ハ、なみ
名のり　ば

【意味】なみ。

【ポイント】海に関連する字は全般的に人気があるが、この字も近年とくに使われている字。「波菜（はな）」「波香（なみか）」など、音読みの「ハ」を使っても、イマドキの名前になる。ただし、男女両方に人気があるので、性別のわかりにくい中性的な名前になることも。まぎらわしくないよう、女の子らしい字と組み合わせたい。

【参考】●前田美波里（まえだ・びばり）…女優。●美波（みなみ）…女優。●浜内千波（はまうち・ちなみ）…料理研究家。

蒼波	あおば
秋波	あきは
綾波	あやは
花波	かなみ
華波	かなみ
紅波	くれは
千波	ちなみ
那波	ななみ
波奈	はな
陽波	ひなみ
舞波	まいは
真波	まなみ、まは
南波	みなみ
美波	みなみ
唯波	ゆいは
波留花	はるか

苺　8

音訓　バイ、マイ、メ、モ、いちご
名のり　ー

【意味】果物の名前。

【ポイント】イチゴのかわいらしいイメージと、「マイ」「いち」のキュートな響きで、女の子の名づけに人気だが、やや子どもっぽい印象もあり、好みの分かれる字。

苺	いちご
苺花	いちか
苺子	いちこ、まいこ
苺乃	いちの
夏苺	なつめ
苺佳	まいか
苺衣	もえ

枇　8

音訓　ビ、ヒ
名のり　ー

【意味】果樹の枇杷

【ポイント】果物の枇杷（びわ）や、その旬である初夏をイメージして使える。ちなみに、楽器の「びわ」は「琵琶」と書き、こちらも名づけに使える。

枇亜	びあ
枇珠	びじゅ
枇翠	ひすい
枇奈	ひな
枇由	ひより
枇和	びわ
優枇	ゆうひ
枇南乃	ひなの

弥　8

音訓　ビ、ミ、や
名のり　いよ、ひさ、ひろ、みつ、やす、よし

【意味】広がる。長い。増す。

【ポイント】3月の異名「弥生」のイメージや、「ミ」「や」の音をいかして使用。男の子にも人気の字なので、性別がまぎらわしくないような字と組み合わせたい。

亜弥	あや
心弥	ここみ
弥桜	みお
美弥	みや
弥生	やよい
華弥乃	かやの
咲弥奈	さやな
磨弥子	まみこ

苗　8

音訓　ビョウ、なえ、なわ
名のり　え、たね、なり、みつ

【意味】なえ。子孫。

【ポイント】すくすく育つようにとの願いを込められる字で、昔から女の子名によく使われてきた字。田を含む姓だと、視覚的には少々くどい印象になる。

花苗	かなえ
奏苗	かなえ
早苗	さなえ
彩苗	さなえ
苗美	なえみ
奈苗	ななえ
真苗	まなえ
美苗	みなえ

歩　8

音訓　ホ、ブ、フ、ある（く）、あゆ（む）
名のり　あゆみ、あゆむ

【意味】あるく。行く。

【ポイント】目標に向かって1歩1歩着実に進むイメージで、男の子にも女の子にも使われている字。先頭字、中間字、止め字とさまざまな形で使え、すっきりとした字形は3字名にも使いやすい。読みでは、やわらかい響きの「ホ」と「あゆ」の人気が高い。「1歩1歩努力を続けていける子に」「困難があっても強く前へ進んでいける子に」などの思いを込めて。

【参考】●大橋未歩（おおはし・みほ）…アナウンサー。●谷本歩実（たにもと・あゆみ）…元柔道選手。五輪メダリスト。

歩	あゆみ、あゆむ
歩姫	あゆき
歩菜	あゆな
歩葉	あゆは
歩美	あゆみ
歩夢	あゆむ
希歩	きほ
幸歩	さちほ
志歩	しほ
真歩	まほ
里歩	りほ
思歩梨	しほり
歩優花	ふゆか
歩悠子	ふゆこ
麻衣歩	まいほ
梨歩加	りほか

茅　8

音訓　ボウ、かや、ち、ちがや
名のり　ー

【意味】かや。屋根を葺くのに用いる草。

【ポイント】植物にちなんだ字で、「チ」「かや」の響きもかわいい。しかし、「茅葺き屋根」のイメージもあり、好みは分かれる。

茅音	かやね
茅乃	かやの
茅瀬	ちせ
茅奈	ちな
茅世	ちよ
茅絵里	ちえり
美茅果	みちか
琉茅亜	るちあ

宝

8

音訓 ホウ、たから
名のり かね、たか、とみ、ほ、みち、よし

【意味】たから。大切にしているもの。

【ポイント】わが子を宝物のように思う気持ちをストレートに表現できる字。「ホウ」の読みを縮めて「ホ」と読ませる傾向も。

亜宝	あかね
紗宝	さほ
宝音	たかね
宝代	たかよ
加宝梨	かほり
宝那美	ほなみ
麻宝美	まほみ
美宝子	みほこ

法

8

音訓 ホウ、ハッ、ホッ
名のり かず、つね、のり、はかる

【意味】おきて。

【ポイント】左右に分かれた字形なので、合わせる字はそうでないものがベター。「のり」「ホウ」以外の読みはなじみが薄く、誤読されることも。

詩法	しのり
法絵	のりえ
法恵	のりえ
法香	のりか
法佳	のりか
法子	のりこ
法世	のりよ
美法	みのり

房

8

音訓 ボウ、ふさ
名のり お、のぶ、ふさ

【意味】へや。

【ポイント】果実がたわわに実っているイメージから、豊かさを込められる字。「ふさ」のやわらかい響きは女の子向きといえる。

房夏	のぶか
房恵	ふさえ
房子	ふさこ
房乃	ふさの
房美	ふさみ
房代	ふさよ

朋

8

音訓 ホウ、ボウ、とも
名のり —

【意味】とも。対等に肩を並べたともだち。

【ポイント】「友」と同じく「ともだち」「仲間」の意味があるが、「朋」にはさらに「対等に肩を並べた」という意味が加わる。

果朋	かほ
朋香	ともか
朋子	ともこ
朋美	ともみ
朋世	ともよ
優朋	ゆうほ
奈朋子	なほこ
美朋乃	みほの

茉

8

音訓 マツ、バツ、ま
名のり —

【意味】植物の茉莉（まつり）。

【ポイント】茉莉（まつり）は、夏に白い花を咲かせる木の名前で、ジャスミンの一種。香りがとてもよく、茉莉花茶（ジャスミンティー）も有名。「ま」の音に当てることが多いが、同音の「真」「麻」「磨」に比べ、より女の子らしい雰囲気がある。

【参考】●三倉茉奈（みくら・まな）…タレント。●西山茉希（にしやま・まき）…タレント。●向田茉夏（むかいだ・まなつ）…タレント。●入来茉里（いりき・まり）…タレント。

恵茉	えま
茉彩	まあや
茉緒	まお
茉紀	まき
茉樹	まじゅ
茉奈	まな
茉実	まみ
茉里	まり
茉莉	まり、まつり
由茉	ゆま
里茉	りま
亜茉音	あまね
伊茉里	いまり
茉沙子	まさこ
茉智佳	まちか
茉里亜	まりあ

牧

8

音訓 ボク、まき
名のり —

【意味】家畜をかう。

【ポイント】家畜を飼って増やすという意味が転じて、「繁殖」「繁栄」のほか、「人格や教養を豊かにする」といった意味もある。

小牧	こまき
牧亜	まきあ
牧恵	まきえ
牧子	まきこ
牧乃	まきの
牧葉	まきは
牧穂	まきほ
牧世	まきよ

明

8

音訓 メイ、ミョウ、あ(かり)、あか(るい)、あき(らか)
名のり あかり、あけ、てる、はる

【意味】あかるい。光。よく物が見える。あきらか。賢い。

【ポイント】明るく活発で前向きなイメージ。昔からよく使われ、今も安定した人気。「明紗（めいさ）」など、「メイ」の音でも重宝。

明莉	あかり
明希	あき
明絵	あきえ
千明	ちあき
美明	みはる
明紗	めいさ
明季南	あきな
明日夏	あすか

茂

8

音訓 モ、しげ(る)
名のり しげみ、しげる、とも、もち、もと

【意味】草木がしげる。さかん。豊か。

【ポイント】オーソドックスな字で、男の子向きだが、「茂恵（もえ）」など、「モ」の音をいかせば今風の響きの名前になる。

茂美	しげみ
茂絵	もえ
茂夏	もか
都茂加	ともか
茂登子	もとこ
茂南美	もなみ
茂々華	ももか
茂代子	もよこ

夜 8

音訓 ヤ、よ、よる
名のり やす

【意味】よる。

【ポイント】人によって好みのある字だが、雰囲気のある名前になる。読みは、「ヤ」「よ」ともにポピュラーなので、名前によっては、読み間違いが多そう。

亜夜 あや
沙夜 さや
真夜 まよ、まや
美夜 みや
夜菜 よな
莉夜 りよ
小夜子 さよこ

侑 8

音訓 ユウ、ウ、すす(め)、たす(ける)
名のり あつむ、すすむ、ゆ、ゆき

【意味】すすめる。飲食をすすめる。助ける。

【ポイント】人気の「ユウ」の響きを持つが、あまり使用されていない。「有」「優」「結」などの代わりに使うと目新しい。

真侑 まゆ
侑依 ゆい
侑希 ゆうき
侑羅 ゆら
愛侑美 あゆみ
早侑莉 さゆり
美侑菜 みゆな
侑里亜 ゆりあ

來 8

音訓 ライ、きた(る)、く(る)
名のり き、くる、こ

【意味】こちらにちかづく。

【ポイント】「来」の旧字体。日常でなじみはないが、歌手の倖田來未（こうだくみ）さんによって以前よりポピュラーに。「来」より1画多いので、画数調整にも。

來穂 きほ
聖來 きよら
來未 くみ
來海 くみ
來芽 くるめ
來夢 らいむ
姫來里 きらり
來瑠美 くるみ

林 8

音訓 リン、はやし
名のり しげ、しげる、もと、もり、よし

【意味】はやし。盛ん。

【ポイント】人気のある「リン」の音を持つ字。木がふたつなので、姓に木へんがあると、うるさい印象に。同じ読みで、王へんの「琳（りん）」も使える。

佳林 かりん
香林 かりん
季林 きりん
真林 まりん
由林 ゆりん
林果 りんか
林檎 りんご
林椰 りんな

伶 8

音訓 レイ、レン、リョウ、さと(い)、あわ(れ)
名のり さとし、とき、れ

【意味】賢い。さとい。

【ポイント】「レイ」または「れ」の音で、男女ともに使用されている。同音の似た字形の「玲」「怜」とはそれぞれ意味が異なるので、うまく使い分けたい。

伶子 さとこ
伶美 さとみ
千伶 ちさと
美伶 みれい
伶香 れいか
伶奈 れな
紅伶亜 くれあ
伶衣加 れいか

和 8

音訓 ワ、オ、やわ(らぐ)、なご(む)
名のり あい、かず、ちか、とも、な、なごみ、のどか、やす、やまと、やわら、よし、より

【意味】調和する。打ち解ける。丸くまとまる。おだやかになる。日本。

【ポイント】争わずにまるくまとまった、なごやかな状態を示す。元号「令和」の「和」でもあるが、この字が元号に使われるのは実に20回目。日本の心を象徴する字でもあり、名づけでも根強い人気をほこる。「日和（ひより）」「和（なごみ、のどか）」のように、「かず」「ワ」以外の音を使うと新鮮な印象に。「だれとでも仲よくできる協調性のある子に」「周囲の人をなごませる穏やかな子に」「日本人らしい謙虚な気持ちを忘れないように」など、さまざまな思いが込められる字。

【参考】●大和（やまと）…旧国名のひとつで現在の奈良県にあたる。さらに日本国の異称、旧日本海軍の世界最大の戦艦の名でもある。●吉田美和（よしだ・みわ）…歌手。●井上和香（いのうえ・わか）…タレント。

和 かず、のどか、なごみ
和泉 いずみ
和恵 かずえ
和希 かずき
和季 かずき
和姫 かずき
和子 かずこ、わこ
和沙 かずさ
和紗 かずさ
和菜 かずな
和音 かずね
和寧 かずね
和乃 かずの
和羽 かずは

和葉 かずは
和穂 かずほ
和実 かずみ、なごみ
和美 かずみ、なごみ
和代 かずよ
紀和 きわ
佐和 さわ
沙和 さわ
都和 とわ
和夏 のどか
和香 のどか
乃和 のわ
日和 ひより
実和 みわ
美和 みわ

萌和 もわ
結和 ゆわ
和佳 わか
和花 わか
和歌 わか
和瑚 わこ
和奏 わかな
希和子 きわこ
佐和子 さわこ
紗和子 さわこ
十和子 とわこ
美和子 みわこ
和夏子 わかこ
和花那 わかな
和香奈 わかな
和歌乃 わかの
和佳葉 わかば

娃 9

音訓 ア、エ、アイ、うつく(しい)
名のり ―

【意味】うつくしい。美女。
【ポイント】1字で「ア」と読める数少ない字のひとつ。意味も名前向きで、女の子向き。「アイ」の読みで、「愛」「藍」の代わりに使っても。

娃衣 あい
娃華 あいか
娃子 あいこ
娃奈 あいな
娃希 あき
娃実 あみ、あいみ
里娃 りあ

郁 9

音訓 イク
名のり あや、か、かおり、かおる、たかし、ふみ

【意味】かぐわしい。文化、文物が盛ん。あたたかい。
【ポイント】同じ「イク」の音を持つ「育」とは意味が異なる。なお「郁子」は「ムベ」とも読み、アケビ科ムベ属の植物をさす。

郁 いく、かおる
郁子 いくこ
郁美 いくみ
郁世 いくよ
郁織 かおり
郁亜 ふみあ
郁花 ふみか

映 9

音訓 エイ、うつ(る)、は(える)
名のり あき、あきら、え、てる、みつ

【意味】うつる。はえる。照り輝く。
【ポイント】「照り輝く」という意味もあり、名前向きの字。同じ音とつくりを持つ「英」「瑛」に比べると名前例は少ない。

映巴 あきは
映未 えいみ
映夢 えむ
冴映 さえ
乃映 のえ
里映 りえ
映美南 えみな
百映莉 もえり

栄 9

音訓 エイ、さか(える)、は(える)
名のり え、さかえ、しげ、はる、ひで、よし

【意味】さかんな様子。
【ポイント】「栄える」「繁栄する」という意味から、豊かで幸せなイメージ。広がりのある字形で存在感もある。旧字の「榮」も使える。

栄子 えいこ
栄美 えいみ
栄里 えり
祈栄 きえ
栄恵 さかえ
栄花 はるか
栄里子 えりこ
智栄里 ちえり

珂 9

音訓 カ
名のり ―

【意味】宝石の名で、白めのうのこと。
【ポイント】あまりなじみはないが、宝石の輝きや上品さをイメージさせる字で、名前向き。字の印象で素直に「カ」と読める。

珂奈 かな
珂帆 かほ
珂凛 かりん
琴珂 ことか
陽珂 はるか
毬珂 まりか
早弥珂 さやか
由珂莉 ゆかり

音 9

音訓 オン、イン、おと、ね
名のり お、と、なり

【意味】おと。声。調子。便り。
【ポイント】「おと」はもちろん、「おん」「ね」ともにやさしい響きが人気の字。人気のある漢字なので、響きのバリエーションも多くなり、名のりの「お」や「と」を使った名前も増えてきている。男女ともに人気があるため、名前によっては性別がわかりにくくなることも。なるべく女の子らしい字と組み合わせたほうが、まぎらわしくない。
【参考】●知音(ちいん)…互いによく心を知り合った友。親友。●福音(ふくいん)…喜びを伝える知らせ。イエス・キリストが説いた人類の救いと神の国に関する教え。●幸田真音(こうだ・まいん)…作家。●南紫音(みなみ・しおん)…ヴァイオリニスト。●長渕文音(ながぶち・あやね)…女優。●高柳明音(たかやなぎ・あかね)…タレント。●福田花音(ふくだ・かのん)…タレント。●谷花音(たに・かのん)…子役。

音 おと
愛音 あいね
朱音 あかね
碧音 あおね
天音 あまね
彩音 あやね
衣音 いおん
笑音 えみね
音亜 おとあ
音花 おとか
乙音 おとね
音葉 おとは
音巴 おとは
音芽 おとめ
音乃 おとの
織音 おりね
花音 かのん

佳音 かのん
夏音 かのん
風音 かのん
聖音 きよね
琴音 ことね
栞音 しおね
詩音 しおん
珠音 じゅね
涼音 すずね
斗音 とと
菜音 なお
七音 ななね
音衣 ねい
音桜 ねお
音々 ねね
初音 はつね
波音 はのん

葉音 はのん
温音 はるね
美音 みおん、みお
百音 もね
唯音 ゆいね
優音 ゆね
莉音 りおん、りお
鈴音 りんね
麗音 れのん
世怜音 せれね
千歌音 ちかね
都々音 ととね
日奈音 ひなね
実音莉 みねり
瑠音亜 るねあ

架 9

音訓 カ、か(ける)
名のり みつ

【意味】かけわたす。かける。たな。

【ポイント】「人と人との架け橋に」など思いが込められる字。名前での使用頻度は少なく、目新しさがある。「カ」の読みは名前でも使いやすい。

架子	かこ
架南	かな
聖架	せいか
遥架	はるか
美架	みか
瑠架	るか
亜架俐	あかり
日架里	ひかり

迦 9

音訓 カ、ケ
名のり —

【意味】であう。梵語の「カ」の音をあらわす。

【ポイント】釈迦の「迦」で、オリエンタルな印象を与える字。数ある「カ」の音を持つ字のなかでも、印象的な字のひとつ。

迦南	かな
迦乃	かの
清迦	きよか、さやか
千迦	ちか
美迦	みか
明迦	めいか
由迦莉	ゆかり

珈 9

音訓 カ、ケ
名のり —

【意味】女性の髪飾り。

【ポイント】コーヒー（珈琲）の当て字でなじみのある字。本来の意味は女性の髪飾りなので、実は女の子向き。

彩珈	あやか
珈音	かのん
珈鈴	かりん
旬珈	しゅんか
美珈	みか
萌珈	もか
優珈	ゆうか、ゆか
里珈	りか

海 9

音訓 カイ、うみ
名のり あま、うな、うみ、み

【意味】うみ。大きい。

【ポイント】スケールの大きさと、さわやかさで、男女ともに人気のある字。女の子の場合は、「うみ」や「あま」の読みで止め字と組み合わせるほか、「み」の読みで先頭字、中間字、止め字とさまざま形で使用されている。男の子にも非常に人気の高い字なので、組み合わせる字は女の子らしい字がベター。なお、「海月」はクラゲ、「海馬」はタツノオトシゴの意。

【参考】●川島海荷（かわしま・うみか）…女優。●城南海（きずき・みなみ）…歌手。

海	うみ
青海	あおみ
蒼海	あおみ
海音	あまね
海乃	あまの
天海	あまみ
育海	いくみ
羽海	うみ
海夏	うみか、みか
海帆	うみほ、みほ
海那	かいな
海凛	かいりん
海南	かな
久海	くみ
来海	くみ、くるみ
虹海	こうみ
心海	ここみ
珠海	たまみ
輝海	てるみ
夏海	なつみ
七海	ななみ、なみ
希海	のぞみ
望海	のぞみ
遥海	はるみ
陽海	はるみ
洋海	ひろみ
愛海	まなみ
海沙	みさ
海咲	みさき
美海	みみ
海優	みゆ
海璃	みり
悠海	ゆうみ
優海	ゆみ
璃海	りみ
琉海	るみ
玲海	れみ
明日海	あすみ
菜々海	ななみ
日向海	ひなみ
帆南海	ほなみ
穂乃海	ほのみ
海那美	みなみ
海々夏	みみか
悠海子	ゆみこ
夕海沙	ゆみさ
伶海奈	れみな

恢 9

音訓 カイ、ケ、ひろ(い)
名のり —

【意味】ひろい。

【ポイント】右側は「灰」ではなく、カタカナの「ナ」の右下に「火」。意味はよいが、なじみは薄く使用例は少ない。字の説明がしにくいのが難点。

恢亜	かいあ
恢耶	かいや
知恢	ちひろ
恢子	ひろこ
恢葉	ひろは
恢美	ひろみ
恢乃	ひろの

皆 9

音訓 カイ、みな
名のり とも、み、みち

【意味】みんなそろって。

【ポイント】ひとりではなく、大勢の人と協力して成し遂げるイメージ。日常的すぎる字のせいか、名前での使用例は少なく、そのためにかえって目新しさが。

笑皆	えみな
皆梨	かいり
皆江	ともえ
皆佳	ともか
皆代	ともよ
皆子	みなこ
皆実	みなみ
皆世	みなよ

活 9

音訓：カツ
名のり：いく

【意味】水がいきおいよく流れる。いきいきしている。盛ん。

【ポイント】健康的でアクティブなイメージ。「明るく活発な子に」「活動的に、いきいきと人生を歩んでほしい」などの願いを込めて。

活絵	かつえ、いくえ
活希	かつき
活子	かつこ、いくこ
活乃	かつの
活美	かつみ
活江良	かえら

柑 9

音訓：カン、ケン、みかん
名のり：—

【意味】ミカンの一種。

【ポイント】2004年に人名用漢字に追加。果実のミカンをイメージさせるかわいらしい字だが、「カン」の読みは、応用はききにくい。

柑	みかん
柑奈	かんな
柑那	かんな
柑七	かんな
美柑	みかん
実柑	みかん
蜜柑	みかん
柑乃子	かのこ

巻 9

音訓：カン、ま(く)、まき
名のり：まき、まる

【意味】まく。まきもの。書物。

【ポイント】書物や巻物の意味から、知識や英知に恵まれることを願って。「まき」の読みのほか、音読みの「カン」を使うと、洋風の響きの名前にもできる。

巻那	かんな、まきな
小巻	こまき
巻亜	まきあ
巻絵	まきえ
巻乃	まきの
巻穂	まきほ
実巻	みかん

紀 9

音訓：キ
名のり：あき、かず、のり、はじめ、もと、よし

【意味】はじめ。きまり。法。

【ポイント】歴史や時空の壮大なイメージを持つ字。男の子の止め字としても人気があるので、性別を間違われないよう、女の子らしい字と組み合わせたい。

紀衣	きい
紀乃	きの
咲紀	さき
紀華	のりか
美紀	みき、みのり
有紀	ゆき
実由紀	みゆき

衿 9

音訓：キン、コン、えり
名のり：—

【意味】衣服のえり。しめひも。結ぶ。

【ポイント】「絵里」のように1字1音で「えり」と読むケースが多いなか、1字で「えり」と読むのは印象的。

衿亜	えりあ
衿乃	えりの
衿香	えりか
衿子	えりこ
衿奈	えりな
沙衿	さえり
志衿	しえり
萌衿	もえり

奎 9

音訓：ケイ
名のり：ふみ

【意味】また。二十八宿のひとつ。

【ポイント】文運をつかさどる星を意味する字だが、もともとは人が股を開いた姿がモチーフなので、好みは分かれる。

奎亜	けいあ
奎子	けいこ
奎音	けいと
奎名	けいな
奎美	けいみ
奎良	けいら

胡 9

音訓：コ、ゴ、ウ、えびす
名のり：ひさ

【意味】ひげ。かぶさる。

【ポイント】「コ」の読みがあり、「子」の代わりに止め字として使用できる。なお、木の実のクルミは「胡桃」と書くので、そのまま名前にしてもかわいい。

亜胡	あこ
華胡	かこ
胡桃	くるみ
胡子	ここ
美胡	みこ
里胡	りこ
胡々音	ここね
真胡都	まこと

恒 9

音訓：コウ
名のり：つね、のぶ、ひさ、ひさし、わたる

【意味】いつも一定している様子。

【ポイント】「安定した人生」や「いつも気持ちの安定している穏やかな子に」などの思いを込めて。音読みの「コウ」と、名のりの「つね」が読みやすい。

恒子	こうこ、ひさこ
恒乃	こうの
恒未	こうみ
恒美	つねみ
恒代	つねよ
那恒	なつね
羽恒	はつね

洸 9

音訓：コウ
名のり：たけし、ひろ、ひろし、ふかし

【意味】水が深くひろいさま。水が光る。勇ましい。

【ポイント】「水(さんずい)」と「光」で構成された字は、キラキラとした情景が浮かび、イメージもいい。清らかでおおらかな子に。

洸子	こうこ、ひろこ
千洸	ちひろ
洸奈	ひろな
洸乃	ひろの
洸美	ひろみ
真洸	まひろ
美洸	みひろ

厚 9

音訓 コウ、あつ(い)
名のり あつ、あつし、ひろ、ひろし

【意味】あつい。手厚い。心づかいが深いさま。

【ポイント】人間的な温かさを感じさせる字。同じ「あつ」の読みを持ち、意味も似ている字に「淳」「惇」「敦」「篤」などがある。

厚恵	あつえ
厚香	あつか
厚子	あつこ
厚乃	あつの
厚実	あつみ、こうみ
厚奈	ひろな
麻厚	まひろ

香 9

音訓 コウ、キョウ、か、かお(り)
名のり かおり、かおる、かが、たか、よし

【意味】かおる。よい匂い。

【ポイント】品のよさとかわいらしさを兼ね備えた、ママ世代から人気のある定番の字。「か」の読みでは、最近は「花」や「夏」の人気も高いが、「香」のすっきりとしたバランスのよい字形、意味を主張しすぎない点は、どのような字とも合わせやすく、使い勝手は抜群。

【参考】●荒川静香（あらかわ・しずか）…元フィギュアスケート選手。五輪メダリスト。●瀬戸朝香（せと・あさか）…女優。●香里奈（かりな）…女優。●広瀬香美（ひろせ・こうみ）…歌手。●上原多香子（うえはら・たかこ）…歌手。

香	かおり
香麻	かあさ
香子	かおるこ
香瑚	かこ
香音	かのん
香陽	かよ
香鈴	かりん
香子	こうこ
香美	こうみ
純香	すみか
知香	ちか
亜香梨	あかり
香椰子	かなこ
香埜子	かのこ
香哉乃	かやの
陽香利	ひかり
ゆう香	ゆうか

紅 9

音訓 コウ、ク、べに、くれない
名のり あか、いろ、くれ

【意味】くれない。赤色。べに。女性の。めでたい。

【ポイント】もともとは、紅花（べにばな）を染料とする、桃色に近い白みがかった赤色をさすが、現在は鮮やかな赤色をさすことが多い。「ク」の音を持つ字のなかでも、女の子のイメージが強い貴重な字。個性的な響きなら、「べに」の読みをいかしたい。

【参考】●紅玉（こうぎょく）…宝石の名（ルビー）。顔の美しいことのたとえに使われる。●山村紅葉（やまむら・もみじ）…女優。●木村紅美（きむら・くみ）…作家。

紅	べに
紅音	あかね
紅莉	あかり
紅亜	くれあ
紅子	こうこ
紅美	こうみ、くみ
小紅	こべに
紅花	べにか
美紅	みく
紅葉	もみじ、くれは
里紅	りく
衣紅実	いくみ
紅実花	くみか
紅楽々	くらら
紅礼亜	くれあ

虹 9

音訓 コウ、にじ
名のり こ

【意味】雨が上がったあと、空にかかる七色のアーチ。橋。

【ポイント】明るさや希望を感じさせる字。最近は「コウ」の読みを縮めて、「コ」と読ませる名前も多い。

彩虹	あやこ
虹美	こうみ
翔虹	しょうこ
虹絵	にじえ
虹香	にじか
虹子	にじこ、こうこ

砂 9

音訓 サ、シャ、すな
名のり いさご

【意味】非常に細かい石などの粒。すな。

【ポイント】「サ」「シャ」の音を持つ字では、「沙」「紗」のほうが人気が高いが、それゆえに「砂」を使うと個性的に。

砂希	さき
砂月	さつき
砂帆	さほ
砂羽	さわ
深砂	みさ
砂登美	さとみ
砂央莉	さおり
梨砂子	りさこ

哉 9

音訓 サイ、かな、や
名のり えい、か、き、とし、ちか、はじめ

【意味】感動、詠嘆、疑問のことば。はじめ。

【ポイント】男の子の止め字の定番なので、目新しさはある。性別を間違われないよう、組み合わせる字は慎重に選びたい。

哉絵	かなえ
哉子	かなこ
哉美	かなみ
美哉	みや
愛哉音	あやね
香哉子	かやこ
沙哉乃	さやの
里哉奈	りやな

珊 9

音訓 サン
名のり さぶ

【意味】珊瑚（サンゴ）は、海中にある枝や塊状の石灰質。

【ポイント】海の美しい珊瑚礁（さんごしょう）のイメージもあり、そのまま「珊瑚（さんご）」と名づけるケースが多い。

珊奈	さな
珊楽	さら
珊瑚	さんご
美珊子	みさこ

思 9

音訓 シ、おも(う)
名のり おもい、こと

【意味】（頭と心で）おもう。考える。

【ポイント】一般的すぎて名前での使用例は逆に少ない。「思いやりのある子に」「思慮深い子に」など、意味づけしやすい字。

思子	ことこ
思依	しえ
思緒	しお
思織	しおり
思歩	しほ
思乃加	しのか
思結理	しゆり
良思依	よしえ

秋 9

音訓 シュウ、あき
名のり あき、あきら、とき、とし、みのる

【意味】四季のひとつ。あき。みのり。

【ポイント】四季では「春」と「夏」の人気が高いが、落ち着いた雰囲気と穏やかさの「秋」の人気も根強い。

秋奈	あきな
秋音	あきね
秋野	あきの
秋葉	あきは
秋穂	あきほ
秋実	あきみ
秋華	しゅうか
千秋	ちあき

柊 9

音訓 シュウ、シュ、ひいらぎ
名のり ―

【意味】モクセイ科の常緑小高木。

【ポイント】柊の花は冬の季語のため、冬生まれの子どもに使われるケースが多い。「トウ」と読ませる名前も多いが、つくりの「冬」に引きずられた誤った読み方。

柊	ひいらぎ
柊羽	しゅう
柊子	しゅうこ
柊麻	しゅうま
柊香	しゅか
柊々	しゅしゅ
柊奈	しゅな
柊里	しゅり

洲 9

音訓 シュウ、ス、しま
名のり くに

【意味】川にできた小さな島状の場所。中州。くに、大陸。

【ポイント】あまり意味を意識せずに、「す」や「シュウ」の読みで使われることが多い。

有洲	ありす
洲禾	くにか
洲南	しゅうな
美洲	みくに
安洲香	あすか
亜里洲	ありす
洲美玲	すみれ
真洲美	ますみ

重 9

音訓 ジュウ、チョウ、え、おも(い)、かさ(ねる)
名のり あつ、しげ

【意味】おもい。多い。重なる。

【ポイント】「福が重なる」などプラスの意味づけがしやすい字。横線が多いので、組み合わせる字は横線の少ないすっきりした字がベター。

重那	えな
咲重	さえ
重美	しげみ
萩重	はぎえ
八重	やえ
幸重	ゆきえ
多香重	たかえ
千重美	ちえみ

祝 9

音訓 シュク、シュウ、いわ(う)
名のり いわい、とき、のり

【意味】神に仕える人。いのりのことば。

【ポイント】もともとの意味が転じて、めでたいことやお祝いなどをさす。名のりでは「のり」が比較的読みやすい。

衣祝	いのり
祝恵	しゅくえ
祝子	しゅくこ、ときこ
祝実	しゅくみ
祝依	のりえ
祝花	のりか
愛祝乃	あいの

俊 9

音訓 シュン
名のり すぐる、とし、よし

【意味】才知がすぐれる。

【ポイント】「俊香（しゅんか）」のように「シュン」を当てると今風に名前になりやすい。男の子の定番字のひとつなので、女の子らしい字と組み合わせたい。

俊香	しゅんか、としか
俊那	しゅんな
俊子	としこ、しゅんこ
俊実	としみ
美俊	みよし

洵 9

音訓 シュン、ジュン、まこと
名のり のぶ、ひとし

【意味】水が隅々まで行き渡る。うずまき。まこと。まことに。

【ポイント】一般的な字ではないが、意味はよく、「ジュン」の音で「淳」や「純」の代わりに使うと印象的。字も説明しやすい。

洵	じゅん、まこと
洵香	しゅんか
洵子	しゅんこ、じゅんこ
洵南	じゅんな
洵帆	のぶほ
洵世	のぶよ

春 9

音訓 シュン、はる
名のり あつ、かず、す、とき、は、はじめ

【意味】はる。年始。青春。歳月。

【ポイント】四季をあらわす漢字のなかでも、明るくフレッシュなイメージで「夏」とともに人気の高い字。

千春	ちはる
春風	はるか
春姫	はるき
春菜	はるな
春泉	はるみ
春萌	はるも
美春	みはる
心春	みはる

昭

9

音訓　ショウ
名のり　あき、あきら、いか、てる、はる

【意味】あきらか。照り輝いて明るい。

【ポイント】昭和の「昭」で、男女ともに昭和初期に多く使われた字。最近は使用例が減っているが、その意味はかなり名前向き。

昭香	あきか
昭子	あきこ、しょうこ
昭奈	あきな
昭葉	あきは
昭帆	あきほ
千昭	ちあき
昭美	はるみ

津

9

音訓　シン、つ
名のり　す、ず、づ

【意味】つ。船着き場。潤う。

【ポイント】「つ」や「づ」と読める漢字が少ないため、貴重な存在。名字にさんずいがあると字形が重複し、ややうるさい印象に。

奈津	なつ
美津	みつ
亜津子	あつこ
伊津美	いつみ
津加沙	つかさ
津久美	つぐみ
奈津那	なづな
奈津芽	なつめ

咲

9

音訓　ショウ、さ(く)、わら(う)
名のり　えみ、さき、さく

【意味】さく。笑う。

【ポイント】平成に入ってからとくに人気が出てきた字。「さき」と読ませる名前が多いが、最近は、「さく」の「さ」の音だけとって使用するケースも増えている。また、女優の武井咲（えみ）さんの登場で、「えみ」の名のりも認知度が上がった。比較的どんな字とも合いやすいが、「口」を含む字形のものは、ややうるさい印象になるので避けたほうがベター。なお、もともとの意味は「笑う、笑む」で、「花が咲く」は日本特有の用法。ちなみに中国では、「咲く」は、「開」または「開花」と書く。

【参考】●伊東美咲（いとう・みさき）…女優。●武井咲（たけい・えみ）…女優。●池田光咲（いけだ・みさき）…タレント。●木夏咲（こなつ・さき）…タレント。

咲	さき、えみ
愛咲	あいさ
藍咲	あいさ
亜咲	あさ
有咲	ありさ
咲里	えみり
咲絢	さあや
咲重	さえ
咲彩	さあや
咲喜	さき
咲歌	さきか
咲菜	さきな
咲穂	さきほ
咲美	さくみ
咲楽	さくら
咲智	さち
咲月	さつき
咲穂	さほ
咲耶	さや
咲代	さよ
咲良	さら
咲羅	さら
咲璃	さり
咲佳	しょうか
千咲	ちさき
春咲	はるさ
陽咲	ひさき
真咲	まさき
実咲	みさき
心咲	みさき
美咲	みさき
夢咲	ゆめさ
蕾咲	らいさ
羅咲	らさ
莉咲	りさ
麗咲	れいさ
愛咲佳	あさか
亜寿咲	あずさ
愛美咲	あみさ
咲桜里	さおり
咲紀江	さきえ
咲久羅	さくら
咲百合	さゆり
咲璃衣	さりい
咲里菜	さりな
千咲季	ちさき
未咲希	みさき
実咲子	みさこ
美萌咲	みもさ
莉衣咲	りいさ

信

9

音訓　シン、まこと
名のり　あき、あきら、こと、し、しの、のぶ

【意味】まこと。信用する。

【ポイント】「人」＋「言」で、「人の言葉にうそがない＝まこと」の意。「自分を信じ、人から信じられる人に」などの願いを込めて。

信代	あきよ
信恵	ことえ
信乃	しの
志信	しのぶ
信舞	しのぶ
信香	のぶか
信子	のぶこ
美信	みのぶ

是

9

音訓　ゼ
名のり　これ、すなお、ゆき、よし

【意味】ただしい。ただす。これ。

【ポイント】使用例が少ないので、新鮮な印象の名前に。女の子では「よし」の読みが使いやすいが、「ぜ」の音をいかすと、洋風の個性的な響きの名前に。

愛是	あいぜ
是美	このみ
是乃	これの
是葉	これは
是花	ゆきか
是子	ゆきこ
蘭是	らんぜ
凜是	りんぜ

省

9

音訓　セイ、ショウ、かえり(みる)、はぶ(く)
名のり　あきら、み、よし

【意味】注意して見る。かえりみる。はぶく。

【ポイント】女の子名での使用例は少ないが、男女問わず名前向きの意味を持つ。「省良（せいら）」など、洋風の名前にも。

省子	しょうこ、せいこ
省菜	しょうな、せいな
省歌	せいか
省楽	せいら
美省	みせい
省衣子	せいこ

星 9

音訓 セイ、ショウ、ほし
名のり とし、せ、あかり

【意味】ほし。光陰。歳月。スター。

【ポイント】夜空に輝く星は、神秘的かつロマンチック。希望を感じさせる字で、男女ともに人気がある。「セイ」「セ」の読みで使われるケースが多い。「夜空に輝く星のようにキラキラと輝く人生」を願って。あるいは、「星のようにキラリと光る才能や個性を持てる子に」などの願いを込めて。

【参考】●星妃（せいひ）…織女星のこと。●芦名星（あしな・せい）…女優。●久世星佳（くぜ・せいか）…女優。●小倉星羅（おぐら・せいら）…アナウンサー。●小林星蘭（こばやし・せいらん）…子役。

星	あかり
希星	きせ
星亞	せいあ
星風	せいか
星子	せいこ
星楽	せいら
星奈	せな
星乃	せの
知星	ちせ
星歌	ほしか
星乃	ほしの
星美	ほしみ
莉星	りせ
星志留	せしる
星礼奈	せれな
美星伊	みせい
璃々星	りりせ

政 9

音訓 セイ、ショウ、まつりごと
名のり ただ、まさ、まさし

【意味】まつりごと。政治。正す。

【ポイント】まじめできっちりした印象を与える字。オーソドックスな字で、かつては「まさ」の読みで名前に多用された。

政子	しょうこ、まさこ
政華	せいか
政枝	まさえ
政乃	まさの
政帆	まさほ
政美	まさみ

宣 9

音訓 セン
名のり のぶ、のり、よし、より

【意味】述べる。広める。

【ポイント】「セン」以外の読みも認知度が高いため、名前によっては何通りにも読めることも。横の直線の印象が強いので、斜線や曲線のある字と。

宣歌	せんか
宣那	せんな
宣子	のぶこ、のりこ
宣実	のりみ
妃宣	ひのり
美宣	みのり

茜 9

音訓 セン、あかね
名のり ―

【意味】つる草の名前。

【ポイント】茜は、古くから赤色の染料として使用されてきた植物で、和のイメージがある。また、茜色は夕焼けを形容する色でもあり、温かみや情緒がある。

茜	あかね
茜奈	あかな、せんな
茜音	あかね
茜里	あかり
茜梨	あかり
茜菜	せんな
茜梨	せんり

泉 9

音訓 セン、いずみ
名のり い、きよし、ずみ、み、みず、もと

【意味】いずみ。わき水。

【ポイント】さわやかで清らかな印象を与える字。1字名の「泉」や2字名「和泉」が人気だが、「美」や「実」に代わって「み」に当てることもできる。

彩泉	あやみ
和泉	いずみ
泉子	いずみこ
清泉	きよみ
心泉	ここみ
星泉	せいみ
泉南	せんな
泉姫	みずき

奏 9

音訓 ソウ、かな(でる)
名のり ―

【意味】すすめる。差し上げる。君主に申し上げる。かなでる。演奏する。

【ポイント】「奏でる」の意味から、音楽や調和をイメージさせ、「ソウ」「かな」のさわやかな響きで、近年、人気上昇中の字。最近は「ソウ」の音を縮めて、「ソ」と読ませることも増えている。字形的には、横線が多くやや詰まっているので、似たようなイメージの字と組み合わせると重たい印象に。なお、男の子にも人気の字なので、組み合わせる字は、女の子をイメージできるもののほうがベター。

奏	かな、かなで
奏絵	かなえ
奏緒	かなお
奏子	かなこ、そうこ
叶奏	かなで
奏羽	かなは
奏穂	かなほ
奏海	かなみ
奏美	かなみ
奏乃	その
奏代	そよ
実奏	みかな
羽奏	わかな
和奏	わかな
奏乃子	そのこ

草 9

音訓 ソウ、くさ
名のり かや、しげ

【意味】植物の総称。

【ポイント】おおらかな草原を連想する人もいれば雑草を連想する人もいて、好みが分かれる字。植物の生命力や、いきいきとした緑の明るさを名前に込めても。

草乃	かやの
草子	そうこ、かやこ
草奈	そうな
千草	ちぐさ
草代子	さよこ
美草子	みさこ
美草乃	みその

荘 9

音訓 ソウ、ショウ
名のり これ、たか、まさ

【意味】さかん。おごそか。形が整っている。別荘。

【ポイント】名のりは一般的ではないので、なるべく音読みをいかしたい。名のりを使うなら、読みやすい字と組み合わせよう。

荘那	しょうな
荘子	そうこ、しょうこ
荘奈	そうな
荘恵	たかえ
荘美	まさみ
荘代	まさよ
美荘乃	みその

相 9

音訓 ソウ、ショウ、あい
名のり さ、すけ、たすく、とも、まさ、み

【意味】たがいに。ともに。

【ポイント】「あい」の読みがあるので、「愛」や「藍」に代わって使うと新鮮。名のりはなじみがないので、使うなら、読みやすい字と組み合わせたい。

相子	あいこ、そうこ
相紗	あいさ
相葉	あいは
相里	あいり
相加	しょうか
相花	ともか
相希美	さきみ

則 9

音訓 ソク
名のり つね、とき、のり、みつ

【意味】法。手本。法や制度に従う。

【ポイント】まじめできっちりした印象。定番の読みは「のり」。それ以外はなじみがないので、読みやすい字と組み合わせたい。

衣則	いのり
則香	のりか
則子	のりこ
則芭	のりは
則世	のりよ
美則	みのり

茶 9

音訓 チャ、サ
名のり ー

【意味】木の名前。若葉を摘んで乾かしたもの。

【ポイント】「チャ」の音はほかにないため貴重で、キュートな印象の名に。落ち着いた響きなら「サ」の読みをいかしたい。

茶々	ささ
茶奈	さな
茶子	ちゃこ
茶美	ちゃみ
里茶	りさ
亜以茶	あいさ
茶也花	さやか
理茶子	りさこ

南 9

音訓 ナン、ナ、みなみ
名のり あけ、なみ、みな、よし

【意味】みなみ。

【ポイント】南国や南風などの明るくあたたかいイメージがあり、方角をあらわす東西南北の字のなかで、もっとも名前に使われる字。字形は角張っているが、左右対称で安定感がある。最近は「ナ」の音の止め字としても定着し、「奈」「菜」「那」とともに人気。

【参考】●樋口可南子（ひぐち・かなこ）…女優。●谷村奈南（たにむら・なな）…歌手。●尾崎南（おざき・みなみ）…漫画家。●朝倉南（あさくら・みなみ）…あだち充『タッチ』の登場人物。

南	みなみ
杏南	あんな
千南	ちなみ
南央	なお
七南	なな
南帆	なほ
遥南	はるな
陽南	ひな
南実	みなみ、なみ
南世	みなよ
瑠南	るな、るみな
伶南	れいな
衣緒南	いおな
香南美	かなみ
真南代	まなよ

貞 9

音訓 テイ、ジョウ
名のり さだ、ただ、ただし、みさお

【意味】当たる。正しい。まこと。

【ポイント】祖父母世代でよく使われていた字で、かなりオーソドックスなイメージ。最近は使用例が少ないが、よい意味を持ち、名前向きの1字。

貞恵	さだえ
貞佳	さだか
貞子	さだこ
貞音	さだね
貞乃	さだの
貞美	さだみ
貞女	さだめ
貞花	ていか

祢 9

音訓 ネ、ナイ、デイ
名のり ー

【意味】父のみたまや。

【ポイント】2004年から人名に使えるようになった字。「ネ」の音に当ててあまり意味を重視せず使用されることもあるが、本来の意味はかなり重厚。

愛祢	あいね
心祢	ここね
琴祢	ことね
祢々	ねね
祢琉	ねる
雪祢	ゆきね
萌祢	もね
瑠祢	るね
美祢亜	みねあ

珀 9

音訓 ハク、ヒャク
名のり ー

【意味】琥珀は、宝石の一種。

【ポイント】「琥珀（こはく）」は、太古の樹脂などが化石化した飴色の宝石。「琥珀」をそのまま名前にしたり、「小珀」のようにアレンジするケースも。

小珀	こはく
瑚珀	こはく
琥珀	こはく
珀愛	はくあ
珀音	はくね
珀萌	はくも
実珀	みはく

美 9

音訓　ビ、うつく(しい)
名のり　うま、うまし、きよし、とみ、はし、はる、ふみ、み、みつ、よ、よし

【意味】うつくしい。よい。うまい。

【ポイント】女の子の名前では、昔も今も圧倒的な人気。先頭字、中間字、止め字と幅広く使えるだけでなく、安定感やのびやかさのある字形で、どんな字とも相性がいいのも魅力のひとつ。「良い」という意味もあり、決して女の子限定の字ではないが、この字があると、男性的なイメージの字や、少々かための字と合わせても、女性らしさを表現できる。なお「美」は、「羊＋大」の組み合わせで、もともとは「肥えた羊＝よい、美しい、うまい」の意味。

【参考】●中島美嘉（なかしま・みか）…歌手。●菅野美穂（かんの・みほ）…女優。●臼田あさ美（うすだ・あさみ）…女優。●美波（みなみ）…女優。●片岡安祐美（かたおか・あゆみ）…野球選手。●藤本美貴（ふじもと・みき）…タレント。●河西智美（かさい・ともみ）…タレント。

藍美	あいみ
亜美	あみ
郁美	いくみ
潤美	うるみ
映美	えいみ
慧美	えみ
織美	おりみ
叶美	かなみ
久美	くみ
来美	くるみ
景美	けいみ
采美	ことみ
爽美	さわみ
瑞美	たまみ
照美	てるみ
巴美	ともみ
新美	にいみ
蓮美	はすみ
美寿	びじゅ
麻美	まみ
美亜	みあ
美彩	みいろ
美羽	みう
美桜	みお
美緒	みお
美央	みお
美丘	みおか
美織	みおり
美翔	みか
美瑚	みこ
美琴	みこと
美月	みつき
美結	みゆ
美柚	みゆず
夢美	ゆめみ
美乃	よしの
愛衣美	あいみ
亜麻美	あまみ
伊美沙	いびさ
久瑠美	くるみ
紗江美	さえみ
朱美礼	すみれ
乃瑛美	のえみ
緋沙美	ひさみ
芙美子	ふみこ
帆奈美	ほほみ
麻央美	まおみ
万珠美	ますみ
美衣夏	みいか
友美里	ゆみり
和久美	わくみ

飛 9

音訓　ヒ、と(ぶ)
名のり　たか

【意味】とぶ。はやい。

【ポイント】定番の「飛鳥（あすか）」のほか、「ヒ」や「と」の読みをいかして、「飛奈子（ひなこ）」や「早飛美（さとみ）」などの名前も。

飛鳥	あすか
飛萌	とも
舞飛	まいひ
美飛	みと
早飛美	さとみ
飛沙乃	ひさの
日飛美	ひとみ
飛奈子	ひなこ

毘 9

音訓　ヒ、ビ
名のり　―

【意味】助ける。

【ポイント】毘沙門天（びしゃもんてん）の「毘」。意味もよく、素直に「ビ」と読めるのが魅力。「毘珠（びじゅ）」など個性的な名前もつくれる。

華毘	はなび
毘紗	ひさ
毘珠	びじゅ
毘那	ひな
毘乃	ひの
毘依	ひより
美耶毘	みやび
琉毘衣	るびい

風 9

音訓　フウ、フ、かぜ、かざ
名のり　―

【意味】かぜ。習俗。様子。おもむき。

【ポイント】さわやかで自由なイメージで、男の子にも女の子にも使われている字。とくに「フウ」や「フ」のやわらかな響きは、女の子に人気で、使用例が増えている。最近は、「かぜ」を縮めて「か」と読ませる傾向も。

【参考】●風雅（ふうが）…みやびなこと。風流。●風格（ふうかく）…人柄。●風信子（ふうしんし）…ヒアシンスの別名。●新藤風（しんどう・かぜ）…映画監督。●春名風花（はるな・ふうか）…子役。

風	ふう
藍風	あいか
風音	かざね
風陽	かざひ
風音	かのん
涼風	すずか
風歌	ふうか
風子	ふうこ
風楽	ふら
美風	みかぜ、みか
優風	ゆうか
璃風	りか
千風見	ちふみ
風羽李	ふわり
帆乃風	ほのか
美風音	みふね

保 9

音訓　ホ、たもつ
名のり　お、もち、もり、やす、やすし、より

【意味】たもつ。守る。安んじる。安らか。

【ポイント】男女両方に使われるが、女の子は「ホ」の音をいかした名前が多い。すっきりした字形で3文字名でも使いやすい。

知保	ちほ
真保	まほ
保美	やすみ
保世	やすよ
雪保	ゆきほ
花保莉	かほり
志保美	しほみ
保乃香	ほのか

昴 9

音訓 ボウ、すばる
名のり —

【意味】すばる。

【ポイント】おうし座に含まれるプレアデス星団の和名が「昴（すばる）」。この字は、男の子のほうが使用例が多いため、性別を間違えられやすいのが難点。

昴	すばる
希昴	きぼう
来昴	きぼう
昴琉	すばる
昴瑠	すばる

柾 9

音訓 まさ、まさき
名のり —

【意味】木材の木目がまっすぐ通ったもの。ニシキギ科の常緑低木。

【ポイント】「真っすぐ素直に成長してほしい」「一本筋の通った子」になどの願いを込めて。

柾姫	まさき
柾子	まさこ
柾音	まさね
柾乃	まさの
柾斐	まさひ
柾代	まさよ

耶 9

音訓 ヤ、ジャ、や、か
名のり —

【意味】疑問、感嘆などの助字。

【ポイント】もとは「邪」の誤字で、古くから音だけ借りて用いられてきた。名づけでも「亜耶（あや）」のように、「ヤ」の音に当てる字として使用されている。

咲耶	さや
紗耶	さや
真耶	まや
愛耶加	あやか
沙耶香	さやか
咲耶乃	さやの
実耶子	みやこ
耶衣子	やいこ

柚 9

音訓 ユ、ユウ、ゆず
名のり —

【意味】ミカン科の常緑低木。

【ポイント】響きも含め、かわいらしい印象で、近年人気のある字のひとつ。柚は古くから日本で親しまれてきた果実でもあり、和の雰囲気もある。柚の花言葉は「健康美」。なお、果実にちなんだ字は女の子に人気で、あまり男の子には使われないが、「ゆず」の響きが好まれ、この字は男の子にも意外と人気がある。

【参考】●柚（ゆず）…ミカン科の常緑低木。また、その果実。初夏に白い花をつけ、その後、青い実がなり、実は秋から冬にかけて黄色に色づく。よい香りが特徴。柚子とも書く。●真木柚布子（まき・ゆうこ）…歌手。

柚	ゆず、ゆう
亜柚	あゆ
彩柚	さゆ
詩柚	しゆ
茅柚	ちゆ
七柚	なゆ
仁柚	にゆ、にゆう
乃柚	のゆ
茉柚	まゆ
深柚	みゆう
美柚	みゆず
柚亜	ゆあ
柚杏	ゆあん
柚希	ゆうき、ゆき
柚季	ゆうき、ゆき
柚奈	ゆうな
柚凛	ゆうりん
柚絵	ゆえ
柚珠	ゆず
柚寿	ゆず
柚子	ゆず、ゆうこ
柚花	ゆずか、ゆか
柚姫	ゆずき、ゆき
柚羽	ゆずは
柚芭	ゆずは
柚実	ゆずみ
柚月	ゆづき
柚乃	ゆの
柚茉	ゆま
柚々	ゆゆ
柚楽	ゆら
梨柚	りゆ
亜柚子	あゆこ
佳柚那	かゆな
希柚子	きゆこ
紗柚美	さゆみ
千柚希	ちゆき
真柚歌	まゆか
麻柚南	まゆな
柚香子	ゆかこ
柚祈亜	ゆきあ
柚季子	ゆきこ
柚李子	ゆりこ
里柚花	りゆか

祐 9

音訓 ユウ、ウ、たす(ける)
名のり すけ、たすく、まさ、ます、むら、ゆ、よし

【意味】助ける。神の助け。

【ポイント】「佑（ユウ）」とほぼ同意だが、「祐」には、神の助けという意味も。男の子の人気字のひとつなので、性別がまぎらわしくならないように注意。

美祐	みゆう
祐香	ゆうか
祐夏	ゆか
祐見	ゆみ
亜祐花	あゆか
愛祐実	あゆみ
真祐花	まゆか
祐満子	ゆまこ

宥 9

音訓 ユウ、ウ、ゆる(す)、なだ(める)
名のり ひろ

【意味】ゆるす。ゆとりを持ち大目に見る。

【ポイント】「心の広い人に」と願って使われる字。似た字形で同じ「ユウ」の音を持つ「有」より使用されておらず新鮮。

宥	ゆう
宥花	ゆうか
宥子	ゆうこ、ひろこ
宥音	ゆね
宥美	ゆみ
宥芽	ゆめ
宥里花	ゆりか

洋 9

音訓 ヨウ
名のり うみ、ひろ、ひろし、み

【意味】大海。広い。

【ポイント】「ヨウ」の読みでは、「陽」や「遥」に人気を譲るが、この字も定番。ただし、「ひろ」の読みも多用されているので、誤読されるケースも少なくない。

千洋	ちひろ
洋香	ひろか
洋世	ひろせ
洋奈	ひろな、みな
洋実	ひろみ
美洋	みひろ
洋子	ようこ

要 9

音訓 ヨウ、かなめ、い(る)
名のり とし、め、もとむ

【意味】かなめ。重要。必要。

【ポイント】意味もよく名前向きだが、一般的な字のわりに使用例が少なく新鮮。左右対称の字形は視覚的にも安定感がある。

要	かなめ
要芽	かなめ
要華	としか
要子	ようこ
早要子	さよこ
実要子	みよこ
要以子	めいこ

俐 9

音訓 リ、かしこ(い)
名のり さと、さとし

【意味】よく切れること。賢いさま。

【ポイント】知性が感じられる字。縦に3つに割れる字なので、割れない字形と組み合わせたほうが安定感が出る。

俐乃	さとの、りの
朱俐	しゅり
俐子	りこ
俐良	りら
俐々	りり
世俐奈	せりな
万俐子	まりこ

玲 9

音訓 レイ、リョウ
名のり あきら、たま、れ

【意味】玉の美しく、涼しげに鳴る音の形容。透き通るように美しいさま。

【ポイント】「レイ」の音を持つ字のなかでも人気の高い字で、意味的にも女の子向き。同音で、よく似た字形に「令」「伶」「怜」があるが、それぞれ意味は異なる。

【参考】●川久保玲（かわくぼ・れい）…デザイナー。●潮田玲子（しおた・れいこ）…バドミントン選手。●秋元玲奈（あきもと・れな）…アナウンサー。●桐谷美玲（きりたに・みれい）…女優。●笹本玲奈（ささもと・れな）…女優。●英玲奈（えれな）…タレント。●岡本玲（おかもと・れい）…タレント。●トリンドル玲奈（とりんどる・れいな）…タレント。●松井玲奈（まつい・れな）…タレント。

玲	れい
亜玲	あれい
祈玲	きれい
寿玲	じゅれ
澄玲	すみれ
玲緒	たまお
玲妃	たまき
玲子	たまこ、れいこ
玲乃	たまの
玲実	たまみ
舞玲	まれい
稀玲	まれ
美玲	みれい
玲加	れいか
玲良	れいら
玲珈	りょうか
玲愛	れあ
玲依	れい
玲佳	れいか
玲紗	れいさ
玲菜	れいな、れな
玲南	れいな、れな
玲帆	れいほ
玲美	れいみ、れみ
玲羅	れいら
玲凜	れいりん
玲音	れおん
玲茉	れま
玲夢	れむ
玲璃	れり
江玲沙	えれさ
恵玲奈	えれな
恵玲音	えれね
歌玲那	かれな
紅玲亜	くれあ
志依玲	しえれ
樹玲亜	じゅれあ
素美玲	すみれ
世玲奈	せれな
瀬玲名	せれな
土玲美	どれみ
麻玲亜	まれあ
実和玲	みおれ
美玲花	みれか
玲衣菜	れいな
玲緒奈	れおな
玲美香	れみか

律 9

音訓 リツ、リチ
名のり おと、ただし、ただす、たて、のり

【意味】きまり。おきて。

【ポイント】キリッとしたイメージで、しっかりした印象を与える字。「リツ」の読みが一般的だが、「律花（りっか）」など、促音のある響きにすると新鮮。

律	りつ
衣律	いのり
美律	みのり
律花	りっか
律禾	りつか
律子	りつこ
律世	りつよ
真律亜	まりあ

亮 9

音訓 リョウ、あき(らか)
名のり あきら、かつ、すけ、まこと、よし、ろ

【意味】明らか。誠。助ける。

【ポイント】よい意味を持ち、パパ・ママ世代から現在まで、性別問わず支持されている字。性別がまぎらわしくないよう、女の子らしい字と組み合わせたい。

亮絵	あきえ
亮那	あきな
亮乃	あきの
亮穂	あきほ
茅亮	ちあき
美亮	みあき
亮香	りょうか
亮子	りょうこ

10 晏

音訓 アン、エン、くれる
名のり おそ、さだ、はる、やす

【意味】静かに落ち着いている様子。時刻が遅い。

【ポイント】あまりなじみのない字だが、字の説明はしやすく、連想で「アン」と読める。「アン」の読みは、今風の名前にしやすい。

晏	あん
晏奈	あんな
晏里	あんり
晏佳	はるか
晏歌	はるか
美晏	みあん、びあん
由晏	ゆあん

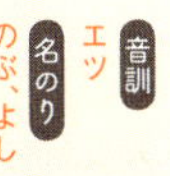

10 悦

音訓 エツ
名のり のぶ、よし

【意味】たのしむ。よろこぶ。

【ポイント】名前向きのよい意味を持つが、やや古風な印象。脚本家の北川悦吏子（えりこ）さんが有名。

悦子	えつこ
悦名	えつな
悦琶	えつは
悦穂	えつほ
美悦	みよし
悦香	よしか
悦乃	よしの
悦巳	よしみ

10 桜

音訓 オウ、さくら
名のり お

【意味】サクラ。

【ポイント】桜は春のシンボルであり、日本の国花のひとつで、そのイメージのよさは抜群。美しさと日本情緒を感じさせる字として、とくに女の子の名前での人気は高い。1字名の「桜」が定番だが、「オウ」の音をいかした名前も少なくない。また最近は、「お」と読ませるパターンも多い。

【参考】●秋桜（あきざくら）…コスモスの別名。●宮武美桜（みやたけ・みお）…タレント。

桜	さくら
亜桜	あお
秋桜	あきお
有桜	ありお
衣桜	いお
恵桜	えお
桜花	おうか
桜瀬	おうせ
桜祢	おうね
桜陽	おうひ
花桜	かお
桜羽	さくは
桜深	さくみ
桜代	さくよ
桜楽	さくら
桜良	さくら
桜子	さくらこ
桜和	さくわ
史桜	しお
多桜	たお
千桜	ちお
七桜	なお
奈桜	なお
那桜	なお
陽桜	ひお
真桜	まお
舞桜	まお
万桜	まお
実桜	みお
美桜	みお
心桜	みお
璃桜	りお
里桜	りお
依桜莉	いおり
桜里沙	おりざ
花桜里	かおり
貴桜子	きおこ
香桜実	こおみ
咲桜里	さおり
桜久羅	さくら
志桜里	しおり
瀬桜名	せおな
十桜子	とおこ
那桜巳	なおみ
麻桜名	まおな
美桜花	みおか
実桜乃	みおの
未桜梨	みおり
由桜里	ゆおり
里桜佳	りおか
令桜那	れおな

10 恩

音訓 オン
名のり おき、めぐみ、めぐむ

【意味】ありがたみ。めぐみ。慈しむこと。

【ポイント】近年、男女ともに「オン」で終わる名前が人気で、「音」「穏」などとともに、この字を使うケースも増えている。

恩	めぐみ
恩乃	おんの
詩恩	しおん
美恩	みおん
恩実	めぐみ
恩夢	めぐむ
恩琉	めぐる
実恩佳	みおか

10 夏

音訓 カ、ゲ、なつ
名のり ー

【意味】なつ。大きい。

【ポイント】四季の漢字のなかでは、もっとも使用されている字で、最近は「カ」の音をいかした名前が人気。「カ」の音では女の子らしいイメージの「香」「花」も人気が高いが、一方で明るくはつらつとしたイメージの「夏」を好む人も多い。「なつ」の読みをいかすと、明るさに加え、あたたかいイメージの「な」の響きで女の子らしさもプラスできる。

【参考】●桐野夏生（きりの・なつお）…作家。●加藤夏希（かとう・なつき）…女優。●夏帆（かほ）…女優。●夏菜（なつな）…女優。

夏笑	かえ
夏紀	なつき
夏海	なつみ
夏奈	かな、なつな
夏帆	かほ、なつほ
夏鈴	かりん
潤夏	じゅんか
千夏	ちなつ、ちか
夏輝	なつき
晴夏	はるか
律夏	りっか
日夏瑠	ひかる
麻知夏	まちか
悠夏里	ゆかり

華 10

音訓 カ、ケ、はな
名のり げ、は、はる

【意味】はな。はなやか。美しい。

【ポイント】「栄華」「華美」などの熟語もあるように、同じ読みの「花」よりも、ゴージャスできらびやかなイメージがある。ただし字形的には、縦横の直線だけで構成されており、ややかたい印象。斜線や曲線のある字と組み合わせてバランスをとりたい。

【参考】●華麗（かれい）…華やかで美しいこと。●多部未華子（たべ・みかこ）…女優。●石川梨華（いしかわ・りか）…タレント。●多岐川華子（たきがわ・はなこ）…タレント。

華	はな
華笑	かえ
華桜	かお
華織	かおり
華純	かすみ
華野	かの
華帆	かほ
華世	かよ
星華	せいか
華子	はなこ、かこ
華代	はなよ
愛華	まなか
澪華	れいか
亜華音	あかね
麻由華	まゆか
里華子	りかこ

桧 10

音訓 カイ、ひのき
名のり ひ

【意味】ヒノキ科の常緑樹。

【ポイント】美しい木目とかぐわしい香りの桧は、最高級の建材として知られる。なお「桧」は、「檜」の略字。名づけでは、「桧」「檜」両方使える。

桧亜	かいあ
桧寧	かいね
桧里	かいり
桧奈	ひな
桧芽	ひのめ
桧毬	ひまり
桧呂	ひろ
桧斗実	ひとみ

莞 10

音訓 カン、い、ふと(い)
名のり —

【意味】カヤツリグサ科の多年草。

【ポイント】植物の名前だが、「丸い」「まろやか」という意味も。あまりなじみのない字なので、合わせる字はわかりやすいものを。

亜莞	あい
莞那	かんな
麻莞	まい
美莞	みかん
夕莞	ゆい
莞玖美	いくみ
三莞奈	みいな
由莞香	ゆいか

栞 10

音訓 カン、しおり
名のり しお

【意味】しおり。道しるべ。

【ポイント】独特の字形で、視覚的にも印象的な名前に。1字名の「栞（しおり）」のほか、最近は、「カン」の音をいかした名前も人気。

栞	しおり
栞菜	かんな
栞奈	かんな
栞音	しおね
栞乃	しおの
栞織	しおり
美栞	みかん

起 10

音訓 キ、お(きる)、お(こる)
名のり おき、おこす、かず、たつ、ゆき

【意味】おきる。立つ。大きくなる。盛ん。始める。

【ポイント】「起承転結」の「起」で、始まりを示す字。活動的なイメージ。性別を間違われない字と組み合わせたい。

起乃	きの
起歩	きほ
優起	ゆうき
由起	ゆき
亜起世	あきよ
起以奈	きいな
起世美	きよみ
万起子	まきこ

記 10

音訓 キ、しる(す)
名のり とし、のり、ふみ、よし

【意味】しるす。

【ポイント】文学的なイメージを持つ字。縦横の細かい直線で構成されているので、曲線や斜線を持つのびやかな字と組み合わせたい。

記和	きわ
咲記	さき
記絵	のりえ
記香	のりか
記代	ふみよ
真記	まき
由記	ゆき
記里乃	きりの

姫 10

音訓 キ、ひめ
名のり —

【意味】ひめ。女子の美称。

【ポイント】女の子ならではの字で、近年人気を集めている。読みは少ないが、「キ」と「ひめ」は比較的応用がききやすい。同系統の字に「妃」があるが、こちらは皇族の妻が本来の意。「姫」のほうが、より愛らしい雰囲気がある。

【参考】●安藤美姫（あんどう・みき）…フィギュアスケート選手。●雅姫（まさき）…モデル、デザイナー。

颯姫	さつき
姫華	ひめか
姫香	ひめか
姫珂	ひめか
姫葵	ひめき
姫路	ひめじ
姫乃	ひめの
姫代	ひめよ
姫梨	ひめり
美姫	みき
由姫	ゆき、ゆうき
姫実子	きみこ
都姫子	つきこ、ときこ
斗姫佳	ときか
真姫亜	まきあ

桔 10

音訓 キツ、ケチ、ケツ
名のり ー

【意味】はねつるべ。

【ポイント】秋の七草のひとつ「桔梗（ききょう）」の「桔」。読みは応用がききにくいものが多いが、「桔香（きっか）」など、促音のある響きの名前にしても。

桔梗	ききょう
桔香	きっか、きつか
桔子	きっこ
桔菜	きつな
桔穂	きほ
桔里加	きりか
由桔子	ゆきこ

宮 10

音訓 キュウ、グウ、ク、みや
名のり いえ、たか

【意味】ごてん。いえ。

【ポイント】「神社」の意味もあるので、「神の御加護を」などのニュアンスを加えても。「ク」の音をいかすと名前のバリエーションが広がる。

麻宮	まみや
美宮	みく
宮瑚	みやこ
宮世	みやせ
宮乃	みやの
衣宮美	いくみ
希宮乃	きくの
宮美子	くみこ

恭 10

音訓 キョウ、うやうや(しい)
名のり すみ、たか、ただ、ちか、やす、ゆき、よし

【意味】うやうやしい。慎む。

【ポイント】ていねいで慎み深いさまをあらわす字で、まわりから愛され、信頼される人をイメージ。従来から使用されているが、今も安定した人気。

希恭	ききょう
恭佳	きょうか
恭子	きょうこ、やすこ
恭乃	やすの
恭巳	やすみ
恭世	やすよ
恭穂	よしほ

恵 10

音訓 ケイ、エ、めぐ(む)
名のり あや、さと、めぐみ、めぐむ、やす、よし

【意味】めぐむ。ほどこす。かしこい。

【ポイント】やさしさとともに、賢さや芯の強さも感じられる字で、ママ世代・祖母世代から安定した人気。以前は「恵（めぐみ）」や「恵子（けいこ）」が定番だったが、今は「エ」の音をいかして、先頭字、中間字、止め字とさまざまな形で使われている。字のなかに「心」を含むのも魅力のひとつ。字形も美しく安定感がある。

【参考】●仲間由紀恵（なかま・ゆきえ）…女優。●戸田恵梨香（とだ・えりか）…女優。●小野恵令奈（おの・えれな）…タレント。

恵	めぐみ、けい
恵麻	えま
恵梨	えり
恵子	けいこ
紗恵	さえ
千恵	ちえ
七恵	ななえ
多恵	たえ
幹恵	みきえ
恵水	めぐみ
恵夢	めぐむ
萌恵	もえ
理恵	りえ
智恵莉	ちえり
由梨恵	ゆりえ
恵里花	えりか

桂 10

音訓 ケイ、カイ、かつら
名のり かつ、よし

【意味】カツラ科の落葉高木。

【ポイント】モクセイなどの芳香樹の総称。転じて「人々を魅了する人に」などの願いを込めても。最近は「カ」と縮めて読ませる傾向も。

桂	かつら
桂華	けいか
桂子	けいこ、かつらこ
桂奈	けいな
桂恵	よしえ
桂乃	よしの
千桂世	ちかよ

悟 10

音訓 ゴ、さと(る)
名のり さとし、さとる、のり

【意味】さとる。道理を知る。

【ポイント】知的で落ち着いたイメージ。「ゴ」の音で、男の子の止め字として人気の字。女の子の場合は、「さと」の音をいかした名前が多い。

悟絵	さとえ
悟子	さとこ
悟音	さとね
悟乃	さとの
悟実	さとみ
千悟	ちさと
美悟	みさと
知悟子	ちさこ

航 10

音訓 コウ
名のり かず、つら、ふね、わたる

【意味】わたる。海や空を行く。ふね。

【ポイント】スケールが大きく、前向きな字。名のりはあまりなじみがないので、使う場合は読みやすい字と組み合わせること。

航代	かずよ
航子	こうこ、かずこ
航美	こうみ
航女	こうめ
美航	みふね

倖 10

音訓 コウ、ギョウ、さいわ(い)
名のり さち、ゆき

【意味】幸運。

【ポイント】「幸」と意味はほぼ同じだが、「倖」にはとくに「思いがけない幸運」という意味がある。「幸せな人生」「運の強い子に」などの願いを込めて。

倖	さち、ゆき
倖美	こうみ
倖歌	さちか
倖羽	さちは
倖世	さちよ
倖奈	ゆきな
倖乃	ゆきの

晃 10

音訓 コウ、あき(らか)
名のり あき、あきら、きら、てる、ひかる、みつ

【意味】明らか。輝く。光が広がる。

【ポイント】「光」や「明」と同じく、光輝く明るいイメージで、名づけでは従来からよく使われてきた字。「周囲を明るくする子に」。

晃緒	あきお
晃佳	あきか
晃奈	あきな
晃乃	あきの
晃子	こうこ
千晃	ちあき
晃麻	てるま
晃美	てるみ

晄 10

音訓 コウ、あき(らか)
名のり あき、あきら、きら、てる、ひかる、みつ

【意味】明らか。輝く。光が広がる。

【ポイント】「日」と「光」が縦に並んでいる「晃」に対し、横に並んでいるのが「晄」。「晃」の異体字で、意味も読みも「晃」と同じ。

晄恵	あきえ
晄羽	あきは
晄陽	あきひ
晄穂	あきほ
千晄	ちあき
晄葉	てるは
晄巳	てるみ
美晄	みあき

高 10

音訓 コウ、たか(い)、たか
名のり あきら、うえ、すけ、たかし、たけ

【意味】たかい。優れている。

【ポイント】物理的な高さ、地位や評判、人柄など、さまざまな意味で「高い人に」との願いを込めて。組み合わせる字によっては姓に見えることも。

高美	こうみ、たかみ
高子	たかこ
高乃	たかの
高世	たかよ
高代	たかよ
穂高	ほだか

紘 10

音訓 コウ、つな、ひろ(い)
名のり つな、ひろ、ひろし

【意味】つな。冠のひも。広い。

【ポイント】糸へんに、カタカナの「ナ」と「ム」を組み合わせた独特の字形。似た字の「絋」は人名に使えない。

紘美	こうみ
千紘	ちひろ
紘絵	ひろえ
紘子	ひろこ
紘乃	ひろの
紘葉	ひろは
紘世	ひろよ
真紘	まひろ

浩 10

音訓 コウ、ひろ(い)
名のり はる、ひろ、ひろし

【意味】大きい。広い。豊か。

【ポイント】現皇太子殿下の御称号「浩宮」から、1960年代に多用された字。水が豊かで広々としているさまをあらわしている。

浩恵	ひろえ
浩花	ひろか
浩乃	ひろの
浩羽	ひろは
浩葉	ひろは
浩美	ひろみ
真浩	まひろ
美浩	みひろ

紗 10

音訓 サ、シャ、うすぎぬ
名のり —

【意味】うすぎぬ。

【ポイント】同じ「サ」の読みでは、字形も似ている「沙」と人気を二分している字。やわらかな布のイメージから、女の子の名前によく使われている。先頭字、中間字、止め字とさまざまな使い方ができるだけでなく、「亜里紗（ありさ）」「紗羅（さら）」のような洋風の響きを持つ名前にも使いやすい。また「シャ」の読みをいかすと、より個性的な名前もつくれる。

【参考】●更紗（さらさ）…人物・花・鳥獣などの模様を染めつけた綿布や絹布。●紗羅（さら）…薄絹の布。●山口紗弥加（やまぐち・さやか）…女優。●山村美紗（やまむら・みさ）…作家。●相武紗季（あいぶ・さき）…女優。●鈴木紗理奈（すずき・さりな）…タレント。

愛紗	あいさ、あいしゃ
有紗	ありさ
桜紗	おうさ
季紗	きさ
紗彩	さあや
紗英	さえ
紗央	さお
紗丘	さおか
紗希	さき
紗子	さこ
紗々	ささ、さしゃ
紗千	さち
紗月	さつき
紗斗	さと
紗富	さとみ
紗苗	さなえ
紗乃	さの
紗歩	さほ
紗穂	さほ
紗代	さよ
紗羅	さら
紗來	さら
紗莉	さり
紗恋	されん
紗和	さわ
束紗	たばさ
千紗	ちさ
寧紗	ねいさ
陽紗	はるさ
芽紗	めいさ
來紗	らいさ
莉紗	りさ
浪紗	ろうさ
亜紗美	あさみ
亜里紗	ありさ
衣紗美	いさみ
江瑠紗	えるさ
佳亜紗	かあさ
紗久良	さくら
紗々楽	ささら
紗耶香	さやか
紗弥子	さやこ
紗羅々	さらら
奈々紗	ななさ
日紗代	ひさよ
眞依紗	まいさ
未紗都	みさと
由紗子	ゆさこ
里依紗	りいさ

10
朔
音訓 サク、ついたち
名のり きた、かた、はじめ、もと

【意味】月の初めの日。

【ポイント】小説『世界の中心で、愛をさけぶ』の主人公「朔太郎（さくたろう）」で人気。女の子も「朔美（さくみ）」「朔良（さくら）」などがつくれる。

朔衣 さくえ
朔実 さくみ
朔美 さくみ
朔楽 さくら
朔良 さくら
朔佳 もとか
朔子 もとこ
朔音 もとね

10
時
音訓 ジ、とき
名のり これ、もち、よし

【意味】とき。時代。四季。

【ポイント】ロマンを感じる字だが、名前には意外と使われていない。「とき」の読みをいかすと、視覚的にも響き的にも、時の流れを感じさせる情緒ある名前に。

杏時 あんじ
時絵 ときえ
時佳 ときか
時子 ときこ
時葉 ときは
時見 ときみ
時与 ときよ
時和 ときわ

10
修
音訓 シュウ、シュ、おさ(める)
名のり なり、のぶ、のり、まさ、みち、もと、よし

【意味】おさめる。正す。形を整える。学ぶ。

【ポイント】女の子名ではバリエーションのつくりにくい名前だが、名前向きのよい意味を持つ字。

修美 おさみ
修花 しゅうか
修子 しゅうこ
修奈 しゅうな
修里 しゅり
修枝 のぶえ
修瑚 のぶこ
美修 みのぶ

10
珠
音訓 シュ、ス
名のり じゅ、ず、たま、み

【意味】たま。真珠。

【ポイント】真珠や数珠（じゅず）など、丸い玉をあらわしている。美しいもののたとえとしても使われることから、女の子に人気の字。「シュ」「ジュ」の音をいかせば、「珠梨（しゅり）」「杏珠（あんじゅ）」などの洋風の響きを持つしゃれた名前をつくりやすい。また、「たま」の読みをいかせば、女の子らしい愛らしさのある名前に。

【参考】●大道珠貴（だいどう・たまき）…作家。●丸川珠代（まるかわ・たまよ）…政治家。●小沢真珠（おざわ・まじゅ）…女優。●松井珠理奈（まつい・じゅりな）…タレント。

杏珠 あんじゅ
珠胡 しゅこ
珠々 しゅしゅ
珠音 じゅね
珠梨 しゅり
珠絵 たまえ
珠緒 たまお
珠紀 たまき
珠実 たまみ
珠代 たまよ
真珠 まじゅ
悠珠 ゆず
莉珠 りず
志珠祈 しずき
珠実花 すみか
珠美礼 すみれ
美珠姫 みずき

10
純
音訓 ジュン
名のり あや、いと、すなお、すみ、ずみ、まこと

【意味】混じり気のない。自然のまま。美しい。

【ポイント】「純粋」「純白」など、汚れのないイメージ。最近は「真純（ますみ）」など、「すみ」の読みをいかした名前が人気。

純 じゅん
佳純 かすみ
純湖 じゅんこ
純那 じゅんな
純花 すみか
純礼 すみれ
葉純 はすみ
真純 ますみ

10
峻
音訓 シュン、たか(い)、けわ(しい)
名のり たかし、とし

【意味】高い。高くそびえ立つ。険しい。

【ポイント】女の子には少々強いイメージだが、その気高いイメージの字は、女の子名に使っても新鮮。

峻子 しゅんこ、としこ
峻名 しゅんな
峻乃 たかの
峻穂 たかほ
峻女 たかめ
峻恵 としえ
峻世 としよ

10
恕
音訓 ジョ、ショ、ゆる(す)
名のり ひろ、ゆき、よし

【意味】相手を思いやること。

【ポイント】「怒（おこる）」と間違えやすいが、実は正反対のよい意味を持つ字。名前例は男女ともに少なく新鮮だが、読みにくさはある。

知恕 ちひろ
恕江 ひろえ
恕子 ひろこ
恕音 ひろね
恕和 ひろわ
真恕 まひろ
恕花 ゆきか
恕那 ゆきな

10
祥
音訓 ショウ
名のり あきら、さき、さち、やす、よし

【意味】幸せ。めでたい姿。

【ポイント】「しめすへん（神）」で、「神」が与えるよいきざし＝幸い」の意味を持つ。かわいらしい響きにするなら「さち」の読みをいかして。

祥佳 さちか
祥乃 さちの
祥穂 さちほ
祥世 さちよ
祥子 さちこ、しょうこ
祥葉 やすは
祥美 よしみ

笑 10

音訓 ショウ、わら(う)、え(む)
名のり えみ

【意味】わらう。花が咲く。

【ポイント】人気上昇中の漢字のひとつ。とくに「え」「えみ」の読みで、女の子の名前によく使われるようになってきた。「笑顔の多い幸せな人生に」「笑顔を忘れない人に」「まわりを笑顔にできる人に」などの願いを込められる。

【参考】●一笑千金（いっしょうせんきん）…美しい女性はちょっと笑っただけで千金にも値すること。また、それほどに美しい女性のたとえ。●宮本笑里（みやもと・えみり）…ヴァイオリニスト。●安藤笑（あんどう・えみ）…タレント。

名前	読み
笑	えみ
笑美	えみ
笑佳	えみか
笑琉	えみる
笑夢	えむ
希笑	きえ
笑歌	しょうか
笑子	しょうこ、えみこ
千笑	ちえ、ちえみ
乃笑	のえ
毬笑	まりえ
柚笑	ゆえ
笑美花	えみか
笑利奈	えりな
多笑子	たえこ

粋 10

音訓 スイ、いき
名のり きよ、ただ

【意味】混じり気がなくととのっている。

【ポイント】純粋さだけでなく、気がきいて洗練された「粋（いき）」の意も。「スイ」の読みをいかすと、かわいらしい今風の名前に。

名前	読み
粋	すい
粋香	きよか
粋美	きよみ
粋湖	すいこ、きよこ
粋藍	すいらん
粋凜	すいりん
妃粋	ひすい

真 10

音訓 シン、ま
名のり さだ、さな、さね、まさ、まこと、まな、み

【意味】まこと。本物。正しい。

【ポイント】「正しい」「真っすぐ」という名前向きの意味を持ち、昔も今も男女ともに人気の字。左右対称のバランスのいい字形は、比較的どんな字ともなじみやすい。ただ最近はとくに男の子の止め字として人気が高いので、名前によっては性別を間違えられることも。なるべく女の子らしい字と組み合わせたい。

【参考】●真心（まごころ、しんしん）…親身になって尽くす気持ち。まことの心。●浅田真央（あさだ・まお）…フィギュアスケート選手。●堀北真希（ほりきた・まき）…女優。

名前	読み
恵真	えま
真央	まお
真季	まき
真瑚	まこ
真琴	まこと
真音	まのん
真実	まみ
真心	まみ
真凜	まりん
結真	ゆま
莉真	りま
亜真音	あまね
依真里	いまり
多真緒	たまお
真佑花	まゆか
真由美	まゆみ
真梨奈	まりな

眞 10

音訓 シン、ま
名のり さだ、さな、さね、まさ、まこと、まな、み

【意味】まこと。本物。正しい。

【ポイント】「真」の旧字で、眞子（まこ）内親王の「眞」。「真」も「眞」も同画数だが、視覚的に印象を変えるなら、こちらも候補に。

名前	読み
江眞	えま
眞依	まい
眞子	まこ
眞奈	まな
眞代	まよ
美眞	みま
小眞知	こまち
眞里亜	まりあ

晟 10

音訓 セイ、ジョウ
名のり あきら、てる、まさ

【意味】日光が照ってあかるい。あかるく立派な様子。

【ポイント】とてもよい意味を持つ字だが、一般にはあまりなじみがないぶん新鮮。「日十成」なので、字の説明もしやすい。

名前	読み
晟奈	あきな
亜晟	あせい
晟華	せいか
晟子	せいこ
知晟	ちあき
晟迦	てるか
晟陽	てるひ
美晟	みせい

素 10

音訓 ソ、ス
名のり しろ、すなお、はじめ、もと

【意味】白絹。白。混じり気がない。もと。

【ポイント】純粋かつナチュラルなイメージ。1字で素直に「ソ」や「ス」と読める貴重な字。「素直に成長すること」を願って。

名前	読み
素奈	そな
素乃	その
素佳	もとか
素美	もとみ
素世	もとよ
素乃果	そのか
素乃子	そのこ
素乃実	そのみ

泰 10

音訓 タイ
名のり あきら、ひろ、や、やす、ゆたか、よし

【意味】大きい。安らか。のびのびする。

【ポイント】安らぎや安心を意味し、ゆったりとしたイメージ。「細かいことには動じない、おおらかな子に」と願って。

名前	読み
千泰	ちひろ
泰泉	ひろみ
泰花	やすか
泰子	やすこ、たいこ
泰乃	やすの
泰葉	やすは
泰代	やすよ

通 10

音訓 ツウ、ツ、とお(る)、かよ(う)
名のり みち、ゆき

【意味】とおる。貫きとおす。すらすらと事が運ぶ。行き渡る。

【ポイント】「貫く」という意味があるが、「困難に打ち勝つ」というよりは、「通りよく順調に進んでいく」イメージ。

通乃	かよの
通子	とおこ、かよこ
通恵	みちえ
通瑠	みちる
亜通江	あつえ
惟通美	いつみ

哲 10

音訓 テツ
名のり あき、さと、さとし、さとる、のり、よし

【意味】ものの道理。さとい。さとし。

【ポイント】哲学の「哲」で、賢さや知性が感じられる字。男の子名での使用例が多いぶん、女の子名で使うと新鮮。

哲乃	あきの
哲世	あきよ
哲恵	さとえ
哲寧	さとね
哲未	さとみ
千哲	ちさと
哲子	てつこ
美哲	みさと

展 10

音訓 テン
名のり のぶ、ひろ

【意味】のびる。平らに広げる。ひらく。進む。のびのびする。

【ポイント】「展開」「発展」の熟語もあり、ポジティブな印象の字。「のびのびと才能を広げていけるように」などの願いを込めて。

梓展	しのぶ
展歩	のぶほ
展代	のぶよ
展子	ひろこ
展世	ひろせ
展美	ひろみ

途 10

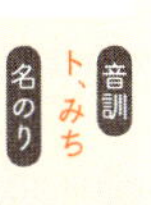

音訓 ト、みち
名のり とお

【意味】みち。みちのり。みちすじ。

【ポイント】一途（いちず）の「途」で、その意味は「みち」。「途中（とちゅう）」のイメージが強いせいか、名前例は少なめ。

途瑚	とこ
途萌	とも、ともえ
途絵	みちえ
実途	みと
莉途	りと
伊途香	いとか
小途里	ことり

透 10

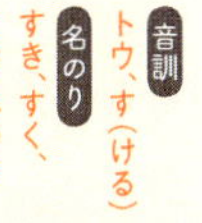

音訓 トウ、す(ける)
名のり すき、すく、とおる、ゆき

【意味】すきとおっている。通り抜ける。

【ポイント】さわやかさとクールさをあわせ持つ字。名のりを利用する場合は、組み合わせる字は読みやすいものを選びたい。

透子	とうこ、ゆきこ
透美	とうみ
透花	とうか、ゆきか
透奈	ゆきな
透乃	ゆきの
透美子	とみこ

桃 10

音訓 トウ、もも
名のり ―

【意味】モモ。

【ポイント】甘くやわらかい桃そのものの特徴に加え、ピンク色のイメージや、「もも」の響きなど、どれもかわいらしく女の子らしい字。「もも」の読みには「百」もあるが、「桃」のほうが人気が高い。

【参考】●菊池桃子（きくち・ももこ）…タレント。●上田桃子（うえだ・ももこ）…ゴルファー。●長谷川桃（はせがわ・もも）…タレント。●嗣永桃子（つぐなが・ももこ）タレント。●玉川桃奈（たまかわ・ももな）…タレント。

桃	もも
胡桃	くるみ
小桃	こもも
桃花	とうか、ももか
桃名	とうな
桃祢	とうね
杜桃	とも
桃依	もえ
桃笑	もえみ
桃夏	もか、ももか
桃南	もな
桃奈	もな、ももな
桃々	もも
桃亜	ももあ
桃絵	ももえ
桃枝	ももえ
桃緒	ももお
桃伽	ももか
桃佳	ももか
桃歌	ももか
桃香	ももか
桃姫	ももき
桃瑚	ももこ
桃子	ももこ、とうこ
桃奈	ももな
桃那	ももな
桃音	ももね
桃寧	ももね
桃乃	ももの
桃野	ももの
桃葉	ももは
桃巴	ももは
桃妃	ももひ
桃陽	ももひ
桃穂	ももほ
桃美	ももみ
桃芽	ももめ
桃世	ももよ
桃代	ももよ
桃由	もゆ
桃羽	もわ、ももは
十桃子	ともこ
杜桃音	ともね
桃江香	もえか
桃代子	もよこ
桃里乃	もりの

桐 10

音訓 ドウ、トウ、きり
名のり ひさ

【意味】落葉高木のキリ。

【ポイント】まっすぐにのびる桐の特徴と「キリ」の響きから、凛とした印象。「真っすぐ素直に成長してほしい」との願いを込めて。

桐亜	きりあ
桐依	きりえ
桐香	きりか
桐乃	きりの
沙桐	さぎり
桐子	きりこ、とうこ
桐音	とうね

能 10

音訓 ノウ
名のり たか、のり、ひさ、むね、よし

【意味】能力。体力がある。

【ポイント】才能や可能性をイメージさせる字だが、使いやすい読みがないのが難。定番の止め字と組み合わせるなどして、なるべく読みやすくしたい。

能実	たかみ
能恵	のりえ
美能	みのり
能乃	よしの

唄 10

音訓 バイ、うた
名のり ー

【意味】うた。うたう。

【ポイント】「小唄」や「長唄」から、「歌」よりも、より和の雰囲気のある字。仏教の功徳をたたえる歌という意味も。読みが少ないのが難。

唄	うた
唄絵	うたえ
唄子	うたこ
唄乃	うたの
唄羽	うたは
唄美	うたみ
唄世	うたよ
小唄	こうた

梅 10

音訓 バイ、うめ
名のり め

【意味】ウメ。

【ポイント】「桜」や「桃」ほどは使われないが、早春にいち早く花を咲かせる梅は、生命力の象徴で、縁起のよい花。花言葉は「気品」など。

梅香	うめか
梅花	うめか
梅乃	うめの
梅帆	うめほ
梅代	うめよ
桜梅	おうめ
小梅	こうめ
瑚梅	こうめ

畔 10

音訓 ハン
名のり あぜ、くろ、べ

【意味】あぜ。くろ。ほとり。

【ポイント】避暑地の湖畔を連想させる字。名づけ向きの読みが少なく、使用頻度は低いが、それだけに新鮮さはある。「ハン」の音をいかした洋風の名前に使える。

畔	ほとり
畔依	くろえ
畔花	くろか
畔奈	はんな
畔南	はんな
畔李	はんり
畔音	ほとね
畔里	ほとり

敏 10

音訓 ビン
名のり さと、さとし、とし、はや、はる、ゆき、よし

【意味】行動がきびんで早い。神経が細かくよく働く。

【ポイント】昔はよく使われていた字。オーソドックスな印象だが、賢く行動力のあるイメージは名前向き。

敏子	さとこ
敏芭	さとは
敏美	さとみ
知敏	ちさと
敏江	としえ
敏香	としか
敏与	としよ
美敏	みさと

圃 10

音訓 ホ、フ、はたけ
名のり その

【意味】苗を栽培する畑。

【ポイント】2004年から名前に使用できるようになった字で、牧歌的なイメージ。「ホ」の読みで、「穂」「歩」「保」などに代わる止め字として使用できる。

詩圃	しほ
千圃	ちほ
那圃	なほ
真圃	まほ
美圃	みほ
里圃	りほ
衣圃子	いほこ
圃奈美	ほなみ

紡 10

音訓 ボウ、つむ(ぐ)
名のり つむ

【意味】つむぐ。つむいだ糸。

【ポイント】織物にまつわる字で、女性的なイメージ。11画の「紬」も、同じような意味と、「つむぐ」の読みを持つ。

紡	つむぎ
衣紡	いつむ
紡希	つむぎ
紡季	つむぎ
紡伎	つむぎ
紡美	つむみ
紡夢	つむめ
美紡	みつむ

峰 10

音訓 ホウ、みね
名のり お、たか、たかし、ね

【意味】高い山のいただき。みね。

【ポイント】力強く美しい山を連想できる字で、スケール感や崇高さも。女の子名では、「ね」や、「ホウ」を縮めた「ホ」の音をいかした名前が多い。

希峰	きほ
詩峰	しほ
峰亜	みねあ
雪峰	ゆきね
琉峰	るね
瑠峰	るみね
峰那美	ほなみ
美峰子	みほこ

峯 10

音訓 ホウ、みね
名のり お、たか、たかし、ね

【意味】高い山のいただき。みね。

【ポイント】「峰」の異字体で、山が横にあるか上にあるかの違い。組み合わせる字が、左右に分かれた字形なら、視覚的には「峯」ほうがバランスがいい。

香峯	かほ
沙峯	さほ
紫峯	しほ
峯野	ほの
峯香	みねか
峯里	みねり
里峯	りほ
峯那実	ほなみ

紋 10

音訓 モン
名のり あき、あや

【意味】あや。模様。

【ポイント】編み込まれた華やかな模様と、家紋に代表されるおごそかさという二面性のある字。人気の「あや」の読みを持つ。

紋香	あやか
紋子	あやこ
紋瀬	あやせ
紋奈	あやな
紋音	あやね
沙紋	さあや
麻紋	まあや
玲紋	れもん

容 10

音訓 ヨウ、い(れる)
名のり かた、ひろ、まさ、もり、やす

【意味】中に物をいれる。中身。ゆるす。

【ポイント】ゆとりがあるという意味もあり、懐の深さを感じさせる字。左右対称の字形は、視覚的にもバランスがいい。

麻容	まよ
心容	みよう、みひろ
容葉	やすは
容香	ようか
容子	ようこ、やすこ
莉容	りよ

浬 10

音訓 リ、かいり
名のり —

【意味】海の距離をはかる単位。

【ポイント】人気の海に関連する字のひとつ。同音で似た字形の「里」「理」に比べ、印象的な名前にできる。2004年に人名用漢字に追加された字。

愛浬	あいり
万浬	まり
悠浬	ゆうり
浬花	りか
浬奈	りな
浬美	りみ
浬羅	りら
浬代南	りよな

哩 10

音訓 リ、マイル
名のり —

【意味】距離の単位「マイル」。

【ポイント】「浬」とともに2004年に人名用漢字に追加されたので、まだまだ新鮮。直線で構成された字なので、曲線や斜線のある字と組み合わせたい。

愛哩	あいり
江哩	えり
美哩	みり
哩亜	りあ
哩乃	りの
香央哩	かおり
優哩花	ゆりか
哩衣沙	りいさ

莉 10

音訓 リ、レイ
名のり —

【意味】植物の茉莉（まつり）。

【ポイント】「リ」の音はとくに女の子に人気で、使われる字も「里」「理」「梨」「璃」などいろいろある。なかでも現在、もっとも使われているのが、この字。芳香な花を咲かせるモクセイ科の常緑低木をさす字で、響き的にも意味的にも女の子向き。先頭字、中間字、止め字と、さまざまな形で使える。

【参考】●茉莉花（まつりか）…モクセイ科ジャスミン属の常緑小低木。●松本莉緒（まつもと・りお）…女優。●指原莉乃（さしはら・りの）…タレント。●太田莉菜（おおた・りな）…女優。モデル。

愛莉	あいり
天莉	あめり
綾莉	あやり
杏莉	あんり
映莉	えり
恵莉	えり
希莉	きり
季莉	きり
珠莉	たまり
寧莉	ねり
茉莉	まつり、まり
真莉	まり
澪莉	みおり
悠莉	ゆり
莉亜	りあ
莉衣	りい

莉恵	りえ
莉緒	りお
莉央	りお
莉音	りおん
莉夏	りか
莉寿	りじゅ
莉奈	りな
莉乃	りの
莉穂	りほ
莉陽	りよ
莉良	りら
莉々	りり
琉莉	るり
衣莉亜	いりあ
英莉香	えりか
綺羅莉	きらり
玖莉美	くりみ

沙英莉	さえり
早莉唯	さりい
沙莉那	さりな
乃英莉	のえり
陽花莉	ひかり
日茉莉	ひまり
風和莉	ふわり
茉莉亜	まりあ
真莉子	まりこ
実莉耶	みりや
百莉奈	もりな
莉亜名	りあな
莉江子	りえこ
莉々亜	りりあ
莉里依	りりい
莉々沙	りりさ
瑠莉亜	るりあ

留 10

音訓 リュウ、ル、と(める)
名のり たね、とめ、ひさ

【意味】とめる。残す。

【ポイント】以前は、「ル」の音をいかして女の子名によく使われていたが、最近は、「瑠」と「琉」に人気が集まり、以前ほどは使われていない。

波留	はる
美留	みりゅう
留衣	るい
留珂	るか
留音	るね
留莉	るり
千留世	ちとせ
留美音	るみね

流 10

音訓 リュウ、ル、なが(れる)
名のり とも、はる

【意味】ながれる。過ぎる。

【ポイント】涼しげな清流をイメージできる字だが、一方で「流れる」の意味に抵抗感のある人もいる。「ル」の音では「瑠」や「琉」が人気。

瑛流	える
静流	しずる
光流	ひかる
流衣	るい
流花	るか
流楓	るか
流那	るな
流璃	るり

倫 10

音訓 リン
名のり とし、とも、のり、みち、もと

【意味】仲間。倫理。筋。

【ポイント】人として行うべき道を意味する「倫紀（りんき）」や「倫理（りんり）」から、正しい心や正義感をイメージ。「リン」の音をいかすとキュートな名前に。

花倫	かりん
翠倫	すいりん
倫子	ともこ、みちこ
倫実	ともみ
倫夏	のりか、りんか
麻倫	まりん

恋 10

音訓 レン、こ(う)、こい、こい(しい)
名のり —

【意味】したう。恋しい。愛する。

【ポイント】「レン」と読める字のなかでは画数が少なく、すっきりとしたバランスのいい字。好みは分かれるが、近年、人気が上がっている字のひとつ。

絵恋	えれん
可恋	かれん
華恋	かれん
恋佳	こいか
純恋	じゅんこ、すみこ
美恋	みれん
恋音	れのん

連 10

音訓 レン、つら(なる)、つ(れる)
名のり つぎ、まさ、やす

【意味】つらなる。続く。

【ポイント】人と人とのつながりや、物事の結びつきをイメージ。ちなみに似た字形で、同じく「レン」の響きを持つ「蓮」はハス、「漣」はさざなみのこと。

英連	えれん
花連	かれん
真連	まれん
連美	れみ、れんみ
連楓	れんか
美連亜	みれあ

浪 10

音訓 ロウ、なみ
名のり —

【意味】なみ。

【ポイント】「波」は、風などによって水面が傾いて生じた波で、「浪」は「水＋良」で清らかな波のこと。「波」に人気が集中しているぶん新鮮さはある。

香浪	かなみ
千浪	ちなみ
奈浪	ななみ
浪江	なみえ
浪加	なみか
美浪	みなみ
浪咲	ろうさ

庵 11

音訓 アン、いおり
名のり —

【意味】いおり。仮の住まいの質素な家。僧や尼が仏をまつる小さな家。

【ポイント】「アン」と読める字が少ないので貴重。雅号につける言葉でもあり、文学的なイメージも。

庵慈	あんじ
庵寿	あんじゅ
庵奈	あんな
庵莉	あんり
以庵	いあん
庵里	いおり
実庵	みあん
玲庵	れあん

惟 11

音訓 イ、ユイ、おも(う)、これ、ただ
名のり あり、のぶ、よし

【意味】おもう。よく考えてみる。

【ポイント】同じ「イ」「ユイ」の読みがあり、字形も似ている字に「唯」があるが、「唯」は「ただそれだけ、唯一」という意味で、「惟」は、思いを一点にそそぐということから「よく考える」という意味になる。女の子名では「唯」のほうが人気だが、思慮深いイメージのある「惟」もおすすめ。ただ「惟」は、男の子名での使用例も多いので、性別がまぎらわしくならないよう、女の子らしい字と組み合わせたい。

【参考】●思惟（しい）…考えること。思考。

惟	ゆい
亜惟	あい
葵惟	あおい
碧惟	あおい
惟織	いおり
惟月	いつき
惟吹	いぶき
真惟	まい
実惟	みい
芽惟	めい
惟花	ゆいか、よしか
惟奈	ゆいな
瑠惟	るい
惟乃里	いのり
麻惟香	まいか
玲惟花	れいか

逸 11

音訓 イツ、イッ
名のり すぐる、とし、はや、まさ

【意味】のがれる。横にそれる。枠を超える。すぐれる。

【ポイント】逸脱の「逸」だが、「逸材」「逸品」などよい意味でも使われる。ちなみに「逸美（いつび）」とは、非常に美しいこと。

逸花	いつか
逸希	いつき
逸子	いつこ
逸寧	いつね
逸穂	いつほ
逸美	いつみ、はやみ
逸乃	はやの

凰 11

音訓 オウ、コウ、おおとり
名のり —

【意味】鳳凰（ほうおう）とは中国の伝説の鳥。

【ポイント】鳳凰は、古来中国では、麒麟、亀、竜とともに尊ばれた霊獣。本来は、「鳳」がオス、「凰」がメスをさす。

凰花	おうか
凰良	おうら
鳳子	こうこ
鳳美	こうみ
奈凰	なお
麻凰美	まおみ
実凰子	みおこ
里凰佳	りおか

埼 11

音訓 キ、さい、さき
名のり —

【意味】海に突き出た陸地。

【ポイント】「埼玉」でなじみはあるが、それ以外ではあまり見かけない字。同じ「キ」の音を持つ、「希」「紀」「季」などの字に代えて使っても。

埼枝	きえ
埼佳	さいか
埼那	さいな
埼子	さきこ
美埼	みさき
真埼	まき
実埼子	みきこ
琉埼亜	るきあ

規 11

音訓 キ、のり
名のり ただ、ただし、み、もと

【意味】コンパス。規定。基準。

【ポイント】従来は「のり」の読みが多かったが、近年は「キ」の音をいかす傾向が強い。まじめでしっかりとした印象の字。

規子	きこ、のりこ
規穂	きほ
規香	のりか
美規	みのり
沙規子	さきこ
真規代	まきよ
由規絵	ゆきえ

基 11

音訓 キ、もと、もとい
名のり のり、はじむ、はじめ、もと

【意味】基本。はじめ。根拠。土台。

【ポイント】名前向きのよい意味を持つが、字面も含めややかための印象があるので、やわらかな雰囲気の字と組み合わせたい。

亜基	あき
基衣	きい
基乃	きの
基子	もとこ
基葉	もとは
基美	もとみ
万基代	まきよ
美基子	みきこ

菊 11

音訓 キク
名のり あき、ひ

【意味】秋に開く草花。

【ポイント】和風情緒のある秋の花。皇室の紋章になっており、邪気を払い、長寿の効果があるともいわれる。また、仏花としてもよく使用される。

菊	きく
菊絵	きくえ、あきえ
菊緒	きくお
菊乃	きくの
菊花	きっか
小菊	こぎく
野菊	のぎく

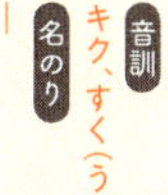
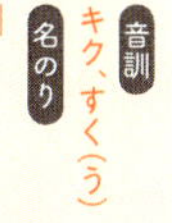
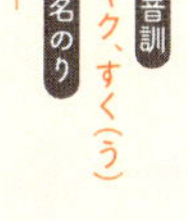

掬 11

音訓 キク、すく(う)
名のり —

【意味】手ですくう。

【ポイント】もともとは「手を丸めて米を包むようにすくう」という意味で、やさしさ、温かさを感じさせる。2004年に人名用漢字に追加された字。

掬絵	きくえ
掬香	きくか
掬子	きくこ
掬乃	きくの
掬美	きくみ
掬代	きくよ
掬音	すくね
掬水	すくみ

毬 11

音訓 キュウ、まり、いが
名のり —

【意味】まり。たま。

【ポイント】「毬」は毛製で、同意の「鞠」は皮製という違いがある。2字で「まり」と読む名前が多いなか、1字で「まり」と読めるのは、新鮮。

毬	まり
日毬	ひまり
陽毬	ひまり
毬緒	まりお
毬花	まりか
毬子	まりこ
毬菜	まりな
毬乃	まりの

教 11

音訓 キョウ、おし(える)、おそ(わる)
名のり たか、のり、みち

【意味】おしえる。おしえ。

【ポイント】まじめで、正しいイメージの字。「教えをしっかり守れる子に」「人に何かを教えられる知識と経験を積めるように」などの願いを込めて。

教禾	きょうか
教子	きょうこ、のりこ
教恵	たかえ
教美	たかみ
教恵	のりえ
美教	みのり
教江	みちえ

郷 11

音訓 キョウ、ゴウ
名のり あき、あきら、さと、のり

【意味】さと。ふるさと。向く。

【ポイント】「三郷」「美郷」はともに「みさと」と読み、地名になっているが、そのまま名前にしても風情がある。

郷夏	きょうか
郷子	きょうこ、さとこ
郷音	さとね
郷実	さとみ
千郷	ちさと
美郷	みさと
三郷	みさと

菫 11

音訓 キン、ゴン、すみれ
名のり —

【意味】野の花。スミレ。

【ポイント】スミレは春に紫色のかわいらしい花をつける、日本らしい花のひとつ。1字名が多いが、「菫玲」など2字で「すみれ」としても。

菫	すみれ
香菫	かすみ
菫花	すみか
菫奈	すみな
菫世	すみよ
菫礼	すみれ
菫玲	すみれ
菫子	すみれこ

啓 11

音訓 ケイ
名のり あき、さとし、はる、ひろ、ゆき、よし

【意味】ひらく。知識を与える。悟る。

【ポイント】視界がパッと開けて明るく前向きなイメージ。「ひらく（開放する）」のほか、夜が明けるの意味も。

啓華	あきか
啓乃	あきの
啓子	けいこ、さとこ
知啓	ちあき
啓世	ひろよ
眞啓	まひろ
美啓	みひろ

渓 11

音訓 ケイ
名のり たに

【意味】谷。谷川。

【ポイント】渓谷の美しさと、ワイルドな雰囲気をあわせ持つ字。組み合わせる字は女の子らしい字を選びたい。

渓	けい
渓花	けいか
渓華	けいか
渓子	けいこ
渓都	けいと
渓奈	けいな
美渓	みけい

経 11

音訓 ケイ、キョウ、へ(る)
名のり おさむ、つね

【意味】たていと。常に変わらない物事の道理。

【ポイント】「不変の道理」「物事の筋道」といった意味があり、イメージはややかため。使用例が少ないので視覚的には新鮮。

経那	きょうな
経華	けいか
経子	けいこ、きょうこ
経実	つねみ
奈経	なつね
羽経	はつね

蛍 11

音訓 ケイ、ほたる
名のり —

【意味】ホタル。

【ポイント】暗がりに浮かぶ蛍の光から、「どんな状況でも光を失わないように」と願って。印象の強い字なので、あまり主張の強くない字と組み合わせたい。

蛍	ほたる、けい
蛍子	けいこ
蛍杜	けいと
蛍奈	けいな
蛍歩	けいほ
蛍琉	ほたる
蛍留	ほたる

現 11

音訓 ゲン、あらわ(れる)、あらわ(す)
名のり あり、み

【意味】あらわれる。あらわす。今。現在。

【ポイント】一般的な字だが、名前での使用例は少ない。「今をしっかり見つめられるように」など、よい意味を込めて使える。

現香	ありか、みか
現子	ありこ
現星	ありせ
現乃	ありの
現奈	みな
真現子	まみこ
悠現子	ゆみこ

絃 11

音訓 ゲン、いと
名のり お、つる

【意味】いと。弦楽器の総称。

【ポイント】人気の音楽に関連する字。弦楽器のいとや、弦楽器そのものを意味するが、どちらかといえば琴など和風の楽器を連想し、古風で情緒的なイメージ。「いと」「つる」の読みも日本的。なお、画数で迷ったら、意味も読みも共通する点が多い「弦」も候補にしたい。

絃恵	いとえ
絃加	いとか
絃子	いとこ
絃瀬	いとせ
絃音	いとね
絃乃	いとの
絃羽	いとは
絃美	いとみ
絃世	いとよ
圭絃	けいと
小絃	こいと
千絃	ちづる
真絃	まいと、まお
美絃	みお、みつる
名絃美	なおみ

11

音訓 ケン、すこ(やか)
名のり かつ、きよ、たけ、たつ、やす

【意味】すこやか。丈夫。強い。

【ポイント】男の子名の定番字。女の子名での使用例は少ないが、「健康」や「すこやかな成長」をストレートに願える字は、やはり名前向き。

健乃	かつの
健帆	たけほ
健実	たけみ
健世	たけよ
美健	みたけ
健美	やすみ

11

康

音訓 コウ
名のり しず、しずか、みち、やす、やすし、よし

【意味】安らか。すこやか。

【ポイント】「すこやかに成長してほしい」という思いをストレートに表現できる。名のりは「やす」以外はなじみがないので、使用するなら読みやすい字と。

康	こう
康祢	こうね
康美	こうみ
康絵	やすえ
康子	やすこ
康菜	やすな
康歩	やすほ
康代	やすよ

11

梗

音訓 コウ、キョウ、やまにれ
名のり ―

【意味】しんのあるかたい枝。ふさがる。

【ポイント】秋の七草「桔梗（ききょう）」の「梗」で、「キョウ」の音が一般的。桔梗の花言葉は、「気品」「清楚な美しさ」など。

希梗	ききょう
桔梗	ききょう
梗花	きょうか
梗子	きょうこ
梗音	こうね
梗美	こうみ

11

皐

音訓 コウ、さつき
名のり すすむ、たか、たかし

【意味】水辺の平たい岸辺。

【ポイント】「皐月（さつき）」は陰暦5月の異名。名前は「皐月」のほか、「皐妃」「皐希」など、読みはそのままで2字目をアレンジする方法も。

皐	こう、さつき
皐瀬	こうせ
皐希	さつき
皐月	さつき
皐妃	さつき
皐衣	たかえ
皐美	たかみ

11

音訓 コン、カン
名のり ―

【意味】深みのある青。

【ポイント】紺色は、落ち着きや気品を感じさせる色。「カン」の読みをいかせば「美紺（みかん）」などのキュートな名前もつくれるが、やや読みにくい。

紺奈	かんな
紺菜	かんな
紺南	かんな
紺乃	かんの
実紺	みかん
美紺	みかん

11

彩

音訓 サイ、いろど(る)
名のり あや、いろ、たみ、さ、あ

【意味】いろどり。美しい。光。

【ポイント】女の子にとても人気のある字。とくに「あや」の読みで人気で、「綾」「絢」などよりも使用例は多い。最近は「サイ」を縮めて「サ」、「あや」を縮めて「あ」と読ませるなど、アレンジして使う傾向も。また先頭字、中間字、止め字にも対応できる柔軟性で、バリエーションも豊富。「彩りのある豊かな人生」や、「芸術的な才能」、「センスのある美しい女性」など、さまざまな思いを込めて使える字。

【参考】●彩雲（さいうん、あやぐも）…ふちなどが薄く色づいた美しい色の雲。●彩霞（さいか）…美しい色の霞。●採虹（さいこう）…美しい色の虹。●上戸彩（うえと・あや）…女優。●杉本彩（すぎもと・あや）…タレント。●高月彩良（たかつき・さら）…タレント。●佐々木彩夏（ささき・あやか）…タレント。

彩	あや
彩美	あみ
彩弥	あや
彩加	あやか
彩花	あやか
彩子	あやこ、さいこ
彩星	あやせ
彩菜	あやな
彩名	あやな
彩寧	あやね
彩乃	あやの
彩葉	あやは、いろは
彩羽	あやは、いろは
彩心	あやみ
彩芽	あやめ
希彩	きいろ
季彩	きさ
沙彩	さあや
彩夏	さいか
彩香	さいか
彩瑛	さえ
彩緒	さお
彩織	さおり
彩姫	さき
彩月	さつき
彩世	さよ
彩楽	さら
彩里	さり
千彩	ちさ
十彩	といろ
凪彩	なぎさ
斐彩	ひいろ
陽彩	ひさ
芙彩	ふさ
美彩	みさ、みいろ
明彩	めいさ
里彩	りさ
麗彩	れいさ
彩香里	あかり
彩悠子	あゆこ
彩貴子	さきこ
彩久良	さくら
彩友花	さゆか
彩結奈	さゆな
麻亜彩	まあさ
美彩子	みさこ
由依彩	ゆいさ

菜 11

音訓 サイ、な
名のり —

【意味】な。野菜。おかず。

【ポイント】春に黄色の花を咲かせる菜の花のイメージと、「な」の音が持つ愛らしい響きから、同音の「奈」とともに、女の子に大変人気のある漢字のひとつ。名づけで使用される読みは、ほぼ「な」のみだが、先頭字、中間字、止め字と幅広く使え、バリエーションはつくりやすい。字形的には3画少ない「奈」のほうがすっきりしているが、愛らしくかわいらしいイメージでは、「菜」のほうが上。

【参考】●松嶋菜々子（まつしま・ななこ）…女優。●戸田菜穂（とだ・なほ）…女優。●木下優樹菜（きのした・ゆきな）…タレント。●小嶋陽菜（こじま・はるな）…タレント。●佐藤亜美菜（さとう・あみな）…タレント。●夏菜（なつな）…女優。●百田夏菜子（ももた・かなこ）…タレント。●菜々緒（ななお）…タレント。●芦田愛菜（あしだ・まな）…子役。

愛菜	あいな、まな
瑛菜	えな
笑菜	えみな
和菜	かずな
香菜	かな
絆菜	きずな
恵菜	けいな
紗菜	さな
純菜	すみな
星菜	せいな
菜緒	なお
菜生	なお
菜摘	なつみ
菜奈	なな
七菜	なな
菜帆	なほ
仁菜	にな
新菜	にいな
乃菜	のな
春菜	はるな
陽菜	はるな、ひな
雅菜	まさな
実菜	みな
萌菜	もえな、もな
優菜	ゆうな
結菜	ゆな、ゆいな
來菜	らな
凜菜	りんな
瑠菜	るな
玲菜	れな
佳菜子	かなこ
香里菜	かりな
史優菜	しゆな
樹里菜	じゅりな
なず菜	なずな
菜津代	なつよ
菜々花	ななか
菜々子	ななこ
南菜子	ななこ
菜々美	ななみ
菜乃香	なのか
羽菜子	はなこ
麻菜実	まなみ
由々菜	ゆゆな
結莉菜	ゆりな
里衣菜	りいな
瑠利菜	るりな

梓 11

音訓 シ、あずさ
名のり —

【意味】木の名前。

【ポイント】日本ではカバノキ科の落葉高木を指し、『万葉集』にもよく登場。定番は1字名の「梓（あずさ）」だが、「シ」の読みを活かすと幅が広がる。

梓	あずさ
梓穂	あずほ
梓実	あずみ
梓月	あづき
梓恩	しおん
梓伊奈	しいな
梓絵良	しえら
世梓乃	よしの

偲 11

音訓 シ、サイ、しの(ぶ)
名のり しのぶ

【意味】努力する。賢い。懐かしく思う。思慮が行き届く。

【ポイント】「しのぶ」と読み、「懐かしむ」の意味がよく知られているが、もともとは「努力する」「賢い」など、よい意味を持つ。

偲	しのぶ
偲乃	しの
偲亜	しのあ
偲梨	しのり
世偲	よしの
世偲禾	せしか
都偲子	としこ
帆偲乃	ほしの

視 11

音訓 シ、み(る)
名のり のり、みる、よし

【意味】まっすぐ目をむける。

【ポイント】「見」は目で見ることで、「視」は注意深く見ること。ややかたい印象があるので、組み合わせる字は女の子らしくやわらかい印象のものと。

視花	のりか
視緒	みお
視香	みか
視久	みく
視奈	みな
美視	みのり
視央里	しおり
真視花	まみか

脩 11

音訓 シュウ、おさ(める)
名のり おさ、さね、なが、のぶ、はる、もろ

【意味】ほし肉。すらりと細長い。おさめる。整える。

【ポイント】字形の似ている「修」とは、意味も似ていて、「シュウ」など共通する読みも多い。

脩香	しゅうか
脩子	しゅうこ、ながこ
脩奈	しゅうな
脩花	はるか
脩美	はるみ

淑 11

音訓 シュク
名のり きよ、きよし、とし、よ、よし

【意味】よい。しとやか。

【ポイント】本来の意味は男女を問わないが、「淑女」の言葉もあるように、女性のしとやかさをイメージさせる字。オーソドックスだが、品のある字。

美淑	みよし
淑慧	よしえ
淑華	よしか
淑乃	よしの
淑葉	よしは
淑実	よしみ
佐淑子	さよこ
理淑子	りよこ

淳

音訓 ジュン、シュン、あつ(い)
名のり あつ、あつし、きよ、すなお、まこと、よし

【意味】真心がある。あつい。情が深い。清い。素直で飾り気のない。

【ポイント】意味のよい字で名前向き。読みは、「あつ」と「ジュン」どちらもポピュラー。

淳希	あつき
淳子	あつこ、じゅんこ
淳歩	あつほ
淳香	じゅんか
淳菜	じゅんな
深淳	みよし
淳佳	よしか

惇

音訓 ジュン、シュン、トン、あつ(い)、まこと
名のり あつ、すなお、とし

【意味】真心がある。人柄にあつみがある。まこと。穏やかな人柄。

【ポイント】心がどっしり落ち着いているさまを示した字で、転じて「真心がある」「穏やか」などの意味に。

惇夏	あつか
惇希	あつき
惇妃	あつひ
惇美	あつみ
惇加	じゅんか
惇奈	じゅんな
惇音	じゅんね、じゅね

渚

音訓 ショ、なぎさ、みぎわ
名のり —

【意味】河川に砂や石が集まってできる場所。波打ち際。

【ポイント】さわやかなイメージで人気もあるが、応用しにくい字。「なぎさ」は「汀」とも書き、こちらも名づけに使える。

渚	なぎさ
渚亜	しょあ
千渚	ちなぎ
渚子	なぎこ
渚咲	なぎさ
渚紗	なぎさ
渚世	なぎせ
美渚	みなぎ

渉

音訓 ショウ
名のり さだ、たか、ただ、わたり、わたる

【意味】川をふみしめてわたる。かかわる。広く見聞する。

【ポイント】「歩」にさんずいを加えることで、「眼前の問題や困難を乗り越えて進む」といった名前向きのニュアンスになる。

渉香	しょうか
渉子	しょうこ、たかこ
渉乃	しょうの
渉帆	たかほ
渉世	たかよ

章

音訓 ショウ
名のり あき、あきら、あや、ふみ、ゆき

【意味】曲や文章などの一区切り。けじめ。明らか。

【ポイント】音楽や文学の才能を期待して多用されてきた字。左右対称の字形で視覚的なバランスもよい。

章香	あきか
章奈	あきな
章那	あきな
章子	しょうこ、あきこ
千章	ちあき
章乃	ふみの
章代	ゆきよ

紹

音訓 ショウ
名のり あき、つぎ、つぐ

【意味】糸のはじをつなぐ。

【ポイント】数ある「ショウ」の音を持つ字のなかでも名前例は少なく、目新しさはある。紹介の「紹」で、「人と人とをつなぐ存在に」などの願いが込められる字。

紹恵	あきえ
紹南	あきな
紹葉	あきは
紹子	しょうこ
紹実	しょうみ
茅紹	ちあき
紹美	つぐみ
紹里	つぐり

菖

音訓 ショウ
名のり あやめ

【意味】アヤメ、花ショウブ、ショウブ。

【ポイント】①アヤメ科のアヤメや花ショウブ。②サトイモ科のショウブ。花が美しいのは①、端午の節句の菖蒲湯に使うのは②。

菖	あやめ
菖乃	あやの
菖穂	あやほ
菖蒲	あやめ
菖芽	あやめ
沙菖	さあや
菖子	しょうこ
麻菖	まあや

梢

音訓 ショウ、こずえ
名のり すえ、たか

【意味】枝の先の部分。

【ポイント】1字名の「梢(こずえ)」が人気。しなやかで繊細な雰囲気もありながら、着実に未来に向けてのびていくイメージもあり、生命力も感じさせる字。

梢	こずえ
梢絵	こずえ
梢恵	こずえ
梢江	こずえ
梢花	しょうか
梢子	しょうこ、たかこ
梢菜	しょうな

笙

音訓 ショウ、セイ、ソウ、ふえ
名のり —

【意味】雅楽の管楽器。

【ポイント】「笙(しょう)」は、優美で奥深い独特の音色を出す楽器。人気の音楽にまつわる漢字で、和の雰囲気も出せる字。

笙禾	しょうか
笙子	しょうこ、せいこ
笙菜	しょうな
笙実	しょうみ
笙瑚	せいこ
美笙	みせい、みふえ

常 11

音訓 ジョウ、つね、とこ
名のり とき、ときわ、のぶ、ひさ、ひさし

【意味】同じ姿でいつまでもいること。

【ポイント】「安定した堅実な人生」「平常心」「変わらないよさ」など、プラスのイメージを込められる。

常実	つねみ、ときみ
常子	ときこ、のぶこ
常世	ときよ
常羽	ときわ
常盤	ときわ
美常	みつね

晨 11

音訓 シン、ジン、あした
名のり あき、とき、とよ

【意味】夜明け。早朝。

【ポイント】太陽がふるいたって昇る朝、生気みなぎる早朝と、その意味は名前向き。訓読みの「あした」は、古代では朝のことを「あした」と表現したため。

晨子	あきこ、ときこ
晨瀬	あきせ
晨菜	あきな
知晨	ちあき
晨野	ときの
晨代	ときよ
晨羽	ときわ

進 11

音訓 シン、すす(む)
名のり す、すすみ、すすむ、のぶ、みち、ゆき

【意味】すすむ。進歩する。

【ポイント】名のりの「みち」「ゆき」をいかすと女の子らしい響きの名前に。ただ、なじみのある読みではないので、組み合わせる字は読みやすいものを。

進恵	みちえ
進果	みちか
進子	みちこ、ゆきこ
進穂	みちほ
進夏	ゆきか
進乃	ゆきの
進代	ゆきよ

深 11

音訓 シン、ふか(い)
名のり とお、ふかし、み

【意味】水がふかい様子。

【ポイント】名のりの「み」はわりと認知度があるので使いやすい。定番の「美」「実」の代わりに使用すると、思慮深い雰囲気の名前になる。

琴深	ことみ
芙深	ふみ
深紅	みく
深月	みづき
深優	みゆ
深雪	みゆき
深那子	みなこ
深萌里	みもり

崇 11

音訓 スウ、シュウ
名のり かた、し、たか、たかし、たけ

【意味】高くそびえること。

【ポイント】壮大な山々が連なる情景がイメージでき、気高さのある字。男の子名での使用例が多いので、女の子らしい字と組み合わせたい。

崇那	しゅうな
崇子	たかこ、しゅうこ
崇音	たかね
崇穂	たかほ、しゅうほ
崇美	たかみ
崇代	たかよ

清 11

音訓 セイ、ショウ、きよ(い)
名のり きよし、さや、すが、すみ、すむ

【意味】きよい。けがれなく澄み切る。潔い。静か。澄んだ水。

【ポイント】文字通り、きよらかで清潔な印象。「セイ」の音をいかしたり、組み合わせる字を工夫すると今風の名前に。

清香	きよか
清乃	きよの
清心	きよみ
清花	さやか
清那	さやな
清夏	せいか
清良	せいら、きよら

雪 11

音訓 セツ、ゆき
名のり きよ、きよみ、きよむ

【意味】ゆき。すすぐ。白い。

【ポイント】真っ白な雪は、女性らしい清楚なイメージで、古風な印象も。横線が目立つ、少々角ばった字なので、斜線や曲線のある、やわらかい雰囲気の字と組み合わせたほうが、ふわふわとした雪のイメージに合う。「真っ白い雪のように純粋な子に」などの願いを込めて。

【参考】●雪花（せつか）…雪の結晶。ひらひらと花のように降る雪。●雪月花（せつげつか）…雪と月と花。美しい風物を代表する。●朝丘雪路（あさおか・ゆきじ）…女優。●小雪（こゆき）…女優。●斉藤雪乃（さいとう・ゆきの）…タレント。

雪	ゆき
雪花	きよか
小雪	こゆき
紗雪	さゆき
雪華	せつか
雪奈	せつな
千雪	ちゆき
真雪	まゆき
美雪	みゆき
深雪	みゆき
雪絵	ゆきえ
雪風	ゆきか
雪瑚	ゆきこ
雪音	ゆきね
雪乃	ゆきの
雪野	ゆきの
雪帆	ゆきほ
雪世	ゆきよ

爽 11

音訓 ソウ、さわ(やか)
名のり あき、あきら、さ、さや

【意味】さっぱりする。明るい。

【ポイント】意味はもちろん、響きも「ソウ」「さわ」「さや」とさわやかでやさしい印象。左右対称の個性的な字形は、字面的にもインパクトがある。

爽那	あきな
爽音	あきね
爽織	さおり
爽花	さやか
爽子	そうこ、さわこ
千爽	ちあき
三爽希	みさき

曽 （11画）

音訓 ソウ、ゾ
名のり そ、かつ、つね、なり、ます

【意味】かつて。世代が重なる。

【ポイント】この字は、意味よりも「ソ」に当てる字として、響き重視の名前で使用されることが多い。旧字の「曾」も、名づけには使える。

曽亜	そあ
曽那	そうな、そな
曽羅	そら
曽乃華	そのか
曽世花	そよか
曽良音	そらね
美曽乃	みその

窓 （11画）

音訓 ソウ、まど
名のり —

【意味】まど。抜け穴。

【ポイント】名づけでの使用例は少なく新鮮な印象。「まど」の読みをいかして「窓香（まどか）」などの名づけもできる。

窓子	そうこ
窓奈	そうな、そな
窓歌	まどか
窓香	まどか
窓南	まどな
窓美	まどみ
窓莉	まどり

雫 （11画）

音訓 ダ、ナ、しずく
名のり —

【意味】しずく。

【ポイント】「しずく」のかわいい響きで女の子に人気の字。読みを縮めて「しず＋1字」でアレンジするケースも。同音同意の「滴」も名づけに使える。

雫	しずく
愛雫	あいな
雫果	しずか
雫玖	しずく
雫紅	しずく
雫奈	しずな
雫流	しずる
七雫	なな

梛 （11画）

音訓 ダ、ナ、なぎ
名のり —

【意味】マキ科の常緑高木。

【ポイント】「那」に木へんがついた字。「ナ」の音で止め字などに使うことができる。ちなみに「梛（なぎ）」は、初夏に花を開く木で、熊野地方では神木。

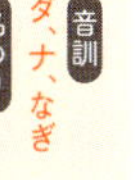
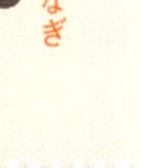

梛乃	なぎの
梛津	なつ
七梛	なな
梛実	なみ
美梛	みなぎ、みな
里梛	りな
亜以梛	あいな

琢 （11画）

音訓 タク、みが（く）
名のり あや、たか

【意味】玉をみがく。

【ポイント】切磋琢磨（せっさたくま）の「琢」で、努力して勉学や技術を磨くという意味もある。男の子名で人気だが、意味的には男女どちらでも使える。

琢音	たくね
琢帆	たくほ
琢美	たくみ
琢夢	たくむ
琢芽	たくめ
琢代	たくよ

紬 （11画）

音訓 チュウ、ジュウ、つむぎ、つむ（ぐ）
名のり —

【意味】つむぎ。絹織物。つむぐ。引き出す。

【ポイント】「大島紬」「結城紬」などに代表される絹織物をさす字。10画の「紡」も、似た意味と「つむぐ」という音を持つ。

紬	つむぎ
紬生	つむぎ
紬音	つむね
紬羽	つむは
紬穂	つむほ
紬美	つむみ
美紬	みつむ
里紬	りづむ

鳥 （11画）

音訓 チョウ、とり
名のり —

【意味】とり。

【ポイント】どことなく和の雰囲気もあり、「飛鳥（あすか）」という名前が断トツ人気。読みが少なく応用しにくいが、うまくほかの字と合わせれば印象的な名前に。

飛鳥	あすか
湖鳥	ことり
鳥子	とりこ
鳥乃	とりの
那鳥	なとり
美鳥	みどり
遊鳥	ゆとり

笛 （11画）

音訓 テキ、ふえ
名のり —

【意味】ふえ。

【ポイント】「ふえ」というやさしい響きを持ち、なじみもある字だが、名づけではあまり使われていない。角張った字形なので、やわらかい雰囲気の字と合わせたい。

千笛	ちふえ
乃笛	のぶえ
笛佳	ふえか
笛夏	ふえか
笛子	ふえこ
笛乃	ふえの
美笛	みふえ
笛優子	ふゆこ

都 （11画）

音訓 ト、ツ、みやこ
名のり いち、くに、さと、づ、ひろ

【意味】みやこ。人が集まる大きな町。都会。東京都。すべて。

【ポイント】「ト」「ツ（ヅ）」の音読みをいかすと、名前のバリエーションをつくりやすい。1字の「都（みやこ）」も情緒がある。

都	みやこ
衣都	いと
古都	こと
都和	とわ
奈都	なつ
小都花	ことか
紗都実	さとみ
都萌子	ともこ

陶 11

音訓 トウ
名のり すえ、よし

【意味】土をこねて焼いてつくった器。

【ポイント】「陶器」のほか、打ち解けて楽しいという意味もある。視覚的にも美しい字形で、印象的な名前に。

陶香	とうか
陶子	とうこ
陶奈	とうな
陶乃	とうの
美陶	みと
陶花	よしか
陶美	よしみ
千陶世	ちとせ

萄 11

音訓 トウ、ドウ
名のり —

【意味】葡萄。

【ポイント】果実の葡萄の「萄」で、みずみずしさと、独特の雰囲気を感じさせる字。名づけでの使用例は少なく新鮮だが、読みが少なく、応用はききにくい。

萄花	とうか
萄子	とうこ
萄乃	とうの
沙萄実	さとみ
萄美江	とみえ
美萄里	みどり

祷 11

音訓 トウ、いの(る)、まつ(る)
名のり —

【意味】神へ幸せを願う。

【ポイント】「祈祷（きとう）」の「祷」で、神聖な雰囲気を持っている字。2009年から人名に使えるようになった字なので、使用例は少なく新鮮。

祷	いのり
祷莉	いのり
祷子	とうこ
麻祷	まいの
祷香	まつか
祷実	まつみ
祷代	まつよ
祷志花	としか

捺 11

音訓 ナツ、ナチ、お(す)
名のり とし

【意味】おす。おさえつける。

【ポイント】捺印（なついん）の「捺」で、1字で「ナツ」と読む字は、あとは「夏」ぐらい。名前での使用例が少ないだけに、新鮮な印象。

千捺	ちなつ
捺緒	なつお
捺季	なつき
捺希	なつき
捺乃	なつの
捺美	なつみ
捺世	なつよ
真捺	まなつ

絆 11

音訓 バン、ハン、きずな、ほだ(し)
名のり —

【意味】人と心を通わす強い人情。

【ポイント】名前向きのよい意味を持ち、じわじわと人気が出てきている字。とくに東日本大震災以降、名前に使うケースが増えている。1字名の「絆（きずな）」のほか、1字足して「絆菜（きずな）」としたり、音読みの「ハン」を使って、「絆奈（はんな）」のような、洋風の響きの名前にもできる。ただ全体としては名前向きの読みが少ないのが難。そのため「きずな」の「き」だけいかして名前を考えるケースもある。

絆	きずな
絆奈	きずな
絆那	きずな
絆聖	きせ
絆世	きよ
小絆	こはん
乃絆	のはん
絆菜	はんな
絆南	はんな
絆名	はんな
絆音	はんね
絆里	はんり、ばんり
優絆	ゆうき
律絆	りつき
絆実加	きみか
結絆奈	ゆきな

彬 11

音訓 ヒン、あきら(か)
名のり あき、あきら、あや、ひで、よし

【意味】外見と内容がともにそろい、よいさま。鮮やか。

【ポイント】字の意味は、外形も内容も優れていることと、名前向き。「美しく賢く、やさしい子に」と願って。

彬恵	あきえ
彬花	あきか
彬子	あきこ
彬菜	あきな
彬乃	あきの
彬葉	あきは
彬世	あきよ
彬美	よしみ

冨 11

音訓 フ、フウ、とみ、と(む)
名のり あつ、さかえ、と、とよ、ひさ、ふく、よし

【意味】財産が多くなること。ゆたか。

【ポイント】「富」の異体字。「富」より1画少ないので、画数調整に使える。「心の豊かさ」や「人生の充実」を願って。

紗冨	さとみ
冨歌	とみか
冨風	ふうか
冨乃	ふの
千冨美	ちふみ
冨士乃	ふじの
冨美花	ふみか
冨未那	ふみな

逢 11

音訓 ホウ、ブ、あ(う)
名のり あい

【意味】思いがけなく出会う。

【ポイント】「愛」や「藍」に代わって使うと新鮮。「よいめぐり逢い」を願って。一点しんにょうの「逢」は名づけに使用できないので注意。

逢花	あいか
逢香	あいか
逢子	あいこ
逢紗	あいさ
逢里	あいり
逢美	あいみ
真逢	まほ
美逢乃	みほの

萌 11

音訓 ホウ、ボウ、きざ(す)、も(える)
名のり きざし、め、めぐみ、めみ、もえ

【意味】芽ばえ。もえる。兆候。

【ポイント】「もえ」や「も」に当てた名づけがかわいく、女の子の人気漢字のひとつ。本来の意味とは異なる「萌え文化」のイメージがあり、この字に微妙な印象を持つ人もいるが、希望や成長を感じさせる、非常に名前向きの意味を持つ。俗字の「萠」も名前に使える。

【参考】●福田萌（ふくだ・もえ）…タレント。●坂木萌子（さかき・もえこ）…アナウンサー。●石井萌々果（いしい・ももか）…子役。

萌	もえ、めぐみ
恵萌	えも
千萌	ちほ
萌愛	もあ
萌永	もえ
萌夏	もえか
萌子	もえこ
萌夢	もえむ
萌果	もか
萌波	もなみ
萌由	もゆ
萌々	もも
三萌紗	みもざ
萌百香	ももか
萌々絵	ももえ
萌々子	ももこ

萠 11

音訓 ホウ、ボウ、きざ(す)、も(える)
名のり きざし、め、めぐみ、めみ、もえ

【意味】芽ばえ。もえる。兆候。

【ポイント】「萌」の異体字。「萌」よりも、視覚的なやわらかさがある。どちらの字を使うかは、組み合わせる字とのバランスを考えて。

斗萠	ともえ
萠江	もえ
萠亜	もえあ
萠加	もえか
萠子	もえこ
萠椰	もな
萠羽	もわ
絵里萠	えりも

望 11

音訓 ボウ、モウ、のぞ(む)
名のり のぞみ、のぞむ、み、もち

【意味】のぞむ。願う。満月。

【ポイント】「望」や「希望」が人気で、いずれも男の子は「のぞむ」、女の子は「のぞみ」と読むケースが多い。女の子名では「望香（もか）」など、「モウ」を縮めて「モ」と読ませる名前や、名のりの「み」をいかして「美」や「実」の代わりに使用するケースも増えている。

【参考】●望月（ぼうげつ、もちづき）…陰暦十五夜の月。満月。●萩尾望都（はぎお・もと）…漫画家。●北川珠望（きたがわ・たまみ）…タレント。●本田望結（ほんだ・みゆ）…子役。

望	のぞみ
叶望	かなみ
來望	くるみ
心望	ここみ
希望	のぞみ
望美	のぞみ
望未	のぞみ
悠望	はるも
望羽	みう
望央	みお
望香	みか
望咲	みさき
望里	みさと
望由	みゆ
望香	もか
望那	もな
望由希	みゆき

野 11

音訓 ヤ、の
名のり とお、なお、ぬ、ひろ

【意味】広くのびた大地。自然。素朴。

【ポイント】広い野原を連想し、のびのびとしたイメージ。「吉野（よしの）」など、姓のような名前になりやすい点に留意を。

彩野	あやの
紗野	さや
千野	ちの
野笑	のえ
野々	のの
茉野	まや
香野子	かのこ
野乃佳	ののか

麻 11

音訓 マ、あさ
名のり お、ぬさ

【意味】あさ。しびれる。

【ポイント】「マ」の音で女の子らしい字といえば、最近は「茉」の人気が高いが、植物と布に関連する「麻」も、ママ世代から根強く人気をキープしている。「マ」の音をいかすとキュートに、「あさ」の音をいかすと、しとやかで落ち着いた響きの名前になる。なお、姓や組み合わせる字に「木」があると、字面的にうるさくなるので、その点は注意したい。

【参考】●篠田麻里子（しのだ・まりこ）…タレント。●渡辺麻友（わたなべ・まゆ）…タレント。●高橋真麻（たかはし・まあさ）…アナウンサー。

麻子	あさこ、まこ
麻美	あさみ
志麻	しま
真麻	まあさ
麻央	まお
麻希	まき
麻那	まな
麻実	まみ
麻耶	まや
優麻	ゆま
莉麻	りま
麻衣可	まいか
麻緒美	まおみ
麻那香	まなか
麻里花	まりか
麻理恵	まりえ

埜 11

音訓 ヤ、の
名のり とお、なお、ぬ、ひろ

【意味】広くのびた大地。自然。素朴。

【ポイント】見た目はまったく違うが、実は「野」の異体字。「野」だと姓に見えてしまうときなどに重宝しそう。

秋埜	あきの
笑埜	えみの
香埜	かの
埜恵	のえ
宥埜	ひろの
鈴埜	りんの
埜々香	ののか
埜理花	のりか

椛 11

音訓 もみじ、かば
名のり なぎ

【意味】かえで。紅葉したかえで。かば。

【ポイント】「木＋花」で、木の葉が花のように色づくことをあらわした和製漢字。1字名の「椛（もみじ）」が印象的。

椛	もみじ
沙椛	さなぎ
知椛	ちなぎ
椛子	なぎこ
椛紗	なぎさ
羽椛	わかば
和椛	わかば

唯 11

音訓 ユイ、イ
名のり ただ、ゆ

【意味】ただ、それだけ。はい（返事）。

【ポイント】その意味から、「（自分たちにとって）特別な子」「かけがえのない存在」といったニュアンスを込められる字。同じ「ユイ」と「イ」の音を持ち、字形も似ている字に「惟」があるが、こちらは「よく考える」という意味。

【参考】●浅香唯（あさか・ゆい）…タレント。●高橋真唯（たかはし・まい）…タレント。●坪倉唯子（つぼくら・ゆいこ）…歌手。

唯	ゆい
碧唯	あおい
真唯	まい
美唯	みい
芽唯	めい
唯衣	ゆい
唯花	ゆいか
唯子	ゆいこ
唯菜	ゆいな
唯羽	ゆいは
唯帆	ゆいほ
唯梨	ゆいり
唯絵	ゆえ
唯乃	ゆの
唯真	ゆま
千唯楽	ちゆら
美唯名	みいな

悠 11

音訓 ユウ
名のり ちか、はるか、ひさ、ひさし、ゆ

【意味】遠い。はるか。ゆったりする。

【ポイント】ゆったりしていて、スケール感もある字。性別を問わず人気の字なので、性別がわかりやすい字と合わせたい。

悠	はるか
千悠	ちはる
悠風	はるか
悠南	はるな
悠乃	はるの
悠莉	ゆり
真悠加	まゆか
悠美香	ゆみか

徠 11

音訓 ライ、きた(る)、く(る)
名のり き、くる、こ

【意味】近づく。

【ポイント】「来」の旧字「來」の異体字。「来」「來」「徠」それぞれ意味や用法は同じだが、目新しさでは「徠」が断トツ。画数や字面のバランスを考えて選びたい。

徠未	くみ
徠海	くるみ、くみ
海徠	みく
美徠	みらい
徠夢	らいむ
倫徠	りんく
未由徠	みゆき

理 11

音訓 リ
名のり あや、さと、たか、まさ、みち、よし

【意味】宝石の模様のすじめ。物事のすじ道。道理。整理。

【ポイント】男の子にも多用されており、同じ「リ」の音を持つ「里」「莉」「梨」などとくらべると、クールで聡明な印象。

理実	さとみ
知理	ちさと
美理	みり
結理	ゆり
理子	りこ
理世	りせ
英理花	えりか
理々紗	りりさ

梨 11

音訓 リ、なし
名のり りん

【意味】バラ科の落葉樹になる実。ナシ。

【ポイント】人気の「リ」の音を持ち、果実の梨のかわいらしさとみずみずしいイメージで、女の子によく使われる字。バランスのいい字形で、どんな字とも相性がいい。しかし「松」や「森」など「木」を含んだ姓だと、ややうるさい印象になるので注意したい。

【参考】●花梨（かりん）…バラ科の落葉高木。●たかの友梨（たかの・ゆり）…美容家。●梨花（りんか）…タレント。●高橋真梨子（たかはし・まりこ）…歌手。●佐藤江梨子（さとう・えりこ）…タレント。

藍梨	あいり
絵梨	えり
花梨	かりん
千梨	ちり
美梨	みり
由梨	ゆり
梨杏	りあん
梨衣	りい
梨花	りか、りんか
梨子	りこ
梨楽	りら
衣梨亜	いりあ
早梨奈	さりな
真梨乃	まりの
芽亜梨	めあり
梨々夏	りりか

隆 11

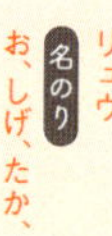

音訓 リュウ
名のり お、しげ、たか、とき、なが、もり

【意味】盛ん。たかい。豊か。

【ポイント】どちらかというと男の子のイメージが強い字なので、やわらかいイメージの女の子らしい字と組み合わせたい。

隆恵	たかえ
隆絵	たかえ
隆子	たかこ、りゅうこ
隆音	たかね
隆美	たかみ
美隆	みりゅう
隆花	りゅうか

琉 11

音訓 リュウ、ル
名のり ー

【意味】つるつるした玉石。紺青色の美しい宝石。

【ポイント】同じ「ル」の音を持つ「瑠」とほぼ同じ意味を持ち、美しいブルーと気品を感じさせる字。沖縄の別称である「琉球」の「琉」でもあり、南国の海のイメージも浮かぶ。男女ともに人気があり、女の子名では「ル」を用いることが多く、男の子名では、「リュウ」と「ル」の両方が使われている。

【参考】●琉球（りゅうきゅう）…現在の沖縄にあった王国の名。●琉璃（るり）…玉の名。紺青色の美しい宝石で七宝のひとつ。「瑠璃」とも書く。

愛琉	あいる
雫琉	しずる
巴琉	はる
琉亜	るあ
琉衣	るい
琉花	るか
琉香	るか
琉奈	るな
琉音	るね
琉海	るみ
琉璃	るり
久琉美	くるみ
羽琉佳	はるか
日香琉	ひかる
実久琉	みくる
琉璃江	るりえ
琉々加	るるか

涼 11

音訓 リョウ、すず(しい)
名のり あつ、すけ

【意味】すずしい。

【ポイント】さわやかで清涼感が感じられる字。「すず」の響きをいかすと、かわいらしい印象に。一方「リョウ」の響きをいかすと、クールで聡明な印象に。

涼	りょう
涼華	すずか
涼楓	すずか
涼音	すずね
涼実	すずみ
美涼	みすず
涼風	りょうか
涼子	りょうこ

菱 11

音訓 リョウ、ひし
名のり みち、ゆう

【意味】ひし。水草の一種。

【ポイント】「菱（ひし）」は、日本全国の池沼で見られる水草。やや詰まった字形なので、すっきりとした字形と組み合わせたい。

菱	りょう
菱乃	ひしの、りょうの
菱美	ひしみ
菱佳	りょうか
菱子	りょうこ

梁 11

音訓 リョウ、ロウ、はし、はり
名のり むね、やな、やね

【意味】はし。はり。屋根を支える材。

【ポイント】「架け橋」や「屋根を支える材」という意味から、「人と人をつなぐ」「人の役に立つ」といった願いを込められる。

梁花	はりか
梁乃	はりの
梁実	むねみ
梁佳	りょうか
梁禾	りょうか
梁子	りょうこ

羚 11

音訓 レイ、リョウ、かもしか
名のり ー

【意味】羊の仲間。

【ポイント】2004年に人名用漢字に追加された字で、ウシ科の哺乳類カモシカのこと。数ある「レイ」の音を持つ字のなかでも、独特の字形でインパクトがある。

羚	りょう、れい
未羚	みれい
羚子	りょうこ
羚衣	れい
羚香	れいか
羚奈	れいな
世羚乃	せれの

雲 12

音訓 ウン、くも
名のり も

【意味】くも。

【ポイント】「雲のように自由でおおらかに」などの意味づけができる。「雲音（もね）」のように、「も」の音をいかすと今風のキュートな名前に。

彩雲	あやも
生雲	いくも
雲雀	ひばり
広雲	ひろも
美雲	みくも
雲南	もな
雲々	もも
雲音	もね

瑛 12

音訓 エイ
名のり あき、あきら、え、てる

【意味】玉の光。水晶。

【ポイント】「英」は従来からの名づけの定番だが、「瑛」はここ数年でグッと使用例が増加。とくに男の子に人気のある字だが、意味は十分女の子向きで、「エイ」や「え」の音で使われている。ただし、男の子の人気漢字だけに、名前によっては性別を間違えられることも。女の子らしい字と組み合わせるのがベター。

【参考】●美瑛町（びえいちょう）…北海道にある町。●瀬川瑛子（せがわ・えいこ）…歌手。●尾崎千瑛（おざき・ちあき）…女優。

瑛菜	あきな
瑛帆	あきほ
瑛香	えいか
瑛子	えいこ
瑛実	えいみ
瑛麻	えま
瑛梨	えり
瑛莉	えり
紗瑛	さえ
珠瑛	たまえ
千瑛	ちあき
千瑛	ちえ
乃瑛	のえ
梨瑛	りえ
瑛美花	えみか
瑛里可	えりか
志瑛里	しえり

詠 12

音訓　エイ、よ(む)
名のり　うた、え、なが

【意味】うた。よむ。詩歌。

【ポイント】「雅で優雅なさま」「ゆったりとした時間の流れ」などをイメージ。「エイ」のほか、「え」に当てると、名前のバリエーションが広がる。

詠	うた
詠子	えいこ
詠奈	えいな、えな
詠美	えいみ、えみ
咲詠	さえ
詠美香	えみか

媛 12

音訓　エン、ひめ
名のり　―

【意味】きれいな女性。ひめ。

【ポイント】「姫」のかわいい幼女のイメージに対し、「媛」は優美で奥ゆかしい女性のイメージで、やや落ち着いた印象。

媛	ひめ
媛紗	ひさ
媛奈	ひな
媛加	ひめか
媛香	ひめか
媛子	ひめこ
媛名	ひめな
媛乃	ひめの

温 12

音訓　オン、あたた(かい)
名のり　あつ、なが、のどか、はる、まさ、よし

【意味】あたたかい。やさしい。

【ポイント】文字通り、「温和・温厚でやさしい人になるように」などの意味を込めて使いたい。「オン」の音をいかすと、より個性的な名前になる。

温	のどか
温美	あつみ
温世	あつよ
小温	こはる
温夏	はるか
温乃	はるの
美温	みおん
莉温	りおん

賀 12

音訓　ガ、カ
名のり　しげ、のり、ます、よし、より

【意味】よろこぶ。

【ポイント】「祝賀」「謹賀」「賀春」などの熟語があり、縁起のよい字。女の子の名前では「カ」の音をいかすと、名前のバリエーションが広がる。

賀子	かこ
賀音	かのん
賀代	かよ
美賀	みか
莉賀	りか
多賀子	たかこ
美千賀	みちか
由賀里	ゆかり

絵 12

音訓　カイ、エ
名のり　―

【意味】彩り描いたもの。え。

【ポイント】芸術的な印象に加え、やさしく、かわいらしいイメージ。字形のバランスもよく、女の子の名前によく使われる。「エ」の読みで先頭字、中間字、止め字と、使い方はさまざま。「人生というキャンバスに自分の絵を描けるように」などの思いを込めて。

【参考】●深津絵里（ふかつ・えり）…女優。●原沙知絵（はら・さちえ）…女優。●今井絵理子（いまい・えりこ）…歌手。●絵美里（えみり）…モデル。●枡田絵理奈（ますだ・えりな）…アナウンサー。

絵子	えこ
絵斗	えと
絵名	えな
絵麻	えま
絵稟	えりん
輝絵	きえ
時絵	ときえ
友絵	ともえ
未絵	みえ
萌絵	もえ
梨絵	りえ
絵里子	えりこ
絵莉奈	えりな
史絵留	しえる
乃絵留	のえる
真理絵	まりえ
由梨絵	ゆりえ

覚 12

音訓　カク、おぼ(える)、さ(ます)、さと(る)
名のり　あきら、さとし

【意味】おぼえる。さまざまな感覚がひとつにまとまる。さとる。

【ポイント】知性や聡明さを感じさせる字。まじめでかたい印象があるので、女の子らしい字と組み合わせるのがベター。

覚絵	さとえ
覚子	さとこ
覚乃	さとの
覚美	さとみ
千覚	ちさと
実覚	みさと
美覚	みさと
美覚代	みさよ

閑 12

音訓　カン、しずか
名のり　しず、のり、もり、やす、より

【意味】ひま。のんびりしている。しずか。

【ポイント】「ひま」の意味だと印象はよくないが、「あくせくすることなく、ゆったりしている」という意味の裏返しでもある。

閑	しずか
閑奈	かんな
閑依	しずえ
閑華	しずか
閑子	しずこ
閑羽	しずは
美閑	みかん、みのり

揮 12

音訓　キ
名のり　―

【意味】ふるう。まきちらす。

【ポイント】指揮者の「揮」。読みは少ないが、「キ」の音は、先頭字、中間字、止め字といろいろ使いやすい。

揮亜	きあ
揮衣	きい
咲揮	さき
美揮	みき
揮莉花	きりか
沙揮奈	さきな
万揮子	まきこ
由揮奈	ゆきな

幾

音訓 キ、いく
名のり おき、ちか、ちかし、のり、ふさ

【意味】いくつ。ほとんど。もう少しで。

【ポイント】一般的な字だが、名前での使用例は少なく、新鮮さがある。「キ」の音は、先頭字、中間字、止め字と使いがってがいい。

幾音	いくね
幾乃	いくの
幾未	いくみ
幾瑚	きこ
幾世	きせ
亜幾代	あきよ
斗幾子	ときこ
由幾乃	ゆきの

葵

音訓 キ、ギ、あおい
名のり あお、まもる

【意味】アオイ科の植物の総称。または、ウマノスズクサ科の多年草フタバアオイのこと。

【ポイント】タチアオイ（立葵）などのアオイ科の植物は、夏に大型の花を咲かせる優美な花。一方、ウマノスズクサ科のフタバアオイ（双葉葵）は、卵針形の葉が特徴的な多年草で、春に小さな花をつける。徳川家の紋所の「葵の御紋（三つ葉葵）」は、フタバアオイの葉を3枚組み合わせたもの。タチアオイのイメージなら華やかに、フタバアオイのイメージならおごそかなイメージになる。

【参考】●向日葵（ひまわり）…夏に咲くキク科の花。●手嶌葵（てしま・あおい）…歌手。

葵	あおい
葵生	あおい
葵衣	あおい
葵里	あおり
和葵	かずき
葵江	きえ
葵子	きこ
咲葵	さき
夏葵	なつき
真葵	まき
美葵	みき
水葵	みずき
結葵	ゆうき
由葵	ゆき
葵陽美	きよみ
向日葵	ひまわり
美砂葵	みさき

稀

音訓 キ、ケ、まれ
名のり —

【意味】まれ。めずらしい。まばらで少ない。

【ポイント】意味のよく似た同音の「希」が人気だが、最近はこの字も人気が出ている。「まれ」の音をいかすと新鮮な名前に。

逸稀	いつき
稀子	きこ
稀世	きせ
歩稀	ほまれ
麻稀	まき
稀玲	まれい
柚稀	ゆずき
稀美花	きみか

貴

音訓 キ、たっと（い）、とうと（い）
名のり たか、たけ、よし

【意味】地位が高い。とうとい。

【ポイント】直線の多いややかための字形なので、曲線のある字と組み合わせたほうが女の子らしい名前になる。男の子にも人気のある字。

貴姫	きき
咲貴	さき
貴子	たかこ
珠貴	たまき
貴梨子	きりこ
富貴花	ふきか
美貴江	みきえ
結貴乃	ゆきの

喜

音訓 キ、よろこ（ぶ）
名のり このむ、のぶ、はる、ひさ、ゆき、よし

【意味】よろこぶ。祝う。

【ポイント】「喜びに満ちた人生に」との願いが込められる。男女ともに先頭字、中間字、止め字と幅広く使用されている。

喜世	きよ
咲喜	さき
三喜	みよし
喜乃	よしの
喜美花	きみか
喜和子	きわこ
智早喜	ちさき
美由喜	みゆき

暁

音訓 ギョウ、あかつき
名のり あき、あきら、あけ、さとし、とき、とし

【意味】夜明け。さとる。

【ポイント】暗闇を切りひらく光が差し込む様子をイメージできる字。女の子では「あき」「あけ」の読みが一般的。

暁那	あきな
暁乃	あきの
暁楽	あきら
暁美	あけみ
暁音	さとね
千暁	ちあき
美暁	ちさと
美暁	みさと

琴

音訓 キン、こと
名のり —

【意味】こと。

【ポイント】日本で古くから使われてきた楽器で、和風のイメージ。また、人気の音楽に関連する字で、やさしくかわいらしい雰囲気もあるため、とくに女の子に人気の字。読みが少ないため、あまり応用はきかないが、この字が入っているだけで、雅で情緒のある名前になる。

【参考】●渋谷琴乃（しぶや・ことの）…女優。●秋田真琴（あきた・まこと）…女優。●小川麻琴（おがわ・まこと）…タレント。●青木琴美（あおき・ことみ）…漫画家。●吉田里琴（よしだ・りこ）…子役。

琴	こと
琴依	ことえ
琴歌	ことか
琴子	ことこ
琴音	ことね
琴祢	ことね
琴乃	ことの
琴羽	ことは
琴葉	ことは
琴美	ことみ
琴女	ことめ
琴世	ことよ
琴里	ことり
琴和	ことわ
真琴	まこと
心琴	みこと
美琴	みこと

喬 12

音訓 キョウ、ギョウ、たか(い)
名のり たかし、ただ

【意味】木などがすらりとしてたかい。

【ポイント】「橋」の字の木へんを取った字。木が高いという意味から、「のびのびとすこやかな成長」を願って。

希喬	ききょう
喬子	きょうこ、たかこ
喬恵	たかえ
喬保	たかほ
喬美	たかみ
喬世	たかよ

欽 12

音訓 キン、コン、つつし(む)
名のり まこと、よし

【意味】つつしむ。かしこまる。

【ポイント】「欽ちゃん」こと萩本欽一さんの名前でよく知られている。女の子の場合は、「キン」という響きは使いづらいので、名のりの「よし」を使うのがベター。

美欽	みよし
欽恵	よしえ
欽伽	よしか
欽乃	よしの
欽穂	よしほ
欽美	よしみ

景 12

音訓 ケイ
名のり あきら、かげ、ひろ

【意味】日光、光。光による生じるかげ。景色。大きい。めでたい。

【ポイント】「かげ」の読みと意味もあるが、本来は「光」の意味のほうが強く、暗さはない。

景花	けいか
景子	けいこ
景音	けいと
景奈	けいな
千景	ちかげ、ちひろ
美景	みかげ、みひろ

敬 12

音訓 ケイ、うやま(う)
名のり あき、たか、ひろ、よし

【意味】うやまう。慎。礼儀。

【ポイント】礼儀正しくまじめなイメージの字。「人を敬う心を忘れないように」などの願いを込めて。読みは「ケイ」「たか」が一般的。

敬佳	けいか
敬子	けいこ、たかこ
敬栄	たかえ
敬美	たかみ
敬代	たかよ
敬乃	よしの、あきの

惠 12

音訓 ケイ、エ、めぐ(む)
名のり あや、さと、めぐみ、めぐむ、やす、よし

【意味】めぐむ。ほどこす。かしこい。

【ポイント】「恵」の旧字で、「恵」とくらべると2画多い。全体のバランスや画数を考慮してどちらを使うかを考えたい。

惠	けい、めぐみ
惠奈	えな
惠実	えみ
惠果	けいか
惠奈	けいな
惠美	めぐみ
惠夢	めぐむ
惠里子	えりこ

結 12

音訓 ケツ、むす(ぶ)、ゆ(う)
名のり かた、ひとし、ゆい、ゆう

【意味】ゆう。むすぶ。約束する。

【ポイント】「ゆ」「ゆう」「ゆい」と、やわらかい響きが複数あり、従来から女の子には非常に人気が高い字のひとつ。以前は1字名の「結（ゆい）」が圧倒的な人気を誇ったが、最近は、1音の「ゆ」の読みを使い、「結菜（ゆな）」「愛結（あゆ）」など2字2音の名前でよく使われてる。ただ、読みの多さは、名前の読みを間違われやすいことの裏返しでもあり、その点は考慮しておきたい。「人と人とを結ぶ」「実を結ぶ」と意味もよく、最近は男の子の名前でも使用例が増えている。

【参考】●結子（けつし）…実を結ぶ。植物の実がなること。●竹内結子（たけうち・ゆうこ）…女優。●夏川結衣（なつかわ・ゆい）…女優。●新垣結衣（あらがき・ゆい）…女優。●鈴木結女（すずき・ゆめ）…歌手。●本田望結（ほんだ・みゆ）…子役。

愛結	あゆ
早結	さゆ
史結	しゆ
仁結	にゆ
陽結	ひゆ
富結	ふゆ
麻結	まゆ
万結	まゆ
美結	みゆ
萌結	もゆ
結愛	ゆあ
結依	ゆい
結李	ゆい
結亜	ゆいあ、ゆあ
結花	ゆうか、ゆいか
結子	ゆうこ、ゆいこ
結那	ゆうな
結恵	ゆえ
結華	ゆか
結希	ゆき
結菜	ゆな
結南	ゆな
結音	ゆのん
結麻	ゆま
結芽	ゆめ
梨結	りゆ
愛結佳	あゆか
亜結美	あゆみ
沙結里	さゆり
千結希	ちゆき
智結良	ちゆら
二結花	にゆか
風結希	ふゆき
真結佳	まゆか
万結那	まゆな
実結花	みゆか
未結希	みゆき
美結寿	みゆず
結依音	ゆいね
結希子	ゆきこ
結樹那	ゆきな
結紀乃	ゆきの
結希代	ゆきよ
結寿祈	ゆずき
結実子	ゆみこ
結芽里	ゆめり
結利香	ゆりか
結里菜	ゆりな

12

絢

音訓 ケン、あや
名のり じゅん、はる

【意味】鮮やかな色の模様。

【ポイント】「あや」の音でここ数年グンと使用例が増えている字。女の子名の定番になりすぎてしまった「綾」「彩」ほど女の子イメージは強くないので、男の子に使われることもある。また読みが少ないことから、本来の読みではないが、「旬」から「ジュン」と読むケースも増えている。

【参考】●絢爛（けんらん）…きらびやかで美しいさま。●絢香（あやか）…歌手。●大政絢（おおまさ・あや）…女優。●宮本絢子（みやもと・あやこ）…ラジオパーソナリティ。●小野絢子（おの・あやこ）…バレリーナ。

絢	あや
絢絵	あやえ
絢華	あやか
絢子	あやこ
絢瀬	あやせ
絢世	あやせ
絢奈	あやな
絢名	あやな
絢音	あやね
絢乃	あやの
絢埜	あやの
絢未	あやみ
絢芽	あやめ
絢弥	あやや
早絢	さあや
真絢	まあや
絢矢加	あやか

12

琥

音訓 コ、ク
名のり たま

【意味】虎の形を刻んだ割符。琥珀（こはく）は、宝石の一種。

【ポイント】字のなかに「虎」を含み、猛々しいイメージもあるので、女の子らしい字と組み合わせたい。

江琥	えこ
琥未	くみ
琥里	くり
琥白	こはく
琥珀	こはく
美琥	みく
里琥	りこ
琥々美	ここみ

12

湖

音訓 コ、みずうみ
名のり ひろし

【意味】みずうみ。

【ポイント】水のさわやかなイメージと透明感、また海とは違う穏やかで静かなイメージも。「コ」の響きは、先頭字、中間字、止め字といろいろ使える。

彩湖	あやこ
湖々	ここ
仁湖	にこ
真湖	まこ
莉湖	りこ
湖斗子	ことこ
湖乃花	このか
七々湖	ななこ

12

皓

音訓 コウ、ゴウ、ひか(る)、しろ(い)
名のり あき、てる、ひろ

【意味】月が明るく輝く。光る。白い。清い。

【ポイント】日が出て空がしらむさまをあらわした字で、「白く輝く」という意味から幻想的なイメージも。

皓香	あきか
皓乃	あきの、ひろの
茅皓	ちあき、ちひろ
皓夢	ひろむ
皓代	ひろよ
真皓	まひろ

12

滋

音訓 ジ
名のり し、しげ、しげる、ふさ、ます

【意味】増える。草木が生い茂る。

【ポイント】すこやかな成長や、いきいきとした人生を願って名づけられる。「ジ」の響きをいかすと、個性的な名前に。

杏滋	あんじ
滋乃	しげの
滋美	しげみ
滋琉	しげる
滋世	じせ
滋衣那	じいな
仁滋花	にじか
風滋乃	ふじの

12

詞

音訓 シ、ジ、ことば
名のり こと、なり、のり、ふみ

【意味】ことばや単語。

【ポイント】同音で意味も近い「詩」にくらべると、名前での使用例は少ないので新鮮。直線のみの字形なので、曲線や斜線のある字と組み合わせたい。

詞葉	ことは
詞緒	しお
詞織	しおり
詞穂	しほ
詞歌	のりか
真詞	まこと
美詞	みこと
詞央里	しおり

12

紫

音訓 シ、むらさき
名のり —

【意味】むらさき。草の名。

【ポイント】植物のムラサキは、白色の小花を咲かせる夏の花で、根が紫色。紫色は、古来より高貴な色とされ、名前においても上品かつおごそかなイメージ。

紫織	しおり
紫野	しの
紫帆	しほ
紫麻	しま
紫陽	しよう
筑紫	つくし
紫津花	しづか
紫奈乃	しなの

12

萩

音訓 シュウ、シュ、はぎ
名のり —

【意味】マメ科ハギ属の落葉低木。

【ポイント】秋の七草のひとつで、その可憐な花は『万葉集』にも数多く詠まれているほど、古くから日本人に愛されている。

萩香	しゅうか
萩子	しゅうこ
萩朱	しゅしゅ
萩里	しゅり
萩緒	はぎお
萩乃	はぎの、しゅの
美萩	みはぎ

順 12

音訓 ジュン
名のり すなお、なお、のり、まさ、より、ゆき

【意味】従う。順に沿って進む。

【ポイント】名のりをいかして、「美順（みゆき）」のようなユニークな使い方もできるが、なじみのない名のりを使う場合は、読みやすい字と組み合わせよう。

順乃	あやの
順子	じゅんこ、あやこ
順奈	じゅんな
順乃	じゅんの
美順	みゆき
順芭	ゆきは
順香	よりか

竣 12

音訓 シュン、お(わる)
名のり ―

【意味】両足ですっくと立つ。なし終える。

【ポイント】建設現場などで目にする、竣工（しゅんこう）の「竣」。「物事をしっかり成し遂げられる子に」などの思いを込めて。

竣佳	しゅんか
竣子	しゅんこ
竣奈	しゅんな
竣歩	しゅんほ
竣芽	しゅんめ

閏 12

音訓 ジュン、ニン、うるう
名のり うる

【意味】1年の日数や月数が通常より多いこと。

【ポイント】閏年（うるうどし）の「閏」。似た字形で同じ「ジュン」の音を持つ「潤」ほど使われていないので新鮮。

閏葉	うるは
閏実	うるみ
閏芽	うるめ
閏瑠	うるる
閏香	じゅんか
閏子	じゅんこ
閏名	じゅんな
閏李	じゅんり

晶 12

音訓 ショウ
名のり あき、あきら、てる、まさ

【意味】光。水晶。明らか。清い星。

【ポイント】3つの星が明るく光るさまをあらわした字で、意味は「澄みきって輝いている」。太陽ではなく星の光というところが情緒的。

晶絵	あきえ
晶奈	あきな
晶穂	あきほ
晶羅	あきら
晶子	しょうこ
千晶	ちあき
晶美	まさみ
晶代	まさよ

翔 12

音訓 ショウ、かけ(る)、と(ぶ)
名のり か、と

【意味】羽を大きく広げて飛び舞う。

【ポイント】男の子名で絶大な人気だが、希望に満ちた自由なイメージは、女の子名でも印象的。女性らしい字と組み合わせたい。

清翔	さやか
翔香	しょうか
翔子	しょうこ
翔羽	とわ
舞翔	まいか
美翔	みか
玲翔	れいか
実翔子	みかこ

湘 12

音訓 ショウ、ソウ
名のり ―

【意味】湘江（ショウコウ）。

【ポイント】「湘江」とは、中国の長江の支流のひとつだが、日本では、湘南のイメージが強い。本来の意味は関係なく、海や夏にちなんだ字として使用。

湘花	しょうか
湘香	しょうか
湘子	しょうこ、そうこ
湘乃	しょうの
湘穂	しょうほ
湘乃夏	そのか

尋 12

音訓 ジン、たず(ねる)
名のり ちか、つね、のり、ひつ、ひろ、みつ

【意味】たずねる。さがす。求める。両手を左右にのばした長さ。

【ポイント】その意味から、「探究心、好奇心旺盛な子に」などの意味を込めて使える字。また「尋」は、水深などをはかる長さの単位でもあり、1尋は6尺（＝約1・8m）。名前でも人気のある「千尋」「万尋」は、1尋の千倍、1万倍のことで非常に長い・深いことを意味している。

【参考】●井道千尋（いどう・ちひろ）女流棋士。●林田真尋（はやしだ・まひろ）…歌手。●千尋（ちひろ）…『千と千尋の神隠し』の主人公。

尋子	じんこ、ひろこ
千尋	ちひろ
知尋	ちひろ
尋絵	ひろえ
尋佳	ひろか
尋香	ひろか
尋世	ひろせ
尋南	ひろな
尋乃	ひろの
尋深	ひろみ
尋美	ひろみ
尋代	ひろよ
真尋	まひろ
麻尋	まひろ
万尋	まひろ
美尋	みひろ

森 12

音訓 シン、もり
名のり しげ、しげる

【意味】森林。盛ん。

【ポイント】「美森」など、「もり」の響きをいかすと、今風の新鮮な名前に。「木」が3つもあるので、組み合わせる字は、「木」がないものがベター。

森代	しげよ
森珠	しんじゅ
美森	みもり
森絵	もりえ
森花	もりか、しんか
森乃	もりの

12 須

音訓 ス
名のり まつ、もち

【意味】あごひげ。待つ。とどまる。

【ポイント】あまり意味は関係なく、「ス」に当てる字として使用されている。ほかに「ス」に当てられる字は、「素」「朱」「珠」など。

有須	ありす
杏須	あんず
須美	すみ
亜須香	あすか
亜須実	あすみ
愛梨須	ありす
香須美	かすみ
須実礼	すみれ

12 晴

音訓 セイ、は(れる)
名のり きよし、てる、なり、はる、はれ

【意味】はれる。好天気。気持ちがよい。はれがましい。

【ポイント】明るくおおらかで、すがすがしいイメージの字。人気の「はる」の読みを持ち、「晴香（はるか）」のように先頭字にも、「小晴（こはる）」のように止め字にも使用されている。また、「セイ」の読みをいかすと、「晴楽（せいら）」などの洋風の名前もつくれる。ただし、この字は、男の子のほうがより使用例が多いので、性別を間違えられないよう、女の子らしい字と組み合わせたい。

【参考】●石田晴香（いしだ・はるか）…タレント。●木南晴夏（きなみ・はるか）…女優。

小晴	こはる
心晴	こはる
晴亜	せいあ
晴香	せいか、はるか
千晴	ちはる
知晴	ちはる
晴歌	はるか
晴世	はるせ
晴奈	はるな、せいな
晴乃	はるの
晴日	はるひ
晴実	はるみ
晴萌	はるも
美晴	みはる
実晴	みはれ

12 惺

音訓 セイ、ショウ、さと(る)
名のり あきら、さとし、さとる、しずか

【意味】すっきりとわかる。心が澄み切って落ち着いている。

【ポイント】「心＋星」で、心が星のように美しく澄んでいることをあらわし、転じて「すっきりとわかる」の意味に。

希惺	きせ
惺実	さとみ
惺華	せいか
惺子	せいこ、しょうこ
惺良	せいら
惺奈	せな
美惺	みさと

12 善

音訓 ゼン、よ(い)
名のり さ、ただし、たる、よし

【意味】よい。好ましい。

【ポイント】「人として好ましい人に」など、ストレートによい意味を込められる字。横線の印象が強い字なので、曲線や斜線のある字と組み合わせたい。

善奈	ぜんな
美善	みよし
善佳	よしか
善子	よしこ
善音	よしね
善乃	よしの
善帆	よしほ

12 湊

音訓 ソウ、ス、みなと
名のり すすむ、み

【意味】船が集まる港。

【ポイント】人やものが集まるのが「湊」、湊が発展したのが「港」で、スケール感では「港」、風情では「湊」。「みなと」を縮めて「みな」を使うと、かわいい名前に。

湊	そう、みなと
湊南	そうな
湊楽	そら
湊瑚	みなこ
湊萌	みなも
湊代	みなよ
美湊乃	みその

12 創

音訓 ソウ、つく(る)
名のり はじむ、はじめ

【意味】傷をつける。はじめ。つくる。はじめてつくりだす。

【ポイント】創造性豊かで、個性的かつ開拓精神が感じられる字。クリエイティブで可能性をイメージさせる字。

創子	そうこ
創奈	そな
創美	つくみ
創乃子	そのこ
美創乃	みその

12 尊

音訓 ソン、たっと(い)、とうと(い)
名のり たか、たかし、たける

【意味】たっとぶ。崇高。うやまう。

【ポイント】「日本武尊（やまとたけるのみこと）」「ご本尊」など、神仏に対して使われる字で、上品かつおごそかなイメージ。

尊奈	そな
尊依	たかえ
尊絵	たかえ
尊子	たかこ
尊音	たかね
尊実	たかみ
尊世	たかよ
美尊良	みそら

12 達

音訓 タツ
名のり いたる、さと、と、とおる、みち

【意味】至る。通る。

【ポイント】羊がすらすらとお産することをあらわした字で、転じた意味は、総じて順調に進むこと。「やるべきことをきちんと達成できる人に」などと願って。

達絵	たつえ
達姫	たつき
達子	たつこ、さとこ
達乃	たつの
達美	たつみ、さとみ
達代	たつよ

智 12

音訓 チ、ちえ
名のり あきら、さと、さとる、とし、とも、のり、もと

【意味】ちえ。賢い。さとり。

【ポイント】知性を感じさせる字。男女ともに使用され、一般的な読みも「チ」「さと」「とも」と複数あるため、性別や読み方がまぎらわしくなることも。姓も複数読みできる場合は、なるべく読みやすい名前にしたい。また性別を間違われないよう女の子らしい字と組み合わせるのがベター。

【参考】●山口智子（やまぐち・ともこ）…女優。●吉瀬美智子（きちせ・みちこ）…女優。●国分佐智子（こくぶ・さちこ）…女優。●黒川智花（くろかわ・ともか）…女優。

智美	さとみ、ともみ
智織	ちおり
智紗	ちさ
千智	ちさと
智恵	ともえ
智夏	ともか
智花	ともか
智子	ともこ、さとこ
美智	みさと、みち
位智子	いちこ
智絵美	ちえみ
智早希	ちさき
仁智佳	にちか
実智子	みちこ

朝 12

音訓 チョウ、あさ
名のり あした、さ、とき、とも、はじめ

【意味】太陽が出てくるとき。

【ポイント】さわやかな朝の光を感じさせる字。「あさ」の読みのほか、「源頼朝（みなもとのよりとも）」から、「とも」も認知度が高い。

朝華	あさか
朝乃	あさの
朝陽	あさひ
朝美	あさみ
朝恵	ともえ
朝子	ともこ
朝音	ともね
麻朝	まあさ

椎 12

音訓 ツイ
名のり しい、つち

【意味】シイ（ブナ科の常緑高木）。つち（物を打つ道具）。

【ポイント】1字で「シイ」と読める字がないので、貴重。なお「シイ」は、初夏に黄色い小花をつけ、秋にドングリをつける。

椎伽	しいか
椎菜	しいな
椎奈	しいな
椎乃	しいの
椎音	しおん
椎央里	しおり

渡 12

音訓 ト、わた(る)
名のり ただ、わたり、わたる

【意味】（水を）わたる。

【ポイント】川や海を渡る意味から「自由」「前向き」「行動力」などポジティブなイメージ。「呼渡音（ことね）」など、「ト」の読みが使いやすい。

渡亜	とあ
渡萠	とも
美渡	みと
呼渡音	ことね
沙渡子	さとこ
渡希花	ときか
渡百花	ともか
実渡里	みどり

董 12

音訓 トウ、ツウ、ただ(す)
名のり しげ、まさ、よし

【意味】正しく管理すること。しんになる大切なもの。

【ポイント】「草かんむり十重」で、骨董（こっとう）の「董」。詰まった印象の字形なので、すっきりとした字と組み合わせたい。

董珂	とうか
董華	とうか
董子	とうこ
董江	まさえ
董代	まさよ
董香	よしか
董乃	よしの

登 12

音訓 トウ、ト、のぼ(る)
名のり たか、とも、なり、なる、のり、み

【意味】のぼる。

【ポイント】高みを目指して一歩一歩進んでいく前向きなイメージは、女の子名でも使える。安定した字形でどんな字とも合わせやすい。

登子	とうこ
登和	とわ
美登	みと
萌登	もと
早登美	さとみ
登萌佳	ともか
日登美	ひとみ
美登莉	みどり

道 12

音訓 ドウ、トウ、みち
名のり じ、ね、のり、まさ、ゆき、より、わたる

【意味】みち。筋道。治める。

【ポイント】一本筋の通った凛としたイメージのある字。「自分の道をしっかり歩んでほしい」「正しい道から外れないように」などの意味づけができる。

道絵	みちえ
道佳	みちか
道花	みちか
道子	みちこ、ゆきこ
道歩	みちほ
道世	みちよ
道琉	みちる

敦 12

音訓 トン、あつ(い)
名のり あつし、つとむ、つる、のぶ

【意味】安定している。重厚な。手あつい。

【ポイント】オーソドックスな字だが、「惇」や「厚」と同義で、名前向きのよい意味をもつ字。

敦絵	あつえ
敦花	あつか
敦子	あつこ、のぶこ
敦葉	あつは
敦美	あつみ
敦代	のぶよ
美敦	みのぶ

琶 12

音訓 ハ
名のり わ

【意味】琵琶（びわ）は、弦楽器の名前。

【ポイント】和のイメージと、人気の音楽のイメージがある。「葉」や「和」などに代わって、「ハ」または「わ」に当てて使える。

名前	読み
乃琶	のわ
琶奈	はな
深琶	みわ
悠琶	ゆうわ、ゆわ
琶香	わか
琶南子	はなこ
琶瑠禾	はるか

博 12

音訓 ハク、バク
名のり はか、ひろ、ひろし、ひろむ

【意味】大きく、ひろがった様子。

【ポイント】知性とふところの大きさを感じさせる字。角張った字形のため、やわらかい雰囲気の字と組み合わせたほうが女の子らしい名前になる。

名前	読み
博江	ひろえ
博香	ひろか
博子	ひろこ
博乃	ひろの
博実	ひろみ
美博	みひろ

斐 12

音訓 ヒ、ハイ、あや
名のり あきら、い、なが、よし

【意味】模様や飾りが美しい。左右反対になった模様。

【ポイント】人気の「あや」の読みを持つ、意味的にも女の子向きの字。定番の「彩」や「綾」に代わって使うと新鮮。

名前	読み
斐	あや
斐花	あやか
斐乃	あやの
沙斐	さあや
斐織	ひおり
千斐呂	ちひろ
斐香里	ひかり
斐奈子	ひなこ

琵 12

音訓 ビ、ヒ
名のり —

【意味】琵琶は、弦楽器の名前。

【ポイント】意味をあまり主張しない字なので、響き重視の万葉仮名風の名づけで重宝。とくに「ビ」の音は洋風の響きの名前に重宝しそう。和のイメージもある。

名前	読み
陽琵	はるひ
琵杏	びあん
琵翠	ひすい
琵奈	ひな
琵依	ひより
琵香琉	ひかる
琵芽乃	ひめの
留琵衣	るびい

普 12

音訓 フ
名のり かた、ひろ、ひろし、ゆき

【意味】広く行き渡ること。

【ポイント】普通の「普」でもあるため、好みは分かれるが、漢字の意味から、「多くの人に知ってもらうように」などの意味づけはできる。

名前	読み
普絵	ひろえ
普佳	ひろか
普子	ひろこ
普美	ふみ
普乃	ふの
麻普	まひろ
普玖美	ふくみ
普美代	ふみよ

富 12

音訓 フ、フウ、とみ、と(む)
名のり あつ、さかえ、と、とよ、ひさ、ふく、よし

【意味】財産が多くなること。ゆたか。

【ポイント】「財産をなしてほしい」というストレートな願いのほか、「心の豊かさ」や「充実した豊かな人生」を願って。

名前	読み
依富	いとみ
紗富	さとみ
富緒	とみお
妃富	ひとみ
富羽	ふうわ
富紗	ふさ
富美	ふみ
富楽	ふら

葡 12

音訓 ブ、ホ
名のり —

【意味】葡萄は果樹の名。

【ポイント】2004年に人名用漢字に追加され、まだ使用例が少ないぶん新鮮。かわいい響きの名前なら、「ホ」の音をいかしたい。

名前	読み
衣葡	いぶ
果葡	かほ
佐葡	さほ
志葡	しほ
葡波	ほなみ
良葡	らぶ
梨葡	りほ
美葡子	みほこ

萬 12

音訓 マン、バン
名のり かず、かつ、たか、つむ、ま、よろず

【意味】数字の万。数の多いこと。すべて。

【ポイント】「万」の旧字。「萬」は視覚的なインパクトがあるので、あまり主張の強くない、すっきりした字と組み合わせたい。

名前	読み
絵萬	えま
萬衣	まい
萬央	まお
萬希	まき
萬葉	まよ
莉萬	りま
衣萬里	いまり
萬知佳	まちか

満 12

音訓 マン、み(ちる)
名のり ま、ます、みち、みつ、みつる

【意味】みちる。いっぱい。豊か。

【ポイント】「満足」の「満」であり、豊かで満ち足りたイメージ。子どもの幸せを願うよい意味を込められる。

名前	読み
満那	まな
満美	まみ
満恵	みつえ
満月	みつき
満代	みつよ
満朱実	ますみ
満悠子	まゆこ
由満乃	ゆまの

愉 12

音訓 ユ
名のり ー

【意味】たのしい。

【ポイント】愉快の「愉」。明るく楽しいイメージで、遊び心も感じられる。読みは「ユ」しかないが、「ユ」の響きはいろいろ応用しやすい。楽しい人生を願って。

- 麻愉 まゆ
- 心愉 みゆ
- 愉香 ゆか
- 愉奈 ゆな
- 愉里 ゆり
- 愛愉子 あゆこ
- 千愉莉 ちゆり
- 愉希乃 ゆきの

裕 12

音訓 ユウ
名のり ひろ、ひろし、まさ、みち、やす、ゆたか、ゆ

【意味】ゆたか。ゆとり。寛大。

【ポイント】男女に使われている字。また、「ユウ」「ゆ」「ひろ」とポピュラーな読みが多いので、名前によっては読み方や性別がまぎらわしくなることもある。

- 裕華 ひろか
- 裕寧 ひろね
- 美裕 みゆう、みひろ
- 裕里 ゆうり
- 裕希 ゆき
- 紗裕里 さゆり
- 裕里奈 ゆりな

遊 12

音訓 ユウ、ユ、あそ(ぶ)
名のり なが、ゆき

【意味】あそぶ。変わる。よそに出る。

【ポイント】明るく楽しくのびのびした印象を与える字。名前では使用例が少なく新鮮さがあるが、名前には不向きと考える人も。

- 詩遊 しゆ
- 真遊 まゆ
- 遊衣 ゆい
- 遊未 ゆうみ
- 遊楽 ゆうら
- 亜遊奈 あゆな
- 沙遊里 さゆり
- 遊羽香 ゆうか

釉 12

音訓 ユウ、ユ、うわぐすり
名のり つや

【意味】陶磁器の表面に塗ってつやを出す薬。

【ポイント】人気の「ユ」「ユウ」の読みを持つ。芸術にちなんだ字であり、「輝く人生に」などの願いも込められる。

- 釉子 つやこ
- 釉亜 ゆあ
- 釉菜 ゆうな
- 釉羽 ゆうは
- 釉希 ゆき
- 釉寿 ゆず
- 里釉 りゆ
- 美釉名 みゆな

湧 12

音訓 ユウ、ヨウ、わ(く)
名のり わか、わき、わく

【意味】次から次へとわいてくる。盛ん。

【ポイント】同じく「ユウ」の音を持つ「勇」は男性的だが、「湧」は、女の子名にも比較的使いやすい。

- 湧花 ゆうか
- 湧香 ゆうか
- 湧子 ゆうこ、ようこ
- 湧芽 ゆめ
- 湧奈 わかな
- 湧美 わくみ
- 実湧希 みゆき

葉 12

音訓 ヨウ、は
名のり くに、すえ、たに、のぶ、ば、ふさ、よ

【意味】は。時代。薄くて小さい。

【ポイント】最近人気の「ハ」の音に当てる字として、「羽」とともによく使われている。「葉」は、太陽の光をさんさんと浴びる葉や、新緑の緑を連想し、明るくさわやかな印象。

【参考】●葉月（はづき）…陰暦8月の異名。●照葉（てりは）…草木の葉が紅葉して、青空のもと美しく照り輝くこと。●青葉（あおば）…生え青々とした草木の葉。●若葉（わかば）…生えて間もない葉。●玉葉（ぎょくよう）…美しい葉。●常葉（とこは）…常緑の葉。●陽葉（ようよう）…日光を浴びて成長した葉。●万葉（まんよう）…多くの草木の葉。万世。●樋口一葉（ひぐち・いちよう）…作家。●三津谷葉子（みつや・ようこ）…女優。●渡辺葉（わたなべ・よう）…エッセイスト。●乙葉（おとは）…タレント。●森葉子（もり・ようこ）…アナウンサー。

- 蒼葉 あおば
- 明葉 あきは
- 彩葉 あやは、いろは
- 歩葉 あゆは
- 絵葉 えば
- 乙葉 おとは
- 風葉 かざは
- 一葉 かずは
- 叶葉 かなは、かのは
- 心葉 ここは
- 琴葉 ことは
- 采葉 ことは
- 紗葉 さよ
- 寧葉 しずは
- 月葉 つきは

- 照葉 てるは
- 朋葉 ともは
- 夏葉 なつは
- 七葉 ななは
- 成葉 なりは
- 葉純 はすみ
- 葉月 はづき
- 葉摘 はつみ
- 葉奈 はな
- 葉乃 はの
- 葉音 はのん
- 葉琉 はる
- 双葉 ふたば
- 舞葉 まいは
- 真葉 まは
- 紅葉 もみじ、くれは

- 桃葉 ももは
- 唯葉 ゆいは
- 柚葉 ゆずは
- 葉子 ようこ
- 里葉 りよ
- 若葉 わかば
- 明日葉 あすは
- この葉 このは
- 千葉琉 ちはる
- 菜々葉 ななは
- 乃々葉 ののは
- 葉津実 はつみ
- 葉乃亜 はのあ
- 葉留加 はるか
- 美葉夏 みよか
- 日葉里 ひより
- 由希葉 ゆきは

揚 12

音訓 ヨウ、あ(がる)
名のり あき、あげ、たか、のぶ

【意味】高く持ち上げる。あがる。

【ポイント】字源は、太陽が高く上がるさまをあらわしたもので、漢字の成り立ちも名前向き。使用頻度が少ないので、「陽」や「遥」などに代わって使うと新鮮。

揚帆	あきほ
揚葉	あげは、あきは
揚羽	あげは
揚花	ようか
揚南	よな
夏揚子	かよこ
沙揚里	さより

遥 12

音訓 ヨウ、はるか
名のり すみ、とお、のぶ、のり、はる、みち

【意味】はるか。遠い。

【ポイント】のびやかさとスケール感のある字。人気は1字名の「遥（はるか）」だが、「遥香」のように1字足して「はるか」と読ませる名前も多い。画数調整が必要なときや、もうひと工夫ほしいときは、二点しんにょうで2画多い旧字の「遙」も使える。

【参考】●井川遥（いがわ・はるか）…女優。●仲川遥香（なかがわ・はるか）…タレント。●清川遥加（きよかわ・はるか）…タレント。●末永遥（すえなが・はるか）…タレント。

遥	はるか
遥亜	はるあ
遥可	はるか
遥香	はるか
遥沙	はるさ
遥世	はるせ
遥奈	はるな
遥南	はるな
遥乃	はるの
遥陽	はるひ
遥海	はるみ
遥未	はるみ
遥萌	はるも
心遥	みはる
美遥	みはる
遥子	ようこ、はるこ

陽 12

音訓 ヨウ、ひ
名のり あき、あさ、お、おき、きよ、きよし、たか、なか、はる、みなみ、や

【意味】太陽。日光。

【ポイント】文字通り、おひさまのような明るい人柄をイメージさせ、男女問わず人気のある字。「太陽のように心のあたたかい子に」「いつも明るく太陽のような笑顔を持つ子に」など、ポジティブな意味づけもしやすい。「ヨウ」「ひ」「はる」など、読みの種類も豊富で、応用がきくのも、人気の理由。

【参考】●一陽来復（いちようらいふく）…よい時期がくること。●陽月（ようげつ）…陰暦の10月のこと。●重陽（ちょうよう）…五節句のひとつ。陰暦9月9日のこと。旧暦では菊が咲く季節であることから、菊の節句とも呼ばれる。●紫陽花（あじさい）…おもに梅雨の時期に淡青色から淡紫紅などの花を咲かせる。●田中陽子（たなか・ようこ）…サッカー選手。●南野陽子（みなみの・ようこ）…女優。●小嶋陽菜（こじま・はるな）…タレント。●片山陽加（かたやま・はるか）…タレント。

陽	はる
朝陽	あさひ
小陽	こはる
千陽	ちはる
夏陽	なつひ
七陽	ななひ
陽亜	はるあ
陽笑	はるえ
陽夏	はるか
陽歌	はるか
陽花	はるか
陽希	はるき
陽紗	はるさ
陽乃	はるの、ひの
春陽	はるひ
陽日	はるひ
陽海	はるみ
陽美	はるみ
陽世	はるよ
陽彩	ひいろ
陽緒	ひお
陽織	ひおり
陽咲	ひさき
陽月	ひづき
陽奈	ひな、はるな
陽南	ひな、はるな
陽向	ひなた
陽葉	ひよ
陽依	ひより
陽路	ひろ
陽和	ひわ
冬陽	ふゆひ
美陽	みよう、みはる
百陽	ももひ
優陽	ゆうひ
悠陽	ゆうひ
陽子	ようこ
莉陽	りよ
季陽子	きよこ
千陽子	ちよこ
陽衣那	ひいな
陽央乃	ひおの
陽彩子	ひさこ
陽菜子	ひなこ
陽奈多	ひなた
陽万梨	ひまり
陽良里	ひらり

椋 12

音訓 リョウ、ロウ、むく
名のり くら

【意味】ムク。ニレ科の落葉高木。

【ポイント】成長が早く、大きく成長するムクの木。そんなムクのように、「人として大きく育ってほしい」などの意味づけができる。

椋	むく、りょう
椋果	りょうか
椋子	りょうこ
椋帆	りょうほ

琳 12

音訓 リン
名のり ー

【意味】清んだ玉。玉が触れ合って鳴る澄んだ音の形容。

【ポイント】人気の「リン」の音を持ち、意味もよい。「リン」の読みでは「凜」「鈴」が人気だが、この字を使うとまた違った印象に。

絵琳	えりん
果琳	かりん
真琳	まりん
由琳	ゆりん
琳佳	りんか
琳花	りんか
琳胡	りんこ
琳菜	りんな

愛 13

音訓 アイ
名のり あ、え、さね、ちか、なり、なる、のり、まな、まなみ、めぐみ、めぐむ、よし、より

【意味】いつくしむ。めぐむ。

【ポイント】女の子の名前では、常にトップクラスの人気で、1980年代から人気をキープしている。また女の子の名前には、「周囲の人に愛されるように」「愛情深くやさしい子に」といった思いを託したいパパ・ママも多く、その思いをストレートに表現できる1字でもある。「アイ」の読みでさまざまな止め字と組み合わせるのが定番の使い方だが、今では「あい」を縮めた「あ」の読みも一般化し、名前のバリエーションは非常に豊富。先頭字、中間字、止め字とさまざまに使える。

【参考】●福原愛（ふくはら・あい）…卓球選手。●上村愛子（うえむら・あいこ）…モーグル選手。●平松愛理（ひらまつ・えり）…歌手。●大塚愛（おおつか・あい）…歌手。●皆藤愛子（かいとう・あいこ）…キャスター。●平愛梨（たいら・えり）…タレント。●多田愛佳（おおた・あいか）…タレント。●芦田愛菜（あしだ・まな）…子役。

愛	あい、めぐみ
愛佳	あいか
愛子	あいこ、ちかこ
愛咲	あいさ
愛奈	あいな
愛南	あいな
愛寧	あいね
愛美	あいみ、まなみ
愛莉	あいり、えり
愛璃	あいり
愛瑠	あいる
愛姫	あき
愛実	えみ
愛琉	える
心愛	ここあ
紗愛	さえ
都愛	とあ
乃愛	のあ
舞愛	まいあ
愛加	まなか
愛穂	まなほ
美愛	みあ
萌愛	もあ
優愛	ゆうあ、ゆあ
璃愛	りあ
莉愛	りえ
愛衣美	あいみ
愛花莉	あかり
愛夏羽	あげは
愛寿沙	あずさ
愛実香	あみか
愛美咲	あみさ
愛由希	あゆき
愛悠美	あゆみ
愛里沙	ありさ
依莉愛	いりあ
愛美梨	えみり
愛未瑠	えみる
希愛子	きえこ
紗里愛	さりあ
樹里愛	じゅりあ
千愛祈	ちあき
羽乃愛	はのあ
真愛子	まあこ
芽愛里	めあり
百合愛	ゆりあ

意 13

音訓 イ
名のり お、おき、のり、むね、もと、よし

【意味】こころ。気持ち。思う。

【ポイント】人気の「心」を含む字形で、意味もよいが、ややかための印象。女の子らしい字と組み合わせれば、やさしさと思慮深さを感じられる名前に。

意緒	いお
意代	いよ
茉意	まい
芽意	めい
瑠意	るい
意央南	いおな
美意奈	みいな
結意花	ゆいか

園 13

音訓 エン、オン、その
名のり —

【意味】囲んだ庭。別荘。

【ポイント】字の意味や、「その」の響きは、女の子向きの字。最近は、「オン」の響きをいかした名前も多い。旧字の「薗」も使える。

園那	えんな、えな
華園	かえん
園依	そのえ
園華	そのか
美園	みその、みおん
莉園	りおん

遠 13

音訓 エン、オン、とお(い)
名のり とおし

【意味】距離や時間が離れていること。

【ポイント】「永遠（とわ）」や「久遠（くおん。永遠の漢語的表現）」などの熟語を、そのまま名前にするケースも多い。

遠花	えんか
遠奈	えんな
遠李	えんり
久遠	くおん
詩遠	しおん
珠遠	しゅおん
永遠	とわ
永遠子	とわこ

雅 13

音訓 ガ
名のり つね、のり、まさ、まさし、みやび、もと

【意味】みやび。風流。美しい。

【ポイント】由緒正しく優雅で、和の雰囲気を持つ字。従来は男女とも「まさ」の読みが多かったが、最近の女の子名では、1字名の「雅（みやび）」が人気。

雅	みやび
雅衣	まさえ
雅姫	まさき
雅子	まさこ
雅奈	まさな
雅世	まさよ
雅美	みやび、まさみ

楽 13

音訓 ガク、ラク、たの(しい)
名のり ささ、たのし、もと、よし、ら

【意味】音楽。たのしむ。心がうきうきする。たやすい。

【ポイント】最近は、「まじめさ」よりも、「明るさ」や「おおらかさ」を重視した名前が人気で、この字も使用例が増えてきている。

煌楽	きらら
咲楽	さくら
紗楽	さら
星楽	せいら
美楽	みら
由楽	ゆら
楽夢	らむ
楽々	らら

13 寛

音訓 カン
名のり とも、のり、ひろ、ひろし、ゆたか、よし

【意味】ゆったりしている。気が大きい。

【ポイント】「おおらかな子に」などの願いが込められる字。「寛奈（かんな）」など、「カン」の響きをいかすと今風に。

寛菜	かんな
千寛	ちひろ
寛華	ひろか
寛子	ひろこ
寛音	ひろね
寛乃	ひろの
寛代	ひろよ
美寛	みひろ

13 幹

音訓 カン、みき
名のり き、とも、まさ、み、もと、もとき、よし

【意味】樹木のみき。物事の主要な部分。本筋。能力。

【ポイント】芯の強さを感じさせる字。「自分の主要な部分＝芯のある人に」などの思いを込めて。

幹奈	かんな
美幹	みかん
幹花	みか
幹子	みきこ
幹世	みきせ
幹代	みきよ
幹香	もとか
幹葉	もとは

13 義

音訓 ギ
名のり あき、しげ、ちか、とも、のり、みち、よし、より

【意味】筋道。公共のために尽くす。

【ポイント】とくに「人としての筋道」を意味する字。女の子は「よし」の読みが定番だが、「南義子（なぎこ）」のような使い方も。

美義	みよし、みより
義佳	よしか
義乃	よしの
義江	よりえ
南義子	なぎこ

13 暉

音訓 キ、かがや（く）
名のり あき、あきら、てらす、てる

【意味】四方に広がるひかり。

【ポイント】「希」「貴」など、「キ」の音の定番はたくさんあるが、この字は使用例が少ないので新鮮。「輝」と同義で、意味もよい。

暉乃	あきの、きの
暉子	きこ
暉帆	きほ
美暉	みき
暉楽里	きらり
万暉子	まきこ
由暉奈	ゆきな

13 継

音訓 ケイ、つ（ぐ）、まま
名のり つぎ、つぐ、つね

【意味】切れた糸をつなぐ。あとをつぐ。

【ポイント】長男など跡継ぎの子にかかわらず、「その家の伝統や教えを継ぐ」「人と人とをつなぐ」などの意味で使用しても。

継果	けいか
継子	けいこ、つぐこ
継都	けいと
継乃	つぎの
継葉	つぐは
継美	つぐみ
継夢	つぐむ

13 詣

音訓 ケイ、もう（でる）
名のり ゆき

【意味】おとずれる。知識が深まること。

【ポイント】「初詣」でなじみはあるが、名前例は少なく、新鮮。女の子名では、「ゆき」の響きが活用できそう。

詣子	けいこ、ゆきこ
詣奈	けいな
美詣	みゆき
詣亜	ゆきあ
詣恵	ゆきえ
詣菜	ゆきな
詣穂	ゆきほ

13 絹

音訓 ケン、きぬ
名のり まさ

【意味】蚕の繭からとった繊維。絹。

【ポイント】絹織物の美しさや上品さ、しなやかさに加え、和の雰囲気。「きぬ」の古風な響きは、今の時代に逆に新鮮。

絹	きぬ
絹恵	きぬえ
絹香	きぬか
絹華	きぬか
絹風	きぬか
絹子	きぬこ
絹美	きぬみ
絹世	きぬよ

13 瑚

音訓 コ、ゴ
名のり ―

【意味】赤い玉。サンゴ。

【ポイント】七宝のひとつとされる「珊瑚（さんご）」の「瑚」。「コ」の読みをいかして、「亜瑚（あこ）」「真瑚（まこ）」のように、「子」の代わりに止め字として使用するケースが増えている。読みは少ないが、字の印象がよく、先頭字、中間字でも使用でき、バリエーションはつくりやすい。ただし画数の多い字と組み合わせると全体に重たい印象になるので注意したい。

【参考】●珊瑚（さんご）…さんご虫の石灰質の骨格が集積して、樹枝状または塊状をなしたもの。装飾品の材料として使われる。

亜瑚	あこ
花瑚	かこ
希瑚	きこ
京瑚	きょうこ
瑚々	ここ
瑚子	ここ
瑚都	こと
瑚晴	こはる
瑚桃	こもも
瑚雪	こゆき
瑚凛	こりん
珊瑚	さんご
真瑚	まこ
里瑚	りこ
瑚々乃	ここの
瑚乃葉	このは
美瑚斗	みこと

鼓 13

音訓 コ、つづみ
名のり ー

【意味】つづみ。

【ポイント】「コ」の読みの字のなかでも、落ち着いた和のイメージ。太鼓の勇ましいイメージもあるので、女の子らしい字と組み合わせたい。

鼓	つづみ
佳鼓	かこ
鼓々	ここ
彩鼓	さこ
真鼓	まこ
美鼓	みこ
和鼓	わこ
鼓々音	ここね

滉 13

音訓 コウ
名のり ひろ、ひろし

【意味】水が深く広い。

【ポイント】漢字の意味から、「深く澄んだ心を持つように」「心の広い人に」などの意味づけもできる。なお、似ている「晃」は、光が四方に輝くという意味。

滉海	こうみ
滉女	こうめ
滉恵	ひろえ
滉華	ひろか
滉子	ひろこ、こうこ
滉奈	ひろな
美滉	みひろ

煌 13

音訓 コウ、オウ、かがや(く)、きら(めく)
名のり あき、あけ、てる

【意味】光が広がる様子。

【ポイント】2004年に人名用漢字に追加された漢字。「煌里(きらり)」のように、1字で「きら」と読める貴重な字で、意味もよく、人気がある。

煌花	おうか
煌奈	きらな、あきな
煌楽	きらら
煌里	きらり
煌子	こうこ
煌美	こうみ
千煌	ちあき

幌 13

音訓 コウ、ほろ
名のり あきら

【意味】ほろ(雨風をしのぐおおい)。とばり。

【ポイント】「札幌(さっぽろ)」の「幌」。「真幌(まほろ)」のように、「ほろ」のやわらかい響きをいかした名づけができる。

幌子	こうこ
幌音	こうね
幌美	こうみ
幌芽	こうめ
真幌	まほろ
美幌	みほろ

嗣 13

音訓 シ
名のり さね、つぎ、つぐ、ひで

【意味】あとをつぐ。

【ポイント】長男の名前に使われることが多いが、意味を広く解釈して、「家の教えをつぐ」「先人の伝統や文化を大切にする」といった意味づけもできる。

嗣央	しお
嗣乃	しの
嗣麻	しま
嗣美	つぐみ
嗣芽	つぐめ
嗣代	つぐよ

慈 13

音訓 ジ、いつく(しむ)
名のり しげ、しげる、ちか、なり、やす、よし

【意味】いつくしむ。愛情が深い。

【ポイント】人気の「心」が入った字で、字の意味がよく、字形も独特の美しさがある。「ちか」の読みをいかすと、キュートな響きの名前に。

杏慈	あんじ
慈子	しげこ、ちかこ
慈美	しげみ
慈愛	ちかえ
慈歩	ちかほ
麻慈	まちか
里慈	りちか

詩 13

音訓 シ、うた
名のり ー

【意味】うた。し。

【ポイント】似た意味を持つ「詞」が文字のみの文学性をイメージするのに対し、「詩」には音楽のイメージとやさしい雰囲気があり、とくに女の子に人気の字。美しくバランスのよい字形だが、やや横線のイメージが強いので、合わせる字は縦線や斜線が目立つほうがベター。

【参考】●いなだ詩穂(いなだ・しほ)…漫画家。●佐藤詩子(さとう・うたこ)…女優。●玉井詩織(たまい・しおり)…タレント。

詩	うた
詩葉	うたは
詩美	うたみ
詩緒	しお
詩織	しおり
詩音	しおん
詩鶴	しづる
詩乃	しの、うたの
詩歩	しほ
詩穂	しほ
詩麻	しま
詩優	しゆ
詩央里	しおり
詩珠花	しずか
詩由里	しゆり
星詩留	せしる

蒔 13

音訓 ジ、シ、まく
名のり まき

【意味】種をまく。植える。

【ポイント】名前向きの意味を持つ字で、女の子の名前では、「まき」「シ」の音をいかして使われる。なお、「蒔絵(まきえ)」とは、日本独特の漆工芸のこと。

蒔	まき
蒔恵	しえ
蒔絵	まきえ
蒔子	まきこ
蒔奈	まきな
蒔乃	まきの、しの
蒔穂	まきほ

準 13

音訓 ジュン
名のり とし、のり、ならう、ひとし

【意味】水平さをはかる道具。たいら。

【ポイント】字の意味から、「公平さ」「穏やかさ」などをイメージした名づけができる。

準佳	じゅんか
準子	じゅんこ
準奈	じゅんな
準那	じゅんな
準寧	じゅんね
準乃	じゅんの
準歩	じゅんほ
準里	じゅんり

詢 13

音訓 シュン、ジュン、と(う)、はか(る)
名のり まこと

【意味】質問する。相談する。

【ポイント】「みんなのところを回って相談する・たずねる」という意味があり、協調性や建設的な姿勢を名前に込めることができる。

詢亜	じゅんあ
詢香	しゅんか
詢瑚	じゅんこ
詢子	じゅんこ
詢南	しゅんな
詢埜	じゅんの
詢穂	しゅんほ
詢音	じゅんり

照 13

音訓 ショウ、て(る)
名のり あき、あきら、てら、てり、てる、とし、みつ

【意味】てる。すみずみまで光をてらす。輝く。

【ポイント】「太陽のように、明るくあたたかく周囲を照らす子に」などの願いを込めて。

照香	あきか
照菜	あきな
照子	しょうこ
千照	ちあき
照葉	てるは
照世	てるよ
照乃	てるの
照美	てるみ

慎 13

音訓 シン、つつし(む)
名のり ちか、のり、まこと、みつ、よし

【意味】つつしむ。十分に気を配る。

【ポイント】性別に関係なく名前向きの意味を持つが、男の子名での使用例が多いため、女の子に使うと新鮮。

慎子	しんこ、ちかこ
慎祢	ちかね
慎美	ちかみ
慎絵	のりえ
実慎	みちか
慎乃	よしの
慎保	よしほ

新 13

音訓 シン、にい、あたら(しい)、あら(た)
名のり あらた、ちか、よし、わか

【意味】新しい。はじめて。

【ポイント】新しいことへチャレンジする開拓精神とともに、フレッシュさを感じさせる字。「にい」の読みをいかすと、キュートな響きの名前に。

新	あらた
沙新	さあら
新菜	にいな
新奈	にいな
新乃	にいの
新穂	にいほ
新萌	にいも
美新	みちか

瑞 13

音訓 ズイ、スイ、しるし、みず
名のり ず、たま

【意味】領土などを与えたしるしとする玉。めでたい。みずみずしい。

【ポイント】縁起のよさに加え、透明感や清涼感もある字。男女ともに人気の字。

瑞美	たまみ
瑞恵	みずえ、たまえ
瑞季	みずき
瑞姫	みずき
瑞帆	みずほ
瑞穂	みずほ
瑞萌	みずも

嵩 13

音訓 スウ、シュウ、かさ、かさ(む)
名のり たか、たかし、たけ

【意味】たかい。山がたかくそびえている様子。

【ポイント】「崇」と同じく、高くそびえる山をあらわした字。やわらかい雰囲気の字と組み合わせて、女の子らしさを出したい。

嵩子	しゅうこ、たかこ
嵩那	しゅうな
嵩寧	たかね
嵩実	たかみ
嵩代	たかよ

靖 13

音訓 セイ、ジョウ、やす(い)
名のり きよし、しず、のぶ、やすし

【意味】やすらか。

【ポイント】対義語は「乱」で、類義語は「静」や「鎮」。穏やかで平和的なイメージの字。同じ「やす」の読みがある「泰」も、似たような意味を持つ。

靖亜	せいあ
靖華	せいか
靖子	せいこ、やすこ
靖江	やすえ
靖奈	やすな
靖葉	やすは
靖世	やすよ

聖 13

音訓 セイ、ひじり
名のり あきら、きよ、さと、とし、まさ、せ

【意味】賢く、徳の高い人。おごそか。

【ポイント】けがれなく清く、気品のある字で、男女ともに安定した人気。「きよ」「セイ」の音で、今風の名前にも重宝。

聖良	きよら
聖子	さとこ
聖歌	せいか
聖羅	せいら、せら
聖蘭	せいらん
千聖	ちせ
美聖	みさと

誠 13

音訓：セイ、まこと
名のり：あき、たか、まこと、まさ、み、もと、よし

【意味】まこと。誠意。

【ポイント】名前向きのよい意味を持つが、女の子の使用例は少ない。名のりの「み」をいかすと、「誠香（みか）」のような名前もできるが、読みにくさはある。

誠香	せいか、みか
誠子	せいこ
誠奈	せいな、みな
誠美	まさみ
誠代	まさよ
美誠	みせい

楚 13

音訓：ソ、いばら、しもと
名のり：たか

【意味】いばら。すっきりとしたさま。

【ポイント】「ソ」に当てられる字は限られているので、なかなか貴重。「清楚」の「楚」だが、いい意味も悪い意味もある字。

楚愛	そあ
楚南	そな
楚良	そら
楚美	たかみ
楚与	たかよ
楚羽子	そうこ
楚乃香	そのか
実楚乃	みその

蒼 13

音訓：ソウ、あお、あお（い）
名のり：しげる、あおい

【意味】あおい。青黒い。あおあおと茂るさま。

【ポイント】人気のある空や海に関連する字。「青」が若々しい青年なのに対し、「蒼」は奥深さを持つ大人のイメージ。

蒼	あおい、そう
蒼依	あおい
蒼乃	あおの
蒼羽	あおば
蒼海	あおみ
蒼子	そうこ
蒼楽	そら

想 13

音訓：ソウ、ソ、おも（う）
名のり：ー

【意味】おもう。思いはかる。希望する。追想する。

【ポイント】「想」には恋心や思慕の情も含まれ、「思」よりロマンチックなイメージ。「ソウ」「ソ」のやさしい響きも女の子向き。

想子	そうこ
想奈	そな
想菜	そな
想代	そよ
想楽	そら
想和	そわ
想乃香	そのか
美想乃	みその

暖 13

音訓：ダン、ノン、あたた（かい）
名のり：あつ、はる、やす

【意味】あたたかい。情がある。

【ポイント】やさしいイメージと、人気の「はる」の音を持ち、男女ともに人気。女の子は、「花暖（かのん）」など、「ノン」の音を使うと、かわいらしく今風に。

暖	のん
花暖	かのん
小暖	こはる
暖加	はるか
暖菜	はるな
暖乃	はるの
暖妃	はるひ
麻暖	まのん

稚 13

音訓：チ
名のり：のり、わか

【意味】おさない。若い。

【ポイント】若々しいととらえるか、子どもっぽいととらえるか、字の好みは分かれる。ちなみに、「稚子（ちし）」「稚児（ちご）」は幼い子どもという意味。

稚乃	ちの
稚子	のりこ、わかこ
美稚	みち
実稚	みのり
稚奈	わかな、ちか
沙稚加	さちか

椿 13

音訓：チュン、チン、つばき
名のり：ー

【意味】ツバキ科の常緑高木。

【ポイント】その美しい花は古くから愛されているが、花が丸ごと落ちる散り際が首が落ちるさまに似ていると、縁起が悪いとする向きもある。

椿	つばき
椿希	つばき
椿妃	つばき
椿姫	つばき
椿芽	つばめ

禎 13

音訓：テイ
名のり：さだ、さち、ただ、ただし

【意味】幸い。神の恵み。めでたい。

【ポイント】オーソドックスな字で最近は使用例が減っているが、神の加護を受けたことをあらわす非常によい意味の字。

禎恵	さだえ
禎子	さだこ、ていこ
禎乃	さだの
禎美	さだみ
禎芽	さだめ
禎世	さだよ
禎佳	ていか

楓 13

音訓：フウ、かえで
名のり：か

【意味】カエデ科の落葉高木の総称。もみじ。

【ポイント】秋に紅葉し、色づくカエデは、やさしくあたたかいイメージで、秋生まれの子に人気。

楓	かえで、ふう
清楓	さやか
楓佳	ふうか
楓歌	ふうか
楓子	ふうこ
悠楓	ゆうか
楓希乃	ふきの

13

福

音訓 フク
名のり さき、さち、たる、とし、とみ、よし

【意味】幸せ。神の恵み。

【ポイント】レトロなイメージもあるが、非常に縁起のよい字。姓に多い字なので、定番の止め字と組み合わせるなど、名前らしくなる字と組み合わせたい。

福	ふく、
	さち
福絵	さちえ
福佳	さちか
福穂	さちほ
福恵	ふくえ
福乃	ふくの
福美	ふくみ

13

豊

音訓 ホウ、ゆた(か)
名のり と、とよ、のぼる、ひろ、ゆたか

【意味】たっぷりとしている。量がある。

【ポイント】オーソドックスな字だが、その意味はやはり名前向き。「充実した豊かな人生」「心の豊かな人に」と願って。

豊子	とよこ
豊実	とよみ
豊香	とよか
美豊	みほ
豊希絵	ときえ
豊七実	ほなみ
美千豊	みちほ
里豊子	りほこ

13

睦

音訓 ボク、む(つぶ)、むつ(まじい)
名のり ちか、とも、よし

【意味】むつまじい。仲がよい。

【ポイント】オーソドックスな字だが、ほっこりしたあたたかい雰囲気があり、意味も名前向き。「睦月（むつき）」は、陰暦1月の別名。

睦	ちか
睦祈	むつき
睦月	むつき
睦子	むつこ、
	ちかこ
睦音	むつね
睦美	むつみ
睦乃	よしの

13

夢

音訓 ム、ゆめ
名のり —

【意味】ゆめ。

【ポイント】文字通り、夢や希望を感じさせる字で、「ゆめ」のかわいい響きも人気。本来の読みは「ム」と「ゆめ」だけなので応用がききにくいが、最近は「ゆめ」を縮めて「ゆ」と読ませる名前も増えている。「夢を実現できる子に」「夢を持ち続けられる子に」などの思いを込めて。

【参考】●佐田詠夢（さだ・えむ）…ミュージシャン。●齊藤夢愛（さいとう・ゆあ）…タレント。●阪口夢穂（さかぐち・みずほ）…サッカー選手。●仲田歩夢（なかだ・あゆ）…サッカー選手。●渡嘉敷来夢（とかしき・らむ）…バスケットボール選手。

夢	ゆめ
彩夢	あやむ
歩夢	あゆむ
有夢	ありむ
絵夢	えむ
叶夢	かなむ
心夢	ここむ
小夢	こゆめ
知夢	ちゆめ
音夢	ねむ
舞夢	まいむ
美夢	みむ、
	みゆ
夢亜	むあ
夢月	むつき、
	ゆづき
夢摘	むつみ

恵夢	めぐむ
夢愛	ゆあ
夢羽	ゆう、
	ゆめう
夢那	ゆな
夢芽	ゆめ
夢亜	ゆめあ
夢花	ゆめか
夢叶	ゆめか
夢姫	ゆめき
夢子	ゆめこ
夢咲	ゆめさ
夢奈	ゆめな
夢那	ゆめな
夢音	ゆめね
夢乃	ゆめの
夢帆	ゆめほ

夢美	ゆめみ、
	むみ
夢代	ゆめよ
夢梨	ゆめり
来夢	らいむ、
	らむ
羅夢	らむ
里夢	りむ
玲夢	れむ
明日夢	あすむ
世楽夢	せらむ
実夢良	みむら
美留夢	みるむ
夢都希	むつき
夢加奈	ゆかな
夢芽子	ゆめこ
梨珠夢	りずむ

13

盟

音訓 メイ、ちか(う)
名のり —

【意味】ちかう。固い約束を交わす。

【ポイント】「誓う」という意味を持つ字で、とくに強い意志を感じさせる字。「盟紗（めいさ）」など今風の名前にもできる。

盟	めい
依盟	いちか
咲盟	さちか
盟美	ちかみ
盟亜	めいあ
盟香	めいか
盟咲	めいき
盟紗	めいさ

13

椰

音訓 ヤ、やし
名のり —

【意味】ヤシ。熱帯産の常緑高木。

【ポイント】名づけでは「ヤ」の読みで止め字として使用することが多い。南国の明るさに加え、エキゾチックなイメージもある字。

夏椰	かや
咲椰	さや
麻椰	まや
椰笑	やえ
椰々	やや
佳椰乃	かやの
沙亜椰	さあや
紗椰加	さやか

誉 13

音訓 ヨ、ほま(れ)、ほ(める)
名のり たか、やす、よし

【意味】皆から認められる。よい評判。

【ポイント】よい意味を持つが、名前での使用例は意外と少ない。音読みの「ヨ」は、「代」「世」に代わる止め字としても使える。

誉	ほまれ
誉子	たかこ
誉音	たかね
誉玲	ほまれ
真誉	まよ
美誉	みよ
莉誉	りよ
香誉子	かよこ

瑶 13

音訓 ヨウ、たま
名のり ー

【意味】白く美しい玉。玉のように美しい。

【ポイント】仙境に生える美しい草を「瑶草（ようそう）」というように、美しいもののたとえに使われる字で、神秘的なイメージも。

瑶絵	たまえ
瑶緒	たまお
瑶姫	たまき
瑶乃	たまの
瑶香	ようか
瑶子	ようこ
莉瑶	りよ
知瑶里	ちより

楊 13

音訓 ヨウ、やなぎ
名のり やす

【意味】ヤナギ科の落葉低木。

【ポイント】枝が垂れるのが「柳」、枝が垂れず天高くのびるものが「楊」。なお、「楊（ヤン）」は、中国人に多い姓のひとつでもある。

伊楊	いよ
楊葉	やすは
楊斐	やすひ
楊世	やすよ
楊子	ようこ、やすこ
梨楊	りよ
実楊子	みよこ

蓉 13

音訓 ヨウ、ユウ
名のり はす、よ

【意味】芙蓉。ハスの古名。

【ポイント】「芙蓉（ふよう）」は、アオイ科も落葉低木で、初秋に淡紅色や白色の花をつける。ハスの花の異名でもあり、美人のたとえにも使われる。

紗蓉	さよ
蓉乃	はすの
蓉実	はすみ
麻蓉	まよ
美蓉	みゆう
蓉花	ようか
智蓉乃	ちよの
美芙蓉	みふよ

稟 13

音訓 リン、ヒン、う(ける)
名のり うくる

【意味】俸給としてもらう穀物。うける。天からさずかる。

【ポイント】「穀物を授かる」から転じて、「天から才能を授かる」という意味も。同じ「リン」の音を持つ「凜」よりも新鮮。

花稟	かりん
由稟	ゆりん
稟夏	りんか
稟果	りんか
稟瑚	りんこ
稟沙	りんさ
稟那	りんな
稟々子	りりこ

零 13

音訓 レイ
名のり しずく

【意味】雨粒がおちる。小さい。ゼロ。

【ポイント】「清らかなしずく」が原義で、イメージはロマンチック。またゼロをあらわすことから、「無限の可能性」を込めても。

零	しずく、れい
零季	しずき
零紅	しずく
美零	みれい
零香	れいか
零子	れいこ
零奈	れいな

鈴 13

音訓 レイ、リン、すず
名のり ー

【意味】すず。ベル。

【ポイント】「リン」の音では「凜」が一番人気だが、かわいらしい雰囲気なら「鈴」のほうが上。落ち着いた雰囲気を加えるなら、「すず」の読みをいかして。

鈴	すず
鈴菜	すずな、れいな
鈴音	すずね
真鈴	まりん
美鈴	みすず
鈴穏	りおん
鈴花	りんか

廉 13

音訓 レン
名のり きよ、きよし、かど、やす、ゆき

【意味】潔い。正しい。私欲がない。

【ポイント】清廉潔白（せいれんけっぱく）の「廉」で、潔さのある字。人気の「レン」の読みをいかすと今風の名前をつくりやすい。

恵廉	えれん
香廉	かれん
廉子	きよこ、れんこ
廉瀬	きよせ
美廉	みゆき
廉奈	ゆきな
廉花	れんか

蓮 13

音訓 レン、はす、はちす
名のり ー

【意味】ハス。

【ポイント】ハスは、清らかさや聖性の象徴として称えられる夏の花。「レン」の響きでよく名前に使用され、花の名にしてはめずらしく、男の子にも人気がある。

江蓮	えれん
花蓮	かれん
蓮音	はすね
蓮実	はすみ
蓮芽	はすめ
蓮華	れんか、れんげ
朱美蓮	すみれ

路 13

音訓 ロ、じ
名のり のり、みち、ゆく

【意味】みち。道すじ。考え方。
【ポイント】これまでは、意味でもある「みち」の読みを使うことが多かったが、最近は、「路美（ろみ）」のように「ロ」の音をいかした、今風の名前でも使われている。

路花 みちか
路子 みちこ
路代 みちよ
雪路 ゆきじ
夢路 ゆめじ
路美 ろみ
路奈 ろな
陽路花 ひろか

楼 13

音訓 ロウ
名のり いえ、たか、つき、つぎ

【意味】高い建物。やぐら。
【ポイント】「楼紗（ろうさ）」など、「ロウ」の読みをいかした外国人風の名前で重宝。女の子の名前に多い「桜」と間違えやすいのが、やや難。

楼沙 ろうさ
楼坐 ろうざ
楼奈 ろうな
楼絵 ろえ
楼美 ろみ
妃楼衣 ひろえ

斡 14

音訓 アツ、めぐ(る)
名のり まる

【意味】めぐる。めぐらす。
【ポイント】「斡」は北斗七星が北極星を中心にまわることをあらわした字。斡旋（あっせん）の「斡」で、「人と人とのつながりを大切に」との思いを込めて。

斡 めぐる
斡香 あつか
斡子 あつこ
斡紗 あつさ
斡美 あつみ
斡世 あつよ
斡実 めぐみ
斡里 めぐり

維 14

音訓 イ
名のり これ、ただ、つな、たもつ、つなぐ

【意味】つな。つなぐ。
【ポイント】「つなぐ」という意味を持つが、その中身は「組織や人心をひとつにつなぐ」こと。同じ「イ」の音を持つ「衣」や「依」と比べると目新しい。

亜維 あい
維舞 いぶ
維良 いら
真維 まい
由維 ゆい
琉維 るい
万維子 まいこ
実維那 みいな

榮 14

音訓 エイ、は(える)、さか(える)
名のり え、さかえ、しげ、はる、ひで、よし

【意味】さかんな様子。
【ポイント】「栄」の旧字。旧字のなかでは比較的なじみがあり、字の説明もしやすい。独特の字形はインパクトがある。

榮 さかえ
榮美 えいみ
榮良 えいら
榮菜 えな
榮真 えま
沙榮 さえ
美榮 みえ
榮里子 えりこ

歌 14

音訓 カ、うた
名のり ―

【意味】うた。和歌。
【ポイント】音楽に加え、「和歌」の意味から文学的なイメージや和風の印象も。また、「カ」の音は、先頭字、中間字、止め字といろいろな形で使える。

歌子 うたこ、かこ
歌識 かおり
歌音 かのん
里歌 りか
千歌乃 ちかの
七美歌 なみか
和歌子 わかこ

榎 14

音訓 カ、えのき
名のり え、えだ、かど

【意味】エノキ。ニレ科の落葉高木。
【ポイント】エノキは、高さ20m以上に育つ木。子どもの大成や、のびのびと成長することを願って。

榎衣 かえ
榎子 かこ
榎奈 かな
沙榎 さえ
春榎 はるか
萌榎 もえ、もか
早弥榎 さやか

樺 14

音訓 カ、かば、かんば
名のり ―

【意味】カバ。カバノキ科の落葉高木。
【ポイント】カバといえば、樹皮の白いシラカバを連想しやすく、さわやかな高原リゾートのイメージ。「カ」の音は応用がきく。

愛樺 あいか
樺子 かこ
樺南 かな
樺乃 かの
秋樺 しゅうか
美樺 みか
里樺 りか
日樺里 ひかり

嘉 14

音訓 カ、よ(い)、よみ(する)
名のり ひろ、よし

【意味】よい。めでたい。
【ポイント】「吉」や「福」と同義で、縁起のよい意味を持つ字。歌手の中島美嘉（みか）さんのように、「カ」の音で止め字にするケースが増えている。

嘉子 かこ
聖嘉 せいか
千嘉 ちか、ちひろ
嘉依 ひろえ
嘉乃 よしの
亜衣嘉 あいか
美嘉子 みかこ

綺 14

音訓 キ、いろう、あや
名のり —

【意味】美しい模様を織りなした絹。美しい。華やか。

【ポイント】もとは「いろいろな模様を織り込んだ絹織物」のことで、転じて「美しい」「華やか」などの意味に。これまで名前にはあまり使われてこなかったが、近年は「キ」の音に当てる字として、「希」「季」「紀」などに代わって使われることも増えている。「あや」の読みでも、「彩」「綾」「絢」の代わりに使える。

【参考】●綺羅（きら）…あやぎぬとうすぎぬ。●綺麗（きれい）…あやのように美しい。●伊藤綺夏（いとう・あやか）…タレント。●佐武宇綺（さたけ・うき）…タレント。

綺	あや
綺衣	あやえ
綺香	あやか
綺乃	あやの
綺芽	あやめ
綺紅	きく
綺瑚	きこ
綺星	きせ
綺良	きら
咲綺	さき
珠綺	たまき
心綺	みき
瑠綺	るき
綺楽々	きらら
知亜綺	ちあき
真綺子	まきこ
由綺夏	ゆきか

旗 14

音訓 キ、はた
名のり たか

【意味】はた。しるし。

【ポイント】「キ」の音は数あるが、「旗」は男女ともにあまり使われておらず、新鮮な印象。「キ」の読みは、先頭字、中間字、止め字といろいろな形で使える。

亜旗	あき
旗玖	きく
旗子	きこ
真旗	まき
美旗	みき
旗利子	きりこ
沙旗子	さきこ
由旗乃	ゆきの

銀 14

音訓 ギン
名のり かね、しろがね

【意味】しろがね。ぜに。銀色。

【ポイント】美しい光沢を持つシルバーは、きらびやかななかにクールさを感じさせる。「ギン」の読みのほか、「かね」の読みをいかしても個性的な名に。

愛銀	あかね
銀花	ぎんか
銀子	ぎんこ
銀菜	ぎんな
茅銀	ちかね
真銀	まかね

駆 14

音訓 ク、か(ける)
名のり —

【意味】馬などを走らせる。かける。

【ポイント】どちらかといえば男の子向きだが、「ク」の音は万葉仮名風の名づけで重宝。異体字の「駈（15画）」も名前に使える。

衣駆	いく
駆美	くみ
美駆	みく
駆琉実	くるみ
沙駆実	さくみ

瑳 14

音訓 サ、みが(く)
名のり —

【意味】とぎすましたさま。愛らしく笑う。

【ポイント】名前向きのよい意味があり、人気の「サ」の音に当てられる字。なじみはないが、字形から素直に「サ」と読める。

有瑳	ありさ
希瑳	きさ
瑳紀	さき
瑳代	さよ
瑳南	さな
美瑳	みさ
瑳里那	さりな
麻瑳美	まさみ

颯 14

音訓 サツ、ソウ
名のり はや、はやて、はやと

【意味】風の吹くさま。さっと動く。

【ポイント】男の子にとくに人気の字だが、さわやかさと凛としたイメージは、女の子にもおすすめ。

颯花	さつか
颯希	さつき
颯月	さつき
颯子	そうこ
颯楽	そら
千颯	ちはや
颯花	はやか
美颯	みはや

緒 14

音訓 ショ、チョ、お
名のり つぐ

【意味】糸口。物事のつながり。

【ポイント】近年、「お」で終わる名前は男の子から女の子にシフトし、「緒」をはじめ、「央」や「桜」が使われている。「央」はまだ性別問わず使用されているのに対し、「緒」はほぼ女の子限定で性別のまぎらわしさはない。また、本来「オウ」と読む「桜」に比べ、「緒」は素直に「オ」と読めるわかりやすさも魅力。

【参考】●山本文緒（やまもと・ふみお）…作家。●葉月里緒奈（はづき・りおな）…女優。●松下奈緒（まつした・なお）…女優。●さとう珠緒（さとう・たまお）…タレント。●夏緒（なつお）…女優。●菜々緒（ななお）…モデル。

以緒	いお
伊緒	いお
咲緒	さお
志緒	しお
千緒	ちお
緒美	つぐみ
那緒	なお
麻緒	まお
実緒	みお
莉緒	りお
緒里音	おりね
加緒留	かおる
紗緒里	さおり
名緒実	なおみ
七奈緒	ななお
美史緒	みしお
礼緒名	れおな

彰 14

音訓：ショウ
名のり：あき、あきら、あや、てる

【意味】明らか。知らせる。鮮やかに目立つ。

【ポイント】意味もよく、バランスのよい字形で、どんな字とも組み合わせやすい。読みは、おもに「あき」「ショウ」が使われる。

彰香	あきか
彰音	あきね
彰帆	あきほ
彰美	あやみ
彰子	しょうこ、あきこ
千彰	ちあき
彰乃	てるの

槙 14

音訓：シン、テン、まき
名のり：こずえ

【意味】樹木の先。マキ科の常緑高木類の総称。

【ポイント】葉がびっしり茂っているという意味もあり、転じて「幸や富にあふれるように」との願いが込められる。

槙	まき、こずえ
槙依	こずえ
小槙	こまき
槙緒	まきお
槙子	まきこ
槙乃	まきの
槙世	まきよ

榛 14

音訓：シン、はしばみ、はり
名のり：はる

【意味】はしばみ。カバノキ科の落葉低木。

【ポイント】人気の「はる」の音を持つが、「春」「晴」「陽」に比べ認知度は低く、視覚的に目新しい。

小榛	こはる
千榛	ちはる
榛依	はるえ
榛花	はるか
榛瀬	はるせ
榛菜	はるな
榛南	はるな
美榛	みはる

翠 14

音訓：スイ、みどり、かわせみ
名のり：あきら

【意味】みどり。宝石の名。カワセミ。

【ポイント】「翡翠（ひすい）」の「翠」。「スイ」の音を止め字に使うと新鮮。なお、「翡」は名前に使えない。

翠	みどり
翠花	すいか
翠林	すいりん
翠蓮	すいれん
緋翠	ひすい
陽翠	ひすい
翠子	みどりこ、すいこ

静 14

音訓：セイ、ジョウ、しず、しず(か)
名のり：きよ、しずか

【意味】しずか。安らか。清い。

【ポイント】「落ち着きのある人に」「冷静な判断ができる人に」などの願いを込められる。最近は、読みを縮めて「セ」や「シ」と読ませる傾向も。

静	しずか
静香	しずか
静那	しずな
静亜	せいあ
静羅	せいら
千静	ちせ
里静	りせ
静里奈	せりな

誓 14

音訓：セイ、ちか(う)
名のり：ちかう、ちかわ

【意味】きちんと約束すること。

【ポイント】厳粛な印象を与える字。「約束を大切にする誠実な人に」などの意味づけができる。「セイ」の音をいかすと洋風の響きの名前にしやすい。

衣誓	いちか
誓子	せいこ、ちかこ
誓南	せいな
誓世	ちかよ
真誓	まちか
美誓	みちか
里誓	りちか

総 14

音訓：ソウ
名のり：おさ、さ、のぶ、ふさ、みち

【意味】ふさ。まとめる。すべて。

【ポイント】「リーダーシップ」や「すべてを包み込む包容力」を感じさせる頼もしい意味を持つが、響きは「ソウ」「ふさ」など、やさしいイメージ。

総依	さえ
総佳	そうか、みちか
総子	そうこ、ふさこ
総美	ふさみ
総代	ふさよ
総乃子	そのこ

聡 14

音訓：ソウ、さと(い)
名のり：あき、あきら、さ、さとし、とし、とみ

【意味】さとい。理解が早い。賢い。

【ポイント】聡明（そうめい）の「聡」で、知的な印象。「耳」があることから、「人の話をよく聞く」など謙虚な気持ちを込めても。

聡世	あきせ
聡奈	あきな
聡子	さとこ、あきこ
聡音	さとね
聡美	さとみ
美聡	みさと
里聡	りさ

綜 14

音訓：ソウ、ソ、す(べる)
名のり：おさ

【意味】織機の道具。統一する。

【ポイント】一般的な字ではないが、「ソウ」の読みは予想しやすく、口頭で字の説明もしやすい。同音で似た意味の「総」より、字形的にすっきりしている。

綜亜	そあ
綜子	そうこ
綜那	そうな、そな
綜乃佳	そのか
美綜良	みそら

暢 14

音訓 チョウ、の(びる)
名のり いたる、とおる、のぶ、まさ、よう

【意味】のびる。のばす。のびやか。

【ポイント】太陽が上がるさまの「昜」と、のびる意の「申」で、「長くのびる、のびのびする」という意味に。

詩暢	しのぶ
暢世	のぶよ
暢姫	まさき
暢子	まさこ、のぶこ
暢歩	まさほ
暢美	まさみ

綴 14

音訓 テイ、テツ、つづ(る)、と(じる)
名のり ―

【意味】つなぎ合わせる。言葉をつらねて詩歌や文章をつくる。

【ポイント】入り組んだ字形なので、組み合わせる字は画数の少ないすっきりした字がベター。1字名の「綴(つづり)」も印象的。

綴	つづり
綴美	つづみ
綴芽	つづめ
綴里	つづり
綴菜	ていな
綴夏	てつか、つづか
綴子	てつこ

滴 14

音訓 テキ、しずく、したた(る)
名のり ―

【意味】しずく。

【ポイント】葉に溜まった朝露がしたたり落ちるさまがイメージできる字。「しずく」の響きもかわいく、女の子向けの字。同音同意の「雫」も名づけに使える。

滴	しずく
滴恵	しずえ
滴歌	しずか
滴果	しずか
滴玖	しずく
滴名	しずな
滴美	しずみ
滴琉	しずる

摘 14

音訓 テキ、つ(む)
名のり つみ、づみ

【意味】つむ。とる。

【ポイント】「花や実を摘み取る」という意味から、女の子向きの字。「菜摘(なつみ)」「摘希(つむぎ)」など、個性的なかわいい印象の名前がつくれる。

愛摘	あつみ
衣摘	いつみ
香摘	かづみ
摘希	つむぎ
菜摘	なつみ
美摘	みつみ
睦摘	むつみ
莉摘	りづむ

寧 14

音訓 ネイ
名のり さだ、しず、ね、やす、やすし

【意味】やすらか。落ち着いている様子。じっくりとていねいな。

【ポイント】丁寧の「寧」。女の子向きのよい意味と、やさしい雰囲気を持つ字。かつては「やす」の読みで使われることが多かったが、近年は「ね」に当てる字として、「音」とともによく使われている。やや込み入った字形なので、組み合わせる字は、少画数のすっきりしたものを選びたい。

【参考】●寧日(ねいじつ)…平穏無事でやすらかな日。●大塚寧々(おおつか・ねね)…女優。●長尾寧音(ながお・しずね)…女優。

紅寧	あかね
天寧	あまね
文寧	あやね
絃寧	いとね
音寧	おとね
心寧	ここね
寧子	しずこ、やすこ
夏寧	なつね
寧衣	ねい
寧音	ねね
寧々	ねね
桃寧	ももね
寧音	やすね
由寧	ゆね
亜珠寧	あすね
美寧里	みねり

徳 14

音訓 トク
名のり あつ、さと、なり、なる、のり、よし

【意味】うまれつきの人柄。正しい行い。道をさとった立派な行為。

【ポイント】「人として正しい」という非常によい意味を持つ。人に尊敬される人格者に。

衣徳	いのり
徳子	とくこ、のりこ
徳実	とくみ
徳江	のりえ
徳香	のりか
徳代	のりよ
美徳	みのり

緋 14

音訓 ヒ、あか
名のり あけ

【意味】濃く明るい赤色。赤い絹。

【ポイント】思わず目が覚めるような、鮮やかな赤色を意味する字。「ヒ」に当てるのが一般的だが、「緋音(あかね)」のように、「あか」の読みをいかしても。

緋音	あかね
緋里	あかり
緋織	ひおり
緋奈	ひな
緋乃	ひの
緋沙実	ひさみ
緋斗美	ひとみ
緋女花	ひめか

鳳 14

音訓 ホウ、ブ、おおとり
名のり たか

【意味】鳳凰(ほうおう)とは中国の伝説の鳥。

【ポイント】鳳凰は、古来中国では、麒麟、亀、竜とともに尊ばれた霊獣。本来は、「鳳」がオス、「凰」がメスをさす。

志鳳	しほ
鳳子	たかこ
鳳世	たかせ
知鳳	ちほ
鳳稀	ほまれ
麻鳳	まほ
理鳳	りほ
鳳奈美	ほなみ

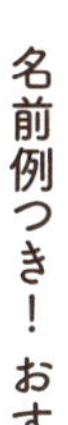

14

碧

音訓 ヘキ、あお、みどり
名のり きよし、たま

【意味】青くすんでいる石。あおみどり。

【ポイント】深みのある青緑色、またはその色にきらめく玉石をあらわし、同じように青系の色を意味する「青」「蒼」よりも神秘的なイメージ。

【参考】●碧玉（へきぎょく）…青い玉。宝石のひとつ。●碧空（へきくう）…青く澄んだ空。●碧紗（へきさ）…青緑色の薄絹。●紺碧（こんぺき）…やや黒味を帯びた深みのある青色。●田中碧（たなか・みどり）…女子野球選手。●葛岡碧（くずおか・みどり）…モデル。

碧	あおい、みどり
碧伊	あおい
碧衣	あおい
碧音	あおね、たまね
碧乃	あおの、たまの
碧羽	あおば
碧葉	あおば
碧海	あおみ、あみ
碧空	そら
碧花	たまか
碧希	たまき
碧里	みどり
碧子	みどりこ

14

蜜

音訓 ミツ
名のり ―

【意味】ハチが花から集めた甘いみつ。

【ポイント】果物の「蜜柑（みかん）」をそのまま名前にするケースが多い。また「ミツ」を縮めて「ミ」と読ませる傾向も。

蜜柑	みかん
蜜紅	みく
蜜華	みつか
蜜稀	みつき
蜜羽	みわ
柚蜜	ゆずみ

14

綿

音訓 メン、わた
名のり つら、まさ、ます、やす

【意味】わた。木綿。

【ポイント】綿のやわらかい雰囲気をイメージして用いるケースが多く、女の子向き。名前に使いやすい読みは少ないが、「木綿」を「ゆう」と読ませる使い方も。

綿子	わたこ、まさこ
綿瀬	わたせ
綿乃	わたの
綿穂	わたほ
綿美	わたみ
木綿子	ゆうこ

14

遙

音訓 ヨウ、はる（か）
名のり すみ、とお、のり、はるか、みち

【意味】はるかかなた。

【ポイント】「遥」の旧字。使用頻度は圧倒的に新字のほうが多い。「遥」が12画、「遙」が14画なので、画数調整もできる。

遙	はるか
遙夏	はるか
遙日	はるひ
遙海	はるみ
美遙	みはる
実遙	みよ
遙子	ようこ、はるこ

14

綾

音訓 リョウ、あや
名のり ―

【意味】あや。あや絹。

【ポイント】「綾（あや）」とは、浮き出るように模様を織り込んだ薄い絹布のことで、美しさと気品を感じさせる字。「あや」の響きなら、この字が定番。

綾江	あやえ
綾楓	あやか
綾子	あやこ
綾星	あやせ
綾奈	あやな
綾音	あやね
綾乃	あやの
沙綾	さあや

14

緑

音訓 リョク、ロク、みどり
名のり つか、つな、のり

【意味】みどり。

【ポイント】色彩の緑色だけでなく、草花や木々が息吹く新緑のみずみずしさもイメージ。ほかに緑色をあらわす字には「翠」や「碧」もある。

緑	みどり
緑花	のりか
緑穂	のりほ
緑深	のりみ
緑子	みどりこ
美緑	みのり

14

瑠

音訓 ル、リュウ
名のり るり

【意味】玉の名。瑠璃。

【ポイント】「瑠璃（るり）」は青色の宝石で、一般的にはラピス・ラズリをさす。「ル」の音では「琉」も人気だが、「琉」がとくに男の子に人気があり、名前によっては性別がわかりにくくなるのに対し、「瑠」は女の子の使用例が多いので、性別がまぎらわしくなることはあまりない。ただ、「琉」より画数が多いので、多画数の字と合わせると見た目に重たい印象になることも。

【参考】●北田瑠衣（きただ・るい）…ゴルファー。●白間美瑠（しろま・みる）…タレント。

笑瑠	えみる
恵瑠	える
香瑠	かおる
音瑠	ねる
里瑠	りる
瑠衣	るい
瑠夏	るか
瑠花	るか
瑠奈	るな
瑠実	るみ
瑠璃	るり
瑠々	るる
久瑠美	くるみ
志江瑠	しえる
乃絵瑠	のえる
真瑠加	まるか
瑠璃花	るりか

綸 14

音訓 リン、カン、いと
名のり お、くみ

【意味】糸。絹糸をより合わせた光沢のある紐。天子の言葉。

【ポイント】人気の「リン」の音を持つ字のなかでも、気品を感じさせる字。「リン」の読みはキュート、「いと」は和のイメージ。

綸子	いとこ、りんこ
綸音	いとね
綸乃	いとの
夏綸	かりん
由綸	ゆりん
綸花	りんか
綸世	りんぜ

漣 14

音訓 レン、さざなみ
名のり なみ

【意味】小さな波。

【ポイント】日常生活ではほとんど見ない、「さんずい十二点しんにょう」のかなり個性的な字。視覚的にやや重さはあるが、「レン」をいかせばかわいい響きに。

漣	れん、なみ
絵漣	えれん
佳漣	かれん
香漣	かれん
漣恵	なみえ
漣夏	なみか
漣奈	れんな

樂 15

音訓 ガク、ラク、たの(しい)
名のり ささ、たのし、もと、よし、ら

【意味】音楽。たのしむ。心がうきうきする。たやすい。

【ポイント】「楽」の旧字で、「楽」より2画多い。独特の印象的な字形だが、旧字のなかでは比較的なじみがあるので使いやすい。

茶樂	さら
星樂	せいら
颯樂	そら
美樂	みら
由樂	ゆら
樂奈	らな
花江樂	かえら
未樂乃	みらの

歓 15

音訓 カン、しずか
名のり よし

【意味】よろこび。たのしみ。

【ポイント】使用例は多くないが、意味は名前向き。「歓菜（かんな）」「美歓（みかん）」など、「カン」の響きをいかすと、今風の名前になりそう。

歓	しずか
歓奈	かんな
歓菜	かんな
歓佳	しずか
歓玖	しずく
美歓	みかん
歓子	よしこ
里歓子	りかこ

嬉 15

音訓 キ、うれ(しい)
名のり よし

【意味】うれしい。楽しむ。遊ぶ。

【ポイント】女性たちが集まってにぎやかに笑っている様子をあらわした字。「キ」の音では「希」や「季」が人気だが、この字を使うと新鮮。

亜嬉	あき
嬉子	きこ
嬉乃	きの
嬉莉	きり
沙嬉	さき
美嬉	みき
由嬉	ゆき
嬉禾	よしか

輝 15

音訓 キ、かがや(く)
名のり あきら、かがやき、てる、ひかる

【意味】かがやく。照る。

【ポイント】光輝くというプラスの意味と、「キ」「てる」の読みが使いやすい。男の子にも人気の字なので、性別を誤解されないような字と組み合わせたい。

咲輝	さき
輝帆	てるほ
麻輝	まき
水輝	みずき
優輝	ゆうき
輝亜良	きあら
輝美花	きみか
由輝乃	ゆきの

熙 15

音訓 キ、かわ(く)、ひか(る)
名のり てる、ひろ、ひろし、ひかる、よし

【意味】ひろい。あきらか。光がひろがる。

【ポイント】「あきらか」「光がひろがる」など、名前向きの意味を持つ字。独特の字形で、見た目にインパクトのある字。

亜熙	あき
熙子	きこ、ひろこ
熙帆	きほ
早熙	さき
熙美	てるみ
侑熙	ゆうき
熙里乃	きりの

槻 15

音訓 キ、つき
名のり ―

【意味】ケヤキ。ニレ科の落葉高木。

【ポイント】赤や黄の鮮やかな紅葉で知られるケヤキは、別名が「ツキ」。「つき」の音で「月」の代わりに使用しても。

衣槻	いつき
沙槻	さつき
槻可	つきか
槻子	つきこ
奈槻	なつき
美槻	みつき
夕槻	ゆづき
麻槻乃	まきの

駈 15

音訓 ク、か(ける)
名のり ―

【意味】馬などを走らせる。かける。

【ポイント】「駆（14画）」の異体字。イメージ的には「丘」が含まれているぶん、この字のほうが馬がかける姿を連想できる。

駈実	くみ
美駈	みく
衣駈未	いくみ
駈仁香	くにか
駈里佳	くりか
駈留美	くるみ
沙駈良	さくら
実駈乃	みくの

駒 15

音訓：ク、こま
名のり：―

【意味】元気な若い馬。将棋のこま。

【ポイント】いきいきとしたパワーを感じさせる字。意味は男の子向きだが、和の雰囲気もあり、女の子に使っても風情がある。

喜駒	きこ
駒未	くみ
駒都	こと
駒姫	こまき
駒音	こまね
駒乃	こまの
実駒	みく
駒良々	くらら

慶 15

音訓：ケイ
名のり：ちか、のり、みち、やす、よし

【意味】よろこぶ。めでたい。

【ポイント】縁起のよい字。慶應義塾大学のイメージも強く、上品な印象も。字形的にはやや込み入っているので、手書きだと少々バランスがとりにくいのが難。

慶佳	けいか
慶子	けいこ、よしこ
慶都	けいと
慶瑛	よしえ
慶佳	よしか
慶乃	よしの
慶実	よしみ

憬 15

音訓：ケイ
名のり：―

【意味】あこがれる。さとる。

【ポイント】2010年から名づけに使えるようになった字で、鮮度は抜群。「遠くの素晴らしいものを求める」「さとる」というよい意味があり、名前向き。

憬	けい
憬衣	けい
憬華	けいか
憬子	けいこ
憬都	けいと
憬音	けいと
憬奈	けいな
憬乃	けいの

慧 15

音訓：ケイ、エ、さと(い)
名のり：あきら、さとし、さとる

【意味】さとい。気がきくさま。

【ポイント】北京五輪の金メダリスト石井慧（さとし）さんで知られ、近年使用例が増えている字。ちなみに「慧（え）」は仏教語で最高の真理のこと。

慧奈	えな
慧花	けいか
冴慧	さえ
思慧	しえ
千慧	ちえ、ちさと
莉慧	りえ
知慧美	ちえみ

潔 15

音訓：ケツ、いさぎよ(い)
名のり：きよ、きよし、ゆき、よし

【意味】汚れなくきよい。いさぎよい。

【ポイント】とくに祖父母世代に人気のあった字で、オーソドックスな印象。「清潔」「潔白」などの熟語もあり、意味は名前向き。

潔香	きよか
潔子	きよこ、ゆきこ
潔聖	きよせ
潔寧	きよね
潔未	きよみ
潔里	きより
実潔	みゆき

摯 15

音訓：シ、と(る)
名のり：―

【意味】とる。しっかり手にとって持つ。

【ポイント】真摯（しんし）の「摯」。2010年から名前に使えるようになった字で、新鮮さは抜群。

摯恵	しえ
摯央	しお
摯織	しおり
摯乃	しの
摯帆	しほ
摯歩	しほ
摯麻	しま
摯珠加	しずか

潤 15

音訓：ジュン、うるお(う)、うる(む)
名のり：さかえ、ひろ、ます、みつ

【意味】水分でうるおっている様子。

【ポイント】生活や心の潤い、ゆとりをイメージ。「うる」の音をいかせば、「潤美（うるみ）」のような新鮮な響きの名前に。

潤	じゅん
潤美	うるみ
潤子	じゅんこ
潤奈	じゅんな
千潤	ちひろ
潤果	ひろか
真潤	まひろ
潤祈	みつき

諄 15

音訓：ジュン、シュン、くど(い)、ねんご(ろ)
名のり：あつ、とも、まこと

【意味】ていねいに教える。

【ポイント】同音で字形も似ている「淳」や「惇」と間違われやすい面はあるが、名前での使用例は少なく新鮮。

諄花	あつか
諄子	あつこ、じゅんこ
諄美	あつみ
諄代	あつよ
諄香	じゅんか
諄菜	じゅんな

樟 15

音訓：ショウ、くす、くすのき
名のり：―

【意味】クスノキ科の常緑高木。

【ポイント】クスノキは、高さ20m以上にも成長する大木で、街路樹や建材に用いられる。クスノキは「楠」とも書き、こちらも名前に使える。

樟乃	くすの
樟羽	くすは
樟香	しょうか、くすか
樟子	しょうこ
樟奈	しょうな

穂 15

音訓 スイ、ほ
名のり お、ひで、ひな、みのる

【意味】ほ。穂先。

【ポイント】人気の「ほ」の音を持つ、女の子の止め字の定番。「稲穂のようにまっすぐにすくすくと成長してほしい」「実りある人生を」など意味づけしやすいのも魅力。最近は、「穂乃香（ほのか）」や「志穂里（しほり）」のように、先頭字、中間字と、止め字以外にも使用されている。

【参考】●中山可穂（なかやま・かほ）…作家。●戸田菜穂（とだ・なほ）…女優。●菅野美穂（かんの・みほ）…女優。●穂のか（ほのか）…女優。●虻川美穂子（あぶかわ・みほこ）…タレント。

秋穂	あきほ
花穂	かほ
季穂	きほ
咲穂	さきほ
茶穂	さほ
奈穂	なほ
穂波	ほなみ
穂乃	ほの
穂夏	ほのか
穂希	ほまれ
真穂	まほ
莉穂	りほ
香穂留	かほる
志穂里	しほり
なな穂	ななほ
穂乃香	ほのか
穂真怜	ほまれ

潮 15

音訓 チョウ、しお
名のり うしお

【意味】海水の満ち引き。

【ポイント】海水の満ち引きは、朝を「潮」、夕方を「汐」と書く。朝のさわやかな海辺がイメージできる字。

潮	うしお
潮音	しおね
潮乃	しおの
潮巳	しおみ
潮良	しおら
潮李	しおり
真潮	ましお
美潮	みしお

蝶 15

音訓 チョウ、ジョウ
名のり —

【意味】昆虫のチョウ。

【ポイント】美しく優雅なイメージがある一方で、派手さも感じる字。字面も含め個性的な字なので、合わせる字は、意味やイメージを強く主張しないものがベター。

姫蝶	きちょう
小蝶	こちょう
蝶花	ちょうか
蝶子	ちょうこ
蝶々	ちょうちょう
蝶乃	ちょうの

澄 15

音訓 チョウ、す(む)
名のり きよ、きよみ、きよむ、すみ、すむ、とおる

【意味】水がにごりがなく、澄んでいること。清い。

【ポイント】透明感や清潔感、純粋さを感じさせる、女の子向きの字。「花澄（かすみ）」「澄怜（すみれ）」など、「すみ（ずみ）」の読みが一般的だが、「亜澄美（あすみ）」のように、「す」1音で使う名前も増えている。「澄んだ心を持った純粋な子に」と願って。

【参考】●明澄（めいちょう）…くもりなく澄み渡っていること。●真澄鏡（ますかがみ）…よく澄んだ鏡のこと。●須藤真澄（すどう・ますみ）…漫画家。●高畠華澄（たかばたけ・かすみ）…女優。

澄	すみ
明澄	あすみ
有澄	ありす
衣澄	いずみ
佳澄	かすみ
花澄	かすみ
澄美	きよみ
澄絵	すみえ
澄香	すみか
澄子	すみこ
澄乃	すみの、きよの
澄怜	すみれ
真澄	ますみ
亜澄美	あすみ
澄実礼	すみれ
里澄夢	りずむ

調 15

音訓 チョウ、しら(べる)、ととの(う)
名のり しらべ、つぎ

【意味】ととのえる。しらべる。しらべ。

【ポイント】一般的な字で、意味も悪くないが、名前での使用例は少なく、新鮮。1字名の「調（しらべ）」は情緒的。

調	しらべ
調子	ちょうこ、つぐこ
調華	つぐか
調穂	つぐほ
調美	つぐみ
調梨	つぐり

徹 15

音訓 テツ
名のり あきら、いたる、とお、とおる

【意味】つらぬく。達する。明らか。

【ポイント】「強い意志を持って進むように」などの願いが込められる、意志の強さを感じさせる字。タレントの黒柳徹子（てつこ）さんが有名。

徹果	てつか
徹子	てつこ
徹乃	てつの
徹美	てつみ
徹未	とおみ、てつみ
早徹子	さとこ

範 15

音訓 ハン
名のり すすむ、のり

【意味】わく。かた。規範。

【ポイント】使われる読みは「のり」が一般的。ちなみに「のり」の読みを持つ字は、このほか「則」「法」「憲」など、まじめな意味のものが多いのが特徴。

範恵	のりえ
範佳	のりか
範子	のりこ
範実	のりみ
範奈	はんな
範菜	はんな
美範	みのり

撫 (15)

音訓 ブ、フ、な(でる)
名のり なつ、やす、よし

【意味】手でなでる。なだめる。

【ポイント】薄紅色の花を咲かせる「撫子（なでしこ）」のイメージが強く、名前例もそのままの「撫子」が定番。「ブ」「フ」の読みをいかすと、名前の幅が広がる。

笑撫	えな
香撫	かなで
撫子	なでしこ
撫美	ふみ
撫和	ふわ
衣撫希	いぶき
撫宇花	ふうか
撫由実	ふゆみ

舞 (15)

音訓 ブ、ま(う)、まい
名のり —

【意味】まう。踊る。心を弾ませる。

【ポイント】画数は多めだが、美しく気品のある字。最近は「舞衣（まい）」など「ま」と読ませる名前が増えている。

舞	まい
舞衣	まい
舞香	まいか
舞子	まいこ
舞美	まいみ
舞桜	まお
舞帆	まほ
舞希子	まきこ

編 (15)

音訓 ヘン、あ(む)
名のり つら、よし

【意味】あむ。順序をととのえて組み立てる。

【ポイント】一般的な字だが、名づけではあまり使用されていない字。「あ（む）」の読みをいかして、「編美（あみ）」などの名前も。

編美	あみ
編花	あみか
編夢	あむ
美編	みよし
編乃	よしの
編歩	よしほ
編実香	あみか

摩 (15)

音訓 マ
名のり きよ、なず

【意味】みがく。手ですりもんでこする。

【ポイント】摩擦の「摩」で、一見ネガティブなイメージもあるが、「摩」単独では人間関係の不和の意味はない。

詩摩	しま
摩衣	まい
摩桜	まお
摩希	まき
摩瑚	まこ
摩乃	まの
摩耶	まや
由摩	ゆま

魅 (15)

音訓 ミ
名のり —

【意味】もののけ。人の心をひきつける。

【ポイント】「魅力的な女性に」との願いがこめられるが、「得体の知れないもののけ」という意味もあり、好みは分かれる字。

真魅	まみ
魅亜	みあ
魅音	みおん
魅花	みか
魅奈	みな
魅実	みみ
由魅	ゆみ
魅乃里	みのり

遼 (15)

音訓 リョウ、はる(か)
名のり とお、はるか

【意味】遠い。はるか。

【ポイント】悠々としたイメージで男の子に人気の字だが、「はるか」を縮めた「はる」の読みをいかすこともでき、女の子名での使用例も増えている。

遼	はるか
千遼	ちはる
遼花	はるか
遼香	はるか
遼南	はるな
遼妃	はるひ
美遼	みはる
遼子	りょうこ

璃 (15)

音訓 リ
名のり あき

【意味】玉の名。瑠璃。玻璃。

【ポイント】「瑠璃（るり）」「玻璃（はり）」と熟語で使われる字。「瑠璃」は青色の宝石で、12月の誕生石のラピス・ラズリのこと。「玻璃（はり）」は水晶や天然ガラスのこと。いずれも仏教の七宝に数えられるもので、気品を感じさせる女の子向きの字。読みは少ないが、「リ」の音は応用がききやすい。

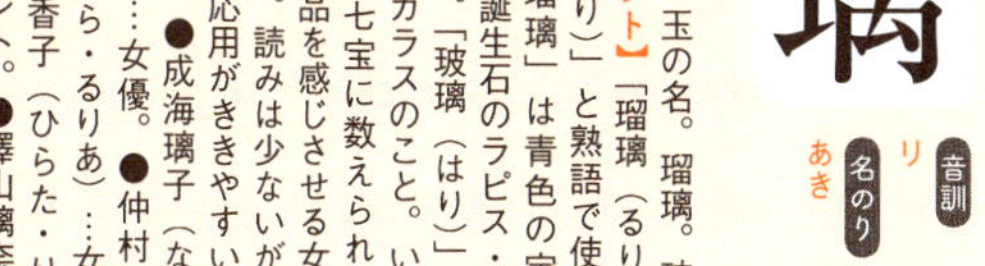

【参考】●成海璃子（なるみ・りこ）…女優。●仲村瑠璃亜（なかむら・るりあ）…女優。●平田璃香子（ひらた・りかこ）…タレント。●澤山璃奈（さわやま・りな）…タレント。

明璃	あかり
香璃	かおり
紗璃	さり
朱璃	しゅり
悠璃	ゆうり、ゆり
璃杏	りあん
璃央	りお
璃香	りか
璃子	りこ
璃世	りせ
璃未	りみ
璃代	りよ
瑠璃	るり
江璃伽	えりか
由美璃	ゆみり
璃々加	りりか

諒 (15)

音訓 リョウ、まこと
名のり あき、あさ、まさ

【意味】まこと。明白なこと。あきらか。

【ポイント】少し前まではあまりなじみがなかったが、人気の「リョウ」の読みを持ち、意味もよいことから、使用例が増加中。

諒	りょう
諒佳	あきか
諒子	あきこ、りょうこ
諒菜	あきな
諒妃	あきひ
千諒	ちあき
諒子	りょうこ

凜 15

音訓 リン
名のり り

【意味】つめたい。りりしい。身が引き締まるさま。

【ポイント】「引き締まる」「きっぱりとする」など、硬派な意味を持ちながら、「リン」というかわいい響きと和風の雰囲気で、女の子に人気の字。意味、響き、字形など、名づけの重要な要素がバランスよく集約された字ともいえる。人気は1字名の「凜（りん）」だが、応用がききやすく、ほかの字とも組み合わせやすいので、名前のバリエーションは多い。左の「凛」の異体字だが、こちらのほうが一般的によく使用され、名前例も多い。「凜とした女性になるように」と願って。

【参考】●菊地凜子（きくち・りんこ）…女優。●飛鳥凜（あすか・りん）…女優。●相葉香凜（あいば・かりん）…女優。●彩音凜（あやね・りん）…タレント。●秋山真凜（あきやま・まりん）…ゴルフ選手。

凜	りん
愛凜	あいりん
亜凜	ありん
恵凜	えりん
江凜	えりん
海凜	かいりん
加凜	かりん
花凜	かりん
香凜	かりん
希凜	きりん
久凜	くりん
小凜	こりん
朱凜	しゅりん
翠凜	すいりん
真凜	まりん
麻凜	まりん
万凜	まりん

明凜	めいりん
萌凜	もりん
由凜	ゆりん
唯凜	ゆりん
悠凜	ゆりん
凜亜	りあ
凜温	りおん
凜花	りか
凜玖	りく
凜珠	りじゅ
凜世	りせ
凜音	りおん
凜歩	りほ
凜里	りり
凜々	りり
凜和	りわ
凜可	りんか

凜夏	りんか
凜香	りんか
凜子	りんこ
凜那	りんな
凜奈	りんな
凜乃	りんの、りの
凜帆	りんほ
凜芽	りんめ
季凜子	きりこ
沙凜奈	さりな
世凜奈	せりな
万凜香	まりか
実凜加	みりか
有凜音	ゆりね
凜々架	りりか
凜々子	りりこ

凛 15

音訓 リン
名のり り

【意味】つめたい。りりしい。身が引き締まるさま。

【ポイント】異字体の「凜」のほうが広く使われているが、実はこちらが正字。なお、同画数なので姓名判断の結果は同じ。

凛	りん
江凛	えりん
夏凛	かりん
麻凛	まりん
凛々	りり
凛花	りんか
凛子	りんこ
凛里子	りりこ

黎 15

音訓 レイ、ライ、くろ(い)
名のり たみ

【意味】くろ。くろがね（鉄）色。

【ポイント】もともとは鉄の農具のような浅黒い色のことだが、名づけでは「黎明（れいめい）」から、夜明けや希望をイメージして使われる。

黎	れい
実黎	みれい
黎南	れいな
黎良	らいら
黎華	れいか
黎子	れいこ、たみこ
黎楽	れいら

緯 16

音訓 イ
名のり つかね

【意味】織物の横糸。弦の糸。地球の東西の方向。

【ポイント】緯度の「緯」。込み入った字形のせいか使用例は少ないが、「イ」の音で、「衣」「唯」などの代わりに使うと新鮮。

亜緯	あい
緯世	いよ
緯良	いら
乃緯	のい
美緯	みい
瑠緯	るい
玲緯	れい
夕緯奈	ゆいな

叡 16

音訓 エイ、さと(い)
名のり あきら、さとし、あき、さと、え

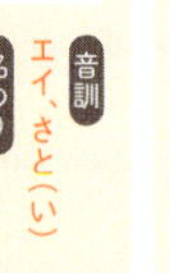

【意味】さとい。天子を尊んでいう言葉。

【ポイント】すぐれた知恵を持つという意味の「英知（えいち）」は、本来は「叡智（えいち）」と書く。賢く、聡明なイメージの字。

叡果	えいか
叡美	えいみ、さとみ
叡音	さとね
叡乃	さとの
千叡	ちさと
美叡	みさと
里叡子	りえこ

薗 16

音訓 エン、オン、その
名のり ―

【意味】囲んだ庭。別荘。

【ポイント】「園」の異字体。草かんむりがつき、画数は3画プラスされる。また「その」の読みなら、意味も似ている「苑」も選択肢になる。

薗	その
薗奈	えんな
薗香	そのか
薗子	そのこ
薗海	そのみ
美薗	みその、みおん

燕 16

音訓 エン、つばめ
名のり てる、なる、やす、やすし、よし

【意味】鳥のツバメ。

【ポイント】ツバメは日本では春を告げる鳥、よく子育てする鳥として知られる。また「燕」という漢字には、「安らぐ」「くつろぐ」という意味もある。

燕	つばめ
燕伽	えんか
燕南	えんな
燕梨	えんり
燕芽	つばめ
美燕	みえん

穏 16

音訓 オン、おだや(か)
名のり しず、とし、やす、やすき

【意味】おだやか。安らか。静か。

【ポイント】「詩穏（しおん）」のように、「オン」の音をいかした今風の名前で、男女ともに使用例が増えている字。「オン」の読みは、ほかに「音」「恩」「温」なども。

可穏	かのん
詩穏	しおん
穏花	しずか
穏紅	しずく
穏恵	やすえ
穏世	やすよ
莉穏	りおん
怜穏奈	れおな

諧 16

音訓 カイ
名のり かのう、なり、ゆき

【意味】うちとける。ユーモア。

【ポイント】2010年から名前に使えるようになった字で、目新しさは抜群。「誰とでも仲よく」「ユーモアを忘れず明るく元気な子に」などの願いを込めて。

諧亜	かいあ
諧里	かいり
諧乃	かの
諧音	かのん
諧江	ゆきえ
諧乃	ゆきの

橘 16

音訓 キツ、キチ、たちばな
名のり ー

【意味】ミカン科の常緑低木。

【ポイント】タチバナは、日本原産唯一のかんきつ類で、その樹姿は美しい。『万葉集』にも多く詠まれていることからも、和の雰囲気を漂わせる字。

橘香	きっか
橘子	きっこ
橘穂	きつほ
橘実	きつみ
橘代	きつよ

橋 16

音訓 キョウ、はし
名のり たか、はし

【意味】はし。

【ポイント】「人と人の架け橋になれるように」などの願いを込められる。組み合わせる字によっては姓に見えることがあるので注意したい。

季橋	ききょう
橋佳	きょうか
橋瑚	きょうこ
橋乃	はしの、きょうの

錦 16

音訓 キン、にしき
名のり かね

【意味】いろいろな色の糸を織り込んだ絹織物。

【ポイント】「錦絵」「錦雲」「錦鯉」など、美しいものをたとえる字。「亜錦（あかね）」など、個性的な名前もつくれる。

錦	にしき
亜錦	あかね
錦子	かねこ
千錦	ちかね
美錦	みかね
由錦	ゆかね

薫 16

音訓 クン、かお(る)
名のり かおり、かおる、くる、しげ、ゆき

【意味】かおる。

【ポイント】「薫風（くんぷう）」とは穏やかな初夏の風のこと。同じ「かおる」の読み・意味の「香」と違い、この字は男の子にも使用される。

薫	かおり、かおる
薫里	かおり
薫子	かおるこ
薫実	くるみ
美薫	みゆき
薫風	ゆきか
薫乃	ゆきの

憩 16

音訓 ケイ、いこ(う)
名のり やす

【意味】いこう。ほっと一息つく。

【ポイント】「人々に安らぎを与えられる人に」などの意味づけができる字。1字名の「憩（いこい）」がわかりやすく、また印象的。

憩	いこい
憩香	けいか
憩子	けいこ、やすこ
憩都	けいと
憩羽	やすは
憩世	やすよ

憲 16

音訓 ケン
名のり あきら、ただし、さだ、とし、のり

【意味】おきて。手本。さとい。

【ポイント】憲法の「憲」。込められる思いは、「人々の模範になる人に」「正しい行いや考え方ができるように」など。

憲衣	のりえ
憲絵	のりえ
憲花	のりか
憲子	のりこ
憲穂	のりほ
美憲	みのり

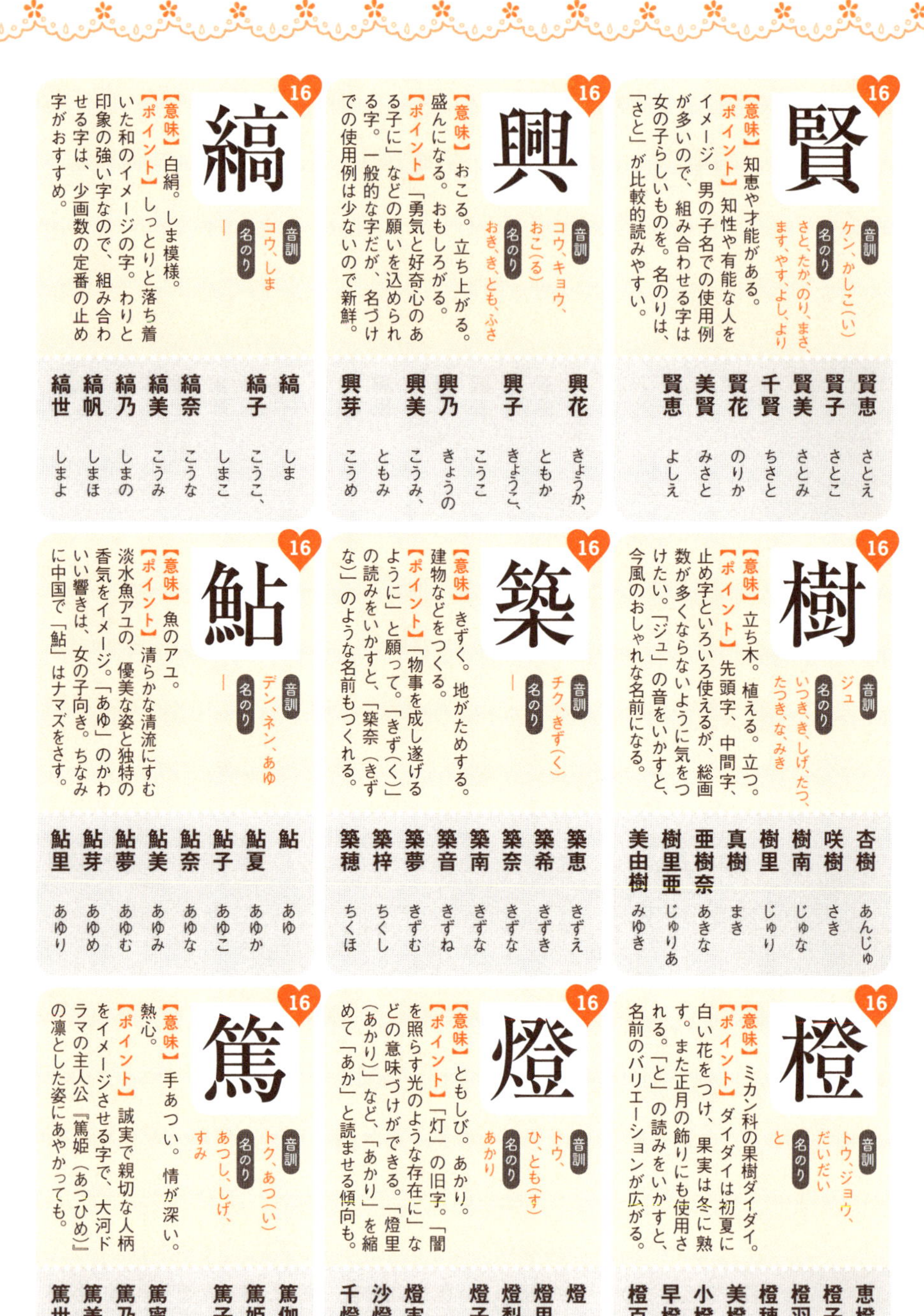

賢 16

音訓　ケン、かしこ(い)
名のり　さと、たか、のり、まさ、ます、やす、よし、より

【意味】知恵や才能がある。

【ポイント】知性や有能な人をイメージ。男の子名での使用例が多いので、組み合わせる字は女の子らしいものを。名のりは、「さと」が比較的読みやすい。

賢恵	さとえ
賢子	さとこ
賢美	さとみ
千賢	ちさと
賢花	のりか
美賢	みさと
賢恵	よしえ

興 16

音訓　コウ、キョウ、おこ(る)
名のり　おき、き、とも、ふさ

【意味】おこる。立ち上がる。盛んになる。おもしろがる。

【ポイント】「勇気と好奇心のある子に」などの願いを込められる字。一般的な字だが、名づけでの使用例は少ないので新鮮。

興花	きょうか、ともか
興子	きょうこ、こうこ
興乃	きょうの
興美	こうみ、ともみ
興芽	こうめ

縞 16

音訓　コウ、しま
名のり　―

【意味】白絹。しま模様。

【ポイント】しっとりと落ち着いた和のイメージの字。わりと印象の強い字なので、組み合わせる字は、少画数の定番の止め字がおすすめ。

縞	しま
縞子	こうこ、しまこ
縞奈	こうな
縞美	こうみ
縞乃	しまの
縞帆	しまほ
縞世	しまよ

樹 16

音訓　ジュ
名のり　いつき、き、しげ、たつ、たつき、な、みき

【意味】立ち木。植える。立つ。

【ポイント】先頭字、中間字、止め字といろいろ使えるが、総画数が多くならないように気をつけたい。「ジュ」の音をいかすと、今風のおしゃれな名前になる。

杏樹	あんじゅ
咲樹	さき
樹南	じゅな
樹里	じゅり
真樹	まき
亜樹奈	あきな
樹里亜	じゅりあ
美由樹	みゆき

築 16

音訓　チク、きず(く)
名のり　―

【意味】きずく。地がためする。建物などをつくる。

【ポイント】「物事を成し遂げるように」と願って。「きず(く)」の読みをいかすと、「築奈(きずな)」のような名前もつくれる。

築恵	きずえ
築希	きずき
築奈	きずな
築南	きずな
築音	きずね
築夢	きずむ
築梓	ちくし
築穂	ちくほ

鮎 16

音訓　デン、ネン、あゆ
名のり　―

【意味】魚のアユ。

【ポイント】清らかな清流にすむ淡水魚アユの、優美な姿と独特の香気をイメージ。「あゆ」のかわいい響きは、女の子向き。ちなみに中国で「鮎」はナマズをさす。

鮎	あゆ
鮎夏	あゆか
鮎子	あゆこ
鮎奈	あゆな
鮎美	あゆみ
鮎夢	あゆむ
鮎芽	あゆめ
鮎里	あゆり

橙 16

音訓　トウ、ジョウ、だいだい
名のり　と

【意味】ミカン科の果樹ダイダイ。

【ポイント】ダイダイは初夏に白い花をつけ、果実は冬に熟す。また正月の飾りにも使用される。「と」の読みをいかすと、名前のバリエーションが広がる。

恵橙	けいと
橙子	とうこ
橙羽	とうは
橙穂	とうほ
美橙	みと
小橙美	ことみ
早橙子	さとこ
橙百子	ともこ

燈 16

音訓　トウ、ひ、とも(す)
名のり　あかり

【意味】ともしび。あかり。「灯」の旧字。

【ポイント】「闇を照らす光のような存在に」などの意味づけができる。「燈里(あかり)」など、「あかり」を縮めて「あか」と読ませる傾向も。

燈	あかり
燈里	あかり
燈梨	あかり
燈子	とうこ、ともこ
燈実	ともみ
沙燈美	さとみ
千燈世	ちとせ

篤 16

音訓　トク、あつ(い)
名のり　あつし、しげ、すみ

【意味】手あつい。情が深い。熱心。

【ポイント】誠実で親切な人柄をイメージさせる字で、大河ドラマの主人公『篤姫(あつひめ)』の凛とした姿にあやかっても。

篤伽	あつか
篤姫	あつき
篤子	あつこ、とくこ
篤寧	あつね
篤乃	あつの
篤美	あつみ
篤世	しげよ

繁 16

音訓 ハン、しげ(る)
名のり えだ、しげる、とし

【意味】草木などがしげる。さかん。増えて広がる。
【ポイント】エネルギッシュなイメージ。子孫繁栄や、家の繁栄を願って、とくに昔はよく使われた字。

繁乃 しげの
繁美 しげみ、としみ
繁代 しげよ
繁枝 としえ
繁花 としか
繁穂 としほ

縫 16

音訓 ホウ、ぬ(う)
名のり ぬい

【意味】糸でぬう。つくろう。
【ポイント】「裁縫」「縫物」のイメージから、女の子らしいイメージ。音読みの「ホウ」を縮めて「ホ」の音に当てれば、名前のバリエーションが広がる。

香縫 かほ
思縫 しほ
南縫 なほ
縫花 ぬいか
縫子 ぬいこ
実縫 みほ
唯縫 ゆいほ
莉縫 りほ

磨 16

音訓 マ、みが(く)
名のり おさむ、きよ

【意味】みがく。とぐ。
【ポイント】「玉や石をみがく」という意味のほか、「技術や学問をみがいて上達する」といった意味も含む。「真」や「麻」に代わって「マ」に当てるケースも増えている。

絵磨 えま
磨緒 まお
磨子 まこ
磨南 まな
磨帆 まほ
磨凛 まりん
由磨 ゆま
磨奈美 まなみ

諭 16

音訓 ユ、さと(す)
名のり さとし、さとす、つぐ

【意味】教えさとす。
【ポイント】『学問のすゝめ』の福沢諭吉の「諭」。その意味から、知的で優れた指導者をイメージさせる。「ユ」の読みをいかすとキュートな印象に。

諭子 さとこ
諭美 さとみ
千諭 ちさと
麻諭 まゆ
美諭 みさと
諭季 ゆき
諭梨 ゆり
史諭菜 しゆな

謡 16

音訓 ヨウ、うたい、うた(う)
名のり ー

【意味】うたう。
【ポイント】歌謡曲や民謡の「謡」。また、能楽の詞章や歌唱を「謡（うたい）」といい、和のイメージが強い字。

謡 うた
謡子 うたこ、ようこ
謡奈 うたな
謡乃 うたの
謡葉 うたは
謡美 うたみ
謡花 ようか

頼 16

音訓 ライ、たの(もしい)、たよ(る)
名のり のり、よし、より

【意味】たのむ。たのもしい。
【ポイント】「美頼（みらい）」など、「ライ」「頼奈（らいな）」の響きをいかして、洋風の個性的な名前に使える。頼られる人や頼もしい人になるように願って。

咲頼 さより
陽頼 ひより
美頼 みらい
頼花 よりか
頼沙 らいさ
頼奈 らいな
頼夢 らいむ

蕾 16

音訓 ライ、つぼみ
名のり ー

【意味】つぼみ。
【ポイント】「つぼみ」のかわいらしいイメージとは異なり、視覚的なイメージはややかため。少画数ののびやかな雰囲気の字と組み合わせたい。

蕾 つぼみ
蕾心 つぼみ
美蕾 みらい
未蕾 みらい
蕾花 らいか
蕾茅 らいち
蕾夢 らいむ
蕾楽 らいら

燎 16

音訓 リョウ、かがりび
名のり あき、あきら、やく

【意味】かがり火。かがり火をたいたように明るいさま。
【ポイント】「千燎（ちあき）」など、「あき」の読みをいかすと、名前のバリエーションが広がる。「周囲を明るく照らす人に」と願って。

燎江 あきえ
燎奈 あきな
燎妃 あきひ
燎世 あきよ
千燎 ちあき
燎子 りょうこ、あきこ

澪 16

音訓 レイ、リョウ、みお
名のり ー

【意味】海や川で船が航行する道筋。
【ポイント】海にちなんでいながら、どこか和風テイストも感じさせる字。読みも女の子に人気の響きがそろっている。

澪 みお、れい
澪夏 みおか
澪里 みおり
美澪 みれい
澪加 れいか
澪砂 れいさ
澪美 れいみ

蕗 16

音訓 ロ、ふき
名のり —

【意味】薬草の一種、食用にする甘草。

【ポイント】みちを意味する「路」に草冠がついて「蕗（フキ）」に。名づけでは、土手や川辺に自生するフキの力強さをイメージ。

衣蕗	いぶき
蕗恵	ふきえ
蕗子	ふきこ
蕗乃	ふきの
蕗世	ふきよ
蕗音	ろね
以蕗羽	いろは
日蕗子	ひろこ

霞 17

音訓 カ、ガ、かすみ、かす(む)
名のり —

【意味】細かい水滴で空がぼやける現象。朝焼け。夕焼け。

【ポイント】幻想的なイメージの一方、「物事がかすむ」などネガティブイメージも。好みの分かれる字。

霞	かすみ
霞美	かすみ
清霞	さやか
春霞	はるか
美霞	みか
萌霞	もえか
明日霞	あすか
夕霞里	ゆかり

環 17

音訓 カン
名のり たま、たまき、めぐる、わ

【意味】たまき。リング状の玉。めぐる。

【ポイント】名前例は、1字名の「環（たまき）」が多い。これ以外では、「カン」や「わ」の音をいかすケースが多い。

環	たまき、めぐる
環奈	かんな
沙環	さわ
環恵	たまえ
環央	たまお
環希	たまき
美環	みわ

鞠 17

音訓 キク、ギク、キュウ、まり
名のり つぐ、みつ

【意味】革で包んだまり。けまり。体を丸くかがめる。育てる。若い。

【ポイント】和風情緒とかわいらしさをあわせ持つ字。なお、「毬」は毛で包んだまりをさす。

伊鞠	いまり
鞠未	つぐみ
日鞠	ひまり
鞠亜	まりあ
鞠絵	まりえ
鞠子	まりこ、きゅうこ
鞠奈	まりな

謙 17

音訓 ケン
名のり かた、かね、のり、ゆずる、よし

【意味】へりくだる。一歩ひく。

【ポイント】謙虚の「謙」。「礼節をわきまえた人に」などの願いを込めて。女の子の名前には、名のりの「のり」や「よし」が使いやすい。

謙恵	のりえ、よしえ
謙子	のりこ
謙歩	のりほ
謙江	よしえ
謙禾	よしか
謙乃	よしの
謙美	よしみ

檎 17

音訓 ゴ、キン
名のり —

【意味】林檎は、果樹の名前。

【ポイント】読みが少なく、女の子の場合は、「林檎（りんご）」以外は、なかなか応用が難しいが、「リン」の漢字を変えて、「凛檎」「鈴檎」としても。

一檎	いちご
珊檎	さんご
林檎	りんご
凛檎	りんご
鈴檎	りんご

燦 17

音訓 サン、あき(らか)
名のり —

【意味】あざやかで美しい様子。

【ポイント】英語の太陽「sunサン」のイメージで、比較的意味も近いこの字を当てるケースも。込み入った字形なので、すっきりした字と組み合わせたい。

燦	あき、さん
燦瑚	あきこ
燦名	あきな
燦波	あきは
燦葉	あきよ
千燦	ちあき
美燦子	みさこ

瞳 17

音訓 ドウ、トウ、ひとみ
名のり あきら

【意味】ひとみ。目。

【ポイント】澄んだ美しい瞳を連想させる字。定番の女の子名は、1字名の「瞳（ひとみ）」。本来は間違った使い方だが、最近は「め」と読ませる傾向も。

瞳	ひとみ、あきら
瞳花	とうか
瞳子	とうこ
瞳実	ひとみ
璃瞳	りど
瞳怜美	どれみ
美瞳里	みどり

翼 17

音訓 ヨク、つばさ
名のり すけ、たすく

【意味】つばさ。助ける。

【ポイント】1字名の「翼（つばさ）」が圧倒的に多い。2字名にする場合は、少画数のすっきりした字形と合わせたい。

翼	つばさ
翼葵	つばき
翼祈	つばき
翼咲	つばさ
翼沙	つばさ
翼女	つばめ

17

優

音訓 ユウ、やさ(しい)、すぐ(れる)
名のり かつ、すぐる、ひろ、まさ、まさる、ゆ、ゆたか

【意味】やさしい。すぐれる。美しい。

【ポイント】男女ともに毎年、名づけランキングのベスト10前後に名前例がランクインしている人気の字。意味も響きも字形も、すべてやわらかい印象。「やさしい」という意味だけでなく、「すぐれている」という意味もあり、名前の意味づけもしやすい。画数が多いわりにのびやかな字形なので、比較的どんな字とも相性がいい。読みは、「ユウ」と「ユ」、どちらもポピュラーなため、たとえば「優里」だと「ゆうり」「ゆり」と2通りに読めてしまうのが、ややまぎらわしい。

【参考】●優美（ゆうび）…みやびで美しい。品があって美しい。●蒼井優（あおい・ゆう）…女優。●優香（ゆうか）…タレント。●大島優子（おおしま・ゆうこ）…タレント。●秋元優里（あきもと・ゆり）…キャスター。●大木優紀（おおき・ゆうき）…アナウンサー。

優 ゆう
亜優 あゆ
沙優 さゆ
千優 ちひろ、ちゆ
那優 なゆ
仁優 にゆ
風優 ふゆ
優姫 まさき
真優 まひろ
舞優 まゆ
麻優 まゆう
心優 みひろ
美優 みゆ、みゆう
百優 もゆ
優亜 ゆあ

優以 ゆい
優羽 ゆう
優歌 ゆうか
優風 ゆうか
優紀 ゆうき
優子 ゆうこ
優咲 ゆうさ
優音 ゆうね
優乃 ゆうの
優妃 ゆうひ
優芽 ゆうめ
優唯 ゆうゆ
優良 ゆうら
優花 ゆか
優妃 ゆき
優津 ゆず
優月 ゆづき

優音 ゆね
優乃 ゆの
優歩 ゆほ
優麻 ゆま
優芽 ゆめ
優々 ゆゆ
優羽 ゆわ
璃優 りゆ
安優香 あゆか
亜優子 あゆこ
愛優未 あゆみ
希優香 きゆか
万優菜 まゆな
美風優 みふゆ
優羽子 ゆうこ
優花里 ゆかり
優里奈 ゆりな

17

瞭

音訓 リョウ
名のり あき、あきら

【意味】あきらか。はっきりとよく見える。

【ポイント】「明瞭」「一目瞭然」の「瞭」。シャープな印象で、意味もよいが、名前にはあまり使われていないので新鮮。

瞭 りょう
瞭子 あきこ、りょうこ
瞭音 あきね
瞭歩 あきほ
瞭良 あきら
美瞭 みりょう
瞭香 りょうか

17

嶺

音訓 レイ、リョウ、みね
名のり ね

【意味】みね。高いみねの続き。

【ポイント】「峰（ホウ、ね）」と同義で、人気の「レイ」と「ね」の読みを持つ。「玲（レイ）」や「音（ネ）」「寧（ネ）」などの代わりに使うと新鮮。

嶺 りょう、れい
美嶺 みれい
瑠嶺 るみね
嶺花 れいか
嶺那 れいな
嶺葉 れいは
江嶺奈 えれな

18

観

音訓 カン
名のり あき、しめす、まろ、み、みる

【意味】みくらべて考える。

【ポイント】「物事をしっかり見て考える人に」などの願いを込めて。音読みの「カン」が読みやすいが、名のりの「み」をいかした名づけもできる。

観絵 あきえ
観歩 あきほ
観奈 かんな、みな
観希 みき
観丘 みく
観沙 みさ
観月 みづき

18

顕

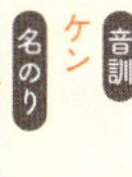

音訓 ケン
名のり あき、あきら、たか、てる

【意味】あきらか。あらわれる。はっきりと見える様子。

【ポイント】よい意味を持つが、かたいイメージもあり、名づけでの使用例は少ない。名のりでは「あき」が比較的読みやすい。

顕子 あきこ、てるこ
顕羽 あきは
顕代 あきよ
千顕 ちあき
顕絵 てるえ
顕奈 てるな
顕美 てるみ

18

繭

音訓 ケン、まゆ
名のり ー

【意味】マユ。絹糸。

【ポイント】「まゆ」のやさしい響きは女の子向きで、「繭のように、周囲の人をやさしく包むように」などの願いが込められる字。

繭 まゆ
繭羽 まゆう
繭加 まゆか
繭子 まゆこ
繭乃 まゆの
繭実 まゆみ
繭由 まゆゆ
繭良 まゆら

瞬 18

音訓：シュン、またた(く)
名のり：—

【意味】まばたく。短時間。

【ポイント】「瞬間瞬間を大切に」「素早い判断や行動ができる人に」などの願いが込められる。読みが少ないので、応用はききにくい。

瞬	しゅん
瞬里	しゅり
瞬花	しゅんか
瞬子	しゅんこ
瞬奈	しゅんな
瞬音	しゅんね
瞬璃	しゅんり

織 18

音訓：ショク、シキ、お(る)
名のり：おり、おる、り

【意味】おる。織物。

【ポイント】「おり」の読みで、女の子の止め字の定番。七夕伝説の織姫のイメージもあり、ロマンチックかつ和の印象も強い。画数は多いが、視覚的にきれいな字形も人気の理由。止め字として多用されているので、先頭字や中間字に使うと新鮮。

【参考】●織女星（しょくじょせい）…琴座のベガ。●江國香織（えくに・かおり）…作家。●持田香織（もちだ・かおり）…歌手。●瀧本美織（たきもと・みおり）…女優。●玉井詩織（たまい・しおり）…タレント。●木村沙織（きむら・さおり）…バレーボール選手。

伊織	いおり
織斗花	おとか
織依	おりえ
織佳	おりか
織座	おりざ
織音	おりね
香織	かおり
花織	かおる
希織	きおり
沙織	さおり
志織	しおり
妃織	ひおり
麻織	まおり
美織	みおり
亜織伊	あおい
小織里	さおり
南織実	なおみ

雛 18

音訓：スウ、ス、ひな
名のり：—

【意味】ひな。にわとりの子。ひな人形。

【ポイント】かわいい響きとイメージで、女の子に人気だが、画数が多く、字面は重くなりがち。1字で「すう」と読ませても。

雛	ひな、すう
小雛	こひな
雛子	ひなこ
雛乃	ひなの
雛予	ひなよ
雛里	ひなり
雛々花	すずか

礎 18

音訓：ソ、いしずえ
名のり：き

【意味】いしずえ。物事の根本。

【ポイント】基礎の「礎」。意味は十分名前向きだが、字面のかたいイメージと使いにくい読みのせいか、使用例は少ない。

礎亜	そあ
礎奈	そな
礎音	そね
礎乃	その
礎代	そよ
礎羽子	そうこ
礎乃実	そのみ
美礎乃	みその

櫂 18

音訓：トウ、タク、かい
名のり：かじ

【意味】船をこぐ道具。オール。

【ポイント】2004年に人名用漢字に追加された字。「自分自身で人生を切りひらいていけるように」などの願いを込めて。

櫂衣	かい
櫂奈	かいな
櫂里	かいり
櫂音	かのん
櫂歩	たくほ
櫂美	たくみ
櫂芽	たくめ

藤 18

音訓：トウ、ふじ
名のり：かつら

【意味】つる性植物の総称。

【ポイント】5～6月ごろに咲く薄紫色の花は、房状に垂れ、その姿は日本でも古くから愛されている。落ち着いた和のイメージ。「トウ」の読みを活かしても。

藤	ふじ、かつら
小藤	こふじ
藤香	とうか
藤依	ふじえ
藤子	ふじこ、とうこ
藤乃	ふじの

璧 18

音訓：ヘキ
名のり：たま

【意味】祭礼などに使われたリング状の玉。美しい玉。

【ポイント】完璧の「璧」。2010年から名前に使えるようになった字で、新鮮さは抜群。ただし、読みが少なく、応用はききにくい。

璧江	たまえ
璧希	たまき
璧姫	たまき
璧子	たまこ
璧音	たまね
璧美	たまみ
璧与	たまよ
璧琉	へきる

曜 18

音訓：ヨウ
名のり：あきら、てらす、てる

【意味】かがやく。

【ポイント】部首が示すように、とくに「日の光が輝くさま」をあらわしている。名前での使用は意外に少ない。タレントの熊田曜子（ようこ）さんが有名。

曜	よう
曜禾	あきか
曜美	てるみ
曜香	ようか
曜子	ようこ、てるこ
香曜子	かよこ
千曜美	ちよみ

18

燿

音訓 ヨウ、かがや(く)
名のり てる

【意味】かがやく。

【ポイント】「曜」の日の光に対し、とくに「火の光が輝くさま」をあらわしている。また、同音で意味も字形も似ている字に「耀」もある。

燿	よう
燿亜	てるぁ
燿子	てるこ、ようこ
燿羽	てるは
燿花	ようか
燿奈	ような
里燿子	りよこ

18

藍

音訓 ラン、あい
名のり ー

【意味】あい色。葉から青い染料をとるタデ科の草。

【ポイント】「あい」の響きでは、「愛」の人気が群を抜いているが、清涼感や清潔感、落ち着きを感じさせるこの字も人気。「ラン」の響きをいかせば、「美藍(みらん)」「沙藍(さらん)」など、個性的な響きの名前もつくれる。

【参考】●宮里藍(みやざと・あい)…ゴルファー。●中村藍子(なかむら・あいこ)…テニス選手。●佐藤藍子(さとう・あいこ)…女優。●平山藍里(ひらやま・あいり)…タレント。●大川藍(おおかわ・あい)…タレント。

藍	あい、らん
藍夏	あいか
藍禾	あいか
藍子	あいこ、らんこ
藍沙	あいさ
藍那	あいな
藍乃	あいの
藍美	あいみ
藍楽	あいら
藍羅	あいら
藍里	あいり
藍琉	あいる
沙藍	さらん
美藍	みらん
美藍乃	みらの

19

韻

音訓 イン、ひびき
名のり おと

【意味】調和している音節や字音。

【ポイント】人気の音楽にちなんだ字。縦横の直線が多く、角張った字形なので、曲線を持つ丸みのある字と組み合わせるのがベター。

韻	おと、ひびき
韻華	おとか
韻葉	おとは
韻芽	おとめ
麻韻	まいん
芽韻	めいん

19

鏡

音訓 キョウ、かがみ
名のり あき、あきら、かね、とし、み

【意味】かがみ。手本。

【ポイント】「自分自身と向き合える人に」「自分にうそをつかないように」などの思いを込めて名づけができる字。多画数のわりにはすっきりした字形。

鏡水	かがみ
綺鏡	ききょう
鏡花	きょうか
鏡子	きょうこ、あきこ
千鏡	ちあき

19

識

音訓 シキ、し(る)
名のり さと、つね、のり

【意味】知る。見分ける。

【ポイント】知識の「識」。知性を感じさせる、名前向きのよい意味を持つが、ややかたい印象のためか、字形が似ている「織」ほど使われていない。

識	さと
識恵	さとえ
識子	さとこ
識美	さとみ
千識	ちさと
識江	のりえ
識万子	しまこ

19

繍

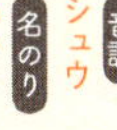

音訓 シュウ
名のり ぬい

【意味】衣に文様を縫い込むこと。

【ポイント】刺繍(ししゅう)の「繍」。女の子向きの字だが、込み入った字形なので、組み合わせる字は軽い印象の字にしたい。異体字の「繡」は名前には使えない。

繍	しゅう
繍果	しゅうか、ぬいか
繍子	しゅうこ
繍菜	しゅうな
繍歩	しゅうほ

19

瀬

音訓 せ
名のり ぜ

【意味】せ。せせらぎ。

【ポイント】「せ」の音で、「世」とともによく使われている。多画数で、かつ姓に多い字なので、組み合わせる字は、すっきりとしていて、名前らしくなるものを。

瀬奈	せな
瀬良	せら
瀬里	せり
千瀬	ちせ
七瀬	ななせ
優瀬	ゆうせ
瀬都子	せつこ
瀬里奈	せりな

19

譜

音訓 フ
名のり つぐ

【意味】書き記したもの。

【ポイント】楽譜の「譜」で、音楽的なイメージもある字。字面がやや重いせいか、名前での使用例は少ないが、「フ」に当てて個性的な名前がつくれる。

譜花	つぐか
譜里	つぐり
譜美	ふみ
譜葉	ふよう
譜和	ふわ
譜希恵	ふきえ

羅 19

音訓：ラ
名のり：つら

【意味】あみ。うすぎぬ。

【ポイント】洋風の名前に重宝されている「ラ」。「良」や「楽」も「ラ」に当てられるが、「良」と「楽」がほかの読みも連想されるのに対し、「羅」はすぐに「ラ」と読めるわかりやすさが魅力。ただし、多画数のため字面が重くなりがちなので、なるべくすっきりした字と合わせたい。

【参考】●伽羅（きゃら）…香木のこと。●高梨沙羅（たかなし・さら）…スキージャンプ選手。●小倉星羅（おぐら・せいら）…タレント。●林紗久羅（はやし・さくら）…タレント。

- 伽羅　きゃら
- 咲羅　さくら
- 沙羅　さら
- 紗羅　さら、しゃら
- 晴羅　せいら
- 星羅　せいら
- 世羅　せら
- 由羅　ゆら
- 羅奈　らな
- 羅々　らら
- 羅楽　らら
- 怜羅　れいら
- 亜衣羅　あいら
- 希羅々　きらら
- 羅以夢　らいむ
- 羅々美　ららみ

蘭 19

音訓：ラン
名のり：か

【意味】ラン科植物の総称。キク科のフジバカマの古称。

【ポイント】独特の美しい花を咲かせ、高貴なイメージがあるランをあらわす。最近は、名のりの「か」をいかした名前も。

- 蘭　らん
- 鈴蘭　すずらん
- 星蘭　せいらん
- 美蘭　みか、みらん
- 蘭子　らんこ
- 蘭々　らんらん
- 姫蘭里　ひらり

麗 19

音訓：レイ、ライ、うら(らか)、うるわ(しい)
名のり：うらら、つぐ、よし、より、れ

【意味】美しい。うるわしい。うららか。

【ポイント】多画数の字のなかではトップクラスの使用度で、気品と存在感をあわせ持つ字。この字のよさをいかすためにも、組み合わせる字はすっきりとしたシンプルな字のものを選びたい。字面の重さが気になる場合は、同じ「レイ」の音を持つ「玲」や「礼」なども検討を。

【参考】●田中麗奈（たなか・れな）…女優。●小嶺麗奈（こみね・れな）…女優。●宮崎麗香（みやざき・れいか）…タレント。

- 麗　れい、うらら
- 麗楽　うらら
- 樹麗　じゅれ
- 美麗　みれい
- 麗沙　らいさ
- 麗夢　らいむ
- 麗亜　れいあ
- 麗歌　れいか
- 麗子　れいこ
- 麗奈　れな、れいな
- 麗乃　れの
- 麗紋　れもん
- 江麗奈　えれな
- 土麗美　どれみ
- 麗央那　れおな

瀧 19

音訓：ロウ、たき
名のり：たけし、よし

【意味】たき。崖などから流れ落ちる水の流れ。

【ポイント】読みの「たき」をいかすと和風に、「ロウ」をいかすと洋風の響きの名前に。正体の「滝」も使用可。

- 瀧枝　たきえ
- 瀧花　たきか
- 瀧子　たきこ
- 瀧世　たきよ
- 美瀧　みたき
- 瀧砂　ろうさ
- 瀧南　ろうな

麓 19

音訓：ロク、ふもと
名のり：―

【意味】山のふもと。

【ポイント】雄大な山を連想でき、ダイナミックなイメージ。女の子らしい字と組み合わせて、ダイナミックさとやさしさをうまく表現した名前にしたい。

- 美麓　みろく
- 麓沙　ろうさ
- 麓恵　ろえ
- 麓美　ろくみ、ろみ

響 20

音訓：キョウ、ひび(く)
名のり：おと、なり、ひびき

【意味】ひびく。音が広がる。交響楽団。

【ポイント】音楽に関連する字で、男女ともに人気上昇中の字。読みも多く、名前のバリエーションはつくりやすい。

- 響　ひびき
- 響加　おとか
- 響芽　おとめ
- 響歌　きょうか
- 響子　きょうこ
- 響奈　きょうな
- 響乃　きょうの
- 響希　ひびき

馨 20

音訓：ケイ、キョウ、かお(る)
名のり：かおり、かおる、か、きよ、よし

【意味】かおる。よい評判が遠くまで伝わる。

【ポイント】同音の「かおり」「かおる」の字では、「香」「薫」に次ぐ人気。独特の存在感がある字。

- 馨　かおり、かおる
- 亜馨　あきよ
- 馨里　かおり
- 馨琉　かおる
- 馨子　けいこ、かおるこ
- 馨花　きよか

20 鐘

音訓 ショウ、かね
名のり あつむ

【意味】打楽器の一種。つりがね。時を知らせるかね。

【ポイント】人気の音楽に関連する字。音が響くことから、「人の心を響かせるような人に」といった願いが込められる。

鐘美	かねみ
鐘子	しょうこ
鐘奈	しょうな
鐘乃	しょうの
鐘芽	しょうめ
智鐘	ちかね
美鐘	みかね

20 耀

音訓 ヨウ、かがや（く）
名のり あき、あきら、てる

【意味】明るく照りかがやく。

【ポイント】「耀」は「ぎらぎらと輝く光」をあらわす。同じ「ヨウ」「てる」の読みを持つ「曜」は日の光、「燿」は火の光を意味する。

耀葉	あきは
耀奈	あきな
紗耀	さよ
耀葉	てるは
耀美	てるみ
耀子	ようこ、てるこ
莉耀	りよ

21 櫻

音訓 オウ、ヨウ、さくら
名のり ―

【意味】サクラ。

【ポイント】人気の「桜」の旧字。旧字のなかでも、なじみのある字で、ほかの旧字に比べると、名づけでの使用例は多い。

櫻	さくら
櫻花	おうか
櫻良	さくら
櫻子	さくらこ
思櫻	しお
那櫻	なお
真櫻	まお
美櫻	みお

21 鶴

音訓 カク、つる
名のり ず、たず、つ、づ、づる

【意味】ツル。白い。細くやせる。

【ポイント】「鶴は千年」の言葉もあるように、古来より長寿の象徴。白く優雅な姿を持ち、白さや、細くやせていることのたとえにもよく使われる。

千鶴	ちづ、ちづる
美鶴	みつる、みか
結鶴	ゆいか
柚鶴	ゆづ
史鶴香	しづか
美鶴季	みづき

21 露

音訓 ロ、ロウ、つゆ
名のり あきら

【意味】つゆ。あらわれる。わずか。

【ポイント】「ロ」の読みの字には「呂」や「路」もあるが、「露」は、「つゆ」のしっとりしたイメージもあり、比較的女の子向き。

露花	つゆか
露子	つゆこ、ろこ
露葉	つゆは
美露	みろ
露沙	ろうさ
露音	ろね
以露羽	いろは

22 鷗

音訓 オウ、かもめ
名のり ―

【意味】カモメ科の水鳥のこと。

【ポイント】空と海をバックに舞うカモメの姿から、「自由に羽ばたいてほしい」などの願いを込めて。俗字の「鴎」は、名づけには使えないので注意。

鷗紀	おうき
鷗芽	かもめ
史鷗	しお
美鷗	みお、みおう
奈鷗子	なおこ

22 讃

音訓 サン、ほ（める）
名のり ―

【意味】ほめたたえる。ほめる。助ける。

【ポイント】同音で似た字形の「賛」と意味もほぼ同じ。画数のわりにはバランスをとりやすく、口頭での説明もしやすい字。

讃奈	さな
早讃	さほ
讃子	さんこ
奈讃	なほ
里讃	りほ

24 麟

音訓 リン
名のり ―

【意味】麒麟（きりん）。

【ポイント】麒麟とは、動物のキリン、または中国の想像上の動物「麒麟」をさす字。後者はめでたいことの前兆とされる。麒麟の「麒」も名づけに使える。

麟	りん
佳麟	かりん
水麟	すいりん
麻麟	まりん
夕麟	ゆりん
麟花	りんか
麟子	りんこ
麟奈	りんな

24 鷺

音訓 ロ、ル、さぎ
名のり ―

【意味】水鳥の名前。

【ポイント】優雅に羽ばたく姿が特徴的な水鳥。「さぎ」の読みをいかすと、情緒的な雰囲気の名前になる。ちなみに同じコウノトリ目のトキは「朱鷺」と書く。

鷺	さぎ
小鷺	こさぎ
鷺里	さぎり
朱鷺	とき
美鷺	みさぎ
鷺恵	ろえ
鷺美	ろみ
朱鷺加	ときか

漢字1字の名前

凛とした印象を与えたり、愛らしい印象を与えたり、同じ1字名でも漢字の選び方、読み方しだいで、さまざまな雰囲気になります。また、画数によっても印象が異なります。姓とのバランスも含めて検討しましょう。

1
乙 おと

2
七 なな

3
弓 ゆみ

4
心 こころ、しん
天 そら、てん
月 つき
友 とも、ゆう
巴 ともえ
文 ふみ、あや
円 まどか、つぶら

5
叶 かな、きょう

6
汀 なぎさ
史 ふみ
冬 ふゆ
礼 れい、あや
灯 あかり
糸 いと
汐 うしお
羽 つばさ
凪 なぎ
光 ひかり、ひかる
有 ゆう、あり

7
杏 あん、あんず
初 うい、はつ
冴 さえ
里 さと
忍 しのぶ
芹 せり
妙 たえ
希 のぞみ
花 はな
麦 むぎ
伶 れい

8
周 あまね
采 あや
歩 あゆみ、あゆむ
苺 いちご、まい
弦 いと
祈 いのり
京 きょう、みやこ
苑 その
空 そら
和 のどか、なごみ
岬 みさき

9
迪 みち
実 みのり
芽 めい、めぐむ
侑 ゆう
幸 ゆき、さち
怜 れい
娃 あい
茜 あかね
秋 あき
郁 いく、かおる
泉 いずみ
海 うみ
音 おと、おん
香 かおり、かおる、こう
奏 かな、かなで
咲 さき、えみ
星 せい、あかり

10
虹 にじ、こう
春 はる
風 ふう
紅 べに、こう
南 みなみ
宥 ゆう
柚 ゆず
玲 れい
晏 あん
笑 えみ
桂 けい、かつら
桜 さくら
倖 さち、こう
栞 しおり
純 じゅん
夏 なつ
華 はな

姫 ひめ
恩 めぐみ、おん
恵 めぐみ、けい
桃 もも
恋 れん、こい

11

逢 あい
梓 あずさ
彩 あや
菖 あやめ
庵 いおり、あん
絃 いと
菊 きく
絆 きずな
梢 こずえ
皐 さつき
清 さや
爽 さわ
雫 しずく
菫 すみれ
紬 つむぎ
渚 なぎさ
望 のぞみ
悠 はるか、ゆう
蛍 ほたる、けい
都 みやこ
萌 もえ、めぐみ
椛 もみじ
唯 ゆい
惟 ゆい
雪 ゆき、せつ
涼 りょう

12

葵 あおい
晶 あきら
絢 あや
詠 うた
景 けい
琴 こと
惺 しずか
温 はる、おん
晴 はる
陽 はる、みなみ
遥 はるか
媛 ひめ
稀 まれ
結 ゆい、ゆう
遊 ゆう
釉 ゆう
葉 よう
琳 りん

13

愛 あい、めぐみ
蒼 あおい
詩 うた
楓 かえで、ふう
絹 きぬ
鈴 すず、りん
想 そう
園 その
暖 のん
聖 ひじり、さと
蒔 まき
雅 みやび
夢 ゆめ
蓮 れん

14

碧 あおい、みどり
綾 あや
静 しずか、せい
緑 みどり
翠 みどり、すい
綸 りん、いと

15

潮 うしお
憬 けい
慶 けい
潤 じゅん
澄 すみ、きよみ
舞 まい
凜 りん

16

燈 あかり
謡 うた、よう
樹 いつき
穏 おん、のん
薫 かおり、かおる
蕾 つぼみ
縫 ぬい
澪 みお、れい

17

霞 かすみ
環 たまき
翼 つばさ
瞳 ひとみ
鞠 まり
優 ゆう
嶺 れい、みね

18

藍 あい
雛 ひな
藤 ふじ
繭 まゆ
曜 よう

19

繍 しゅう
蘭 らん
麗 れい、うらら

20

馨 かおり、かおる
響 ひびき、きょう

21

櫻 さくら

漢字3字の名前

漢字3字名にすると、文字の組み合わせがグンと広がり、より個性的な名前を考えやすくなります。ただし総画数が多くなりがちで、ややうるさい印象を与えることも。名前の視覚的なイメージも含めて考えましょう。

愛衣那 あいな
杏樹奈 あきな
亜季穂 あきほ
愛咲子 あさこ
亜沙美 あさみ
明日夏 あすか
安寿美 あずみ
亜津乃 あつの
愛美加 あみか
亜芽里 あめり
亜弥子 あやこ

彩悠子 あゆこ
衣央奈 いおな
衣緒梨 いおり
依久美 いくみ
依千花 いちか
伊知乃 いちの
惟都希 いつき
依都美 いつみ
伊万里 いまり
羽衣子 ういこ
宇琉々 うるる

英衣美 えいみ
映美菜 えみな
江実里 えみり
詠里香 えりか
絵梨那 えりな
恵玲奈 えれな
香亜紗 かあさ
夏江楽 かえら
歌奈恵 かなえ
可那子 かなこ
花菜実 かなみ

佳也乃 かやの
花梨南 かりな
季依奈 きいな
季陽花 きよか
貴世楽 きよら
希楽々 きらら
季里子 きりこ
空見子 くみこ
玖楽々 くらら
紅怜亜 くれあ
古都音 ことね

木乃実 このみ
小羽菜 こはな
小優季 こゆき
小由芽 こゆめ
沙愛耶 さあや
沙央璃 さおり
爽季子 さきこ
早津希 さつき
紗奈江 さなえ
彩弥香 さやか
沙友実 さゆみ
小百合 さゆり
咲里奈 さりな
史恵梨 しえり
紫央里 しおり
詩乃和 しのわ
寿絵瑠 じゅえる

志友莉 しゆり
珠里亜 じゅりあ
紫陽里 しより
澄々華 すずか
寿々奈 すずな
朱寿乃 すずの
珠美果 すみか
澄美南 すみな
寿実礼 すみれ
聖莉花 せりか
瀬里奈 せりな
知亜紀 ちあき
智亜実 ちあみ
千恵理 ちえり
茅央里 ちおり
知佳子 ちかこ
千歌音 ちかね

知沙都 ちさと
千奈津 ちなつ
千風優 ちふゆ
千結希 ちゆき
茅由梨 ちゆり
十希乃 ときの
都々音 ととね
登実絵 とみえ
斗萌江 ともえ
十和子 とわこ
那央美 なおみ
南津希 なつき
七奈加 ななか
名津代 なつよ
菜々子 ななこ
七奈羽 ななは
南々帆 ななほ

奈南世 ななよ
南帆美 なほみ
那美絵 なみえ
奈実代 なみよ
乃絵香 のえか
乃依瑠 のえる
野乃花 ののか
乃理世 のりよ
葉都美 はつみ
羽菜絵 はなえ
陽彩世 ひさよ
日向子 ひなこ
陽菜乃 ひなの
陽茉莉 ひまり
緋美花 ひみか
日芽子 ひめこ
陽芽乃 ひめの

日陽里 ひより
風羽花 ふうか
風輝子 ふきこ
芙久実 ふくみ
芙美香 ふみか
布由子 ふゆこ
帆斗里 ほとり
穂菜美 ほなみ
穂乃花 ほのか
茉衣佳 まいか
真依沙 まいさ
万祈亜 まきあ
真那津 まなつ
麻名美 まなみ
真乃愛 まのあ
万優歌 まゆか
麻友子 まゆこ

真由乃 まゆの
真由美 まゆみ
茉莉亜 まりあ
万理香 まりか
茉莉子 まりこ
麻梨沙 まりさ
真莉奈 まりな
麻怜亜 まれあ
見唯子 みいこ
美依紗 みいしゃ
美衣奈 みいな
未央子 みおこ
実生里 みおり
美姫子 みきこ
未沙希 みさき
美寿々 みすず
実想乃 みその

美登利 みどり
美乃莉 みのり
心々花 みみか
美結希 みゆき
未来乃 みらの
実梨亜 みりあ
美玲衣 みれい
実日子 みかこ
芽衣咲 めいさ
百奈美 もなみ
萌仁夏 もにか
悠衣亜 ゆいあ
結有花 ゆうか
優羽姫 ゆうき
優宇奈 ゆうな
有花子 ゆかこ
由希菜 ゆきな

悠季乃 ゆきの
優珠希 ゆずき
柚美果 ゆみか
唯々子 ゆゆこ
由梨佳 ゆりか
百合奈 ゆりな
楽々香 ららか
理衣奈 りいな
梨花子 りかこ
理乃亜 りのあ
莉里亜 りりあ
梨々佳 りりか
瑠璃花 るりか
麗衣名 れいな
玲恵那 れえな
玲央奈 れおな
和花子 わかこ

漢字づかいに工夫のある名前

名前の響きは一般的でも、音の区切りを変えたり、これまで名前にはあまり使われていなかった漢字を使うと、見た目の印象が変わり、個性的で印象的な名前になります。

愛見	あみる
文萌	あやめ
有愛	ありあ
衣純	いずみ
苺子	いちこ
祈里	いのり
彩葉	いろは
潤琉	うるる
絵皆	えみな
依蓮	えれん
乙芽	おとめ
花寿	かじゅ
香澄	かすみ
可摘	かつみ
花撫	かなで
叶実	かなみ
奏芽	かなめ
煌楽	きらら
煌莉	きらり
来未	くるみ
紅亜	くれあ
紅葉	くれは
光芽	こうめ
心那	ここな
沙笑	さえみ
彩丘	さおか
咲來	さくら
朔楽	さくら
紗富	さとみ
沙凪	さなぎ
更沙	さらさ
咲蘭	さらん
志衿	しえり
汐里	しおり
珠々	じゅじゅ
朱鞠	しゅまり
純玲	すみれ
束紗	たばさ
知笑	ちえみ
千衿	ちえり
千鞠	ちまり
束沙	つかさ
十萌	ともえ
友笑	ともえ
凪沙	なぎさ
和心	なごみ
菜摘	なつみ
夏芽	なつめ
新奈	にいな
音彩	ねいろ
乃笑	のえみ
美樹	びじゅ
日毬	ひまり
苺花	まいか
真祈	まいの
万冴	まさえ
真波	まなみ
茉央	まひろ
真凜	まりん
美丘	みおか
三冴	みさえ
美郷	みさと
美穹	みそら
美慈	みちか
充瑠	みちる
美波	みなみ
皆美	みなみ
美央	みひろ
美蕾	みらい
未楽	みらく
萌笑	もえみ
百萌	ももえ
優見	ゆみる
結芽	ゆめ
優々	ゆゆ
蕾花	らいか
里澄	りずむ
和奏	わかな

万葉仮名風の名前

「巴奈（はな）」「沙久楽（さくら）」などのように、ひとつの音にひとつの漢字を当てる名づけの手法を、「万葉仮名風名づけ」といいます。漢字の意味よりも響きを重視したいという場合に、おすすめの手法です。

- 安衣　あい
- 亜緒以　あおい
- 亜歌音　あかね
- 愛加梨　あかり
- 亜矢芽　あやめ
- 伊茅　いち
- 以知羽　いちは
- 宇乃　うの
- 羽芽乃　うめの
- 江璃衣　えりい
- 愛留　える

- 加緒里　かおり
- 珂帆　かほ
- 可耶　かや
- 希羅良　きらら
- 久瑠美　くるみ
- 紅玲亜　くれあ
- 古登　こと
- 紗央利　さおり
- 沙久楽　さくら
- 佐南江　さなえ
- 早矢加　さやか

- 咲弥奈　さやな
- 詩与里　しより
- 世衣良　せいら
- 茅亜　ちあ
- 知珂世　ちかよ
- 千波琉　ちはる
- 千陽呂　ちひろ
- 津夏沙　つかさ
- 都久美　つぐみ
- 十萌子　ともこ
- 七津　なつ

- 七都芽　なつめ
- 七瑠実　なるみ
- 仁衣那　にいな
- 二緒　にお
- 二玲　にれ
- 羽津祈　はづき
- 葉都音　はつね
- 巴奈　はな
- 波琉禾　はるか
- 八留乃　はるの
- 日花莉　ひかり

- 比斗実　ひとみ
- 妃水香　ひみか
- 妃良里　ひらり
- 比呂　ひろ
- 布羽　ふう
- 風多羽　ふたば
- 帆多留　ほたる
- 穂都実　ほづみ
- 宝那美　ほなみ
- 帆乃伽　ほのか
- 万紗乃　まさの
- 万璃　まり
- 麻瑠美　まるみ
- 実依架　みいか
- 実乙里　みおり
- 水紗　みさ
- 三沙斗　みさと

- 三梨亜　みりあ
- 芽伊　めい
- 萌由　もゆ
- 萌梨乃　もりの
- 八珠美　やすみ
- 也耶　やや
- 結楽　ゆら
- 与奈　よな
- 羅奈　らな
- 里与　りよ
- 瑠以　るい
- 琉河　るか
- 瑠宝　るほ
- 怜衣果　れいか
- 礼璃　れり
- 路紗　ろさ
- 羽可奈　わかな

万葉仮名風に使える漢字一覧

万葉集に実際に使われていた万葉仮名（こげ茶の漢字）と、万葉仮名風に使える漢字（オレンジの漢字）を一覧にしました。

あ　阿 安 吾 亜 娃 有 彩 愛

い　伊 夷 以 異 已 易 壱 井 生 位 衣 依 泉 意 斐 唯 惟 偉 維 緯

う　有 宇 羽 烏 雲 鵜 卯 右 生 佑 雨 侑

え　衣 依 愛 榎 得 衛 会 絵 兄 恵 慧 江 枝 重 笑 英 瑛 映 栄

お　意 憶 於 応 乙 郎 朗 音 緒 小 生 男 夫 雄 央 桜 旺 王

か　加 架 賀 嘉 可 何 河 珂 歌 甲 箇 香 鹿 伽 佳 夏 果 架 禾 花 華 菓 迦 霞 樺 乎 日 蘭 珈

が　我 俄 峨 何 河 賀 伽 牙 画 芽 雅 瓦

き　伎 岐 吉 企 来 貴 紀 幾 帰 奇 綺 己 記 機 基 気 木 城 樹 黄 葵 喜 器 嬉 希 揮 旗 毅 畿 祈 季 稀 規 起 軌 輝 騎 宜 芸 妃 姫 麒 熙 祁

ぎ　芸 伎 岐 儀 宜 義 棋 技 祇 誼 議

く　久 玖 九 鳩 句 丘 倶 区 勾 矩 君 訓 来 宮 駆 駈 具 空 公 工 貢 紅

ぐ　具 遇 求 倶 紅

け　家 計 係 啓 稽 結 気 希 華 稀 袈 祁 懸

げ　牙 夏 華 芸

こ　古 高 庫 固 子 児 小 己 許 巨 居 拳 木 乎 呼 戸 湖 胡 虎 鼓 瑚 仔 来 琥 杏 香 心 虹

ご　呉 胡 吾 悟 期 碁 語 御 五 互 伍 午 梧 檎 瑚 護 醐 冴 心

さ　沙 佐 左 作 紗 草 嵯 瑳 砂 小 爽 早 茶 咲 冴 彩

ざ　蔵 座

し　志 子 思 偲 詩 師 四 此 至 紫 旨 司 詞 資 伺 嗣 試 始 信 新 梓 仕 仔 史 士 市 支 氏 獅 糸 紙 至 視 誌 資 知 祉

じ　自 士 仕 時 尽 慈 児 弐 爾 事 侍 寺 次 滋 治 璽 磁 示 而 蒔 地 二 路

す　須 周 州 洲 珠 数 主 素 殊 栖 子 守 寿 諏 崇 雛 朱

ず　受 授 儒 図 逗 津 鶴 豆 頭

せ　世 勢 西 栖 齊 制 瀬 星 聖

ぜ　是

そ　蘇 祖 素 宗 十 曾 其 曽 楚 礎 組 遡 想 奏 爽

ぞ　存

た　多 太 大 他 田 手 汰

だ　太 大 打 舵 陀 那 梛

ち　知 智 致 池 馳 千 茅 治 地 弛 稚 薙

万葉仮名の由来と注意点

『万葉集』が編まれた時代には、ひらがながなかったため、漢字の意味とは無関係に、読み1音に対して漢字1字を当てる表記法が使われました。万葉仮名のなかには、名前にはふさわしくない漢字、また現代ではその音では読みにくい漢字も含まれています。明らかに不適切な漢字や現代の読みとの隔たりが大きい漢字は掲載していませんが、下記の漢字のなかにも、現代の一般的な読みとは多少異なるものが含まれています。現代の読みや意味も確認してから使用してください。

ひ	ば		は	の	ね	ぬ		に		な	ど					と	で	て	づ	つ	ぢ
比	羽	杷	波	努	年	奴	耳	爾	中	奈	奴	冨	人	騰	徒	刀	伝	天	豆	都	治
日	場	琶	八	野	根	縫	丹	仁	無	那	度	豊	士	藤	塗	斗	田	帝	頭	通	地
檜	芭	芭	播	乃	音		荷	二	和	難	渡	翔	仁	十	戸	土	弟	堤	逗	津	尼
氷	馬		巴	能	子			人	椰	南	土		太	鳥	門	杜	出	手	図	鶴	
斐	葉		羽	之	禰			日		名	藤		兎	跡	利	度			都		
飛			葉	埜	祢			尼		魚	戸		途	乙	聡	渡			津		
彼			華		寧			而		七	努		度	音	登	都			鶴		
妃			把					弐		菜			富	兜	等	図					

	む			み		ま	ぼ			ほ	べ	へ		ぶ			ふ		び		
睦	牟	深	視	美	目	万	菩	歩	穂	保	戸	平	撫	夫	普	経	不	弥	彌	琵	火
	武	子	未	彌	茉	馬		甫	帆	菩	部	部	武	父	芙	吹	布		備	陽	樋
	無	泉	実	民		麻		輔	浦	宝	辺	辺	舞	部	譜	生	敷		眉		一
	務	望	箕	三		磨		峰	秀	本		戸	葡	扶	阜	二	富		比		灯
	霧	魅	海	見		摩		峯	布	抱			菩	歩	附	付	府		枇		燈
	夢	巳	観	御		満		朋	普	方			奉	生	風	夫	符		毘		緋
	茂	命	充	水		真			葡	褒			無	二	歩	冨	甫		琵		枇
	六	弥	心	参		間			圃	火				不		扶	赴		美		毘

わ		ろ		れ	る		り	ら		よ			ゆ		や		も		め
和	亮	路	怜	礼	留	璃	利	良	吉	用	湧	夕	由	家	夜	雲	母	萌	馬
倭	良	露	玲	列	流	麗	里	羅	代	容	祐	結	遊	乎	也	百	茂		面
輪	櫓	楼	羚	例	琉	俐	理	楽	四	庸	裕	優	弓	哉	野	面	望		梅
羽	浪	呂	零	連	類	莉	梨	来	予	夜	雄	勇	愉	谷	陽		文		目
環		侶	麗	黎	瑠		浬	礼	葉	余	侑	友	癒	冶	椰		門		眼
八		芦	澪	令			哩	麗	蓉	与	釉	宥	諭	耶	屋		問		妹
話		鷺		伶			吏	來	陽	預		悠	柚	弥	八		聞		芽
我		蕗		嶺			李	徠		世		有	裕	彌	矢		裳		女

旧字・異体字を使った名前

もうひと工夫したいときや、姓名判断の結果を変えたいときには、旧字や異体字を使用するのもひとつの方法です。ただし、一般になじみが薄いものも多いので、子どもが苦労しない範囲でうまく取り入れましょう。

灯里→燈里　あかり
晃奈→晄奈　あきな
亜弥→亜彌　あや
文萌→文萠　あやめ
衣来→衣來　いく
栄子→榮子　えいこ
恵麻→惠麻　えま
応花→應花　おうか
花野→花埜　かの
佳凜→佳凛　かりん
心温→心溫　こはる

咲来→咲來　さくら
桜子→櫻子　さくらこ
祥花→祥花　さちか
沙楽→沙樂　さら
詩温→詩溫　しおん
静名→靜名　しずな
寿里→壽里　じゅり
涼世→凉世　すずよ
園子→薗子　そのこ
月野→月埜　つきの
灯子→燈子　とうこ

野々花→埜々花　ののか
遥→遙　はるか
美寿→美壽　びじゅ
広江→廣江　ひろえ
福美→福美　ふくみ
富実→冨実　ふみ
槙乃→槇乃　まきの
真琴→眞琴　まこと
万里子→萬里子　まりこ
未亜→未亞　みあ
心桜→心櫻　みお、みおう

実花→實花　みか
美国→美國　みくに
峰里→峯里　みねり
美広→美廣　みひろ
美楽→美樂　みら
未来→未來　みらい、みく
萌衣→萠衣　めい
弥生→彌生　やよい
由真→由眞　ゆま
里穂→里穗　りほ
礼子→禮子　れいこ

おもな旧字・異体字一覧

パソコンで変換できる範囲で、名づけに使える旧字・異体字を集めました。なるべく一般になじみのある字を選びましょう。

漢字	画数	旧字・異体字	画数	読み
亜	7	亞	8	あ
為	9	爲	12	い、ため
稲	14	稻	15	いね
栄	9	榮	14	えい
衛	16	衞	16	えい
円	4	圓	13	えん
園	13	薗	16	えん、その
緒	14	緖	15	お
応	7	應	17	おう
桜	10	櫻	21	おう、さくら
温	12	溫	13	おん
檜	17	桧	10	かい、ひのき
楽	13	樂	15	がく
寛	13	寬	14	かん、ひろし
巻	9	卷	8	かん、まき
気	6	氣	10	き
黄	11	黃	12	き、おう
峡	9	峽	10	きょう
尭	8	堯	12	ぎょう
暁	12	曉	16	ぎょう
駆	14	駈	15	く、かける
薫	16	薰	17	くん、かおる
恵	10	惠	12	けい
芸	7	藝	18	げい
倹	10	儉	15	けん
検	12	檢	17	けん
県	9	縣	16	けん
厳	17	嚴	20	げん
広	5	廣	15	こう
晃	10	晄	10	こう
恒	9	恆	9	こう、つね
国	8	國	11	こく、くに
暦	14	曆	16	こよみ
児	7	兒	8	じ
実	8	實	14	じつ、み
寿	7	壽	14	じゅ
収	4	收	6	しゅう
叙	9	敍	11	じょ
奨	13	獎	14	しょう
祥	10	祥	11	しょう
乗	9	乘	10	じょう
条	7	條	11	じょう
慎	13	愼	13	しん
尽	6	盡	14	じん
真	10	眞	10	しん、ま
槙	14	槇	14	しん、まき
粋	10	粹	14	すい、いき
瀬	19	瀨	19	せ
斉	8	齊	14	せい
静	14	靜	16	せい
専	9	專	11	せん
禅	13	禪	17	ぜん
曽	11	曾	12	そう
壮	6	壯	7	そう
荘	9	莊	10	そう
蔵	15	藏	18	ぞう
滝	13	瀧	19	たき
団	6	團	14	だん
伝	6	傳	13	でん
都	11	都	12	と
灯	6	燈	16	とう
禱	19	祷	11	とう
島	10	嶋	14	とう、しま
徳	14	德	15	とく
禰	19	祢	9	ね
富	12	冨	11	ふ
福	13	福	14	ふく
穂	15	穗	17	ほ
峰	10	峯	10	ほう
萌	11	萠	11	ほう
万	3	萬	12	まん
緑	14	綠	14	みどり
弥	8	彌	17	や
野	11	埜	11	や、の
与	3	與	14	よ
謡	16	謠	17	よう
遥	12	遙	14	よう、はるか
来	7	來 8、徠 11		らい
頼	16	賴	16	らい
竜	10	龍	16	りゅう
涼	11	凉	10	りょう
凜	15	凛	15	りん
塁	12	壘	18	るい
類	18	類	19	るい
礼	5	禮	18	れい
歴	14	歷	16	れき

左右対称の名前

見た目のバランスがよく、ととのった印象を与える左右対称の名前。とくに縦書きにすると、バランスのよさや安定感が際立ちます。姓が左右対称なら、名前も左右対称の字にして、視覚的にこだわるのもよいでしょう。

茜音 あかね
亜貴 あき
爽奈 あきな
天音 あまね
文果 あやか
杏奈 あんな
杏里 あんり
泉実 いずみ
一音 いちね、かずね
宇美 うみ
栄華 えいか

笑果 えみか
英実里 えみり
音華 おとか
果南 かな
奏美 かなみ
果林 かりん
栞南 かんな
喜英 きえ
京香 きょうか
來未 くみ
香未 こうみ

高実 こうみ
言音 ことね
早苗 さなえ
爽香 さやか
閏奈 じゅんな
菫 すみれ
茶奈 さな
爽奈 そな
奏楽 そら
空美 そらみ
貴実 たかみ、きみ

千早貴 ちさき
千里 ちさと
月埜 つきの
蕾 つぼみ
奈央実 なおみ
奈三果 なみか
二菜 にな
華美 はなび
春禾 はるか
春奈 はるな
春音 はるね

日央里 ひおり
光里 ひかり
斐奈 ひな
日向 ひなた
日茉里 ひまり
日実果 ひみか
芙実 ふみ
文果 ふみか
真文 まあや
真央 まお
茉南実 まなみ
真稟 まりん
美雨 みう
美華 みか
実栞 みかん
三葵 みき
美里 みさと、みり

水葵 みずき
美宙 みそら
実月 みつき
美音里 みねり
三春 みはる
美森 みもり
美楽 みら
未来 みらい、みき
未蘭 みらん
百奈 ももな
由杏 ゆあん
泰美 やすみ
幸奈 ゆきな
由南 ゆな
里英 りえ
立果 りっか
呂奈 ろな

おもな左右対称の漢字一覧

名前に使える漢字のなかから、左右対称の漢字と、それに近い字形のものをピックアップしました。参考にしてください。

亜	あ
茜	あかね
杏	あん、きょう
市	いち、し
一	いち、ひと
雨	う
宇	う
栄	えい
英	えい、ひで
円	えん、まどか
王	おう
央	おう、お
音	おと、ね
果	か
禾	か
華	か、はな
開	かい
覚	かく
楽	がく、らく
兜	かぶと
完	かん
莞	かん
貫	かん
栞	かん、しおり
閑	かん、しずか
寛	かん、ひろし
喜	き
木	き
葵	き、あおい
貴	き、たか
基	き、もと
吉	きち、よし
宮	きゅう、く
共	きょう
京	きょう、みやこ
空	くう、そら
薫	くん、かおる
圭	けい
景	けい
元	げん
言	げん、こと
古	こ
光	こう
向	こう
晃	こう
皇	こう
香	こう
豪	ごう
皐	こう、さつき
昊	こう、そら
高	こう、たか
工	こう、たくみ
幸	こう、ゆき
亘	こう、わたる
早	さ、そう
茶	さ、ちゃ
采	さい
菜	さい
士	し
示	じ
二	じ
主	しゅ
周	しゅう
重	じゅう
十	じゅう、と
舟	しゅう、ふね
閏	じゅん
春	しゅん、はる
昌	しょう
晶	しょう
章	しょう
笑	しょう
菖	しょう
常	じょう
小	しょう、さ
尚	しょう、なお
晋	しん
真	しん、ま
森	しん、もり
介	すけ
菫	すみれ
斉	せい
青	せい、あお
閃	せん、ひらめき
宣	せん
善	ぜん
泉	せん、いずみ
千	せん、ち
宋	そう
宗	そう
奏	そう
爽	そう
草	そう
束	そく、つか
宙	そら、ちゅう
太	た
大	だい
泰	たい、やす
丹	たん
旦	たん
月	つき
出	で
天	てん
土	ど
人	と、ひと
登	とう
東	とう
董	とう
堂	どう
奈	な
苗	なえ
南	なん、みなみ
埜	の、や
典	のり、てん
斐	ひ
日	ひ、にち
美	び、み
百	ひゃく
普	ふ
芙	ふ
富	ふ、とみ
聞	ぶん
文	ぶん、ふみ
平	へい
峯	ほう
豊	ほう
北	ほく
茉	ま、まつ
実	み
壬	み
未	み
三	み、ぞう
水	みず
六	む、ろく
谷	や、たに
八	や、はち
由	ゆ、よし
容	よう
蓉	よう
要	よう
来	らい、く、き
來	らい、く、き
蕾	らい、つぼみ
蘭	らん、か
里	り、さと
立	りつ
亮	りょう
林	りん
稟	りん
呂	ろ

止め字で考える名前

これという1字を決めて、止め字（最後の字）を組み合わせていくと、名前のバリエーションが広がります。もちろん先に止め字を決めて、1字目、2字目を考えることもできます。さまざまな組み合わせを試してみましょう。

～あ

万理亜 まりあ
実亜 みあ
優亜 ゆあ
心愛 ここあ
乃愛 のあ
莉愛 りあ
萌杏 もあ
結杏 ゆあ
友彩 ゆあ
梨彩 りあ

～あん

珠安 じゅあん
美安 びあん

優杏 ゆあん
璃杏 りあん
瑠杏 るあん
乃晏 のあん
莉晏 りあん

～い

芽以 めい
優以 ゆい
麻以 りい
音依 ねい
舞依 まい
結依 ゆい
瑠依 るい
江璃衣 えりい

芽衣 めい
玲衣 れい

～う

心羽 みう
美羽 みう
結羽 ゆう
実宇 みう
由宇 ゆう
莉宇 りう

～え

綺依 きえ
沙依 さえ
冴衣 さえ
波瑠衣 はるえ

萌衣 もえ
時瑛 ときえ
里瑛 りえ
千英 ちえ
乃英 のえ
毬絵 まりえ
百絵 もえ
奏慧 かなえ
紗慧 さえ
佳江 かえ、よしえ
沙江 さえ
咲江 さきえ、さえ

～お

麻央 まお

美央 みお
莉央 りお
千桜 ちお
舞桜 まお
実桜 みお
里緒 りお
莉緒 りお

～おか

沙丘 さおか
美丘 みおか
莉丘 りおか

～おり

衣織 いおり
加織 かおり
果織 かおり
沙織 さおり
詩織 しおり

～おん、～のん

詩苑 しおん
実苑 みおん
花温 かおん、かのん
莉温 りおん、りのん

羽音 はのん
心音 みおん
美音 みおん

～か

愛佳 あいか
純佳 じゅんか、すみか
瑠佳 るか
帆乃可 ほのか
桃可 ももか
彩夏 あやか
遥夏 はるか
実夏 みか
穂乃果 ほのか
未果 みか
風歌 ふうか
舞歌 まいか
優歌 ゆうか
彩花 あやか
野々花 ののか
冬花 ふゆか
優梨花 ゆりか
一華 いちか

優華　ゆか、ゆうか
礼華　れいか
京香　きょうか
陽香　はるか
和香　わか

～き

藍葵　あいき
亜葵　あき
珠葵　たまき
響希　ひびき
美沙希　みさき
有希　ゆき
優希　ゆき、ゆうき
咲祈　さき
真祈　まき
万季　まき
瑞季　みずき
由季　ゆき
夏稀　なつき
柚稀　ゆずき
沙輝　さき
瑞輝　みずき
結輝　ゆき、ゆうき
咲妃　さき
美沙妃　みさき
光妃　みつき
冬姫　ふゆき
舞姫　まき、まいき
美姫　みき
柚姫　ゆずき、ゆうき
夏綺　なつき
美沙綺　みさき
由綺　ゆき

～く

希久　きく
美久　みく
海玖　みく
美玖　みく
里玖　りく
美來　みく
里來　りく

～こ

亜湖　あこ
絵湖　えこ
真胡　まこ
美胡　みこ、よしこ
仁瑚　にこ
璃瑚　りこ
莉瑚　りこ
愛子　あいこ
香子　かこ
桜子　さくらこ
陽南子　ひなこ
理子　りこ、さとこ

～さ

亜梨沙　ありさ
和沙　かずさ
知沙　ちさ
凪沙　なぎさ
更彩　さらさ
心彩　みさ
明彩　めいさ
舞咲　まいさ
美咲　みさ
里咲　りさ
明紗　めいさ
梨紗　りさ
礼紗　れいさ

～さき

千咲　ちさき
実咲　みさき
美咲　みさき
海崎　みさき
美崎　みさき

～しゃ

愛紗　あいしゃ
美依紗　みいしゃ
里依紗　りいしゃ

～じゅ

美珠　びじゅ
真珠　まじゅ
安寿　あんじゅ
杏寿　あんじゅ
瑠寿　るじゅ
愛樹　あいじゅ
莉樹　りじゅ

～すず

心紗　みすず
美紗　みすず
小涼　こすず
心涼　みすず
海鈴　みすず
美鈴　みすず

～すみ、～ずみ

安純　あすみ、あずみ
衣純　いずみ
佳純　かすみ
唯澄　いずみ
葉澄　はすみ、はずみ
真澄　ますみ

～せ

琴世　ことせ
七世　ななせ
理世　りせ
奈々瀬　ななせ
莉瀬　りせ
琴星　ことせ
七星　ななせ
希聖　きせ
里聖　りせ

～つき、～づき

香月　かづき
紗月　さつき
菜月　なつき
那月　なつき
心月　みつき、みづき
優月　ゆづき
奈槻　なつき
美槻　みつき

～つる、～づる

千弦　ちづる
柚弦　ゆづる
詩絃　しづる
美絃　みつる
香鶴　かづる
千鶴　ちづる

～と

紗音　さと
美沙音　みさと
里音　りと
恵都　けいと
美都　みと

～な

杏菜　あんな
笑菜　えみな
咲里菜　さりな
陽菜　ひな
斐七　あやな
妃七　ひな
星奈　せな
帆奈　はんな
璃奈　りな
玲奈　れいな、れな
仁依那　にいな
萌那　もな
結那　ゆな
琉那　るな
依南　えな
花梨南　かりな
沙南　さな
萌南　もな、もえな
優南　ゆな
絢名　あやな
優希名　ゆきな

～なみ

七南　ななみ
帆南　ほなみ
美南　みなみ
沙波　さなみ
千波　ちなみ
穂波　ほなみ
実波　みなみ

～ね

天音　あまね
乙音　おとね
采音　ことね
琉音　るね
琴祢　ことね
穹祢　そらね
美祢　みね
朱寧　あかね
絢寧　あやね
心寧　ここね、みね

～の

あや乃　あやの
詩乃　しの
雛乃　ひなの
莉乃　りの
月野　つきの
萩野　はぎの
与志野　よしの

～は、～ば

奏羽　かなは
舞羽　まいは
夕羽　ゆうは
音波　おとは
琴波　ことは
優波　ゆは、ゆうは
青芭　あおば
一芭　ひとは、いちは
瑞葉　みずは
幸葉　ゆきは

～はる

小春　こはる
心春　こはる、みはる
千春　ちはる
千晴　ちはる
美晴　みはる
千悠　ちはる
実悠　みはる
美悠　みはる
心陽　こはる、みはる
美陽　みはる

～ひ

朝妃　あさひ
遥妃　はるひ
優陽　ゆうひ
悠陽　ゆうひ、はるひ

～ほ

夏帆　かほ
沙帆　さほ
万帆　まほ
希歩　きほ
史歩　しほ
瑞歩　みずほ
莉歩　りほ
菜々穂　ななほ
唯穂　ゆいほ
弓穂　ゆみほ
里穂　りほ

～ま

恵真　えま
詩真　しま
由真　ゆま
絵磨　えま
志磨　しま
絵麻　えま
絵瑠麻　えるま
柚麻　ゆま
祐茉　ゆま
里茉　りま

～み

虹海　こうみ
夏海　なつみ
悠海　ゆうみ
七瑠実　なるみ
埜々実　ののみ
萌実　もえみ
亜心　あみ
彩心　あみ、あやみ
夏心　なつみ
優心　ゆみ、ゆうみ
絢美　あやみ
花那美　かなみ
心美　ここみ
紗友美　さゆみ
夏美　なつみ
琴弥　ことみ
真弥　まみ

～む

音夢　ねむ
萌夢　もえむ
来夢　らいむ

～め

絢芽　あやめ
叶芽　かなめ
結芽　ゆめ
乙萌　おとめ
夏萌　なつめ

～も

陽萌　はるも
水萌　みなも
芽留萌　めるも
百萌　もも

～や

亜矢 あや
実矢 みや
紗夜 さや
美夜 みや
華耶 かや
沙耶 さや
麻亜耶 まあや
摩弥 まや
実弥 みや
亜椰 あや
花椰 かや
真椰 まや

～ゆ、～ゆう

真結 まゆ
優結 ゆうゆ
麻唯 まゆ
心唯 みゆ、みゆう
亜優 あゆ
麻優 まゆ
心優 みゆ、みゆう
茉友 まゆ
実友 みゆ
紗宥 さゆ
実宥 みゆ、みゆう
千風悠 ちふゆ
茉悠 まゆ
美悠 みゆ、みゆう
茶柚 さゆ
美柚 みゆ、みゆう
芙由 ふゆ
麻由 まゆ
璃由 りゆ
里祐 みゆ、みゆう
美祐 みゆう
真夕 まゆ
海夕 みゆ
麻侑 まゆ
美侑 みゆ、みゆう

～よ

多佳世 たかよ
陽世 ひよ
莉世 りよ
紗代 さよ
奏代 そよ
珠代 たまよ
咲予 さよ
麻予 まよ
伊与 いよ
貴与 きよ
小夜 さよ
真夜 まよ

～ら

咲楽 さくら
風楽 ふら、ふうら
莉楽 りら
沙玖羅 さくら
奏羅 そら
結羅 ゆら
希代良 きよら
麗良 れいら

～ら、～らい

沙來 さら
聖來 せいら、きよら
美徠 みら
由徠 ゆら

～らん

鈴藍 すずらん
美藍 みらん
沙蘭 さらん
海蘭 みらん
美蘭 みらん

～り

朱李 しゅり
茉李 まり
美登李 みどり
愛梨 あいり
友梨 ゆり
夏央理 かおり
樹理 じゅり
寿璃 じゅり
瑠璃 るり
映里 えり
煌里 きらり
沙央里 さおり
朱莉 あかり、しゅり
妃香莉 ひかり
日茉莉 ひまり

～りん

果倫 かりん
麻倫 まりん
歌琳 かりん
翠琳 すいりん
夏鈴 かりん
茉鈴 まりん
水凛 すいりん
真凛 まりん
由凛 ゆりん

～る

静流 しずる
音流 ねる
日香流 ひかる
香穂琉 かほる
波留 はる
梨留 りる
愛瑠 あいる
万瑠 まる

～れ、～れい

真伶 まれ、まれい
美伶 みれ、みれい
澄怜 すみれ
実怜 みれ、みれい
朱美玲 すみれ
麻玲 まれい
美玲 みれ、みれい
朱麗 しゅれい
純麗 すみれ
美麗 みれ、みれい

～れん

依恋 えれん
花恋 かれん
絵蓮 えれん
佳蓮 かれん
真蓮 まれん

～わ

紗羽 さわ
十羽 とわ
美羽 みわ
優羽 ゆわ、ゆうわ
音和 おとわ
埜和 のわ
結和 ゆわ、ゆうわ

女の子の止め字一覧

女の子の名づけで使われる止め字を一覧にしました。同じ読みでも漢字が違えば印象が変わります。いろいろな字を当てはめて、素敵な名前を考えてみてください。

あ	亜 有 杏 阿 彩 愛
あき	明 晶 映 暁 瑛 陽 諒 爽
あさ	朝 麻
あや	文 礼 彩 絢 斐 紋 采 綾 綺
あん	安 杏 晏 庵
い	生 以 衣 伊 依 惟 唯 維
う	生 宇 有 羽 雨
え	衣 江 会 詠 依 英 枝 映 栄 恵 重 笑 瑛 絵 慧
えい	英 瑛 栄 映 詠
えみ	笑 咲
お	央 生 音 桜 旺 緒
おう	央 生 於 桜 旺
おか	丘 岡
おり（おる）	織
おん	音 苑 恩 温 園

	穏
か	日 禾 叶 加 可 花 伽 佳 果 河 珂 珈 迦 香 夏 華 翔 嘉 歌 霞
き	己 生 妃 来 希 祈 芸 季 紀 姫 起 記 規 稀 貴 喜 葵 綺 輝 嬉 樹
く	久 来 玖 來 空 紅
こ	己 子 小 心 木 古 乎 仔 虹 冴 来 胡 呼 香 鼓 湖 瑚
さ	三 小 左 早 佐 沙 茶 咲 砂 紗 彩 冴 爽 嵯
さき	咲 崎 埼
さと	知 里 怜 理 聖 智 郷 慧 聡

しゃ	沙 砂 紗
じゅ	朱 寿 珠 樹
す（ず）	州 珠 寿 洲
すず	鈴 涼 紗 錫
すみ（ずみ）	純 澄
せ	世 星 瀬
その	苑 園
そら	天 空 昊 宙 穹
ち	千 知 智 茅
つ（づ）	津 都 鶴
つき（づき）	月 槻
つる（づる）	弦 絃 鶴
と	斗 都 音 途 渡 翔 登 富
な	七 名 奈 那 南 菜 梛
なつ	夏
なみ	波 南
ね	子 音 祢 峰 嶺 寧
の	乃 野 埜
のん	音 暖

は	八 巴 羽 波 芭 把 杷 琶 葉 華
ば	羽 芭 馬 葉
はな	花 英 華
はね	羽
はる	明 春 花 晴 悠 陽 温 遥 華 暖
ひ	日 比 灯 妃 斐 陽 琵 緋
び	日 美 毘 琵
ひろ	央 宙 拓 洋 紘 裕 嘉 尋
ふ	吹 生 二 富 冨 布 符 芙 譜 阜 風 歩
ぶ	二 生 歩 葡 撫 舞
ふう	風 楓 富 冨
ほ	歩 帆 保 朋 宝 葡 穂 豊 逢
ま	万 真 茉 麻 磨 摩
み	弓 三 巳 心 水 未 見 弥 実 海 美 泉 南 深 望
む	夢 舞 睦
め	女 芽 萌
も	百 雲 萌
や	矢 也 弥 谷 夜 哉 耶 野 椰
ゆ	夕 弓 友 由 有 佑 祐 侑 柚 裕 宥 愉 結 釉 悠 唯 遊 優 癒
ゆう	夕 友 由 裕 結 有 佑 釉 悠 柚 宥 侑 祐 邑 遊 優
ゆき	雪 幸
ゆみ	弓
よ	予 代 与 世 夜 陽 葉 蓉 誉
ら	来 良 楽 羅
らい	礼 来 來 徠 蕾
らん	蘭 藍
り	利 李 里 浬 哩 俐 莉 理 梨 璃
りん	林 琳 鈴 倫 綸 稟 凛 凜
る	流 琉 留 瑠
れい（れ）	令 礼 伶 玲 澪 嶺 怜 鈴 零 羚 黎 麗
れん	恋 怜 連 蓮 漣 憐
わ	和 羽 倭 琶 環

漢字かな混じりの名前

漢字だけだと視覚的なイメージがよくない、かなだけだと姓名判断の結果がよくない、あるいはより個性的な名前にしたいなどというときには、漢字とかなをミックスするのもひとつの方法。漢字かな混じりの名前は、個性的でありながら、女の子らしいやさしい印象を与えられるのが魅力です。ただし、凝った読み方にしたり、なじみのない漢字を使うと、奇抜すぎる名前になることもあります。バランスをよく考えて命名しましょう。

名前例

- **あい里** あいり
- **あお葉** あおば
- **あか梨** あかり
- **あき奈** あきな
- **あや乃** あやの
- **あゆ美** あゆみ
- **あり彩** ありさ
- **かな子** かなこ
- **かな実** かなみ
- **かの子** かのこ
- **花のん** かのん
- **かや乃** かやの
- **かお里** かおり
- **香をり** かをり
- **かん奈** かんな
- **くる実** くるみ
- **木の葉** このは
- **さお里** さおり
- **沙くら** さくら
- **さくら子** さくらこ
- **さつ希** さつき
- **さと子** さとこ
- **さや香** さやか
- **さや乃** さやの
- **さゆ実** さゆみ
- **さよ子** さよこ
- **詩おり** しおり
- **志のぶ** しのぶ
- **すず音** すずね
- **その花** そのか
- **そよ子** そよこ
- **たつ季** たつき
- **とわ子** とわこ
- **なず菜** なずな
- **なつ希** なつき
- **なな絵** ななえ
- **なな子** ななこ
- **なな実** ななみ
- **菜の香** なのか
- **のの子** ののこ
- **はな子** はなこ
- **芭る花** はるか
- **はる乃** はるの
- **ひな子** ひなこ
- **ひな乃** ひなの
- **ひよ里** ひより
- **穂の花** ほのか
- **まい子** まいこ
- **まな美** まなみ
- **真の香** まのか
- **まり恵** まりえ
- **まり紗** まりさ
- **みさ希** みさき
- **美すず** みすず
- **みな実** みなみ
- **実のり** みのり
- **もも香** ももか
- **もも子** ももこ
- **ゆい花** ゆいか
- **ゆき絵** ゆきえ
- **ゆき帆** ゆきほ
- **ゆず希** ゆずき
- **ゆず葉** ゆずは
- **ゆみ子** ゆみこ
- **ゆめ乃** ゆめの
- **ゆり奈** ゆりな
- **ゆり子** ゆり子
- **よし乃** よしの
- **りい奈** りいな
- **りず夢** りずむ
- **りり香** りりか
- **りり子** りりこ
- **るみ音** るみね
- **瑠り花** るりか
- **るり彩** るりさ
- **れい子** れいこ
- **わか奈** わかな
- **ハル香** はるか
- **マリ子** まりこ
- **ユウ香** ゆうか
- **ユキ恵** ゆきえ
- **ユリ花** ゆりか
- **ルリ花** るりか

Part

6

「親の思い」を込めた名前

名前にパパ・ママの思いを込める

「やさしい子に育ってほしい」「だれからも愛される子に」など、わが子への思いを名前に託すことも多いもの。わが子の成長を想像しながら「思い」を託しましょう。

親の思いはさまざま

自分の可能性を信じて羽ばたいてほしい…
はみか
羽美可
芯の強い凛とした女性に育ってほしい
りん
凛
いつも笑顔でみんなに愛されるように
えみな
笑奈

響きにも意味にもこだわった名づけが人気

「こんな子に育ってほしい」「こんな人生を歩んでほしい」といった思いを、名前に託す傾向も根強くあります。響き先行で名づけをスタートしても、最終的には意味のあるよい漢字を選び、意味にもこだわった名前を完成させることが多いようです。

思いに合う名前を考えるときには、パパ・ママの思いに合う意味の漢字を探すのが王道ですが、響きに思いを託すこともできます。たとえば、「羽奈（はな）」なら、漢字から「未来に向かって羽ばたいてほしい」などの意味づけができますが、響きの「はな＝花（華）」にかけて、「花のように可憐に」「美しく華やかな女性に」などの思いも込められます。

「パパ・ママの思いをどう表現するか

1 漢字の意味で表現する

たとえば「やさしい子に」という思いがある場合、ストレートに「優」を使って名前を考えるほか、やさしいという意味につながるほかの漢字も候補に入れるとバリエーションが広がる。

例
思い　やさしい子に
↓
漢字　優、心、仁、恵、温、
↓
名前例　優加(ゆうか)、心(こころ)、仁奈(にな)

2 思いに合うイメージで表現する

「やさしい子に」という思いを込めたい場合、たとえば「海のように広く深い心」など、イメージを広げて名前を考える方法。

例
思い　やさしい子に
↓
漢字　海のように広く深い心でだれにでもやさしく
↓
名前例　海尋(みひろ)、心海(ここみ)

3 思いに合う響きで表現する

「さわやかな子に」という思いを込めたい場合、「さわやか」の響きだけいかして「沙和(さわ)」とするなど。漢字にこだわらずにかなで表現しても。

例 さわやかな子に→沙和(さわ)
愛される子に→藍花(あいか)
幸せな人生を→紗千(さち)

4 外国語の響きで表現する

たとえば「仲間に恵まれるように」という思いなら、フランス語で「友達」を意味する「amiアミ」の響きをいかして名前にするなど。

例 仲間に恵まれるように
フランス語で「友達」を意味する「amiアミ」から→亜美(あみ)

例 やさしい子に
スペイン語で「穏やかな」を意味する「serenoセレノ」から→世玲乃(せれの)

例 明るい子に
英語で「愉快な」を意味する「merryメリー」から→芽里(めり)

5 先人の言葉をヒントにする

さまざまな名言や格言、四字熟語、慣用句などから、思いに合ったものを見つけ、名前にする方法。

6 人物や文学作品にあやかる

歴史上の人物や好きな芸術家などの功績や作品、人柄などに思いを重ねて名前を考える方法。文学作品や映画の登場人物にあやかってもいい。ただし人物や作品にあやかる場合、目立ちすぎて子どもが嫌がることもあるので、まったく同じ名前にするよりは、1字だけもらう、響きだけあやかるなど、多少アレンジして使うのがベター。

※漢字の使い方については179ページも参照してください。

“人に恵まれ、愛される人に”

思いに合う漢字

友 P187	会 P193	好 P195	花 P199	朋 P216
和 P217	奏 P224	桜 P229	華 P230	姫 P230
紡 P236	倫 P238	恋 P238	絆 P246	逢 P246
結 P252	愛 P260	睦 P265	環 P280	響 P284

愛花 あいか
ドイツの詩人ボーデンシュテットが著した一節「愛は生命の花である」から。たくさんの人を愛し、たくさんの人に愛され、いつでも心に愛を持った人になるように。

逢子 あいこ
めぐり逢いによってつながった、人との絆を大切にはぐくむ人に。響きの「あい」に「愛」を重ね、多くの人に愛されるようにとの願いも込めて。

愛美 あみ
フランス語で友達を意味する「ami（アミ）」から。たくさんのよい友達に恵まれるように願って。

織会 おりえ
一つひとつの出会いをしっかり織り上げて、素晴らしい友情や人間関係を築けるように。

可恋 かれん
だれからも愛される可憐（かれん）な女の子に。そのなかから素敵な恋にも恵まれることを願って。

響花 きょうか
音が響いて広がるように、人間関係の輪も大きく広がり、花咲くことを願って。

好美 このみ
身も心も美しい女性に育ち、多くの人に好かれるように。また、人のよい（好ましい）ところをたくさん見つけてあげられる人に。

環 たまき
人とのつながりを大切にし、周囲にいつも人の輪ができるような人になってほしい。

紡 つむぎ
綿や繭（まゆ）の細い繊維をよって1本の糸にするという「紡」の意味から、一つひとつの出会いを大切にし、人との絆を太くしっかり紡いでいってほしいと願って。

朋恵 ともえ
「朋」は、対等に肩を並べる友達という意味。本音をぶつけ合える、心からの親友に恵まれるように。

七星 ななせ
星座のなかでも、ほぼ1年中見ることができる北斗七星。夜空にきらめく北斗七星のように、つねに輝きを放つ魅力的な女性に育ち、多くの人に愛されるように。

華 はな
ハワイ語で家族、仲間を意味する「ohana（オハナ）」から。家族の絆を大切に、そして素晴らしい仲間に恵まれることを願って。

絆奈 はんな
人とのめぐり会いやつながりに恵まれることを願って。また、家族との強い絆という意味も込めて。

姫乃 ひめの
お姫様のようにかわいらしく、みんなに愛される子になるように。

美桜 みお
多くの人を魅了する美しい桜の花のように、みんなに愛される子に。

心結 みゆ
心と心でつながるような、真の友情や愛情を築けるようにとの願いを込めて。

百奈美 もなみ
フランス語で私の友達を意味する「mon amie（モナミ）」から。心から通じあえる、真の友達と出会えるようにと願って。

友寧 ゆね
よい友に恵まれ、助け合いながら生きていけるように。また、争い事のない穏やか（寧）な人生を願って。

結乃 ゆの
人と人の結びつきを大切にしてほしい。また、ローマ神話の結婚の女神「ユノ」にちなみ、将来、幸せな結婚ができるようにとの願いも込めて。

和奏 わかな
美しいハーモニーのように、人との和を奏でていってほしいとの願いを込めて。

思いやりのあるやさしい人に

思いに合う漢字

心 P185	仁 P185	孝 P202	佐 P202	佑 P205
周 P212	宥 P227	祐 P227	恵 P231	淳 P243
惇 P243	温 P250	敦 P256	愛 P260	慈 P262
慎 P263	想 P264	暖 P264	篤 P278	優 P281

佐和 さわ

助けるという意味の「佐」と、調和や温和の「和」。すすんで人助けをするような思いやりのある子に。

周子 しゅうこ

「周」のすみずみまで行き届くという意味から、だれに対しても細やかな気配りができる人に。周囲に自然と人が集まるようにとの思いも込めて。

淳那 じゅんな

真心がある、情が深いという意味を持つ「淳」と、美しいという意味を持つ「那」。思いやりがあり、心も容姿も美しい女性に成長することを願って。

想乃 その

人の気持ちを思（想）いやることのできるやさしい女の子に。また、想像力豊かな子にとの願いも込めて。

孝恵 たかえ

「孝」には親や祖父母、祖先を大切にする気持ちを、「恵」にはだれに対してもやさしくあたたかく思いやりの心を持って接することができるようにとの思いを込めて。

仁瑚 にこ

相手をいつくしみ、思いやるという意味の「仁」と、美しい珊瑚の「瑚」で、美しくやさしい心を持った子に。また、響きからは、いつもニコニコと笑顔の絶えない子にとの思いも込めて。

温果 のどか

心のあたたかさを願った「温」と、果実の「果」。日々のやさしさや心づかいが、信頼や信用という果実をはぐくむという思いを込めて。

仁望 ひとみ

思いやりという意味の「仁」と、人望など人に期待されるという意味もある「望」。だれにでも分けへだてなくやさしく接し、信頼される人に。

愛海 まなみ

海のように深いやさしさと思いやりの心、大きな包容力を持ち合わせた人に。

万優子 まゆこ

うわべだけのやさしさや特定の人にだけでなく、すべての人にやさしく接することができる人に。

美慈 みちか

美しく細やかな愛情を持ち、だれにでもやさしく、周囲に気配りできる人に。

心優 みゆ

文字通り、心のやさしい女の子に。また、「優」の優れるという意味も込めて、やさしく美しい心と聡明さを持ち合わせた女性になることを願って。

佑果 ゆうか

助けるという意味の「佑」と、成果、結果の「果」。人を助けることで自分自身も成長し、よい結果につながるようにとの思いを込めて。

祐樹奈 ゆきな

大樹のような懐の広さと大きな心で、人々を助ける（祐）ことができる子に。大樹のような地に足のついた安定感もある子に。

祐美 ゆみ

人を助けるという意味と神から助けられるという意味を持つ「祐」。困っている人に手を差しのべられるやさしさを持ち、自分が困ったときには神のご加護を受けられるように。

人に安らぎを与える穏やかな人に

思いに合う漢字

円 P184	月 P184	安 P192	衣 P192	羽 P193
灯 P197	凪 P197	和 P217	宥 P227	晏 P229
泰 P234	容 P237	悠 P248	温 P250	寛 P261
靖 P263	暖 P264	静 P269	寧 P270	穏 P277

愛和 あいわ
和やかな表情や言葉づかい、親しみやすい態度を意味する四字熟語「和顔愛語（わがんあいご）」から。穏やかで礼儀正しい子に。

灯里 あかり
暗闇を照らす灯のように、周囲の人を癒してあげられるような、心のあたたかい子に育つように。

安里 あんり
安心、安全などの「安」に、のどかな風景をイメージさせる「里」を組み合わせ、心穏やかなやさしい子にとの思いを込めて。

衣美 えみ
やわらかく美しい衣で人々を包み込むように、やさしく穏やかで包容力のある女性になることを願って。

和希 かずき
周囲の人を和ませるような、心やさしく穏やかな人に。平和を願う心と、希望を忘れないように生きてほしいという願いも込めて。

花穏 かのん
花のように愛らしく穏やかな心で周囲の人を癒し、和ませるような子に。

寛奈 かんな
細かいことは気にしない寛容さを持ち、いつもニコニコ和やかな癒し系の子に。

心寧 ここね
「寧」は安らか、落ち着いているなどの意味。いつも心が穏やかで、だれにでもていねいな言葉づかいや態度で接することができる子に。争い事のない穏やかな人生も願って。

琴寧 ことね
スペイン語で木綿を意味する「cotone（コトネ）」から。木綿のようにぬくもりを感じさせる、心のあたたかい子に。

心温 こはる
字の意味通り、心のあたたかい人になることを願って。「はる」の響きに、「春」の穏やかなイメージも重ねて。

千容 ちひろ
人としての器の大きさを「千」と「容」の二字に込め、細かいことには動じないおおらかさのある子に。

和花 のどか
花のように人々を和ませる存在に。また、「のどか」の響きそのままに、穏やかで落ち着いた人に成長するよう願って。

羽暖 はのん
ふわふわであたたかい羽毛のように、やさしく人を包み込むような、穏やかな心と、愛情あふれるあたたかい心を持つ人に。

暖乃 はるの
人々をあたたかく包み込むやさしい人に育ち、周囲にも心のあたたかい人たちが集まることを願って。

暖陽 はるひ
太陽のように、人々を包みこむ大きさとあたたかい心を持った人になってほしいと願って。

円夏 まどか
角のない丸い人柄＝穏やかでやさしい子に。また、争い事のない円満な生活、トラブルが起こっても丸くおさまるような平穏な人生を願って。

美祈 みき
美しい祈りをささげるシスターや巫女のように、人々の幸せを願う、やさしく純粋な心を持つ女の子に育つことを願って。

靖菜 やすな
安らかという意味の「靖」と、一面を黄色に染める菜の花の明るくあたたかなイメージの「菜」。穏やかで心のあたたかい女の子に育つように。

宥美 ゆうみ
ゆるす、ゆとりを持つという意味の「宥」。人を許すやさしさとおおらかさのある人になってほしいと願って。

優月 ゆづき
月のやわらかい光が静かに人々を照らすように、穏やかでやさしい女性になるように。

“明るく元気で活動的な人に”

思いに合う漢字

元 P185	日 P186	生 P190	光 P195	旺 P208
昊 P211	明 P216	南 P225	夏 P229	莞 P230
笑 P234	菜 P242	晴 P255	愉 P258	陽 P259
楽 P260	煌 P261	照 P263	輝 P272	樹 P278

明希 あき
いつも明るく希望を持って前向きに生きる、バイタリティあふれる元気な子に。

衣吹 いぶき
活力や生命力を意味する「息吹（いぶき）」から。新芽が息吹くようにイキイキとした元気で活動的な子になってほしいと願って。「息」を「衣」に変えて、女の子らしさやかわいらしさをプラス。

煌莉 きらり
煌めくの「煌」と、よい香りで人々を惹きつける茉莉（ジャスミン）の「莉」。きらりと輝く明るさで、周囲を元気にできる子に。

心陽 こはる
『旧約聖書』のソロモン王の言葉「陽気な心は、薬のように人のためになる」から。周囲の人も笑顔にするような、明るく元気な子に。

幸笑 さちえ
フランスの哲学者アランの「幸福だから笑うのでない。笑うから幸福なのだ」という言葉から。幸福を呼び寄せる笑顔を絶やさない、明るくポジティブな子に。

咲楽 さくら
花が咲くという意味のほかに「笑う」という意味もある「咲」。花のような明るさとユーモアセンスで、周囲を笑顔にできる子に。

昊乃 そらの
「昊」は太陽の明るい空、夏空という意味。夏の空のように明るく活動的で、元気いっぱいの子に。「乃」ののびやかな字形に、のびのび元気に育つようにとの思いも込めて。

夏芽 なつめ
小さな芽が太陽に向かってぐんぐん成長していくように、すくすくと健康に、生命力あふれる元気な子になってほしいと願って。

晴夏 はるか
夏の晴れ渡った陽射しのように、エネルギッシュで、周囲に元気を与えるような女の子に。

光 ひかり
光のように周囲を照らす明るい子に。光輝く明るい未来も願って。

日南乃 ひなの
お日様のように明るく元気で、南風のようにあたたかく心地よい空気を運んでくれる子に。

広菜 ひろな
細かいことにはこだわらないおおらかな心と、菜の花のような明るさのある子に。

美旺 みお
「旺」は、光が四方に広がる、盛んという意味。明るく活発で、周囲に元気を与える子に。また、好奇心旺盛で、何事にも前向きな子に。

美莞 みかん
にこやかに笑うという意味がある「莞」。響きには、果実のミカンの明るくキュートなイメージを重ね、明るく愛らしい笑顔で周囲の人を和ませる子に。

芽生 めい
女の子らしいかわいらしさとともに、生命力あふれる元気な子に成長してほしいと願って。

愉衣 ゆい
まわりの人を笑顔にするような、楽（愉）しく元気な女の子になるように。「衣」には、人々を包み込む心の大きさやあたたかさのある子にとの願いを込めて。

由樹菜 ゆきな
「樹」に生命力、「菜」に菜の花の明るさを込めた名前。力強い生命力とはじけるような明るさで、だれからも好かれる子に。

楽々 らら
いつも明るく元気で人を楽しませてあげられる人に。肩に力の入りすぎない、いい意味での気楽さとポジティブさを持ってほしいと願って。

梨瑠 りる
フランス語で笑うという意味の「rire（リル）」から。梨のようにみずみずしく、宝石のように輝く笑顔の素敵な女の子に。

“のびのびと おおらかな人に”

思いに合う漢字

千 P183	万 P184	天 P186	広 P189	由 P192
羽 P193	伸 P203	空 P211	海 P219	浩 P232
泰 P234	展 P235	容 P237	悠 P248	裕 P258
遥 P259	楽 P260	想 P264	暢 P270	翼 P280

明日海 あすみ
明日に向かって明るく前向きに、海のような広い心とおおらかな気持ちで日々過ごすことができるように。そして、明日は海のように大きな可能性を秘めた日である、という思いも込めて。

天音 あまね
天使のようにやさしく清らかで、天真爛漫に育ってほしい。そして、自由に音を奏でるように、自分らしい音色の人生を歩んでほしいとの思いを込めて。

羽衣香 ういか
天空を舞う天女の羽衣（はごろも）が由来。天女のような美しさとやさしさに加えて、のびやかに空を舞うおおらかさを持つ子に。「香」の字には、人を惹きつける魅力という意味も込めて。

笑琉 える
フランス語で翼を意味する「aile（エル）」から。翼を広げて大空を舞うように、自由にのびのびと羽ばたいてほしいと願って。

想楽 そら
「想」に想像力の豊かさ、「楽」に自由に楽しむ心、「そら」の響きにはスケールの大きさを意味づけ。豊かな想像力で、空という大きなカンバスに自由に夢や希望を描けるような、のびのびとした子に。

翼 つばさ
翼を広げて大空を飛びまわる鳥のように、自分のペースで、自由にのびのびと成長することを願って。

展花 てんか
「展」は、どこまでものび広がるという意味。邪魔されることなく自由にのびのびと成長し、発展していけるように。

乃亜 のあ
ハワイ語で自由を意味する「noah（ノア）」から。ハワイの青い空と青い海のように、すがすがしく、自由にのびのびと、おおらかな子に。

暢絵 のぶえ
のびる、のびやかという意味の「暢」は、太陽が明るく上がるさまをあらわした字。太陽のように明るく、のびのびと成長し、自分らしい人生を描けるようにとの思いを込めて。

遥加 はるか
心の広いおおらかな人に。また、はるか遠い未来へ向かってゆっくり着実に力をつけて行ける人に。

浩花 ひろか
「浩」は、広々としていて、豊かなさまをあらわす字。おおらかにマイペースに、そして豊かで心で、自分らしい花を咲かせられるように。

陽万里 ひまり
太陽のような明るさとおおらかさ、「万里の長城」のような遥かなるスケールで、自由にのびのびと、人間的に大きく成長してほしいと願って。

美空 みそら
晴れ渡った美しい空のように、すがすがしくおおらかな心の持ち主に。未来への無限の可能性も込めて。

由宇 ゆう
自由の「由」と宇宙の「宇」。自由にのびのびと成長し、宇宙のように無限の可能性を秘めた未来を願って。

裕乃 ゆうの
広くゆとりがあるという意味の「裕」に、のびやかな字形で女の子らしい「乃」をプラス。のびのびとおおらかに、マイペースで豊かな人生を歩んでいくことを願って。

悠羽 ゆうは
悠悠と大空を舞う鳥のように、自由にのびのびと、でも自分自身の力で未来へ羽ばたいていくことを願って。

璃央 りお
響きの由来は、スペイン語で川を意味する「リオ（Rio）」。時代を越えて流れ続ける川のようなおおらかさのある人に。また、宝玉の瑠璃の一字を使い、輝きのある人生をとの願いを込めて。

“純粋で素直な心を持つ人に”

思いに合う漢字

一 P181	白 P191	志 P203	直 P214	怜 P217
純 P233	真 P234	粋 P234	素 P234	透 P235
淳 P243	清 P244	雪 P244	順 P254	晶 P254
晴 P255	惺 P255	澄 P274	潔 P273	樹 P278

晶歩 あきほ
澄みきって輝いているという意味の「晶」。汚れのないピュアな心で、未来に向かって歩んでいけるように。

淳美 あつみ
真心がある、清い、素直などの意味を持つ「淳」。清い心を持ち、素直に美しく育ってほしいと願って。

杏樹 あんじゅ
響きは、フランス語で天使を意味する「Ange（アンジュ）」が由来。天使のようにけがれなく純真で、杏の花のように可憐で、樹木のように真っすぐな子に。

宇乃 うの
イタリア語やスペイン語で1を意味する「uno（ウーノ）」から。「1」の字にように真っすぐで、初心を忘れず夢に向かって進んでいける子に。

絵真 えま
心のままに真っすぐに描く絵画のように、人生を素直に鮮やかに彩れるように。

花澄 かすみ
響きは、清らかな心という花言葉を持つカスミソウから。カスミソウのように可憐で、清らかな心を持った女性に成長することを願って。

香怜 かれん
将棋の香車の「香」と、心が澄んでいるという意味の「怜」で、真っすぐで心の澄んだ人に。「かれん」の響きには、可憐な子にとの思いも込めて。

純可 すみか
「純情可憐」が由来。邪心のない素直な心を持ったかわいらしい女の子に。

惺奈 せいな
夜空に輝く星のように澄んだ心を持ち、真っすぐ純粋に成長することを願って。

素代 そよ
素直な心を持ち、飾らず自然体のままで成長してほしい。「そよ」の響きに、そよ風のようなやさしさとさわやかさのある子にとの願いも込めて。

透子 とうこ
透き通った心のように純粋で、真っすぐ素直に、うそをつかない人に育つように。

直実 なおみ
真っすぐ素直な心で成長し、多くの人に愛されて充実した人生になることを願って。

晴香 はるか
雲ひとつない晴れ渡った青空のように、けがれのない素直な心を持つ人に。

妃粋 ひすい
いつまでも純粋な心を失わず、清らかに成長してほしい。また、「翡翠（ひすい）」のように美しく輝くような女性にとの願いも込めて。

真央 まお
素直な心で、横道にそれることなく、真っすぐに中央を進んでいってほしい。

真輝 まき
真実の「真」に「輝」をプラスして、嘘のない正直な人に。そして、真の輝きを放てる女性に。

晶美 まさみ
清廉潔白な人が不義・不正を憎むことをたとえたことわざ「水晶は塵（ちり）を受けず」が由来。水晶のように、清く正しく美しい心で生きていってほしいと願って。

真歩 まほ
真っすぐ歩くという字のイメージそのままに、純真な心で真っすぐに前を向いて歩いて行けるように。

真実 まみ
真実という単語の意味に加えて、文豪・夏目漱石の「真面目とは実行するということだ」という言葉もモチーフ。偽りのない素直な心を持ち、正しいことを行動で示せる人に。

美雪 みゆき
真っ白な雪のように、けがれのない純粋な心を持った、心も容姿も美しい子に。

思いに合う漢字				
水 P185	帆 P197	快 P200	空 P211	青 P213
泉 P224	風 P226	玲 P228	透 P235	清 P244
爽 P244	涼 P249	湖 P253	朝 P256	瑞 P263
颯 P268	翠 P269	碧 P271	潔 P273	澄 P274

“清潔感のある、さわやかな人に”

碧生 あおい

海や空の青色を連想させ、宝石の意味もある「碧」。さわやかで、いつもキラキラと輝いている女の子になってほしい。「生」には、人生をイキイキと謳歌してほしいと願って。

青葉 あおば

風にそよぐ初夏の青葉のさわやかさと生命感をイメージした名前。すがすがしさのなかに生命力を秘めたすこやかな成長を願って。

朝葉 あさは

朝露できらめく新緑をイメージした名前。麻のようなさわやかさと、新緑のようなみずみずしい感性を持ち続けられるように。

衣澄 いずみ

「澄」の字と、「泉（いずみ）」の響きから、泉のように清らか澄んだ心の女の子に。「衣」をプラスすることで、女の子らしいやさしさも持ち合わせた子にとの思いを込めて。

夏帆 かほ

風を受けながら、きらめく水面を進む夏の帆船をイメージした名前。すがすがしく清涼感があって、キラキラと輝く明るい子に成長してほしい。

清音 きよね

渓谷を流れる清流の水音をイメージした名前。森林の清涼感と清流のすがすがしさを感じさせるさわやかな女の子に。

颯季 さつき

心地よい風を運んでくるような、さわやかな女の子に。背筋を伸ばして、颯爽と人生を歩んでいってほしいという思いも込めて。

瑞美 たまみ

生命力にあふれたみずみずしい美しさのある女性に。また、「瑞」には宝物やめでたいという意味もあり、幸せな人生を送ってほしいという思いも込めて。

透夏 とうか

透きとおるような夏の日差しの爽快感をイメージ。元気でさわやかな女の子に育つように。

晴海 はるみ

晴れ渡った空や青い海のように、明るくさわやかで、おおらかな心を持つ子に。

風樺 ふうか

白樺の広がる高原にそよぐ心地よい風をイメージした名前。さわやかさと清らかさのある女の子に。

真湖 まこ

湖のように穏やかで広い心と、清らかで澄んだ心を持つ女の子になるように。

瑞季 みずき

みずみずしい新緑のように、生命力にふれイキイキと、そしてさわやかに育ってほしいと願って。

美涼 みすず

涼やかで美しく、さわやかな子に。見た目だけでなく、行動や考え方も軽やかで爽快であるように。

美玲 みれい

「玲」は、玉（宝石）がふれる澄んだ音や、透きとおったような美しさを意味する字。美しく清らかに、そして、音を奏でるように人生を軽やかに楽しんでほしいと願って。

快泉 よしみ

泉のような清らかな心で、つねにさっぱりとした快い状態でいられるように。

“思慮深く聡明な人に”

思いに合う漢字

文 P187	見 P201	冴 P202	英 P208	知 P213
怜 P217	思 P222	俐 P228	哲 P235	惟 P238
深 P244	理 P248	惺 P255	智 P256	聖 P263
聡 P269	慧 P273	諒 P275	磨 P279	

惟月 いつき
物事をよく考え（惟）、自分の意見をしっかり持てる人に。また、夜道を照らす月のように、人の役に立つことをしてほしいと願って。

英華 えいか
優れた美しさや才能を意味する「英華」という言葉をそのまま名前に。美貌と才知に恵まれるように。

慧麻 えま
「慧」の、さとい、賢い、気がきくという意味から、優れた才知を持ち、人への心配りもできる人に。また、麻布のようなやわらかい雰囲気で、周囲の人に癒しを与えるような存在に。

華怜 かれん
「華」に美しい容姿、「怜」に優れた頭脳に恵まれることを願った名前。「かれん」の響きには、女の子らしく可憐な子にとの願いも込めて。

彩知 さち
多彩の「彩」と、知識・知恵の「知」。多彩な知識と知恵で持つ聡明な女性に成長することを願って。

哲美 さとみ
賢く聡明で、自分なりの哲学を持って、しっかりと人生を歩んでいけるように。

思織 しおり
物事をよく考える思慮深い子になってほしい。さまざまな思いを織りなして、自分自身で判断し、正しい道や素晴らしい道を選択できる子にとの願いを込めて。

栞里 しおり
たくさんの本を読んで、人生の糧になるものをいっぱい吸収してほしい。そして、大事なことは、本に栞を挟むように、しっかりと胸に刻んでほしいという思いを込めて。

静流 しずる
思慮深い人は悠然としてさわがないという意味のことわざ「深い川は静かに流れる」が由来。何事にも動じない器の大きさと冷静さ、賢さのある人に。

智佐 ちさ
「智」の知恵、「佐」の助けるという意味から、優れた知恵で人々の手助けができる人になることを願って。

千聡 ちさと
「聡」の耳がよく通るという意味から、人の話をよく聞いて、人生の糧をたくさん（千）得られるように。

万知子 まちこ
「知恵は万代の宝」ということわざから。優れた知能や知識を持ち、人の役に立つ人間になるように。万福（たくさんの幸せがあること）の人生も願って。

深緒 みお
「緒」は糸口という意味。むずかしい問題にもきちんと向き合い、深く考えて解決の糸口を見つけられるような、聡明な人に。

美冴 みさ
頭が冴え、頭脳明晰な子に。「冴」には、澄み切っているという意味もあり、身も心も澄みきって美しい、知的なクールビューティに。

美惺 みさと
「惺」は、「心（りっしんべん）＋星」で、星のように澄んだ心を意味する字。澄んだ心とくもりのない目で物事を見られる人に。また、人間的に大きく成長し、星のように美しく光輝く未来を手に入れてほしいと願って。

理沙 りさ
物事の道理や筋道という意味の「理」と、悪いものを捨ててよいものを選び取るという意味がある「沙」。自分自身で物事をしっかり判断し、よりよい人生を選べるように。

諒子 りょうこ
まこと、あきらかといった意味がある「諒」。物事の本質を見極められる賢い人に。

怜紗 れいさ
賢いという意味の「怜」と、薄絹を意味する「紗」。聡明さ、薄絹のような繊細さを持ち合わせた子に。

思いに合う漢字

礼 P192　圭 P194　妃 P198　娃 P218　香 P221
美 P226　華 P230　恭 P231　珠 P233　菫 P240
貴 P251　絢 P253　雅 P260　瑶 P266　綺 P268
綾 P271　瑠 P271　璃 P275　蘭 P284　麗 P284

“エレガントな美しい女性に”

娃璃 あいり
容姿の美しい女性という意味の「娃」と、宝石のラピスラズリ（瑠璃）をあらわす「璃」。宝石のような美しさと気品のある女性に。

厚妃 あつき
天子の正妻を意味する「妃」を使い、品のある美しい女性に成長してほしいとの思いを込めた名前。「厚」をプラスし、深い思いやりの心や、人間的な厚みなど、内面の魅力も備わることを願って。

絢華 あやか
豪華絢爛の「華」と「絢」を組み合わせ、美しく華やかに、充実したきらびやかな人生を送ってほしいと願って。

礼寧 あやね
礼儀正しく、だれに対してもていねいな言葉づかいや心づかいができる子に。

綺音 あやね
綺麗な音楽のように、人の心を癒し、人の心を魅了するような、素敵な女性になることを願って。

恭香 きょうか
「恭」のていねいで慎み深い、「香」の声や姿がよいという意味から、礼節をわきまえた、しとやかで気品のある美しい女性に成長するように。

紗英 さえ
麗しい、優れているという意味の「英」の前に、薄絹を意味する「紗」を置き、「英」の意味をひけらかさないようにした名前。美しい容姿や賢さがありながらも、慎み深く、細やかな気配りができる女性になるように。

沙蘭 さらん
独特の美しく高貴な花を咲かせる蘭のように、個性的でありながらも品があって美しい女性になってほしい。また、響きの「さらん」は韓国語で愛を意味することから、愛にあふれたやさしい人にとの思いも込めて。

澄礼 すみれ
清らかに澄み渡った心を持ち、礼儀を重んじる女性に。謙遜・誠実というスミレの花言葉の思いも込めて。

珠貴 たまき
真珠や数珠（じゅず）など丸い玉をあらわし、美しいものや大切なもののたとえとしても使われる「珠」。高貴の「貴」も加え、品のある美しい女性にと願って。また、人間的にも丸く、容姿だけでなく、内面も美しい女性に。

麻綾 まあや
模様を織り込んで独特の光沢を出す絹織物（綾）のように、美しく品のある女性に成長するように。

実花 みか
外見も美しく内容も充実していて、道理や人情もわきまえていることを意味する慣用句「花も実もある」から。美しく賢く、やさしい女性に。

美妃 みき
王妃のような品性と教養をあわせ持つ、外見も内面も美しい女性に成長してほしいとの思いを込めて。

雅 みやび
上品で優雅という意味の「雅」をそのまま名前に。しとやかで奥ゆかしい優美な女性に育つように。

瑶子 ようこ
「瑶」は、美しい玉を意味する漢字で、優れて美しいものや、高潔なものを意味する字。美しく品のある女性に育ち、輝くような人生を歩むように。

璃々 りり
「璃」は宝石の瑠璃（ラピスラズリ）、響きは英語でユリを意味する「リリー（lily）」から。ユリの花のように美しく品があって、宝石のような輝きを放つ素敵な女性になってほしいと願って。

麗奈 れいな
澄んで美しいという意味のほかに、空が晴れて穏やかなどの意味もある「麗」。美しく気品がありながら、親しみやすい明るさと穏やかさをあわせ持った、だれからも好かれる女性に。

“芯の強い凛とした女性に”

思いに合う漢字

一 P181	己 P182	弓 P182	禾 P188	矢 P190
立 P192	志 P203	芯 P203	佳 P208	芽 P209
京 P210	律 P228	真 P234	倫 P238	葵 P251
道 P256	廉 P266	潔 P273	撫 P275	凜 P276

葵 あおい
真っすぐにのびてあでやかな花を咲かせるアオイの花のように、一本筋の通った、美しく凛とした女性になることを願って。

亜矢芽 あやめ
矢のような真っすぐさと、土をかき分けて地表に顔を出す芽のような、たくましさや芯の強さを兼ね備えた子に。

一華 いちか
華やかな美しさのなかにゆるぎない信念や志を持った、一本筋の通った凛とした女の子になるように。

花撫 かなで
「撫」に大和撫子の清楚な美しさを、「花」になでしこの花の可憐さを込めた名前。凛々しくて清楚で可憐な女の子になるように。

佳廉 かれん
佳人の「佳」と、清廉の「廉」の組み合わせ。悪い誘惑に負けない芯の強さと凛々しさを持つ美しい女性に。

京香 きょうか
古きよき日本女性のような奥ゆかしさのなかに、芯の強さを感じさせる凛とした人になることを願って。

潔美 きよみ
清潔感があって、何に対しても堂々といさぎよく、凛とした美しさのある女性に。

紗矢花 さやか
やわらかく繊細なイメージの薄絹を意味する「紗」と、鋭いイメージの「矢」、美しさとともに生命力を感じさせる「花」の組み合わせ。女性らしい繊細な心配りと心身の美しさ、芯の強さとたくましさを持ち合わせた人に。

志野 しの
強い志を持って、野(大地)をしっかり踏みしめながら進んでいくような、そんな地に足の着いた凛々しい女性に成長することを願って。

芯珠 しんじゅ
文字通り、芯のある女性に。また、真珠などの宝石を意味する「珠」をプラスして、芯の強さのなかに美しさや気品も持ち合わせた女性に成長することを願って。

真己子 まきこ
自分（己）をしっかり持ち、真っすぐな心で正しいことを見極められる子に。

真弓 まゆみ
放たれた弓矢のように自分の信じた道を真っすぐ突き進む芯の強さと、しなる弓のようなしとやかさをあわせ持つ女性に。

美禾 みか
グングン育つ稲（禾）のように強くたくましく、美しい女性に。また、実り豊かな人生を歩んでほしいとの思いも込めて。

道花 みちか
道端に咲く花のように、どんな環境でも、どんな困難があっても、負けない強い心で、夢や希望に向かって進んでいく、そんな凛々しい女の子に育つように。

璃己 りこ
気品のある輝きを放つ宝玉の瑠璃（ラピスラズリ）のように、華やかさのなかにも凛とした美しさがあり、自分自身をしっかり持っている子に。

律香 りつか
自分自身を律することができるように。目的に向かって進むよう、「香」に将棋の香車の意味も込めて。

立華 りっか
地にしっかり足をつけて生活できる、たくましさと賢さのある人に。「華」もプラスし、女性らしい華やかさや、華やかな未来も託して。

倫 りん
自らを律する倫理を持つ、しっかりとした女性に成長してほしい。「倫」には仲間という意味もあり、お互いを高め合えるよい友人に出会えることも願って。

凛花 りんか
凛として咲く花のように、清く正しく美しく、そして一本筋のとおった芯の強い女性に。

“芸術的な才能や独創性のある人に”

思いに合う漢字

才 P182 文 P187 考 P194 冴 P202 芽 P209
音 P218 泉 P224 奏 P224 展 P235 彩 P241
萌 P247 詠 P250 絵 P250 創 P255 詩 P262
新 P263 想 P264 編 P275 織 P282 響 P284

文乃 あやの
美しい模様、文学、知性などの意味がある「文」。知性と豊かな感性で文学的な才能を大きくのばせることを願って。

彩芽 あやめ
多彩な才能に恵まれるように。芽吹いた草木が育って花を咲かせるように、才能の芽をしっかり育て、大きく花咲くことを願って。

泉実 いずみ
湧き出る泉のように才能にあふれ、泉のように清らかな心で自由な発想ができる人に。努力が実を結ぶようにとの思いも込めて。

彩葉 いろは
色彩感覚や美的センスに優れ、芸術的な才能に恵まれるように。「いろは」の響きには、初心を忘れないようにとの思いも込めて。

詠花 えいか
詩歌をつくるという意味の「詠」。言葉を紡ぎ、素晴らしい詩歌をつくれるような文才と感性のある子になることを期待して。

奏美 かなみ
音楽的な才能のある子に。また、自分の人生を、自分らしい音色で奏でられるように。

響子 きょうこ
音響の「響」を使い、音楽的才能に恵まれることを願って。そして、人の心に響く素晴らしい作品を創造できるように。

輝来里 きらり
何かキラリと光る才能を持っている子に。その才能を育て、キラキラと輝く明るい未来を過ごせるように。

冴絵 さえ
頭が冴え、感性鋭い子に。次々と斬新なアイデアが浮かぶような発想力豊かな子になってほしい。芸術的なセンスやクリエイティブな能力に長けた子になってほしいと願って。

詩音 しおん
文学や音楽が好きな感性豊かな子になってほしい、表現力豊かな子になってほしいという思いを込めて。

創子 そうこ
豊かな想像力、創造性で新しい何かを生み出せる人に。

想奈 そな
豊かな想像力で何か新しいものを生み出せる人に。また人の心を思いやれるやさしさのある子に。

千絵美 ちえみ
たくさん(千)の美しい絵を描けるような、芸術的才能や感性豊かな子に。また、美しく多彩な絵のように、素晴らしい経験をたくさんできるように。

七歩 なほ
詩をつくる才能がきわめて優れているという意味の言葉「七歩の才(しちほのさい)」から。言葉の由来は、中国の魏(ぎ)の文帝・曹丕(そうひ)が、才能ある弟の曹植(そしょく)をねたみ、7歩歩く間に詩をつくれと命じたのに対し、曹植はその7歩の間に見事に詩をつくったという故事から。

新萌 にいも
新しいという字に、草木が芽を出すという意味の「萌」をプラス。ほかの人にはまねのできない発想で、新しい何かを生み出すクリエイティブな子になることを期待して。

展恵 のぶえ
「展」の隠れた才能を広げて見せるという意味から、素晴らしい才能に恵まれ、活躍できるように。

海織 みおり
海のような広く深く豊かな想像力で新しいものを織り上げる、そんなクリエイティブかつ芸術的な才能に恵まれるように。

萌々 もも
草木が芽を出すという意味の「萌」を重ねて、次々と新しい発想やアイデアの芽が出てくるイメージを表現。想像力や創造性に恵まれるように。

夢や希望を信じて前向きに進める人に

思いに合う漢字

可 P188	叶 P189	未 P191	羽 P193	希 P200
志 P203	昇 P213	拓 P213	歩 P215	虹 P221
信 P223	咲 P223	峰 P236	琢 P245	望 P247
結 P252	翔 P254	達 P255	夢 P265	磨 P279

明日花　あすか
明日に向かって、日々前向きに努力し、やがてその努力が実って大きな花を咲かせられるように。

編夢　あむ
「編」は、順序をととのえて組み立てるという意味。少しずつ確実にステップアップして、夢を編み上げていけるように。

歩夢　あゆむ
夢に向かって、一歩一歩着実に進んでいけるように。また、自分なりの歩みのスピードで、自分らしく生きていくことを願って。

叶望　かなみ
文字どおり、望みが叶うように夢や希望を信じる、明るくて前向きな女の子になるようにと願って。

栞奈　かんな
「栞」の道しるべ、目印という意味から、目標をしっかり定めて、真っすぐに進んでいけるようにとの思いを込めて。

虹子　こうこ
雨上がりにかかる美しい虹を、夢や希望の象徴にたとえた名前。雨という困難のあとに希望の虹がかかるように、どんな困難にもくじけずに、希望を信じて前向きに生きるように。

咲織　さおり
時間をかけて色鮮やかな着物を織りあげるように、コツコツ重ねた努力が、いつか大きな花を咲かせるように。

志信　しのぶ
自分の志を信じて、迷うことなく夢や希望に向かって真っすぐに進んでいくように。

志帆　しほ
帆を広げて航海する帆船のように、夢や希望に向かって前進し、明るい未来をつかみ取れるように。

紡希　つむぎ
繭（まゆ）の細い繊維を紡いで丈夫な糸にするように、夢や希望に向かって一つひとつ努力を重ね、現実のものにできるように。

遥可　はるか
はるか彼方の「遥」と、可能性の「可」。自分の可能性を信じて、未来に向かって努力できる子に。

磨希　まき
希望に向かって努力することを忘れないように。自分自身を磨き続けて、将来は輝くような成功を手に入れられるように。

真帆　まほ
「真帆」とは、追い風を全面に受けて十分に張った帆という意味。自らの努力と周囲の協力を得て、夢に向かって順風満帆に進むように願って。

未羽　みう
未来に向かって力強く羽ばたく姿をイメージした名前。夢や希望の実現を目指して、前向きに進んでいける子に。

万夢花　まゆか
小さな夢から大きな夢まで、たくさんの夢の花を咲かせることができるように。

通世　みちよ
立ちふさがる世の中の困難や理不尽に負けることなく、自分の信じた道を突き進む強さを持ったたくましさのある子に。

光希　みつき
光り輝く希望に向かって進んでいく、前向きな女の子に。また、苦しいことがあっても、つねに希望の光を忘れないようにとの願いを込めて。

美峰　みほ
困難を乗り越えて一歩一歩自分の足で山の頂を目指すように、夢や希望に向かって努力する子になってほしいと願って。また、気高く美しい山のように、堂々と自信を持って生きていってほしいとの思いも込めて。

結芽　ゆめ
新しい芽があふれている春の草原のように、たくさんの希望の芽を持ってほしい。響きに「夢」の意味をのせ、希望の芽が大きく育ち、実を結ぶようにとの思いを込めて。

思いに合う漢字

未	安	吉	充	成
P191	P192	P194	P196	P196
寿	来	果	幸	実
P203	P206	P208	P211	P212
明	倖	祥	笑	泰
P216	P231	P233	P234	P234
喜	満	歓	輝	潤
P251	P257	P272	P272	P273

“充実した幸せな人生、明るい未来を”

彩加 あやか

彩りのある豊かな人生を願って。また、「加」のプラスするという意味から、よいことがたくさんプラスされるようにとの思いも込めて。

安寿 あんじゅ

もめ事のない安心・安全・安寧な生活を送れるように。また、めでたい（寿）ことがたくさん起きますように。

笑満 えま

笑顔に満ちた人生を願って。「満」の字には、友情、愛情、日々の生活など、さまざまな面で満たされるようにとの思いも込めて。

来未 くるみ

来たる未来が輝いたものになるように。クルミの実がなるように、努力が結実することを響きに込めて。

咲喜 さき

未来に大きな花を咲かせられるように。また、喜びの花が咲き誇る、笑顔いっぱいの人生を。

倖 さち

幸せという意味のなかでも、とくに思いがけない幸運という意味がある「倖」。しっかり努力しながら、チャンスも逃さない運のよさを持ち、明るく幸せな未来を手に入れられるように。

祥加 さちか

幸せ（祥）が、どんどんプラス（加）されていく人生を願って。

潤奈 じゅんな

大地の潤いが植物の生命力につながるように、心の潤いと、物質的な潤いで、心身ともにイキイキと豊かに暮らせるように。

星来 せいら

夜空に無数に輝く星のように、たくさんの可能性を秘めた未来、キラキラとまぶしく輝く未来がやって来ることを願って。

成実 なるみ

何かを成しとげられる人に。そして、成功の果実を実らせ、充実した豊かな人生になることを願って。

真衣 まい

中国語で満足を意味する「マーイー（満意）」から。1日1日満足できる、納得の人生を歩めるように。

美歓 みかん

にぎやかに声を合わせて喜ぶという意味の「歓」。喜びの多い人生、喜びを分かち合えるたくさんの友と出会えることを願って。

充恵 みちえ

心の充実、人間関係の充実、仕事の充実など、あらゆるものが充実し、幸せに恵まれるように。充実した人生を願って。

萌果 もえか

小さな木の芽が大きく育って果実をつけるように、将来、夢の果実がしっかり大きく実るように。

泰実 やすみ

安泰の「泰」と、充実の「実」の組み合わせ。その意味のとおり、安泰で充実した人生を願って。

結 ゆい

人を結ぶ、心を結ぶ、愛を結ぶ、絆を結ぶ、夢を結ぶ、実を結ぶなど、さまざまな「結」に恵まれるようにとの願いを込めて。

幸穂 ゆきほ

豊かに実った稲穂のように、たくさんの幸運に恵まれる充実した人生になるように。

吉乃 よしの

めでたい「吉」と、すなわちという意味の「乃」。どんなこともよい方向へ「すなわち吉」となる幸福な人生を送ることができるように。

莉子 りこ

スペイン語で豊かという意味の「rico（リコ）」から。物質的にも精神的にも豊かに暮らせるように。

璃乃 りの

ハワイ語で輝くという意味の「lino（リノ）」から。漢字も宝石の瑠璃（るり）の「璃」を当てて、キラキラと輝きに満ちた素晴らしい人生になるように。

“広い視野を持ち、グローバルな活躍を”

思いに合う漢字

広 P189　世 P190　羽 P193　希 P200　志 P203
周 P212　拓 P213　海 P219　航 P231　展 P235
渉 P243　鳥 P245　結 P252　翔 P254　渡 P256
遥 P259　新 P263　夢 P265　遼 P275

亜衣（あい）
英語で「目(eye)」や「自分(I)」を意味する「アイ」を名前に。広い視野を持ち、自分の意見もしっかり持って、国際的な活躍ができるように。

飛鳥（あすか）
大空を飛ぶ鳥のように、国境を越えて自由に羽ばたいてほしい。また、高いところから俯瞰する広い視野を持った人になるように。

絵瑠（える）
フランス語で翼という意味の（Aile）が由来。翼を広げて大きく世界へ羽ばたいていくような、国際的な人になることを願って。

可蓮（かれん）
グローバルな時代を反映して海外でもそのまま通用する名前に。どんな環境でも美しく堂々とした花を咲かせる蓮のように、可能性を信じて、がんばれる子に。

希帆（きほ）
大きく帆を広げて出航する帆船のように、どんな世界にも自信を持って飛び込んでいってほしい。大きな夢や希望を抱き、海外へも堂々とわたっていける子に。

渉子（しょうこ）
海を渡り、広い世界を見て、視野の広い心の豊かな人になるように。さまざまな出会いや経験を積んでほしいと願って。

千遥（ちはる）
はるか彼方の地で、さまざまな人と出会い、さまざまなよい経験ができるようにとの思いを込めて。

朋世（ともよ）
世界中に友達をつくってほしい。どんな人とも仲よくなれるように、明るく積極的で物怖じしない子に。

七海（ななみ）
全世界の海を意味する言葉「七つの海」が由来。ワールドワイドに活躍するアクティブな人に。

新奈（にいな）
国際的になってほしいという思いを込めて、外国人にもわかりやすい響きに。新しいことにどんどん挑戦し、新しい何かを生み出したり、発見できる人に。

遼花（はるか）
はるか彼方の未来、はるか彼方の地で大きく花咲くように。世界も視野に入れたグローバルな活躍を願って。

広海（ひろみ）
広い海に漕ぎ出して海外へ出ていくような大きな夢を抱いてほしい。また、広い視野で世の中を見られる人に。

展世（ひろよ）
どこまでも伸び広がるという意味のほか、隠れた才能を広げて見せるという意味もある「展」。世界に向かって、自らの才能を幅広く展開できるように。

磨世（まよ）
劇作家ジョージ・バーナード・ショーの言葉「いつも自分を磨いておけ。あなたは世界を見るための窓なのだ」から。広い視野で世界を見つめることのできる人に。

未知翔（みちか）
未知の世界に向かって大きく飛翔してほしい。日本から飛び出し、世界という大きなステージでも活躍できる人に。

結海（ゆうみ）
世界の海を結び、世界の人々を結びつける活躍ができるように。

兄弟姉妹で共通性のある名前

兄弟姉妹で共通性のある名前をつけるのも根強い人気。兄弟姉妹としての一体感や絆を表現することができます。

兄弟姉妹で名前に共通性を持たせるには、おもに次の4つの方法があります。

①止め字をそろえる
②同じ漢字を使う
③文字数や響きをそろえる
④イメージをそろえる

もっともポピュラーなのは①です。ただし、男女で止め字を同じにすると、「悠希（男）、瑞希（女）、真希（女）」などの場合、本当は一男二女でも、名前だけの並べてみると三姉妹に思われるなど誤解されがちなので、なるべく避けたほうがいいでしょう。

特定の漢字に思い入れがある場合は、②の同じ漢字を使う方法がおすすめですが、兄弟姉妹が多いと、響きの似た名前が多くなるのが難点。女の子なら「優」、男の子なら「陽」など、男女で分けてもよいでしょう。

③は名前の視覚的な印象や響きにこだわるパパ・ママにおすすめです。漢字1字名でそろえたり、「レーナ」「ミーナ」など、長音の響きでそろえる方法です。

海、空、音楽、やさしさなど、④のイメージをそろえる方法も、人気の名づけ法です。統一感がありながら、響きや漢字はそれぞれ異なるので、似たような名前にならないのもメリットです。

止め字をそろえた名前

亜
乃亜　のあ
美亜　みあ
優亜　ゆあ

衣
亜衣　あい
麻衣　まい
芽衣　めい

絵
沙絵　さえ
朋絵　ともえ
花絵　はなえ

央
珠央　たまお
実央　みお
理央　りお

桜
衣桜　いお
真桜　まお
美桜　みお

花
風花　ふうか
舞花　まいか
百花　ももか

香
絢香　あやか
京香　きょうか
悠香　ゆうか

祈
紗祈　さき
美祈　みき
優祈　ゆき

姫
夏姫　なつき
瑞姫　みずき
柚姫　ゆずき

子
瑚子　ここ
真子　まこ
莉子　りこ

沙
有沙　ありさ
明沙　めいさ
来沙　らいさ

咲
希咲　きさ
美咲　みさ
里咲　りさ

月
香月　かづき
沙月　さつき
奈月　なつき

菜
佳菜　かな
陽菜　ひな
玲菜　れいな

奈
愛奈　あいな
新奈　にいな
桃奈　ももな

波
華波　かなみ
帆波　ほなみ
美波　みなみ

音（ね）
彩音　あやね
琴音　ことね
初音　はつね

乃
雛乃　ひなの
夢乃　ゆめの
璃乃　りの

音（おん、のん）
衣音　いおん
花音　かのん
実音　みおん

葉
彩葉　いろは
乙葉　おとは
心葉　ここは

帆
麻帆　まほ
美帆　みほ
里帆　りほ

穂
明穂　あきほ
和穂　かずほ
瑞穂　みずほ

美
可那美　かなみ
久瑠美　くるみ
陽斗美　ひとみ

夢
絵夢　えむ
音夢　ねむ
莉夢　りむ

里
絵美里　えみり
日万里　ひまり
由花里　ゆかり

莉
愛莉　あいり
光莉　ひかり
真莉　まり

羽
紗羽　さわ
実羽　みわ
結羽　ゆわ

同じ漢字を使った名前

羽
- 小羽　こはね
- 羽奈　はな
- 美羽　みう

花
- 花織　かおり
- 彩花　あやか
- 柚花　ゆずか

香
- 香奈　かな
- 香凛　かりん
- 唯香　ゆいか

菜
- 菜摘　なつみ
- 菜々　なな
- 若菜　わかな

紗
- 紗代　さよ
- 紗和　さわ
- 里紗　りさ

美
- 美緒　みお
- 美月　みつき
- 美波　みなみ

璃
- 朱璃　あかり
- 美璃　みり
- 璃奈　りな

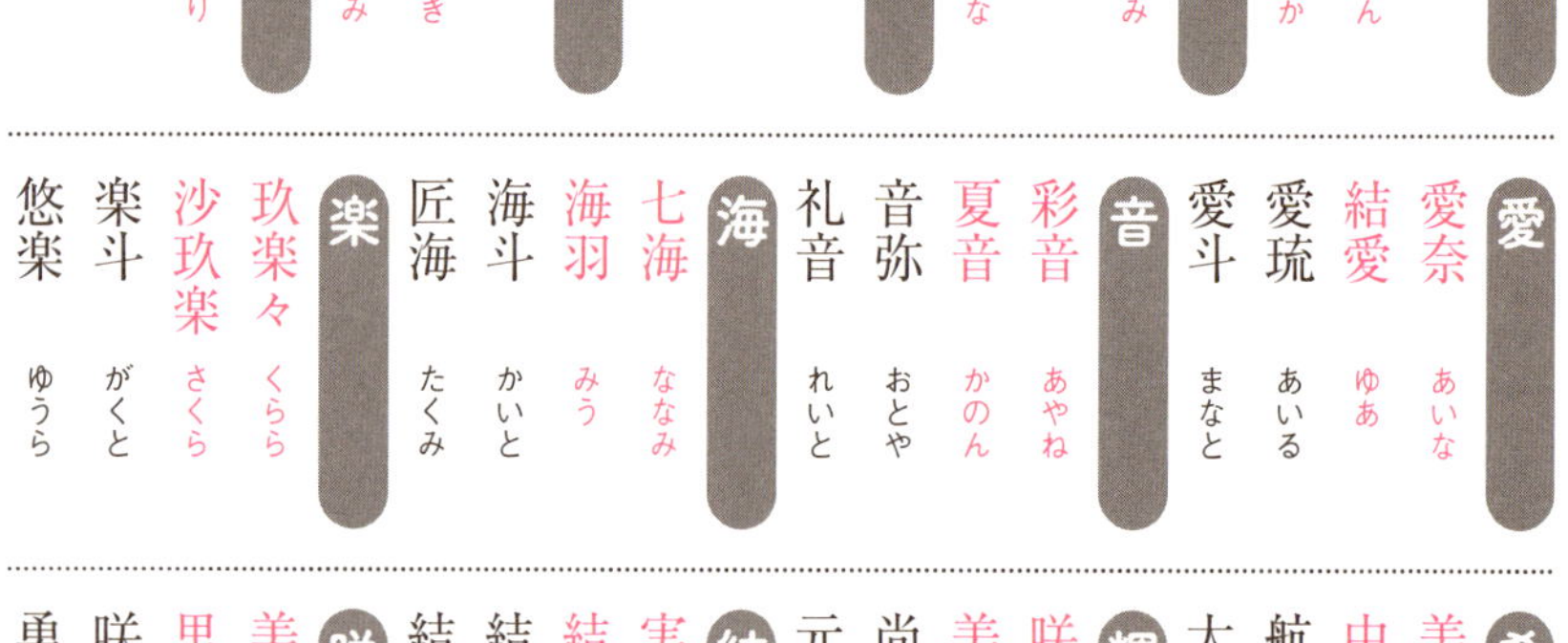

愛
- 愛奈　あいな
- 結愛　ゆあ
- 愛琉　あいる
- 愛斗　まなと

音
- 彩音　あやね
- 夏音　かのん
- 音弥　おとや
- 礼音　れいと

海
- 七海　ななみ
- 海羽　みう
- 海斗　かいと
- 匠海　たくみ

楽
- 玖楽々　くらら
- 沙玖楽　さくら
- 楽斗　がくと
- 悠楽　ゆうら

希
- 美沙希　みさき
- 由希奈　ゆきな
- 航希　こうき
- 大希　だいき

輝
- 咲輝　さき
- 美輝　みき
- 尚輝　なおき
- 元輝　もとき

結
- 実結　みゆ
- 結香　ゆいか
- 結心　ゆうしん
- 結太朗　ゆうたろう

咲
- 美咲　みさき
- 里咲子　りさこ
- 咲太郎　さくたろう
- 勇咲　ゆうさく

志
- 志織　しおり
- 志穂　しほ
- 賢志郎　けんしろう
- 光志郎　こうしろう

心
- 心美　ここみ
- 心結　みゆ
- 心之輔　しんのすけ
- 心平　しんぺい

真
- 日真里　ひまり
- 真里亜　まりあ
- 真一郎　しんいちろう
- 拓真　たくま

星
- 星花　せいか
- 莉星　りせ
- 悠星　ゆうせい
- 琉星　りゅうせい

夢
- 夢乃　ゆめの
- 夢香　ゆめか
- 拓夢　たくむ
- 広夢　ひろむ

優
- 麻優奈　まゆな
- 美優希　みゆき
- 優介　ゆうすけ
- 優斗　ゆうと

陽
- 小陽　こはる
- 陽奈子　ひなこ
- 旭陽　あさひ
- 陽貴　はるき

和
- 紗和　さわ
- 美和　みわ
- 和輝　かずき
- 和一　わいち

文字数や響きをそろえた名前

【1字】

2音＋「い」
舞 まい
唯 ゆい
玲 れい
開 かい
類 るい

【2字】

2音＋「ん」
杏 あん
暖 のん
鈴 りん
真 しん
然 ぜん

2音＋「子」
希子 きこ
仁子 にこ
莉子 りこ

2音＋「々」
寧々 ねね
埜々 のの
瑠々 るる

3音＋「小」
小梅 こうめ
小鞠 こぎく
小春 こはる

4音＋「子」
薫子 かおるこ
桂子 かつらこ
桜子 さくらこ
菫子 すみれこ

2字＋2音
実緒 みお
芽衣 めい
雅久 がく
琉偉 るい

3音＋長音
沙綾 さあや
麗加 れいか
透吾 とうご
凪太 ふうた

拗音
珠乃 じゅの
涼香 りょうか
賢祥 けんしょう
駿斗 しゅんと

【3字】

3音＋「香」
亜弥香 あやか
絵里香 えりか
穂乃香 ほのか
真友香 まゆか

3音＋「美」
亜沙美 あさみ
果那美 かなみ
瑚乃美 このみ
麻央美 まおみ

3音＋「里」
亜里沙 ありさ
世里奈 せりな
優里花 ゆりか

3音＋「々」
瑚々奈 ここな
菜々世 ななせ
莉々可 りりか

同じ「へん」「つくり」の名前

同じ漢字で統一するのではなく「へん（偏）」や「つくり（旁）」を共通にする方法もあります。たとえば「恵」「想」「愛」など、漢字のなかに「心」が入っている字で統一する方法です。同じへんやつくりでも、意味やイメージが異なるものも多いで、その点は注意しましょう。

名前例

「心」
- 恵実 えみ
- 想乃 その
- 愛果 あいか
- 心菜 ここな
- 武志 たけし
- 英慈 えいじ
- 利恩 りおん

「王」
- 玲加 れいか
- 珠里 しゅり
- 碧衣 あおい
- 瑶美 たまみ
- 瑞基 みずき
- 瑛多 えいた
- 玖音 くおん
- 琥太郎 こたろう

「木」
- 梨花 りんか
- 柚葉 ゆずは
- 桃奈 ももな
- 楓 かえで
- 直樹 なおき
- 桔平 きっぺい
- 大梧 だいご
- 桜介 おうすけ

イメージをそろえた名前

花（1字）

- 菖　あやめ
- 桜　さくら
- 菫　すみれ

花（2字）

- 沙葵　さき
- 真桜　まお
- 美蘭　みらん

花（3字）

- 絵里花　えりか
- 菜々子　ななこ
- 茉莉奈　まりな

果実

- 杏菜　あんな
- 花梨　かりん
- 桃子　ももこ
- 柚希　ゆずき

樹木

- 清楓　さやか
- 樹里　じゅり
- 幹太　かんた
- 大梧　だいご

植物（1字）

- 杏　あん
- 楓　かえで
- 萌　もえ
- 幹　みき
- 蓮　れん

植物（2字）

- 芹佳　せりか
- 実咲　みさき
- 芽沙　めいさ
- 桜輔　おうすけ
- 桔平　きっぺい
- 柊斗　しゅうと

海

- 夏帆　かほ
- 凪沙　なぎさ
- 澪　みお
- 航平　こうへい
- 拓海　たくみ
- 波斗　なみと

空

- 空乃　そらの
- 虹香　にじか
- 美雲　みくも
- 昊汰　こうた
- 悠青　ゆうせい

山、大地

- 野々香　ののか
- 穂奈美　ほなみ
- 美郷　みさと
- 岳斗　がくと
- 耕太郎　こうたろう
- 悠峰　ゆうほう

太陽

- 明日香　あすか
- 小晴　こはる
- 陽奈　ひな
- 暁斗　あきと
- 旭飛　あさひ
- 幸晟　こうせい

宇宙

- 星乃　ほしの
- 美宇　みう
- 奈月　なつき
- 銀河　ぎんが
- 昴　すばる

自然（1字）

- 泉　いずみ
- 渚　なぎさ
- 風　ふう
- 海　かい
- 空　そら
- 陸　りく

自然（2字）

- 和泉　いずみ
- 七海　ななみ
- 美湖　みこ
- 颯太　そうた
- 青空　そら
- 大地　だいち

音楽（1字）

- 弦　いと
- 琴　こと
- 鈴　すず
- 奏　そう
- 響　ひびき

音楽（2字）

- 琴美　ことみ
- 聖楽　せいら
- 優歌　ゆうか
- 奏太　かなた
- 拓音　たくと
- 響生　ひびき

文学・アート

- 絵麻　えま
- 栞里　しおり
- 文奈　ふみな
- 栞太　かんた
- 詩恩　しおん
- 匠己　たくみ

色彩

- 茜音　あかね
- 朱里　しゅり
- 美紅　みく
- 蒼真　そうま
- 琉青　りゅうせい

宝石

珠里　じゅり
璃子　りこ
瑠奈　るな
瑛多　えいた
玖恩　くおん
琉介　りゅうすけ

光

煌里　きらり
千晶　ちあき
美輝　みき
光樹　こうき
燦太　さんた
耀介　ようすけ

織物（1字）

絢　あや
絹　きぬ
繡　しゅう
紬　つむぎ
繭　まゆ

洋風

英玲奈　えれな
星羅　せいら
乃愛　のあ
賢人　けんと
琉偉　るい
礼央　れお

和風（1字）

巴　ともえ
鞠　まり
都　みやこ
庵　いおり
匠　たくみ
武　たける

和風（2字以上）

小梅　こうめ
千桜　ちお
佳乃　よしの
新之助　しんのすけ
誠士郎　せいしろう

かわいい（1字）

幸　さち
雛　ひな
唯　ゆい

かわいい（2字）

苺子　いちこ
小羽　こはね
実結　みゆ
柚杏　ゆあん

気品

絢乃　あやの
沙妃　さき
純玲　すみれ
麗花　れいか

やさしい

心美　ここみ
想代　そよ
優花　ゆうか
淳希　あつき
温真　はるま

穏やか（1字）

心　こころ
和　のどか
円　まどか
穏　おん
平　たいら
友　ゆう

おおらか

和花　のどか
遥　はるか
美陽　みはる
広平　こうへい
泰成　たいせい
悠太朗　ゆうたろう

純粋、素直

香純　かすみ
清花　きよか
素乃　その
信之介　しんのすけ
直太朗　なおたろう

明るい（1字）

笑　えみ
花　はな
光　ひかり
朗　あきら
陽　はる

明るい（2字）

千笑　ちえみ
天歌　てんか
夏実　なつみ
快登　かいと
元輝　げんき
太陽　たいよう

さわやか

涼音　すずね
爽乃　その
風子　ふうこ
帆高　ほだか
瑞生　みずき
琉晴　りゅうせい

聡明

慧麻　えま
美怜　みさと
知世　ちせ
英斗　えいと
賢悟　けんご
秀真　しゅうま

夢、希望

叶実　かなみ
未来　みらい
夢香　ゆめか
新太　あらた
大志　たいし
拓未　たくみ

幸せ

咲喜　さき
美嘉　みか
幸奈　ゆきな
祥太　しょうた
泰介　たいすけ

有名人の子どもの名前

芸能人やスポーツ選手、文化人などの子どもの名前は、個性的な名前が多いようです。なかには、ちょっと個性的すぎる（？）名前もありますが、さすが！と思わせるセンスのいい名前も多いもの。漢字の使い方や読み方など、参考になることも多そうです。

親	子の名前
黒瀬純（パンクブーブー）	ちあ
松本人志	てら
今井美樹、布袋寅泰	愛紗（あいしゃ）
三村マサカズ（さまぁ～ず）	衣音（いおん）、優羽（ゆうわ）
つるの剛士	詠斗（えいと）、うた、おと、いろ
本木雅弘、内田也哉子	雅楽（うた）、伽羅（きゃら）、玄兎（げんと）
杉浦太陽、辻希美	希空（のあ）、青空（せいあ）
河本準一（次長課長）	虎太郎（こたろう）、ひなた
葉加瀬太郎、高田万由子	向日葵（ひまり）、万太郎（まんたろう）
野村萬斎	彩也子（さやこ）、裕基（ゆうき）、彩加里（あかり）
加藤浩次	小羽（こはね）、快晴（かいせい）、清風（きよか）
内村光良（ウッチャンナンチャン）	心音（ここね）
木村拓哉、工藤静香	心美（ここみ）、光希（みつき）
ダイヤモンド☆ユカイ	新菜（にいな）、頼音（らいおん）、匠音（しょーん）
劇団ひとり、大沢あかね	千花（せんか）
大橋マキ	日鞠（ひまり）、環太（かんた）
羽生善治、畠田理恵	舞花（まいか）、桃花（ももか）
藤本敏史（フジワラ）、木下優樹菜	莉々菜（りりな）
山崎邦正	百桃（もも）、来蘭（らら）
梅宮アンナ	百々果（ももか）
レッド吉田（TIM）	麟太郎（りんたろう）、塁（るい）、 陽（ひなた）、晴（はれる）、運（めぐる）
真矢、石黒彩	玲夢（りむ）、宙奈（そな）、耀太（ようた）
市川海老蔵、小林麻央	麗禾（れいか）
品川祐（品川庄司）	琥珀（こはく）
市川染五郎	齋（いつき）、薫子（かおるこ）

Part
7
「姓名判断」と名づけ

姓名判断でよりよい名前に

どこまで姓名判断を重視するかを悩む人も多いもの。また、ひと口に姓名判断といっても方法はさまざま。姓名判断との向き合い方と、姓名判断の方法を紹介します。

姓名判断って本当に当たるかな
凶の名前をつけたら不幸になっちゃう??
姓名判断って難しそうだけど・・・
そもそも姓名判断ってしないといけないの?

姓名判断って…

姓名判断による名づけは「お守り」をあげるようなもの

姓名判断は長い歴史のなかで積み重ねてきた経験や実績、膨大なデータに基づいています。人の容姿や声が印象を左右し、その後の人生に少なからず影響を与えるように、名前も周囲の印象を左右するひとつの要素。日々、名前とともに過ごしている自分自身にも何かしら影響を与えると考えても不思議ではありません。

とはいえ、姓名判断だけで人生が決まるわけではありません。その子のもともとの性質や、育つ環境など、人生にはさまざまなことが影響します。それでも、よりよい名前を、と願うのは親心。わが子の幸せを導く「お守り」として、姓名判断を取り入れるのも愛情のひとつといえます。

姓名判断のいろいろ

1
五大運格(五格)〜画数で吉凶をみる〜

姓名を構成する文字の画数を、一定の組み合わせで足し、天格、人格、地格、外格、総格と呼ばれる5つの要素に当てはめ、それぞれの意味と吉凶をふまえて運勢をみる。姓名判断のなかで、もっとも重要な判断方法。P334

2
五行の配列
〜「木・火・土・金・水」の相関関係でみる〜

あらゆるものは「木・火・土・金・水」のいずれかに属し、水は木を成長させるが、火を消すように、それぞれプラスマイナスの関係があるとするのが五行の考え方。「五格」の天格、人格、地格の数字を五行に当てはめて、よい配列かどうかをみる。P352

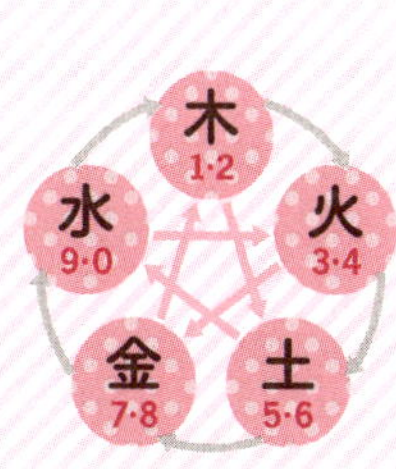

3
陰陽の配列
〜偶数(陰)と奇数(陽)のバランスでみる〜

すべてのものには「陰」と「陽」があり、太陽と月、火と水、剛と柔のように、対照的なものでありながら、一方が欠けるとバランスが崩れるという考え方。姓名判断では、1字1字の画数を、偶数なら「陰」、奇数なら「陽」としてバランスをみる。P352

姓名判断は「画数」だけじゃない

ひと口に姓名判断といっても、実はさまざまな方法があります。

もっとも一般的なのは、画数をもとにした「五大運格（五格）」。ほかにも「五行」や「陰陽」といった、古代中国で生まれた自然哲学の思想をベースにした姓名判断もあります。

このなかでもっとも重要なのは五格で、優先順位は①五格、②五行、③陰陽となります。たとえば五行や陰陽による結果がよくなくても、五格が吉数ならば、あまり気にすることはありません。

ただこのあたりは、姓名判断をどこまで重視するかにもよるでしょう。姓名判断との向き合い方をよく考えて、賢く上手に活用してください。

姓名判断で名前を考える手順 1

とくに「姓名判断」を重視する場合

Step 1

姓に合う名前の吉数を調べる

わが家の姓と相性のよい名前の画数パターンを調べる。360〜400ページの早見表でチェック。

Step 2

吉数の漢字を調べる

Step1で見つけた吉数の漢字をピックアップ。Part5の「おすすめ漢字770」や、Part8の「画数別 名づけに使える全文字リスト」を使うと便利。

Step 3

吉数の漢字を組み合わせて名前を考える

ピックアップした漢字を、吉数の画数パターンの配列に沿って組み合わせ、読み方も含めて名前を考える。

姓名判断で名前を考える手順 2

「響き」や「漢字」なども重視する場合

Step 1

姓名の画数を調べる

まずは画数を気にせず好きな名前を考え、候補が絞れたら、姓名を書き出して画数を記入。画数はPart8の「読み方別 名づけに使える漢字リスト」や「画数別 名づけに使える全文字リスト」（P402〜435）、または漢和辞典などで確認を。

Step 2

五格を計算して吉凶をチェック

334ページを参考に「五格」を計算し、342〜351ページで吉凶とその意味をチェックする。

Step 3

吉名にする

凶数が多い場合は、漢字を変える、1字足すなどして、凶数が少なくなるように再考を。すべてを吉数にできないときは、とくに重要な「人格」を吉数にする。

Step4

五行の配列をチェックする

354ページの早見表で五行での吉凶をチェック。ただし、五行による吉凶にはこだわりすぎないことも大事。基本的には、五格で吉名になっていれば十分よい名前だといえる。

Step5

陰陽の配列をチェックする

355ページの早見表で陰陽のバランスをチェックする。五行同様、陰陽による吉凶にはこだわりすぎないことも大事。五格がよければ、陰陽の配列はあまり重視しなくてもよい。

Step6

「響き」や「漢字」の意味、字形などもチェック

姓名判断にこだわりすぎて、難解な漢字を使っていないか、不自然な組み合わせになっていないかチェック。また、姓とつなげたときのバランス、発音のしにくさ、本当に名前に使える漢字かなど、姓名判断とは別の観点からの注意ポイント、基本事項もチェックを（↓P20〜28）。

Step6

最終チェック

姓とつなげたときのバランス、発音のしにくさ、おかしな意味になっていないか、名前に使える漢字かなど、名づけの注意ポイント、基本事項もしっかりチェックする（↓P20〜28）。

「五行」「陰陽」は、運勢をよりよくするためのオプション

五格が吉数になっていれば、五行や陰陽による結果がよい結果でなくてもあまり気にすることはありません。また、逆に五格でどうしても凶画が入ってしまうときに、五行や陰陽の配列をよくして、五格でのマイナスを補うという考え方もできます。

五大運格の意味と計算の仕方

姓名判断の基本となるのが五大運格（五格）。姓名を構成する文字の画数をもとに、天格、人格、地格、外格、総格の5つの運格を出し、吉凶を判断します。

五大運格（五格）の意味

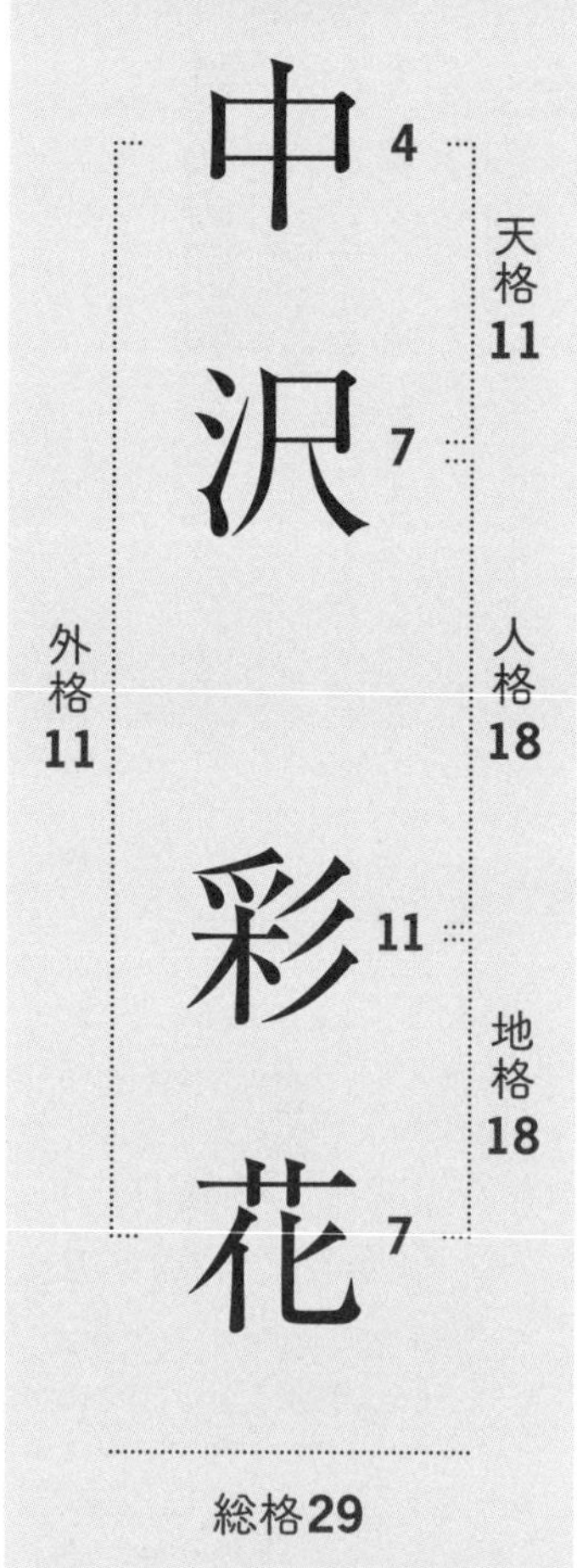

天格（てんかく）

姓の合計画数

先祖代々受け継がれてきた先天運をあらわす。ただし姓は家族共通なので個人的な吉凶にはあまり影響しない。天格が凶数でも、地格や人格など、ほかの格とのバランスによって運勢が変わってくる。

人格（じんかく）

姓の最後の字と名の最初の字の合計画数

一生の運命を左右する主運をあらわし、性格や才能のほか、職業運、家庭運、結婚運を含んだ総合的な社会運をつかさどる。30歳代から50歳代の中年期に強く影響する。

地格（ちかく）

名の合計画数

親から受け継いだ性質や、その子の潜在能力のほか、金銭感覚や恋愛傾向などをあらわす。人生のスタートから成長期・修養期を含む30歳ぐらいまでの運勢にとくに強く影響。基礎運や前運とも呼ばれる。

外格（がいかく）

総格から、人格の画数を引いた画数

人格のはたらきを助ける副運。人格があらわす性質や才能がいかされるかどうかは、外格とのバランスが重要になる。対人関係にも作用し、友人や知人との社交運や、社会に出てからの順応性に影響する。

総格（そうかく）

姓名の合計画数

天格、人格、地格、外格の4運格のはたらきをまとめた結果で総合運をあらわすが、とくに中年から晩年にかけての人生の後半部分をつかさどり、後年運とも呼ばれる。

五格でもっとも重要なのは「人格」

331ページでも述べたように、姓名判断でもっとも重要なのが、画数をもとにした「五大運格」です。姓名を構成する文字の画数を、右図のように一定の組み合わせで足し、それぞれ天格、人格、地格、外格、総格を出します。この5つが五大運格（五格）です。

五格はそれぞれ異なる意味を持ち、この数の意味と吉凶が、姓名判断のポイントになります。

五格のなかでもっとも重要なのは、その人のパーソナリティや才能、社会運などをあらわす「人格」です。人格は、人の一生を左右する大切な主運です。

また、「地格」は基礎運とも呼ばれ、両親から受け継いだ性質や、その子の潜在能力などをあらわします。地格は結婚等で姓が変わってもそのままなので、女の子の場合は人格とともに地格も重視して五格を組み立てたいところです。

また一般に、地格は30歳くらいまでの若年期、人格は30～50代までの中年期、総格は晩年期に影響を及ぼすとされますが、ほかの時期にまったく影響しないわけではありません。ですから将来変わる可能性が高いからといって、人格や総格をなおざりにするのは間違いです。人格と地格をより重視しつつ、他の格も極端に悪い画数にならないように、五格をバランスよく組み立てましょう。

なお、五格の考え方は、2字姓2字名が基本になっていて、それ以外の文字数は少し計算方法が異なります。

下図および次ページを参考に正しく計算してください。

1字姓（名）、3字姓（名）の五格の計算の仕方

渡 12
辺 5
栞 10
霊数 1

天格 17
人格 15
地格 11
外格 13
総格 27

1字姓や1字名には霊数「1」を加える。ただし、総格には霊数を含まない。

3字姓や3字名の外格の計算は、姓の上2文字、あるいは名前の下2文字をまとめて計算する。

姓名の文字数別 五格の計算例

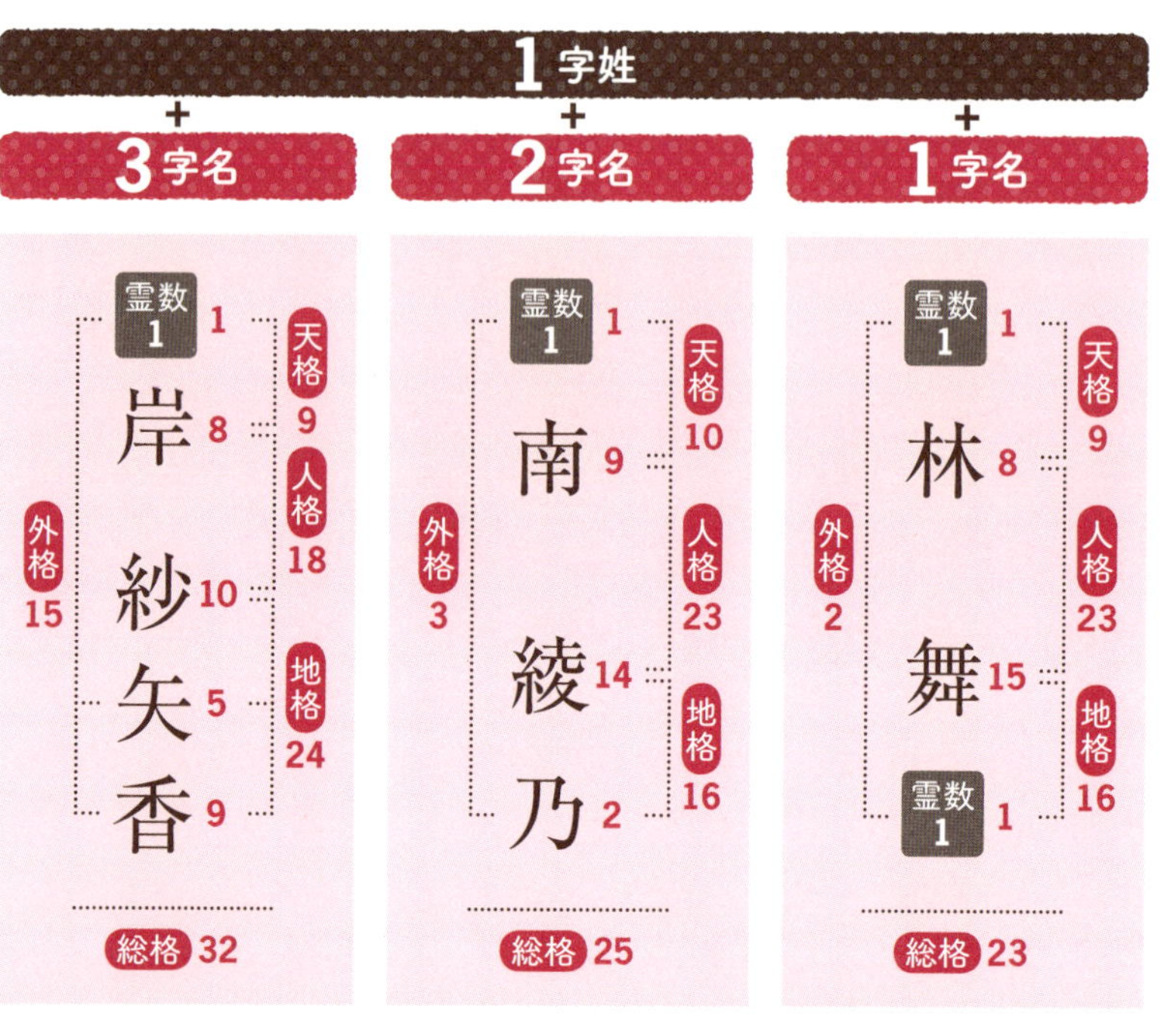
1字姓
+ 3字名
霊数1 1
岸 8
紗 10
矢 5
香 9
天格 9
人格 18
地格 24
外格 15
総格 32
+ 2字名
霊数1 1
南 9
綾 14
乃 2
天格 10
人格 23
地格 16
外格 3
総格 25
+ 1字名
霊数1 1
林 8
舞 15
霊数1 1
天格 9
人格 23
地格 16
外格 2
総格 23

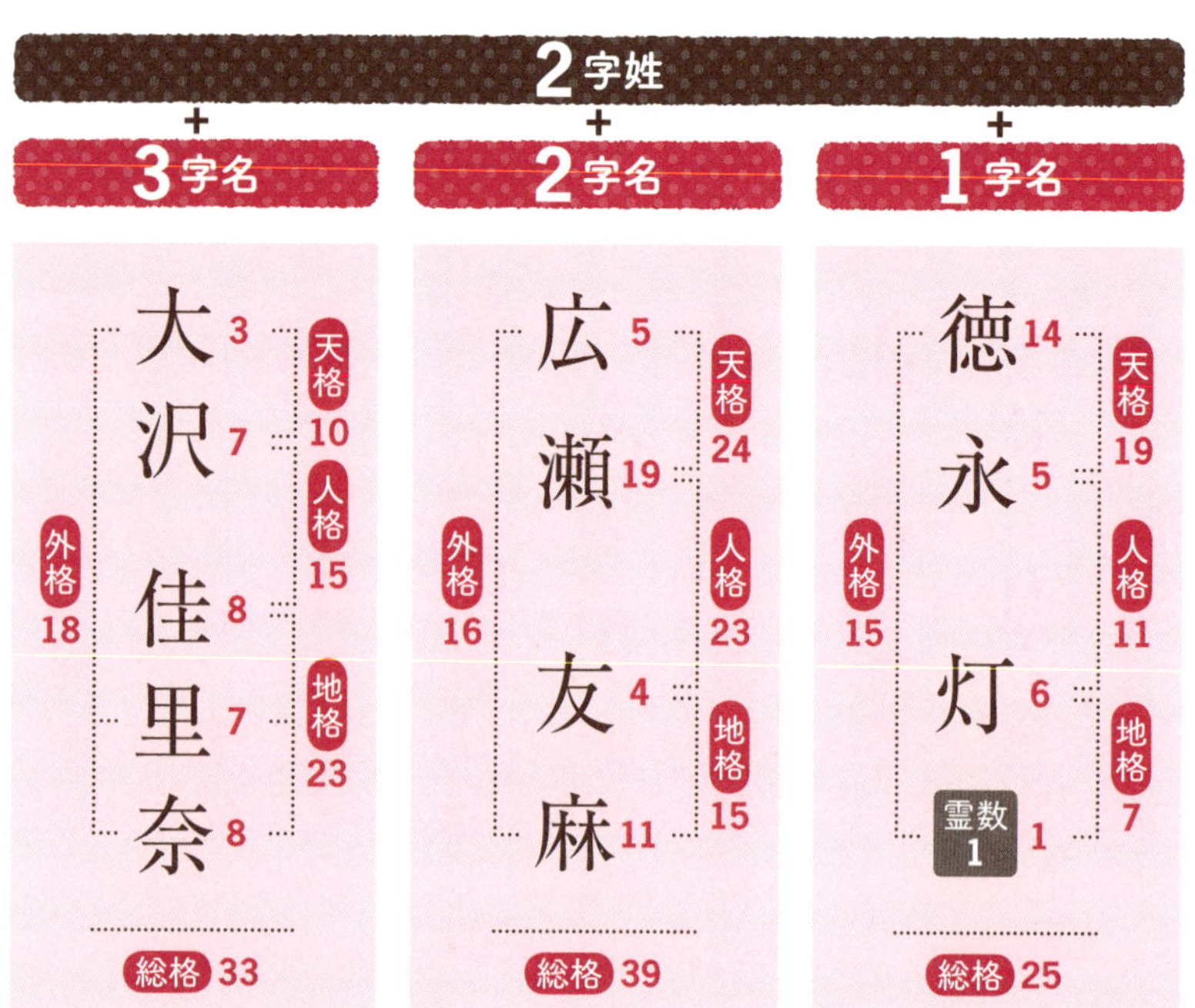
2字姓
+ 3字名
大 3
沢 7
佳 8
里 7
奈 8
天格 10
人格 15
地格 23
外格 18
総格 33
+ 2字名
広 5
瀬 19
友 4
麻 11
天格 24
人格 23
地格 15
外格 16
総格 39
+ 1字名
徳 14
永 5
灯 6
霊数1 1
天格 19
人格 11
地格 7
外格 15
総格 25

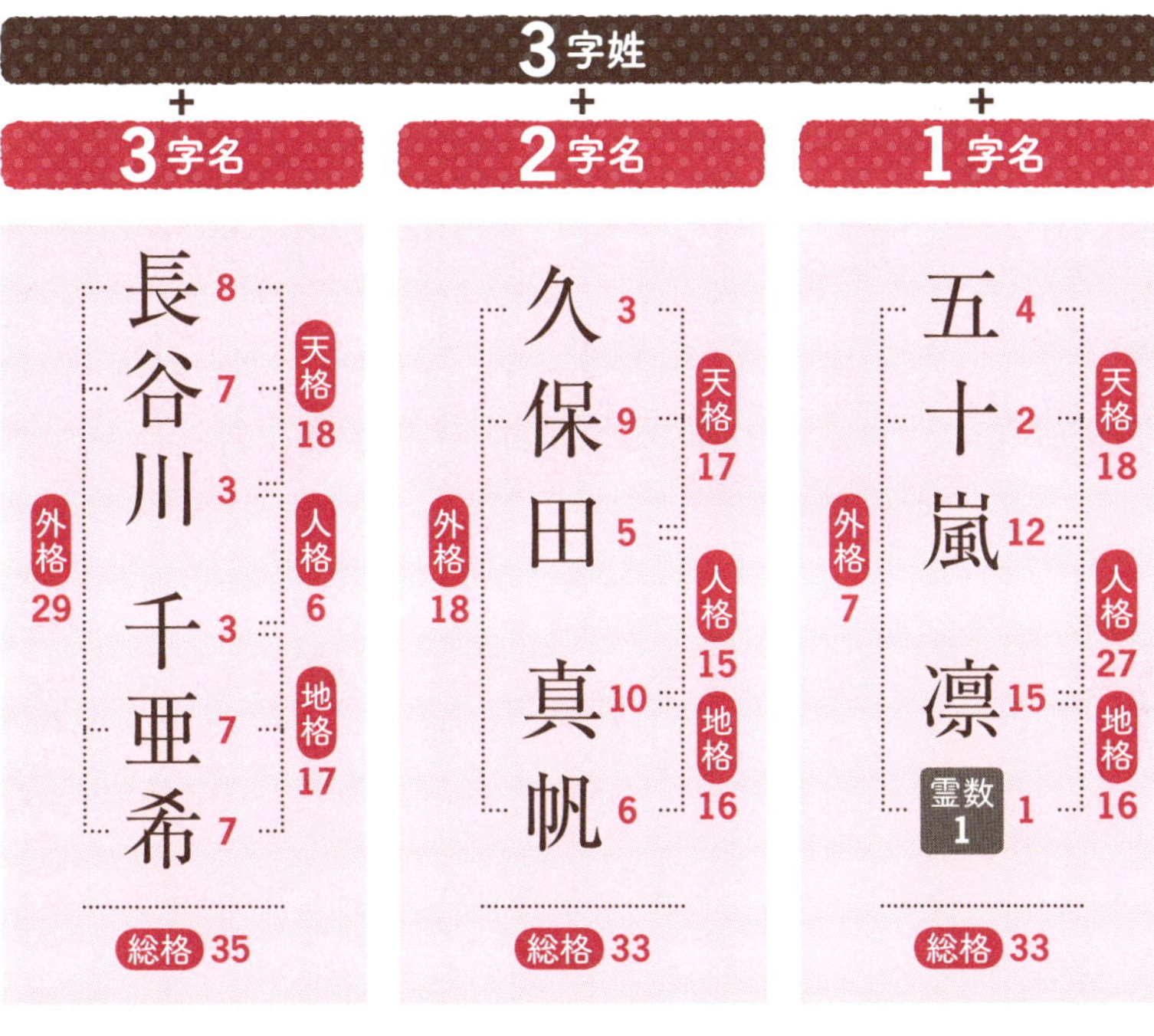
3字姓
+ 3字名
長 8
谷 7
川 3
千 3
亜 7
希 7
天格 18
人格 6
地格 17
外格 29
総格 35
+ 2字名
久 3
保 9
田 5
真 10
帆 6
天格 17
人格 15
地格 16
外格 18
総格 33
+ 1字名
五 4
十 2
嵐 12
凛 15
霊数 1 1
天格 18
人格 27
地格 16
外格 7
総格 33

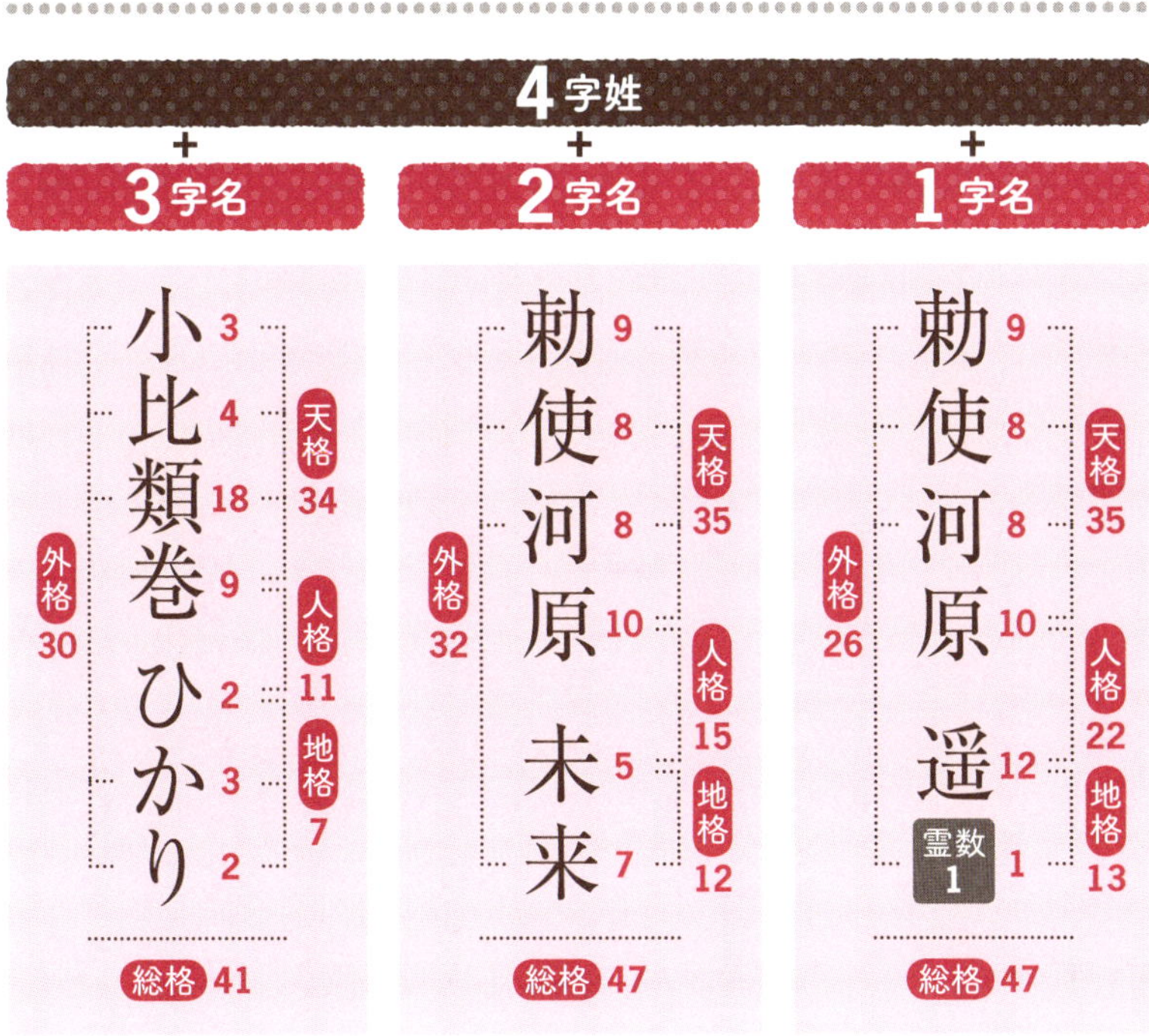
4字姓
+ 3字名
小 3
比 4
類 18
巻 9
ひ 2
か 3
り 2
天格 34
人格 11
地格 7
外格 30
総格 41
+ 2字名
勅 9
使 8
河 8
原 10
未 5
来 7
天格 35
人格 15
地格 12
外格 32
総格 47
+ 1字名
勅 9
使 8
河 8
原 10
遥 12
霊数 1 1
天格 35
人格 22
地格 13
外格 26
総格 47

画数は普段使っている字体で数える

姓名判断をするためには、画数を正しく数えなくてはなりません。画数の数え方は流派によっても違いますが、本書では基本的に日常使っている字体で数えます。

画数の数え方のポイント

1 普段使っている字体で数える

画数の数え方は旧字体で数えるもの、新字体で数えるものなど諸説あるが、もっとも密接にかかわっているという理由から、旧字体・新字体にかぎらず日常使っている字体で数える。戸籍上は旧字体でも普段、新字体で通しているなら新字体の画数で数える。

●戸籍も普段も「濱田櫻子」なら

例 濱17 田5 櫻21 子3

●戸籍は「濱田櫻子」でも、普段は「浜田桜子」を使うことが多いなら

例 浜10 田5 桜10 子3

2 部首は見たままの字体の画数で考える

たとえば「氵(さんずい、3画)」の由来は「水」なので4画、「王(たまへん・おうへん、4画)」の由来は「玉」なので5画とするなど、字の部首(へん、つくり)については、その部首の由来となった漢字の画数で数えるという考え方もあるが、基本的には見たままの字体で数える。したがって、さんずいは3画、たまへん・おうへんは4画と数える。

例 星9 野11 理11 沙7

3 繰り返し符号もそのまま数える

たとえば「菜々美」の場合、「菜菜美」と置き換えて「11・11・9」と数える流派もあるが、「々」「ゝ」などの繰り返し符号も基本的には見たままの画数で、それぞれ3画、1画と数える。

例 坂7 本5 菜11 々3 美9

4 ひらがなの画数は意外とむずかしい

ひらがなは曲線が多く区切りがわかりにくい。一筆で書ける線が必ずしも1画とはかぎらず、たとえば、「す」は3画、「ま」は4画、「る」は2画となる。左表で画数を確認して計算しよう。

例 山3 口3 み3 な5 み3

日常使っている字体で数える

姓名判断にはさまざまな流派があり、画数の数え方についても、漢字の成り立ちを重んじて旧字体で数える考え方もあれば、時代に合わせて新字体で数える考え方、あるいは部首は由来となったもとの形で数えるなど、諸説あります。

本書では、「普段使っている字体」を基本にして数えます。それは、普段使っている字こそ、その人に密接にかかわり、人生にも大きく影響してくると考えるからです。

1画の違いで、大吉が凶になったり、その逆になったりと、結果が大きく変わることもあるので、画数は正しく数えなければなりません。Part8の漢字リストや漢和辞典等で正しい画数を十分確認するようにしましょう。

ひらがな・カタカナ・符号画数表

あ 3	か 3	さ 3	た 4	な 5	は 4	ま 4	や 3	ら 3	わ 3	ん 2
い 2	き 4	し 1	ち 3	に 3	ひ 2	み 3		り 2	ゐ 3	
う 2	く 1	す 3	つ 1	ぬ 4	ふ 4	む 4	ゆ 3	る 2		
え 3	け 3	せ 3	て 2	ね 4	へ 1	め 2		れ 3	ゑ 5	。 1
お 4	こ 2	そ 3	と 2	の 1	ほ 5	も 3	よ 3	ろ 2	を 4	゛ 2

ア 2	カ 2	サ 3	タ 3	ナ 2	ハ 2	マ 2	ヤ 2	ラ 2	ワ 2	ン 2
イ 2	キ 3	シ 3	チ 3	ニ 2	ヒ 2	ミ 3		リ 2	ヰ 4	ー 1
ウ 3	ク 2	ス 2	ツ 3	ヌ 2	フ 1	ム 2	ユ 2	ル 2		ヽ 1
エ 3	ケ 3	セ 2	テ 3	ネ 4	ヘ 1	メ 2		レ 1	ヱ 3	ヾ 3
オ 3	コ 2	ソ 2	ト 2	ノ 1	ホ 4	モ 3	ヨ 3	ロ 3	ヲ 3	々 3

画数による運勢を知ろう

一つひとつの画数にその子の性格の特徴や運勢があらわれます。
それぞれの意味を理解したうえで、子どもへの思いを込めた名前を考えましょう。

系列別に見た性格と運勢

画数	キーワード	性格・運勢
1系列（下1桁が1）	情熱、行動力	情熱と行動力があり、明るさと包容力もあります。前向きな気持ちが長所で、リーダーとしての資質がありますが、ワンマンでせっかちになりがちな面もあります。
2系列（下1桁が2）	交渉能力、粘り強さ	繊細で、女性的な内面の美を持っていますが、周囲からはその性格が読みにくいタイプ。迷いつつも、ときには駆け引きしたり、人をだましたりしてでも、状況を乗り越えようとします。厄難・急変を示唆する数でもあります。
3系列（下1桁が3）	楽観的、快活	他人より一歩先を行くことが大好きで、楽観的かつ快活な性格。無節操で見栄を張るところが玉にキズですが、本人に悪意はなく、憎めないタイプです。
4系列（下1桁が4）	感性、波乱、健康に不安	責任感の強い人で、研究を怠らないタイプ。センスがよく優秀な人材ですが、当たるときは大当たり、はずれるときは大はずれという具合に波があります。健康面にはやや注意が必要な画数です。
5系列（下1桁が5）	前向き、信念	プレッシャーに強く、しっかり仕事をこなすタイプ。自分のポリシーがしっかりあり、信念で行動します。主張すべきは主張しますが、人当たりはよいので、人間関係で摩擦を起こすことはありません。

同系列の画数は、似たような傾向がある

画数が運勢や性格に与える影響は、歴史的に積み重ねられてきた統計からくるもので、それぞれの数には性格と運の強さ・弱さが秘められています。

基本的に、1、11、21など下1桁が同じ場合、似たような傾向があります。下1桁が「1」のものを1系列、下1桁が「2」のものを2系列などと呼びますが、1系列の数字を持つ人は、おおむね情熱的で行動的、2系列の人は繊細さと粘り強さをあわせ持つ傾向があります。

343～351ページでは1～81画まで、1画ずつ解説していますが、下表の系列ごとの特徴を頭に入れておくと、姓名判断もより理解しやすくなります。

系列	特徴	解説
6系列（下1桁が6）	お人よし、熱しやすく冷めやすい	明るく行動的で人当たりがよく、仲間や先輩からかわいがられるタイプですが、お人好しな面があり、相手の策に引っかかってしまうことも。反省することが苦手で、熱しやすく冷めやすい面もあります。
7系列（下1桁が7）	信念、頑固、自立心	先を読む感性に優れ、相手の心や本質を見抜くことができます。欠点は、やや融通がきかないところ。ときには変わり者といわれるぐらいに自分自身の考えに固執するところがあります。
8系列（下1桁が8）	楽天家、短気、わがまま	底抜けに楽天的で、強気な面があります。気合いで相手を萎縮させ、自分のペースに引き込むタイプ。立ち直りが早いのは長所ですが、落ち着きのなさ、わがまま、短気、攻撃的な点が欠点です。
9系列（下1桁が9）	繊細、強気と弱気が交錯	感性が鋭く、頭の回転も速いタイプですが、かなり繊細で、その日のコンディションにより好・不調の波が激しいでしょう。強気と弱気が交錯し、運勢にも複雑な要素がある人が多いので、使用には慎重さが必要です。
0系列（下1桁が0）	個性派、未知数	個性的で大きなパワーを秘めていますが、それは時と場合によって発揮されます。未知数なので十分に注意して扱いたい画数ともいえます。積極的に使用しないほうが無難でしょう。

画数別の吉凶と運勢

ここでは1～81画までの、それぞれの画数の吉凶と運勢を解説します。
82以上の数は、その数から81を引いた数で見ます。
82の場合は「1」を、83の場合を「2」を、それぞれ参照してください。

マークの見方

＝大吉 ＝吉 ＝小吉（吉凶半々） ＝凶

すべて大吉の名前にするのはむずかしい

343～351ページでは、画数の吉凶を、大吉(◎)、吉(○)、小吉(△)、凶(×)の4つに分類しています。候補の名前の総格・天格・人格・地格・外格に吉凶を当てはめてみましょう。

ただし、五格すべてを大吉にするのはむずかしいもの。吉名にこだわるあまり、読みやすさや書きやすさを無視したり、本来のイメージや思いとかけ離れた名前にするのは、本末転倒です。名づけで大事なのは、パパもママも子どもも皆が気に入る名前をつけることです。

基本的には五格すべてが「吉(○)」以上であれば十分吉名です。さらに大吉があれば、より運勢のいい名前だといえます。

五格のなかではとくに、「人格(姓と名をつなぐ格)」が大吉だと理想的ですが、女の子の場合は、将来結婚して姓が変わる可能性も考慮して、「地格」も重視して考えるとよいでしょう。

画数の吉凶早見表

吉凶	数字
大吉 ◎	1、3、5、6、11、13、15、16、18、23、24、31、33、35、37、39、41、45、47、48、52、58、63、65、67、68、81
中吉 ○	7、8、17、21、25、27、29、32、38、57、61、71、73、75、77、78
小吉 △	9、12、14、19、22、26、30、36、40、42、44、46、51、53、55、62、66、72、74、79、80
凶 ×	2、4、10、20、28、34、43、49、50、54、56、59、60、64、69、70、76

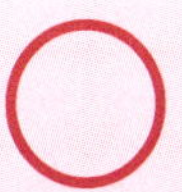

知的で己の信念を持ち、道理や真実、率直な意見を述べるタイプ。研究熱心で集中力もあります。人に頼らず、苦難を乗り越えてわが道を極め、人生を成功へと導くでしょう。しかし、協調性に欠け、人の好き嫌いが激しいので、時として周囲から嫌われることも。単なる変わり者扱いされないよう、広い見識を持つことが大切です。

繊細さと大胆さをあわせ持ち、卓越した感性と、物事を動かし変化させるパワーがありますが、そのぶん運勢は波乱含みです。健康管理にも十分に注意しなければなりません。前向きな気力がないと、ささいなことでつまずきます。しかし、なかには困難を乗り越えて発展する人や、尊敬される人格者になる人もいます。

1はすべての始まりの数で最大の吉祥を示します。陰陽では「陽」の極致にあり、正義感と実行力の象徴。この数字を持っていれば、磨けば磨くほど光っていくでしょう。健全、富貴、名誉、幸福を得て、健康長寿で、晩年に至るまで安泰です。グループのリーダー、トップになる人も多いでしょう。

明るい未来を描ける人に多い画数で、健康にも恵まれます。積極的に行動でき、精神的にもタフなタイプ。勤勉で、自分が信じたことはこだわりをもって最後まで貫きます。しかし、楽観主義者で気分屋なところがあり、思いや行動が空回りすることも。正しい方向へ情熱を傾けるよう精進する必要があります。

地・水・火・風・空の一切のものをあらわし、人間の全身も五体としてあらわすように、和合の象徴の数です。機敏で活動的で、人々の信頼も勝ち得て、富貴繁栄に至るでしょう。健康的で明るい魅力を有し、国際感覚にも優れた才能を発揮します。積極的に行動し、憧れの的となり、家庭運にも恵まれるでしょう。

女性的な数で、感じ取る能力に長けています。しかし、陰陽の「陰」の極致でもあり、厄難、急変の数でもあります。奥深い心づかいができる反面、マイナス思考になると中途半端に挫折してしまい、そのストレスから健康にも問題が出やすい画数です。ほかの格に吉運数を組み合わせて、開運をはかりましょう。

技術、研究分野で卓越した人に多い画数です。感性や感覚が鋭く、直感力があり、頭脳明晰で学問に秀でます。しかし、相手の何気ない発言に対してクヨクヨと考える面があり、ストレスがたまりやすいでしょう。事故などに注意が必要な画数でもあります。順調に発展しているときこそ、気を引き締めて慎重に行動することが大事。

人の中心となるエネルギーがあり、人気者の宿命数です。明るく誠実、親切な性格で、人の輪の要となるでしょう。財運や家庭運にも恵まれ、健康で長生きできます。大成功をおさめる大吉運といえます。しかし、その幸運にあぐらをかいたり、八方美人になると、せっかくの運勢を台無しにしてしまいます。

「陽」の極致1と「陰」の極致2の和である3は、創造の力を有します。積極的で明るく、賢いため、周囲の注目を集める人になるでしょう。学問や芸術などの習得も抜きん出ています。才色兼備タイプですが、目立ちたがり、出しゃばりな面があるので、注意が必要。経済運、健康運には恵まれています。

10 ×

10画は頭脳数で、識別力、判断力、思考力のレベルの高い人物が多い画数です。しかし、精神的抑圧や困難が多く、安定的な成功運や健康運、家庭運を招きにくいといわれています。しかし、強運でまれな成功を手に入れ、偉業を成し遂げる人もいるので、優秀な頭脳の使い道を見極めることが大切です。

11

才覚と人望と強運で、富貴繁栄が約束される数。家族や会社を後世までも幸福に繁栄させます。また、文武両道にバランスよく秀でて、人望の厚いリーダーとなる画数です。何かの拍子に失敗したり不運になったりしても、不思議と周囲に助けられ、根本にある強運が再起を約束します。子孫繁栄も望めるでしょう。

12

相手の心理を察する能力にたけ、対人関係の能力は優れています。緻密で駆け引き上手なところもあり、政治家や評論家などに向く画数です。ただし、家族など身近なところでの関係づくりは苦手なことも。また、厄難、急変の画数ともいわれます。挫折することがあっても、無謀な考えや行動は慎むことが大事です。

13

13歳になった少年少女が智恵を授かりに虚空蔵（こくうぞう）に参る「十三参り」の行事があるように、13は福徳、智恵、音声の抜きん出る数です。頭脳明晰で明るく、問題を合理的にとらえ、的確に処理します。行動力もあり、富貴繁栄になる確率も高いでしょう。恋愛運もよく、将来性のある男性を見極めることができます。

14

鋭い感性や発想力、分析力があります。しかし、強引な性格で他人の意見を軽視するところがあり、周囲とギクシャクしてしまうことも。精神的にも経済的にも波があり、健康管理も十分に注意しなければなりません。ただし、この画数は、ほかの格に大吉の画数を配してバランスをとると、大人物になる可能性もあります。

15

明るく活動的で世渡り上手、出世運も加わって、いろいろな方面で豊かな才能を発揮します。財運も大吉。前向きな人となりで、実業家として立身出世し、成功をおさめる人も多いでしょう。人間関係がすこぶる円滑で、周囲からの信頼もあつく、引き立てられ、エリートコースを歩みます。家を離れて、世界を舞台に活躍できます。

16

16画は、ほかの格に凶運の数があっても、吉に変えてしまう強運の画数。温厚・誠実で、細やかな気配りもできるため、人を惹きつけます。チャンスをものにして組織の頂点に立ったり、自分の力で起業して大成功します。しかし、数運の恩恵を受け続けるには、日々の努力が欠かせません。根気や忍耐を養っていくことが大切です。

17

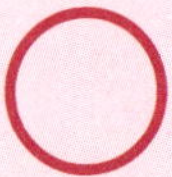

信念と自立心、また素晴らしい美的センスがあり、自分の感性を大切にします。他人に口を挟ませない強情さがありますが、困難には果敢に立ち向かい、情熱で理想や目標を達成します。ただし、世渡り下手でお金にも執着しないため、得たお金は人助けに使って自分は貧乏生活ということも。大きな度量を持つと大成します。

18

活動力のもっとも高い画数で、運動神経も抜群。健康・体力に恵まれ、必ず成功するでしょう。また、陽気で正直で、人生の困難にも力強く果敢に立ち向かいます。ただし、考えるよりまず動くタイプで、臨機応変な対応はやや苦手。人間修養が足りないと、短気を起こして、孤立する恐れもあります。

19

素晴らしく優美な知性と能力を持ち、芸能や文学の世界の著名人、人格者タイプの経営者、有名な料理人など、センスを必要とする仕事のトップとして大成する人もいます。しかし、困難や試練の多い画数でもあります。天才的才能があだとなり、挫折してしまう人も。ほかの格の画数を大吉にするなど配慮が必要。

20

姓名学では絶対使用してはいけない画数といわれています。しかし、現実には経済界・芸能界などにその名を残す人物も見受けられ、ほかの運格の要素によって20画の毒がその人物を鍛え磨くこともあるとされています。波乱の運勢ですが、繊細な美しさのある人が多く、芸術分野で活躍できる可能性も秘めています。

21

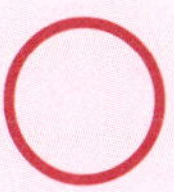

少々の苦労をものともせず、着実に昇進し、トップを目指します。生活力もあり、収入は安定するでしょう。他人に頼らず、自力で自分の信じる道を歩み、チャンスをものにして繁栄します。女性が結婚後にこの画数になった場合は、夫の運を破ることもあるといわれます。異性関係は発展家となりやすく、注意が必要。

22

常識では実現不可能な考えを実現可能にしてしまうパワーがあります。また、美人で魔性の魅力を発揮し、カリスマ性もあります。反面、とらえどころのない性格で、家庭には波乱が起こりやすいでしょう。甘い考えから厄難・急変を呼んでしまう画数でもあり、事故や遭難には十分な注意が必要。

23

個性的な分析力や企画力があり、将来への展望も明解。自ら先頭に立って行動します。雑草のようなたくましさもあり、踏まれても叩かれても、目的を達成できるでしょう。一代で財を築くこともできそうです。あまりに強運で女性には不向きという考え方もありますが、現代の女性には使用したい画数です。

24

24は末広がりの意味を持つ8の3倍で、よい運勢が集中する4系列最大の吉数。信用・信頼される知性や先見性が育つ画数で、感性のよさに勤勉さや思慮深さが加わり、少々の困難も克服する人物となります。倹約家で、合理的な性格なので、お金は貯まります。とくに晩年は裕福に過ごせるでしょう。健康運も吉。

25

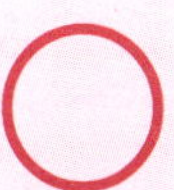

温厚で落ち着いた雰囲気で、才知と感性をあわせ持つ画数です。鋭い観察眼を持ち、的確な判断力で周囲の信頼を得、ここ一番では根性と忍耐力を発揮し、学問、技芸に優れた才能を発揮します。おとなしそうに見えますが、実は強情な面も。人間関係の面で協調性が育てば、必ず大成するでしょう。

26

特異な才能があり、大きな仕事を成功させたり、たぐいまれな業績を上げる画数。博学でカリスマ性があり、経営力にも秀でています。しかし、強きをくじき、弱きを助ける義侠心が強く、人によっては波乱に満ちた一生に。人を助けようとするあまり、自分が損したり、危険な目にあうこともあるので注意が必要です。

27

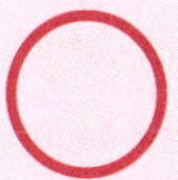

美的な表現力、想像力、審美眼がずば抜けており、直感と芸術・文芸的才能の鋭い人に多い画数。人より優れた才覚と、視野の広さで大成する場合もあります。一方で、頑固で偏屈、自尊心が強く、批判的な気質になりやすいので、損をする面も多々あります。将来的には、「教育ママ」や「かかあ天下」になりやすいタイプ。

28

行動に策略的な才能を有する人が多く、いい意味でも悪い意味でも、希有（けう）な経験をしやすい不安定な画数。波瀾万丈な人生を送る人が多いでしょう。家庭運は波乱含みで身内にトラブルが絶えません。勤勉と努力をモットーに生きるようにしましょう。ほかの運格の画数が大吉であることが必要な画数です。

29

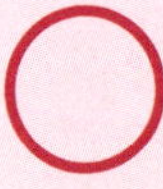

先を読む知力と、素晴らしい発想、周囲への配慮もあり、夢や目標を掲げて行動します。頭角をあらわすのは確実で、困難にもめげずに進みます。頼りがいがあり、地位や財産、健康にも恵まれるでしょう。女性には強すぎる画数とされますが、ほかの格の画数とのバランスを考えれば使用可。

30

吉と凶が半々で、よくなったり悪くなったり、常に不安定な人生になるでしょう。万一の成功に賭けて行動するところがあり、それがよいほうに向けば、夢や理想に向けて先進の気概を持ち、突き進む人になります。逆境をはねのける力を授かっているので、人格の修養を積んで前進すれば大成功するでしょう。

31

幸運に恵まれ、手堅い生き方と行動力で成功が約束される素晴らしい画数。「知・仁・勇」を備えたリーダーとしての大吉の画数でもあります。美人で気立てもよいので、思い上がらず精進すれば、頭脳明晰な魅力あふれる女性になれるでしょう。結婚後も、よき妻、よき母となり、家庭と仕事の両立もうまくこなせます。

32

本人は繊細で迷っていても、周囲がその内面に気づくことは少なく、人を惹きつける魅力で自然と乗り越えていきます。「棚からぼた餅」運もあり、何をするにもチャンスと好都合を引き寄せられます。発明・発見の才能もあり、日ごろから精進すれば、運気上昇の波に乗れるでしょう。ただし、誘惑に弱い面があります。

33

画数のなかでも最強の画数です。支配者・野心家の画数でもあり、いかなる苦労や難関も乗り越える精神、信念、決断力、行動力に恵まれます。ただし、頭の回転が速すぎることと潔癖性がすぎて、異性運、結婚運が遠のく場合があります。知的でパワフルな女性より、やさしさを重視するのであれば、避けたい画数です。

34

普通では考えられないアイデアや奇抜な着想の持ち主で、青年期より頭角をあらわす人も多いのですが、永続性となるとむずかしく、一度つまずいたら挽回策も奇抜なために、地位も財産も失ってしまいがち。強情だったり傲慢な面があるため、人間関係にも摩擦が起きやすく、謙虚さがないと、晩年は孤立しがちになります。

35

35は、立体的な厚み、奥行きがある数です。目立つ性格ではありませんが、状況把握や判断力、分析力に優れ、一歩一歩確実にステップアップしていくタイプです。将来は、良妻賢母で強くやさしく家庭を支えていくでしょう。小説、詩歌、音楽、工芸、書道など、文学や芸術の世界で優れた才能を発揮する人もいます。

36

姉御肌で、義理人情にあつく、世話好き。仲間を大切にするので人気もあり、頼りにされます。目的意識をしっかり持てば大成するでしょう。しかし、姉御肌も極端だと、波瀾万丈の人生に。強情で短気、義侠心が災いしてトラブルに巻き込まれることもあります。人のことばかり気にしないで冷静さと忍耐力を養う必要があります。

37 

信念が強く、よい意味で頑固。仕事や努力を苦とは思わず、むしろ楽しめる人になります。誠実で、柔軟性も備えているので、周囲の信望を集められる大吉画。人の下につくのは苦手で、リーダーを目指します。コツコツと努力して目的を達成し、理想的なキャリアウーマンになれます。起業家としても成功できるでしょう。

38 

温厚で明るく、正直者ですが、気の弱い性格です。信用度は高いのですが、上に立つタイプではなく、下で支える人になり、駆け引きの少ない世界で持ち味を発揮します。文芸、学問の世界では、精進すれば成功するでしょう。名づけの使用に際しては、ほかの運格の画数に凶数を用いなければ問題ありません。

39 

内面に炎のような闘志を持ち、危機的状況から逆転満塁ホームランを打つような劇的成功をもたらすでしょう。悠然として小事にこだわらぬ人柄で、度胸もあります。感性のよさと頭の回転のよさも加わって、地位、財産、家庭、健康にも恵まれます。ただし、この画数は強すぎて、平凡な結婚生活はむずかしくなるかもしれません。

40 

存在感をアピールして、人生を思うがままに生きようとするのが特徴。聡明な頭脳を持ち、緻密な計算もでき、尻込みせずに勝負に挑む気力もあるので、かなりの偉業もなし得ます。しかし、力づくのことが多いので人望は得られません。見栄っ張りで、虚飾に走りがちな面もあるので注意しましょう。

41 

最高のリーダー運を持つ画数。度胸と知力と人望を得、組織のトップに立つ素質があります。中年以降に頭角をあらわす大物タイプといえます。すべてに対して積極的に行動しますが、周囲と歩調を合わせるのも得意。強さとやさしさを兼ね備えたバランス感覚の優れたリーダーになるでしょう。健康にも恵まれます。

42 

職人気質と弱気が混在する画数です。器用で博識、他人と違う発想や戦略を立てる能力があり、生き方に信念を持って実直になると大成功します。一方で、意志が弱く、優柔不断になりやすい面も。恋愛のチャンスがあっても片思いに終わることが多いでしょう。ほかの運格に大吉画数を配せば大吉に転じます。

43 

鋭い頭脳を持ち、技量、力量などに恵まれます。一方で気苦労が多く、運勢が一定しない面も。意志の弱いところがあり、物事を途中で終わらせてしまうことも多いでしょう。成功すると今度は自分にこだわりすぎて他人の意見を聞かず、孤立する傾向があります。我を張らず他人の意見に耳を傾けることが大切。

44 

鋭敏な頭の働きをする人が多く、優れた思いつきや直感で才能を発揮。発想が独創的で思慮深く、論理的でもあるため、発明家などの偉人も輩出しています。その才能で大金を得るためには、徳を積むことが必要。また、健康管理には無頓着な面があるので注意を。恋愛結婚には障害が多く、実りにくい傾向があります。

45 

器用で明るく、頼もしい人物になります。芯の強さと行動するエネルギーが加わり、もっとも夢を実現する画数です。適応力と意志力、先見性、行動力を兼ね備え、順風満帆な人生を送れる大吉運。幸運な相手とめぐり合い、晩年は優雅に暮らせます。専業主婦ではなく、仕事も立派に両立できるタイプです。

46 △

お人好しで世話好きな性分。みんなに愛され、波乱含みではあっても成功をおさめます。しかし、お人好しであるがゆえに周囲に振り回され、破産の憂き目にあう人も。ほかの格に吉数があると、凶数が緩和され、年をとってから安定します。逆に、ほかの格にも凶数があると、最悪の人生になる場合もあります。

47 ◎

家運が隆盛となる画数で、子々孫々までその恩恵が施されます。いつも悠然とかまえ、周囲から信頼されます。意志が強いのですが、強情とならず、慎重。目的達成のための努力も惜しまず、その努力は必ず実ります。また、お金に執着せず、心を大切にするタイプ。晩年は充実した生活を送れるでしょう。

48 ◎

行動力と豊かな才能、物事を適切に処理する能力を兼ね備えています。尊敬にたる道徳心を持っており、親切で、謙虚な気配り、公平な判断ができる人。若いうちは向上心をもって一生懸命に努力して実力を蓄えれば、中年以降はそれが開花し、晩年は安泰。年齢を重ねても美しい容姿と才能、知恵は衰えないでしょう。

49 ×

ジェットコースターのような極端な大成功と大失敗があり得る画数。タフで強情、利己主義なところがありますが、吉運を持つ協力者や配偶者を得られれば、安定した状態を保てます。社会愛を理想としていれば歴史に名を残す可能性もありますが、自己中心的で金の亡者になると、大損をして一気に財産を失う場合も。

50 ×

最初は運気の巡りが大変好調で、早いうちに成功し、隆盛を極めます。しかし、安心すると他力本願になり、虚勢や首尾一貫しない生き方に。そのため信用を失墜させ、晩年にかけて運気も消耗していきます。才能にあぐらをかかず、平凡で安定的な生活を大切にすべきでしょう。賭け事にはまる傾向もあります。

51 △

周囲の変化に左右されやすく一進一退の人生ですが、幸運のチャンスは多く訪れます。運がいいときは、その幸運を自覚し、意思表示をしっかりしてモノにするよう努力することが大切。ほかの格に吉数を配せば、その吉運に支えられて乗り切れます。恋愛至上主義で、熱しやすく冷めやすい面があります。

52 ◎

2系列のなかでは最高の大吉画数。交渉能力や駆け引きのうまさ、粘り強さのほか、推察力もあり、相手の心中や事情から問題を察知し、回避することができます。また、先見の明があり、緻密な戦略と素晴らしい処理能力で、ゼロから大業を成し遂げることも。財運もあり、思いがけず大金を得ることもあります。

53 △

明るく楽しく生活したい家庭的な人に向いている画数。ただ、ラクをしすぎる傾向があるので、何事も一つひとつ着実に片づけるように心がけることが大事です。人柄がよく、信用を得て活躍できますが、野心を抱いて無理をしたり、世間体を気にすぎると凶に。ほかの格に吉運数をふたつ以上配せば、大吉に好転します。

54 ×

独特な個性を前面に打ち出そうとするエネルギーがありますが、その力を上手に使わないと支障の多い人生に。慎重なようで強情で、気配りをするようで独断的など、チグハグな性格になりやすいでしょう。方法や手順を間違えないよう、つねに冷静さを心がけることが大事です。健康や事故にも注意が必要な画数です。

55

冒険心と責任感をあわせ持つ画数。そのために波が出やすく、一時的に大成功の可能性もありますが、大きな賭けに出ると破産の憂き目にも。浮気に悩まされることもあり、夫選びには慎重さが必要。病気にもなりやすい画数です。ほかの格に吉数の組み合わせがあれば、5系列の前向きな信念がいき、運気が好転します。

争いやいさかいを好まない平和主義者の画数です。しかし、決断力と勇気に乏しく、守りに入りすぎるために疑い深く、チャンスも利益も逃してしまいます。人間性は悪くはないのですが、目標が曖昧でいると、さまよう人生となりやすいでしょう。晩婚になると運勢が落ちるので、早めの結婚がよいでしょう。

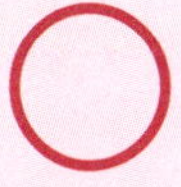

災い転じて福となす画数。努力して困難に打ち勝つ能力に優れています。苦しいことがあっても努力で克服し、素晴らしい人生を送れます。公平の精神もあり、人々に信頼されます。強い情熱と意志で運勢を切りひらき、晩年は生き方も財産も安定します。学問、文芸、美術の分野で傑出した人物になるでしょう。

理想のサクセスストーリーを得られる画数。人生に素敵なドラマがあり、苦労や困難を乗り越え、いずれは幸せをつかみます。結婚にも恵まれるでしょう。強い意志と持久力があり、どこか冷めた目もあるので、問題が起きても冷静に対処できます。若いうちは貧乏生活を強いられるかもしれませんが、中年以降は安泰です。

その時々によって運勢に波があり、ドラマチックな人生になる傾向があります。本人に人徳や孝徳が足りず、やる気や粘り強さ、忍耐力もなく、なりゆきで得た成功は、永続させることがむずかしいでしょう。財産運・成功運をつかむにはもっとも努力を必要とします。よい友人を持たないと、異性運に恵まれません。

気持ちと言葉の表現にギャップがある人が多く、各分野で実務的能力を発揮しますが、心のなかに疑心暗鬼が起きやすく、つねに動揺しています。何事も否定的な前提で取り組むので、気苦労が絶えません。ストレスから賭け事に手を出したり、健康に支障をきたしたりすることも。名づけの使用には十分な注意が必要です。

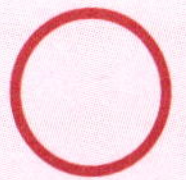

チャレンジ精神が旺盛で、富貴繁栄の画数ですが、うぬぼれやすいのが欠点。それが原因で周囲の反感を買うこともあるでしょう。また、個性が強く、周囲から変わり者扱いされることもありますが、結婚運は強く、よい縁談に恵まれます。謙虚をモットーにすれば、本来の吉数運を得られるでしょう。晩年は幸運に恵まれます。

人柄がよく、動機は善意でも、楽観的で物事を深く考えないで行動することから、行き違いや誤解が発生しやすい面があります。なかなか信用が得られないため、目的を達成することができず、何をやっても中途半端になりがち。自分が損をすることがないよう慎重な行動を心がけ、初志貫徹する粘り強さが必要になります。

太陽のような魅力で人を惹きつけるのが特長で、自然に物事がまとまっていき、邪魔も入らず、順風満帆な人生を送れます。周囲にはさわやかな印象を与え、それに癒される人も多く、みんなから好かれます。異性からもモテモテになり、選ぶ相手が多くて困るほど。結婚すれば夫婦円満になるでしょう。

64

自己顕示欲が強い画数です。人徳が備わる環境で育った人は、よい意味で存在感のある芸術家などになりますが、人徳がないと浮き沈みが激しく、波瀾万丈の人生に。無意識に嘘をついたり、小さなことにクヨクヨしがちで、浪費癖もあります。そのため、周囲からは信用されません。この画数は避けるのが無難です。

65

困難に屈しない強い意志と決断力、本来の強運から、万難を排して目的を達成することのできる運勢を持ちます。チャンスを逃さず、積極的に行動することで、幸せをつかめます。玉の輿に乗るチャンスもあるでしょう。また、どんな進路でも成功をおさめることができ、大きな試練があったとしても、すぐに立ち上がって前進します。

66

少々のことには動じない図太い精神の持ち主。人柄はよいのですが、細やかさに欠ける面が災いし、家庭でも仕事先でもトラブルが多いでしょう。大きな夢を抱きますが、うまく行かず、絶望を感じることもしばしば。しかし、本来は大胆で頼りがいがある性格なので、ほがらかに振る舞うようにすれば、運を呼び込めるでしょう。

67

7系列のなかではもっとも人間関係が円滑に運ぶ画数。そのうえ努力家なので、目上の人にかわいがられ、何事もうまく運び、成就する大吉運です。あくせくしなくても、優雅に成功をつかむことができるでしょう。結婚運もよく、素晴らしい相手を得られます。ただし、高望みしすぎると周囲にねたまれ失敗します。

68

想像力を創造力に変えて行動できる人。思慮深くて、意志が強く、勤勉で堅実ですから、着実に発展していき、成果を上げます。天才肌で、発明や工夫の才能に恵まれるでしょう。性格はおおらかで、損得勘定がないため、だれからも愛されます。才色兼備でチャーミングなので、多くの男性からアプローチされるでしょう。

69

お人好しで、他人の嘘を信じてしまうところがあります。災難にあいやすく、病弱で、不慮の死を遂げることもあります。努力も報われないことが多く、平凡な状況を甘んじて受けるしかありません。人は悪くはないのですが、意欲に欠けます。忍耐強さはありますが、名づけには不向きな画数です。

70

些細なことまで気にかけ、石橋を叩きすぎて壊してしまうタイプです。そのため、あらゆる物事がまとまりにくいといえます。才能はあるのですが、煙たがられることもしばしば。そうした状況から性格も意固地になり、屈折して反抗心が生まれ、苦境、逆境を招いてしまうでしょう。派手好きで浪費もかさむタイプです。

71

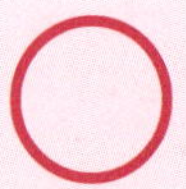

目覚ましい上昇運のある画数。持ち前の意欲と行動力で目的に向かって歩み、安定を得ます。多少、実力が不足していても、強い吉運が後押しします。野心や野望に心の磁石を狂わされなければ、大成功を手に入れられるでしょう。ただし、ラッキーな人生を鼻にかけたり自慢したりすると、周囲から嫌われます。

72

シーソーのように両極端になりやすい、吉凶半々の画数です。一見裕福そうに見えて実は家計は火の車だったり、健康そうに見えて実は体が弱かったり。また、意志が弱く優柔不断なため、中途半端になりやすく、成果がなかなか上がりません。利益追求の仕事より、奉仕的な仕事をすれば、全体的に安定します。

73

私欲を出さないことで人が集まり、ゆくゆくは成功する画数。用心深く、実行力に乏しい面もありますが、誠実で正直な生活を続けていれば、目上の人から引き立てられるでしょう。若いころは縁の下の力持ちという位置でも、中年以降は面倒見のよさから人望が集まります。家族運に恵まれ、老後も安定した生活が送れます。

74

芸術関係に巧みで、仕事を処理する能力もありますが、要領よくこなしてラクをしたい気持ちも強い人。それが極端になると、グチばかりの怠け者になり、運気も下がります。しかし、周囲におんぶに抱っこで親や友人たちからうとまれても、それに対して反感を抱くわけでもなく、大物になる人も。ある種、超越しているといえます。

75

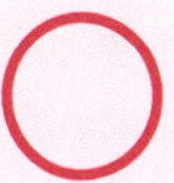

古いものや伝統を大切にします。新しいチャレンジや奇抜なことよりも、保守に徹し、地道に努力すれば運気は安定し、平凡で穏やかな幸せを得られるでしょう。逆に、変わったことをしたり、反体制的な行動をとると凶運を招きます。ただし、一度は不遇になっても、本来の守りに徹すれば挽回でき、晩年は安定します。

76

生まれた環境に大きく左右される画数。周囲の人たちと穏やかに譲り合う気持ちがあれば平和な人生を送れますが、気持ちが素直でない人は、いくら努力をしても実らず空回り。思慮深さに欠け性格もいじけていて、仲間と協調できず孤立します。小さな幸せをつかんでも、結局うまくいかずに手放してしまう可能性も。

77

味のある人に多い画数で、吉凶入り交じっているため気骨ある人物になります。目上の人にかわいがられ成功をおさめますが、気を許しすぎると失敗します。つねに誠意ある言動を心がけ、困難に負けない強い意志を持って事に当たれば、人望を得て幸せになれます。とくに中年以降に運気が安定します。

78

目的意識をしっかり持ち、何事も苦労をいとわない人です。その優れた知能と努力によって若いうちに成功しますが、自信過剰に陥って、周囲からは高慢な奴と嫌われることも。ちょっとしたことでショックを受けると、臨機応変に対応できなくなり、簡単に崩れてしまうもろさもあります。謙虚、誠実を心がけることが大切。

79

夢想家の画数で、場合によっては精神が不安定になることも。消極的で何をするにもグズグズして、けじめがつけられない甘さがあります。お金を借りても返さないなど、だらしない面があり、人の信用を得ることができません。何かひとつでも自分で決めて、想像力を現実に昇華させる努力をすれば、芸術面などで道が開けます。

80

人生に欲望を持つかぎり、その欲望が満たされないという画数。災難や病気の連続で、苦労する一生となるでしょう。その不遇から不平不満がつのり、人生から逃避したくなります。不平を言わずに控えめな生活をすれば安静な人生が送れますが、それができなければ、不平だらけのつまらない人生になりがちでしょう。

81

81は9と9の乗数で、最大吉運数。物事が完成する完全無欠の数で、ものの極みといわれ見事な結果となります。1画と同様、幸福、名誉、富貴、健康、長寿など、すべての幸運を備え、一生の安泰が約束されています。ただし、最大吉運数にあぐらをかき、不誠実な生き方をすれば、せっかくの吉運も無駄になります。

「五行」と「陰陽」で運気をパワーアップ

姓名判断では、「五行」や「陰陽」の考え方も判断材料になります。「五行説」「陰陽説」を取り入れることで、より運気のよい名前を考えることができます。

「五行」の相関関係

五行で見る具体的な吉凶は354ページ参照。

相生関係 調和する関係。互いに助け合い、プラスにはたらく相性のよい組み合わせ。

相剋関係 不調和の関係。反発し合い、マイナスにはたらくことの多い組み合わせ。ただし、「木→土」は、それほど悪い組わせではない。

比和 木と木のように、同じものの組み合わせを「比和」と呼ぶ。それぞれのエネルギーを盛んにし、プラスにはたらくことが多いが、なかには火と火のように燃えすぎることの弊害もあり、必ずしも大吉の組み合わせとはいえない。

「五行説」でチェックする 天格－人格－地格のバランス

地球上のあらゆるものが「木・火・土・金・水」の5つの要素のいずれかに属しているという考え方を「五行説（ごぎょうせつ）」といい、それぞれ右図のように相関関係があります。

木は水を得ることで成長し、こすり合うことで火を生じ、やがて燃え尽きて土と化し、土はその懐に金を抱き、金は冷えると水滴を生み出し、水は木をはぐくむ…。このように「五行」が循環して万物の精気が宿り、生命に勢いが生まれるプラスの関係を「相生（そうしょう）」といいます。

逆に、木は土から養分を吸い上げ、土は水を濁して流れをせき止め、水は火を消し、火は金を溶かし、金（刃物）は木を傷つける…このように反発し合い、足を引っ張る関係を「相剋（そうこく）」といいます。

姓名判断では五格（→P334）のうちの天格、人格、地格の3つの数字を五行のいずれかに当てはめて、天格－人格－地格がよい配列かどうかを見ます。

「陰陽説」で姓名のバランスをチェック

一方、「陰陽説（いんようせつ）」は、すべてのものには「陰（いん）」と「陽（よう）」があり、互いに引き合いながら、調和を保っているという考え方です。太陽と月、生と死のように、相反するもの、対照的なものでありながら、どちらか一方が欠けるとバランスが崩れると考えます。

姓名判断では、姓名を構成する文字の画数を、奇数と偶数とに区別して、それぞれに陰陽を当てはめて、配列を見ます。

「五行」があらわすもの

五行	木 樹木成長のエネルギー		火 炎の熱を生むエネルギー		土 大地の恵みのエネルギー		金 地中に眠る金属のエネルギー		水 生命の水のエネルギー	
陰陽	陽	陰	陽	陰	陽	陰	陽	陰	陽	陰
数字	1	2	3	4	5	6	7	8	9	0
十干	甲	乙	丙	丁	戊	己	庚	辛	壬	癸
方位	東		南		中央		西		北	
季節	春		夏		土用		秋		冬	
穀物	麻、胡麻		麦		米		黍（きび）		大豆	
果実	李		杏		棗（なつめ）		桃		栗	
色	青		紅		黄		白		黒（玄）	
五常（五徳）	礼		仁		義		智		信	

「五行（ごぎょう）」の見方

「五格」のうち、天格、人格、地格のそれぞれ下1桁の数字を「木・火・土・金・水」の五行に当てはめ、下表と照らし合わせて吉凶を見ます。同じ組み合わせでも、「天格→人格」なのか、「人格→地格」なのかで、吉凶が微妙に異なるので注意しましょう。

なお、「相剋（そうこく）」は、もとは「相勝（そうしょう）」という意味で、必ずしも悪い意味ばかりではありません。相剋関係でも、五格による運勢がよい場合は、五行はあまり神経質にならなくても大丈夫です。

よい組み合わせ例

中 4	村 7	美 9	玲 9

天格 11 木／人格 16 土／地格 18 金

天格は11で「木」、人格は16で「土」、地格は18で「金」。表で見ると、「天格が木→人格が土」は吉、「人格が土→地格が金」は大吉。吉＋大吉で、十分よい組み合わせ。

悪い組み合わせ例

岡 8	本 5	璃 15	砂 9

天格 13 火／人格 20 水／地格 24 火

天格は13で「火」、人格は20で「水」、地格は24で「火」。表で見ると、「天格が火→人格が水」は凶、「人格が水→地格が火」は凶・小凶。凶＋凶（小凶）で、あまりよくない組み合わせ。

天格→人格の吉凶

天格 ＼ 人格	木	火	土	金	水
木（1・2）	大吉	大吉	吉	小凶・小吉	吉・小吉
火（3・4）	大吉	吉	大吉	凶・小凶	凶
土（5・6）	小凶・小吉	大吉	吉	大吉	凶・小凶
金（7・8）	凶・小凶	凶	大吉	吉・小吉	吉
水（9・0）	大吉	凶・小凶	吉	大吉	吉・小吉

人格→地格の吉凶

人格 ＼ 地格	木	火	土	金	水
木（1・2）	大吉	大吉	吉	凶・小凶	吉
火（3・4）	大吉	吉	大吉	凶・小凶	凶
土（5・6）	凶・小凶	大吉	大吉	大吉	凶
金（7・8）	凶・小凶	凶	大吉	吉	吉
水（9・0）	吉	凶・小凶	小凶・小吉	大吉	吉・小吉

※吉凶がふたつあるものは、五格の結果により判断が分かれます。
五格の結果がよい場合は、五行の吉凶もよいほうを採用します。

「陰陽（いんよう）」の見方

「陰陽」による姓名判断では、五格は関係なく、姓名を構成する文字一つひとつの画数に陰陽を当てはめ、下表と照らし合わせてバランスのよしあしを見ます。基本的に陰陽の数や配置にかたよりがないほうがバランスがよいとされます。

ただし、姓名判断でもっとも重要なのは「五格」です。バランスの悪い組み合わせでも、「五格」による運勢がよければあまり気にすることはありません。

よい組み合わせ例
古 5
川 3
茉 8
里 7
悪い組み合わせ例
神 9
谷 7
奈 8
歩 8

陰陽表

数字	陰陽
1	陽
2	陰
3	陽
4	陰
5	陽
6	陰
7	陽
8	陰
9	陽
0	陰

バランスがよいとされる組み合わせ

2字姓名
3字姓名
4字姓名
5字姓名
6字姓名
7字姓名

バランスがよくないとされる組み合わせ

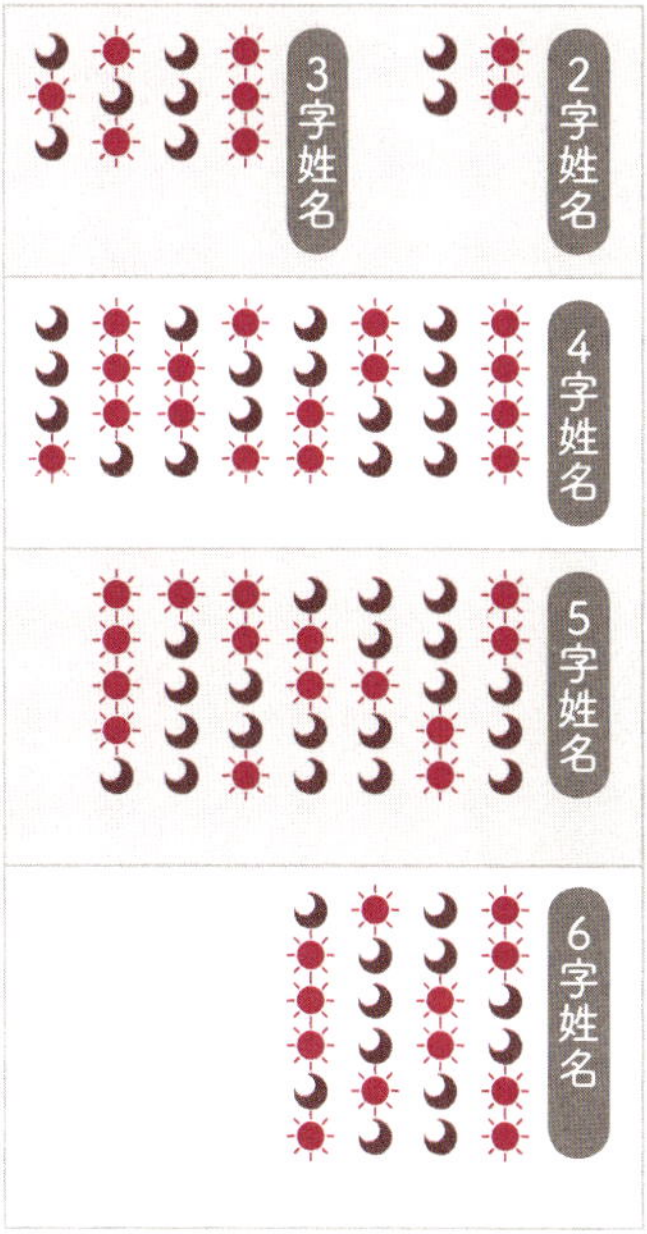
2字姓名
3字姓名
4字姓名
5字姓名
6字姓名

姓名判断にまつわるQ&A

姓名判断にまつわる疑問や、姓名判断との向き合い方について解説します。

Q 姓名判断は本当に当たるの？

A 姓名判断は膨大なデータに基づいたもので、性格やさまざまな運勢がわかるといいます。科学的に立証されているわけではありませんが、先人たちの膨大な積み重ねの成果であり、いわゆる占いと呼ばれる類では、的中率が高いともいわれます。

では、同姓同名の人がまったく同じ人生をたどるかといえば、それは違います。育つ環境など、さまざまな要素が加味されて、その人の人格ができるからです。姓名判断にすべてを頼るのではなく、上手に活用しましょう。

Q 凶数の名前を持つ偉人や有名人もいるみたいだけど…

A 偉人や有名人と呼ばれる人の多くは、際立った個性やこだわり、強いパワーの持ち主だと思います。しかし、このような個性や強さは、よい方向に進めば素晴らしい結果をもたらしますが、一歩間違うと悪い意味で目立つ可能性も秘めています。

姓名判断は、基本的に穏やかな人生を吉、波乱の人生を凶とします。穏やかな人生のほうが、結果的に幸せになれる確率が高いという考え方からです。そのため、「大人物」「大成功者」を目指す場合には、あえてどこかに凶数を入れるという考え方もあります。

Q 本やサイトによって画数や吉凶の考え方が違うのはどうして？

A 姓名判断自体の歴史は長いのですが、本格的な研究はまだ浅く、そのなかで先生方が持論を展開しています。そのため数字の意味や吉凶の判断にも違いが出てきますし、画数の数え方も異なる場合があります。

本書は新字旧字問わず、実際に使用している漢字で数えますが、流派によっては新字の名前もすべて旧字に置き換えて数える場合があります。また、くさかんむりやさんずいなどの部首も流派によって数え方が異なります。このため、同じ名前でも流派によって、大吉の名前になったり、凶の名前になったりすることがあるのです。

すべての流派で吉名となる名前を考えることはなかなかむずかしく、名前の選択肢が相当かぎられてしまいます。ですから流派はなるべくひとつに決めたほうがよいでしょう。それぞれの解説を読み、納得できる流派、書籍・サイトを選んでください。そのなかで本書を活用していただければ幸いです。

Q 女の子は結婚で姓が変わるけど、男の子と同じでいいの？

A 基本的には男の子も女の子も同じ考え方でいいと思います。結婚後に姓が変わることを考え始めたらキリがないですし、結婚するまでの期間も大切な期間ですから、まずは今の姓で幸せになれる名前をつけることがもっとも大切。よい名前をつけることで、結婚後も吉数になる人とめぐり会える、と考えることもできます。

とはいえ、わが子にはよりよい名前をと願うのも親心です。五格のなかでは、姓の最後と名前の最初をつなぐ「人格」をもっとも重視しますが、女の子の場合は、「人格」とともに、姓が変わっても影響を受けない「地格」も重視して名づけを行うと、より運勢のいい名前になるでしょう。

Q 画数は必ず調べなければいけないの？

A 画数が気にならない人はわざわざ調べることはないでしょう。姓名判断を活用するかどうかは、人それぞれです。

運命は姓名判断だけで決まるわけではありませんし、姓名判断にこだわりすぎて、子どもも親も好きになれない名前を与えては、それ自体が家族の不幸です。姓名判断による吉名は、いわばお守りのようなもの。わが子の幸せな人生のためにお守りつきの名前をプレゼントするのも親の愛情といえるでしょう。

また、たくさんの候補から名前を絞り込む方法としても姓名判断は有効です。響きも漢字もよく、甲乙つけがたいときには、姓名判断でより運勢のよい名前を選ぶというのもひとつの考え方です。

Q 女の子は強い画数にしないほうがいい？

A かつては、強烈なリーダーシップを持つタイプや、激しい性格をあらわす画数は女性にはあまりおすすめしませんでした。

しかし、おしとやかな良妻賢母が理想とされた時代とは異なり、現代女性の理想像は多様化しています。力強くたくましく活動している女性もたくさんいて、それもまた魅力的。ですから本書ではとくに女の子にはおすすめできない画数というのはありません。

もちろん、わが子にはおしとやかに育ってほしい、と考える人もいるでしょう。ですから、ちょっとうちの子には強すぎる画数だから避けようかなと、考えるのももちろん自由です。

画数の吉凶だけで判断せず、それぞれの画数が意味することもふまえて、うちの子に合ったよい画数の名前をつけてあげましょう。

姓名判断重視で名前を考えたけど、しっくりこない…

A 読みも漢字の意味もよく、画数もすべてよいという完璧な名前をつけるのは、なかなかむずかしいものです。画数にこだわりすぎるあまり、おかしな響きの名前や、おかしな漢字の組み合わせになってしまっては本末転倒です。名前は、子どもが一生を通じて使うものだということをよくふまえて考えましょう。

名前の響きにこだわりがある場合には、同じ響きで同じ画数になる字を徹底的に探してみましょう。また吉数もたくさんあります。360〜400ページの「姓の画数別吉数リスト」や、180〜285ページの「おすすめ漢字770」、402〜435ページの「読み方別漢字リスト」「画数別全文字リスト」、そのほか漢字辞書などを参考に、根気よく探してみましょう。また、どうしてもこだわりたい漢字がある場合は、止め字など組み合わせる漢字を変えていろいろ試してみてください。

粘り強く探して、姓名判断の結果も、名前の文字も響きも雰囲気も納得できるものを選びましょう。

Q 天格（姓）が凶の場合はどうすればいい？

A 姓は先祖代々受け継がれ、あらかじめ決まっている数なので、画数による吉凶は気にする必要はありません。天格（姓）の由来は、自分たちの住んでいる地名や、職業、先祖、氏神様の言霊を大切にしたもので、画数よりも、その響きのほうが重要です。大事なのは、地格（名）との響きのバランス。姓と名をつなげて読んだときの響きのよさや、発音のしやすさが重要になります。

それでも気になる場合は、五行説や陰陽説に基づく姓名判断で吉名にし、運勢を補う方法もあります（→P352）。

Q 戸籍上は「渡邉」だけど、普段は「渡辺」を使っている場合はどうすればいいの？

A 本書は、実際に使用している漢字の画数を重視しているので、戸籍の文字に関係なく、普段から旧字の「渡邉」を使っているなら「渡邉」、新字の「渡辺」を使っているなら「渡辺」で考えます（→P338）。

それでも気になる人は、新字、旧字両方を勘案してもよいでしょう。ただし、両方よい名前となると、名前の選択の幅はどうしても狭くなります。こだわりすぎて、おかしな響きや漢字の名前にならないよう気をつけましょう。

Q 出生届を出してしまったけど、画数が悪いので名前を変えたい！

A 名前の読み方だけであれば、出生届を出したあとでも比較的簡単に変更できるのですが、文字に関しては家庭裁判所に申し立てを行い、「正当な理由」として認められないかぎり、変更することはできません（→P440）。姓名判断の結果が悪いという理由は「正当な理由」に当たらず、残念ながら名前を変えることはできません。

あとから改名したいと思うような名前をつけないよう、じっくり慎重に名前を考えましょう。

Q 凶数の名前でも人生をプラスに導く方法はない？

A 凶数はよくも悪くも目立つ画数であり、封建時代には「服従しない人物」の意味もありました。言い換えれば「意志の強い人物」「こだわりの強い人物」ともいえます。このような資質をプラスにのばす道を前向きに探りましょう。

また、将来的には世界へ羽ばたく道もおすすめです。海外では名前もアルファベット等の表記になり、その点でも開運が期待できます。

Q 旧字を使って画数をよくしたい

A 10画の「桜」だと画数がよくないから21画の「櫻」を使いたいなど、新字と旧字で画数が異なることは多いですから、その漢字にこだわりがあるなら、それも有効な方法です。

ただし旧字を使った名前は、書類などで間違って記載されることもよくあります。パソコン変換に時間がかかったり、そもそもパソコンで変換できない字もあるなど、何かと不便があることも覚えておきましょう。

また、多画数のものが多いので、見た目に黒々とした名前になってしまうことも。旧字のなかでも、前述の「櫻」や、「恵」の旧字の「惠」など、比較的なじみのある漢字もありますが、基本的に旧字を使う場合には、マイナス面も多いことをふまえて検討してください。

なお、運勢をよくするために旧字を使う場合は、実生活でも旧字を使って、運を呼びこむようにしましょう。

Q 大吉がないと吉名とはいえない？

A そんなことはありません。天格以外の人格・地格・外格・総格がすべて吉以上であれば、基本的には運勢のよい名前だといえます。また、小吉や凶が入っていても、陰陽や五行がよい場合には、吉名になることもあります。

早わかり！ 姓の画数別 吉数リスト

姓（苗字）の画数から、赤ちゃんの吉名の画数を探せるリストです。
リストにある画数の組み合わせで名前を考えれば、運のよい名前にできます。

リストの見方

9・4

1字名：—

2字名（3字名）：1・4　1・7　1・15　2・6　2・16　2・22　7・4　9・2　9・15　11・7　11・14　12・4　12・6　12・12　17・7　20・4　2・9　3・15　3・22　4・4　4・12　12・20　17・7　17・15　19・6　19・16

姓の例：荒井　荒木　浅井　柏木　秋元　春日　畑中　竹之内

名前例：希[7]予[4] きよ　柑[9]七[2] かんな　香[9]穂[15] かほ　悠[11]希[7] ゆき　彩[11]歌[14] あやか　晶[12]絵[12] あきえ　鞠[17]花[7] まりか　梨[11]央[5]音[9] りおね

画数
姓の画数。3字姓の場合は、上の数字は1字目と2字目の合計数となります。

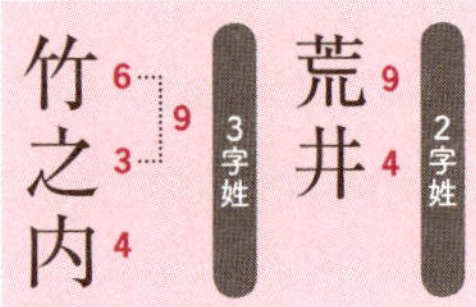

1字名
1字名の吉数。紫色の数字は大吉、こげ茶の数字は吉です。

2字名、3字名
2字名または3字名の吉数。3字名の場合は、下の数字は2字目と3字目の合計になります。紫色の数字は大吉、こげ茶の数字は吉。

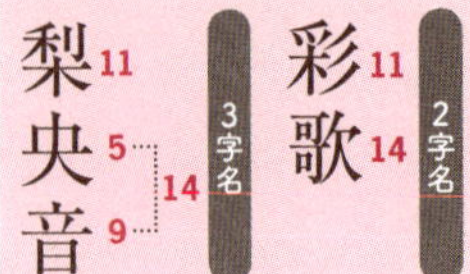

姓の例
姓の例。代表的なものを挙げています。

名前例
姓に合う吉名の例。右横の数字は画数です。

リストを見るときの注意点

- すべての姓の画数パターンを網羅しているわけではありません。日本人に多い姓をピックアップし、それらの画数の配列パターンを調べて掲載しています。361〜400ページに自分の姓の画数がない場合は、334ページの「五格の計算の仕方」で吉名かどうかチェックしてください。
- 361〜400ページの吉数は、「五格」を優先しつつ、「五行」や「陰陽」なども加味しています。五格のいずれかで、「凶」や「小吉」が入っていても、五行や陰陽などがよい場合には、総合的に考えて吉数と判断しているものもあります。また、掲載されていないものでも、よい組み合わせの画数もあるので、気に入った名前がある場合は、ここに画数がなくても334ページの「五格の計算の仕方」で吉凶をチェックしてみましょう。

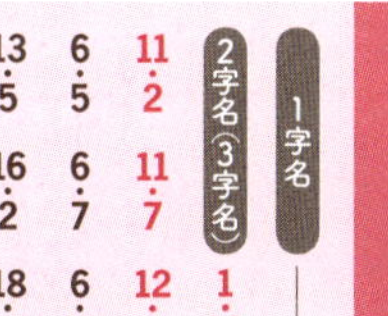

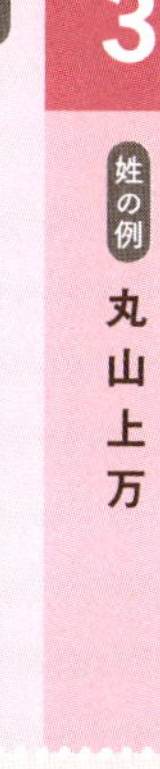

0・3

姓の例 丸 山 上 万

1字名 —

2字名（3字名） 2・30 3・2 3・5 3・12 3・15 10・14 10・22 13・5 18・14 2・6 2・16 2・22 3・10 4・14 4・17 5・10 5・16 5・24 8・5 8・16 10・5 12・6 12・12 12・23 13・2 13・22 18・6 18・17 18・20 21・14

名前例

名前	画数	読み
小陽	3・12	こはる
弥生	8・5	やよい
珠緒	10・14	たまお
結羽	12・6	ゆいは
想世	13・5	そよ
千紗代	3・10・5	ちさよ
真里亜	10・7・7	まりあ
恵瑠奈	10・14・8	えるな

0・4

姓の例 今 丹 中

1字名 —

2字名（3字名） 1・20 1・24 2・23 2・31 3・22 3・26 4・17 9・2 9・16 1・6 1・12 2・5 2・15 3・4 3・14 4・7 4・23 7・4 7・6 9・14 11・2 11・6 11・12 11・14 12・15 12・5 13・4 13・12 13・14 17・4

名前例

名前	画数	読み
日鞠	4・17	ひまり
亜伊	7・6	あい
星乃	9・2	ほしの
美澪	9・16	みれい
梨瑛	11・12	りえ
睦月	13・4	むつき
七緒美	2・14・9	なおみ
千愛俐	3・13・9	ちえり

0・5

姓の例 辻 平 北 丘 叶 永 汀 辺 左 広 台 代

1字名 —

2字名（3字名） 1・12 2・4 3・15 8・5 8・16 10・17 11・2 11・7 12・4 19・5 1・5 1・7 1・10 1・15 6・5 6・7 6・10 6・12 6・21 10・6 11・5 11・16 13・5 16・2 18・15

名前例

名前	画数	読み
一葉	1・12	かずは
千穂	3・15	ちほ
佳代	8・5	かよ
萌加	11・5	もえか
葉月	12・4	はづき
麗禾	19・5	れいか
つむぎ	1・4・6	つむぎ
紗美佳	10・9・8	さみか

0・6

姓の例 旭 向 芝 西 池 仲

1字名 —

2字名（3字名） 1・4 1・14 2・23 5・26 9・14 9・16 9・22 9・26 10・15 11・4 11・14 12・6 15・10 1・6 1・16 2・5 2・15 2・16 7・4 7・14 9・24 10・5 10・7 10・17 11・6 11・7 11・16 11・24 12・5 15・2

名前例

名前	画数	読み
乙寧	1・14	おとね
美緒	9・14	みお
笑花	10・7	えみか
彩心	11・4	あやみ
梨杏	11・7	りあん
絢名	12・6	あやな
遼夏	15・10	りょうか
麻央美	11・5・9	まおみ

0・7

姓の例 沖 角 近 坂 杉 沢 谷 佃 伴 李 里

1字名 —

2字名（3字名） 1・15 1・17 8・10 8・16 9・7 9・15 9・16 11・5 11・7 11・14 1・7 4・7 4・12 4・20 6・2 9・2 10・7 10・14 10・15 14・10 6・10 6・12 14・4 16・2 18・6 18・7 20・5

名前例

名前	画数	読み
心那	4・7	ここな
吉乃	6・2	よしの
朋恵	8・10	ともえ
紗良	10・7	さら
雪世	11・5	ゆきよ
藍里	18・7	あいり
のどか	1・4・3	のどか
明日葉	8・4・12	あすは

0・8

姓の例 林 岡 岸 金 宗 所 長 東 迫 武 牧 門

1字名 15 17

2字名（3字名） 3・2 3・10 3・21 5・10 7・6 8・16 10・5 10・6 10・15 13・10 13・11 13・16 3・4 3・5 5・12 7・10 7・14 9・6 9・7 9・16 10・7 13・3 13・4 21・18

名前例

名前	画数	読み
凜	15	りん
瞳	17	ひとみ
小梅	3・10	こうめ
冬華	5・10	ふゆか
美来	9・7	みらい
莉穂	10・15	りほ
依里香	8・7・9	よりか
愛弥子	13・8・3	あやこ

0・9

姓の例：南 栄 室 城 神 星 泉 前 峠 柏 畑 柳

1字名：—

2字名（3字名）：2・4　4・12　6・10　8・7　9・6　9・7　12・12　12・4　14・2　14・10　20・12　2・5　2・14　2・15　4・4　4・14　4・20　6・17　6・26　7・14　7・16　15・6　15・17　16・7　16・16　18・6　20・4

名前例

七[2]緒[14] ななお
双[4]葉[12] ふたば
光[6]莉[10] ひかり
芽[8]沙[7] めいさ
奏[9]江[6] かなえ
美[9]里[7] みさと
琴[12]絵[12] ことえ
希[7]依[8]奈[8] きいな

0・10

姓の例：浦 桂 原 高 柴 秦 島 浜 峰 脇 宮 竜

1字名：—

2字名（3字名）：1・12　3・2　3・10　3・12　3・18　5・8　6・7　6・15　11・2　11・12　13・2　13・10　13・12　5・2　5・6　6・5　7・6　7・14　8・7　8・15　11・4　11・10　14・7　15・6　21・16

名前例

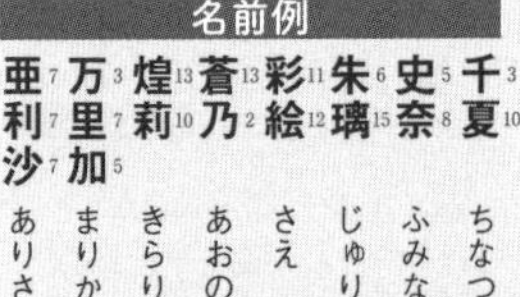

千[3]夏[10] ちなつ
史[5]奈[8] ふみな
朱[6]璃[15] じゅり
彩[11]絵[12] さえ
蒼[13]乃[2] あおの
煌[13]莉[10] きらり
万[3]里[7]加[5] まりか
亜[7]利[7]沙[7] ありさ

0・11

姓の例：梶 乾 郷 笹 菅 清 盛 張 堀 堂 笠 都

1字名：—

2字名（3字名）：2・4　10・14　12・4　12・12　14・10　20・4　22・2　2・5　2・16　4・12　4・20　5・2　5・16　6・7　6・10　7・6　7・14　12・6　13・5　14・4　14・7　16・5　21・16　21・20

名前例

亜[7]妃[6] あき
真[10]綾[14] まあや
莉[10]緒[14] りお
葉[12]月[4] はづき
陽[12]葉[12] ようは
夢[13]叶[5] ゆめか
瑠[14]珠[10] るじゅ
由[5]香[9]利[7] ゆかり

0・12

姓の例：森 奥 間 堺 勝 巽 堤 渡 湊 越 萩 番

1字名：—

2字名（3字名）：1・5　4・7　9・2　9・4　9・12　9・14　11・10　11・14　11・24　19・2　19・4　1・2　1・4　1・10　1・22　3・2　3・20　4・17　5・6　6・5　6・15　9・16　11・2　11・12　13・10　13・20　21・12

名前例

一[1]禾[5] いちか
月[4]花[7] つきか
心[4]優[17] みゆう
充[6]世[5] みつせ
咲[9]乃[2] さきの
麻[11]桜[10] まお
有[6]希[7]奈[8] ゆきな
美[9]矢[5]香[9] みやか

0・13

姓の例：源 新 滝 椿 楠 塙 園 幹 溝 群 筧

1字名：—

2字名（3字名）：2・6　3・2　3・15　8・16　12・6　18・17　2・14　2・16　3・5　4・4　4・7　5・6　8・10　8・17　10・6　10・14　10・15　10・22　11・7　11・14　16・2　16・16　18・6　18・14　20・4　20・5

名前例

乃[2]羽[6] のわ
水[4]月[4] みづき
由[5]宇[6] ゆう
來[8]紗[10] らいさ
華[10]帆[6] かほ
陽[12]向[6] ひなた
和[8]歌[14]子[3] わかこ
真[10]那[7]佳[8] まなか

0・14

姓の例：榎 関 境 榊 窪 槙 管

1字名：—

2字名（3字名）：2・15　3・15　7・4　9・2　9・12　9・16　10・14　11・7　11・12　1・2　1・6　2・5　3・4　3・10　3・14　4・7　7・14　9・4　9・14　11・6　11・10　11・14　17・6

名前例

乙[1]羽[6] おとは
夕[3]月[4] ゆづき
千[3]穂[15] ちほ
奏[9]絵[12] かなえ
唯[11]亜[7] ゆあ
優[17]妃[6] ゆうき
里[7]彩[11]子[3] りさこ
莉[10]央[5]香[9] りおか

0・16

姓の例：館 橘 薮

1字名：―

2字名（3字名）：2・14　2・23　9・4　9・6　9・7　9・16　11・4　11・5　11・14　11・20　13・16　15・6　1・4　1・6　1・14　2・5　2・6　2・15　7・4　7・6　8・7　8・17　9・14　11・10　15・14　15・16　16・5　16・7　16・15　17・4

名前例

乃2衣6	のえ
那7帆6	なほ
和8希7	かずき
美9宇6	みう
菜11月4	なつき
璃15衣6	りい
つ1ぐ3み3	つぐみ
愛13里7香9	えりか

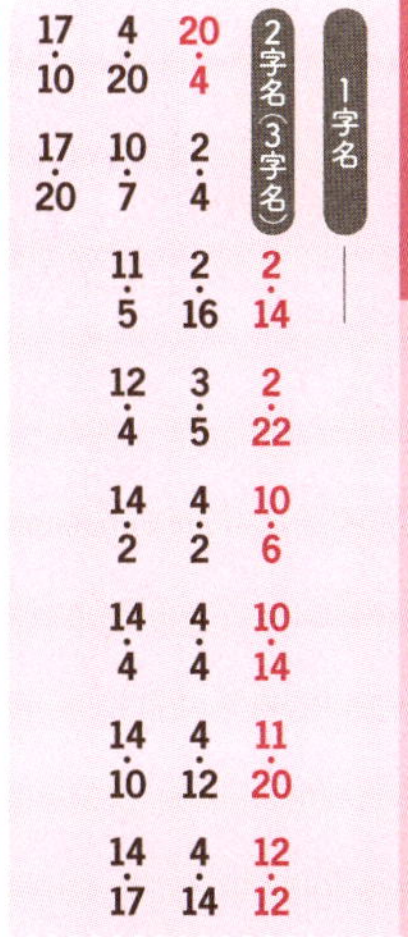

0・21

姓の例：轟 鶴

1字名：―

2字名（3字名）：2・14　2・22　10・6　10・14　11・20　12・12　20・4　2・4　2・16　3・5　4・2　4・4　4・12　4・14　4・20　10・7　11・5　12・4　14・2　14・4　14・10　14・17　17・10　17・20

名前例

七2歌14	ななか
千3加5	ちか
心4温12	こはる
真10帆6	まほ
夏10緒14	なつお
紫12月4	しづき
綾14乃2	あやの
こ1の1み3	このみ

1・4

姓の例：一戸 一木

1字名：―

2字名（3字名）：1・7　1・12　1・17　1・23　2・6　2・16　4・2　4・14　11・2　11・7　12・6　12・12　14・2　14・4　14・10　2・22　2・31　3・5　3・15　3・24　4・4　4・23　4・28　7・4　7・6　9・2　11・16　11・22　13・5　20・4

名前例

乙1葉12	おとは
七2帆6	なほ
希7江6	きえ
涼11那7	すずな
陽12向6	ひなた
瑠14心4	るみ
静14流10	しずる
い2ろ2は4	いろは

1・6

姓の例：一色 一式 乙竹

1字名：―

2字名（3字名）：2・4　2・14　5・20　9・7　9・15　9・16　10・14　10・15　11・5　12・4　1・5　1・10　1・15　1・16　1・24　2・16　5・6　7・4　10・6　10・7　11・6　11・7　11・20　12・6

名前例

七2寧14	ななね
美9沙7	みさ
香9凛15	かりん
真10綺14	まき
梨11世5	りせ
彩11花7	あやか
結12月4	ゆづき
古5都11音9	ことね

1・7

姓の例：一条 一村 乙杉 乙町

1字名：―

2字名（3字名）：1・4　1・14　1・15　8・5　8・7　8・15　8・16　9・4　9・7　9・14　9・15　11・5　11・14　1・6　1・7　4・4　6・17　9・12　9・16　10・6　10・7　10・15　11・6　11・10　18・5

名前例

朋8代5	ともよ
季8穂15	きほ
海9花7	うみか
音9寧14	おとね
律9歌14	りつか
珠10帆6	たまほ
理11世5	りよ
実8央5莉10	みおり

2・3

姓の例：十川 二川 入口 入山

1字名：2　10　20　12

2字名（3字名）：2・6　2・22　3・15　5・1　5・11　5・13　8・3　8・5　10・1　10・6　15・1　15・3　20・4　2・14　2・11　3・3　3・5　3・21　4・4　4・23　5・3　5・22　10・3　12・1　12・4　12・6　13・11　14・4　14・13　18・6

名前例

笑10	えみ
万3凛15	まりん
世5菜11	せな
由5麻11	ゆま
奈8央5	なお
紗10羽6	さわ
璃15子3	りこ
礼5央5奈8	れおな

2・4

姓の例：二木　八木

1字名：2　12　7　17

2字名（3字名）：1・14　1・22　2・16　2・25　3・22　4・1　4・11　4・21　7・11　11・14　14・4　19・4　1・6　1・16　2・5　2・15　3・4　3・14　3・15　9・6　11・4　11・16　11・22　12・3　12・5　13・5　13・14　14・3　17・1　19・14

名前例

- 景12 けい
- 千3澄15 ちずみ
- 友4彩11 ゆあ
- 里7麻11 りま
- 菜11緒14 なお
- 暁12子3 あきこ
- 結12女3 ゆめ
- 綾14水4 あやみ

2・5

姓の例：八代　八田

1字名：10

2字名（3字名）：1・5　1・15　1・23　2・4　3・3　3・13　3・22　10・14　10・15　11・13　12・13　20・4　1・16　2・14　2・23　3・15　3・21　6・19　8・3　8・9　8・16　10・6　11・6　11・14　11・5　11・21　12・4　12・6　12・19　13・5

名前例

- 桃10 もも
- そ3ら3 そら
- 明8祢9 あかね
- 莉10江6 りえ
- 泰10穂15 やすほ
- 涼11楓13 すずか
- 葉12瑚13 ようこ
- 麻11由5奈8 まゆな

2・6

姓の例：入江　又吉　入安

1字名：5　7　10

2字名（3字名）：1・4　2・3　2・14　2・23　9・4　9・6　9・14　9・15　10・5　10・6　10・13　10・14　1・6　1・15　2・15　7・9　7・14　10・23　11・4　11・5　12・3　12・4　12・13　15・9　19・4

名前例

- 杏7 あん
- 桜10 さくら
- 七2緒14 ななお
- 音9羽6 おとは
- 咲9穂15 さほ
- 倫10禾5 りんか
- 浬10帆6 りほ
- 美9希7奈8 みきな

2・7

姓の例：人見　二見　二村　入沢　入谷　八谷　八尾　入坂　二谷

1字名：4　6　14　16　20

2字名（3字名）：1・5　1・14　4・19　9・6　11・4　11・5　14・9　1・6　1・15　4・3　4・4　4・11　6・9　8・15　8・16　9・14　10・5　10・6　10・14　10・19　14・15　16・22　17・6　18・5　18・13

名前例

- 文4 あや
- 翠14 みどり
- 一1寧14 ひとね
- 成6美9 なるみ
- 珠10妃6 たまき
- 萌11友4 もゆ
- 彩11世5 さよ
- 静14香9 しずか

2・8

姓の例：二岡

1字名：7　17

2字名（3字名）：3・22　9・6　9・16　10・5　10・15　13・16　21・16　3・5　5・3　5・6　5・22　7・16　8・9　8・13　8・15　9・4　10・3　10・11　10・19　13・4　13・14　15・6　15・16　16・5　16・9　16・13　17・4　21・4

名前例

- 優17 ゆう
- 奏9帆6 かなほ
- 美9澪16 みれい
- 真10由5 まゆ
- 桃10世5 ももよ
- 詩13緒14 しお
- 千3愛13紀9 ちあき
- 恵10里7奈8 えりな

2・10

姓の例：二宮　八島　入倉　刀根

1字名：5　15

2字名（3字名）：3・3　3・10　5・1　6・5　11・22　13・22　14・11　14・19　14・21　1・5　5・6　6・11　6・15　6・19　7・4　7・14　8・3　8・5　8・9　8・13　11・4　11・6　13・16　15・6　15・14　21・4　22・13

名前例

- 史5 ふみ
- も3え3 もえ
- 千3笑10 ちえ
- 衣6世5 いよ
- 有6理11 ゆり
- 綺14萌11 あやめ
- 万3希7子3 まきこ
- 瑠14莉10香9 るりか

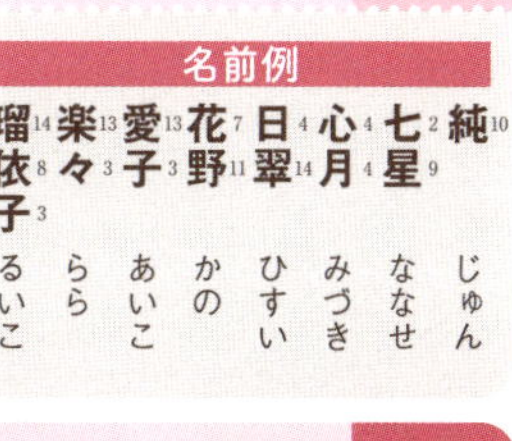

2・11

1字名: 5、10

2字名（3字名）: 2・3、2・9、4・1、4・4、4・14、5・3、5・11、5・13、10・1、13・3、2・1、4・9、5・19、6・5、6・19、7・4、7・9、7・11、10・14、12・13、13・11、14・11、20・4、21・3、21・11、21・14

姓の例: 二瓶 入野 入堀 入曽

名前例

名前	読み
純(10)	じゅん
七(2)星(9)	ななせ
心(4)月(4)	みづき
日(4)翠(14)	ひすい
花(7)野(11)	かの
愛(13)子(3)	あいこ
楽(13)々(3)	らら
瑠(14)依(8)子(3)	るいこ

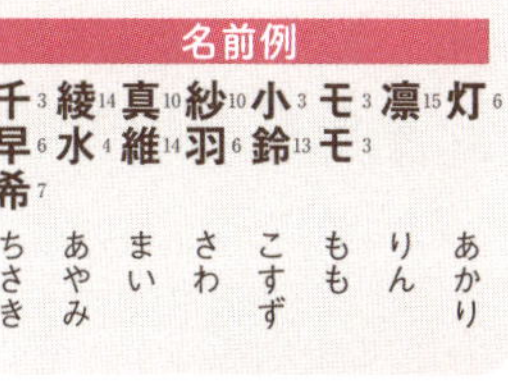

2・15

1字名: 6、15

2字名（3字名）: 1・5、1・14、1・23、3・3、3・13、10・6、10・14、14・4、20・4、1・6、2・4、2・13、2・33、3・4、3・5、3・15、8・13、8・16、9・6、9・9、10・5、12・3、12・4、16・5、16・15、17・4、18・3、14・27、20・15、22・13

姓の例: 八幡

名前例

名前	読み
灯(6)	あかり
凛(15)	りん
モ(3)モ(3)	もも
小(3)鈴(13)	こすず
紗(10)羽(6)	さわ
真(10)維(14)	まい
綾(14)水(4)	あやみ
千(3)早(6)希(7)	ちさき

3・2

1字名: —

2字名（3字名）: 1・10、1・15、1・23、4・4、4・14、6・10、11・5、13・5、14・4、14・10、14・13、16・8、3・3、3・5、4・20、5・3、5・13、6・12、9・2、9・4、13・14、13・20、15・3、15・12、15・18、16・2、19・5、21・12、22・2

姓の例: 川又

名前例

名前	読み
一(1)穂(15)	かずほ
日(4)翠(14)	ひすい
有(6)紗(10)	ありさ
彩(11)加(5)	あやか
夢(13)叶(5)	ゆめか
遙(14)恵(10)	はるえ
歌(14)鈴(13)	かりん
樹(16)奈(8)	じゅな

3・3

1字名: —

2字名（3字名）: 2・3、3・4、3・15、5・10、5・12、5・13、10・5、10・15、12・5、12・15、3・8、4・3、5・2、8・3、8・15、10・13、12・3、12・13、12・21、13・2、13・4、13・10、13・12、13・18、15・8、15・14、20・15、21・4

姓の例: 丸山 及川 三上 山下 山口 小川 川口 川上 大山

名前例

名前	読み
弓(3)月(4)	ゆづき
千(3)澄(15)	ちずみ
礼(5)紗(10)	れいさ
叶(5)葉(12)	かなは
奈(8)々(3)	なな
桃(10)加(5)	ももか
喜(12)永(5)	きえ
結(12)芽(8)里(7)	ゆめり

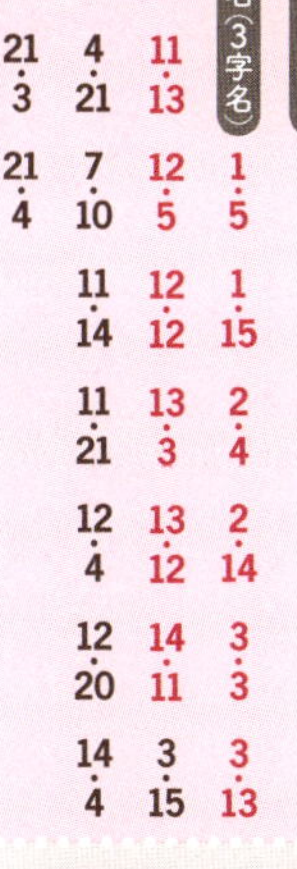

3・4

1字名: —

2字名（3字名）: 1・5、1・15、2・4、2・14、3・3、3・13、3・22、11・13、12・5、12・12、13・3、13・12、14・11、3・15、4・12、4・21、7・10、11・14、11・21、12・4、12・20、14・4、17・8、21・3、21・4

姓の例: 山内 山中 土井 三井 三木 大木 大井 大友 川井

名前例

名前	読み
し(1)ほ(5)	しほ
千(3)夢(13)	ちゆめ
花(7)笑(10)	はなえ
結(12)以(5)	ゆい
遥(12)陽(12)	はるひ
聖(13)子(3)	せいこ
瑞(13)葵(12)	みずき
悠(11)里(7)衣(6)	ゆりえ

3・5

1字名: —

2字名（3字名）: 1・12、2・3、3・12、10・8、10・3、10・13、10・15、11・12、11・22、12・3、12・13、13・3、20・5、22・3、1・4、2・15、3・14、6・10、6・15、8・15、11・10、11・21、12・5、13・8、13・10、18・13、18・15、20・15

姓の例: 山田 山本 小田 大石 土田 上田 大平 川辺 小出

名前例

名前	読み
千(3)晶(12)	ちあき
会(6)莉(10)	あいり
夏(10)波(8)	かなみ
紗(10)楽(13)	さら
雪(11)絵(12)	ゆきえ
翔(12)子(3)	しょうこ
結(12)愛(13)	ゆあ
楓(13)子(3)	ふうこ

3・6

姓の例 小西 三宅 小池 大西 久米 三好 大江 川合 小向

1字名 —

2字名（3字名） **1・5** **1・14** **1・15** **2・4** **2・5** **2・13** **5・18** **11・4** **11・5** **12・3** **17・15** 2・14 2・22 5・3 5・13 7・8 8・5 9・14 9・15 10・5 10・13 10・14 11・12 12・12 15・8 17・15

名前例

名前	画数	読み
乙加	1・5	おとか
ひな	2・5	ひな
乃永	2・5	のえ
禾織	5・18	かおり
亜依	7・8	あい
星歌	9・14	せいか
涼心	11・4	すずみ
悠代	11・5	はるよ

3・7

姓の例 小沢 上村 川村 大沢 大谷 下村 久我 丸尾 小坂

1字名 —

2字名（3字名） **1・4** **1・5** **1・14** **10・5** **10・15** **11・14** 1・2 4・3 4・4 4・21 6・5 8・3 8・5 8・13 8・15 9・2 9・4 9・12 9・14 9・20 10・5 11・2 11・10 17・4 17・8 18・3

名前例

名前	画数	読み
乙心	1・4	おとみ
しず	1・5	しず
美予	9・4	みよ
紗央	10・5	さお
絆七	11・2	きずな
梨瑠	11・14	りる
優月	17・4	ゆづき
莉里奈	10・7・8	りりな

3・8

姓の例 小松 小林 三国 山岸 大坪 大沼 大林 土居 三枝

1字名 —

2字名（3字名） **3・10** **3・18** **3・21** **5・8** **13・8** **16・5** **16・8** **21・20** 3・2 3・3 3・4 5・13 7・14 8・5 8・13 9・4 9・12 9・15 10・8 10・14 15・3 21・3 23・18 24・13

名前例

名前	画数	読み
才織	3・18	さおり
千鶴	3・21	ちづる
由芽	5・8	ゆめ
美斗	9・4	みと
幹奈	13・8	かんな
澪央	16・5	みお
篤実	16・8	あつみ
美沙祈	9・7・8	みさき

3・9

姓の例 小泉 土屋 小柳 小室 山城 川畑 久保 川津 大泉

1字名 —

2字名（3字名） **2・21** **4・2** **4・21** **14・21** **15・8** **15・10** 2・3 2・4 2・15 6・5 6・15 7・14 7・18 8・3 8・13 9・2 9・8 9・12 9・14 12・5 12・13 14・3 14・15 15・2 16・5 22・3

名前例

名前	画数	読み
佳子	8・3	かこ
実蓮	8・13	みれん
美乃	9・2	よしの
柚奈	9・8	ゆずな
璃実	15・8	りみ
輝紗	15・10	てるさ
乃絵香	2・12・9	のえか
日緒里	4・14・7	かおり

3・10

姓の例 下原 三浦 山根 小原 小倉 小島 上原 川島 大島

1字名 —

2字名（3字名） **1・2** **1・10** **3・2** **3・13** **5・3** **5・13** **6・2** **6・10** **6・18** **13・12** **13・22** **14・2** **14・10** **14・18** **15・3** **15・10** **21・3** 1・4 1・15 6・5 6・26 8・10 11・5 11・13 11・21 13・3 19・5 19・13

名前例

名前	画数	読み
モナ	3・2	もな
久誉	3・13	ひさよ
汐乃	6・2	しおの
妃粋	6・10	ひすい
瑠七	14・2	るな
綾華	14・10	あやか
慧子	15・3	けいこ
撫子	15・3	なでしこ

3・11

姓の例 小野 山崎 上野 川崎 大野 小菅 川添 大貫 小堀

1字名 —

2字名（3字名） **2・13** **4・13** **4・14** **5・10** **5・12** **5・18** **5・20** **10・13** **10・14** **12・13** **13・8** **13・12** **13・18** **14・3** **14・4** **14・10** 5・26 7・8 10・5 10・8 10・21 13・2 13・10 18・5 20・3 20・4 21・10

名前例

名前	画数	読み
心夢	4・13	ここむ
令紗	5・10	れいさ
未織	5・18	みおり
真瑚	10・13	まこ
紋歌	10・14	あやか
鈴奈	13・8	りんな
聖絵	13・12	きよえ
愛禾里	13・5・7	あかり

3・12

姓の例：千葉 大森 大塚 大場 小森 小椋 川越 大道

1字名：—

2字名（3字名）：1・5　1・15　3・5　3・14　3・21　4・4　4・13　4・20　5・12　5・13　6・2　6・10　6・18　11・13　12・12　13・10　1・2　3・3　6・12　9・8　9・15　11・5　12・5　13・3　13・20　17・15　19・13

名前例

名前	読み
千3世5	ちせ
友4愛13	ゆうあ
礼5楓13	れいか
多6恵10	たえ
菖11蒲13	あやめ
琴12絵12	ことえ
煌13莉10	きらり
瑛12里7加5	えりか

3・13

姓の例：久慈 山路 小園 小滝 小路 上園 大園 大塩 大滝

1字名：—

2字名（3字名）：2・15　3・4　3・5　3・10　4・12　5・10　5・12　5・20　10・3　10・5　10・13　11・4　11・12　11・14　11・20　2・21　3・12　4・3　5・8　5・18　11・2　11・10　12・3　12・5　12・13　14・3　18・13　19・22

名前例

名前	読み
夕3日4	ゆうひ
万3桜10	まお
永5恋10	えれん
莉10々3	りり
恭10禾5	きょうか
麻11友4	まゆ
彩11雲12	あやも
悠11樺14	ゆうか

3・14

姓の例：山際 小関 小熊 小暮 川端 大関 大窪 大熊 小菅

1字名：—

2字名（3字名）：1・5　1・15　2・4　2・13　2・14　3・3　3・12　3・13　4・2　4・12　11・4　11・5　11・13　15・3　7・8　9・15　10・14　11・10　13・5　13・18　17・4　17・14　17・18　21・10

名前例

名前	読み
七2瑚13	ななこ
小3弓3	こゆみ
文4乃2	あやの
心4結12	みゆ
彩11月4	さつき
麻11椰13	まや
遼15子3	りょうこ
麻11衣6花7	まいか

3・15

姓の例：三輪 小幡 大蔵 大槻 与儀 大澄 三潮

1字名：—

2字名（3字名）：1・4　1・12　1・14　1・22　2・13　3・3　3・12　10・3　10・5　10・13　12・3　14・15　1・20　2・5　2・15　3・14　6・5　6・15　8・5　9・2　9・4　9・12　9・14　12・5　16・2　16・5　16・13　17・4　20・3

名前例

名前	読み
ら3ら3	らら
小3晴12	こはる
季8代5	きよ
美9友4	みゆ
真10弓3	まゆみ
珠10央5	たまお
浬10愛13	りあ
陽12子3	ようこ

3・16

姓の例：丸橋 三橋 小橋 大館 大橋 大薮 土橋 三樹 小薪

1字名：—

2字名（3字名）：1・4　1・5　1・15　2・3　2・4　2・14　5・8　11・5　11・18　13・3　13・5　21・8　5・13　8・5　8・8　9・4　9・24　15・3　15・18　16・2　17・21　19・10　19・14

名前例

名前	読み
コ2ウ3	こう
未5來8	みく
和8実8	なごみ
美9斗4	みと
麻11央5	まお
詢13子3	じゅんこ
愛13加5	あいか
麻11保9美9	まほみ

3・18

姓の例：工藤 山藤 大藤

1字名：—

2字名（3字名）：3・8　3・21　3・28　5・26　6・5　6・10　6・18　14・10　3・3　3・5　3・13　3・14　3・34　5・3　5・13　5・32　6・2　7・24　9・15　13・3　13・18　14・2　15・2　15・3　15・12　15・22　19・12　23・8

名前例

名前	読み
弓3奈8	ゆな
千3鶴21	ちづる
朱6乃2	あけの
早6代5	さよ
汐6莉10	しおり
衣6織18	いおり
咲9輝15	さき
宇6沙7子3	うさこ

3・19

1字名：—

2字名（3字名）：2・15　2・21　4・12　4・21　5・10　5・20　5・30　10・29　13・10　2・14　5・8　5・18　6・5　6・10　6・29　8・5　8・8　8・15　10・3　10・5　10・13　12・3　12・4　13・2　13・4　13・12　14・2　14・21　18・5　20・21

姓の例：川瀬　大瀬

名前例
- 仁4絵12　ひとえ
- 未5姫10　みき
- 衣6世5　いよ
- 侑8加5　ゆか
- 陽12子3　ようこ
- 愛13珠10　あいじゅ
- 古5都11音9　ことね
- 瑚13々3亜7　ここあ

4・3

1字名：10　14　22

2字名（3字名）：2・14　2・15　3・13　3・22　4・12　4・21　5・12　12・4　12・5　12・19　13・11　13・12　13・25　14・11　15・17　22・9　2・9　5・11　5・13　8・17　10・14　12・12　12・20　13・3　13・19　14・4　14・27　15・3　18・14

姓の例：片山　中山　木下　中川　内山　井上　水上　日下　今川

名前例
- 栞10　しおり
- 綺14　あや
- 十2歌14　とうか
- 双4葉12　ふたば
- 絢12加5　あやか
- 晴12羅19　せいら
- 愛13菜11　まな
- 碧14唯11　あおい

4・4

1字名：7　17

2字名（3字名）：1・14　2・14　2・21　3・4　3・12　3・14　4・1　4・11　11・4　11・13　12・3　12・11　12・13　12・21　13・2　1・12　2・3　2・13　4・3　11・2　11・12　12・9　13・4　13・12　14・3　14・9　14・11　14・17　17・14　21・4

姓の例：今井　中井　元木　水木　今中　日比　井手　木戸　仁木

名前例
- 花7　はな
- 妙7　たえ
- 久3水4　くみ
- 千3瑛12　ちえ
- 梓11心4　あずみ
- 涼11楓13　すずか
- 彩11衣6伽7　さえか
- 陽12々3姫10　ひびき

4・5

1字名：2　6　12　16　20

2字名（3字名）：2・4　2・13　2・14　2・27　3・3　3・4　3・12　3・13　6・17　12・3　12・4　13・2　13・3　13・25　16・7　24・14　3・21　6・2　6・9　8・7　10・13　10・14　10・17　10・28　11・4　11・12　11・21　12・20

姓の例：太田　中田　戸田　内田　今田　井出　片平　中本　友田

名前例
- 樹16　いつき
- 響20　ひびき
- 千3景12　ちかげ
- 葉12月4　はづき
- 夢13乃2　ゆめの
- 詩13子3　うたこ
- 磨16希7　まき
- 有6希7恵10　ゆきえ

4・6

1字名：5　7　15　17　23

2字名（3字名）：1・7　1・14　2・3　11・14　12・3　1・4　2・1　2・9　2・11　5・2　5・3　5・12　5・20　7・14　7・18　9・2　9・4　9・12　9・14　10・3　10・11　10・13　10・19　10・25　11・4　12・9　17・4　17・12　18・3　23・2

姓の例：引地　今西　丹羽　中江　中西　日吉　日向　木全

名前例
- 伶7　れい
- 翼17　つばさ
- 一1花7　いちか
- 礼5乃2　れの
- 志7緒14　しお
- 麻11綾14　まあや
- 結12子3　ゆいこ
- 悠11良7里7　ゆらり

4・7

1字名：4　10　14　16

2字名（3字名）：4・9　4・17　4・20　6・7　14・7　16・25　17・1　17・4　17・7　24・17　1・4　4・3　6・1　6・12　8・13　8・33　9・4　9・9　9・12　10・11　10・14　11・7　14・4　16・2　18・19

姓の例：中尾　水谷　今村　木村　内村　中沢　中里　中条　毛利

名前例
- 紡10　つむぎ
- 日4鞠17　ひまり
- 羽6那7　はな
- 柚9月4　ゆづき
- 茜9音9　あかね
- 綺14良7　きら
- 優17花7　ゆか
- 知8永5奈8　ちえな

4・8

姓の例：五味 今岡 今枝 水沼 中岡 中居 中林 片岡

1字名：5、15

2字名（3字名）：3・20、5・1、5・20、13・20、15・9、15・20、16・7、16・9、3・2、3・3、5・12、7・4、7・14、8・3、8・13、8・17、8・25、9・2、9・12、9・20、10・1、10・11、10・13、10・19、13・12、16・13、16・17、17・4、23・12

名前例

名前	読み
司[5]	つかさ
舞[15]	まい
芽[8]久[3]	めぐ
歩[8]夢[13]	あゆむ
真[10]麻[11]	まあさ
編[15]美[9]	あみ
樹[16]里[7]	じゅり
穏[16]香[9]	やすか

4・9

姓の例：今城 今泉 今津 仁科 中屋 中垣 中津 中畑 内海

1字名：2、12、14

2字名（3字名）：2・1、2・9、4・1、4・7、6・2、6・12、7・1、7・9、7・11、7・17、12・12、12・20、14・11、14・21、15・1、15・9、16・2、16・9、22・2、2・3、8・3、9・7、14・2、14・7、18・7

名前例

名前	読み
惺[12]	しずか
碧[14]	みどり
心[4]花[7]	みか
吉[6]乃[2]	よしの
亜[7]理[11]	あり
初[7]嶺[17]	はつね
帆[6]那[7]未[5]	ほなみ
詠[12]美[9]子[3]	えみこ

4・10

姓の例：中原 中島 水島 中根 氏家 片桐 井原 片倉 不破

1字名：7、15、17

2字名（3字名）：1・20、3・12、3・20、5・2、5・13、5・20、6・1、6・9、6・11、6・17、6・19、11・12、11・13、13・2、13・12、14・7、14・11、15・2、22・3、7・14、11・4、11・7、11・14、11・20、14・1、14・19、15・9

名前例

名前	読み
希[7]	のぞみ
環[17]	たまき
千[3]惺[12]	ちさと
卯[5]乃[2]	うの
朱[6]美[9]	あけみ
瑠[14]花[7]	るか
綾[14]野[11]	あやの
百[6]々[3]果[8]	ももか

4・11

姓の例：今野 水野 中野 天野 丹野 内野 日野 中崎 木曽

1字名：2、10、12、14、16

2字名（3字名）：2・1、2・14、2・21、4・4、4・12、4・13、5・3、5・19、6・9、6・12、7・9、7・11、12・4、12・21、13・3、14・4、5・1、5・27、5・11、10・7、10・14、10・27、14・2、14・9、20・12、20・17

名前例

名前	読み
桜[10]	さくら
媛[12]	ひめ
七[2]歌[14]	ななか
友[4]貴[12]	ゆき
帆[6]南[9]	ほなみ
朱[6]葉[12]	あやは
瑚[13]子[3]	ここ
碧[14]心[4]	あおみ

4・12

姓の例：井筒 戸塚 手塚 水越 中越 中森 中塚 中道 木場

1字名：5、15、17

2字名（3字名）：1・4、1・14、3・20、4・9、4・19、5・11、5・20、6・9、6・11、6・19、11・4、11・12、11・14、12・1、12・3、12・9、12・11、12・13、13・4、3・13、4・1、4・11、6・7、9・2、9・4、9・14、11・2、20・1、20・11

名前例

名前	読み
鞠[17]	まり
世[5]菜[11]	せな
深[11]月[4]	みづき
瑛[12]美[9]	えみ
葉[12]音[9]	はのん
結[12]梨[11]	ゆり
名[6]奈[8]子[3]	ななこ
麻[11]衣[6]果[8]	まいか

4・13

姓の例：犬飼 今福 中園 中鉢 日置

1字名：14、22

2字名（3字名）：2・13、3・3、3・4、3・21、4・2、4・11、4・12、4・31、5・1、5・11、12・3、12・12、14・1、14・21、4・20、8・7、8・27、10・14、11・4、11・13、11・20、12・4、14・7、16・2、16・25、18・13、18・23、20・4

名前例

名前	読み
綺[14]	あや
乃[2]愛[13]	のあ
弓[3]月[4]	ゆづき
友[4]梨[11]	ゆり
心[4]葉[12]	ここは
由[5]惟[11]	ゆい
苺[8]花[7]	いちか
暁[12]子[3]	あきこ

4・14

姓の例：井関 今関 日暮 比嘉 木暮 中嶋 中豪

1字名：4 7 15 17

2字名（3字名）：1・12 2・3 2・11 2・13 2・21 3・2 3・3 3・12 3・14 4・1 4・11 11・2 11・4 11・12 13・2 15・14 2・9 2・19 4・3 4・13 7・4 7・14 13・4 18・3

名前例

名前	読み
希7	のぞみ
二2菜11	にな
乃2菊11	のぎく
ゆ3ゆ3	ゆゆ
万3智12	まち
友4梨11	ゆり
三3千3香9	みちか
梨11里7加5	りりか

4・15

姓の例：木幡

1字名：2 6 10 12 14 16 20

2字名（3字名）：2・14 3・2 3・3 3・13 6・27 12・4 12・27 14・4 14・25 1・7 1・12 1・17 2・3 2・4 2・11 6・2 6・12 8・25 9・4 9・20 10・3 10・19 12・1 14・2 17・1 17・12 17・21 18・1 22・11

名前例

名前	読み
栞10	しおり
薫16	かおる
弓3子3	ゆみこ
夕3楽13	ゆら
朱6葉12	あやは
絵12斗4	えと
緋14月4	ひづき
百6々3音9	ももね

4・18

姓の例：井藤 五藤 内藤 木藤

1字名：5 7 15 17

2字名（3字名）：3・20 5・11 5・20 6・7 6・9 6・17 6・19 3・2 3・13 6・29 7・4 7・9 7・28 9・2 9・7 11・2 11・12 11・14 11・28 13・2 14・1 14・2 14・9 14・25 15・1 15・20 19・4 20・3 20・21 21・20

名前例

名前	読み
凛15	りん
叶5望11	かなみ
永5梨11	えり
圭6花7	けいか
江6美9	えみ
沙7月4	さつき
香9乃2	かの
早6南9依8	さなえ

4・19

姓の例：中瀬 片瀬 今瀬

1字名：2 4 6 10 12 14 16 22

2字名（3字名）：4・2 4・11 4・12 4・21 4・31 5・1 5・11 5・20 12・12 13・11 14・1 14・2 14・11 14・21 2・4 2・14 4・20 5・19 6・2 6・12 6・19 8・17 8・21 12・3 12・4 12・23 13・25

名前例

名前	読み
巴4	ともえ
光6	ひかり
友4乃2	ともの
日4菜11	ひな
礼5彩11	れいさ
紫12月4	しづき
き4よ3佳8	きよか
佳8奈8美9	かなみ

5・3

姓の例：古川 市川 石川 田口 平山 北川 出口 石丸 矢口

1字名：5 10 15

2字名（3字名）：2・1 2・6 2・11 2・13 3・2 3・10 3・12 3・20 4・12 5・10 12・4 12・11 12・13 13・2 13・10 13・12 13・20 14・1 14・10 15・10 15・24 4・3 5・2 5・12 10・6 14・3 8・13 22・3

名前例

名前	読み
叶5	かなえ
友4瑛12	ともえ
椎12麻11	しいま
瑞13姫10	みずき
暢14恵10	のぶえ
嬉15莉10	きり
陽12衣6那7	ひいな
瑚13々3祢9	ここね

5・4

姓の例：永井 石井 田中 白井 平井 生方 玉木 大八木

1字名：2 4 7 12 14

2字名（3字名）：3・3 3・13 4・1 4・2 4・3 7・16 13・2 13・3 14・1 14・2 14・12 17・6 17・12 2・6 3・18 3・26 4・20 9・6 11・6 11・13 12・11 12・20 19・13 20・12

名前例

名前	読み
円4	まどか
芹7	せり
文4乃2	ふみの
杏7樹16	あんじゅ
彩11夢13	あやむ
幹13子3	もとこ
綸14乃2	いとの
優17葵12	ゆき

5・5

1字名：6

2字名（3字名）：2・13、3・2、3・3、3・12、3・13、11・10、12・3、12・13、13・2、13・12、1・6、2・3、3・8、6・2、6・19、8・3、8・13、10・3、10・11、10・13、11・2、11・12、11・18、13・16、18・3、19・6、19・18、20・3

姓の例：永田 田代 田辺 石田 白石 平田 本田 辻本 末永

名前例

名前	読み
有(6)	あり
リ(2)ミ(3)	りみ
康(11)恵(10)	やすえ
詩(13)温(12)	しおん
瑞(13)葵(12)	みずき
藍(18)子(3)	あいこ
菜(11)津(9)美(9)	なつみ
愛(13)里(7)咲(9)	ありさ

5・6

1字名：2、5、7、10、12

2字名（3字名）：5・8、5・16、7・6、9・28、15・6、18・3、18・6、1・6、1・20、2・3、2・19、5・1、5・2、7・11、9・12、10・3、10・11、11・10、12・6、15・3、17・24

姓の例：永吉 永江 加地 広江 本吉 本庄 本多 末吉 末次

名前例

名前	読み
花(7)	はな
絢(12)	あや
史(5)佳(8)	ふみか
里(7)帆(6)	りほ
美(9)遥(12)	みはる
舞(15)衣(6)	まい
雛(18)子(3)	ひなこ
映(9)美(9)子(3)	えみこ

5・7

1字名：4、6

2字名（3字名）：4・19、6・19、17・6、17・8、17・16、1・10、1・16、4・1、4・11、6・11、8・13、9・12、9・16、9・20、9・24、10・11、10・13、11・2、11・6、11・10、11・12、14・11、16・13、18・11、22・13

姓の例：田村 北村 矢沢 立花 世良 古谷 北条 矢吹 辺見

名前例

名前	読み
仁(4)麗(19)	にれい
百(6)瀬(19)	ももせ
琉(11)衣(6)	るい
雪(11)恵(10)	ゆきえ
優(17)羽(6)	ゆう
鞠(17)依(8)	まりい
百(6)合(6)愛(13)	ゆりあ
紗(10)江(6)良(7)	さえら

5・8

1字名：5、10

2字名（3字名）：3・8、5・6、7・1、7・11、8・8、8・10、8・16、13・11、13・19、15・10、15・20、3・2、7・18、8・3、8・24、10・1、10・6、10・8、13・3、13・12、16・8、21・8、23・12

姓の例：永松 加茂 田所 平岡 平松 北林 仙波 平岩 田沼

名前例

名前	読み
恋(10)	れん
由(5)宇(6)	ゆう
芙(7)悠(11)	ふゆ
和(8)佳(8)	わか
祈(8)莉(10)	いのり
瑞(13)絵(12)	みずえ
輝(15)紗(10)	てるさ
芽(8)以(5)菜(11)	めいな

5・9

1字名：2、4、7、24

2字名（3字名）：2・1、4・11、4・19、12・11、12・12、14・10、14・11、15・10、15・6、15・8、2・19、6・11、7・6、7・8、7・10、7・11、7・16、7・18、8・13、9・12、9・16、12・6、12・13、12・19、16・2、16・22、20・3

姓の例：玉城 古屋 古畑 石垣 石神 石津 田畑 布施 本城

名前例

名前	読み
杏(7)	あん
心(4)菜(11)	ここな
茉(8)鈴(13)	まりん
結(12)梨(11)	ゆり
嬉(15)衣(6)	きい
澄(15)英(8)	すみえ
仁(4)智(12)花(7)	にちか
亜(7)耶(9)伽(7)	あやか

5・10

1字名：6、14

2字名（3字名）：3・3、3・13、3・20、5・13、5・19、6・2、6・12、6・18、7・1、7・10、7・11、8・8、8・10、13・3、13・11、14・10、15・3、15・8、1・16、5・1、5・11、6・10、6・26、11・13、11・16、19・13

姓の例：田島 石原 永島 北原 石倉 加納 田宮 北島 白浜

名前例

名前	読み
静(14)	しずか
そ(3)ら(3)	そら
三(3)瑚(13)	さんご
禾(5)鈴(13)	かりん
杏(7)浬(10)	あんり
若(8)恵(10)	わかえ
千(3)早(6)希(7)	ちさき
妃(6)美(9)香(9)	ひみか

5・11

1字名
2　5　7

2字名（3字名）
2・3　2・13　5・3　5・12　5・18　6・10
6・11　7・8　7・10　12・3　12・13　13・2　13・3　13・8
14・3　4・1　5・10　5・16　7・24　10・11　13・16　14・11
18・13　21・8

姓の例
永野　平野　矢野　目黒
石黒　白鳥　田崎　北野　矢部

名前例
忍7　しのぶ
史5子3　あやこ
朱6夏10　しゅか
結12子3　ゆいこ
瑞13季8　みずき
蒼13空8　そら
聡14子3　さとこ
楽13々3未5　ららみ

5・12

1字名
4　6　12　15　20

2字名（3字名）
3・3　3・12　3・13　4・2　4・11　4・12
5・10　5・11　6・10　13・3　13・11　17・1　4・3　5・2
5・3　5・13　6・2　6・12　9・6　9・16　11・13　13・28
19・16

姓の例
永富　加賀　古賀　甲斐
石森　石塚　石渡　平塚　本間

名前例
凜15　りん
馨20　かおる
小3陽12　こはる
友4菜11　ゆうな
史5麻11　しま
安6莉10　あんり
寛13子3　ひろこ
想13奈8子3　そなこ

5・13

1字名
5　14

2字名（3字名）
2・3　2・11　3・2　3・3　3・10　3・12
3・20　4・11　5・10　12・6　12・11　12・12　2・19　3・18
4・13　5・2　5・8　5・12　8・13　11・10　14・3　16・11
16・13　18・3

姓の例
玉置　古溝

名前例
遙14　はるか
乃2々3　のの
七2彩11　ないろ
千3夏10　ちか
天4梨11　あまり
未5怜8　みれ
結12帆6　ゆいほ
也3耶9子3　ややこ

5・14

1字名
2　4　10

2字名（3字名）
3・13　4・12　13・3　15・3　2・3　2・11
2・16　2・27　7・1　7・6　9・20　9・24　10・3　10・6
11・2　11・18　15・1　15・18　17・1　17・12　17・16　19・10
19・19

姓の例
田窪　田端　生稲　石関
古関

名前例
千3聖13　ちさと
月4葉12　つきは
志7帆6　しほ
桜10子3　さくらこ
絆11七2　きずな
彩11織18　さおり
愛13弓3　あゆみ
紀9梨11香9　きりか

5・15

1字名
12　17

2字名（3字名）
2・3　2・13　3・2　3・12　3・22　3・24
3・34　6・26　12・6　12・13　12・26　14・3　14・13　14・33
16・16　22・3　22・16　2・19　2・30　6・11　6・12　6・19
10・1　10・8　10・27　14・18　14・27　16・11　17・1　17・8

姓の例
生駒　白幡

名前例
嶺17　れい
せ3り2　せり
江6梨11　えり
有6喜12　ゆうき
桃10佳8　ももか
誓14子3　せいこ
綺14楽13　きら
安6衣6加5　あいか

5・16

1字名
2　16　17

2字名（3字名）
5・6　5・19　5・26　8・3　8・16　15・16
16・8　1・2　1・16　2・6　7・24　8・8　9・8　9・18
11・6　11・16　11・20　13・11　13・24　15・1　15・3　17・1
21・6　23・1

姓の例
古館　古橋　市橋　石橋
田頭　本橋　広橋　平橋　北橋

名前例
優17　ゆう
乙1乃2　おとの
永5凪6　えな
祈8子3　きこ
美9佳8　みか
萌11衣6　めい
茉8依8実8　まいみ
美9萌11沙7　みもざ

5・18

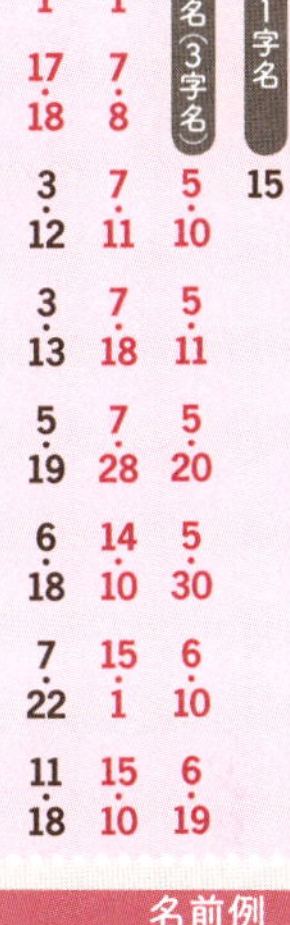
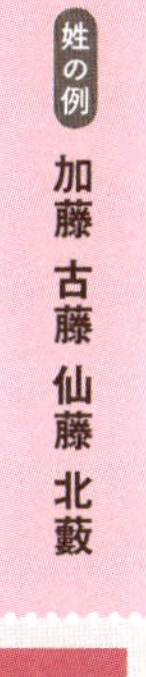

姓の例 加藤 古藤 仙藤 北藪

1字名 15

2字名（3字名）
5・10　5・11　5・20　5・30　6・10　6・19
7・1　7・8　7・11　7・18　7・28　14・10　15・1　15・10
17・1　17・18　3・12　3・13　5・19　6・18　7・22　11・18
13・3　13・11　13・16

名前例

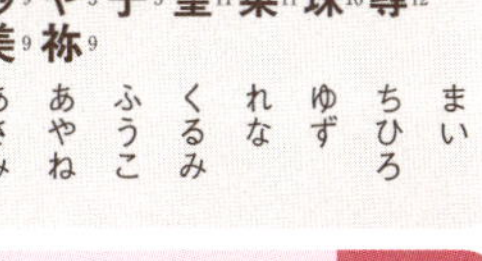

- 舞15　まい
- 千3尋12　ちひろ
- 由5珠10　ゆず
- 令5菜11　れな
- 来7望11　くるみ
- 楓13子3　ふうこ
- あ3や3祢9　あやね
- 亜7砂9美9　あさみ

5・19

姓の例 永瀬 加瀬 古瀬 広瀬 市瀬 平瀬

1字名 5　14

2字名（3字名）
2・1　2・11　2・19　2・22　4・1　4・11
5・6　5・10　5・16　6・1　6・2　6・11　6・18　6・27
12・11　12・12　13・10　13・11　13・20　13・26　13・28　14・1
14・10　2・13　4・19　4・20　5・8　5・18　10・13　14・19

名前例

- 史5　ふみ
- 心4羅19　みら
- 由5羽6　ゆう
- 叶5芽8　かなめ
- 有6彩11　ありさ
- 琴12葉12　ことは
- 日4奈8子3　ひなこ
- 加5奈8枝8　かなえ

6・3

姓の例 吉川 江口 西山 西川 早川 江川 西口 米山 池上

1字名 2　12　14

2字名（3字名）
4・2　4・11　4・12　5・1　5・2　5・10
5・11　8・15　2・5　3・5　3・12　4・25　8・7　10・5
10・11　12・12　12・26　13・2　13・10　13・11　13・19　14・10
15・1

名前例

- 紫12　ゆかり
- 日4菜11　ひな
- 仁4絵12　ひとえ
- 卯5乃2　うの
- 史5恵10　しえ
- 永5梨11　えり
- 佳8澄15　かすみ
- 由5佳8子3　ゆかこ

6・4

姓の例 竹内 安井 伊丹 臼井 向井 竹中 山之内 小山内

1字名 7　14

2字名（3字名）
3・2　3・5　3・12　4・1　4・2　4・11
13・12　14・1　14・11　14・15　17・12　1・7　1・10　2・9
3・18　4・7　4・9　7・9　7・18　9・2　11・10　11・18
12・9　12・11　19・12

名前例

- 希7　のぞみ
- れ3み2　れみ
- 水4萌11　みなも
- 瑚13晴12　こはる
- 静14琉11　しずる
- 瑠14璃15　るり
- 優17稀12　ゆうき
- 緒14里7実8　おりみ

6・5

姓の例 安田 成田 吉田 西田 池田 吉永 羽生 小山田

1字名 6　10　12　20

2字名（3字名）
6・7　6・15　6・18　8・5　16・5　16・25
18・3　18・6　18・23　19・2　19・5　1・5　1・6　1・17
2・3　2・19　3・2　3・10　3・15　6・1　8・10　10・3
10・11　10・27　11・10　12・12　13・5　15・26

名前例

- 光6　ひかり
- 小3夏10　こなつ
- 有6澄15　ありす
- 祈8央5　きお
- 澪16加5　みおか
- 藍18子3　あいこ
- 繭18羽6　まゆは
- 麗19禾5　れいか

6・6

姓の例 安江 安西 吉江 吉成 吉池 寺西 寺地 仲西 有吉

1字名 5　12　15　17　23

2字名（3字名）
7・18　9・2　9・12　10・1　10・7　10・11
17・18　1・5　1・10　2・5　2・9　2・11　5・1　5・10
5・12　9・16　10・5　10・15　11・18　12・17　15・2　17・12
18・5　18・7

名前例

- 瞳17　ひとみ
- 由5起10　ゆき
- 玲9乃2　れの
- 柚9稀12　ゆずき
- 桐10花7　きりか
- 晏10梨11　あんり
- 美9々3香9　みみか
- 紗10友4里7　さゆり

6・7

姓の例 吉村 西村 西尾 寺尾 吉沢 吉見 有坂 八木沢

1字名 4 10 14 16

2字名（3字名） 4・1 6・5 8・9 8・10 9・7 9・9 9・15 14・10 16・9 16・19 17・7 17・15 18・7 4・7 4・12 6・18 9・2 9・23 10・25 11・7 14・2 14・18 16・23 24・1

名前例

- 樹16 いつき
- 妃6世5 ひよ
- 実8紀9 みき
- 音9璃15 ねり
- 碧14紗10 あおさ
- 鞠17花7 まりか
- 優17良7 ゆうら
- 英8里7子3 えりこ

6・8

姓の例 伊東 吉岡 安東 名取 寺門 西岡 安武 寺岡 伊波

1字名 7 10 17

2字名（3字名） 3・18 7・10 7・11 7・17 7・18 8・7 8・9 8・10 8・15 8・17 13・10 13・11 16・5 16・9 3・12 3・15 5・18 9・12 13・5 13・12 15・9 16・7 17・7

名前例

- 杏7 あん
- 依8吹7 いぶき
- 和8沙7 かずさ
- 侑8紀9 ゆき
- 実8優17 みゆ
- 瑞13恵10 みずえ
- 実8央5莉10 みおり
- 茉8衣6香9 まいか

6・9

姓の例 仮屋 江畑 守屋 西海 西垣 西畑 小久保 川久保

1字名 2 6 12 16 20

2字名（3字名） 4・12 4・19 6・2 6・11 6・12 6・18 7・1 7・10 8・8 9・7 9・9 15・9 15・17 16・1 16・2 2・1 2・15 7・9 7・25 9・23 12・5 12・9 12・12 14・2 14・10 15・2 16・17 20・17

名前例

- 温12 のどか
- 斐12 あや
- 凪6彩11 なぎさ
- 佑7姫10 ゆうき
- 季8依8 きい
- 柊9花7 しゅうか
- 星9南9 せいな
- 篤16乃2 あつの

6・10

姓の例 有馬 江原 寺島 西浦 吉原 米倉 西脇 安倍 竹原

1字名 5 7 15

2字名（3字名） 3・2 3・12 3・18 5・12 5・18 6・9 6・17 7・1 7・9 7・10 8・7 8・9 8・17 13・10 13・12 14・2 14・7 14・9 14・11 21・11 22・7 1・7 3・5 8・15 11・10 11・12 15・10

名前例

- 憬15 けい
- 弓3絵12 ゆみえ
- 可5絵12 かえ
- 里7胡9 りこ
- 杏7莉10 あんり
- 依8花7 よりか
- 和8奏9 わかな
- 知8佳8美9 ちかみ

6・11

姓の例 安部 吉野 江崎 衣笠 西野 庄野 安斎 宇野 寺崎

1字名 4 6 12 20

2字名（3字名） 4・2 4・11 4・12 4・9 5・2 5・11 6・9 6・10 7・1 7・9 14・1 14・2 14・21 16・19 4・17 5・10 5・26 6・1 6・2 6・12 7・11 10・5 12・9 12・23 13・11 14・10 14・27 20・15

名前例

- 友4 とも
- 葵12 あおい
- 月4乃2 つきの
- 令5菜11 れいな
- 帆6南9 はんな
- 沙7音9 さのん
- 緋14乃2 ひの
- 妃6沙7子3 ひさこ

6・12

姓の例 安達 伊賀 多賀 伊達 羽賀 有賀 仲間 五十嵐

1字名 5 6 15

2字名（3字名） 3・2 3・10 3・12 4・1 4・2 4・9 4・11 5・1 6・9 13・2 13・10 3・18 4・7 4・17 4・25 5・2 5・10 5・12 6・1 6・7 6・11 9・12 12・9 15・2 17・12

名前例

- 舞15 まい
- ゆ3う2 ゆう
- 千3桜10 ちお
- 仁4南9 にな
- 斗4萌11 とも
- 朱6海9 あけみ
- 蓮13乃2 はすの
- 聖13華10 せいか

6・13

1字名：2　4　5　10　12　14

2字名（3字名）：4・1　4・2　4・12　5・1　5・11　14・2　2・11　3・2　3・10　3・15　4・29　5・33　8・5　8・10　8・25　10・19　10・23　12・1　12・11　18・11　20・9　20・18　22・11

姓の例：安楽　伊勢　有働　竹園　竹腰　寺園　芝園　仲溝

名前例

名前	読み
碧14	みどり
仁4乃2	にの
心4翔12	みか
叶5望11	かなみ
由5麻11	ゆま
朋8世5	ともよ
実8桜10	みお
き4よ3音9	きよね

6・14

1字名：4　15

2字名（3字名）：3・2　3・12　3・15　4・1　4・11　4・21　4・23　4・33　7・25　13・2　13・5　13・12　13・32　15・2　15・12　15・23　15・26　18・23　23・2　23・15　1・12　1・17　2・1　2・5　2・23　7・10　7・11　11・7　17・10　18・7

姓の例：江端　池端

名前例

名前	読み
せ3り2	せり
日4菜11	ひな
亜7純10	あすみ
希7望11	のぞみ
瑶13乃2	たまの
璃15湖12	りこ
巳3南9子3	みなこ
詩13央5里7	しおり

6・16

1字名：2　5　7　15　16　17

2字名（3字名）：5・18　7・9　7・18　8・5　8・7　8・15　8・17　8・27　8・33　13・26　16・7　16・25　17・18　2・5　2・15　5・10　5・11　5・12　9・7　9・26　11・5　13・10　13・32　15・1　15・2　15・10　21・18　23・2

姓の例：江頭　舟橋　八木橋

名前例

名前	読み
蕾16	つぼみ
り2な5	りな
由5真10	ゆま
杏7胡9	あこ
来7海9	くるみ
弥8生5	やよい
侑8希7	ゆうき
由5紀9子3	ゆきこ

6・18

1字名：5　7　14　15

2字名（3字名）：3・10　5・10　6・5　6・7　6・9　6・15　7・10　13・10　13・11　14・7　14・9　14・10　17・7　7・17　3・5　3・12　5・10　6・17　6・18　7・26　11・2　11・10　14・19　15・9

姓の例：安藤　伊藤　江藤　西藤　成藤　名藏

名前例

名前	読み
冬5	ふゆ
千3紘10	ちひろ
未5紗10	みさ
光6希7	みつき
早6映9	さえ
吉6穂15	よしほ
亜7莉10	あり
千3沙7子3	ちさこ

6・19

1字名：4　6　14　16

2字名（3字名）：4・2　4・9　4・12　4・19　4・29　5・1　5・11　5・18　5・27　6・1　6・2　6・10　6・21　6・27　6・32　8・19　10・17　14・18　2・11　2・21　2・31　6・26　12・1　12・11　13・10　13・19　14・2　14・19

姓の例：成瀬　早瀬　百瀬

名前例

名前	読み
元4美9	もとみ
心4耶9	みや
双4葉12	ふたば
未5彩11	みさ
朱6乃2	あやの
安6珠10	あんじゅ
実8麗19	みれい
多6季8乃2	たきの

7・3

1字名：5　14　22

2字名（3字名）：4・1　4・4　4・11　4・25　5・1　5・10　5・24　14・1　14・11　2・4　2・9　2・11　3・4　3・8　3・10　4・17　5・16　8・17　10・11　12・9　13・8　13・10　14・17　15・6　15・8　18・17

姓の例：杉山　坂口　村山　谷口　村上　佐々　辰己　助川　辰巳

名前例

名前	読み
司5	つかさ
七2海9	ななみ
ね4ね4	ねね
友4菜11	ゆうな
世5莉10	せり
実8優17	みゆ
綾14野11	あやの
加5緒14莉10	かおり

7・4

姓の例　坂井　坂元　宍戸　赤木　村井　沢井　谷内　尾方　村中

1字名　4　7　12　14　20

2字名（3字名）　7・6　7・17　9・4　20・1　20・4　1・4　1・6　2・4　2・11　2・14　2・16　3・4　3・18　4・1　7・14　11・10　12・1　12・9　13・8　13・11　17・4

名前例

- 花7　はな
- 里7瑠14　りる
- 沙7優17　さゆ
- 美9月4　みつき
- 唯11夏10　ゆいか
- 蒼13依8　あおい
- 愛13梨11　あいり
- 亜7莉10寿7　ありす

7・5

姓の例　坂本　村田　阪本　足立　沢田　児玉　杉本　阪田　佐古

1字名　6　12　20

2字名（3字名）　6・17　8・17　8・25　19・6　19・14　2・4　2・9　3・8　3・18　6・9　10・11　11・10　11・22　12・9　12・11　13・10　13・16　13・22　16・11　16・17　18・11　19・4　19・6　20・9

名前例

- 媛12　ひめ
- 千3明8　ちあき
- 朱6鞠17　しゅまり
- 有6優17　あゆ
- 紗10都11　さと
- 詞12音9　ことね
- 樹16野11　じゅの
- 早6南9依8　さなえ

7・6

姓の例　近江　佐竹　住吉　杉江　赤羽　赤池　村西　坂寺　沢吉

1字名　5　10　12

2字名（3字名）　5・6　7・4　9・9　9・14　10・6　15・9　15・17　18・14　1・17　2・9　2・16　5・11　7・11　10・1　10・8　10・22　12・6　15・1　17・8　17・18　17・28　18・6

名前例

- 出5帆6　いずほ
- 由5麻11　ゆま
- 沙7月4　さつき
- 美9虹9　みこ
- 風9歌14　ふうか
- 真10衣6　まい
- 凛15星9　りせ
- 咲9良7沙7　さらさ

7・7

姓の例　住谷　角谷　芹沢　杉村　谷村　佐伯　志村　村尾　尾形

1字名　4　10　17

2字名（3字名）　4・17　6・9　8・9　8・10　8・16　8・17　9・6　9・8　9・9　9・14　9・16　14・10　17・4　17・6　17・8　1・10　4・11　4・14　6・17　10・11　11・10　14・4　14・9　14・11

名前例

- 純10　じゅん
- 優17　ゆう
- 心4嶺17　ここね
- 汐6香9　しおか
- 奈8桜10　なお
- 知8笑10　ちえみ
- 紀9緒14　きお
- 美9樹16　みき

7・8

姓の例　花岡　我妻　杉岡　赤松　赤沼　村岡　村松　別所　別府

1字名　10　16

2字名（3字名）　5・11　5・18　7・1　7・10　7・16　7・17　8・10　8・16　9・7　9・8　9・9　10・6　10・8　15・6　15・8　15・17　17・6　3・14　7・9　8・8　8・24　13・11　13・24　21・11

名前例

- 古5都11　こと
- 寿7莉10　じゅり
- 奏9実8　かなみ
- 咲9美9　さくみ
- 歓15奈8　かんな
- 舞15佳8　まいか
- 璃15優17　りゆ
- 由5祈8子3　ゆきこ

7・9

姓の例　坂巻　赤城　赤星　赤津　谷垣　谷津

1字名　7　15　16

2字名（3字名）　4・1　4・9　4・11　4・17　6・1　6・11　7・1　7・6　7・8　7・10　7・18　14・1　14・11　15・1　15・10　15・30　16・1　2・9　2・11　2・30　6・9　6・10　7・9　8・9　8・17　9・6　9・20

名前例

- 舞15　まい
- 友4美9　ともみ
- 日4菜11　ひな
- 光6梨11　ひかり
- 花7波8　かなみ
- 沙7織18　さおり
- 冴7希7子3　さきこ
- 亜7由5夢13　あゆむ

7・10

姓の例 君島 佐原 坂倉 児島 杉浦 杉原 折原 対馬 谷脇

1字名 6 7 14 15

2字名（3字名） 5・1 5・10 5・11 6・1 6・9 6・10 6・18 7・8 7・9 8・8 15・1 15・9 15・20 1・6 1・14 3・4 7・1 7・11 8・10 11・4 13・11 14・1 15・16 15・26

名前例

名前	読み
翠14	みどり
史5恵10	ふみえ
光6夏10	みつか
衣6織18	いおり
杏7佳8	きょうか
朋8実8	ともみ
愛13梨11	あいり
妃6芽8乃2	ひめの

7・11

姓の例 佐野 尾崎 角野 坂野 杉野 赤堀 折笠 日下部

1字名 5 6 7 14

2字名（3字名） 4・1 4・9 4・11 5・1 5・8 5・10 5・12 5・18 6・9 7・8 7・22 14・1 14・9 2・9 5・6 5・16 6・11 7・10 7・14 10・11 12・1 13・10 16・1 16・11

名前例

名前	読み
円4香9	まどか
月4望11	つきみ
加5絵12	かえ
冬5陽12	ふゆひ
早6紀9	さき
来7実8	くるみ
瑠14美9	るみ
磨16菜11	まな

7・12

姓の例 君塚 佐賀 佐渡 志賀 杉森 赤塚 村越 那須 芳賀

1字名 6 12 20

2字名（3字名） 3・30 5・1 5・11 5・24 5・34 6・10 6・32 9・20 9・30 15・1 15・14 15・24 17・1 17・31 19・10 19・14 20・9 3・10 4・4 9・24 13・20 13・25 17・22 21・17

名前例

名前	読み
灯6	あかり
万3桜10	まお
史5野11	しの
朱6夏10	しゅか
穂15摘14	ほづみ
響20美9	きょうみ
さ3や3那7	さやな
万3希7子3	まきこ

7・16

姓の例 佐橋 兵頭

1字名 2 15 16

2字名（3字名） 5・24 7・8 7・9 7・18 7・28 8・8 8・17 9・6 9・16 9・26 16・8 17・8 17・18 1・17 2・6 2・16 5・20 5・30 7・17 8・16 11・14 11・18 13・16 13・25 16・9

名前例

名前	読み
蕾16	つぼみ
亜7依8	あい
初7祢9	はつね
育8実8	いくみ
美9帆6	みほ
風9羽6	ふう
加5緒14莉10	かおり
良7々3歌14	ららか

7・18

姓の例 近藤 佐藤 谷藤 尾藤 兵藤 伴藤

1字名 7

2字名（3字名） 5・1 5・8 5・11 5・18 5・28 6・10 6・17 6・26 7・1 7・6 7・9 7・16 7・20 7・25 7・26 7・31 15・1 15・8 15・17 15・18 17・6 17・10 17・16 19・8 20・18 3・4 3・20 13・10

名前例

名前	読み
伶7	れい
弓3月4	ゆづき
禾5奈8	かな
秀7香9	ひでか
里7耶9	りや
沙7樹16	さき
澄15英8	すみえ
璃15佳8	りか

7・19

姓の例 佐瀬 赤瀬 村瀬

1字名 5 6

2字名（3字名） 4・1 4・9 4・11 4・17 4・28 5・1 5・8 5・10 5・16 5・26 5・30 6・1 6・31 7・30 8・31 14・1 14・17 14・18 14・31 18・17 19・16 19・18 19・20 2・4 6・9 10・11

名前例

名前	読み
叶5	かな
汀5	なぎさ
う2た4	うた
七2心4	ななみ
礼5華10	れいか
凪6咲9	なぎさ
恵10麻11	えま
未5来7子3	みきこ

8・3

1字名 —

2字名（3字名）
8・5　8・16　10・3　12・25　13・5　13・8
20・21　21・3　2・3　3・3　3・15　4・3　4・9　5・13
5・16　8・10　8・13　12・9　14・7　15・3　15・9　18・3
18・23　21・16

姓の例 金子　松下　青山　金丸　岡山　松川　岩下　松山　金山

名前例
- ま(4)ゆ(3) まゆ
- 珠(10)子(3) たまこ
- 莉(10)々(3) りり
- 結(12)香(9) ゆうか
- 瑞(13)世(5) みずよ
- 夢(13)叶(5) ゆめか
- 愛(13)來(8) あいら
- 詩(13)依(8) しえ

8・4

1字名 —

2字名（3字名）
7・16　9・16　9・24　17・16　20・3　20・5
20・13　1・5　2・1　2・3　2・15　2・21　3・3　3・8
4・7　4・9　7・10　11・7　11・10　12・9　12・13　12・21
13・8　14・7　14・15　14・21　17・8　19・10　20・9

姓の例 青木　松井　岡元　河内　金井　武内　茂木　小田切

名前例
- 也(3)実(8) なりみ
- 友(4)里(7) ゆり
- 志(7)磨(16) しま
- 美(9)澪(16) みれい
- 美(9)鷺(24) みさぎ
- 涼(11)那(7) すずな
- 麻(11)姫(10) まき
- 耀(20)子(3) ようこ

8・5

1字名 —

2字名（3字名）
1・7　1・23　6・5　8・3　8・8　8・16
10・8　10・15　11・5　11・7　11・13　18・7　18・17　18・27
19・13　20・15　1・17　2・16　6・10　11・21　13・5　16・8
16・9　16・16　19・5

姓の例 岡田　岡本　岸本　岩田　岩本　松永　松田　松本　武田

名前例
- 羽(6)未(5) うみ
- 百(6)恵(10) ももえ
- 周(8)子(3) しゅうこ
- 晏(10)奈(8) あんな
- 夏(10)穂(15) かほ
- 清(11)愛(13) せいあ
- 悠(11)楓(13) ゆうか
- 羅(19)夢(13) らむ

8・6

1字名 —

2字名（3字名）
7・8　10・5　10・21　10・23　12・3　1・16
2・13　2・15　2・23　5・8　5・16　7・16　9・7　9・8
9・15　9・24　10・3　10・8　12・5　12・13　15・16　17・7
17・16　18・5　18・7　18・15

姓の例 河合　岡安　河西　金光　金成　国吉　松江　長江　直江

名前例
- 利(7)奈(8) りな
- 美(9)里(7) みさと
- 秋(9)穂(15) あきほ
- 真(10)央(5) まお
- 紗(10)英(8) さえ
- 創(12)子(3) そうこ
- 鞠(17)花(7) まりか
- 南(9)帆(6)美(9) なほみ

8・7

1字名 —

2字名（3字名）
6・17　8・8　1・5　1・7　1・15　1・16　1・17　6・10
8・9　8・10　8・16　9・8　9・9　9・15
10・7　10・8　11・7　1・23　8・13　9・7　11・13　14・3
14・10　16・8　17・7　18・15

姓の例 岡村　河村　金沢　松村　松尾　岩佐　松坂　三田村

名前例
- し(1)ほ(5) しほ
- 一(1)花(7) ひとか
- 光(6)華(10) みつか
- 京(8)香(9) きょうか
- 阿(8)純(10) あずみ
- 栄(9)美(9) えみ
- 玲(9)璃(15) れいり
- 栞(10)那(7) かんな

8・8

1字名 —

2字名（3字名）
9・8　9・16　5・10　5・16　7・10　7・1　8・9　9・7
10・7　10・15　16・9　3・10　3・13　7・8
7・9　7・16　8・7　8・8　8・13　10・3　10・13　13・8
16・5　16・25

姓の例 松岡　若林　板東　知念　若松　岡林　青沼　長岡　松枝

名前例
- 可(5)純(10) かすみ
- 亜(7)弥(8) あや
- 希(7)依(8) まれい
- 春(9)芽(8) はるめ
- 桃(10)花(7) ももか
- 真(10)穂(15) まほ
- 磨(16)美(9) まみ
- 美(9)紗(10)江(6) みさえ

8・9

姓の例　河津 岩城 金城 若狭 青柳 板垣 肥後 明神 和泉

1字名　—

2字名（3字名）　6・9　6・10　7・8　7・9　7・17　8・7　8・8　9・7　16・8　18・17　2・5　2・13　2・16　8・10　9・9　12・3　14・10　14・21　15・9　16・15　16・19　16・25　18・13

名前例
- 圭6音9　けいと
- 凪6紗10　なぎさ
- 伽7奈8　かな
- 里7咲9　りさ
- 初7嶺17　はつね
- 咲9希7　さき
- 篤16実8　あつみ
- 澪16奈8　れいな

8・10

姓の例　松原 松浦 雨宮 長島 長浜 板倉 門脇 小田桐

1字名　—

2字名（3字名）　5・8　5・10　6・7　6・9　6・17　6・21　7・8　8・7　8・21　8・31　19・8　1・10　3・10　5・16　6・15　7・10　8・9　8・13　8・15　8・19　11・10　13・10　14・7　14・9　15・8　15・30　17・10　19・10

名前例
- 叶5歩8　かなほ
- 由5珠10　ゆず
- 地6花7　ちか
- 有6紀9　ゆき
- 沙7和8　さわ
- 知8鶴21　ちづる
- 羅19奈8　らな
- 麗19佳8　れいか

8・11

姓の例　阿部 岡部 河野 岩崎 牧野 岡崎 服部 日比野

1字名　—

2字名（3字名）　6・10　7・9　10・3　10・23　16・13　20・9　21・8　22・16　2・3　2・16　4・9　5・8　5・13　10・8　10・19　12・17　12・21　13・3　13・16　14・15　14・24　20・13　21・17

名前例
- 月4架9　つきか
- 冬5芽8　ふゆめ
- 由5愛13　ゆあ
- 有6姫10　ゆき
- 沙7耶9　さや
- 恭10子3　きょうこ
- 朱6々3花7　すずか
- 沙7千3帆6　さちほ

8・12

姓の例　岩間 金森 松隈 松森 松葉 長塚 的場 武富 門間

1字名　—

2字名（3字名）　5・10　5・13　6・9　6・19　6・21　6・31　15・10　15・23　17・10　17・15　17・21　19・13　1・10　3・10　3・15　3・24　4・7　4・17　5・16　6・5　6・15　9・8　12・9　12・13　13・5　13・25　15・17　17・24

名前例
- 円4花7　まどか
- 可5純10　かすみ
- 礼5愛13　れあ
- 安6耶9　あや
- 紅9実8　くみ
- 舞15桜10　まお
- 凛15夏10　りんか
- 優17莉10　ゆり

8・14

姓の例　河端 宗像

1字名　—

2字名（3字名）　7・16　9・7　9・16　10・3　10・5　10・13　10・15　10・25　10・31　17・24　18・21　18・23　1・15　1・16　2・5　2・13　2・15　3・13　4・7　4・13　4・21　4・31　7・10　10・29　11・24　13・3　15・8　18・17　19・16

名前例
- 水4希7　みずき
- 仁4那7　にな
- 亜7樹16　あき
- 映9里7　えり
- 紗10々3　ささ
- 莉10永5　りえ
- 想13子3　そうこ
- 希7代5加5　きよか

8・16

姓の例　岩橋 松橋 長橋 板橋

1字名　—

2字名（3字名）　5・8　5・16　5・19　7・8　8・3　8・7　15・8　15・9　16・5　16・7　16・8　16・17　16・23　16・25　17・24　1・16　2・9　2・15　7・16　7・17　8・5　8・15　8・16　8・25　9・24　13・8　17・7　17・16

名前例
- 七2虹9　ななこ
- 乃2映9　のえ
- 未5怜8　みれい
- 亜7依8　あい
- 実8子3　みこ
- 芽8生5　めい
- 采8花7　ことか
- 沙7久3楽13　さくら

8・18

1字名 —

2字名（3字名） 6・5　6・7　6・9　6・15　6・25　6・29　7・8　7・30　9・30　15・16　15・17　15・30　19・16　20・15　20・17　20・19　20・25　3・8　3・10　5・8　5・10　11・10　11・21　11・30　13・19　14・7　14・17

姓の例 周藤　松藤　武藤

名前例

- 礼5実8　れみ
- 名6央5　なお
- 有6矢5　あや
- 安6里7　あんり
- 帆6那7　はんな
- 芹7奈8　せりな
- 里7歩8　りほ
- 史5奈8乃2　しなの

8・19

1字名 —

2字名（3字名） 2・3　6・5　10・8　10・15　10・21　12・9　13・8　2・9　2・16　2・23　4・7　4・17　4・21　5・13　5・16　6・15　12・19　13・5　14・7　16・5　16・15　16・25　18・13

姓の例 河瀬　岩瀬　長瀬

名前例

- り2ら3　りら
- 七2夕3　なゆ
- 有6未5　ゆみ
- 朱6璃15　しゅり
- 恵10佳8　けいか
- 真10実8　まみ
- 愛13果8　あいか
- 有6芽8花7　ゆめか

9・3

1字名 —

2字名（3字名） 8・15　10・15　20・4　21・4　2・4　2・9　3・2　3・8　3・20　4・2　4・7　5・6　5・12　5・16　5・24　8・9　12・9　13・8　13・12　13・20　14・7　15・6　18・7

姓の例 秋山　前川　荒川　香川　相川　皆川　柳川　小早川

名前例

- 可5憐16　かれん
- 祈8穂15　きほ
- 佳8凛15　かりん
- 真10輝15　まき
- 琴12音9　ことね
- 新13奈8　にいな
- 瑞13葵12　みずき
- 英8莉10可5　えりか

9・4

1字名 —

2字名（3字名） 1・4　1・7　1・15　2・6　2・16　2・22　7・4　9・2　9・15　11・7　11・14　12・4　12・6　12・12　17・7　20・4　2・9　3・15　3・22　4・4　4・12　12・20　17・7　17・15　19・6　19・16

姓の例 荒井　荒木　浅井　柏木　秋元　春日　畑中　竹之内

名前例

- 希7予4　きよ
- 柑9七2　かんな
- 香9穂15　かほ
- 悠11希7　ゆき
- 彩11歌14　あやか
- 晶12絵12　あきえ
- 鞠17花7　まりか
- 梨11央5音9　りおね

9・5

1字名 —

2字名（3字名） 1・6　1・16　6・15　8・7　8・15　8・16　10・7　10・8　10・14　10・15　11・4　11・6　11・7　11・12　11・14　19・2　19・12　20・4　1・14　3・8　3・12　13・12　16・7　18・7　19・4

姓の例 前田　神田　津田　柿本　飛田　秋田　柳生　柳田　浅田

名前例

- 汐6璃15　しおり
- 奈8那7　なな
- 若8穂15　わかほ
- 夏10希7　なつき
- 梨11杏7　りあん
- 麻11琴12　まこと
- 深11結12　みゆ
- 彩11寧14　あやね

9・6

1字名 —

2字名（3字名） 1・7　1・15　2・4　2・6　2・14　7・9　7・16　9・8　9・14　9・15　10・7　10・8　11・6　11・7　17・15　17・16　18・6　18・14　18・15　5・12　10・6　10・22　15・9　19・14

姓の例 香西　室伏　秋吉　春名　津曲　相羽　畑仲　荒池　津寺

名前例

- 佐7保9　さほ
- 紅9寧14　あかね
- 美9緒14　みお
- 香9澄15　かすみ
- 栞10里7　しおり
- 悠11衣6　ゆい
- 渓11花7　けいか
- 優17璃15　ゆうり

9・7

姓の例　神谷　浅利　染谷　相良　保坂　柳沢　相沢　津村　浅尾

1字名　—

2字名（3字名）
1・4　1・6　1・7　1・14　1・16　1・24
1・28　8・9　9・4　9・6　9・8　9・16　10・6　10・7
10・15　11・4　11・6　11・14　11・18　16・15　16・16　17・4
17・8　17・14　17・15　17・24　18・7　20・9　8・8　8・15　9・7

名前例

名前	読み
乙1芭7	おとは
歩8美9	あゆみ
香9帆6	かほ
美9雨8	みう
麻11衣6	まい
環17佳8	わか
優17奈8	ゆな
麻11由5美9	まゆみ

9・8

姓の例　柿沼　香取　室岡　重松　神長　神林　浅岡　浅沼　柳沼

1字名　—

2字名（3字名）
7・8　7・9　8・7　8・8　8・16　9・6
9・7　9・26　10・6　17・7　17・18　19・16　21・20　3・18
5・16　9・9　10・8　13・8　13・18　15・9　15・16　15・20
16・8

名前例

名前	読み
那7実8	なみ
知8花7	ちか
美9舟6	みふね
星9来7	せら
華10帆6	かほ
蓮13奈8	れんな
舞15香9	まいか
優17杏7	ゆあん

9・9

姓の例　荒巻　神保　浅海　浅香　前畑　保科　草津　秋津　神津

1字名　—

2字名（3字名）
6・7　6・9　7・6　7・8　7・16　8・7
8・9　9・6　16・7　2・4　2・9　2・15　4・7　4・9
6・15　7・4　7・14　8・15　9・8　9・18　12・9　12・15
15・8

名前例

名前	読み
仁4花7	にか
宇6沙7	うさ
成6美9	なるみ
希7和8	きわ
佑7依8	ゆい
沙7樹16	さき
珂9帆6	かほ
絢12香9	あやか

9・10

姓の例　秋庭　神宮　浅倉　前原　前島　相原　相馬　津島　柏原

1字名　—

2字名（3字名）
7・9　5・8　6・7　6・12　7・9　1・4
1・12　3・2　3・15　3・26　5・24　7・6　8・8　11・2
11・7　13・16　14・4　14・15　15・14　15・18　15・23　21・8

名前例

名前	読み
未5奈8	みな
妃6冴7	ひさ
有6沙7	ありさ
百6瑛12	もえ
希7咲9	きさき
幸8奈8	ゆきな
和8実8	なごみ
有6以5花7	ゆいか

9・11

姓の例　星野　浅野　前野　柿崎　神崎　南部　狩野　草野　柏崎

1字名　—

2字名（3字名）
6・9　6・12　7・8　7・18　7・20　7・30
10・22　16・2　16・9　16・22　16・29　20・12　21・20　2・9
2・15　2・30　4・9　4・28　5・12　5・8　5・20　5・22
10・8　12・9　12・20　13・2　13・12　13・28　18・14

名前例

名前	読み
由5季8	ゆき
成6美9	なるみ
羽6奏9	わかな
色6葉12	いろは
沙7織18	さおり
橙16乃2	とうの
蕾16咲9	らいさ
花7梨11美9	かりみ

9・12

姓の例　秋葉　重富　城間　浅賀　相場　草間　草場　南雲　風間

1字名　—

2字名（3字名）
1・2　1・23　1・30　9・2　9・15　11・20
12・4　12・12　17・14　19・12　20・4　1・7　3・14　3・24
4・4　4・12　4・20　4・23　5・12　5・32　6・12　9・22
13・14　13・24　15・12　15・22

名前例

名前	読み
レ1イ2	れい
一1乃2	いちの
心4温12	みおん
美9七2	みな
結12月4	ゆづき
森12絵12	もりえ
晴12陽12	はるひ
今4日4果8	きょうか

9・16

1字名 —

2字名（3字名） 1・6　1・7　1・15　1・26　2・4　2・6　2・14　7・6　7・9　7・16　8・8　8・15　8・24　9・4　9・7　9・14　9・18　9・24　9・29　11・2　11・16　17・16　19・4　19・14　21・6　22・16　5・2　5・18　15・8　16・16

姓の例 草薙　美濃　柳橋

名前例

名前	読み
乙[1]帆[6]	いつほ
一[1]那[7]	かずな
二[2]江[6]	にえ
希[7]衣[6]	きい
沙[7]哉[9]	さや
那[7]映[9]	なえ
果[8]歩[8]	かほ
祐[9]月[4]	ゆづき

9・18

1字名 —

2字名（3字名） 7・18　9・16　11・7　17・8　19・6　21・20　3・2　3・8　3・15　3・28　5・20　6・12　7・14　7・24　9・9　9・29　11・14　13・8　13・18　13・28　14・7　15・6　15・26　19・2　19・12　20・18

姓の例 後藤　海藤　首藤　神藤

名前例

名前	読み
里[7]緒[14]	りお
郁[9]美[9]	いくみ
香[9]耶[9]	かや
萌[11]杏[7]	もあ
渚[11]沙[7]	なぎさ
澄[15]帆[6]	すみほ
璃[15]衣[6]	りい
優[17]季[8]	ゆうき

9・19

1字名 —

2字名（3字名） 6・7　6・18　6・29　10・29　19・16　19・20　20・9　20・15　2・9　2・22　4・9　4・20　5・2　5・6　5・8　5・28　5・30　8・29　12・12　12・23　13・16　13・20　13・26　16・8　19・18

姓の例 荒瀬　柳瀬

名前例

名前	読み
心[4]香[9]	みか
日[4]香[9]	にちか
由[5]宇[6]	ゆう
玉[5]季[8]	たまき
在[6]沙[7]	ありさ
早[6]織[18]	さおり
絵[12]湖[12]	えこ
有[6]起[10]奈[8]	ゆきな

10・3

1字名 —

2字名（3字名） 2・1　2・6　2・14　3・8　3・13　3・15　3・21　8・16　10・1　10・3　10・6　12・6　13・5　15・1　20・5　20・15　5・11　10・8　10・14　14・21　15・3　18・6　18・14　22・13

姓の例 高山　畠山　宮下　宮川　浦上　益子　浜口　高久　真下

名前例

名前	読み
乃[2]羽[6]	のわ
姫[10]々[3]	きき
真[10]帆[6]	まほ
紗[10]江[6]	さえ
遥[12]衣[6]	はるえ
想[13]代[5]	そよ
愛[13]禾[5]	あいか
す[3]ず[5]奈[8]	すずな

10・4

1字名 —

2字名（3字名） 1・6　2・1　2・5　2・13　2・15　2・23　9・6　9・14　9・15　11・6　11・13　11・14　11・27　12・3　12・5　12・6　12・11　12・13　17・14　2・19　3・8　4・11　7・8　7・14　9・22　14・11　14・19

姓の例 酒井　高木　桜井　宮内　高井　速水　陣内　佐々木

名前例

名前	読み
十[2]愛[13]	とあ
美[9]嘉[14]	みか
玲[9]緒[14]	れお
香[9]澄[15]	かすみ
琴[12]子[3]	ことこ
雲[12]雀[11]	ひばり
優[17]歌[14]	ゆうか
瑛[12]心[4]香[9]	えみか

10・5

1字名 6　10　12　16

2字名（3字名） 1・7　2・6　2・14　3・5　3・14　3・15　8・8　8・15　10・7　10・13　10・14　11・6　11・7　11・13　12・5　12・6　13・3　13・5　20・3　20・13　6・11　10・6　13・11　16・21

姓の例 宮本　根本　原田　高田　柴田　島田　夏目　桐生　倉本

名前例

名前	読み
姫[10]	ひめ
夕[3]寧[14]	ゆうね
恵[10]利[7]	えり
留[10]愛[13]	るあ
梨[11]楽[13]	りら
瑚[13]子[3]	ここ
継[13]未[5]	つぐみ
詩[13]史[5]	しふみ

10・6

姓の例 宮西 宮地 桑名 高安 倉地 浜地 浜名 浦安 時任

1字名 2 5 7 15 17

2字名（3字名） 1・4 1・15 2・3 2・13 2・14 2・15 7・8 11・6 12・3 12・13 12・23 17・6 17・8 19・6 2・11 2・21 5・8 5・11 9・6 9・14 11・5 11・14 12・11 18・3 18・7

名前例

名前	読み
翼17	つばさ
七2 樺14	ななか
初7 奈8	はつな
望11 羽6	みう
温12 子3	あつこ
優17 依8	ゆい
瀬19 名6	せな
智12 恵10 子3	ちえこ

10・7

姓の例 宮沢 宮里 高見 高坂 高村 高尾 唐沢 島村 脇坂

1字名 4 6 14 16

2字名（3字名） 1・5 1・15 8・7 8・8 9・6 9・7 9・15 10・5 10・6 10・8 11・5 18・6 1・6 1・7 4・3 4・11 8・13 11・7 10・21 14・1 14・7 14・17 16・8 17・7

名前例

名前	読み
心4	こころ
し1 ほ5	しほ
乙1 穂15	おとほ
朋8 芭7	ともは
笑10 依8	えみい
桧10 奈8	ひな
理11 世5	りせ
織18 衣6	おりえ

10・8

姓の例 栗林 高岡 高松 根岸 峰岸 宮武 高取 兼松 浜岡

1字名 5 7 15 17

2字名（3字名） 7・6 7・8 8・5 8・7 8・15 9・6 9・8 10・5 17・6 21・8 3・3 3・8 3・14 5・1 5・6 5・8 7・14 8・3 8・13 10・1 10・3 10・7 10・11 13・8

名前例

名前	読み
舞15	まい
杏7 名6	あんな
美9 朱6	みあか
咲9 來8	さくら
恵10 見7	えみ
鈴13 佳8	りんか
千3 亜7 希7	ちあき
怜8 衣6 沙7	れいさ

10・9

姓の例 高畑 桧垣 高柳 倉持 島津 酒巻 宮城 梅津 宮前

1字名 2 4 6 12 14

2字名（3字名） 2・11 8・8 9・7 2・3 2・14 4・1 4・14 4・25 4・29 6・7 6・27 7・11 8・5 8・25 9・8 9・29 12・6 12・21 15・1 15・23 16・17 16・22 18・15

名前例

名前	読み
綾14	あや
綸14	りん
七2 菜11	なな
幸8 果8	さちか
玲9 見7	れみ
咲9 幸8	さゆき
美9 苑8	みその
芽8 以5 子3	めいこ

10・10

姓の例 桑原 栗原 高島 荻原 梅原 高倉 宮脇 宮原 桜庭

1字名 7 17

2字名（3字名） 7・8 7・11 7・31 8・7 8・17 8・19 8・29 11・21 17・1 17・8 17・28 19・8 19・22 19・28 21・11 22・19 3・8 3・29 5・8 5・13 6・7 6・11 6・15 8・3 13・8 13・19 14・1 14・7 14・11 15・3

名前例

名前	読み
瞳17	ひとみ
吉6 花7	きっか
羽6 琉11	はる
希7 望11	のぞみ
和8 花7	のどか
実8 優17	みゆ
優17 果8	ゆうか
央5 羽6 花7	おうか

10・11

姓の例 宮崎 高野 高梨 柴崎 高崎 島袋 浜崎 小谷野

1字名 2 10 12 20

2字名（3字名） 2・1 2・14 2・22 2・29 10・1 10・21 12・19 13・11 18・13 21・3 4・13 4・14 4・23 5・1 5・3 5・11 6・5 6・11 7・11 14・13 16・21 18・6

名前例

名前	読み
桜10	さくら
恋10	れん
七2 緒14	ななお
心4 夢13	ここむ
文4 寧14	あやね
百6 永5	もえ
衣6 世5	いよ
日4 沙7 衣6	ひさえ

10・12

1字名：17

2字名（3字名）：1・14　1・15　1・22　9・14　11・5　11・14　12・3　12・13　12・23　12・29　17・22　19・22　3・14　3・22　4・3　4・11　4・19　4・31　5・6　5・11　6・1　6・5　6・7　6・19　6・29　9・8　13・3　13・22　15・1　20・5

姓の例：鬼塚　宮森　高階　高須　高塚　座間　馬場　佐久間

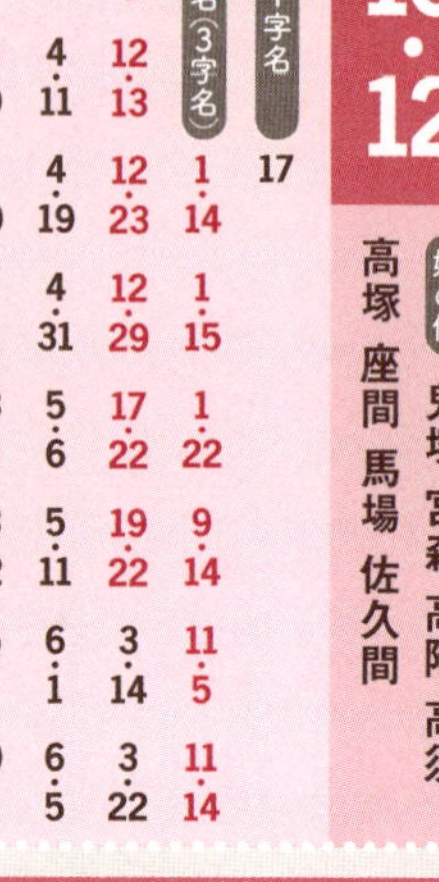

名前例

- 環17　たまき
- 一1寧14　ひとね
- 香9摘14　かづみ
- 美9静14　みしず
- 絢12子3　あやこ
- 翔12子3　しょうこ
- 楽13々3　らら
- 鈴13与3　すずよ

10・13

1字名：2　10　22

2字名（3字名）：2・6　2・13　2・14　2・22　2・23　3・3　3・5　3・13　3・15　3・21　3・22　8・21　10・5　10・6　10・8　10・15　10・25　10・28　11・5　11・14　12・3　12・6　12・13　12・23　18・6　19・5　20・5　20・15　22・3　22・13

姓の例：宮園　宮腰　宮路　能勢

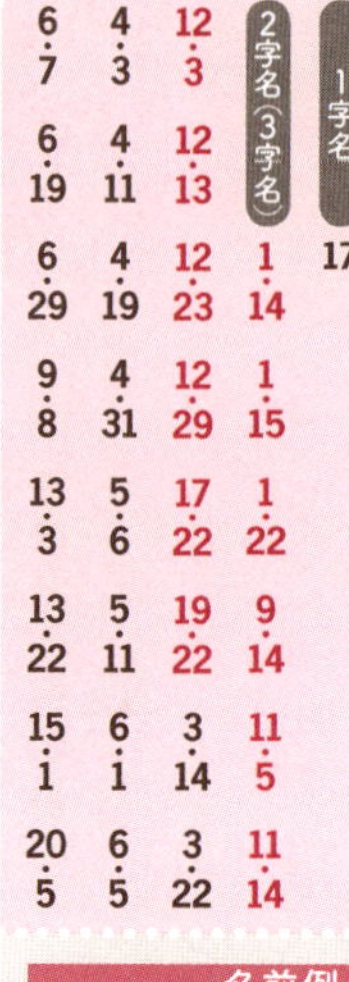

名前例

- 恵10　めぐみ
- もも3 3　もも
- 千3暖13　ちはる
- 夕3璃15　ゆり
- 華10代5　かよ
- 麻11央5　まお
- 依8緒14里7　いおり
- 真10希7依8　まきえ

10・16

1字名：5　7　15

2字名（3字名）：1・5　1・6　1・14　2・3　2・5　2・13　7・6　7・8　7・14　7・28　8・3　8・5　8・7　8・23　9・28　11・28　17・14　17・15　17・28　2・19　5・8　5・27　9・6　15・6　15・17　16・15

姓の例：高橋　鬼頭　真壁　倉橋　倉澤　夏樹　宮澤　峰橋　梅澤

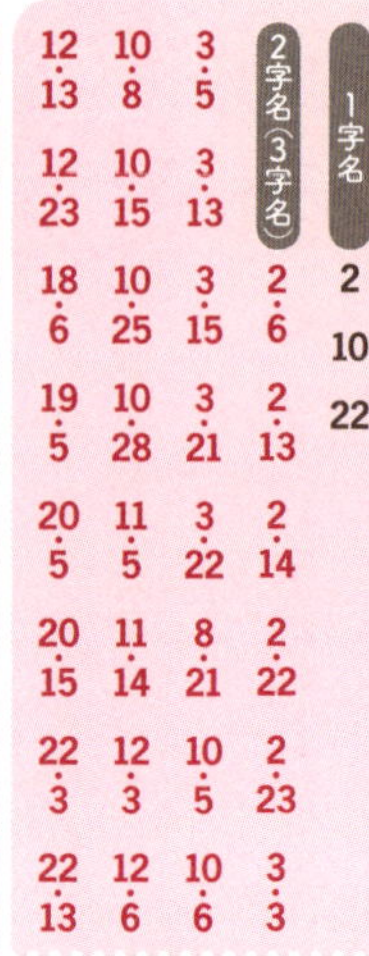

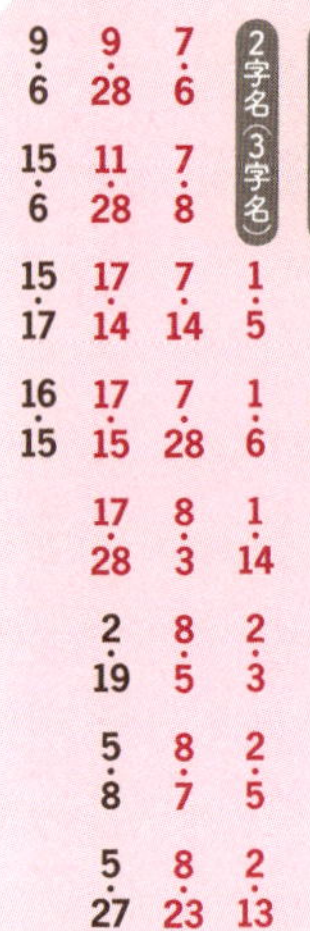

名前例

- 礼5　れい
- 花7　はな
- 十2愛13　とあ
- 寿7奈8　じゅな
- 沙7綾14　さあや
- 祈8生5　きい
- 和8花7　わか
- 侑8李7　ゆうり

10・17

1字名：—

2字名（3字名）：1・5　8・17　10・15　12・6　12・19　12・29　18・7　20・5　22・19　1・7　1・17　4・7　4・17　4・27　6・15　6・19　6・35　7・14　7・31　8・3　10・8　10・28　14・7　14・27　15・6　16・15　16・35

姓の例：真鍋　与那嶺

名前例

- 夏10奈8　かな
- 悦10穂15　えつほ
- 結12宇6　ゆう
- 琴12羽6　ことは
- 瑠14李7　るり
- 藍18沙7　あいさ
- 明8花7莉10　あかり
- 真10衣6香9　まいか

10・19

1字名：2　10　12

2字名（3字名）：2・1　2・21　2・27　8・21　8・31　10・8　10・19　10・22　10・28　10・29　12・11　13・19　19・19　20・19　2・14　4・2　4・19　4・28　5・1　5・11　6・17　8・8　13・3　22・7　22・17

姓の例：高瀬　与那覇

名前例

- 心4乃2　ここの
- はる4 2　はる
- 百6優17　もゆ
- 夏10波8　かなみ
- 桃10実8　ももみ
- 愛13羅19　あいら
- 友4姫10美9　ゆきみ
- 貴12英8子3　きえこ

11・2

1字名：—

2字名（3字名）：1・4　1・10　1・24　1・34　3・2　3・5　3・13　3・21　3・22　4・4　4・12　4・14　4・20　4・21　11・5　11・14　11・24　13・5　13・22　14・4　14・10　14・21　19・5　19・13　19・20　21・4　21・14　21・24　11・13　11・21

姓の例：猪又　鹿又　菅又

名前例

- 一1紗10　かずさ
- すず3 5　すず
- 千3世5　ちよ
- 木4葉12　このは
- 緋14月4　ひづき
- 綾14紗10　あやさ
- 麗19加5　れいか
- 羅19夢13　らむ

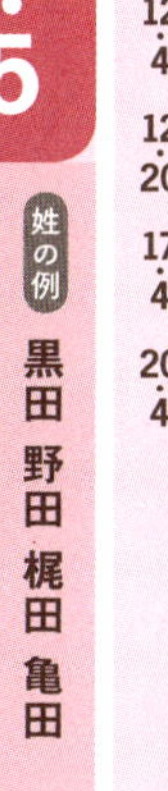

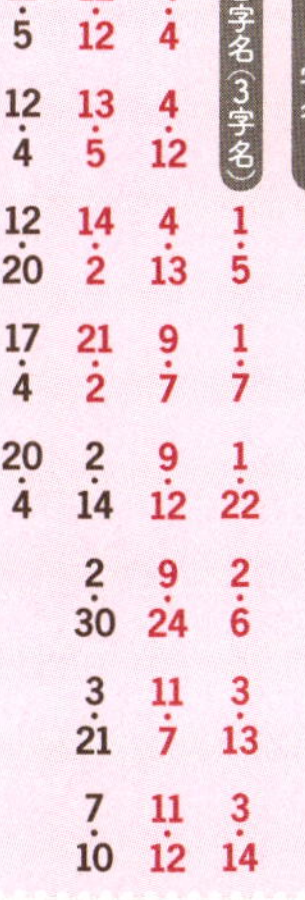
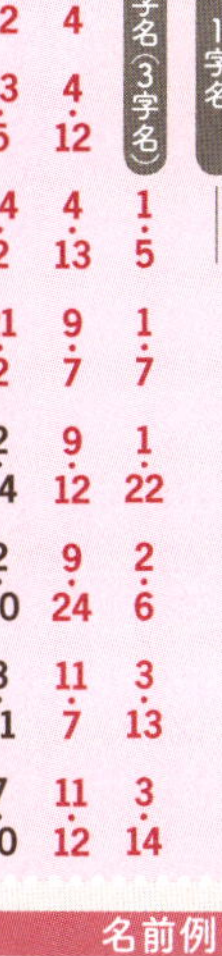

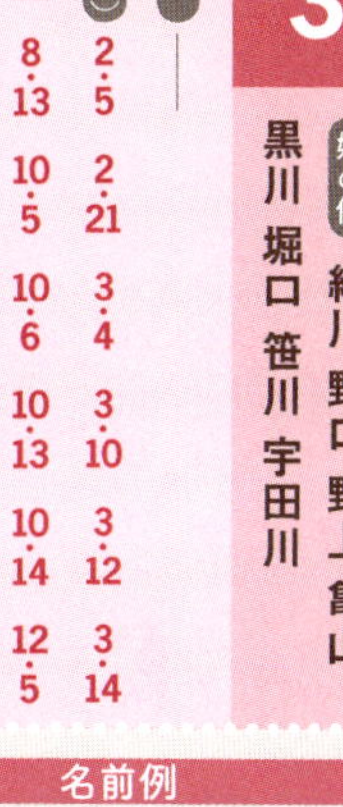
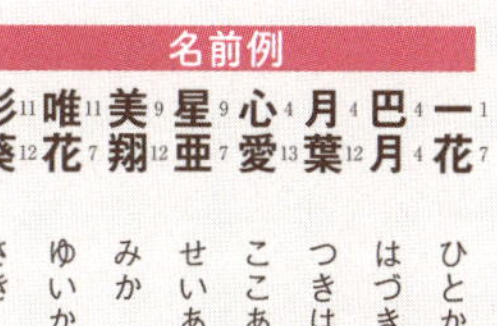

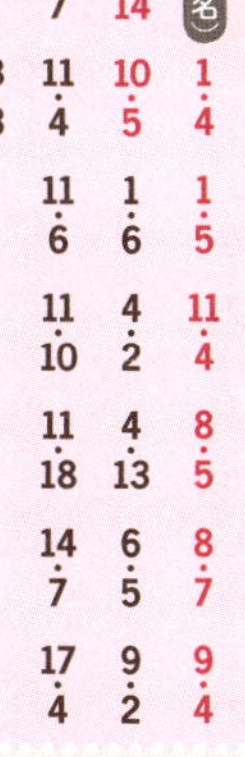

11・3

1字名 —

2字名（3字名）
2・5　2・21　3・4　3・10　3・12　3・14
3・20　3・22　8・13　10・5　10・6　10・13　10・14　12・5
12・6　12・12　12・13　13・5　18・5　4・7　5・10　8・7
8・10　13・10　14・7　15・6　18・13　18・7　20・5

姓の例 細川 野口 野上 亀山 黒川 堀口 笹川 宇田川

名前例

名前	画数	読み
千景	3・12	ちかげ
万緒	3・14	まお
未莉	5・10	みり
珠楽	10・13	しゅら
笑瑠	10・14	えみる
温絵	12・12	はるえ
結愛	12・13	ゆあ
智恵乃	12・10・2	ちえの

11・4

1字名 —

2字名（3字名）
1・5　1・7　1・22　2・6　3・13　3・14
4・4　4・12　4・13　9・7　9・12　9・24　11・7　11・12
12・12　13・5　14・2　21・2　2・14　2・30　3・21　7・10
11・5　12・4　12・20　17・4　20・4

姓の例 清水 望月 堀内 野中 笠井 亀井 黒木 和久井

名前例

名前	画数	読み
一花	1・7	ひとか
巴月	4・4	はづき
月葉	4・12	つきは
心愛	4・13	ここあ
星亜	9・7	せいあ
美翔	9・12	みか
唯花	11・7	ゆいか
彩葵	11・12	さき

11・5

1字名 —

2字名（3字名）
1・7　3・4　3・13　3・14　3・22　10・7
10・13　11・6　11・10　12・5　18・7　19・6　1・4　1・14
2・27　3・2　3・12　6・7　6・10　8・7　8・13　10・5
11・14　13・4　13・12　13・18　16・5　16・7　19・4　20・5

姓の例 黒田 野田 梶田 亀田 堀田 麻生 野本 大和田

名前例

名前	画数	読み
夕寧	3・14	ゆうね
有沙	6・7	ありさ
紗那	10・7	さな
莉夢	10・13	りむ
絆名	11・6	はんな
理桜	11・10	りお
愛心	13・4	めぐみ
千亜希	3・7・7	ちあき

11・6

1字名 —

2字名（3字名）
1・5　1・14　1・34　2・4　2・13　2・14
9・6　9・7　9・26　10・5　10・6　10・14　11・4　11・5
11・24　12・4　1・6　1・7　2・5　2・6　2・16　11・7
12・6　17・14　17・7　18・6　18・13　19・5

姓の例 菊池 葛西 菊地 細江 鳥羽 堀江 堀池 野地

名前例

名前	画数	読み
乃愛	2・13	のあ
美帆	9・6	みほ
柚希	9・7	ゆずき
真生	10・5	まお
皐月	11・4	さつき
唯心	11・4	ゆいみ
爽由	11・5	さゆ
麗加	19・5	れいか

11・7

1字名 —

2字名（3字名）
1・4　1・5　11・4　8・5　8・7　9・4
9・6　9・14　10・5　1・6　4・2　4・13　6・5　9・2
9・12　10・7　11・4　11・6　11・10　11・18　14・7　17・4
17・6　18・5　18・13

姓の例 渋谷 野村 黒沢 逸見 魚住 曽我 野沢 深沢 野呂

名前例

名前	画数	読み
早代	6・5	さよ
実那	8・7	みな
春日	9・4	はるか
柚羽	9・6	ゆずは
美颯	9・14	みはや
珠央	10・5	みお
倫那	10・7	りんな
涼華	11・10	すずか

11・8

1字名 —

2字名（3字名）
3・10　3・30　9・7　9・20　9・30　10・6
10・28　13・20　19・10　19・20　21・27　23・6　23・16　24・5
3・2　5・28　7・6　7・26　8・5　8・10　8・30　13・5
15・18　17・21　21・18

姓の例 笠松 亀岡 黒岩 黒沼 笹岡 笹沼 菅沼 猪股 鳥居

名前例

名前	画数	読み
万桜	3・10	まお
杏名	7・6	あんな
弥生	8・5	やよい
音亜	9・7	おとあ
夏妃	10・6	なつき
舞織	15・18	まおり
麗紋	19・10	れもん
そよ花	3・3・7	そよか

11・9

1字名
—

2字名（3字名）
2・30　9・12　12・20　18・7　18・20　18・27
20・7　20・18　20・21　20・27　22・10　4・7　4・21　4・28
6・7　6・12　6・21　7・6　7・10　7・18　7・20　8・7
8・10　9・6　9・16　12・13　14・7　14・18　15・6

姓の例
黒柳　深津　船津　猪狩　猪俣　鳥海　野津　阿久津

名前例

名前	画数	読み
帆希	6・7	ほまれ
有喜	6・12	ゆき
朱葉	6・12	あやは
咲絢	9・12	さあや
美澪	9・16	みれい
藍里	18・7	あいり
耀花	20・7	あきか
美々香	9・3・9	みみか

11・10

1字名
—

2字名（3字名）
1・2　3・13　3・21　3・28　11・13　13・18
14・2　14・4　14・10　19・12　19・18　22・2　1・10　1・30
5・12　5・13　5・22　6・2　6・10　6・21　7・4　7・10
7・30　8・10　11・20　15・2　15・12　17・10　21・10

姓の例
菅原　梶原　笹原　曽根　笠原　鹿島　小河原　小松原

名前例

名前	画数	読み
千暖	3・13	ちはる
羽七	6・2	はな
衣純	6・10	いずみ
菖蒲	11・13	あやめ
雪路	11・13	ゆきじ
碧乃	14・2	あおの
綾夏	14・10	あやか
三紗都	3・10・11	みさと

11・11

1字名
—

2字名（3字名）
2・13　2・14　2・21　10・13　12・4　12・13
13・2　13・10　13・12　13・22　13・28　18・21　20・21　21・2
4・7　4・13　4・21　5・10　5・30　6・10　7・18　7・28
14・2　16・7　20・5　21・10

姓の例
黒崎　紺野　鹿野　菅野　堀部　野崎　細野　羽田野

名前例

名前	画数	読み
二瑚	2・13	にこ
月花	4・7	つきか
叶恋	5・10	かれん
有姫	6・10	ゆき
葉月	12・4	はづき
瑞姫	13・10	たまき
睦恵	13・10	むつえ
多季乃	6・8・2	たきの

11・12

1字名
—

2字名（3字名）
1・5　1・14　1・24　1・34　3・5　3・12
3・13　3・21　3・22　4・2　4・4　4・12　4・14　4・20
4・21　9・20　11・4　11・14　11・24　19・10　20・4　21・4
5・20　6・12　6・18　9・6　9・7　11・13　15・20　17・7

姓の例
笠間　黒須　笹森　船越　張替　鳥越　堀越　堀場　野間

名前例

名前	画数	読み
さほ	3・5	さほ
万結	3・12	まゆ
水月	4・4	みづき
円歌	4・14	まどか
光葉	6・12	みつは
美寿	9・7	びじゅ
娃里	9・7	あいり
菜摘	11・14	なつみ

11・13

1字名
—

2字名（3字名）
2・5　2・6　2・13　2・21　2・22　3・2
3・4　3・5　3・10　3・12　3・14　3・20　3・21　3・30
3・34　8・5　8・13　8・16　10・5　11・2　11・4　11・10
11・30　12・5　12・12　12・21　18・5　18・6　5・6　10・13

姓の例
設楽　淡路　猪飼　鳥飼

名前例

名前	画数	読み
千鶴	3・21	ちづる
茉由	8・5	まゆ
果椰	8・13	かや
章乃	11・2	あきの
萌友	11・4	もゆ
結瑛	12・12	ゆえ
琴惺	12・12	ことせ
知紗子	8・10・3	ちさこ

11・16

1字名
—

2字名（3字名）
1・4　1・5　1・24　2・4　9・16　13・5
13・18　13・28　19・6　21・4　22・16　1・7　2・6　2・16
2・36　5・6　5・13　5・16　5・26　7・14　8・13　9・2
11・10　11・20　13・12　15・6　16・5　21・10

姓の例
船橋　都築　八重樫　小板橋

名前例

名前	画数	読み
乙心	1・4	おとみ
しず	2・5	しず
七帆	2・6	ななほ
永瑚	5・13	えこ
芭瑠	7・14	はる
里寧	7・14	りね
咲樹	9・16	さき
鈴禾	13・5	りんか

11・18

姓の例 斎藤 進藤 清藤 細藤 野藤 黒藤 笹藤 常藤

1字名 —

2字名（3字名） 3・20 9・7 9・20 9・30 11・7 11・27 13・10 14・18 19・10 19・20 3・5 5・13 5・18 6・2 6・10 6・26 7・16 9・14 11・5 11・18 11・28 13・5 14・2 14・4 17・6 21・18

名前例

名前	読み
千3加5	ちか
そ3な5	そな
帆6乃2	ほの
多6笑10	たえみ
音9里7	ねり
梨11花7	りんか
愛13莉10	あいり
伊6玖7子3	いくこ

11・19

姓の例 黒瀬 深瀬 猪瀬 野瀬 堀瀬 清瀬 細瀬 菊瀬

1字名 —

2字名（3字名） 10・7 12・21 13・20 2・5 2・6 2・13 2・16 4・7 5・6 5・10 5・12 5・28 6・5 6・12 10・5 10・13 12・5 12・6 13・2 13・4 13・5 14・21 16・2

名前例

名前	読み
友4希7	ゆき
玉5妃6	たまき
礼5衣6	れい
早6稀12	さき
哩10代5	りよ
恵10里7	えり
葵12生5	あおい
真10由5乃2	まゆの

12・2

姓の例 勝又

1字名 4

2字名（3字名） 1・20 3・4 3・12 3・15 3・20 3・21 4・3 4・11 4・13 4・19 4・20 4・21 4・23 4・29 9・12 9・15 11・4 11・20 13・11 13・12 13・20 19・4 19・5 19・12 21・4 22・1 22・3 6・5 6・17 11・12

名前例

名前	読み
文4	あや
心4麗19	みれい
風9結12	ふゆ
咲9穂15	さほ
新13菜11	にいな
愛13翔12	あいか
瑞13絵12	みずえ
香9耶9子3	かやこ

12・3

姓の例 森山 森川 森下 奥山 景山 越川 最上 葉山

1字名 —

2字名（3字名） 2・1 3・21 10・6 12・6 12・12 12・21 13・11 15・1 15・3 20・4 20・17 21・3 21・12 2・4 2・6 4・4 4・12 4・13 4・20 5・3 5・11 5・19 8・9 12・4 13・3 13・19 18・6 22・11

名前例

名前	読み
晴12妃6	はるひ
絢12葉12	あやは
森12絵12	もりえ
鼓13々3	ここ
照13子3	しょうこ
愛13菜11	あいな
凛15々3	りり
憬15子3	けいこ

12・4

姓の例 奥井 植木 森井 森内 朝日 棟方 筒井 津久井

1字名 2 7 17

2字名（3字名） 1・12 3・12 3・13 4・1 4・4 4・11 4・12 4・13 4・21 9・4 11・6 11・12 12・5 13・3 13・12 14・1 14・11 2・3 2・13 4・9 7・6 7・9 9・6 11・4 12・9 14・4 14・9 14・17 19・6 20・1

名前例

名前	読み
小3晴12	こはる
双4葉12	ふたば
仁4絵12	ひとえ
美9天4	みそら
鈴13子3	すずこ
愛13結12	あゆ
都11姫10乃2	つきの
瑚13々3祢9	ここね

12・5

姓の例 奥田 植田 森田 塚本 渡辺 飯田 富永 久保田

1字名 6 10 16 20

2字名（3字名） 3・3 3・12 3・13 10・5 10・6 11・4 11・5 11・13 12・3 12・4 13・3 2・6 3・4 3・5 3・21 6・9 6・12 6・25 10・11 12・6 13・5 16・15 16・19 18・6 18・17 19・5 20・4

名前例

名前	読み
桜10	さくら
樹16	いつき
さ3ら3	さら
莉10世5	りせ
真10衣6	まい
稀12久3	きく
陽12日4	はるひ
夢13子3	ゆめこ

12・6

1字名 5 7 15

2字名（3字名） 1・4 1・5 2・3 2・4 2・13 2・27 9・4 9・6 10・3 10・5 10・13 10・17 11・4 12・3 19・20 1・6 1・20 2・5 2・15 7・4 7・6 10・11 11・6 12・1 12・5 18・3 18・11 19・4 21・6

姓の例 喜多 植竹 森安 椎名 渡会 富安 落合

名前例

名前	読み
希7	のぞみ
美9帆6	みほ
倫10菜11	りんな
夏10鈴13	かりん
桃10愛13	ももあ
菜11月4	なつき
琴12子3	ことこ
真10依8耶9	まいや

12・7

1字名 4 6 10 14

2字名（3字名） 1・4 1・5 4・9 10・6 11・5 14・15 4・1 4・12 6・12 6・27 8・5 8・21 8・25 9・4 9・9 9・20 9・23 10・23 14・4 14・19 16・13 16・17 17・12 18・11 18・15 20・13

姓の例 奥村 勝見 植村 森沢 須貝 湯沢 萩尾 飯村 富沢

名前例

名前	読み
碧14	みどり
心4美9	ここみ
虹9海9	こうみ
晃10帆6	あきほ
綾14水4	あやみ
瑠14心4	るみ
歌14澄15	かすみ
優17葉12	ゆうは

12・8

1字名 7 15 17

2字名（3字名） 3・29 10・5 10・15 10・17 10・27 13・19 19・6 19・19 19・26 21・11 21・20 21・26 23・9 3・15 5・6 5・20 7・4 7・6 7・11 7・20 8・5 8・13 9・6 9・23 10・1 10・11 13・5 15・6 16・9 16・11

姓の例 植松 森岡 飯岡 飯沼 富岡 朝岡 伊地知

名前例

名前	読み
慧15	けい
杏7菜11	あんな
弥8生5	やよい
果8椰13	かや
莉10穂15	りほ
真10優17	まゆ
麗19衣6	れい
恵10美9乃2	えみの

12・9

1字名 2 4 12 14 20

2字名（3字名） 2・1 2・9 2・29 20・11 20・17 22・9 4・4 4・20 4・23 4・27 6・5 6・11 6・21 7・1 7・11 7・17 7・20 8・3 8・9 8・19 8・29 9・9 22・5

姓の例 渥美 越後 奥津 結城 勝俣 植草 森重 湯浅 飯泉

名前例

名前	読み
友4	とも
詠12	うた
七2音9	ななね
里7都11	りと
亜7鞠17	あまり
知8珂9	ちか
依8映9	よりえ
紀9香9	のりか

12・10

1字名 5

2字名（3字名） 3・13 3・20 13・3 14・1 14・9 14・11 14・21 14・27 19・20 21・20 22・1 22・19 1・4 1・15 3・4 5・6 5・11 6・9 6・17 6・19 7・4 7・6 8・5 8・9 8・15 11・4 11・5 13・4 15・20

姓の例 間宮 喜納 森島 森脇 朝倉 塚原 萩原 飯島

名前例

名前	読み
令5	れい
可5菜11	かな
朱6南9	じゅな
嵩13子3	たかこ
嘉14香9	よしか
碧14泉9	あおい
緋14彩11	ひいろ
由5祈8子3	ゆきこ

12・11

1字名 2 4 6 10 12 14

2字名（3字名） 2・13 4・4 4・11 4・12 4・20 5・3 5・11 5・13 12・3 12・4 12・13 13・3 13・12 14・4 14・11 20・9 21・3 2・6 6・12 7・11 10・5 10・6 12・12 20・5 13・11 21・4

姓の例 渡部 奥野 間野 軽部 植野 森崎 萩野 谷田部

名前例

名前	読み
静14	しずか
日4菜11	ひな
永5梨11	えり
未5唯11	みい
礼5楽13	れいら
楓13子3	ふうこ
想13菜11	そな
瑚13々3美9	ここみ

12・12

1字名 —

2字名（3字名）
1・4　3・4　3・5　3・20　3・21　4・1
4・3　4・4　4・9　4・11　4・13　4・19　4・20　4・29
9・4　9・15　11・4　12・3　12・29　13・4　13・20　19・4
19・5　20・1　20・3　20・4　20・13　5・6　6・15　17・4

姓の例 越智　須賀　椎葉　塚越　飯塚　番場　富塚

名前例
- もね（も3 ね4）もね
- 千世（千3 世5）ちせ
- 月子（月4 子3）つきこ
- 香月（香9 月4）かつき
- 奏穂（奏9 穂15）かなほ
- 美慧（美9 慧15）みさと
- 麗未（麗19 未5）れみ
- 有希奈（有6 希7 奈8）ゆきな

12・16

1字名 —

2字名（3字名）
1・4　2・3　2・27　2・33　9・4　9・15
9・26　11・26　13・26　16・17　22・13　22・15　1・6　2・5
2・9　5・19　7・6　7・26　8・3　8・5　8・25　8・27
16・23

姓の例 棚橋　富樫

名前例
- 乙羽（乙1 羽6）おとは
- 十々（十2 々3）とと
- るな（る2 な5）るな
- 乃永（乃2 永5）のえ
- 七海（七2 海9）ななみ
- 美仁（美9 仁4）みに
- 香凜（香9 凜15）かりん
- 磨奈美（磨16 奈8 美9）まなみ

12・18

1字名 —

2字名（3字名）
9・6　9・9　9・26　9・29　11・6　11・20
11・26　11・27　13・20　14・19　14・27　19・19　20・11　20・17
21・17　3・5　3・15　5・26　6・9　6・29　7・4　7・11
13・4　17・1　17・20　17・21　20・21

姓の例 森藤　須藤

名前例
- 千慧（千3 慧15）ちえ
- 里彩（里7 彩11）りさ
- 泉宇（泉9 宇6）みう
- 玲安（玲9 安6）れあ
- 秋音（秋9 音9）あきね
- 都羽（都11 羽6）とわ
- 萌百（萌11 百6）もも
- 千羽耶（千3 羽6 耶9）ちはや

12・19

1字名 2　4　10　14

2字名（3字名）
4・17　5・1　5・11　5・27　10・11　10・17
10・27　20・1　20・17　2・19　4・13　5・3　6・11　6・15
6・21　8・9　8・13　8・19　8・29　10・6　12・9　12・20
13・19　19・13

姓の例 間瀬　渡瀬

名前例
- 心瑚（心4 瑚13）みこ
- 友楓（友4 楓13）ゆうか
- 禾野（禾5 野11）かの
- 世梨（世5 梨11）せり
- 怜香（怜8 香9）れいか
- 紗彩（紗10 彩11）さあや
- 詠美（詠12 美9）えいみ
- 多実子（多6 実8 子3）たみこ

13・3

1字名 —

2字名（3字名）
3・5　4・3　4・4　4・11　5・3　5・10
5・11　5・12　5・20　10・5　12・4　12・5　12・11　13・4
14・3　14・11　15・10　2・11　3・2　3・12　3・18　3・20
5・8　5・16　8・5　13・12　15・2　15・16　20・5　21・4

姓の例 遠山　塩川　滑川　溝口　滝口　滝川　福山　小宮山

名前例
- 仁菜（仁4 菜11）にな
- 未久（未5 久3）みく
- 留未（留10 未5）るみ
- 結月（結12 月4）ゆづき
- 暁世（暁12 世5）あきよ
- 紫央（紫12 央5）しお
- 舞桜（舞15 桜10）まお
- 璃位子（璃15 位7 子3）りいこ

13・4

1字名 —

2字名（3字名）
2・5　3・4　4・2　4・12　11・4　11・5
11・24　12・3　12・12　13・3　14・2　1・5　2・16　3・5
3・18　4・4　4・11　4・20　7・8　7・11　11・10　12・4
13・5　14・4　17・8　20・4　21・3

姓の例 新井　鈴木　碓井　新木　滝井　楠木　福井　福元

名前例
- 千織（千3 織18）ちおり
- 文絵（文4 絵12）あやえ
- 彩心（彩11 心4）あやみ
- 梓央（梓11 央5）しお
- 望由（望11 由5）もゆ
- 結女（結12 女3）ゆめ
- 愛子（愛13 子3）あいこ
- 照禾（照13 禾5）てるか

13・5

姓の例　福永　福田　豊田　塩田　新田　園田　滝本　福本　蒲生

1字名　—

2字名（3字名）　2・3　2・4　3・2　3・3　3・12　10・3　11・2　11・4　11・12　12・3　13・2　13・16　20・3　1・4　1・10　2・5　2・19　3・4　6・11　10・11　11・10　12・5　13・4　13・8　19・4

名前例

名前	読み
さ3ら3	さら
弓3子3	ゆみこ
夕3日4	ゆうひ
梓11心4	あずみ
涼11絵12	すずえ
蒼13乃2	あおの
響20子3	きょうこ
都11々3音9	ととね

13・6

姓の例　新庄　新宅　新名　福西　福地　園寺　瑞江　蓮池

1字名　—

2字名（3字名）　1・4　1・5　2・3　2・4　2・16　11・5　11・18　12・4　1・12　2・11　5・11　5・28　7・11　9・4　9・20　9・24　10・3　10・8　15・3　15・18　17・16　19・4　19・10　19・14

名前例

名前	読み
し1ず5	しず
由5麻11	ゆま
沙7都11	さと
真10波8	まなみ
清11叶5	きよか
涼11藍18	すずらん
絢12心4	あやみ
満12月4	みつき

13・7

姓の例　塩沢　塩谷　新村　新谷　滝沢　福沢　蜂谷　蓮見

1字名　—

2字名（3字名）　1・4　1・17　1・24　4・7　4・20　4・28　10・5　10・8　10・28　11・4　11・14　11・16　11・34　14・18　20・5　20・18　20・25　22・5　6・5　8・10　8・19　9・4　9・12　9・28　11・26　16・16　17・4　17・8　18・14　22・10

名前例

名前	読み
友4花7	ゆうか
歩8純10	ほずみ
美9詞12	みこと
華10世5	かよ
恵10実8	えみ
皐11月4	さつき
麻11綾14	まあや
波8那7子3	はなこ

13・8

姓の例　新岡　新居　新妻　新沼　福岡　豊岡　蓮沼

1字名　—

2字名（3字名）　3・8　3・28　5・11　5・19　5・26　13・11　13・18　15・16　16・8　21・10　23・8　3・5　5・3　7・4　7・11　7・20　8・8　8・10　8・16　8・19　9・18　10・8　10・14　13・3　13・14　15・3　17・10　17・14　17・20　19・18

名前例

名前	読み
千3明8	ちあき
千3奈8	せんな
礼5菜11	れいな
花7埜11	かの
和8実8	かずみ
雅13菜11	まさな
篤16実8	あつみ
澪16佳8	みおか

13・9

姓の例　照屋　新屋　新垣　新城　新津　新美　新保　宇佐美

1字名　—

2字名（3字名）　2・11　4・11　4・12　4・19　12・11　14・2　14・11　15・8　15・10　15・20　15・26　20・19　2・3　6・5　6・10　6・19　7・8　7・16　8・8　9・4　9・14　9・16　9・26　14・3　16・19　22・19　23・2　23・12　23・22

名前例

名前	読み
友4唯11	ゆい
充6世5	みつよ
羽6紗10	うさ
志7歩8	しほ
陽12菜11	ひな
瑠14乃2	るの
璃15依8	りえ
絵12吏6加5	えりか

13・10

姓の例　塩原　嵯峨　新宮　新倉　福原　福島　福留　豊島

1字名　—

2字名（3字名）　1・28　3・3　3・12　3・22　5・3　5・10　5・11　5・19　5・20　6・2　6・10　6・12　6・18　6・19　6・32　11・18　13・2　13・3　13・12　13・22　14・2　15・3　15・10　15・20　21・3　21・8　22・2　23・2　7・8　8・10

名前例

名前	読み
せ3ら3	せら
永5恋10	えれん
出5萌11	いずも
瑞13与3	みずよ
舞15華10	まいか
嬉15恵10	きえ
麻11理11亜7	まりあ
璃15里7子3	りりこ

13・11

姓の例　園部　塩崎　塩野　新堀　新野　滝野　楢崎　福崎

1字名　—

2字名（3字名）
2・3　2・19　4・3　4・11　4・19　4・20
5・2　5・3　5・8　5・10　5・12　5・19　5・28　10・3
10・11　10・14　12・3　13・2　13・8　14・3　14・10　14・19
20・3　20・4　20・19　21・2　21・3　21・12　21・20　22・19

名前例
- 弘(5)乃(2)　ひろの
- 玉(5)季(8)　たまき
- 純(10)菜(11)　すみな
- 絵(12)万(3)　えま
- 結(12)子(3)　ゆいこ
- 聡(14)子(3)　さとこ
- 寧(14)々(3)　ねね
- 恵(10)伊(6)加(5)　えいか

13・12

姓の例　猿渡　新開　福間　福森　福富　溝淵

1字名　—

2字名（3字名）
1・5　1・12　3・3　3・4　3・5　3・10
3・20　3・24　4・3　4・4　4・19　5・2　5・3　5・11
5・22　6・2　6・10　11・2　11・5　11・22　12・4　12・11
12・20　13・10　13・14　13・20　15・12　21・2　21・12　23・4

名前例
- 一(1)葉(12)　ひとは
- 古(5)都(11)　こと
- 光(6)乃(2)　みつの
- 会(6)莉(10)　あいり
- 早(6)夏(10)　はやか
- 絵(12)理(11)　えり
- 瑞(13)姫(9)　みずき
- 斐(12)南(9)乃(2)　ひなの

13・18

姓の例　遠藤　新藤　園藤　滝藤　豊藤　群藤

1字名　—

2字名（3字名）
5・11　5・16　6・10　14・18　3・3　3・4
3・5　3・18　5・12　5・16　6・2　6・26　7・10　7・14
7・25　11・5　13・4　13・8　13・19　14・2　14・3　17・4
17・10　19・2

名前例
- ゆ(3)ら(3)　ゆら
- 千(3)冬(5)　ちふゆ
- 永(5)梨(11)　えり
- 由(5)菜(11)　ゆな
- 布(5)結(12)　ふゆ
- 可(5)憐(16)　かれん
- 沙(7)莉(10)　さり
- 麻(11)未(5)　まみ

14・3

姓の例　稲川　蔭山　関口　関川　増子　徳丸　徳山

1字名　10　12　14　15　20　22

2字名（3字名）
3・4　4・2　4・11　5・10　5・11　12・3
12・4　13・2　13・3　13・11　14・2　2・4　3・15　4・3
4・4　4・17　5・3　5・19　8・7　8・8　8・10　10・25
12・9　14・4　15・3　18・3　18・13　20・15　21・3

名前例
- 綾(14)　あや
- り(2)お(4)　りお
- 永(5)麻(11)　えま
- 侑(8)里(7)　ゆうり
- 温(12)子(3)　あつこ
- 媛(12)心(4)　ひめみ
- 蒼(13)菜(11)　そな
- 鈴(13)椰(11)　りんな

14・4

姓の例　稲毛　関戸　熊井　熊木　緒方　増井　綿引　山野井

1字名　14

2字名（3字名）
1・2　1・4　2・1　2・3　2・4　2・11
2・13　2・15　2・21　2・25　3・2　3・3　4・1　4・2
4・11　11・2　11・4　11・34　12・1　12・3　12・11　12・15
12・33　13・2　14・1　14・15　14・25　14・31　21・2　21・24

名前例
- 翠(14)　すい
- 七(2)子(3)　ななこ
- 仁(4)菜(11)　にな
- 望(11)乃(2)　のの
- 深(11)月(4)　みづき
- 遥(12)望(11)　はるみ
- 結(12)輝(15)　ゆうき
- 紫(12)穂(15)　しほ

14・5

姓の例　榎本　増田　種市　稲田　窪田　関本　徳永　小野田

1字名　6　12　16

2字名（3字名）
2・3　2・4　2・27　3・2　3・3　3・5
3・13　3・15　6・7　6・23　6・27　6・33　13・3　13・25
16・13　16・17　22・17　1・5　1・17　8・10　8・21　8・25
10・3　11・2　11・7　18・15　20・9　20・13　22・7

名前例
- 光(6)　ひかり
- 葵(12)　あおい
- も(3)え(3)　もえ
- 千(3)聖(13)　ちさと
- 妃(6)那(7)　ひな
- 茉(8)姫(10)　まき
- 聖(13)子(3)　せいこ
- 椰(13)々(3)　やや

14・6

1字名
5　7　12

2字名（3字名）
1・4　1・17　1・24　2・3　2・13　2・15
2・23　2・25　5・27　11・4　11・7　11・27　12・3　12・13
12・15　12・25　12・33　15・17　21・4　21・17　21・24　23・9
23・15　5・10　7・4　9・4　10・11　10・15　15・10　18・7

姓の例
稲吉　小野寺

名前例

名前	読み
琳12	りん
二2愛13	にあ
乃2鼓13	のこ
雪11花7	ゆきか
晶12子3	しょうこ
結12愛13	ゆあ
葉12澄15	はすみ
絵12李7名6	えりな

14・7

1字名
4　10　14

2字名（3字名）
6・10　6・17　6・18　14・10　14・17　16・15
22・9　24・7　1・10　1・15　1・17　4・7　4・23　6・21
8・9　8・10　9・2　9・7　9・9　9・15　10・17　11・7
14・13　17・7　17・10　18・9　22・2

姓の例
稲見　稲村　樺沢　関谷　熊沢　熊谷　種村　野々村

名前例

名前	読み
心4	しん
有6桜10	ありさ
早6優17	さゆ
怜8泉9	さとみ
茉8莉10	まり
祈8莉10	いのり
美9柚9	みゆ
衣6里7子3	えりこ

14・8

1字名
5　15

2字名（3字名）
3・10　5・10　5・11　5・18　13・10　15・1
15・10　16・7　16・9　16・19　16・25　21・18　23・18　3・2
3・13　7・4　7・9　7・18　8・7　8・15　8・17　8・27
9・4　9・7　10・1　10・7　10・15　13・2　13・3　24・17

姓の例
稲岡　増岡

名前例

名前	読み
舞15	まい
久3莉10	くり
由5華10	ゆか
世5梨11	せり
怜8良7	れいら
樹16里7	じゅり
澪16祢9	みおね
未5萌11沙7	みもざ

14・9

1字名
2　4　6　12　14　15　16　22

2字名（3字名）
2・27　4・2　4・11　4・21　4・31　14・1
14・2　14・10　14・11　14・21　15・1　15・9　15・10　20・9
20・18　22・2　22・7　23・1　2・4　6・9　6・19　7・9
7・11　7・18　8・10　9・7　12・4　12・13　16・9　20・4

姓の例
稲垣　徳重　鳴海

名前例

名前	読み
薫16	かおる
心4彩11	みさ
羽6奏9	わかな
亜7望11	あみ
希7悠11	きゆ
暢14恵10	のぶえ
綾14埜11	あやの
日4麻11莉10	ひまり

14・10

1字名
5　14　15

2字名（3字名）
1・2　1・10　1・23　3・2　3・18　11・2
11・10　11・13　13・2　14・1　14・7　14・27　19・2　21・2
21・3　21・18　3・10　3・21　5・10　6・7　6・9　7・10
8・7　13・11　14・9　14・10　14・19　15・9　19・4　22・11

姓の例
関原　関根　綱島　漆原　徳原　徳留　小笠原　仲宗根

名前例

名前	読み
翠14	みどり
潤15	じゅん
菊11乃2	きくの
琉11乃2	るの
理11桜10	りお
愛13彩11	あいさ
静14花7	しずか
悠11羽6伽7	ゆうか

14・11

1字名
2　4　6　7　14

2字名（3字名）
2・4　2・11　2・21　4・3　4・4　4・9
4・19　4・23　5・2　5・3　5・18　5・27　6・1　6・2
6・10　6・21　7・1　12・1　12・4　12・11　12・21　13・3
13・10　13・19　14・13　14・19　22・1　22・10　22・11　24・3

姓の例
綾部　管野　関野　熊崎　綿貫　二階堂　波多野

名前例

名前	読み
杏7	あん
文4月4	ふづき
心4耶9	みや
天4海9	あまみ
叶5子3	かなこ
妃6七2	ひな
早6紗10	さしゃ
朱6々3花7	すずか

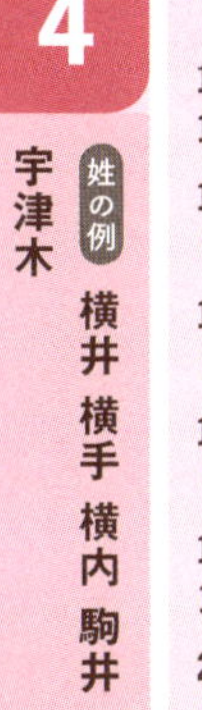
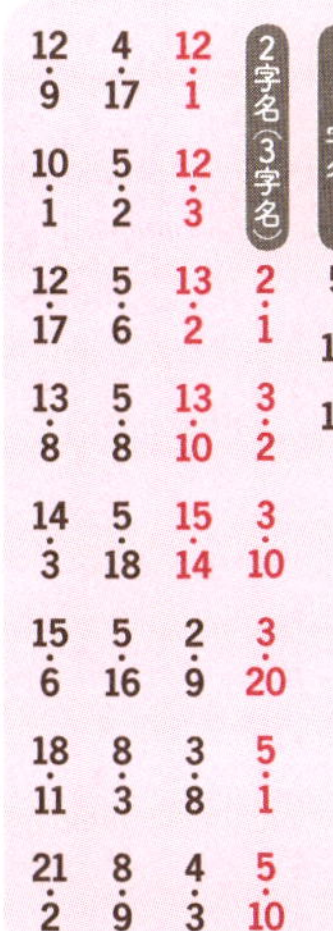

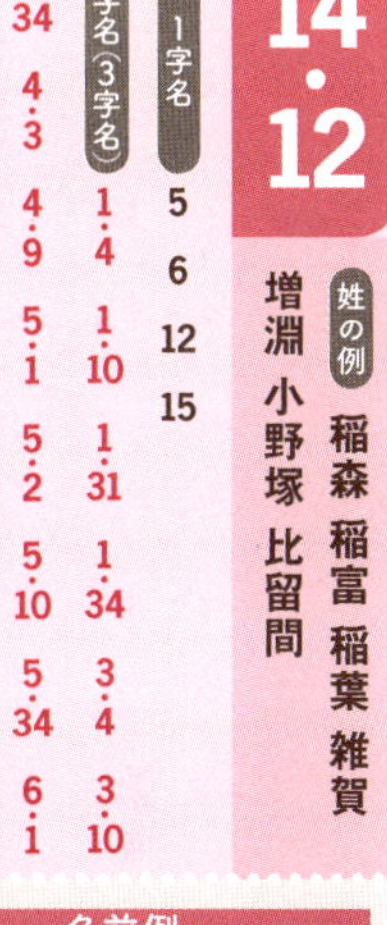

14・12

姓の例　稲森　稲富　稲葉　雑賀　増淵　小野塚　比留間

1字名　5　6　12　15

2字名（3字名）　1・4　1・10　1・31　1・34　3・4　3・10　3・34　4・3　4・9　5・1　5・2　5・10　5・34　6・1　6・9　6・31　11・2　11・4　11・10　11・21　11・24　12・1　12・3　12・9　12・19　12・23　13・24　15・24　21・10　21・11

名前例
- 有6　あり
- 小3梅10　こうめ
- 由5七2　ゆな
- 史5乃2　しの
- 未5姫10　みき
- 成6海9　なるみ
- 翔12子3　しょうこ
- 詠12美9　えいみ

15・3

姓の例　横山　影山　横川　諌山　長谷川

1字名　5　14　15

2字名（3字名）　2・1　3・2　3・10　3・20　5・1　5・10　12・1　12・3　13・2　13・10　15・14　2・9　3・8　4・3　4・17　5・2　5・6　5・8　5・18　5・16　8・3　8・9　12・9　10・1　12・17　13・8　14・3　15・6　18・11　21・2

名前例
- 舞15　まい
- も3こ2　もこ
- 永5莉10　えり
- 雅13乃2　まさの
- 愛13紗10　あいさ
- 輝15衣6　きい
- 璃15帆6　りほ
- 穂15摘14　ほづみ

15・4

姓の例　横井　横手　横内　駒井　宇津木

1字名　4　14

2字名（3字名）　3・2　3・3　3・26　4・1　4・2　4・12　4・14　7・6　7・26　13・3　13・16　13・26　14・2　14・24　17・12　17・16　17・22　23・6　23・16　1・17　2・3　2・16　9・9　9・24　11・2　11・22　12・6

名前例
- 円4　まどか
- 心4温12　みおん
- 文4綺14　あやき
- 沙7羽6　さわ
- 楽13々3　らら
- 瑚13子3　ここ
- 日4向6多6　ひなた
- 詩13央5理11　しおり

15・5

姓の例　横田　駒田　権田　蔵田　蔵本　潮田　鴇田　縄田　熱田

1字名　12

2字名（3字名）　2・3　2・16　2・23　3・2　3・12　3・14　3・22　3・24　6・26　12・3　12・6　12・26　12・33　13・2　13・12　13・14　13・24　22・3　24・3　1・10　1・12　6・9　6・12　8・3　8・10　8・17　10・8　11・2　11・10　19・2

名前例
- 結12　ゆい
- 乃2々3　のの
- 小3湖12　ここ
- 久3綺14　ひさき
- 智12子3　ともこ
- 晶12帆6　あきほ
- 琴12羽6　ことは
- 二2知8果8　にちか

15・6

姓の例　横江　横地　蝦名　海老名

1字名　10

2字名（3字名）　5・26　7・9　7・17　7・24　15・1　15・9　15・16　17・14　18・6　23・8　1・10　1・17　2・9　2・14　2・16　5・6　9・2　9・8　9・18　10・6　10・8　11・6　11・16　12・6　12・12　15・3　15・12　15・22　17・1　19・8

名前例
- 晄10　ひかり
- 布5羽6　ふう
- 沙7映9　さえ
- 那7優17　なゆ
- 祐9奈8　ゆうな
- 美9岬8　みさき
- 凛15音9　りのん
- 穂15志7乃2　ほしの

15・7

姓の例　横沢　横谷　横尾　駒形　海老沢

1字名　10

2字名（3字名）　4・9　6・9　6・10　6・17　14・9　17・6　17・8　17・18　17・24　24・17　1・10　1・12　1・14　1・24　4・1　4・12　8・3　8・8　8・17　9・6　9・16　10・3　10・6　11・2　11・6　11・12　11・24　16・9　18・17

名前例
- 紡10　つむぎ
- 月4香9　つきか
- 音9色6　ねいろ
- 美9樹16　みき
- 紘11羽6　いとは
- 麻11衣6　まい
- 優17伎6　ゆうき
- 環17奈8　かんな

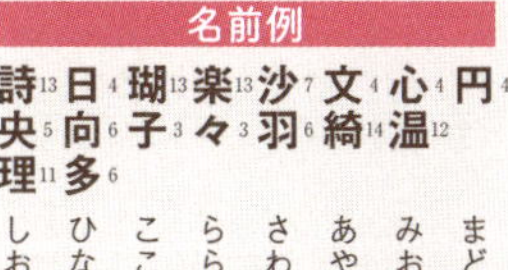
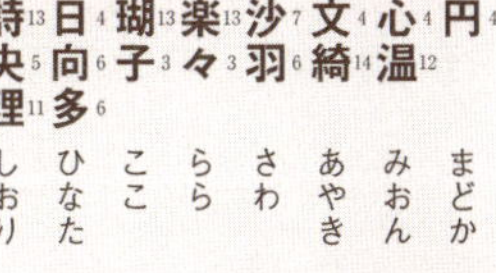

15・8

1字名
15

2字名（3字名）
3・26　5・1　5・10　5・20　5・30　7・1
7・8　7・9　7・17　7・18　8・8　8・10　8・16　8・17
8・30　13・16　15・1　15・9　15・10　15・20　16・8　16・9
17・1　17・8　17・18　23・1　3・12　9・6　9・16　10・6

姓の例
諸岡

名前例
- 澄15　すみ
- 史5恵10　ふみえ
- 快7美9　よしみ
- 花7織18　かおり
- 実8河8　みか
- 怜8依8　れい
- 明8莉10　あかり
- 寿7莉10奈8　じゅりな

15・10

1字名
6　7　14

2字名（3字名）
3・3　3・10　3・20　5・2　5・3　5・8
5・18　5・22　6・1　6・2　6・17　7・1　7・9　7・20
8・8　13・3　13・10　13・20　14・2　14・9　14・18　15・8
15・12　15・18　17・6　17・10　17・16　21・2　22・1　23・9

姓の例
横倉　横島　海老原

名前例
- 冴7　さえ
- もも3 3　もも
- 万3莉10　まり
- 千3夏10　ちか
- 叶5実8　かなみ
- 利7美9　りみ
- 幸8河8　さちか
- 誓14乃2　ちかの

15・11

1字名
5　6　12　22

2字名（3字名）
4・3　4・9　5・2　5・8　5・32　6・1
6・9　6・33　7・8　7・32　12・1　12・3　12・9　12・23
12・33　13・2　13・8　13・18　13・22　16・23　22・9　22・10
4・1　4・2　5・10　7・6　7・14　10・1　14・1

姓の例
横堀　横野　諏訪　箱崎　長谷部

名前例
- 景12　けい
- 仁4子3　にこ
- 冬5乃2　ふゆの
- 未5怜8　みれ
- 沙7知8　さち
- 詠12子3　えいこ
- 楓13乃2　かの
- 芙7羽6奈8　ふうな

15・12

1字名
4　5　6

2字名（3字名）
3・2　3・3　3・22　4・1　4・2　4・14
5・1　5・20　13・12　15・10　17・1　17・14　17・24　23・2
1・10　1・17　5・3　5・6　5・33　6・2　6・12　6・32
9・9　9・12　9・22　11・10　11・14　11・20　15・3　20・1

姓の例
横塚　儀間　具志堅　大須賀

名前例
- 巴4　ともえ
- 一1笑10　かずえ
- さ3と2　さと
- 日4乃2　ひの
- 文4緒14　ふみお
- 美9紅9　みく
- 柚9香9　ゆずか
- 凜15夏10　りんか

15・16

1字名
2　7

2字名（3字名）
7・9　7・14　8・8　8・24　13・8　13・14
13・24　1・20　1・26　2・6　2・14　5・1　5・12　5・16
5・22　9・8　9・12　9・18　11・6　15・1　15・6　15・17
16・16　17・10　21・16

姓の例
諸橋　播磨　穂積

名前例
- 里7　さと
- 七2緒14　ななお
- 里7津9　りつ
- 那7摘14　なつみ
- 実8昊8　みそら
- 海9依8　みい
- 映9奈8　えな
- 美9々3香9　みみか

16・3

1字名
4　5　14

2字名（3字名）
4・1　4・2　4・25　5・1　5・11　5・13
8・5　8・21　8・25　8・31　14・2　14・15　14・25　15・1
15・23　18・11　18・21　2・11　2・16　3・13　4・9　8・8
10・8　12・17　13・5　21・8　22・7

姓の例
鮎川　鴨川　館山　橋口　簗山　薮下　安孫子

名前例
- 汀5　なぎさ
- 仁4乃2　にの
- 元4美9　もとみ
- 央5都11　おと
- 永5遠13　とわ
- 苑8禾5　そのか
- 瑠14璃15　るり
- 依8緒14里7　いおり

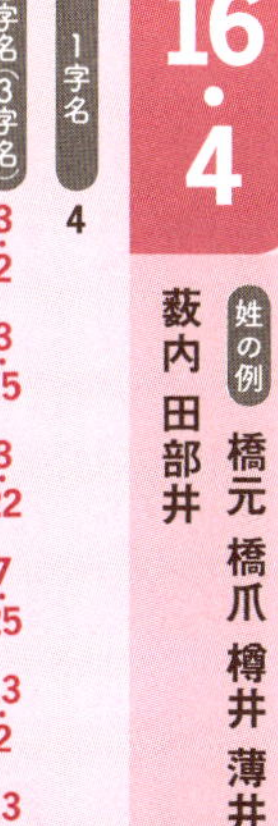

16・4

姓の例：橋元 橋爪 樽井 薄井 薮内 田部井

1字名：4

2字名（3字名）：3・2 3・15 3・22 7・25 13・2 13・5 13・8 13・25 13・32 14・1 14・11 14・13 14・23 14・31 17・15 23・2 23・15 2・1 2・9 2・13 4・13 9・2 9・16 11・7 11・16 12・5 12・9 12・13 17・8 19・2

名前例

文4 ふみ ／ 七2星9 ななせ ／ 乃2映9 のえ ／ れ3い2 れい ／ 弓3凛15 ゆりん ／ 麻11樹16 まき ／ 瑞13代5 たまよ ／ 碧14唯11 あおい

16・5

姓の例：橋本 薗田 樫本 橋田 橋田 薦田 繁田 薮田 薮本

1字名：—

2字名（3字名）：6・5 6・25 8・8 8・16 8・23 16・8 18・13 19・5 1・5 1・16 2・15 2・16 2・25 3・5 3・8 3・13 3・21 6・2 10・7 10・17 11・5 11・13 12・15 13・5 16・11 16・15 24・7

名前例

千3明8 ちあき ／ 百6代5 ももよ ／ 有6朱5 ありす ／ 和8依8 かずえ ／ 実8佳8 みか ／ 夏10希7 なつき ／ 理11央5 りお ／ 磨16依8 まい

16・7

姓の例：樫村 橋村

1字名：—

2字名（3字名）：6・9 6・29 8・7 8・16 8・17 9・7 9・9 9・15 9・16 16・9 17・8 18・7 18・17 24・5 1・5 1・15 4・11 4・21 10・15 10・25 11・5 14・2 14・11 14・15 16・8 17・7 20・5 20・9 22・7

名前例

好6美9 このみ ／ 芽8亜7 めあ ／ 苺8花7 いちか ／ 玲9那7 れいな ／ 奏9美9 かなみ ／ 咲9輝15 さき ／ 日4弥8子3 ひみこ ／ 歩8野11可5 ほのか

16・10

姓の例：樫原 橘高 鴫原

1字名：5 6 7 15

2字名（3字名）：3・2 3・8 3・29 5・2 5・8 5・32 6・1 6・7 6・15 6・31 7・8 7・32 8・7 8・29 8・31 13・2 13・8 13・22 13・32 14・1 14・7 14・17 14・21 14・31 15・22 17・22 23・8 1・5 6・9 11・2

名前例

凪6 なぎ ／ 礼5実8 れみ ／ 可5奈8 かな ／ 有6沙7 ありさ ／ 沙7季8 さき ／ 芽8来7 めぐる ／ 佳8那7 かな ／ 悠11乃2 ひさの

16・11

姓の例：館野 橋野 興梠 上遠野

1字名：4 5 6 14

2字名（3字名）：4・1 4・2 4・21 5・1 5・13 6・2 6・32 14・11 16・9 18・13 18・23 24・1 2・9 2・16 5・16 7・1 7・11 7・31 10・1 10・8 10・11 12・9 13・8 12・13 13・5 14・7 16・2 16・22 20・5 21・17

名前例

冬5 ふゆ ／ 七2泉9 ななみ ／ は4る2 はる ／ 朱6乃2 あけの ／ 汐6乃2 しおの ／ 桃10実8 ももみ ／ 綾14野11 あやの ／ 央5羽6花7 おうか

16・12

姓の例：橋場

1字名：4 5 17

2字名（3字名）：3・2 3・21 3・32 4・1 4・9 4・29 4・31 6・23 6・29 13・11 13・22 17・22 23・1 1・2 1・32 3・8 5・2 5・32 6・1 6・7 9・2 9・15 11・2 11・13 12・1 12・21 15・22 20・9

名前例

優17 ゆう ／ ゆ3い2 ゆい ／ 千3乃2 ちの ／ 万3歩8 まほ ／ 小3夜8 さよ ／ 天4美9 あまみ ／ 衣6吹7 いぶき ／ 愛13菜11 あいな

16・18

姓の例　衛藤　錦織

1字名　5　7

2字名（3字名）
3・8　6・5　6・25　7・11　7・16　7・17
13・11　13・16　14・9　14・15　14・17　15・16　17・1　17・7
3・2　3・15　5・8　6・7　6・17　7・22　9・2　9・9
11・2　11・7　11・13　15・8　15・9　19・5

名前例

名前	読み
花(7)	はな
久(3)実(8)	くみ
由(5)茉(8)	ゆま
凪(6)沙(7)	なぎさ
沙(7)梨(11)	さり
清(11)乃(2)	せいの
菜(11)那(7)	なな
万(3)由(5)夏(10)	まゆか

17・3

姓の例　磯山　利根川

1字名　4　5　15

2字名（3字名）
4・1　4・14　4・21　5・10　5・12　5・20
5・22　8・24　14・1　14・4　14・24　15・10　15・12　18・14
2・1　4・28　5・6　5・16　8・10　10・1　10・22　12・6
18・20　20・1　20・12

名前例

名前	読み
史(5)	ふみ
由(5)紗(10)	ゆさ
可(5)憐(16)	かれん
緋(14)月(4)	ひづき
碧(14)心(4)	あおみ
輝(15)夏(10)	てるか
璃(15)陽(12)	りよ
心(4)彩(11)子(3)	みさこ

17・5

姓の例　磯田　磯辺　篠田　霜田　鍋田　新井田

1字名　―

2字名（3字名）
6・7　16・7　18・7　1・4　1・12　1・14
2・14　2・15　3・8　3・10　3・12　3・14　6・10　6・35
10・1　10・6　10・15　11・4　11・6　11・12　11・14　12・1
12・4　13・12　13・22　19・4　19・6　20・15　22・1

名前例

名前	読み
万(3)歩(8)	まほ
弓(3)葉(12)	ゆみは
有(6)希(7)	ゆうき
真(10)伎(6)	まき
彩(11)月(4)	さつき
樹(16)里(7)	じゅり
藍(18)里(7)	あいり
す(3)み(3)玲(9)	すみれ

17・7

姓の例　磯貝　磯村　磯谷　糟谷　加賀谷　高見沢

1字名　―

2字名（3字名）
4・7　4・20　4・35　6・7　6・35　8・7
8・15　8・31　9・4　9・6　9・8　9・14　9・15　9・24
9・28　14・7　16・7　17・4　17・24　18・6　18・15　1・6
1・16　1・14　4・1　6・15　6・18　10・7　17・6　17・7

名前例

名前	読み
心(4)希(7)	みき
茅(8)里(7)	ちさと
芽(8)璃(15)	めり
泉(9)水(4)	いずみ
風(9)羽(6)	かざは
星(9)帆(6)	せいほ
美(9)祈(8)	みき
実(8)央(5)莉(10)	みおり

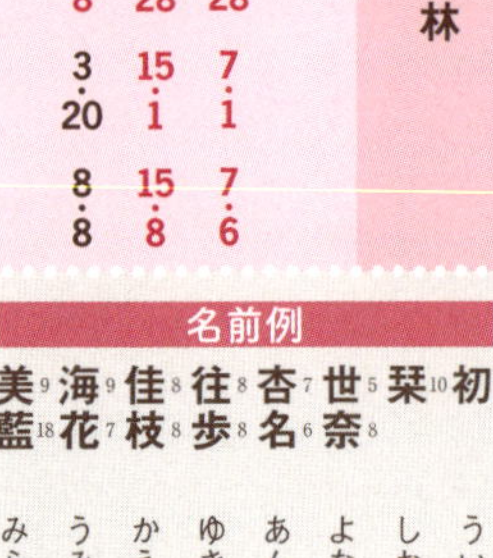

17・8

姓の例　鍛治　東海林

1字名　7　10

2字名（3字名）
5・1　5・8　5・18　5・28　7・1　7・6
7・20　7・31　9・7　9・18　10・6　10・28　15・1　15・8
15・18　16・7　17・6　17・10　17・21　19・8　3・20　8・8
8・24　13・10　21・12

名前例

名前	読み
初(7)	うい
栞(10)	しおり
世(5)奈(8)	よな
杏(7)名(6)	あんな
往(8)歩(8)	ゆきほ
佳(8)枝(8)	かえ
海(9)花(7)	うみか
美(9)藍(18)	みらん

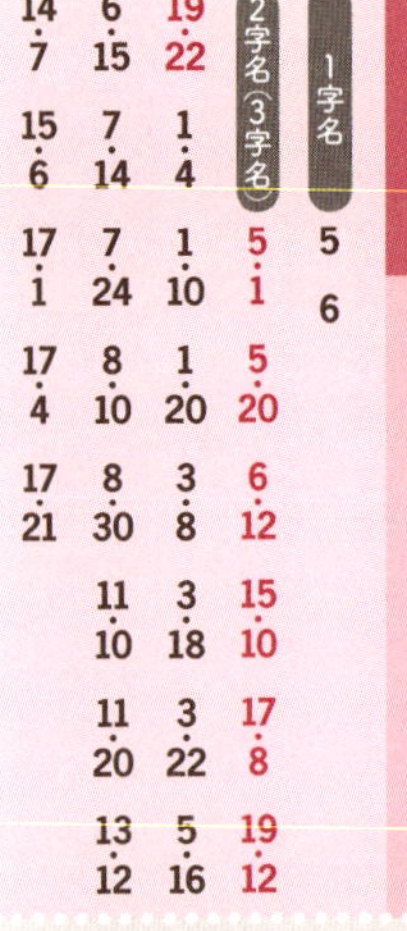

17・10

姓の例　鮫島　篠原　鍋島　宇都宮

1字名　5　6

2字名（3字名）
5・1　5・20　6・12　15・10　17・8　19・12
19・22　1・4　1・10　1・20　3・8　3・18　3・22　5・16
6・15　7・14　7・24　8・10　8・30　11・10　11・20　13・12
14・7　15・6　17・1　17・4　17・21

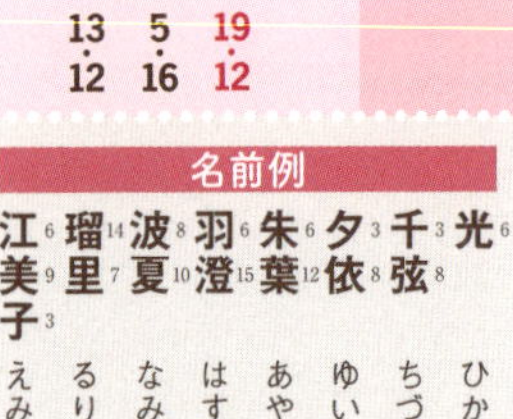

名前例

名前	読み
光(6)	ひかり
千(3)弦(8)	ちづる
夕(3)依(8)	ゆい
朱(6)葉(12)	あやは
羽(6)澄(15)	はすみ
波(8)夏(10)	なみか
瑠(14)里(7)	るり
江(6)美(9)子(3)	えみこ

17・11

姓の例：磯崎 磯部 磯野 篠崎

1字名：4　5

2字名（3字名）：4・1　5・12　7・22　18・21　20・4　2・1　4・7　4・20　5・6　5・8　6・1　6・18　7・4　7・6　7・10　10・1　10・14　12・1　12・12　13・4　13・16　13・20　13・22　16・1　16・21　21・24

名前例

名前	読み
心4	こころ
天4里7	あめり
由5季8	ゆき
叶5絵12	かなえ
玉5瑛12	たまえ
亜7月4	あつき
里7江6	りえ
結12葉12	ゆいは

18・3

姓の例：藤丸 藤山 藤川 野見山

1字名：—

2字名（3字名）：8・3　10・6　10・14　12・6　13・5　18・6　20・11　21・3　2・9　2・14　3・13　3・21　4・20　4・23　5・13　5・19　8・9　8・23　10・7　10・17　10・27　12・5　12・15　13・11　14・13　15・3　18・9　18・13

名前例

名前	読み
千3歳13	ちとせ
祈8子3	きこ
依8映9	よりえ
恵10伊6	えい
紗10江6	さえ
泰10寧14	やすね
繭18羽6	まゆは
真10央5美9	まおみ

18・4

姓の例：藤井 藤元 藤中 藤木 鎮井

1字名：—

2字名（3字名）：2・13　7・6　9・6　9・7　9・14　17・6　19・6　20・3　20・5　1・6　1・14　2・5　2・9　2・11　2・23　3・14　4・3　4・11　4・13　11・6　11・14　12・3　12・5　12・13　14・3　14・11

名前例

名前	読み
七2星9	ななせ
十2萌11	とも
夕3歌14	ゆうか
友4梨11	ゆうり
伶7名6	れいな
紀9沙7	きさ
南9緒14	なお
乃2々3佳8	ののか

18・5

姓の例：藤田 鎌田 織田 藤永 藤生 藤代 藤平 藤本

1字名：—

2字名（3字名）：1・5　1・7　1・14　1・15　1・17　8・7　8・17　8・27　10・5　10・6　10・14　10・15　11・5　11・7　11・13　11・14　11・27　16・9　16・13　16・19　18・7　18・17　19・6　20・5　2・6　2・14　3・5　3・13　18・6　19・5

名前例

名前	読み
乙1穂15	おとほ
芽8沙7	めいさ
真10綺14	まき
莉10瑠14	りる
望11丘5	みおか
雫11那7	しずな
麻11瑚13	まこ
恵10里7奈8	えりな

18・6

姓の例：藤吉 藤江

1字名：—

2字名（3字名）：5・6　5・19　7・14　7・34　9・6　9・8　9・14　9・15　10・3　10・5　10・7　10・13　10・14　10・23　10・27　15・6　15・9　18・3　18・23　19・5　19・14　7・6　7・17　11・6　17・6　17・7　18・5　18・6　18・15

名前例

名前	読み
未5帆6	みほ
里7歌14	りか
風9奈8	ふうな
律9歌14	りつか
紗10永5	さえ
笑10花7	えみか
栞10見7	しおみ
舞15香9	まいか

18・7

姓の例：鵜沢 藤村 藤沢 藤谷 藤尾 喜多村

1字名：—

2字名（3字名）：1・5　1・6　1・7　1・15　6・7　6・17　6・27　8・5　8・15　8・19　8・30　9・14　9・23　10・6　10・17　11・5　11・27　16・7　16・17　17・6　17・15　18・5　18・9　18・15　18・20　20・7　9・7　10・13

名前例

名前	読み
一1希7	かずき
京8加5	きょうか
幸8穂15	さちほ
姫10羽6	きわ
梨11世5	りせ
藍18禾5	あいか
早6南9依8	さなえ
映9里7沙7	えりさ

18・8

姓の例 藤岡 藤枝 藤沼 藤波 藤林 難波

1字名 —

2字名（3字名）
5・6 5・27 5・30 7・6 7・30 8・5
8・29 9・6 10・5 10・29 15・6 15・17 15・20 15・30
16・5 16・15 16・19 17・20 19・20 7・34 8・3 8・7
8・13 8・23 8・27 9・23 17・14

名前例
- 史[5]衣[6] しい
- 里[7]帆[6] りほ
- 依[8]子[3] よりこ
- 佳[8]央[5] かお
- 香[9]帆[6] かほ
- 美[9]宇[6] みう
- 莉[10]世[5] りよ
- 明[8]日[4]香[9] あすか

18・9

姓の例 藤巻 藤城 宇賀神

1字名 —

2字名（3字名）
6・19 7・11 8・17 8・30 16・9 18・7
20・5 2・9 2・19 4・34 6・5 6・15 7・14 7・34
8・3 8・13 8・23 9・9 9・29 12・9 12・19 14・27
15・6 18・20

名前例
- 伊[6]代[5] いよ
- 百[6]瀬[19] ももせ
- 里[7]麻[11] りま
- 幸[8]子[3] ゆきこ
- 磨[16]耶[9] まや
- 襟[18]沙[7] えりさ
- 七[2]瑠[14]未[5] なるみ
- 希[7]代[5]江[6] きよえ

18・10

姓の例 藤原 鎌倉 藤倉 藤島 藤浪 藤宮 藤家 藤浦

1字名 —

2字名（3字名）
5・19 5・30 6・7 6・27 6・29 8・27
15・9 15・20 19・20 1・23 3・30 5・6 5・34 6・5
7・6 7・30 8・3 8・5 8・29 11・13 13・11 15・14
17・20 19・5

名前例
- 由[5]羽[6] ゆわ
- 羽[6]叶[5] わかな
- 有[6]世[5] ありせ
- 伊[6]吹[7] いぶき
- 初[7]妃[6] はつひ
- 侑[8]可[5] ゆか
- 澄[15]玲[9] すみれ
- 璃[15]衣[6]子[3] りいこ

18・11

姓の例 藤崎 藤堂 藤野 曽我部

1字名 —

2字名（3字名）
6・23 7・9 7・11 10・13 16・13 16・23
18・20 20・3 20・9 20・19 2・6 2・14 2・21 4・19
5・3 5・11 5・13 10・6 10・19 10・29 12・6 13・19
14・9 18・11

名前例
- 七[2]緒[14] ななお
- 礼[5]菜[11] れいな
- 冬[5]瑚[13] とうこ
- 那[7]映[9] なえ
- 花[7]埜[11] かの
- 真[10]瑚[13] まこ
- 安[6]寧[14]香[9] あねか
- 真[10]伊[6]沙[7] まいさ

18・12

姓の例 藤間 藤森

1字名 —

2字名（3字名）
5・3 5・13 5・30 6・9 6・11 6・29
15・3 15・20 15・23 17・14 17・20 19・19 1・14 3・14
3・15 4・11 4・13 4・14 5・6 9・6 9・9 11・20
12・5 12・23

名前例
- 心[4]望[11] ここみ
- 冬[5]子[3] ふゆこ
- 史[5]衣[6] ふみえ
- 百[6]香[9] もか
- 衣[6]梨[11] えり
- 玲[9]安[6] れあん
- 祢[9]音[9] ねね
- 早[6]江[6]子[3] さえこ

19・3

姓の例 瀬下 瀬口 瀬川

1字名 —

2字名（3字名）
8・5 10・5 10・6 10・13 18・5 20・5
2・13 2・14 3・10 3・12 3・14 3・22 4・12 4・13
5・10 5・12 5・20 12・13 13・2 13・12 13・22 15・2
15・10 15・20

名前例
- 千[3]結[12] ちゆ
- 文[4]葉[12] あやは
- 茉[8]由[5] まゆ
- 莉[10]央[5] りお
- 華[10]江[6] かえ
- 朔[10]楽[13] さくら
- 藍[18]世[5] あいせ
- ら[3]ら[3]花[7] ららか

19・4

姓の例　瀬戸　鏑木

1字名　—

2字名（3字名）
1・5　1・14　2・4　2・6　2・13　2・14
2・16　2・22　7・22　9・6　9・16　9・26　11・4　11・5
11・13　11・14　12・4　12・6　12・12　12・13　17・12　19・6
19・16　20・5　3・5　3・13　4・12　13・5　19・5　20・4

名前例

名前	画数	読み
しず	1・5	しず
一寧	1・14	かずね
二瑚	2・13	にこ
乃愛	2・13	のあ
美帆	9・6	みほ
祐衣	9・6	ゆい
萌生	11・5	めい
陽月	12・4	ひづき

19・5

姓の例　瀬古　瀬田　櫛田

1字名　—

2字名（3字名）
1・2　1・4　1・6　1・12　1・14　1・16
1・20　6・5　6・18　10・5　10・13　10・14　11・2　11・4
11・6　11・12　11・13　11・22　11・26　16・5　16・8　3・14
3・20　11・10　18・5　18・6　19・2　19・4　19・5　19・14

名前例

名前	画数	読み
レイ	1・2	れい
一葉	1・12	かずは
真央	10・5	まお
紗楽	10・13	さら
梨乃	11・2	りの
皐月	11・4	さつき
悠心	11・4	ゆうみ
真衣沙	10・6・7	まいさ

19・7

姓の例　瀬谷　瀬尾

1字名　—

2字名（3字名）
1・4　1・5　1・6　1・14　6・5　8・5
9・4　9・6　9・26　11・4　11・26　18・13　18・14　18・19
20・19　1・20　4・2　8・13　9・22　11・10　14・18　16・5
16・16

名前例

名前	画数	読み
乙心	1・4	おとみ
しほ	1・5	しほ
心乃	4・2	ここの
江未	6・5	えみ
侑可	8・5	ゆか
美斗	9・4	みと
南帆	9・6	なほ
梓月	11・4	しづき

19・11

姓の例　瀬崎　瀬野

1字名　—

2字名（3字名）
4・14　6・2　6・12　7・8　7・10　7・20
18・13　18・19　18・20　20・18　2・13　4・13　5・2　5・6
5・10　6・5　10・5　10・8　12・19　13・2　13・20　14・4
14・13

名前例

名前	画数	読み
心愛	4・13	ここあ
帆乃	6・2	ほの
色葉	6・12	いろは
亜依	7・8	あい
伽奈	7・8	かな
寿珠	7・10	すず
珠代	10・5	たまよ
真衣乃	10・6・2	まいの

21・5

姓の例　鶴田

1字名　—

2字名（3字名）
1・6　1・12　2・3　2・4　3・2　3・3
3・4　3・12　8・3　8・24　8・27　10・27　11・2　12・3
12・27　13・2　18・3　18・14　18・17　19・2　19・12　19・16
1・4　1・14　3・8　10・11　11・4　11・10　11・24　13・18

名前例

名前	画数	読み
うさ	2・3	うさ
もね	3・4	もね
千結	3・12	ちゆ
奈々	8・3	なな
章乃	11・2	あきの
絢子	12・3	あやこ
暖乃	13・2	はるの
藍子	18・3	あいこ

21・7

姓の例　鶴見　鶴谷

1字名　—

2字名（3字名）
1・4　8・16　8・27　9・4　9・24　9・26
10・27　11・18　11・24　18・6　18・17　22・17　1・6　1・10
4・20　6・18　8・3　9・20　10・14　14・10　16・8　18・11
20・17　22・2

名前例

名前	画数	読み
一紗	1・10	かずさ
香月	9・4	かづき
美天	9・4	みそら
姫綺	10・14	ひめき
瑠莉	14・10	るり
澪奈	16・8	みおな
藍羽	18・6	あいは
莉李花	10・7・7	りりか

21・8

1字名: —

2字名（3字名）: 3・20　3・26　3・36　19・10　19・20　21・8　21・11　21・17　21・18　23・6　23・16　24・8　5・11　5・18　7・11　7・16　8・8　8・10　9・20　10・6　10・8　13・3　15・8　16・16　24・24

姓の例: 鶴岡　喜屋武

名前例

- 伶7菜11　れいな
- 沙7樹16　さき
- 青8依8　あおい
- 和8実8　かずみ
- 奈8桜10　なお
- 麗19莉10　れり
- 万3優17子3　まゆこ
- 那7々3波8　ななは

23・3

1字名: 5　12　15　22

2字名（3字名）: 3・4　3・10　4・1　4・2　5・1　5・2　5・10　10・1　10・22　10・25　12・25　13・24　14・1　14・25　15・6　15・16　20・1　20・12　20・15　21・10　21・14　2・4　3・2　3・12　5・16　12・1　13・2　13・8　13・22　14・18

姓の例: 瀬戸口　瀬戸山

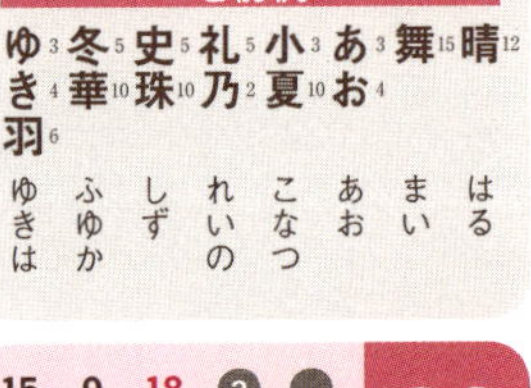

名前例

- 晴12　はる
- 舞15　まい
- あ3お4　あお
- 小3夏10　こなつ
- 礼5乃2　れいの
- 史5珠10　しず
- 冬5華10　ふゆか
- ゆ3き4羽6　ゆきは

23・5

1字名: —

2字名（3字名）: 1・2　1・4　1・6　1・12　1・34　3・2　10・14　10・25　11・2　11・22　11・24　12・1　13・16　13・22　20・4　1・10　3・4　3・34　6・18　10・29　11・18　12・25　13・24　16・8　18・6

姓の例: 鴨志田

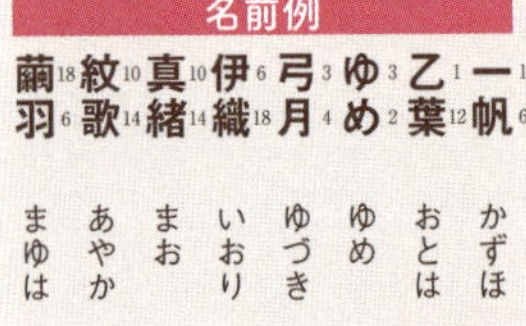

名前例

- 一1帆6　かずほ
- 乙1葉12　おとは
- ゆ3め2　ゆめ
- 弓3月4　ゆづき
- 伊6織18　いおり
- 真10緒14　まお
- 紋10歌14　あやか
- 繭18羽6　まゆは

23・7

1字名: —

2字名（3字名）: 1・4　1・6　1・14　1・16　1・34　4・1　4・29　8・10　10・8　10・25　11・4　11・6　11・16　11・24　20・15　22・9　22・15　22・16　1・10　4・14　6・12　6・25　8・9　9・6　9・8　10・1　14・1　14・4　18・9

姓の例: 鷲見　鷲尾

名前例

- 文4緒14　ふみお
- 玲9衣6　れい
- 春9依8　はるえ
- 美9旺8　みお
- 留10奈8　るな
- 雪11会6　ゆきえ
- 爽11羽6　あきは
- ま4ゆ3菜11　まゆな

26・6

1字名: —

2字名（3字名）: 5・26　7・6　7・9　7・26　18・7　18・13　18・15　1・15　2・3　2・5　2・13　5・1　5・11　9・6　9・7　10・3　10・5　10・6　10・15　11・5　12・3　12・13　15・1

姓の例: 薬師寺

名前例

- 七2誉13　ななよ
- 世5菜11　せな
- 亜7伎6　あき
- 沙7耶9　さや
- 里7香9　りか
- 珠10世5　たまよ
- 清11未5　きよみ
- 悠11加5　ゆうか

27・12

1字名: —

2字名（3字名）: 3・21　5・34　6・12　9・4　9・20　9・30　15・14　17・12　17・21　19・10　19・20　20・4　20・12　1・5　1・12　3・5　3・10　4・4　4・14　4・25　11・21　12・12

姓の例: 横須賀

名前例

- 万3央5　まお
- 三3夏10　みか
- 千3紗10　ちさ
- ね4ね4　ねね
- 天4寧14　あまね
- 百6葉12　ももは
- 咲9心4　さくみ
- 風9月4　ふづき

Part 8

名づけに使える文字リスト

読み方別
名づけに使える
漢字リスト

リストの見方
あん（読み）
杏7 按9（画数）
色文字はPart5で取り上げている漢字

読み方から名前に使える漢字を探せるページです。

明らかに名前にふさわしくない漢字や、あまりなじみのない旧字は省略しています。

ここでは、一般的な音読み訓読み、名のりを中心に、漢和辞書などには掲載されていなくても近年増えている読み方も含めて掲載しています。

あ

あ　安6 有6 亜7 杏7 吾7 阿8 明8 亞8 娃9 彩11 愛13

あい　会6 合6 和8 娃9 相9 挨10 逢11 愛13 曖17 藍18

あう　会6 合6 逢11

あお　青8 葵12 蒼13 碧14

あおい　青8 葵12 蒼13 碧14

あか　丹4 朱6 赤7 明8 紅9 緋14

あかざ　萊11

あかつき　暁12

あかね　茜9

あかり　灯6 明8 燈16

あき　了2 日4 旦5 礼5 旭6 在6 成6 壮6 尭8 昂8 昌8 知8 明8 映9 秋9 昭9 亮9 晃10 哲10 朗10 晄10 郷11 啓11 章11 紹11 爽11 彬11 晨11 瑛12 暁12 敬12 晶12 揚12 陽12 晧12 照13 暉13 煌13 彰14 聡14 璃15 諒15 叡16 燎16 燦17 瞭17 顕18 耀20

あきら　白5 礼5 旭6 光6 良7 享8 昂8 明8 映9 亮9 玲9 晃10 晟10 爽11 瑛12 暁12 晶12 陽12 惺12 聖13 翠14 輝15 諒15 瞳17 曜18 麗19

あく　空8 握12 渥12

あけ　朱6 明8 暁12 煌13 緋14 曙17

あげ　揚12

あけぼの　曙17

あさ　元4 旦5 旭6 麻11 朝12 諒15

あさひ　旭6

あし　芦7 葦13

あした　晨11 朝12

あずさ　梓11

あずま　東8

あそぶ　遊12

あたる　中4 方4 当6 適14

あつ　充6 忠8 厚9 重9 純10 淳11 惇11 渥12 温12 集12

Part 8 名づけに使える文字リスト

読み	漢字（画数）
（あつ）	敦12 斡14 熱15 篤16
あつし	厚9 純10 淳11 惇11 温12
あつむ	伍6 侑8 鐘20
あて	宛8
あま	天4 甘5 雨8 奄8 海9
あまね	周8
あみ	網14 編15
あむ	編15
あめ	天4 雨8
あや	文4 礼5 朱6 言7 采8 郁9 恵10 純10 紋10 彩11 章11 彪11 彬11 理11 絢12 斐12 惠12 綾14 彰14 綺14
あやめ	菖11
あゆ	歩8 鮎16
あゆみ	歩8
あゆむ	歩8
あら	改7 新13
あらた	改7 新13
あり	在6 有6 惟11 現11
ある	在6 有6 或8
あるく	歩8
あん	安6 行6 杏7 按9 案10 晏10 庵11 鞍15
あんず	杏7

い

読み	漢字（画数）
い	一1 已3 井4 五4 以5 生5 伊6 衣6 位7 囲7 壱7 依8 委8 易8 居8 威9 為9 泉9 莞10 惟11 唯11 偉12 斐12 意13 維14 緯16
いえ	家10 宮10
いおり	庵11
いき	生5 粋10 域11
いく	生5 行6 育8 郁9 活9 幾12
いけ	池6
いこい	憩16
いさ	功5 沙7 勇9 義13
いず	五4 出5 泉9
いずみ	泉9
いずる	出5
いそ	磯17
いたる	之3 至6 周8 到8 致10 暢14 徹15
いち	一1 市5 壱7 苺8 逸11 都11
いちご	苺8
いつ	一1 乙1 五4 伍6 壱7 逸11 斎11 厳17
いつき	斎11 樹16 厳17
いと	糸6 弦8 絃11 綸14
いな	稲14
いね	禾5 稲14
いのち	命8
いのり	祈8 祷11
いま	今4 未5
いよ	弥8
いり	入2
いる	入2
いろ	色6 紅9 彩11

- **いわい**：祝 9
- **いん**：允 4　引 4　印 6　因 6　胤 9　音 9　院 10　寅 11　蔭 14　韻 19

う

- **う**：右 5　卯 5　生 5　宇 6　羽 6　有 6　迂 7　兎 7　佑 7　雨 8　侑 8　胡 9　宥 9　祐 9
- **うい**：初 7
- **うえ**：上 3　高 10
- **うお**：魚 11
- **うさぎ**：兎 7
- **うし**：牛 4
- **うじ**：氏 4
- **うしお**：汐 6　潮 15
- **うず**：太 4
- **うた**：吟 7　唄 10　詠 12　詩 13　歌 14　謡 16
- **うたい**：謡 16
- **うち**：内 4
- **うな**：海 9
- **うね**：采 8　畝 10
- **うぶ**：初 7
- **うみ**：海 9　洋 9
- **うめ**：梅 10
- **うや**：礼 5　恭 10　敬 12
- **うら**：浦 10　麗 19
- **うらら**：麗 19
- **うる**：閏 12　潤 15
- **うるう**：閏 12　潤 15
- **うん**：云 4　運 12　雲 12

え

- **え**：永 5　衣 6　会 6　回 6　江 6　守 6　依 8　英 8　枝 8　杷 8　苗 8　娃 9　映 9　栄 9　重 9　恵 10　笑 10　得 11　瑛 12　詠 12　絵 12　惠 12　榎 14　榮 14　慧 15　叡 16　衛 16
- **えい**：永 5　泳 8　英 8　映 9　栄 9　哉 9　営 12　瑛 12　詠 12　榮 14　影 15　鋭 15　叡 16　衛 16
- **えがく**：描 11
- **えき**：役 7　易 8　益 10
- **えだ**：枝 8
- **えつ**：悦 10　越 12　謁 15　閲 15
- **えのき**：榎 14
- **えみ**：咲 9　笑 10
- **えむ**：笑 10
- **えり**：衿 9　襟 18
- **えん**：円 4　宛 8　奄 8　延 8　苑 8　晏 10　援 12　媛 12　園 13　猿 13　遠 13　演 14　縁 15　燕 16　薗 16

お

- **お**：乙 1　己 3　小 3　大 3　方 4　央 5　生 5　百 6　於 8　旺 8　欧 8　和 8　音 9　保 9　桜 10　峰 10　緒 14　穂 15　織 18
- **おう**：王 4　央 5　応 7　往 8　旺 8　欧 8　皇 9　桜 10　黄 11　凰 11　奥 12　煌 13　横 15　櫻 21　鷗 22

- （おう）：鷹24
- おうぎ：扇10
- おおとり：凰11 鳳14 鴻17 鵬19
- おか：丘5 岡8
- おき：気6 沖7 知8 宙8 起10 意13 置13 興16
- おぎ：荻10
- おく：屋9 奥12 億15 憶16
- おこす：起10
- おこる：興16
- おさ：収4 長8 理11 脩11 統12 総14 綜14
- おし：忍7 押8 推11
- おつ：乙1
- おと：乙1 吟7 男7 呂7 音9 律9 韻19 響20

- おのれ：己3
- おび：紳11
- おみ：臣7
- おも：主5
- おもい：思9 想13
- おもう：思9 想13
- おや：親16
- おり：居8 織18
- おる：織18
- おん：苑8 音9 恩10 温12 御12 園13 遠13 薗16 穏16

か

- か：一1 日4 加5 可5 禾5 叶5 甲5 何7 伽7 花7 芳7 佳8 果8 河8 科9 架9 珂9 迦9 香9 哉9 耶9 珈9 夏10 家10 荷10 華10 賀12 翔12 楓13 榎14 嘉14 歌14 樺14 駆14 駕15 駈15 霞17 蘭19 馨20
- が：伽7 我7 河8 画8 芽8 俄9 峨10 賀12 雅13 駕15 霞17
- かい：介4 会6 回6 合6 快7 戒7 改7 恢9 海9 界9 皆9 桂10 桧10 絵12 開12 階12 凱12 堺12 解13 楷13 魁14 懐16 諧16 檜17 櫂18
- がい：外5 崖11 涯11 凱12 街12 該13 概14

- かいり：浬10
- かえで：楓13
- かお：香9 薫16 馨20
- かおり：芳7 郁9 香9 薫16 馨20
- かおる：芳7 郁9 香9 薫16 馨20
- かがみ：鏡19
- かがやき：輝15
- かぎ：鍵17
- かく：角7 画8 拡8 格10 核10 郭11 覚12 確15 穫18 鶴21
- がく：学8 岳8 楽13 樂15
- かけ：掛11
- かげ：景12 蔭14 影15
- かける：架9 翔12 駆14 駈15 繋19 懸20
- かさ：重9 笠11 嵩13

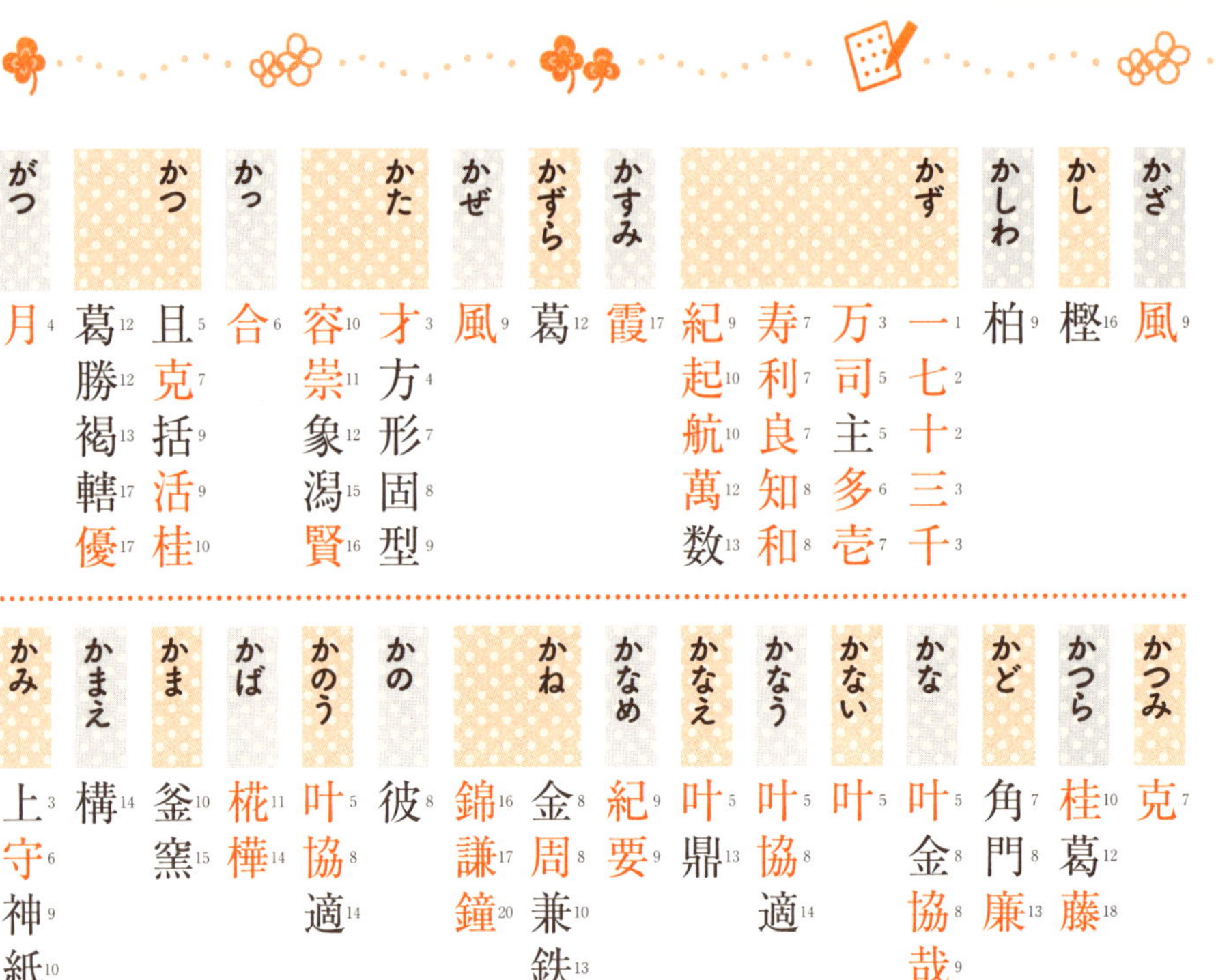

かざ 風9

かし 樫16

かしわ 柏9

かず 一1 七2 十2 三3 千3 万3 司5 主5 多6 壱7 寿7 利7 良7 知8 和8 紀9 起10 航10 萬12 数13

かすみ 霞17

かずら 葛12

かぜ 風9

かた 才3 方4 形7 固8 型9 容10 崇11 象12 潟15 賢16

かっ 合6

かつ 且5 克7 括9 活9 桂10 葛12 勝12 褐13 轄17 優17

がつ 月4

かつみ 克7

かつら 桂10 葛12 藤18

かど 角7 門8 廉13

かな 叶5 金8 協8 哉9 奏9

かない 叶5

かなう 叶5 協8 適14

かなえ 叶5 鼎13

かなめ 紀9 要9

かね 金8 周8 兼10 鉄13 銀14 錦16 謙17 鐘20

かの 彼8

かのう 叶5 協8 適14

かば 椛11 樺14

かま 釜10 窯15

かまえ 構14

かみ 上3 守6 神9 紙10

かめ 亀11

かも 鴨16

かもめ 鷗22

かや 茅8 草9 萱12

から 空8 唐10 殻11 韓18

かり 雁12

かれ 彼8

かわ 川3 河8

かん 甲5 完7 侃8 冠9 巻9 柑9 看9 神9 莞10 栞10 勘11 貫11 紺11 菅11 堪12 敢12 間12 閑12 勧13 寛13 幹13 感13 漢13 慣14 関14 綸14 歓15 環17 韓18 観18 鑑23

かんば 樺14

き

き 乙1 己3 木4 生5 企6 伎6 気6 妃6 岐7 希7 汽7 芸7 来7 奇8 祈8 季8 宜8 其8 來8 紀9 軌9 城9 帰10 記10 起10 姫10 黄11 基11 寄11 規11 亀11 埼11 徠11 葵12 喜12 幾12 揮12 期12 棋12 稀12 貴12 幹13 置13 暉13 旗14 綺14 器15 嬉15 毅15 畿15 輝15 槻15 熙15 機16 興16 樹16 磯17 騎18 礎18 麒19

ぎ 伎6 技7 芸7 宜8 其8 葵12 棋12 義13 毅15 儀15

戯15 誼15 麒19 議20
- **きく**　掬11 菊11 鞠17
- **きざし**　兆6 萌11
- **きざむ**　刻8
- **きし**　岸8
- **きずく**　築16
- **きずな**　絆11
- **きた**　北5 朔10
- **きたる**　来7 來8 徠11 儀15
- **きち**　吉6 橘16
- **きつ**　吉6 桔10
- **きぬ**　衣6 絹13
- **きのえ**　甲5
- **きのと**　乙1
- **きば**　牙4
- **きみ**　公4 仁4 君7

- **きゃ**　伽7
- **きゅう**　九2 久3 及3 弓3 丘5 求7 究7 玖7 穹8 宮10 赳10 救11 球11 毬11 鞠17
- **きよ**　人2 心4 玉5 圭6 汐6 粋10 淑11 清11 雪11 陽12 聖13 廉13 精14 静14 潔15 澄15 摩15 磨16 馨20
- **きょ**　巨5 居8 挙10 許11
- **きょう**　叶5 共6 匡6 杏7 亨7 享8 京8 供8 協8 峡9 香9 恭10 強11 教11 郷11 経11 梗11 喬12 橋16 興16 鏡19 馨20 響20
- **ぎょく**　玉5
- **きよし**　白5 圭6 泉9 淳11 清11 晴12 陽12 聖13 潔15 澄15
- **きよみ**　雪11 澄15
- **きよむ**　雪11 澄15
- **きら**　晃10 晄10 煌13
- **きり**　桐10 霧19
- **きわみ**　究7 極12 窮15
- **きわむ**　究7 極12 窮15
- **きわめ**　極12
- **きん**　今4 芹7 近7 欣8 金8 衿9 菫11 勤12 欽12 琴12 錦16 謹17 檎17 襟18
- **ぎん**　吟7 銀14

- **く**　九2 久3 工3 区4 公4 丘5 句5 功5 玖7 来7 供8 空8 來8 穹8 紅9 宮10 倶10 矩10 貢10 徠11 琥12 駆14 駈15 駒15

- **ぐ**　久3 弘5 求7 具8 倶10
- **くう**　空8
- **ぐう**　宮10 遇12 隅12
- **くき**　茎8
- **くさ**　色6 草9
- **くしろ**　釧11
- **くす**　楠13 樟15
- **くに**　州6 呉7 邦7 国8 洲9 城9 訓10 都11
- **くま**　阿8 隈12 熊14
- **くみ**　与3 伍6 組11 綸14
- **くも**　雲12

くら 倉10 椋12 鞍15 蔵15

くり 栗10 繰19

くる 来7 來8 徠11 薫16 繰19

くれ 呉7 紅9

くれない 紅9

くろ 玄5 黒11 黎15

くわ 桑10

くん 君7 訓10 薫16

け

け 斗4 気6 圭6 家10 華10 袈11 稀12 懸20

げ 夏10 華10

けい 圭6 形7 系7 佳8 京8 径8 茎8 型9 契9 計9 勁9 奎9 恵10 桂10 啓11 渓11 経11 蛍11 敬12 景12 惠12 携13 継13 詣13 慶15 慧15 稽15 憬15 憩16 警19 繫19 馨20

げい 芸7 迎7

けつ 決7 訣11 結12 傑13 潔15

げつ 月4

けん 見7 研9 健11 絢12 絹13 憲16 賢16 謙17 顕18

げん 元4 幻4 玄5 言7 弦8 拳10 原10 現11 絃11 舷11 硯12 源13 厳17 巌20

こ

こ 己3 子3 女3 小3 戸4 木4 乎5 古5 仔5 冴7 児7 来7 呼8 固8 虎8 來8 弧9 胡9 虹9 個10 袴11 徠11 湖12 琥12 誇13 鼓13 瑚13 醐16

ご 五4 互4 午4 心4 伍6 呉7 吾7 冴7 胡9 娯10 悟10 梧11 御12 瑚13 語14 醐16 檎17 護20

こい 恋10 鯉18

こう 工3 公4 勾4 孔4 功5 巧5 広5 弘5 甲5 交6 光6 向6 好6 江6 考6 行6 亘6 杏7 亨7 孝7 宏7 更7 岡8 効8 幸8 庚8 昂8 肯8 岬8 昊8 侯9 厚9 巷9 恒9 皇9 紅9 香9 神9 虹9 洸9 候10 倖10 晃10 浩10 紘10 耕10 航10 貢10 高10 晄10 黄11 康11 梗11 皐11 凰11 港12 皓12 塙13 幌13 滉13 煌13 構14 綱14 稿15 廣15 興16 縞16 講17 鴻17

こえ 吟7 声7

こえる 越12 超12

こく 克7 告7 谷7 刻8 国8 黒11 穀14

ごく 極12

読み	漢字（画数）
ここ	九2 心4 此6
こころ	心4
こころざし	志7
こし	越12 腰13 輿17
こずえ	梶11 槙14 梢11
こと	士3 言7 采8 事8 紀9 思9 殊10 琴12 詞12
ことば	詞12
ことぶき	寿7
この	好6 此6
このみ	好6
このむ	好6
こま	駒15
こめ	米6
こゆる	超12
こよみ	暦14

読み	漢字（画数）
これ	之3 也3 以5 伊6 此6 是9 惟11 維14
ころも	衣6
こん	今4 近7 金8 昆8 建9 根10 紺11 献13 魂14 墾16
ごん	言7 菫11 勤12 権15 厳17

さ

読み	漢字（画数）
さ	三3 小3 左5 早6 佐7 沙7 冴7 作7 砂9 咲9 茶9 勇9 紗10 彩11 爽11 嵯13 裟13 瑳14 聡14
ざ	沙7 坐7 座10
さい	才3 西6 幸8 采8 斉8 哉9 宰10 栽10 柴10 彩11

読み	漢字（画数）
	採11 砦11 祭11 斎11 菜11 埼11 偲11 最12 歳13
ざい	在6 材7 財10
さえ	冴7
さか	坂7 阪7 栄9 榮14
さかえ	栄9 富12 榮14 潤15
さかき	榊14
さかん	史5 壮6 旺8 昌8 盛11
さき	先6 早6 幸8 咲9 崎11 埼11
さぎ	鷺24
さく	作7 咲9 朔10 策12
さくら	桜10 櫻21
ささ	笹11
さざなみ	漣14
さだ	成6 貞9 真10 禎13 寧14

読み	漢字（画数）
	憲16
さだめ	定8
さち	幸8 倖10 祥10
さつ	札5 察14 颯14 薩17
さっ	早6
さつき	皐11
さと	了2 利7 里7 学8 知8 怜8 俐9 恵10 悟10 哲10 敏10 郷11 都11 覚12 達12 智12 惠12 惺12 聖13 聡14 慧15 叡16 賢16
さとし	知8 怜8 恵10 啓11 智12 惺12 聖13 聡14
さとる	知8 智12 惺12 聖13 聡14
さな	真10 眞10
さね	心4 仁4 志7 実8 真10

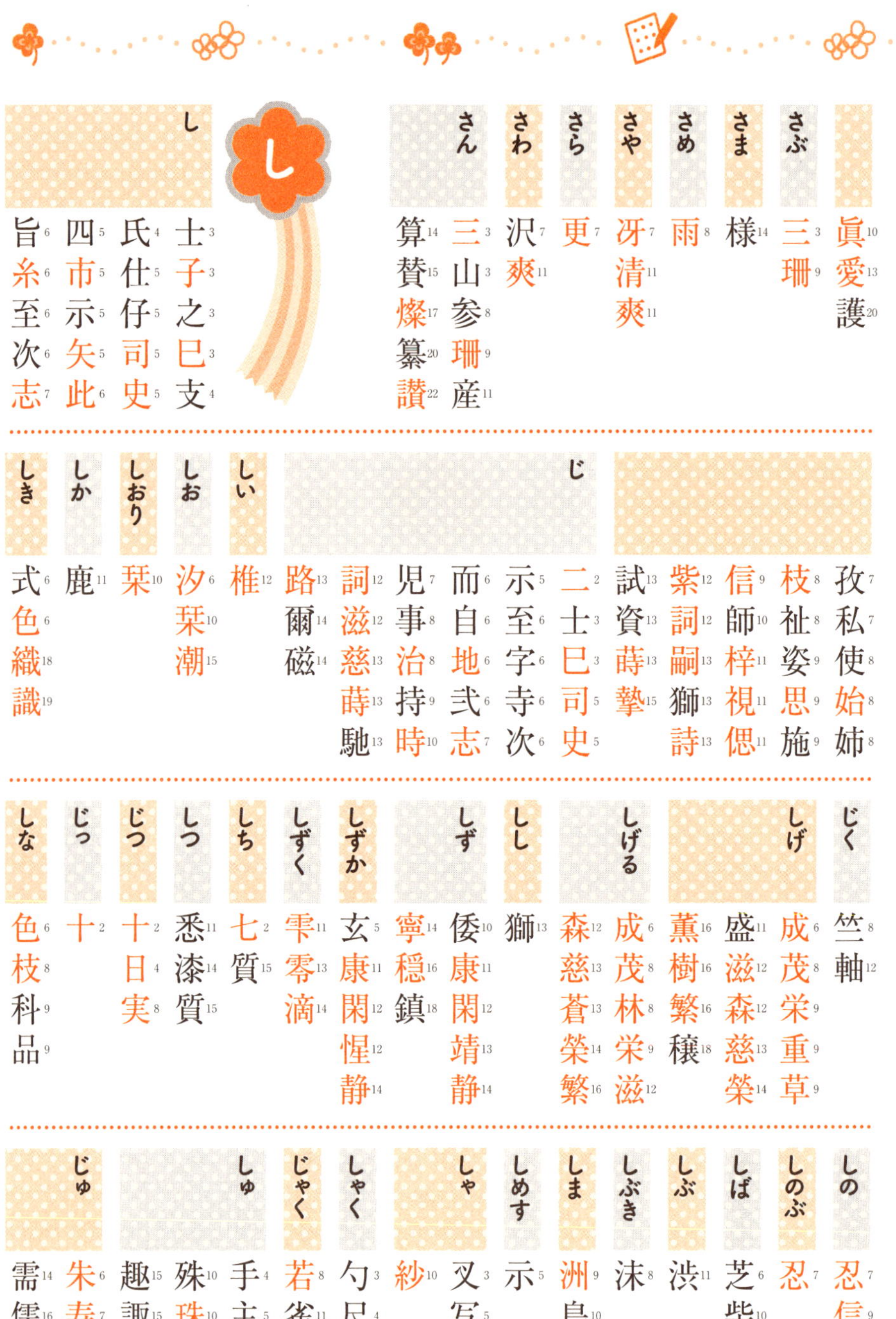

眞10 愛13 護20

さぶ　三3 珊9

さま　様14

さめ　雨8

さや　冴7 清11 爽11

さら　更7

さわ　沢7 爽11

さん　三3 山3 参8 珊9 産11 算14 賛15 燦17 纂20 讃22

し

し　士3 子3 之3 巳3 支4 氏4 仕5 仔5 司5 史5 四5 市5 示5 矢5 此6 旨6 糸6 至6 次6 志7 孜7 私7 使8 始8 姉8 枝8 祉8 姿9 思9 施9 信9 師10 梓11 視11 偲11 紫12 詞12 嗣13 獅13 詩13 試13 資13 蒔13 摯15

じ　二2 士3 巳3 司5 史5 示5 至6 字6 寺6 次6 而6 自6 地6 弐6 志7 児7 事8 治8 持9 時10 詞12 滋12 慈13 蒔13 馳13 路13 爾14 磁14

しい　椎12

しお　汐6 栞10 潮15

しおり　栞10

しか　鹿11

しき　式6 色6 織18 識19

じく　竺8 軸12

しげ　成6 茂8 栄9 重9 草9 盛11 滋12 森12 慈13 榮14 薫16 樹16 繁16 穣18

しげる　成6 茂8 林8 栄9 滋12 森12 慈13 蒼13 榮14 繁16

しし　獅13

しず　倭10 康11 閑12 靖13 静14 寧14 穏16 鎮18

しずか　玄5 康11 閑12 惺12 静14

しずく　雫11 零13 滴14

しち　七2 質15

しつ　悉11 漆14 質15

じつ　十2 日4 実8

じっ　十2

しな　色6 枝8 科9 品9

しの　忍7 信9 偲11 篠17

しのぶ　忍7

しば　芝6 柴10

しぶ　渋11

しぶき　沫8

しま　洲9 島10 嶋14 縞16

しめす　示5

しゃ　叉3 写5 沙7 社7 砂9 紗10

しゃく　勺3 尺4 釈11

じゃく　若8 雀11 惹12

しゅ　手4 主5 守6 朱6 柊9 殊10 珠10 修10 萩12 種14 趣15 諏15

じゅ　朱6 寿7 受8 珠10 授11 需14 儒16 樹16

しゅう
収4 州6 舟6 充6 秀7 周8 宗8 洲9 秋9 祝9 柊9 修10 習11 崇11 脩11 衆12 集12 萩12 葺12 嵩13 繡19

じゅう
十2 中4 住7 拾9 柔9 重9 従10 渋11 縦16

しゅく
叔8 祝9 宿11 淑11 粛11

じゅく
塾14 熟15

しゅつ
出5

しゅん
旬6 俊9 春9 洵9 峻10 准10 隼10 淳11 惇11 竣12 舜13 詢13 諄15 駿17 瞬18

じゅん
旬6 巡6 洵9 准10 純10 隼10 淳11 惇11 閏12 順12 準13 馴13 詢13 潤15 遵15 諄15

しょ
処5 初7 所8 書10 恕10 渚11 緒14 曙17

じょ
女3 如6 助7 序7 叙9 徐10 恕10

しょう
小3 上3 井4 升4 正5 生5 匠6 庄6 丞6 肖7 尚8 承8 招8 昇8 昌8 松8 青8 咲9 昭9 省9 政9 星9 相9 荘9 将10 祥10 称10 笑10 唱11 捷11 梢11 渉11 章11 紹11 菖11 清11 笙11 勝12 掌12 晶12 湘12 硝12 象12 惺12 翔12 奨13 照13 詳13 彰14 精14 樟15 蕉15 賞15 憧15 鐘20

しょく
色6 植12 飾13 燭17 織18

しら
白5

しらべ
調15

しるし
印6 瑞13

しるす
志7 紀9 記10

しろ
代5 白5 城9

しろがね
銀14

しん
心4 申5 伸7 臣7 芯7 辰7 信9 神9 津9 晋10 真10 秦10 眞10 深11 紳11 進11 晨11 森12 慎13 新13 榛14 賑14 槙14 親16

じん
人2 仁4 壬4 尽6 迅6 臣7 辰7 忍7 神9 甚9 訊10 陣10 晨11 尋12 稔13

す
子3 主5 守6 朱6 州6 寿7 洲9 珠10 栖10 素10 巣11 須12 数13 諏15 雛18

ず
図7 杜7 豆7 寿7 津9 珠10 逗11 瑞13 頭16 鶴21

すい
水4 出5 吹7 粋10 推11 彗11 遂12 瑞13 翠14 穂15

ずい
随12 瑞13 髄19

すう
枢8 崇11 嵩13 数13 雛18

すえ
末5 季8 陶11

すが
菅11 清11

すき
透10

すぎ
杉7

すく
透10

すぐ　直8

すくう　掬11 救11

すぐる　卓8 優17

すけ　友4 甫7 佑7 典8 宥9 祐9 亮9 裕12 翼17

すず　紗10 涼11 鈴13 錫16

すすむ　歩8 侑8 進11 新13

すずめ　雀11

すずり　硯12

すな　沙7 砂9 淳11

すなお　侃8 直8 是9 純10 素10 淳11 惇11 順12

すばる　昴9

すみ　住7 純10 清11 墨14 澄15

ずみ　泉9 純10 澄15

すみれ　菫11

すむ　清11 澄15

すもも　李7

すん　寸3 峻10

せ

せ　世5 施9 星9 勢13 聖13 瀬19

ぜ　是9 瀬19

せい　井4 世5 正5 生5 成6 西6 声7 征8 青8 斉8 省9 政9 星9 凄10 晟10 清11 盛11 彗11 笙11 晴12 惺12 歳13 勢13 聖13 誠13 靖13 精14 誓14 静14 整16

せき　夕3 汐6 赤7 隻10 責11 堰12 跡13 関14 碩14 積16 績17 籍20

せつ　接11 設11 雪11 節13 説14

せり　芹7

せん　千3 川3 仙5 占5 先6 尖6 亘6 茜9 宣9 専9 泉9 洗9 染9 扇10 閃10 釧11 旋11 船11 践13 撰15 選15 遷15 薦16 繊17 鮮17

ぜん　全6 前9 善12 然12 禅13

そ

そ　十2 三3 衣6 其8 素10 曽11 組11 曾12 楚13 想13 礎18

ぞ　曽11 曾12

そう　双4 生5 壮6 早6 宋7 走7 宗8 奏9 相9 草9 荘9 送9 桑10 候10 倉10 曽11 爽11 曹11 窓11 笙11 湘12 曾12 創12 惣12 装12 湊12 想13 蒼13 層14 槍14 漕14 総14 綜14 聡14 遭14 漱14 颯14 踪15 操16 繰19

ぞう　三3 造10 象12 像14 増14 蔵15 贈18

そく　即7 束7 則9 息10 速10

その　苑8 其8 圃10 園13 薗16

そめ　染9

そら　天4 宇6 空8 宙8 昊8 穹8

- そん：存6 村7 孫10 尊12 巽12 遜14
- ぞん：存6

た

- た：太4 田5 多6 汰7 舵11
- だ：打5 那7 陀8 雫11 梛11
- たい：大3 太4 代5 平5 汰7 待9 泰10 態14
- だい：乃2 大3 内4 代5
- だいだい：橙16
- たいら：平5 庄6 坦8
- たえ：才3 妙7 耐9
- たえる：耐9
- たか：山3 天4 丘5 宇6 考6 孝7 岳8 尭8 空8 昂8 尚8 卓8 宝8 香9 飛9 恭10 高10 峻10 峰10 峯10 皐11 渉11 崇11 琢11 堂11 理11 陸11 隆11 貴12 喬12 敬12 尊12 揚12 嵩13 鷹24
- たかし：天4 昂8 峰10 峯10 敬12 聖13
- たから：宝8 聖13
- たき：滝13 瀧19
- たく：沢7 卓8 拓8 啄10 託10 琢11 擢17 櫂18
- たくみ：工3 巧5 伎6 匠6
- たけ：丈3 壮6 竹6 岳8 長8 威9 健11
- たず：鶴21
- たすく：丞6 助7 佑7 相9 祐9 翼17
- ただ：正5 由5 伊6 匡6 侃8 忠8 直8 貞9 恭10 真10 惟11 渉11 唯11 理11 董12 雅13 禎13 維14
- ただし：仁4 直8 理11 雅13
- ただす：直8
- たち：立5
- たつ：立5 辰7 建9 起10 竜10 達12 竪14 樹16 龍16
- たつき：樹16
- たつみ：巽12
- たて：立5 建9 竪14 縦16
- たに：谷7 渓11
- たね：苗8 胤9 種14
- たのし：喜12 楽13 樂15
- たば：束7
- たび：度9 旅10
- たま：丸3 玉5 圭6 玖7 玲9 珠10 球11 瑞13 瑶13 碧14 環17 璧18
- たまき：環17
- たましい：魂14
- たみ：民5 彩11 黎15
- ため：与3 為9
- ためす：試13
- たもつ：有6 完7 寿7 保9 惟11 維14
- たゆ：妙7
- たる：善12 福13 樽16
- たん：丹4 旦5 坦8 担8 単9

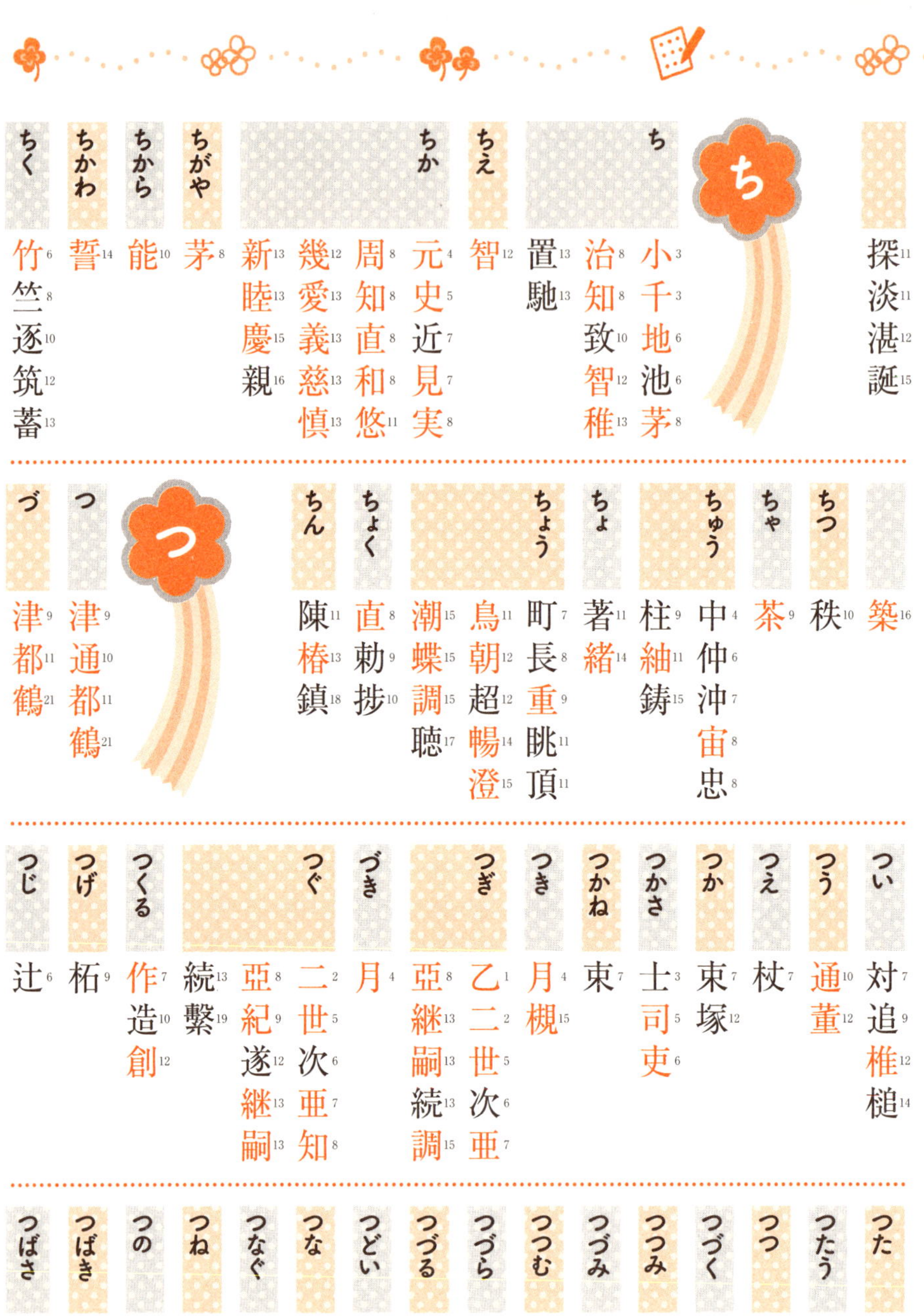

探11 淡11 湛12 誕15

ち

ち 小3 千3 地6 池6 茅8 治8 知8 致10 智12 稚13 置13 馳13

ちえ 智12

ちか 元4 史5 近7 見7 実8 周8 知8 直8 和8 悠11 幾12 愛13 義13 慈13 慎13 新13 睦13 慶15 親16

ちがや 茅8

ちから 能10

ちかわ 誓14

ちく 竹6 竺8 逐10 筑12 蓄13

築16

ちつ 秩10

ちゃ 茶9

ちゅう 中4 仲6 沖7 宙8 忠8 柱9 紬11 鋳15

ちょ 著11 緒14

ちょう 町7 長8 重9 眺11 頂11 鳥11 朝12 超12 暢14 澄15 潮15 蝶15 調15 聴17

ちょく 直8 勅9 捗10

ちん 陳11 椿13 鎮18

つ

つ 津9 通10 都11 鶴21

づ 津9 都11 鶴21

つい 対7 追9 椎12 槌14

つう 通10 董12

つえ 杖7

つか 束7 塚12

つかさ 士3 司5 吏6

つかね 束7

つき 月4 槻15

つぎ 乙1 二2 世5 次6 亜7 亞8 継13 嗣13 続13 調15

づき 月4

つぐ 二2 世5 次6 亜7 知8 亞8 紀9 遂12 継13 嗣13 続13 繋19

つくる 作7 造10 創12

つげ 柘9

つじ 辻6

つた 蔦14

つたう 伝6

つつ 包5 筒12

つづく 続13

つつみ 包5 堤12

つづみ 鼓13

つつむ 包5

つづら 葛12

つづる 綴14

つどい 集12

つな 紘10 道12 綱14

つなぐ 維14 繋19

つね 恒9 経11 常11 庸11

つの 角7

つばき 椿13

つばさ 翼17

読み	漢字（画数）
つばめ	燕16
つぶら	円4
つぼみ	蕾16
つみ	摘14 積16
つむ	紡10 紬11 摘14 錘16 積16
つむぎ	紡10 紬11
つむぐ	紡10 紬11
つや	釉12 艶19
つゆ	露21
つら	連10 貫11
つる	弦8 絃11 敦12 蔓14 鶴21
づる	鶴21
つるぎ	剣10

て

読み	漢字（画数）
て	手4
で	出5
てい	丁2 汀5 呈7 廷7 定8 貞9 庭10 挺10 堤12 提12 禎13 艇13 綴14
でい	祢9 禰19
てき	的8 迪8 笛11 摘14 滴14 適14 擢17
てつ	哲10 鉄13 綴14 徹15
てら	寺6
てらす	照13 暉13 曜18
てり	照13
てる	旭6 光6 明8 映9 昭9 晃10 晄10 晟10 瑛12 晶12 晴12 皓12 照13 暉13 煌13 輝15 熙15 燿18
てん	天4 典8 点9 展10 槙14 纏21
でん	田5 伝6 佃7 電13

と

読み	漢字（画数）
と	十2 人2 士3 土3 戸4 仁4 斗4 冬5 百6 図7 兎7 杜7 利7 門8 音9 度9 飛9 徒10 途10 兜11 都11 冨11 達12 渡12 登12 富12 翔12 豊13
ど	土3 努7 度9
とう	冬5 灯6 当6 投7 宕8 東8 到8 挑9 桐10 唐10 島10 桃10 透10 兜11 祷11 陶11 登12 塔12 搭12 棟12 等12 答12 統12 董12 道12 稲14 嶋14 読14 踏15 燈16 橙16 藤18 櫂18
どう	同6 桐10 動11 堂11 萄11 童12 道12 働13 導15 瞳17
とうげ	峠9
とお	十2 亨7 通10 遥12 遙14 徹15 遼15
とおし	遠13
とおる	亨7 亮9 透10 澄15
とき	世5 旬6 迅6 言7 辰7 季8 刻8 宗8 斉8 時10 常11 晨11 凱12 鋭15

ときわ 常11

とく 迪8 特10 得11 説14 徳14 読14 篤16

どく 読14

とげる 遂12

とこ 常11

とし 才3 子3 禾5 世5 代5 年6 寿7 利7 俊9 峻10 敏10 淑11 歳13 稔13 豪14 聡14 鋭15 穏16 駿17

とせ 年6

とち 栃9

とび 鳶14

とびら 扉12

とみ 臣7 宝8 冨11 登12 富12

とも 丈3 双4 巴4 友4 共6 灯6 有6 供8 知8 朋8 茂8 和8 侶9 兼10 倫10 寅11 智12 朝12 登12 睦13 僚14 燈16 類18

ともえ 巴4

とよ 晨11 富12 豊13

とら 虎8 寅11 彪11

とり 酉7 鳥11

とりで 砦11 塁12

とん 敦12

な

な 七2 名6 那7 直8 奈8 和8 南9 納10 菜11 雫11 椰11

ない 乃2 内4

なえ 苗8

なお 巨5 侃8 尚8 直8

なおし 良7 直8 道12

なか 心4 中4 央5 仲6 陽12

なが 久3 大3 永5 寿7 長8 詠12 温12

ながれ 流10

なぎ 凪6 椛11 椰11

なぎさ 汀5 渚11

なぐ 凪6

なごみ 和8

なぞ 謎17

なだ 灘22

なつ 夏10 捺11 撫15

なな 七2

なに 何7 奈8

なの 七2

なま 生5

なみ 波8 並8 南9 浪10 漣14

なら 楢13

なり 也3 生5 成6 育8 周8 斉8 為9 音9 業13 徳14

なる 生5 匠6 成6 育8 愛13 誠13 稔13 徳14 親16

なわ 苗8 縄15

なん 何7 男7 南9 納10 軟11 楠13 難18

に

に 二2 仁4 丹4 而6 弐6

児 7 荷 10 爾 14

にい：新 13

にし：西 6

にじ：虹 9

にしき：錦 16

にち：日 4

にゅう：入 2

にょ：女 3 如 6

にわ：庭 10

にん：人 2 仁 4 壬 4 任 6 忍 7 閏 12 稔 13 認 14

ぬ：埜 11 野 11

ぬい：縫 16 繡 19

ぬき：貫 11

ぬし：主 5

ぬの：布 5

ね：子 3 宇 6 年 6 直 8 音 9 祢 9 根 10 値 10 峰 10 峯 10 道 12 寧 14 嶺 17 禰 19

ねい：寧 14

ねがう：願 19

ねつ：熱 15

ねん：年 6 念 8 然 12 稔 13

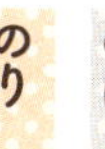
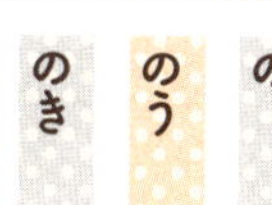
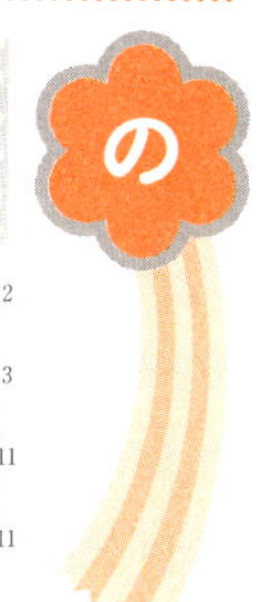

の：乃 2 之 3 埜 11 野 11

のう：納 10 能 10 農 13 濃 16

のき：宇 6 軒 10

のぎ：禾 5

のぞみ：希 7 望 11

のぞむ：希 7 望 11 臨 18

のどか：和 8 温 12

のびる：伸 7

のぶ：亘 6 伸 7 延 8 恒 9 信 9 宣 9 洵 9 悦 10 修 10 展 10 惟 11 敦 12 遥 12 靖 13 暢 14

のぶる：伸 7 延 8 述 8 直 8

のぼる：昇 8 登 12

のり：礼 5 宜 8 典 8 法 8 紀 9

軌 9 祝 9 宣 9 則 9 律 9 記 10 矩 10 倫 10 規 11 教 11 視 11 詞 12 統 12 道 12 愛 13 徳 14 慶 15 範 15 論 15 憲 16

のん：音 9 暖 13

は：八 2 巴 4 羽 6 初 7 把 7 芭 7 杷 8 波 8 春 9 派 9 華 10 琶 12 葉 12 播 15 覇 19

ば：羽 6 芭 7 波 8 馬 10 場 12 葉 12

はい：拝 8 俳 10 配 10 斐 12 輩 15

ばい：苺 8 唄 10 倍 10 梅 10 培 11

はえ：映 9 栄 9 榮 14

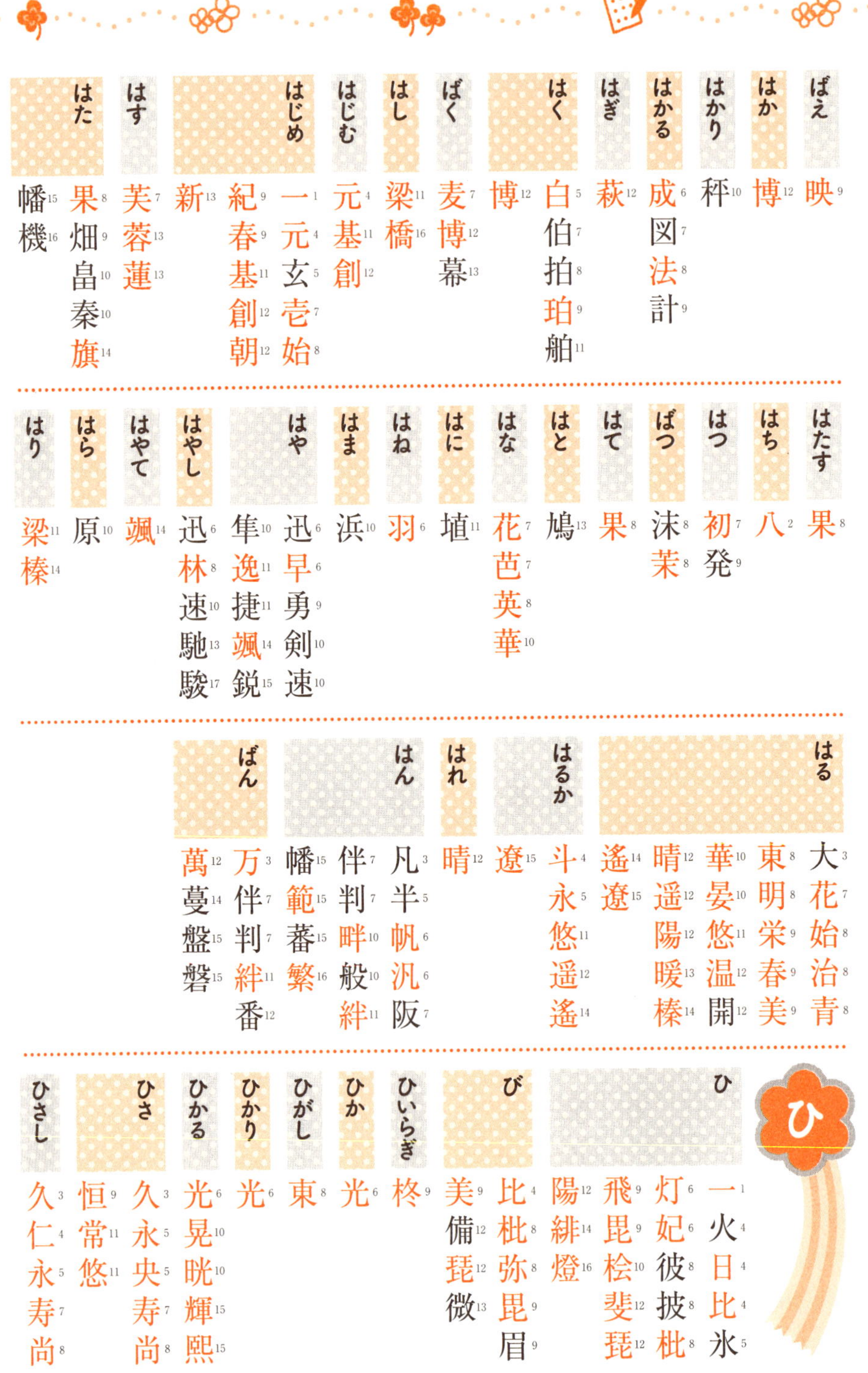

- **ばえ**：映9
- **はか**：博12
- **はかり**：秤10
- **はかる**：成6 図7 法8 計9
- **はぎ**：萩12
- **はく**：白5 伯7 拍8 珀9 舶11 博12
- **ばく**：麦7 博12 幕13
- **はし**：梁11 橋16
- **はじむ**：元4 基11 創12
- **はじめ**：一1 元4 玄5 壱7 始8 紀9 春9 基11 創12 朝12 新13
- **はす**：芙7 蓉13 蓮13
- **はた**：果8 畑9 畠10 秦10 旗14 幡15 機16

- **はたす**：果8
- **はち**：八2
- **はつ**：初7 発9
- **ばつ**：沫8 茉8
- **はて**：果8
- **はと**：鳩13
- **はな**：花7 芭7 英8 華10
- **はに**：埴11
- **はね**：羽6
- **はま**：浜10
- **はや**：迅6 早6 勇9 剣10 速10 隼10 逸11 捷11 颯14 鋭15
- **はやし**：迅6 林8 速10 馳13 駿17
- **はやて**：颯14
- **はら**：原10
- **はり**：梁11 榛14

- **はる**：大3 花7 始8 治8 青8 東8 明8 栄9 春9 美9 華10 晏10 悠11 温12 開12 晴12 遥12 陽12 暖13 榛14 遙14 遼15
- **はるか**：斗4 永5 悠11 遥12 遙14 遼15
- **はれ**：晴12
- **はん**：凡3 半5 帆6 汎6 阪7 伴7 判7 畔10 般10 絆11 幡15 範15 蕃15 繁16
- **ばん**：万3 伴7 判7 絆11 番12 萬12 蔓14 盤15 磐15

ひ

- **ひ**：一1 火4 日4 比4 氷5 灯6 妃6 彼8 披8 枇8 飛9 毘9 桧10 斐12 琵12 陽12 緋14 燈16
- **び**：比4 枇8 弥8 毘9 眉9 美9 備12 琵12 微13
- **ひいらぎ**：柊9
- **ひか**：光6
- **ひがし**：東8
- **ひかり**：光6
- **ひかる**：光6 晃10 晄10 輝15 熙15
- **ひさ**：久3 永5 央5 寿7 尚8 恒9 常11 悠11
- **ひさし**：久3 仁4 永5 寿7 尚8

読み	漢字(画数)
（前ページより）	悠11
ひし	菱11
ひじり	聖13
ひつ	必5 畢11 筆12
ひで	秀7 英8 栄9 榮14
ひと	一1 人2 士3 仁4 壱7
ひとし	一1 仁4 洵9
ひとみ	瞳17
ひな	穂15 雛18
ひのき	桧10 檜17
ひびき	韻19 響20
ひめ	妃6 姫10 媛12
ひゃく	百6
びゃく	白5
ひゅ	彪11
ひゅう	彪11
ひょう	氷5 兵7 拍8 表8 豹10 彪11 標15
びょう	平5 苗8 秒9 描11
ひら	平5 成6 拓8 坦8
ひらく	拓8 開12
ひろ	丈3 大3 太4 央5 広5 弘5 礼5 汎6 宏7 拡8 拓8 坦8 宙8 明8 恢9 宥9 洋9 洸9 浩10 紘10 恕10 泰10 展10 容10 啓11 敬12 尋12 博12 裕12 皓12 寛13 滉13 嘉14 潤15 廣15 熙15 優17
ひろし	仁4 広5 拓8 宙8 洋9 洸9 紘10 湖12 尋12 裕12 滉13 潤15
ひろむ	啓11
ひん	品9 浜10 彬11
びん	秤10 敏10 瓶11

ふ

読み	漢字(画数)
ふ	二2 不4 文4 生5 布5 吹7 扶7 芙7 甫7 巫7 府8 阜8 歩8 赴9 風9 圃10 冨11 符11 富12 普12 輔14 撫15 譜19
ぶ	不4 生5 芙7 武8 歩8 奉8 逢11 部11 葡12 無12 撫15 舞15 蕪15
ふう	風9 冨11 富12 楓13
ふえ	笛11 笙11
ふか	深11
ふかし	深11
ふき	吹7 蕗16
ふく	富12 幅12 福13
ふさ	房8 総14
ふし	節13
ふじ	藤18
ふた	二2 双4 弐6
ふで	筆12
ふな	舟6 船11
ふね	舟6 航10 船11
ふみ	文4 史5 郁9 章11 詞12 篇15
ふもと	麓19
ふゆ	冬5
ふるう	奮16

ふん　分4 焚12 雰12 奮16

ぶん　分4 文4 聞14

へ

へ　巴4 辺5

べ　辺5 杷8

へい　丙5 平5 兵7 併8 並8

べい　米6

へき　碧14 壁18

べに　紅9

へん　辺5 遍12 篇15 編15

べん　弁5 勉10

ほ

ほ　火4 帆6 甫7 歩8 宝8 保9 浦10 畝10 圃10 蒲12 輔14 蓬14 穂15

ほう　方4 包5 芳7 邦7 奉8 宝8 朋8 法8 峰10 峯10 逢11 萌11 訪11 萠11 報12 豊13 蓬14 鳳14 褒15 鋒15 縫16 鵬19

ぼう　卯5 茅8 朋8 房8 昴9 紡10 萌11 望11 萠11

ほがら　朗10

ほく　北5

ほし　斗4 星9

ほたる　蛍11

ほとり　辺5

ほろ　幌13

ほん　本5 奔8

ぼん　凡3 盆9

ま

ま　万3 目5 茉8 真10 馬10 眞10 麻11 間12 満12 萬12 増14 舞15 摩15 磨16 麿18

まい　米6 毎6 妹8 苺8 舞15

まいる　哩10

まえ　前9

まき　牧8 巻9 蒔13 槙14

まく　蒔13 幕13 播15

まこと　一1 允4 充6 実8 命8 信9 亮9 洵9 真10 眞10 淳11 惇11 慎13 誠13 詢13 諒15 諄15

まさ　大3 允4 元4 公4 仁4 方4 正5 匡6 壮6 昌8 和8 政9 柾9 剛10 将10 真10 眞10 理11 勝12 晶12 裕12 雅13 聖13 誠13 賢16 整16 優17

まさき　柾9

まさし　正5 雅13

まさる　雅13 潤15 優17

ます　升4 斗4 加5 助7 益10

また　又2 叉3 也3 亦6

まち　町7 待9 街12

まつ　末5 松8 沫8 茉8 待9

まつり	砦11 祭11
まと	的8
まど	円4 窓11
まとい	纏21
まどか	円4
まとむ	纏21
まな	学8 真10 眞10 愛13
まなぶ	学8
まなみ	愛13
まもる	士3 守6 保9 葵12 衛16 護20
まゆ	眉9 繭18
まゆみ	檀17
まり	毬11 鞠17
まる	丸3 円4 斡14 盤15
まれ	希7 稀12

まろ	丸3 理11 観18 麿18
まん	万3 満12 萬12 蔓14
み	弓3 己3 三3 子3 巳3 心4 仁4 壬4 水4 生5 未5 光6 好6 充6 見7 身7 巫7 実8 味8 弥8 海9 看9 省9 泉9 眉9 美9 珠10 規11 現11 視11 深11 望11 幹13 誠13 魅15 観18
みお	澪
みかん	柑9
みき	幹13 樹16

みぎわ	汀5 渚11
みこ	巫7
みこと	命8
みさお	貞9 操16
みさき	岬8
みず	壬4 水4 泉9 瑞13
みずうみ	湖12
みち	行6 至6 充6 往8 径8 宙8 迪8 通10 途10 倫10 進11 理11 陸11 達12 道12 満12 義13 路13 導15
みちる	充6 満12
みつ	三3 允4 光6 充6 貢10 密11 満12 蜜14
みつぐ	貢10
みつる	光6 充6 富12 満12

みどり	翠14 碧14 緑14
みな	水4 汎6 皆9 南9
みなと	港12 湊12
みなみ	南9 陽12
みなもと	源13
みね	峰10 峯10 嶺17 巌20
みの	蓑13
みのり	実8 稔13
みのる	季8 実8 稔13 穂15 穫18 穣18
みや	宮10
みやこ	京8 都11
みやび	雅13
みゆき	幸8
みょう	名6 妙7 命8 明8
みる	視11 観18

みん　民5

む

む　六4 牟6 武8 務11 陸11 無12 睦13 夢13 霧19

むかう　向6

むき　向6

むぎ　麦7

むく　椋12

むけ　向6

むこう　向6

むすぶ　結12

むつ　六4 陸11 睦13

むな　棟12

むね　心4 旨6 志7 宗8 棟12

むら　村7 邑7

むらさき　紫12

むろ　室9

め

め　女3 目5 雨8 芽8 苺8 梅10 萌11 萠11

めい　名6 芽8 命8 明8 盟13 銘14

めぐ　恵10 惠12

めぐみ　仁4 恩10 恵10 萌11 惠12 愛13

めぐむ　仁4 恩10 恵10 惠12 愛13

めぐる　回6 巡6 廻9 旋11 斡14 環17

めみ　萌11

めん　綿14

も

も　百6 苺8 萌11 望11 萠11 雲12

もう　望11 猛11 網14

もえ　萌11

もく　木4 目5

もち　有6 茂8 持9 望11

もと　一1 元4 心4 本5 求7 志7 甫7 始8 茂8 紀9 泉9 原10 素10 倫10 基11 規11 許11 統12 意13 楽13 幹13 源13

もとい　基11

もとき　幹13

もとむ　求7 要9

もみじ　椛11

もも　百6 李7 桃10

もり　主5 守6 壮6 杜7 容10 盛11 森12 衛16 護20

もん　文4 門8 紋10 問11 聞14

や

や　八2 也3 乎5 矢5 谷7 夜8 弥8 屋9 哉9 耶9 家10 埜11 野11 陽12 椰13

やし　椰13

やす　安6 育8 和8 保9 恭10

（前頁より続く）耕10 泰10 康11 閑12 慈13 靖13 寧14 穏16

- やすき　穏16
- やすし　安6 和8 寧14
- やつ　八2
- やな　梁11
- やなぎ　柳9 楊13
- やま　山3
- やまと　和8 倭10
- やわ　柔9
- やわら　和8 柔9

- ゆ　弓3 夕3 友4 由5 有6 佑7 侑8 宥9 柚9 祐9 唯11 悠11 結12 愉12 裕12 遊12 雄12 釉12 諭16 優17 癒18
- ゆい　由5 惟11 唯11 結12 維14
- ゆう　夕3 尤4 友4 右5 由5 有6 佑7 邑7 侑8 勇9 宥9 柚9 祐9 悠11 脩11 結12 湧12 裕12 遊12 雄12 釉12 蓉13 優17
- ゆき　千3 之3 由5 行6 至6 志7 往8 幸8 征8 門8 侑8 起10 倖10 透10 進11 雪11 道12 普12 潔15 薫16
- ゆく　之3 路13 適14
- ゆず　柚9
- ゆずる　謙17 譲20
- ゆた　豊13
- ゆたか　有6 裕12 豊13 優17
- ゆづる　弦8
- ゆみ　弓3
- ゆめ　夢13

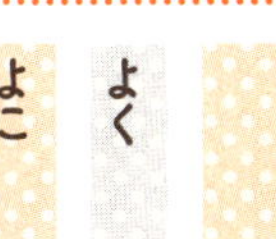

- よ　与3 予4 四5 世5 代5 余7 於8 呼8 夜8 葉12 誉13 預13 蓉13 輿17
- よい　誼15
- よう　八2 幼5 用5 羊6 洋9 要9 容10 庸11 湧12 揚12 葉12 遥12 陽12 楊13 蓉13 瑶13 暢14 様14 踊14 遙14 養15 擁16 謡16 曜18 燿18 耀20 櫻21 鷹24
- よく　沃7 翼17
- よこ　横15
- よし　女3 与3 可5 由5 伊6 吉6 圭6 好6 芦7 快7 孝7 芳7 良7 英8 佳8 宜8 欣8 幸8 和8 紀9 是9 宣9 美9 悦10 純10 恕10 祥10 泰10 惟11 啓11 淑11 理11 喜12 貴12 欽12 敬12 善12 義13 源13 慈13 誉13 葦13 嘉14 徳14 歓15 儀15 慶15 潔15 賢16 整16
- よつ　四5
- よみ　読14

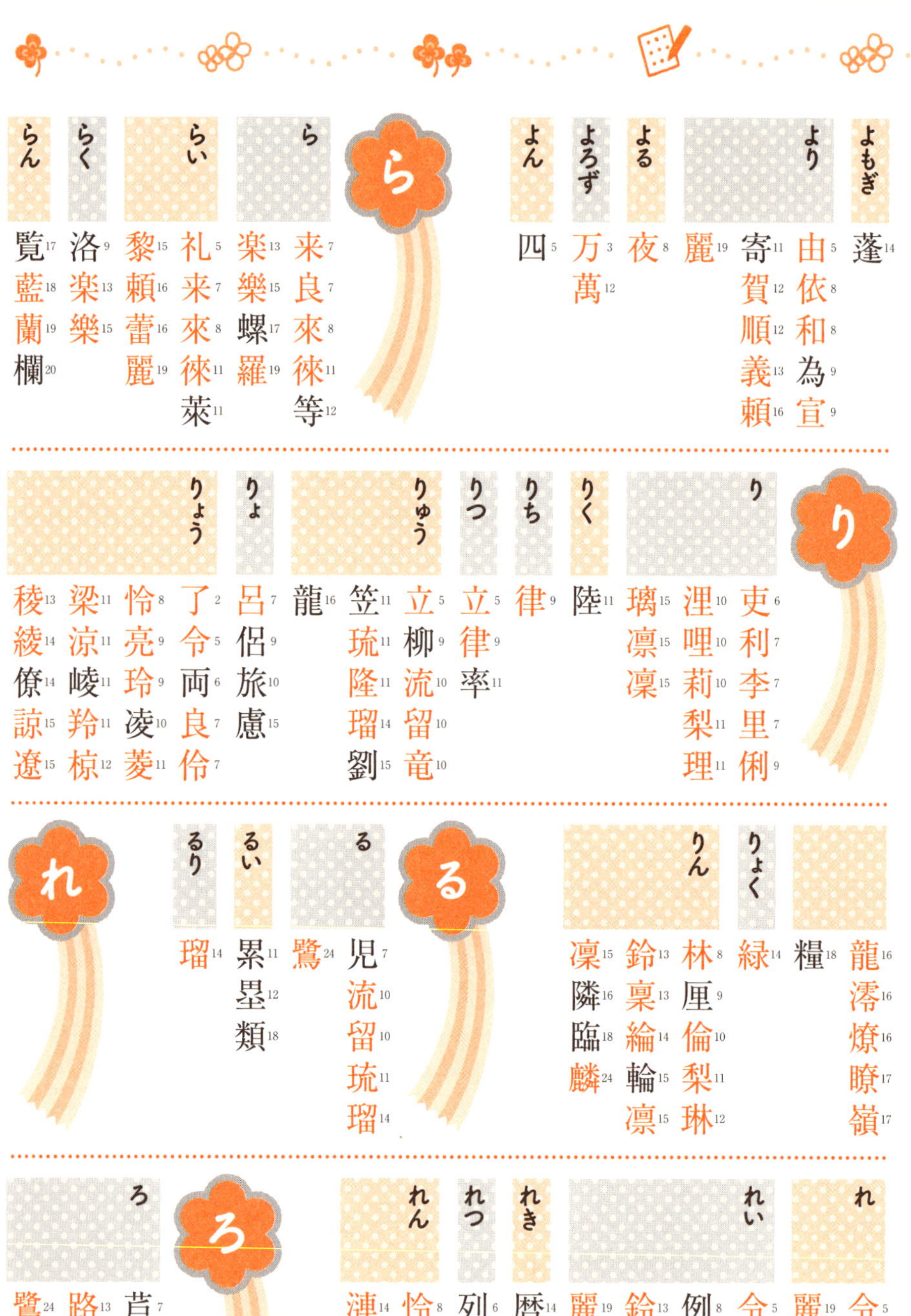

よもぎ　蓬14

より　由5　依8　和8　為9　宣9　寄11　賀12　順12　義13　頼16　麗19

よる　夜8

よろず　万3　萬12

よん　四5

ら

ら　来7　良7　來8　徠11　等12　楽13　樂15　螺17　羅19

らい　礼5　来7　來8　徠11　莱11　黎15　頼16　蕾16　麗19

らく　洛9　楽13　樂15

らん　覧17　藍18　蘭19　欄20

り

り　吏6　利7　李7　里7　俐9　浬10　哩10　莉10　梨11　理11　璃15　凜15　凛15

りく　陸11

りち　律9

りつ　立5　律9　率11

りゅう　立5　柳9　流10　留10　竜10　笠11　琉11　隆11　瑠14　劉15　龍16

りょ　呂7　侶9　旅10　慮15

りょう　了2　令5　両6　良7　伶7　怜8　亮9　玲9　凌10　菱11　梁11　涼11　崚11　羚11　椋12　稜13　綾14　僚14　諒15　遼15　龍16　澪16　燎16　瞭17　嶺17　糧18

りょく　緑14

りん　林8　厘9　倫10　梨11　琳12　鈴13　稟13　綸14　輪15　凛15　凜15　隣16　臨18　麟24

る

る　児7　流10　留10　琉11　瑠14　鷺24

るい　累11　塁12　類18

るり　瑠14

れ

れ　令5　礼5　伶7　怜8　玲9　麗19

れい　令5　礼5　伶7　冷7　励7　例8　怜8　玲9　莉10　羚11　鈴13　零13　黎15　澪16　嶺17　麗19

れき　暦14　歴14

れつ　列6

れん　怜8　恋10　連10　廉13　蓮13　漣14　練14　憐16　錬16　簾19

ろ

ろ　芦7　良7　呂7　侶9　亮9　路13　魯15　蕗16　櫓19　露21　鷺24

ろう
良7 朗10 浪10 椋12 滝13 楼13 瀧19 露21

ろく
六4 鹿11 禄12 緑14 録16 麓19

ろん
論15

わ

わ
八2 禾5 羽6 我7 把7 和8 倭10 琶12 話13 輪15 環17

わか
王4 若8 湧12 新13 稚13

わき
湧12

わく
或8 湧12

わた
綿14

わだち
軌9

わたり
渉11 渡12

わたる
亘6 径8 和8 恒9 航10 渉11 渡12 道12

わね
羽6

わら
笑10

わらび
蕨15

わらべ
童12

われ
我7 吾7

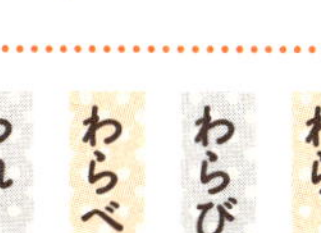
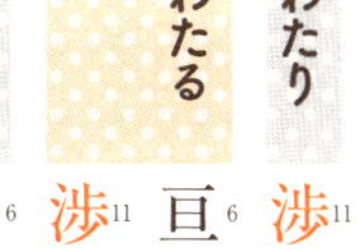

Memo

画数別

名づけに使える

全文字リスト

【漢字・かな・符号】

赤ちゃんの名前に使える文字
（常用漢字、人名用漢字、ひらがな、カタカナ、一部の符号）を
画数別にすべて掲載しています。
なかには名前にふさわしくない漢字もあるので、
使用の際には意味をしっかり確認しましょう。

1画　▶181ページ

一乙くしつのへっノ
フヘレ丶ヽー

2画　▶181～182ページ

九七十人乃*丁刀二入
八卜*又了力いうこて
とひぺめりるろんぃ
ぅアイカクコスセソ
トナニヌハヒプペマ
ムメヤユラリルワン
ァィャュヮ

3画　▶182～184ページ

已*下干丸及弓久巾乞
己口工叉*才三山士巳*
子之*勺*女上丈小刃寸
夕川千大土亡凡万也*
与あえかぐけさじす
せそちづにぴべみも
やゆよられわゐぁぇ
ゃゅょゎウエオキケ
サシタチツテパピブ
ベミモヨロヱヲゥェ
ォッョ々ゞヾ

4画　▶184～187ページ

引允*云*円王刈牙化火
介牛凶斤区欠月犬元
幻午五互戸勾孔公今
氏支止尺手収廿*冗少

升心仁壬*水井切双太
丹丑*中弔爪天斗屯内
匂日巴*反比匹父不夫
仏勿*分文片方乏毛木
匁*厄友尤*予六おきご
たでどぬねはびふま
むをぉガグゴズゼゾ
ドネバビホヰ

5画

187～192ページ

圧以右永凹央可且瓦
加禾*外刊甘旧丘巨去
叶*玉句兄穴玄込乎*古
号甲功弘*巧広左冊札
皿司史市仔*示仕只*矢

四失叱写主囚汁出処
疋*召尻申生正世斥石
仙占打他台代凧*旦庁
汀*田奴冬凸丼尼白氾
犯半皮必氷付布払丙
平弁辺母戊*包卯*北本
末未民矛目由幼用立
令礼がげざずぜぞぢ
なぱぷほゑギゲザジ
ダヂヅデポ

6画

192～198ページ

扱安夷*伊*衣芋印因宇
羽曳*亦*汚瓜*仮亥*会回
灰各缶汗危伎企気机

吉臼朽吸休仰叫匡*共
旭*曲刑圭*血件伍*后江
合考行好光交向互*在
再字至糸此*死次自弛*
寺而*耳旨式芝朱守充
收*州舟旬巡汝*丞*庄*匠
色迅尽西成汐*舌亘*先
尖*全壮争早存多宅托*
団池地竹仲虫兆辻*伝
吐当同灯凪*弐肉如任
年肌伐汎帆妃百伏米
忙牟*朴毎名妄有羊吏
両列劣老肋*ぎだばぶ
ぽボ

7画

▶199〜207ページ

亜医囲位壱迂*応伽*何
花我貝改戒芥*快角完
肝串含岐希汽忌技迄*
却灸*究汲*求狂杏*劫*亨*
局吟芹*近均玖*君系芸
形迎決言見呉冴*吾*坑
孝抗更攻宏*克谷告困
佐坐*沙材災作孜*伺志
児似私車社灼*寿住秀
序助初抄肖条状杖*床
芯辛臣辰*伸身図吹杉
声赤折宋*壮*走即足束
村妥汰対体択沢但男
沖町沈呈廷弟低佃*辿*
兎*杜*努豆投沌*呑*那尿
妊忍把芭*売伯麦抜坂
阪判伴批否尾庇*肘扶
芙*巫*佛*吻*兵別返牡*甫*
歩*邦芳妨防坊忘没毎*
妙冶役佑*酉*邑*余妖沃
抑来卵乱利里李*良冷
励戻伶*芦*呂労弄ぼ

8画

▶207〜217ページ

亞*阿*依委育雨英泳易
宛苑*沿奄*延炎於*旺欧
往押殴苛価河画佳果
芽拐劾怪岳拡学官玩
岩岸侃*茄*函*巻*奇季宜
祈祁*其*穹*泣居拠拒享
況協供京尭*金欣*具苦
空屈径茎券肩弦固虎
股呼拘肯庚*岡効杭*昊*
昂*幸肴*岬刻国忽*昆昏*
些*妻采刷刹参祉肢姉
枝刺侍事治使兒*始竺*
実舎邪者社*若受取呪
宗周叔述杵*所尚狀*承
昌*沼昇松招炊垂枢制
征斉姓性青析昔拙狙
阻爭*卒陀*苔*卓拓担坦*
知宙忠抽注帖*長直坪

抵邸定底泥迪*的迭典
店妬宕*到沓*東毒突届
奈乳念波杷*拝杯苺*迫
泊拍拔*版板披非卑*彼
肥枇*弥泌表苗府阜附
侮斧*怖武服拂*物沸併
並歩肪泡茅*抱宝法放
奉房朋*牧奔枚妹枕抹
沫*茉*味明命免茂盲孟*
門夜油侑*拉來*林例怜*
炉和枠或*

9画

➡218～228ページ

娃*哀按*威胃畏為郁*咽
姻胤*映栄疫怨屋卸音

科珂*架迦*珈*俄*臥*界海
廻*悔恢*皆垣革括活冠
柑*竿*巻看紀軌祈*祇*客
逆虐級糾急峡侠*狭挟
衿*軍奎*係型契勁*計頁*
県限建研彦*孤弧枯胡*
後故侯恒洪郊恆*洸*拷
恰*厚荒皇香紅巷*虹恨
査砂哉*砕昨柵削拶珊*
社*茨思柿姿施持指室
柘*者*狩首秋臭柊*拾洲*
重柔祝俊洵*盾春叙昭
浄咲茸*城乗食拭侵神
津甚信帥是牲省星政

窃宣茜*浅洗泉穿*染前
専祖送奏草荘相則即*
俗促胎殆*退耐怠待単
胆段炭茶柱昼挑勅珍
追亭帝訂貞姪*点怒度
逃洞峠独栃突*南祢*派
肺拜*盃*背珀*柏*畑発卑
美飛毘*眉秒品訃侮*赴
負風封柄勉*変便保姥*
胞某冒昴*勃盆昧柾*俣*
迷面籾*耶*約柚*幽勇祐*
宥*洋要洛*俐*律柳侶亮*
厘玲*郎

10画

▶229〜238ページ

挨案晏*員院烏*益悦宴
俺翁桜恩蚊峨*家夏華
荷害海*悔*桧*核格株莞*
陥栞*飢起鬼帰氣*記既
姫桔*赳*笈*宮挙峡*恭恐
脅狹*胸矩*倶*訓郡恵桂*
倹倦*兼拳剣軒原個娯
庫悟校航剛晃*晄*降倖*
貢桁候高耕紘*浩*骨根
挫差紗*座唆宰栽剤財
晒*柴*索窄*朔*殺桟蚕残
師恣脂紙砥*時疾射借
酌弱殊酒珠臭*修従袖

祝*殉純准隼*峻*徐書除
恕*将症祥称渉*消乗*秤*
哨*宵笑辱娠陣唇神*晋*
訊*秦*針浸振真眞*粋衰
凄晟*栖*逝隻席脊屑*栓
扇閃*租祖*素莊*倉桑挿
捜造息捉速孫泰帯託
啄*耽*致値恥畜逐秩衷
酎紐*捗朕砧*通逓悌*挺*
釘*庭荻*哲展徒途党套*
胴討唐凍島透倒桐*桃
匿特悩能納馬破俳倍
唄梅配剥莫*畠*班畔般
挽*被疲秘祕*豹*俵病敏

浜浮釜粉紛陛勉娩*哺
畝浦捕圃*俸砲剖紡倣
峰峯*埋脈眠娘冥耗紋
祐*容浴浬*哩*莉*栗*竜留
流旅料凌*凉*倫涙烈恋
連郎*狼*浪朗倭*脇

11画

▶238〜249ページ

悪庵*尉移異萎惟*域逸
陰寅*淫液凰*黄菓貨掛
械涯崖晦*郭殻喝渇勘
陷*乾眼菅*貫患偽亀埼
規基寄菊掬*脚救球毬*
魚虚許教郷強菌菫*惧
偶掘袈*啓渓掲経蛍訣*

圏* 舷 現 絃* 険 健 牽* 捲* 梧*
袴* 康 梗 皐* 控 國* 黒 惚* 頃
婚 痕 紺 混 斎 彩 済 採 砦*
菜* 細 祭 崎 笹* 産 斬 惨 梓*
偲* 視 悉* 執 赦 捨 蛇 斜 這*
釈 雀* 寂 授 週 羞 終 渋 従*
習 脩* 淑 粛 宿 術 淳* 惇* 庶
敍* 渚* 渉 章 紹 訟 菖* 將* 祥*
剰 淨* 商 條* 梢* 捷* 笙* 情 常
唱 埴* 紳 晨* 進 深 据 逗* 推
彗* 酔 崇 清 盛 戚 惜 責 接
設 雪 釧* 船 旋 專* 措 粗 組
曹 爽 巣 巢* 曽 掃 窓 族 側
舵* 唾 雫* 梛* 堆 逮 第 帶* 袋

琢* 脱 淡 探 断 窒 紬* 晝* 著
猪* 帳 頂 釣 鳥 眺 張 彫 陳
停 偵 梯* 逞* 笛 転 添 淀* 都
陶 堂 萄* 悼 祷* 動 桶* 兜* 盗
得 豚 貪 捺* 軟 捻 粘 脳 婆
陪 排 梅* 培 敗 舶 販 晩* 絆*
梶* 畢* 票 描 猫 彪* 瓶 敏* 彬*
貧 婦 符 部 冨* 副 閉 偏 菩*
訪 崩 捧* 眸* 逢* 萌* 萠* 望 堀
麻 密 務 猛 椛* 問 野 埜* 訳
唯 悠 郵 庸 翌 欲 萊* 徠* 理
梨 陸 率 略 掠* 隆 笠* 粒 琉*
猟 崚* 涼 菱* 陵 梁* 淋* 累 涙*
羚* 朗* 鹿

12画

249～259ページ

渥* 悪* 握 椅 偉 爲* 逸* 飲 雲
運 瑛* 営 詠 越 援 焰* 堰* 媛
淵* 奥 黄* 温 渦 賀 過 階 絵
凱* 街 堺* 開 覚 渴* 葛 筈* 割
喚 敢 棺 款 換 雁* 間 寒 閑
堪 揮 欺 幾 棋 葵* 稀* 期 貴
喜 喫 給 距 虚* 御 暁 喬* 卿*
堯* 極 琴* 欽* 勤 筋 遇 寓* 隅
景 敬 惠* 掲* 軽 戟* 結 圏 検
絢* 堅 喧* 萱* 硯* 減 琥* 湖 雇
項 慌 硬 腔* 皓* 絞 喉 港 黑*
渾* 詐 犀* 裁 最 策 酢 傘 喰*
散 滋 斯* 詞 歯 視* 紫 軸 湿

煮惹*集衆就萩*茸*粥*循
順竣*閏*暑渚*掌晶硝粧
証剰*勝翔*焦湘*象畳場
詔焼植殖尋診森須随
遂税棲*甥*惺*晴婿貰*絶
揃*然善訴疎疏*惣*捜*装
湊*曾*創葬喪痩属粟*測
尊巽*堕惰隊貸替琢*達
棚單*湛*弾短遅智*筑*着
厨*註*貯著*猪*朝超喋*貼
脹*椎痛塚提堤程堵*都*
渡塔搭痘答統董*筒登
道盗*等棟湯童敦*鈍琶*
買廃媒博斑晩番蛮飯

悲備費扉斐*琵*筆評普
富葡*復幅雰焚*塀遍補
募帽棒貿傍報萬*満無
愉喩猶裕雄遊釉*湧揚
葉遥*陽揺落絡嵐痢裡*
硫虜*量椋*琳*塁裂廊禄*
隈*惑湾椀*腕

13画

▶260〜267ページ

愛暗意葦*彙違溢*遠園
煙猿塩鉛圓*奧*溫*禍雅
靴嘩*暇嫁楷慨該塊解
蓋較塙*隔楽褐滑寛感
漢頑勧幹棄毀義暉*詰
嗅鳩*裾業禁勤*禽*僅虞

愚窟群傾携継詣隙傑
絹嫌献遣源碁跨*瑚*鼓
誇鉱滉*傲煌*幌*溝嵯*裟*
蓑*債碎*歳塞罪載催搾
嗣資慈詩飼試蒔*獅*辞
嫉煮*腫酬蒐*愁舜*準詢*
馴*楯*署暑*奨頌*傷詳照
蒸飾触腎慎愼*新稔*寝
睡瑞*嵩*数聖勢靖*誠跡
摂節腺詮践禅煎戦羨
塑楚*僧蒼*裝*想賊続損
楕*詫*碓*滞滝嘆暖痴稚
置馳*蓄椿*腸跳牒*賃艇
禎*鼎*溺鉄蒙*塡電傳*殿

塗働督頓遁*楢*楠*農煤*
漠鉢搬頒煩碑*微楓*福
腹墓蒲*飽蜂豊睦幕夢
盟滅椰*預誉腰瑶*溶傭*
楊*揺*蓉*裸雷酪裏慄溜*
虜稜*稟*零鈴廉煉*蓮*賂
路楼廊*禄*話賄碗*

14画

267～272ページ

斡*維隠蔭*榮*駅演鳶*寡
箇禍*歌榎*樺*嘉*概魁*閣
摑*漢*寛*管関慣僞*綺*疑
旗箕*厩*漁境銀駆熊誤
語酵豪膏*構閤*綱穀酷
獄魂瑳*際榊*察颯*雑算

酸誌磁爾*雌漆實*遮需
壽*竪*種銃嘗*塾署*緒彰
奬*蔣*障摺*裳*盡*槙*槇*賑*
寢*榛*粹*翠*製齊*精静誓
碩*説箋漸銑*銭遡層総
僧*像遭漱*漕*聡*槍*綜*憎
増遜駄態滞*奪團*嘆*端
綻嫡徴蔦*暢*肇*漬槌*禎*
綴*適滴摘銅稲嶋*徳読
認寧*頗*箔*閥髪罰碑緋*
鼻漂賓*腐複福*聞碧*蔑
暮慕輔*貌鞄*鳳*蓬*僕墨
膜慢漫蔓*蜜銘鳴綿模
網誘與*瘍踊様遙*辣領

僚綾*緑綠*綸*瑠歴暦練
漣*漏窪*

15画

272～276ページ

鞍*慰遺影鋭閲謁縁緣*
横億課餓價*蝦*駕*稼潰
確樂*潟監歓緩畿儀器
嬉*輝熙*毅*戯槻*誼*窮蕎*
緊駈*駒勲慶稽憬慧*劇
撃潔蕨*儉*権劍*糊*稿廣*
穀*撮賛暫撤*餌賜摯質
趣澁*熟遵醇*潤諄*諸緒*
衝賞蕉*憧樟*縄嘱審震
諏*穂醉*請節*線遷選撰*
潜噌*槽踪層*瘦*藏*憎*增*

噂*諾誰誕談歎*彈*駐鋳
徵*嘲潮蝶*調澄墜締鄭*
敵徹撤稲*撞*樋*踏導徳*
熱罵播*輩賠賣*箱箸髪*
範盤磐*幡*蕃*罷膝標廟*
賓膚賦敷撫*舞蕪*墳憤
噴幣弊蔽餅編篇*舗暴
褒鋒*撲墨*摩魅黙憂窯
樣*養履璃劉*慮寮遼*諒*
凜*凛*輪黎*霊練*魯*論

16画

276～280ページ

緯謂*衛衞*叡*謁*薗*燕*横*
憶穏諧骸壊懐獲樫*鴨*
憾還館窺*器*機橘*鋸*暁*

凝橋錦勳*薫憩激憲縣*
賢険*諺*錮醐*衡興縞*鋼
墾錯諮錫*儒樹輯*獣縦
諸*壌嬢錠鞘*燒*親薪錐*
錘*醒錆*静*整積膳戰*薦
操樽*醍*黛*濁壇緻築諦
薙*蹄*鮎*賭糖橙*頭燈*篤
曇燃濃薄縛繁避奮壁
縫膨謀頰磨麺默*薬輸
諭融擁謡頼賴*蕾*龍*燎*
隣隷澪*歴*暦*憐*錬蕗*録
錄*

17画

280～281ページ

曖應*臆霞*檜*嚇轄環擬

犠磯*戲*徽*鞠*矯謹薰*擊*
謙檢*鍵厳檎*講購鴻*壕*
藁*懇薩*擦燦*濕*謝爵濡*
縱*醜縮駿*曙*礁鍬*篠*償
燭*穗*績繊禪*鮮燥霜戴
濯鍛檀*聴擢*謄瞳謎鍋
繁*彌*瓢*頻瞥*闇優輿*謠*
翼螺*覧療瞭齢嶺*錬*

18画

281～283ページ

鵜*襖*鎧*穫額顎簡観韓
顔騎襟謹*藝*顕験繭鎖
雜*瞬醬*穣*職織雛*蹟*繕
蟬*礎藏*騒贈叢*題簞*儲*
懲鎮鎭*轉*櫂*闘藤難藩

覆 璧 癖 鞭* 翻 磨* 薬* 癒 曜

燿* 濫 藍 鯉* 糧 臨 類 塁* 禮*

鎌

19画

▶283～284ページ

韻 艶 蟹* 壊* 懐* 願 麒* 鏡 繰

警 鯨 繋* 鶏 璽 識 櫛* 繡* 蹴

獣* 髄 瀬 瀨* 蘇* 臓 贈* 藻 寵*

懲* 鯛* 顛* 禱* 難* 禰* 覇 爆 曝*

瀕* 譜 簿 鵬* 霧 羅 蘭* 離 類*

麗 簾* 櫓* 瀧* 麓

20画

▶284～285ページ

巌* 議 競 響 馨* 懸 巖* 護 纂*

孃* 鐘 醸 譲 籍 騒* 騰 耀* 欄

21画

▶285ページ

鰯* 櫻* 鶴 艦 鷄* 顧 轟* 攝* 纏*

飜* 魔 躍 欄* 露 蠟*

22画

▶285ページ

鷗* 饗* 驚 驍* 響* 讃* 襲 疊* 穰*

臟* 灘* 鑄* 聽* 覽* 籠

23画

鑑 巖* 顯* 驗* 鷲* 纖* 鱒*

24画

▶285ページ

釀* 讓* 鷹* 麟* 鱗* 鷺*

25画

廳*

29画

鬱

Memo

出生届の書き方と提出の仕方

赤ちゃんが生まれたら、役所に出生届を提出しなければなりません。出生届が受理されると、法律上、子どもが生まれたことが認められ、親の戸籍に記載されます。

用紙の入手先

基本的には出産した病産院でもらえます。病院で用意していない場合や、自宅出産などの場合は、市区町村の役所の戸籍係で入手できます。なお、出生届の右半分は、医師や助産師が記入する出生証明書になっているので、病産院から受け取る場合は、すでに出生証明書に記載され、署名と捺印もされている状態です。

提出先

次の4つのうちのいずれかになります。

❶親の住民票がある役所の戸籍係
❷親の本籍地にある役所の戸籍係
❸子どもの出生した地域（病産院など）の役所の戸籍係
❹親のいる場所（勤務地、出張先、旅行中の滞在地）の役所の戸籍係

ただし、出産一時金の申請などは、住民票のある役所でないと手続きできないので、出生届以外の手続きのことも考えれば、住民票のある役所へ届けたほうが手間は省けます。なお、いずれの場合も、戸籍に記載される赤ちゃんの出生地は、「実際に生まれた場所」になります。

提出期限

戸籍法により、誕生した日を含め14日以内に提出しなければならないと定められています。たとえば9月1日の深夜1時に生まれても、23時に生まれても1日目となり、出生届の提出期限は、ともに9月14日になります。ただし、14日目が土・日曜、祝祭日など、役所の休日にあたる場合は、休日明けに提出しても大丈夫です。

出生届を期限内に提出しなかった場合には、遅延として処罰の対象になります（→P440）。

受付時間

役所の営業時間外や土日・祝日でも受け取りは可能で、基本的には24時間、年中無休で受け付けてくれます。

ただし、営業時間外は担当者がいません。そのため守衛の人などが預かり、休み明けに戸籍担当者が審査したのち、提出した日付で受理します。記載内容に不備があると、後日また役所へ行かなくてはなりません。出産一時金の申請や、母子健康手帳の証明など、出生届以外の細かい手続きも別の日にあらためて行うことになります。

提出する人

出生届の「届出人欄」の署名・捺印は、原則として赤ちゃんの父親または母親になりますが、実際に用紙を窓口に提出するのは、代理人でもかまいません。ただし、担当者に質問されることもあるので、できるだけ親が行くのがベターです。代理人に頼む場合も、記載内容をきちんと理解している人にお願いしましょう。

なお、出生届に署名・捺印する「届出義務者」は、その順位が法律で以下のように決められています。

1位　赤ちゃんの父母
2位　同居人
3位　出産に立ち会った医師、助産師
4位　その他立会人

赤ちゃんが生まれる前に離婚した場合や婚姻届を出していない場合、父親がすでに死亡している場合などは、母親が届出義務者となります（届出人の欄に母親が署名・捺印する）。

提出時に必要なもの

❶出生届、出生証明書

記入済の出生届と、医師の証明がある出生証明書。子ども1人につき1通必要です。双子なら2通、三つ子なら3通必要です。

❷届出人の印鑑

記入ミスがあったときに、訂正箇所に印鑑が必要になります。印鑑登録したものでなくてよいですが、出生届の届出人欄に捺印したものと同じ朱肉タイプの印鑑が必要です。

❸母子健康手帳

母子健康手帳には「出生届証明」がついています。出生届が役所で受理されたことが記入され、捺印を受けます。

❹国民健康保険証（加入者のみ）

その場で、赤ちゃんの名前を書き入れてくれるので、赤ちゃんが病気になったりケガをしたときにすぐに役立ちます。

届出後は戸籍の確認を

戸籍謄本に子どもの名前を登録する際の作業は、役所の人の手作業です。パソコンで入力しているとはいえ、間違って登録されてしまうこともゼロではありません。なかには、読みにくい字で記入したために、勘違いされて違った字で入力されてしまうこともあり得ます。間違った名前の訂正は、戸籍謄本に記載された直後であれば、比較的簡単にできますが、何か月、何年も経過してから訂正する場合は、家庭裁判所で間違いの申請をし、受理されないとできません。

通常は出生届を提出して10日ほどで戸籍謄本に子どもの名前が記載されるので、2週間くらいたったら、念のため戸籍謄本を取り寄せて確認してみるとよいでしょう。

出生届の記入例と注意点

出生届は、医師などが記入する出生証明書と同じA3の1枚の紙になっていて、
左側が「出生届」、右側が「出生証明書」になっています。

出生証明書

病院で出産する場合には、
出生証明書は医師または
助産師が記入。
自宅で出産した場合には、
母親または立会人が記入する。

生まれた時間

夜の12時は「午前0時」、昼の12時の場合は「午後0時」と表記する。

生まれたところ

病産院出産の場合は病院の所在地、自宅出産の場合は自宅住所を記入。

体重、身長

医師や助産師が立ち会わない出産で、子どもの計量ができなかった場合には記入しなくてよい。

出産した子どもの数

過去に出産、死産した子どもの数も含めて記入。

証明する人

出産に立ち会った医師、助産師、その他で、この優先順の高い人が記入する。

出生証明書

	子の氏名		男女の別	1 男　2 女
	生まれたとき	令和　年　月　日		午前／午後　時　分
(10)	出生したところ及びその種別	出生したところの種別	1 病院　2 診療所　3 助産所　4 自宅　5 その他	
		出生したところ		番地　番　号
		（出生したところの種別1－3）施設の名称		
(11)	体重及び身長	体重　グラム	身長　センチメートル	
(12)	単胎・多胎の別	1単胎　2多胎（　子中第　子）		
(13)	母の氏名		妊娠週数	満　週　日
(14)	この母の出産した子の数	出生子（この出生子及び出生後死亡した子を含む）　人		
		死産児（妊娠満22週以後）　胎		
(15)	1 医師　2 助産師　3 その他	上記のとおり証明する。　令和　年　月　日		
		（住所）　番地　番　号		
		（氏名）　印		

記入上の注意点

- 鉛筆やにじみやすいインクのペンで書かない。
- 子どもの名前は常用漢字、人名用漢字、ひらがな、カタカナなど日本で使用してよい文字で書く。
- 崩した字ではなく、はっきりと読める楷書で書く。
- 各記入欄はきゅうくつなため、いきなり本番で記入すると、書き切れないことも。用紙をコピーしたりして余分に用意しておき、下書きしてから清書を。
- 書き損じてしまい、ほかに用紙がない場合には、間違った部分に二重線を引き、二重線の上に訂正印を押すことで間違い箇所を打ち消す。

出生届

出生届は、子どもの父・母が記入するのが原則。
記入の仕方がわからない場合には、
提出先の役所で教えてくれる。

日付

記入した日ではなく、提出した日を記入。

名前の読み方

漢字の読み方はひらがなで記入。

生まれたところ

赤ちゃんが生まれた病産院などの所在地を記載。

世帯主

住民登録所在地の世帯主の氏名を記入。世帯主が赤ちゃんの祖父の場合は、「続柄」は「子の子」と記入する。

父母の生年月日

昭和や平成などの元号で記入。外国人の場合は西暦で記入。

本籍

本籍地は、本籍の入っている住民票で確認。都道府県から書く。「筆頭者の氏名」は、戸籍の最初に記載されている人の氏名を記入。

父母の職業

国勢調査の年のみ記入。

その他

赤ちゃんの親が戸籍の筆頭者となっていない場合は、新しい戸籍をつくるため、希望する本籍地を記入する。

続き柄

「摘出子」とは婚姻関係による子どもをいい、「摘出でない子」とは婚姻届を提出していない女性から生まれた子どもをいう。また、はじめての子どもなら、「長」、2番目なら「二」、3番目なら「三」と記入。男女のチェックも入れる。

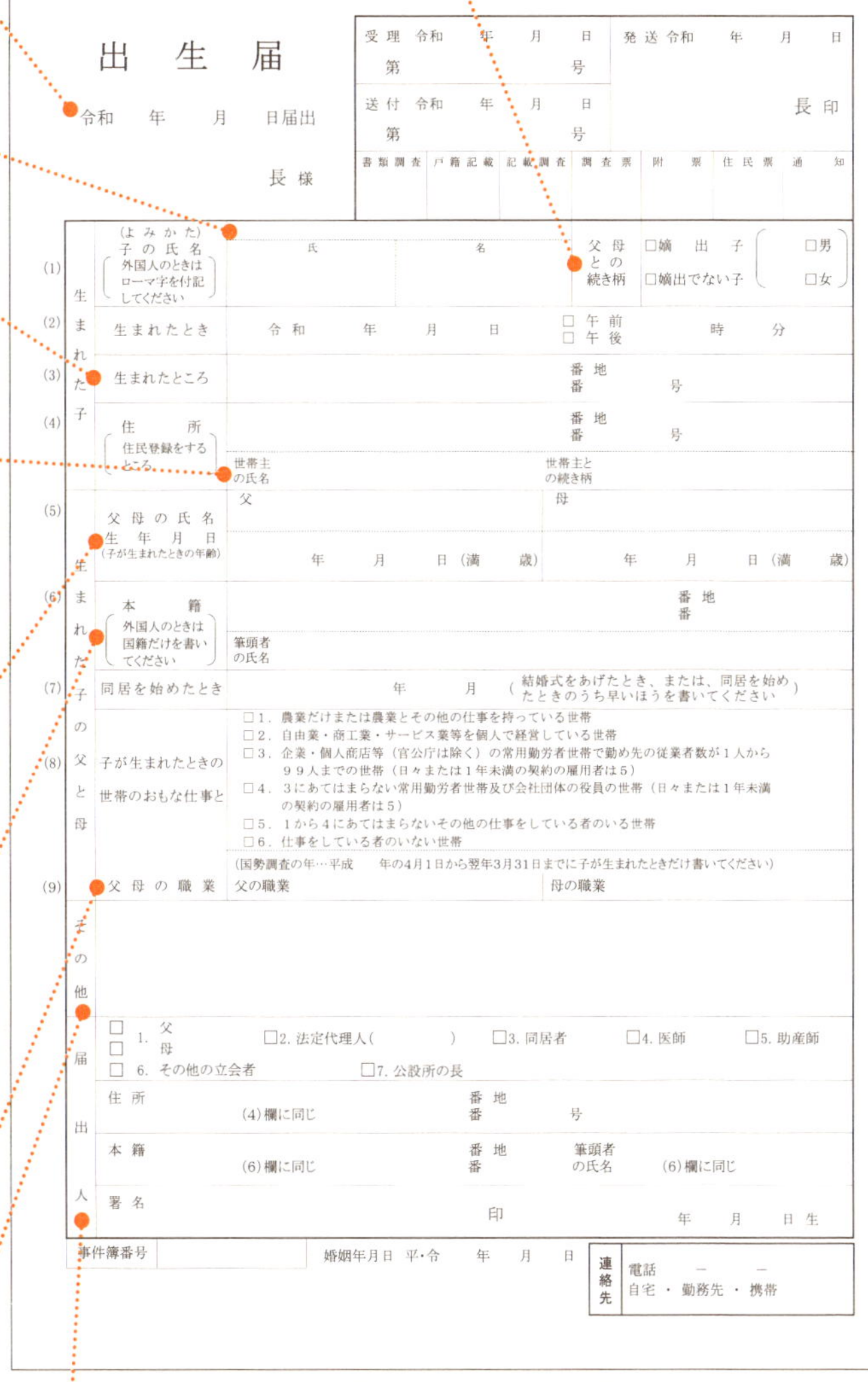

出　生　届

令和　年　月　日届出

長様

受理 令和　年　月　日 第　号
送付 令和　年　月　日 第　号
発送 令和　年　月　日
長印
書類調査 戸籍記載 記載調査 調査票 附票 住民票 通知

生まれた子
(1) (よみかた) 子の氏名 (外国人のときはローマ字を付記してください) 氏 名 / 父母との続き柄 □嫡出子 □嫡出でない子 (□男 □女)
(2) 生まれたとき 令和　年　月　日 □午前 □午後　時　分
(3) 生まれたところ 番地 番　号
(4) 住所 (住民登録をするところ) 番地 番　号 / 世帯主の氏名 / 世帯主との続き柄

生まれた子の父と母
(5) 父母の氏名 生年月日 (子が生まれたときの年齢) 父 / 母　年　月　日(満　歳) / 年　月　日(満　歳)
(6) 本籍 (外国人のときは国籍だけを書いてください) 番地 番 / 筆頭者の氏名
(7) 同居を始めたとき　年　月 (結婚式をあげたとき、または、同居を始めたときのうち早いほうを書いてください)
(8) 子が生まれたときの世帯のおもな仕事と
□1. 農業だけまたは農業とその他の仕事を持っている世帯
□2. 自由業・商工業・サービス業等を個人で経営している世帯
□3. 企業・個人商店等(官公庁は除く)の常用勤労者世帯で勤め先の従業者数が1人から99人までの世帯(日々または1年未満の契約の雇用者は5)
□4. 3にあてはまらない常用勤労者世帯及び会社団体の役員の世帯(日々または1年未満の契約の雇用者は5)
□5. 1から4にあてはまらないその他の仕事をしている者のいる世帯
□6. 仕事をしている者のいない世帯
(9) 父母の職業 (国勢調査の年…平成　年の4月1日から翌年3月31日までに子が生まれたときだけ書いてください) 父の職業 / 母の職業

その他

届出人
□1. 父 □母 □2. 法定代理人(　) □3. 同居者 □4. 医師 □5. 助産師 □6. その他の立会者 □7. 公設所の長
住所 (4)欄に同じ 番地 番　号
本籍 (6)欄に同じ 番地 番 筆頭者の氏名 (6)欄に同じ
署名　印　年　月　日生

事件簿番号　婚姻年月日 平・令　年　月　日
連絡先 電話 － － 自宅・勤務先・携帯

届出人

役所に実際に提出する人ではなく、「届出義務者」を書く。通常は父親か母親になる(→P437)。

出生届にまつわるQ&A

期限に間に合わないときや、海外出産の出生届などについて解説します。

Q 出生届を出したあとに間違いに気づいた！

A 出生届を出したあとに、漢字のミスに気づいたとしても、簡単に訂正できません。のちのち家庭裁判所に改名を申し立てることもできますが、その漢字を使うことで著しく生活をおびやかすとか、よほどの理由がないかぎり認められないのです（→P21）。

ただし、旧字を新字に変えるといった変更は容易です。旧字を新字に変更したい場合は、本籍地の役所で「文字更正の申し出」をすれば、新字体に変更できます（新字から旧字への変更は不可）。変更したことは戸籍上に記録として残ります。

なお、名前の読み方は変更可能です。出生届にふりがな欄はありますが、戸籍には読み方の記載はなく、改名とはみなされないからです。よほど非常識な読み方でないかぎり、役所に報告するだけで済ませられます。ただし、簡単に変更できるといっても、読み方をコロコロ変えるようなことは絶対に避けましょう。最初に真剣に考えて名づけをするのが親の務めです。

Q うっかり提出期限を過ぎてしまった！

A 提出期限の14日を過ぎてから届けた場合、役所で「戸籍届出期間経過通知書」に遅れた理由等を記入します。「届出期間経過通知書」は簡易裁判所に通知され、簡易裁判所の判断によっては５万円以下の過料を徴収されることもあります。

災害や事故などの不可抗力により提出できなかった場合は、「届出遅延理由書」を警察や医師に書いてもらって出生届と一緒に提出すれば、過料はとられません。

Q どうしても14日以内に名前が決まらない！

どうしてもという場合には、出生届の「子の氏名」欄を空欄にしたまま出生届を提出できます。そして名前が決まりしだい早急に「追完届」を提出して手続きをすれば、過料はとられません。

しかし、この場合、あとから名前を加えた記録が戸籍上に残るため、将来、子どもが戸籍を見たときの気持ちを考えると、あまりおすすめはできません。よほどのことがないかぎり、提出期限は守りましょう。

Q 日本国籍のない外国人が日本で出産した場合は?

A 外国人が日本国内で出産した場合は、所在地の役所の戸籍係に出生届を提出しなければなりません。

また、日本に長く滞在するなら外国人登録をしないと、定期検診や予防接種など、赤ちゃんの児童福祉に関係する諸サービスを受けられなくなる可能性があります。

Q 双子や三つ子の出生届はどう書くの?

A 出生届には赤ちゃんの名前の記入欄はひとつしかないので、1人の赤ちゃんに対し、1通ずつ出生届を提出します。双子なら2枚、三つ子なら3枚提出することになります。

Q シングルマザーの場合はどう書くの?

A 婚姻届を出していない状態で子どもが生まれた場合は、出生届の「父母との続き柄」欄の「嫡出子でない子」にチェックを入れます。父親が子どもを認知している場合は「父母の氏名」欄に父親の名前を記入し、認知していない場合は母親の名前だけ書きます。認知の有無に関わらず、子どもは母親の戸籍に入り、母親の姓を名乗ることになります。親権も母親にあります。

なお、認知届を提出すれば、子の戸籍に父親の名前が記載され、父親の戸籍にも子の名前が記載されます。

Q 海外で出産した場合は?

A その国にある日本大使館や領事館で用紙をもらい、出生証明書は、出産した病産院で発行してもらいます。これらを3か月以内に日本の戸籍に入るように提出します。届出先は、大使館か領事館、あるいは夫婦の本籍地の役所です(郵送可)。

なお、父親か母親が日本国籍なら、子どもも日本国籍を取得でき、アメリカなどのように、その国で生まれた者のすべてに国籍を与える国(出生地主義という)で出産した場合は、日本と出生地の両方の国籍を持つことになります(二重国籍。22歳までにいずれかの国籍を選択)。ただし、二重国籍の場合、出生届と同時に、国籍留保の意思表示をしないと、のちのち日本国籍が取得できなくなる可能性があるので注意が必要。出生届の「その他」欄に、「日本の国籍を留保する」と記入し、署名・捺印することで、国籍留保が可能になります。

いずれにしても海外での手続きは煩雑だったり、時間がかかったりします。あらかじめ現地の大使館などに手続き内容を確認し、早めに済ませましょう。

命名書の書き方

生後7日目に行われるお七夜で、「命名書」を飾って、親類などに子どもの名前をお披露目する習慣があります。ここでは「命名書」の書き方や飾り方を紹介します。

命名書とは

出生届は生後14日以内に出せばよいのですが、生後7日目の夜に行われる「お七夜」の席で、名前を発表するという習慣もあります。

お七夜は、赤ちゃんのすこやかな成長を願うとともに、赤ちゃんの名前を書いた「命名書」を神棚などに飾って親類一同にお披露目し、赤ちゃんが正式に社会の一員になることを認めてもらう儀式です。昔は、赤ちゃんの死亡率が高かったこともあり、生後6日目までは赤ちゃんは「神の子」とされ、7日目でようやく人間の子として認められる、という考え方があったからです。

現代のお七夜は、昔のようにたくさんの人を呼ばず、退院祝いも兼ねて、パパとママのふたり、あるいはそれぞれの親などを招いて内々でお祝いするのが一般的です。

お七夜も命名書も、あくまでも習慣として行われているだけで、必ずしも必要なわけではありません。それでも、わが子の誕生の記念として、祝宴の規模はともかく、何かしらお祝いをし、命名書を飾るというケースは多いようです。

飾る場所と時期

命名書は神棚か床の間に飾るのが正式です。神棚や床の間がない場合は、ベビーベッドの横や、赤ちゃんが寝ている部屋などに飾ります。

飾る時期は、習慣に従えば7日目の夜からです。しかし、その時期に名前が決まっていなければ、7日目以降でもかまいません。

命名書を下げる時期もとくに決まりはありませんが、一般的には生後1か月の「お宮参り」の時期までに下げることが多いようです。下げた命名書は、記念として大切に保管しておき、わが子が大きくなったときに見せてあげるのもいいと思います。

命名書は奉書紙（ほうしょがみ）や半紙に筆で書くのが正式ですが、最近はさまざまスタイルのものがあり、色紙に書くタイプや写真を挟めるタイプのもの、キャラクターものなども販売されています。業者に依頼して、オリジナリティのあるかわいい命名書をつくってもらうケースも増えています。形式にとらわれず、好みのものを選びましょう。

命名書の書き方のポイント

命名書は奉書紙に筆で書くのが正式ですが、半紙や色紙に書いたり、さまざまなデザインの専用の命名書に書くスタイルもあります。

正式

奉書紙に筆で手書きするのが正式。

筆で上手に書けない場合は、専門の業者に頼んだり、パソコンの毛筆体を利用して作成するケースも増えている。

奉書紙は文房具店で20円程度で購入できる。

書き方

❶奉書紙を横に二つ折りにし、折り目を下にして、さらに縦に3等分に折り、左右から折りたためるよううする。
❷折り目を下にして、三つ折りの中央の1/3スペースのなかで、中央に赤ちゃんの名前、その右側に父親の名前と続柄、左に生年月日を書く。
❸三つ折りの左側1/3スペースのなかに、命名年月日と両親（または名づけ親）の名前を書く。
❹左右を折って三つ折にし、上になる面に「命名」と書く。

裏

左	中央	右
令和〇年七月二十一日 山崎健太郎 直美	彩芽（あやめ） 令和〇年七月十五日誕生	山崎健太郎　長女

表

左	中央	右
命名		

略式

半紙や色紙、さまざまなデザインの専用の命名書に書くスタイル。

文字の記入も含め、業者に依頼するケースも増えている。

書き方

❶半紙や色紙の中央に赤ちゃんの名前を書き、その上に名前より小さい字で「命名」と書く。
❷左側に赤ちゃんの生年月日を書く。生年月日を右側に書くケースもある。

命名
彩芽（あやめ）
令和〇年七月十五日誕生

書き込み式

名前チェックシート

候補の名前はこの表に記入して、書きやすさ、読みやすさ、文字のバランス、姓名判断の結果など、さまざまな角度からチェックしましょう。一覧にしておけば、それぞれの名前を比較して、よりよい名前を選べます。名前の候補をたくさん書き込みたいときは、コピーしてお使いください。

	例	
姓名（読み・画数）	中（なか・4）沢（ざわ・7）彩（あや・11）花（か・7）	
書きやすさ	○	
読みやすさ	○	
漢字の意味	○	
文字のバランス	○	
性別のわかりやすさ	○	
聞き取りやすさ	○	
説明のしやすさ	○	
パソコン変換のしやすさ	○	
愛称	あやちゃん	
ローマ字表記（イニシャル）	NAKAZAWA AYA（N.A）	
姓名判断		

姓名判断	総格	外格	地格	人格	天格
例	29	11	18	18	11
例	○	◎	◎	◎	◎

メモ		

チェックシートの使い方

- 書きやすさ、読みやすさ、文字のバランスなどは○△×で記入します。Part1の「名づけで気をつけたい10のポイント」（→P22〜28）も参考に、客観的な視点でチェックしましょう。
- ローマ字表記は29ページで確認してください。
- 姓名判断については、Part5（P329〜400）を参照してください。
- メモ欄は、パパ・ママのお気に入り度や、そのほかの漢字の候補、気になることなど、自由にお使いください。

総格	外格	地格	人格	天格	総格	外格	地格	人格	天格	総格	外格	地格	人格	天格	総格	外格	地格	人格	天格	総格	外格	地格	人格	天格

姓名 読み 画数				
書きやすさ				
読みやすさ				
漢字の意味				
文字のバランス				
性別のわかりやすさ				
聞き取りやすさ				
説明のしやすさ				
パソコン変換のしやすさ				
愛称				
ローマ字表記（イニシャル）				
姓名判断	総格 外格 地格 人格 天格	総格 外格 地格 人格 天格	総格 外格 地格 人格 天格	総格 外格 地格 人格 天格
メモ				

総格	外格	地格	人格	天格	総格	外格	地格	人格	天格	総格	外格	地格	人格	天格	総格	外格	地格	人格	天格	総格	外格	地格	人格	天格

●監修者紹介　東伯 聰賢
［とうはく あきます］
1958年生まれ。日本大学法学部卒業後、金融機関に勤務。人間の本質とは、人生とはの答えを求め、占いの門をたたく。今雲珠寶（こん・じゅほう）氏に師事し、独立。姓名判断に易占、手相、九星気学、方位などを組み合わせた独自の東洋占い術で20年のキャリアを有す。東京の巣鴨や日本橋を拠点に鑑定中。監修書に『赤ちゃんのハッピー名前事典』『男の子のハッピー名前事典』『男の子名前事典』『女の子名前事典』（すべて西東社刊）がある。
連絡先：090-3819-7353
E-mail：touhaku@ezweb.ne.jp

●デザイン――mill design studio（原 てるみ、坂本真理、岩田葉子、星野愛弓）
●DTP――明昌堂
●カバーイラスト―東 ちなつ
●本文イラスト――青山京子　森 シホカ　福島 幸
●編集協力――三浦真紀　中谷 晃　みずのひろ　目黒智子　渡辺桃子　清水 香
●Webコンテンツ制作協力――いいな（iiner.com）

女の子のハッピー名前事典

●監修者――東伯 聰賢
●発行者――若松 和紀
●発行所――株式会社西東社
〒113-0034 東京都文京区湯島2-3-13
電話　03-5800-3120（代）
URL：https://www.seitosha.co.jp/

ISBN978-4-7916-1871-2